D1367795

HISTOIRE SOCIALE
DES IDÉES AU QUÉBEC

(1760-1896)

Yvan Lamonde

HISTOIRE SOCIALE
DES IDÉES AU QUÉBEC
(1760-1896)

VOLUME I

FIDES

Cet ouvrage a été publié grâce à une subvention de la Fédération canadienne des sciences humaines et sociales, dont les fonds proviennent du Conseil de recherches en sciences humaines du Canada.

Couverture : Charles Alexander, *L'assemblée des Six Comtés en 1837*, 1891, Musée du Québec.

Données de catalogage avant publication (Canada)

Lamonde, Yvan

Histoire sociale des idées au Québec, 1760-1960

L'ouvrage complet comprendra 2 vol.
Comprend des réf. bibliogr. et un index.
Sommaire : vol. 1. 1760-1896.

ISBN 2-7621-2104-3 (vol. 1)

1. Idées politiques - Québec (Province).
2. Québec (Province) - Conditions sociales - 18ᵉ siècle.
3. Québec (Province) - Conditions sociales - 19ᵉ siècle.
4. Culture politique - Québec (Province).
5. Québec (Province) - Civilisation.
I. Titre.

FC2920.I3L347   2000   320.5'09714   C99-941850-5
F1052.L347   2000

Dépôt légal : 4ᵉ trimestre 2000
Bibliothèque nationale du Québec
© Éditions Fides, 2000

Les Éditions Fides remercient le ministère du Patrimoine canadien du soutien qui leur est accordé dans le cadre du Programme d'aide au développement de l'industrie de l'édition. Les Éditions Fides remercient également le Conseil des Arts du Canada et la Société de développement des entreprises culturelles du Québec (SODEC).

IMPRIMÉ AU CANADA

À Micheline Duhaime

UN GOÛT DE CLAIRIÈRE

E N AMÉRIQUE ET AU QUÉBEC, le défi de faire reculer la forêt fut autant celui des découvreurs du XVIIᵉ siècle que des colons, jusqu'à l'ouverture de l'Abitibi au peuplement au XIXᵉ siècle. La forêt est ici la première confrontation fondamentale, la première résistance, le premier face à face. On la découvre, on s'y aventure, on y cherche des points de repère, on s'y perd, on s'y cherche comme en une expérience initiatique, on s'y retrouve, sur une clairière donnant bientôt sur un horizon.

Lorsqu'il y a trente ans je me suis demandé d'où je venais intellectuellement et que je me suis mis à chercher des pistes, des sentiers battus, des chemins, j'ai eu l'impression d'être dans la position d'un découvreur, c'est-à-dire confronté à une forêt plus ou moins vierge. Durant toute cette découverte et cette recherche intellectuelles, une image s'est imposée à moi et m'a soutenu : celle de la clairière. Le projet était de sortir du bois où je m'étais enfoncé, de trouver une éclaircie, de tomber sur une grande clairière, d'y voir clair. De clairière en clairière, me voici debout devant un horizon, avec en mémoire la forêt touffue et ses pistes. Ce récit est l'histoire du chemin parcouru, des marques et des balises mises en place pour que des lecteurs et d'autres explorateurs débouchent aussi sur des horizons.

Cette histoire est sociale en ce qu'elle entend rendre compte du circuit complet des idées, de leur production, de leur diffusion, de leur réception. Elle s'intéresse à l'appartenance sociale des individus qui formulent les idées (bourgeoisie francophone de professions libérales, clergé, bourgeoisie marchande anglophone, autorités coloniales et métropolitaines, citoyens), aux réseaux et aux médias qui diffusent les courants d'opinion et à la pénétration sociale des idées. Les chapitres II, V, XIII et XV, en particulier, analysent la trame des institutions et des moyens culturels qui assurent la diffusion des idées, des débats et des polémiques.

Les idées de cette histoire sociale sont des idées civiques plus que strictement politiques, celles qu'on retrace dans le discours des hommes publics, civils et religieux. Ces idées civiques réfèrent aux grands courants de pensée et d'opinion qui ont traversé les deux siècles considérés : monarchisme, républicanisme, démocratie, Révolution et contre-Révolution, loyalisme, colonialisme, libéralisme, conservatisme, ultramontanisme, « nationalisme », « philosophisme », anticléricalisme. Ce sont les trames de ces courants d'idées que je suis sur deux siècles. Même si référence est occasionnellement faite à la littérature, à la peinture et aux sciences, je ne prétends pas à une archéologie de la pensée québécoise à des périodes données, à l'identification d'une trame intellectuelle unique qui traverserait une époque donnée. Le projet n'est pas sans intérêt mais il n'était pas le mien.

Cette histoire sociale des idées au Québec commence en 1760 et se terminera, dans un deuxième tome, en 1960. Il y a bien sûr une histoire à faire des idées en Nouvelle-France — la forêt est là pour d'autres goûts, d'autres clairières — mais il est évident qu'en choisissant le début du régime colonial britannique je misais sur l'avènement du régime parlementaire et de l'imprimé pour retracer l'émergence d'une opinion publique. Ce faisant, je privilégie la culture bourgeoise, celle des individus instruits qui parlent, écrivent, laissent des traces dans de la correspondance, dans la presse ou dans des brochures. On ne trouvera donc pas ici une histoire de la culture populaire, rurale et urbaine, qui s'exprime dans le conte, la légende ou dans la culture matérielle, celle des objets, des costumes, de l'alimentation ou des motifs décoratifs. Il y a là des coins de forêt qui attendent la cognée...

Cette histoire sociale des idées au Québec, de la Conquête et de la Cession à la Révolution tranquille, est celle des francophones. On verra qu'il s'agit d'un choix pragmatique, car même si j'accorde beaucoup de place à la culture et aux institutions culturelles de la communauté anglophone, je laisse à d'autres le goût de nouveaux *clearings*...

L'histoire intellectuelle du Québec francophone sur deux siècles est aussi mise en rapport avec la situation internationale, en particulier avec ses anciennes mères patries et ses « métropoles » politico-culturelles : la France, l'Angleterre, les États-Unis et Rome. Je pense aussi que la présente histoire, tant par la comparaison des formes et institutions culturelles que par celle de leur contenu, pourra servir de modèle à d'autres histoires intellectuelles de régions du Canada sinon à une histoire intellectuelle du Canada même.

Je laisse souvent la parole aux contemporains, car même si l'histoire est toujours la construction d'un historien, il n'est pas inintéressant pour le lecteur d'avoir une idée des matériaux qui ont servi à cette construction. Les citations reprennent le texte original, autre façon de faire sentir la culture d'une époque par la langue parlée et écrite. Je suis retourné aux textes mêmes, aux documents originaux et le lecteur qui voudra lire un certain nombre d'entre eux pourra consulter l'anthologie que j'ai publiée avec Claude Corbo et qui s'intitule *Le rouge et le bleu* (PUM, 1999). J'ai eu recours à l'analyse quantitative pour fonder les tendances longues et plutôt que d'inclure quantité de tableaux statistiques dans le présent ouvrage je réfère aux tableaux publiés dans Yvan Lamonde et Claude Beauchamp, *Données statistiques sur l'histoire culturelle du Québec, 1760-1900*, Chicoutimi, Institut interuniversitaire de recherches sur les populations (IREP), 1996, 146 p.

Je remercie la fondation Killam qui m'a accordé une bourse qui m'a permis pendant deux ans de marcher à grandes enjambées vers la clairière. Je suis redevable aux archivistes, aux bibliothécaires et au Service du prêt entre bibliothèques de la bibliothèque McLennan de l'Université McGill de mille et un repères dans ma longue marche. Je remercie mon collègue Jean-Paul Bernard et l'évaluateur du Programme d'aide à l'édition savante de leurs commentaires éclairants.

* * *

Je renvoie le lecteur d'abord et avant tout aux sources manuscrites ou imprimées décrites dans les notes en fin d'ouvrage.

Chaque fois qu'il est possible, je donne aussi la référence à la collection de microfiches de l'Institut canadien de reproductions historiques (ICMH) de façon à permettre aux lecteurs québécois, canadiens et étrangers d'avoir accès aux documents via cette précieuse collection du patrimoine imprimé.

Les études en histoire culturelle et intellectuelle du Québec sont répertoriées depuis trois décennies dans les suivis bibliographiques suivants :

— Y. Lamonde, *L'histoire des idées au Québec (1760-1960). Bibliographie des études*, Montréal, BNQ, 1989, 167 p. ;
— *idem*, «L'histoire culturelle et intellectuelle du Québec (1960-1990): bibliographie des études», *Littératures*, 4 (1989): 155-189;

— *idem*, «L'histoire des idées au Québec (1760-1993). Premier supplément bibliographique et tendances de la recherche (1ʳᵉ partie)», *Cahiers d'histoire du Québec au XXᵉ siècle*, 3 (hiver 1995): 163-176; «L'histoire des idées... (2ᵉ partie)», *ibidem*, 4 (été 1995): 152-16; le deuxième supplément sera disponible en l'an 2000.

Des bilans successifs de l'histoire socioculturelle du Québec ont permis de dégager chaque fois l'évolution et les défis méthodologiques de ce domaine de la recherche historique. Le dernier en date, qui donne la référence aux bilans antérieurs, est celui d'Y. Lamonde, «L'histoire culturelle comme domaine historiographique au Québec», *Revue d'histoire de l'Amérique française*, 51, 2 (automne 1997): 285-299.

YVAN LAMONDE
Montréal, Saint-Ours-sur-Richelieu,
Baie-Saint-Paul, Orleans (Cape Cod)

LISTE DES SIGLES

AAQ	Archives de l'archevêché de Québec
ACAM	Archives de la chancellerie de l'archevêché de Montréal
ACSAP	Archives du Collège de Sainte-Anne-de-La Pocatière
ANC	Archives nationales du Canada
ANQM	Archives nationales du Québec à Montréal
ASN	Archives du Séminaire de Nicolet (aux Archives de l'Université du Québec à Trois-Rivières)
ASQ	Archives du Séminaire de Québec
ASSH	Archives du Séminaire de Saint-Hyacinthe
ASSM	Archives Saint-Sulpice de Montréal
BNQ	Bibliothèque nationale du Québec
BRH	*Bulletin des recherches historiques*
CD	*Cahiers des Dix*
DBC	*Dictionnaire biographique du Canada*
DC	*Documents relatifs à l'histoire constitutionnelle du Canada*
GM	*Gazette de Montréal*
GQ	*Gazette de Québec*
ICMH	Institut canadien de microreproductions historiques
JCABC	*Journal de la Chambre d'assemblée du Bas-Canada*
LJP	Louis-Joseph Papineau
MEM	*Mandements des évêques de Montréal*
MEQ	*Mandements des évêques de Québec*
PPBC	Parlement provincial du Bas-Canada
PUL	Presses de l'Université Laval
PUM	Presses de l'Université de Montréal
QMBM	Bibliothèque de la Ville de Montréal
RAPQ	*Rapport de l'archiviste de la Province de Québec*
RHAF	*Revue d'histoire de l'Amérique française*
RSCHEC	*Rapport de la Société canadienne d'histoire de l'Église catholique*

Première partie

1760-1815

Chapitre I

FRANÇAIS, ANGLAIS, AMÉRICAINS OU CANADIENS ? (1760-1815)

EN MAI, chaque année, les riverains du Saint-Laurent ont l'habitude de porter une attention particulière aux premiers vaisseaux qui remontent le fleuve après la disparition des glaces. En ce temps-là, l'apparition des premières voiles était le signe d'un recommencement.

« L'année des Anglais » (1759)

Le 19 mai 1759, les habitants du Bic, à l'est de Québec, sur la rive sud, furent intrigués par les premiers vaisseaux qui parurent à l'horizon ; progressivement, ils purent constater qu'ils ne battaient pas pavillon français. Le 25, des témoins confirmèrent avoir vu « cinquante voiles au Bike et dix à Lisle Verte ». C'était l'avant-garde d'une flottille anglaise sous les ordres du contre-amiral Durrell qui allait bientôt être rejointe, le 18 juin, par la flotte, partie d'Halifax et commandée par l'amiral Charles Saunders.

Dans la nuit du 18 au 19 juin, des feux de grève transmettent la nouvelle à Rivière-Ouelle et un courrier est dépêché à Québec. Le 20, la flotte est à Tadoussac, le 21 devant Kamouraska où l'on voit « 147 voilles ennemis [...] depuis lisle aux Basques jusqu'au bout de lisle aux Lièvres sur lesquels 14 depuis soixante jusqua quatre vingt canons, 16 fregattes depuis 26 canons jusqua 50 et le reste navires, senaux, bricantin, goelettes et bateaux ». Cette petite armada mouille devant l'Île-aux-Coudres le 23 et au nord de l'archipel de Montmagny le jour de la Saint-Jean-Baptiste. Les navires ne cessent de s'égrener au détour des îles et des îlets ; ils longent la côte de Charlevoix, cap au sud de l'île d'Orléans, avant de tourner bâbord et de s'engager dans l'étroit détroit, appelé la Traverse, qui permet un passage entre l'île d'Orléans et l'île Madame. La flotte course alors dans le chenal Nord et mouille devant Saint-Laurent de l'île. Des détachements débarquent sur l'île d'Orléans, à Beaumont sur la Côte-du-Sud, puis à la Pointe-Lévy devant Québec.

On a déjà commencé à évacuer les habitants de la Côte-du-Sud et à enrôler les hommes. Le général Wolfe émet une proclamation à Saint-Laurent de l'île d'Orléans le 28 juin dans laquelle il précise que ce « formidable armement » vise à « réprimer l'insolence de la France ». L'animosité entre les deux puissances ne pouvait être plus franchement rappelée. Wolfe assure la population de la « clémence royale » mais « si, par une vaine obstination et par un courage mal guidé, [les Canadiens] veulent prendre les armes, ils doivent s'attendre aux conséquences les plus fatales ; leurs habitations seront pillées, leurs églises exposées à une soldatesque exaspérée, leurs récoltes seront complètement détruites, et la flotte la plus formidable les empêchera d'avoir aucun secours[1] ».

Le 12 juillet, les premiers bombardements atteignent Québec. Trois mois plus tard, le 13 septembre 1759, les Anglais battent les Canadiens et les Français sur les « plaines d'Abraham ». Le 18, Québec capitule. Montréal fera de même, un an plus tard, le 8 septembre 1760. La Nouvelle-France n'est plus la Nouvelle-France.

L'opinion publique, les idées, les courants et les débats d'idées émergent dans la colonie d'Amérique du Nord britannique à la faveur de trois facteurs déterminants : la présence d'interlocuteurs de culture et d'appartenance sociale différentes, la mise en place, débattue, de formes politiques nouvelles — tout autant pour l'Occident que pour la colonie — et la création de médias, l'imprimerie et la presse, aptes à favoriser le débat et à laisser des traces de cette opinion publique naissante.

La conquête militaire de la Nouvelle-France par l'Angleterre, la succession des régimes politiques (Traité de 1763, Acte de Québec de 1774, Acte constitutionnel de 1791) au moment où l'Amérique (1776) et l'Europe (1789) connaissent des Révolutions, le choc des cultures politiques et les intérêts divergents des groupes sociaux suscitent une activité intellectuelle remarquable dont la Chambre d'assemblée, les brochures, les « gazettes » et les cafés deviennent les forums. C'est dans cette constellation que se formulent les idées de tolérance religieuse, de loyalisme, de « libertés anglaises ». L'opinion publique naît au Québec avec l'aspiration démocratique, avec le parlementarisme, avec l'éloquence religieuse et civile et avec l'imprimé.

Cette période inaugurée par une conquête militaire et animée par deux révolutions, sans parler de celles qui se déclarent dans les colonies américaines de l'Espagne et du Portugal, se termine avec la fin des guerres napoléoniennes en Europe et du blocus continental et avec la signature du traité de Vienne en 1815.

Réactions à la cession

La Nouvelle-France n'est donc plus la Nouvelle-France. Le Canada sera-t-il pour autant une Nouvelle-Angleterre ? La Grande-Bretagne gardera-t-elle ou négociera-t-elle sa nouvelle colonie ? Si elle la garde, quels moyens prendra-t-elle pour faire des Canadiens des sujets britanniques ?

Après la destruction du tiers des édifices de Québec et de quelques villages riverains du Saint-Laurent, les vainqueurs ont tout intérêt à chercher à bien traiter les conquis pour se les attacher. De fait, les conquérants témoignent à l'égard des conquis de « marques d'humanité » : don de solde de la part de soldats, obligation de déclaration des blés et réglementation des prix du bois de chauffage pour empêcher la spéculation. Malgré ces empressements, les inquiétudes des conquis à propos de leurs propriétés, de leur langue, de leur loi, de leur religion persistent ; les hésitations, les déceptions et les attentes prévalent. Les réactions s'expriment.

L'Église catholique, qui après la dispersion des Acadiens en 1755 avait prévenu la population que l'avance des Anglais pourrait alors signifier l'introduction dans la colonie des « erreurs détestables de Luther et de Calvin » et qu'il fallait « préserver ces vastes contrées contre l'hérésie », montre tôt des signes de reconnaissance envers le gouverneur Murray, ce « charitable et généreux bienfaiteur[2] ». Le couronnement et le mariage de George III donnent lieu à des témoignages de soumission et à la célébration. Les autorités religieuses demandent aux curés des paroisses de chanter un *Te Deum* et rappellent aux paroissiens que « le Dieu des armées qui dispose à son gré des couronnes et qui étend ou restreint selon son bon plaisir les limites des empires, nous ayant fait passer selon ses décrets éternels sous la domination de Sa Majesté Britannique, il est de notre devoir, fondé sur la loi naturelle même, de nous intéresser à tout ce qui peut la regarder[3] ». L'évêque de Québec, Mgr Briand, qui remercie le Roi de la protection de la religion catholique et qui pense que les Anglais « sont nos maîtres et [que] nous leur devons ce que nous devions aux Français lorsqu'ils l'étaient », est homme et prêtre de son époque, d'Ancien Régime : il prêche l'alliance entre le Trône et l'Autel, entre le pouvoir politique et le pouvoir religieux. Il écrit au major Abercrombie : la puissance séculière « doit se prêter au soutien de la religion, comme la puissance ecclésiastique à faire rendre aux peuples le respect et l'obéissance qu'ils doivent aux princes et aux supérieurs[4] ». La position de l'Église à l'égard du pouvoir politique était formulée pour deux siècles.

Au moment où, vraisemblablement, on apprend la signature du traité de Paris (10 février 1763), l'évêque de Québec demande à tous les curés de chanter un *Te Deum* en action de grâces pour le bienfait de la paix. Le dimanche suivant la réception de ce mandement, tous les curés lisent la directive épiscopale aux paroissiens : « Soyez exacts à remplir les devoirs de sujets fidèles et attachés à leur prince ; et vous aurez la consolation de trouver un roi débonnaire, bienveillant et appliqué à vous rendre heureux, et favorable à votre religion. [...] Rien ne peut vous dispenser d'une parfaite obéissance, d'une scrupuleuse et exacte fidélité, et d'un inviolable et sincère attachement à votre nouveau Monarque et aux intérêts de la nation à laquelle nous venons d'être agrégés[5]. » Quelques jours plus tard, un récollet écrit à l'évêque : « J'ai chanté le *Te Deum*, selon votre mandement, *oculis lacrymantibus* », les larmes aux yeux[6]. La soumission ne se fait donc pas pour autant sans regrets. Mais le sentiment français doit s'effacer devant le sentiment catholique. Tenant compte des bonnes dispositions premières des Anglais à l'égard de la religion, le cardinal Castelli écrit de Rome à l'abbé de l'Isle-Dieu : « De leur côté, il faudra que les ecclésiastiques et l'évêque oublient sincèrement [...] qu'ils sont Français[7]. » Dans l'esprit et l'intérêt de l'Église, la religion avait priorité sur la langue et la culture. Telle allait être la trame de l'histoire de l'Église catholique au Canada français : alliance de l'État et de l'Église, loyalisme envers les autorités constituées, primauté de la religion sur d'autres caractéristiques culturelles.

Les notables mettent un peu plus de temps à prendre position face aux nouveaux conquérants. En juin 1762, les « principaux » habitants de Québec assurent le gouverneur et le roi de leur fidélité, reconnaissant le souverain « si nécessaire à ses peuples et dont le gouvernement est si doux pour ses nouveaux sujets, qu'ils ne font pour ainsi dire plus qu'une même patrie[8] ». À la suite de la signature du traité de Paris, les bourgeois de Québec s'adressent au gouverneur et au roi, qui les a traités comme un père et comme ses anciens sujets : « La voilà donc descendue du Ciel cette paix si désirée. [...] Nous sommes agrégés sans retour au corps des sujets de la Couronne d'Angleterre. Tels sont les décrets de l'Être Suprême. C'est à nous de nous y conformer et d'être aussi fidèles sujets de notre nouveau monarque, que nous l'avons été, ou dû être du Roi de France[9]. »

Malgré ces témoignages de soumission, les attentes personnelles et populaires demeurent. Le gouverneur Haldimand estime, en avril 1763, que la moitié de la population ne croit pas que la paix soit véritablement faite[10] ; on croit que les traités renverseront la situation. Une religieuse de l'Hôpital général de Québec confie à un personnage de la Cour de France : « on ne peut, Monseigneur, dépeindre au naturel la douleur et l'amertume qui s'est emparée de tous les cœurs à la nouvelle de ce changement de domination ; on se flatte que quelque révolution que la Providence suscitera nous remettra dans nos droits[11] ». Pour sa part, mère d'Youville fait difficilement son deuil de la France : « Nous nous étions flattées que la France ne nous abandonnerait pas, mais nous nous sommes trompées dans notre attente. » La religieuse sera davantage déçue en 1765, alors que la France ne remboursera les anciens billets d'ordonnance qu'à 25 % de leur valeur ; elle confie : « [...] après avoir été traités durement ici, nous le sommes encore là[12] ».

Les réactions à la conquête militaire du pays par les Anglais révèlent une mentalité d'Ancien Régime. La population civile et religieuse a toujours vécu sous la monarchie absolue et elle connaît alors un changement de monarque, « si nécessaire à ses peuples ». Les notables mêmes voient dans cet événement les « décrets de l'Être Suprême » tandis que l'Église voit l'action de la Providence ou du « Dieu des armées » dans les changements de « couronne », « d'empires » ou de « maîtres » et fait de l'alliance du Trône et de l'Autel et de l'obéissance au Prince le credo de ses positions politiques. Mais, comme les notables l'ont deviné, le défi est de savoir si les « nouveaux » (les Canadiens) et les anciens (les immigrants britanniques) sujets « font pour ainsi dire plus qu'une même patrie ». Quelles institutions politiques la métropole anglaise et protestante, ennemie de Paris et de Rome, peut-elle offrir ou concéder à cette nouvelle colonie d'Amérique du Nord très majoritairement française et catholique ?

Dans un premier temps, la colonie est régie par un traité militaire, le traité de Paris, signé le 10 février 1763 ; symptomatiquement, seul l'article 4 touche le Canada et il concerne la religion : « que les nouveaux sujets puissent professer le culte de leur religion selon le rite de l'Église romaine, en tant que le permettent les lois de la Grande-Bretagne ». Cette tolérance religieuse est réitérée dans d'autres documents, qui précisent toutefois qu'il convient de surveiller les prêtres français et leur intrusion possible dans les affaires politiques et qu'il ne peut y avoir dans la colonie aucune forme d'autorité religieuse étrangère, papale. La Proclamation royale du 7 octobre 1763 pourvoit à l'administration de la colonie, confie le pouvoir au gouverneur et à son Conseil et laisse entendre, à l'adresse de futurs colons britanniques, que des « assembées » pourront être convoquées... lorsque les circonstances le permettront. Des instructions au gouverneur Murray précisent l'obligation du serment du Test (non-reconnaissance du pape, de la Vierge, des saints et de la transsubstantiation) pour accéder à des postes civils, magistrature, jury ou autres fonctions. L'exigence est manifestement un obstacle pour les catholiques[13].

Quelle forme de gouvernement ? L'Acte de Québec (1774)

Des pressions internes et externes à la colonie s'exercent bientôt sur Londres, qui doit considérer la meilleure forme de gouvernement à donner à ses colonies d'Amérique, régies par un simple traité militaire. Dans les colonies au Sud, le « Sugar Act » de 1764 a soulevé la question de la légitimité de la métropole de taxer les colonies et a révélé un enjeu fondamental pour ceux qui adhèrent aux « libertés anglaises » : « no taxation without representation ». Le « Stamp Act » de 1765, bien que rappelé en 1766, a néanmoins contribué à la création des « Sons of Liberty » dans les colonies au Sud.

Dès 1768, le gouverneur Carleton, bien pénétré des libertés anglaises et soucieux de l'appui des seigneurs de la colonie, a conçu un « plan féodal », tout en notant que l'aristocratie terrienne canadienne ne serait jamais l'aristocratie terrienne britannique :

> D'un autre côté, les Canadiens qui appartiennent à la classe élevée ne craignent rien tant que les assemblées populaires qu'ils ne croient bonnes qu'à rendre le peuple insoumis et insolent. Leur ayant demandé leur opinion à ce sujet, ils répondent qu'ils avaient été informés que quelques-unes de nos colonies avaient encouru le déplaisir du roi par suite des désordres auxquels leurs assemblées ont donné lieu et qu'ils se considéreraient bien éprouvés si un tel malheur devait leur arriver. Il n'est peut-être hors de propos de faire

remarquer maintenant que la forme de gouvernement britannique implantée sur ce continent ne produira jamais les mêmes résultats qu'en Angleterre, pour la raison majeure que la dignité du trône et du corps des pairs ne saurait permettre la représentation de ces hiérarchies dans les forêts de l'Amérique.

Attentif aux particularités de l'Amérique, Carleton est peu favorable à l'octroi d'une démocratie parlementaire :

> [...] une Chambre d'assemblée qui saurait faire valoir toute sa force dans un pays où les hommes sont presque tous égaux, devrait donner une forte impression aux principes républicains. Je demande humblement à la grande sagesse des Conseils de Sa Majesté de décider jusqu'à quel point l'esprit d'indépendance de la démocratie est compatible avec un gouvernement subordonné à la monarchie britannique et si les notions irrésistibles d'une telle institution doivent être développées dans les circonstances actuelles au sein d'une population si récemment conquise[14].

Les autorités coloniales prennent donc appui sur l'Église catholique et sur les seigneurs pour différer l'octroi à la colonie de certaines libertés métropolitaines. D'autant plus qu'il n'y a pas en Amérique une importante aristocratie terrienne qui, comme dans la Chambre des Lords anglaise, puisse constituer le pivot d'un système de contrepoids entre « *the crown and the country* ». Il faut donc être prudent avant de concéder des institutions qui peuvent prendre une orientation inattendue en Amérique. Vu de Londres, le défi était de taille : devait-on concéder à des Américains, Français, catholiques de surcroît et récemment conquis, ces libertés dont l'Angleterre était si fière ?

Des pétitions commencent alors à être acheminées au gouverneur de la colonie. Des marchands anglophones demandent l'établissement d'une Chambre d'assemblée dans laquelle seuls des sujets protestants pourraient être élus. Ce projet paradoxal avait peu de chance de succès : il suggérait qu'une minorité puisse imposer sa façon de faire à une majorité, dévalorisant du même coup le sens premier des libertés anglaises. Les projets politiques se multiplient, entre le massacre de Boston de mars 1770 et le « Boston Tea Party » de décembre 1773. En octobre 1773, une quarantaine d'Anglais s'organisent en Comité et font circuler une pétition, en novembre, en faveur d'une Chambre d'assemblée :

> Comme vous paraissez avoir à cœur les véritables intérêts de ce pays, nous prenons la liberté de vous soumettre un projet de pétition que les habitants anglais ont décidé de présenter au lieut.-gouverneur. La population en

général (Français comme Anglais) est d'avis qu'une Assemblée bien qu'il y ait désaccord quant à sa constitution, rendrait les plus grands services à la colonie. Nous composons le comité des habitants anglais dont les idées à ce sujet sont très modérées. Ils désirent une Assemblée, parce qu'ils savent que c'est le seul moyen sûr de concilier les nouveaux sujets avec le gouvernement britannique, de favoriser le développement de la colonie et de garantir aux habitants la paisible possession de leurs droits et de leurs propriétés. Néanmoins ils n'ont pas l'intention d'imposer leur volonté[15].

Les Canadiens, différemment des immigrants britanniques qui ont déjà fait l'expérience des «libertés anglaises», n'ont connu que la monarchie de droit divin mais ils constituent la très grande majorité de la population. Leur hésitation devant les projets des «anciens sujets» a aussi d'autres raisons que leur peu de familiarité avec les institutions britanniques:

> M. McCord s'est efforcé durant l'été et aussi depuis la formation d'un comité, d'induire les Canadiens à s'unir aux anciens sujets pour demander une Chambre d'assemblée; il s'est servi à cette fin de tous les arguments dont il a pu disposer et s'est adressé à un gentilhomme canadien de cette ville pour obtenir une traduction française du premier projet de pétition qui a été préparé. Les Canadiens de Québec et de Montréal craignant que l'intention des promoteurs du projet ne fût de les pousser de l'avant afin de faire agréer leur demande et de leur refuser ensuite leur part de privilèges, refusèrent leur concours[16].

Fin décembre 1773 et début janvier 1774, 150 pétitionnaires, parmi lesquels on retrouve sept ou huit Canadiens francophones, dont Pierre du Calvet, rappellent au roi l'intention de la Proclamation royale de 1763 de convoquer des assemblées «lorsque les circonstances le permettront». Sans donner d'avis sur la composition d'une telle assemblée, ils croient le moment venu de l'établir:

> En conséquence, vos pétitionnaires après avoir résidé dans cette province et s'être familiarisés avec l'état des affaires dans cet endroit, étant convaincus qu'une Assemblée générale contribuerait à encourager et à favoriser l'industrie, l'agriculture et le commerce et (c'est leur espoir) à faire naître la bonne entente et l'harmonie entre les anciens et les nouveaux sujets de Votre Majesté[17].

Le conseiller Frances Masères, qui transmet la pétition à Lord Dartmouth, secrétaire d'État aux colonies, favorise plutôt un Conseil élargi qu'une Chambre d'assemblée, qui sera de mise, selon lui, lorsque la colonie sera davantage anglicisée et « protestantisée »[18]. Dartmouth, qui a soumis un projet de loi à la Chambre des Lords le 2 mai 1774, se dit convaincu que « les dispositions à prendre à l'égard du gouvernement de Québec ne doivent subir aucun retard » et que son projet « fera disparaître les difficultés qui ont si sérieusement embarrassé » l'autorité coloniale[19], en particulier depuis le traumatisant « Boston Tea Party » de décembre 1773, qui accélère, dans une des colonies du Nord, l'aboutissement d'un processus d'une dizaine d'années.

L'Acte de Québec est sanctionné le 22 juin 1774 et doit entrer en vigueur le 1er mai 1775. Le texte français et anglais de la loi sort des presses de William Brown et le texte français paraît le 8 décembre 1774 dans la *Quebec Gazette / Gazette de Québec* que Brown et Gilmore avaient fondée en 1764. Cette première loi constitutionnelle encadre donc environ 80 000 « nouveaux » sujets et 2000 « anciens » sujets. Nombre oblige.

Le pouvoir demeure dans les mains du gouverneur qui s'entoure d'un Exécutif nommé par lui. La métropole garde le contrôle sur la colonie et considère comme hâtif l'établissement d'une Chambre d'assemblée. En maintenant le système seigneurial, la coutume de Paris et les lois françaises, il est manifeste que l'autorité politique entend prendre appui sur les seigneurs dont sept font partie du premier Conseil. Seigneurs, autorités locales et métropolitaines partagent les mêmes valeurs et les mêmes intérêts : croyance dans la monarchie, fidélité au roi, appui de l'aristocratie, union de l'État et de l'Église.

La loi constitutionnelle reconnaît à l'Église catholique la liberté de culte « en tant que le permet la suprématie du Roi », le droit de perception de la dîme qui assure la viabilité des cures et des curés et elle se contente d'exiger un serment d'allégeance plutôt que le serment du Test. Mais l'Église comme institution perd sa reconnaissance légale : « les sujets canadiens [...], à l'exception seulement des ordres religieux et des communautés, pourront conserver la possession et jouir de leurs propriétés et biens ». Façon pour le pouvoir politique de s'assurer de la loyauté de l'Église, fragilisée dans ses propriétés et ses institutions comme les hôpitaux, les collèges, les couvents mais surtout dans ses seigneuries vastes et nombreuses[20]. Comme personne légale, l'Église est tolérée mais peut toujours faire l'objet d'une confiscation de ses biens immobiliers.

La dispense du serment du Test donne, en principe, accès à des postes publics à une bourgeoisie marchande et de professions libérales, peu nombreuse. Les paysans continuent d'être taxés (rentes seigneuriales, dîmes) sans avoir droit à quelque forme de représentation.

Les plus déçus sont les marchands britanniques : comme marchands, ils perdent les avantages du seul droit anglais devant la mise en place d'un droit civil français et d'un droit criminel anglais ; comme Britanniques familiers des libertés anglaises, ils ne trouvent dans l'Acte de Québec aucune mention de l'établissement prochain d'une Chambre d'assemblée, de la garantie de l'*habeas corpus* (droit de ne pas être détenu sans procès) et du droit à un procès avec jury[21].

À Londres, à la Chambre des Lords et aux Communes, la réaction avait été vive lors des débats sur le projet de loi de 1774. L'enjeu était de taille : comment, en effet, tenir compte de l'héritage de la Glorieuse Révolution de 1688 et faire place à une autre culture dans le système impérial, sans s'aliéner tous les sujets : les anciens, minoritaires mais puissants, les nouveaux, fortement majoritaires mais conquis et peu familiers avec les institutions britanniques ? Comment faire des Britanniques de ces nouveaux sujets catholiques et francophones ? Pouvait-on être britannique sans être anglais et protestant ? À peine un siècle après 1688, la question de la religion avait soulevé une tempête aux Communes, au point de briser toute ligne de parti et de faire éclater l'opposition au projet de loi. On comprenait mal, dans les milieux politiques et dans la presse britanniques, cette reconnaissance du catholicisme « papiste » dans une colonie de l'Angleterre, habituée à la prédominance anglicane. Fox, le grand orateur du parti whig, avait espéré que l'esprit de tolérance prévalût, « growing wise enough, growing Christian enough, growing philosophic enough to hold principles of toleration[22] ». Le solliciteur général Wedderburn alla à l'essentiel ; pour lui, la tolérance était politiquement toujours moins risquée que l'intolérance :

> The safety of the state can be the only just motive for imposing any restraint upon men on account of their religious tenets. The principle is just but has seldom been justly applied ; for the experience demonstrates that the public safety has been often endangered by these restraints, and there is no instance of any state that has been overturned by toleration. True policy dictates then that inhabitants of Canada should be permitted freely to profess the worship of their religion [...][23].

Il était clair, alors, pour les Anglais tout comme pour l'Église catholique coloniale, mais pour des raisons différentes, que l'enjeu était d'abord religieux, et secondairement culturel ou linguistique.

Le gouverneur Carleton, consulté par la Chambre des communes, était d'avis que les Canadiens ne désiraient pas de Chambre d'assemblée ni de procès avec jury, ce en quoi il fut systématiquement contredit par Masères qui pensait que les Canadiens voudraient ces institutions à plus ou moins brève échéance. De Lotbinière pensait que les Canadiens voulaient une Chambre d'assemblée et qu'ils devraient en faire partie; mais c'était trop, en même temps, que de soulever le problème d'une Chambre d'assemblée dans une colonie britannique, Chambre qui puisse, de surcroît, être majoritairement composée de catholiques francophones.

L'opposition parlementaire fit ses choux gras de la survivance du droit français, qui compliquait la vie coloniale, et de la question des frontières, susceptible à la fois de déplaire aux colonies au Sud et de favoriser l'établissement de papistes en Amérique du Nord. La loi fut adoptée, mais le *London Evening Post* du 15 octobre 1774 alla jusqu'à publier, en vue des élections générales anglaises, une «liste noire» de ceux qui avaient voté en faveur de l'Acte de Québec. Le nombre des Canadiens de religion catholique avait obligé la métropole à se montrer conciliante; il n'en restait pas moins qu'il s'agissait là d'évidentes concessions constitutionnelles à la politique impériale et d'une politique d'émancipation des catholiques dont ne bénéficiaient alors ni les Anglais ni les Irlandais catholiques.

Alors que la fin de la guerre de Sept Ans avait créé des espoirs de paix entre Londres et les colonies au Sud et que la preuve avait été faite des succès du protestantisme contre le «papisme», l'alliance de la métropole et de la colonie au Sud paraissait scellée sur la question religieuse; les sermons et les manifestations des protestants américains radicaux le répétaient à satiété: «no popery». Les colonies au Sud, qui avaient manifesté par le «Boston Tea Party», en décembre 1773, leur opposition aux situations de monopole créées par Londres, avaient vu d'un mauvais œil la passation, en juin 1774, de l'Acte de Québec. Celui-ci avait déplu non seulement en raison de la reconnaissance de la religion catholique, mais tout autant par l'absence d'octroi d'une Chambre d'assemblée et par le retour aux anciennes frontières qui entamaient le territoire des colonies au Sud. Il n'est donc pas surprenant que le premier Congrès continental, qui se réunit à Philadelphie en septembre et en octobre 1774, dans le but de proposer la formation d'une milice et d'une association qui veilleraient à appliquer des sanctions économiques contre la Grande-Bretagne, eût à l'égard de la «Province of Quebec» une attitude parfois paradoxale, quand, de surcroît, le Canada pouvait servir de base pour une invasion des colonies au Sud par l'armée britannique.

L'année des « Bastonnois » (1775)

Après avoir connu, par sa première Constitution, certains avantages de la Glorieuse Révolution de 1688, la colonie britannique d'Amérique du Nord se retrouva au cœur d'une guerre d'Indépendance, d'une autre « révolution », continentale celle-là, et qui allait être suivie par la révolution en France. On ne pouvait être davantage dans le maelström des révolutions atlantiques.

En 1774, les Colonies du Sud choisissent de s'adresser aux Britanniques de la métropole et aux Canadiens directement en leur expédiant messages et émissaires ; mais leurs réserves à l'égard de l'Acte de Québec expliquent que le message aux Canadiens et aux Britanniques de la métropole ait été différent. Et cette différence, pour ne pas dire cette duplicité, en dit long sur leurs intentions réelles.

Leur première adresse est destinée *To the People of Great Britain* (21 octobre 1774) auquel on rappelle l'importance des libertés et droits anglais qu'il faut maintenir même à « 300 ou 3000 miles du palais royal ». On y déplore à nouveau l'Acte du Timbre, symbole d'un « unconstitutional and injust scheme of taxation ». Mais l'adresse s'en prend surtout à l'Acte de Québec, néfaste pour les immigrants britanniques qui voient la perte du procès avec jury et de l'*habeas corpus* et leur religion menacée par le papisme ; on craint que les Canadiens « be fit instruments in the hands of power, to reduce the ancient free Protestant Colonies to the same state of slavery[24] ». Les messages adresssés aux Canadiens par les Colonies au Sud tairont ces critiques complaisamment faites aux Britanniques...

Avant d'envahir le Canada le 5 septembre 1775, les colonies réunies à Philadelphie font parvenir quatre messages aux Canadiens. Le premier Congrès continental prend les moyens de sa politique et engage un imprimeur français de Philadelphie, Fleury Mesplet, pour imprimer en français la *Lettre adressée aux habitans de la Province de Québec* (26 octobre 1774). On y insiste sur le droit légitime des Canadiens à un gouvernement démocratique : « le peuple a part dans son gouvernement par ses représentans choisis par lui-même et est par conséquent gouverné par des loix de son approbation et non par les édits de ceux sur lesquels il n'a aucun pouvoir». L'adresse énumère d'autres droits légitimes : procès avec jury, *habeas corpus*, possession de ses terres, liberté de presse, Chambre d'assemblée, pouvoir de taxer, séparation des pouvoirs, et invite les Canadiens à s'unir «à une cause si juste», précisant que «votre Province est le seul anneau qui manque pour compléter la chaîne forte et éclatante de leur union[25]». Le propos est repris dans un message (21 février 1775) de Samuel Adams expédié au nom du Congrès du Massachusetts, dans une seconde adresse imprimée par Mesplet, *Lettre adressée aux Habitans Opprimés de la Province de Québec* (29 mai 1775), qui évoque l'intervention possible de la France au côté des Américains et l'espoir de ne pas avoir à traiter les Canadiens en ennemis. Une adresse (2 juin 1775) du Comité de correspondance du Congrès de New York se fait rassurante sur les manœuvres militaires autour du lac Champlain, au moment où le gouverneur Carleton émet une proclamation (9 juin 1775) ordonnant la mise sur pied des milices. Les adresses des Américains sont lues dans le privé ou à haute voix, pour les analphabètes, dans les cafés et les auberges, dans les marchés publics, sur les perrons d'églises ou durant les assemblées de paroisses, et le message est répercuté dans les campagnes par les marchands anglais favorables aux libertés et aux droits[26].

L'Église catholique s'inquiète de ces menées. Mgr Briand publie le 22 mai 1775 un mandement «au sujet de l'invasion américaine du Canada» qui, après avoir souligné la bonté du roi et la bienfaisance du gouverneur lors de l'Acte de Québec, prescrit aux paroissiens :

> Vos serments, votre religion, vous imposent une obligation indispensable de défendre de tout votre pouvoir votre patrie et votre Roi. Fermez donc, Chers Canadiens, les oreilles, et n'écoutez pas les séditieux qui cherchent à vous rendre malheureux, et à étouffer dans vos cœurs les sentimens de soumission à vos légitimes supérieurs, que l'éducation et la religion y avaient gravés. [...] La voix de la religion et celle de vos intérêts se trouvent ici réunies, et nous assurent de votre zèle à défendre nos frontières et nos possessions[27].

M. Montgolfier, sulpicien et grand-vicaire à Montréal, publie aussi une circulaire le 13 juin sur la signification à donner au «rétablissement des milices» :

> Toujours attentif à combler d'honneur et de bien la province qui lui est confiée, Son Excellence Monsieur le général Carleton ajoute aujourd'hui à ses premiers bienfaits une nouvelle faveur, en rétablissant les milices de cette province. C'est un moyen efficace pour entretenir dans nos paroisses l'ordre

et la police parmi vos habitants; et c'est en même temps une marque d'estime et de confiance dont il honore tous les particuliers de la province, et surtout ceux qu'il établit dans les charges militaires, et qu'il ne veut choisir qu'autant qu'ils seront agréables au public. Je ne doute pas qu'à cette occasion il ne grave dans tous les cœurs une reconnaissance proportionnée à ce bienfait[28].

L'invasion militaire débute en septembre 1775 par le lac Champlain et le Richelieu, sous le commandement du général Schuyler, et se solde par la capitulation (12 novembre) de Montréal, qui vivra sous l'occupation américaine pendant les huit mois suivants. Pendant ce temps, le général Arnold emprunte la rivière Chaudière, s'installe devant Québec où le rejoint le général Montgomery en décembre. Le siège est difficile et l'arrivée de la flotte anglaise devant Québec le 6 mai 1776 sauve la capitale et la colonie tandis que l'armée américaine se replie vers Ticondéronga le 18 juin.

Durant ces dix mois d'occupation, les messages politiques des Américains se multiplient: Schuyler invite les Canadiens à ne pas prendre les armes contre les Américains, le général Washington propose aux Canadiens de se ranger «sous l'étendard de la liberté générale», le général Montgomery assure les Montréalais, lors de la capitulation, de la sécurité de la religion, Mesplet publie une autre adresse (24 janvier 1776) du Congrès *Aux Habitans de la Province du Canada*, expliquant «que votre liberté, votre honneur et votre bonheur sont essentiellement et nécessairement liés à l'affaire malheureuse que nous avons été forcés d'entreprendre pour le soutien de nos privilèges[29]». Benjamin Franklin fait même un court séjour à Montréal le 29 avril 1776.

Les armes avaient certes scellé le sort des armées «yankees» mais les mots avaient aussi prévenu les populations contre les idées des Américains. *The Quebec Gazette/La Gazette de Québec*, propriété de l'Américain Brown mais tributaire du gouvernement, était restée fidèle à la Couronne durant la guerre. Pour leur part, Mgr Briand et M. Montgolfier avaient clairement fait savoir que les rebelles seraient «indignes des sacrements et de la sépulture ecclésiastique, s'ils venaient à mourir les armes à la main[30]». Un mandement de l'évêque de Québec du 31 décembre 1775 «au sujet des rebelles durant la guerre américaine» constitue un condensé de la théologie politique contemporaine et à venir de l'Église catholique dans la colonie:

Votre rebellion, aussi contraire à la religion qu'au bon sens et à la raison, méritait déjà des châtiments exemplaires et rigoureux, du côté du prince dont vous n'avez reçu jusqu'ici que des marques signalées d'une bonté extraordinairement rare dans un vainqueur puissant, et à laquelle aucun de nous ne s'attendait, bonté qui ne vous a fait connaître le changement de domination que par un mieux-être.

[...] Ils [Les rebelles] vous ont en conséquence représenté [l'acte de Québec] comme un attentat à votre liberté, comme tendant à vous remettre dans l'esclavage, à la merci de vos Seigneurs et de la noblesse; ils vous ont promis l'exemption des rentes seigneuriales, et vous avez aimé cette injustice; et que vous ne paieriez plus de dîmes, et vous n'avez pas eu horreur de cette impie et sacrilège ingra-titude envers le Dieu, sans la bénédiction duquel ni vos champs ne seraient fertiles ni vos travaux ne réussiraient.

[...] Eussiez-vous tenu longtemps contre la séduction, vous que l'on peut dire, sans faire injure, savoir très peu votre religion et être dans une ignorance crasse de presque tous les points de votre foi et de toutes les preuves qui la rendent certaine, et qui d'ailleurs, comme des fanatiques et des misérables insensés et déplorables aveugles, vous étiez fait un principe de ne plus écouter la voix de ceux qui vous sont donnés de Dieu pour être vos conducteurs, vos guides, votre lumière et les défenseurs de votre foi.

[...] Jésus-Christ, qui a dit positivement que quiconque n'écoutait pas ses ministres qu'il a envoyés pour instruire le monde et gouverner son Église, c'était lui-même qu'on n'écoutait pas; qu'en résistant aux prêtres et en les méprisant, c'était à lui qu'on résistait, c'était lui qu'on méprisait[31] [...].

Ce mandement, lu dans toutes les églises de la colonie, dit bien ce qui fut craint dans la propagande des Américains : la perte de pouvoir des autorités constituées et la perte des moyens de ce pouvoir : la soumission, la rente seigneuriale et la dîme ecclésiastique. Après le dieu des guerres, on faisait appel au dieu des champs et à l'autorité du prêtre, qui est analogiquement de même nature que celle de Jésus-Christ : résister aux prêtres, c'est résister à Jésus-Christ.

On comprend le ton de ce mandement quand on sait jusqu'à quel point l'autorité religieuse avait été contestée. Mgr Briand écrit à un curé : « mon autorité n'est pas plus respectée que la vôtre : on dit de moi comme on dit de vous que je suis Anglais[32] ». Trente ans plus tard, Mgr Plessis se plaira à penser : « Lord Dorchester reconnut publiquement que c'étoit le clergé catholique qui avait conservé au Roi la Province de Québec [...].

Cette conduite fortifia la confiance du Gouverneur pour l'Évêque et le Clergé et reserra les liens qui les unissaient déjà[33].»

La propagande américaine avait trouvé des individus réceptifs. Des paysans s'étaient plaints de curés qui se mêlaient trop d'affaires politiques ; d'autres avaient interrompu un prédicateur, considérant que «C'est trop longtemps prêcher pour les Anglais» ; des habitants s'étaient emparés du presbytère d'un curé trop loyaliste[34]. À Montréal, quarante signataires avaient témoigné de leur adhésion à la démarche et aux idées des Américains[35]. L'aide des Canadiens aux troupes américaines avait pris de multiples formes : fourniture de vivres, de blé, de farine, d'échelles, corvées, voiturage, montée de la garde, cache d'espions, transmission de messages par feux riverains. Mais, au total, comme l'indique l'enquête menée par messieurs Baby, Taschereau et Williams dans 54 paroisses, de Trois-Rivières à Kamouraska, de mai à juillet 1776, les miliciens volontaires (2000) furent plus nombreux que les «mauvais sujets» (environ 500). 2500 adultes sur une population de 90 000 habitants des deux sexes et de tout âge, c'est peu mais suffisant pour montrer la neutralité, au mieux la neutralité «bienveillante» des Canadiens face aux envahisseurs. Mais durant 18 mois, des idées nouvelles avaient circulé : gouvernement représentatif, imposition fiscale mais par ses représentants, abolition de la rente des seigneurs et de la dîme des curés, liberté de presse. Connues des Anglais de la colonie, ces idées l'étaient moins des Canadiens français ; mais elles constituèrent une initiation à autre chose qu'à la monarchie de droit divin ou même qu'à la monarchie constitutionnelle. Au total, les Canadiens étaient restés ambivalents face à la sollicitation américaine. Que pouvaient en effet attendre ces ex-Français nouvellement conquis par l'Angleterre de ces «Bastonnois», qui leur parlaient d'idées nouvelles et qui pourraient devenir, aussi, leur deuxième nouveau conquérant ?

Mais les idées démocratiques avaient fait leur chemin. Le gouverneur Carleton écrivait en 1777 :

[...] ce peuple n'a pas été gouverné d'une manière assez ferme depuis plusieurs années, qu'il s'est trop pénétré des idées américaines d'émancipation et d'indépendance propagées par les nouveaux adeptes d'une faction turbulente de cette province, pour le faire revenir promptement à la pratique d'une juste et désirable subordination[36].

Le témoignage de l'évêque, en 1790, corroborait la perception du gouverneur :

Si, depuis 1775, cette ardeur s'est ralentie dans certains endroits de la Province, si l'on ne trouve pas toujours le même empressement, la même soumission à l'autorité publique, n'a-t-on pas droit de s'en prendre au progrès qu'a fait parmi nos Canadiens l'esprit de liberté et d'indépendance, amené d'abord par la circulation des manifestes des Anglo-Américains, au commencement de la dernière guerre, et répandu depuis par la multiplication et la licence de nos gazettes et par la liberté des conversations sur les affaires politiques[37] ?

Pétitions en faveur d'une Chambre d'assemblée (1774-1789)

Les marchands anglophones de la colonie ne tardent pas à redemander le rappel de l'Acte de Québec, qui leur déplaît singulièrement. En novembre 1774, ils adressent une pétition à la Chambre des communes et à la Chambre des Lords pour déplorer l'absence de l'*habeas corpus* et du procès avec jury dans la colonie. En 1778, ils proclament un «mécontentement général» tel qu'ils envisagent de «changer leur forme actuelle de gouvernement» pour un «gouvernement libre au moyen d'une assemblée ou des représentants du peuple[38]». Le gouverneur Haldimand ne voit pas le projet d'un très bon œil; pour lui, l'octroi d'une Chambre d'assemblée représente les prémices à une annexion aux États-Unis, qui viennent de faire leur indépendance. Pragmatique, il prépare plutôt une ordonnance pour établir l'*habeas corpus* (1784) et le procès avec jury (1785), non sans avoir connu l'odieux de certaines situations arbitraires, dont celle que dénonce Pierre du Calvet dans son *Appel à la Justice de l'État* de 1784[39].

La pression se fait plus forte en 1784 lorsque des marchands et des gens de profession francophones se joignent aux anglophones pour réclamer des droits :

Il ne faut pas que les ministres se mettent dans la tête de nous amuser par des palliatifs et des lénitifs. Nous ne serons satisfaits que lorsque le parlement nous aura fait raison en nous faisant part de tous les droits et les privilèges des Anglais; et pourquoi non ? Nous sommes sujets de l'Angleterre à mêmes titres qu'eux. Les ministres s'imagineront peut-être que ce n'est pas ici la voix du Canada, mais seulement le langage que quelques têtes échauffées par l'esprit de parti et de faction. Eh bien! nous serons charmés d'en venir à l'essai pour les éclairer. Dans le courant de l'été prochain nous nous faisons forts de faire signer la requête par la généralité des paroisses du Canada, excepté quelques nobles et quelques ambitieux avides de places, affamés de salaires et d'émoluments, à ces titres rampants auprès des grands mais dont nous sommes résolus à n'être plus les dupes... La Liberté, Messieurs, La Liberté à tout prix [...][40].

Des comités se forment à Montréal et à Québec, regroupant anciens et nouveaux sujets. Le 24 novembre 1784, 2291 signataires — 855 anciens sujets, 1436 nouveaux sujets dont 384 de Québec — expédient une pétition au roi demandant une Chambre d'assemblée élue par les anciens et les nouveaux sujets et divers autres droits. Parmi les signataires de Québec et de Montréal, on trouve Pierre-Stanislas Bédard, père de Pierre Bédard, Jean-Guillaume Delisle, l'homme d'affaires Pierre Foretier, l'instituteur Louis Labadie, l'imprimeur de la *Montreal Gazette/Gazette de Montréal*, Fleury Mesplet, Joseph Papineau, père de Louis-Joseph qui naîtra deux ans plus tard, le dramaturge Joseph Quesnel, Denis Viger, père de Denis-Benjamin, et Jacques Viger, père de Jacques Viger, futur premier maire de Montréal[41].

L'unanimité ne règne pourtant pas. Les seigneurs, favorisés par l'Acte de Québec, font imprimer par Fleury Mesplet 200 exemplaires de leurs *Objections à la pétition de novembre 1784*, endossées par 2400 signatures — curieusement obtenues ; ils agitent la question des taxes « inutiles et préjudiciables à la colonie » que pourrait lever une éventuelle Chambre d'assemblée[42]. La hiérarchie catholique fait chorus à cette opposition :

> Une Colonie naissante, un Peuple très-imparfaitement instruit des Loix et constitutions Britanniques, ne croit pas devoir inconsidérement demander des Loix et Coûtumes à lui inconnues ; il doit au contraire [...] s'en rapporter entièrement à la Bienveillance de Son Auguste Souverain, qui sait mieux le Gouvernement qui convient à ses Sujets et les Moyens les plus propres à les rendre heureux. Qu'il nous soit permis seulement d'assurer Votre Majesté que nous ne participons en aucune Manière aux Démarches de Vos Anciens Sujets, conjointement avec quelques Nouveaux, dont le Nombre, en Regard à celui qui compose notre Province, ne peut avoir beaucoup d'Influence[43].

Les réformistes canadiens — notaires, avocats, marchands et boutiquiers — se réjouissent des effets de l'*Appel à la Justice de l'État* (1784) de Pierre du Calvet, qui fait appel à l'opinion publique et dénonce, du point de vue des droits et libertés, l'arbitraire du régime mis en place par l'Acte de Québec ; ils se félicitent de « l'Union si parfaite » des membres des divers comités[44]. De son côté, Mesplet appuie le projet de constitution et ouvre aux pétitionnaires les pages de sa *Gazette* qui reparaît en août 1785. Mais des membres du Conseil exécutif du gouverneur élaborent d'autres scénarios. C'est le cas de Hugh Finlay, directeur général des Postes, qui pense que «la masse des Canadiens sont encore incapables de juger de cette affaire» et dont le bonheur tient à leur religion et à l'absence de taxes. Il précise: «Nous pourrions angliciser complètement le peuple par l'introduction de la langue anglaise. Cela se fera par les écoles gratuites et en ordonnant que, après un certain nombre d'années, toutes poursuites devant nos tribunaux soient instruites en anglais[45].» Ce scénario était promis à tout un avenir.

Le 20 octobre 1789, quelques mois après la prise de la Bastille à Paris, Lord Grenville, le secrétaire d'État à l'Intérieur, confie secrètement au gouverneur de la colonie, Lord Dorchester:

> Je suis assuré qu'il est d'une sage politique de faire ces concessions à un moment où l'on peut regarder celles-ci comme autant de faveurs et où il est en notre pouvoir de régler et d'arrêter la manière de les appliquer, plutôt d'attendre qu'elles vous soient imposées[46].

Dans la dépêche officielle datée du même jour, il prend position sur une question laissée irrésolue jusque-là, le mode de composition de la future Chambre d'assemblée:

> [...] toutes les raisons politiques semblaient rendre désirable que l'énorme prépondérance dont jouissent les anciens sujets du roi dans les districts d'en-haut et les Canadiens-Français dans ceux d'en-bas se manifestât et eût ses effets dans des législatures différentes, plutôt que de fusionner ces deux portions du peuple [...][47].

Le nombre obligeait donc. L'aristocratie terrienne des seigneurs étant quantitativement négligeable, la représentation basée sur un cens électoral et sur la propriété foncière ne pouvait que concerner la majorité des propriétaires fonciers, c'est-à-dire les Canadiens[48]. Mais ce plan de constitution nouvelle que Grenville élabore depuis l'été de 1789 ne sera soumis au Parlement de Londres qu'au printemps de 1791.

L'année des Français (1789)

Exposé à la Révolution de 1688 par sa métropole et à la Révolution américaine par les sollicitations des colonies du Sud en 1774 et 1775, le Canada est à nouveau interpellé par une Révolution qui bouleverse l'ancienne mère patrie. Si les échanges entre le Canada et la France s'avèrent moins denses depuis la Conquête, ils n'en sont pas pour autant inter-rompus. Les correspondances des familles, du clergé, des institutions et communautés religieuses permettent aux Canadiens d'être tenus au cou-rant des affaires françaises. Mais surtout, les trois journaux publiés dans la colonie, les *Gazette* bilingues de Québec et de Montréal et le *Quebec Herald*, tiennent leurs lecteurs informés des affaires internationales avec un retard de trois mois.

Dès avril 1789, les journaux informent la colonie de la tenue d'états généraux en France et la prise de la Bastille du 14 juillet 1789 est connue dans la colonie au début d'octobre[49]. La presse est favorable aux événe-ments qui se déroulent en France, et ce jusqu'à la fin de 1792. La *Quebec Gazette/Gazette de Québec*, qui est proche du gouvernement colonial et qui s'alimente dans la presse britannique, se félicite de ce que la France se donne enfin une constitution comme l'Angleterre l'a fait un siècle aupa-ravant. De janvier à mars 1792, *La Gazette de Québec* publie d'ailleurs le texte de la nouvelle Constitution française. Le journal ne manque pas de rappeler que le roi de France, qui avait aidé les Américains en 1776, mérite peut-être son sort. La *Gazette* publie à l'occasion des textes sur l'esprit des Lumières (19 août 1790) ou sur l'abolition de la féodalité (20 et 27 janvier 1791) et son propos général est bien indiqué le 31 mars 1791 : « Il y a à présent seize mois que les Français vivent sous un gouvernement libre, et jouissent de la libertté de la presse, et dans ce court espace la raison a fait plus de progrès, et les esprits se sont plus éclairés qu'ils n'auraient probablement fait durant un siècle avant la Révolution. »

La *Gazette de Montréal* est plus radicale et Mesplet, qui la dirige, déploie une inventivité remarquable à suggérer les similitudes de situations entre la France et le Canada et à proposer pour la colonie les solutions que trouve la Révolution. Le journal hebdomadaire valorise à pleines colonnes les Lumières et les bienfaits de la raison (« qu'ils examinent tout ») de même que l'exercice de la liberté et des droits : « Allons, Monsieur, courage et persévérance. Pensez que nous ne sommes plus en 1779, et que pour respirer il n'est plus nécessaire aujourd'hui comme alors de feindre l'igno-rant, de flatter la Noblesse et d'encenser le Clergé ; de se montrer hypo-crite, adulateur et rampant. Non : l'homme qu'il faut en 1790 doit con-naître les droits que lui donne la nature, savoir en jouir, et les défendre[50]. » Mesplet et son rédacteur Valentin Jautard dénoncent d'abord et avant tout la religion et la « clergie » et en appellent à une séparation du temporel et du spirituel :

Les curés ont leurs devoirs particuliers, qu'ils s'y renferment, et ils ne s'exposeront pas à être le ridicule du public entier. [...] nous sommes nous-mêmes dupés par notre clergé. Souvent il veut nous faire accroire mille choses, qui ne viennent guère de plus loin que de leurs bouches ; ils se font parmi les ignorants [...] une réputation sacrée. Livrez-vous quant au spirituel à vos curés, il n'est que juste ; c'est votre devoir, aussi bien que le leur. Mais pour le temporel, ne vous laissez pas aveuglément entraîner par leurs conseils. Encourageons l'étude des Belles Letres, et cette feinte suprématie du clergé va s'évanouir[51].

La *Gazette* publie le 16 septembre 1790 le décret de nationalisation des biens du clergé et se montre favorable à sa constitution civile. Le journal dénonce aussi la féodalité et les seigneurs canadiens qui s'opposent par tous les moyens au projet d'une Chambre d'assemblée pour la colonie.

L'Église catholique prend la mesure des événements mais confine pour l'instant au privé son opposition à la Révolution. Le grand vicaire Brassier, sulpicien, écrit à Mgr Hubert, l'évêque de Québec : « Les gazettes d'Europe influent beaucoup sur l'esprit des citoyens de Montréal ; ils prêchent partout la liberté et l'indépendance. Messieurs nos marguilliers veulent aujourd'hui gouverner l'Église, non seulement pour le temporel mais pour le spirituel, déjà ils mettent la main à l'encensoir[52]. » De Paris, un ecclésiastique informe Mgr Briand :

Vous n'ignorez pas sans doute, cher et respectable oncle, la révolution qui s'est opérée en France par le moyen de la philosophie, l'anarchie, le trouble, la division qui la désolent depuis 3 ans. Elle est totalement changée [...], elle est bouleversée cul par-dessus tête [...] on ne l'y connaît plus [...]. Sans entrer dans le détail des crimes et des abominations dont le récit vous ferait horreur, sans vous parler des attentats commis contre la personne sacrée du roi et sa famille respectable, sans vous parler des ruisseaux du plus pur sang des Français que nos philosophes inhumains ont fait couler, je vous dirai seulement en abrégé l'histoire de nos malheurs qui fera à jamais la honte et l'opprobre de la nation française [...][53].

La perception de la Révolution commence à se modifier à la fin de 1792 ; un correspondant écrit à la *Gazette de Québec* : « Voilà donc les dignes fruits de la Philosophie moderne, aussi bien que l'Esprit d'innovation ou plutôt de vertige qui au lieu de tenter avec prudence la Réforme des abus quand il s'en rencontre, tranche tout sans discernement et renverse jusqu'aux fondements antiques et toujours respectables de l'État social et Religieux [...][54]. »

L'année des Canadiens (1791)

Dès le mois d'octobre 1789, la position du ministre d'État à l'Intérieur, Lord Grenville, face aux revendications d'une Chambre d'assemblée, avait été communiquée au gouverneur Dorchester. Londres craignait alors de nouvelles sollicitations des Américains auprès des Canadiens sinon de nouvelles attaques, et la meilleure garantie contre toute propagande républicaine paraissait être l'octroi d'une instance représentative qui manquait à la colonie et que la France venait de se donner de façon encore plus radicale qu'aux États-Unis. À la Chambre des communes, gouvernement et opposition s'entendaient pour reconnaître qu'une Chambre d'assemblée coloniale avec pouvoir de taxation allégerait de surcroît la métropole de dépenses annuelles de 100 000 livres sans compter les sommes affectées au gouvernement militaire. Demandes internes des Canadiens et des Britanniques, pressions externes en Amérique et en France, intérêt politique et économique de la métropole expliquent la décision de Londres, après 30 ans d'observation et de concessions.

Présentée au Parlement au printemps 1791, une nouvelle loi constitutionnelle est sanctionnée le 10 juin avec entrée en vigueur le 26 décembre. Elle prévoit la division de la colonie en deux sections, le Bas et le Haut-Canada, avec chacune une Chambre d'assemblée où «l'énorme prépondérance dont jouissent [...] les Canadiens-Français dans [les districts] d'en-bas se manifestât [...]». Dès 1789, Grenville avait vu et voulu que cette Chambre d'assemblée puisse un jour compter une majorité de représentants franco-catholiques, de députés d'une culture différente. Nombre, démocratie et «sagesse politique» obligeaient.

Londres demeurait bien la métropole avec son droit de désaveu de toute loi coloniale jusqu'à deux ans après sa passation au parlement colonial. Le gouverneur, symbole de la monarchie, s'entourait d'un Conseil exécutif de neuf membres nommés par lui. Un Conseil législatif de 15 membres nommés par le gouverneur devait continuer à faire place à l'élément aristocratique... et à des conseillers anglophones: ceux-ci occuperont, de 1792 à 1814, 68 % des postes et 78 % du budget du Conseil. Symbole de la branche démocratique, la Chambre d'assemblée compte 50 députés et ouvre la colonie à la démocratie parlementaire, trente ans après le traité de Paris qui avait laissé entendre que des «assemblées» pourraient être convoquées quand «les circonstances le permettront[55]».

Les seigneurs et le clergé catholique ne peuvent se réjouir de cette loi qui entame sérieusement le pouvoir aristocratique de ces propriétaires terriens et qui laisse entendre que le pouvoir, en partie du moins, ne vient pas de Dieu mais du peuple. À peine la loi sanctionnée, un prêtre du Séminaire de Québec écrit à un confrère de Paris : « Ceux qui selon moi pensent un peu sont très fâchés de ce changement car il y a plusieurs de nos farault Canadiens et beaucoup d'Anglais admirateurs de l'assemblée nationale qui parlent déjà d'établir les droits de l'homme comme principe de loix[56]. »

Les tenants d'une Chambre d'assemblée doivent dorénavant préparer son établissement et son fonctionnement et envisager une première élection dans un pays qui ne connaît point ces usages. Dès janvier 1792, réunis à la taverne Frank's à Québec, des citoyens fondent le Club constitutionnel pour généraliser la connaissance de la Constitution britannique et faciliter l'apprentissage des règles des assemblées délibérantes. On y débat et discute. Alexandre Dumas, homme d'affaires et avocat, y fait un « discours » rassurant à propos de la religion et des taxes et dénonciateur de ceux, les seigneurs, qui, par « état, fortune ou chimérique qualité » veulent tromper les habitants. Il rappelle qu'un « peuple ignorant [...] se laisse sangsuer sans résistance » et invite « ceux qui désirent d'être instruits » de lire ou de se faire lire la Constitution et les gazettes. Dans l'esprit des objectifs du Club constitutionnel, un certain Solon publie dans *La Gazette de Québec* et dans *La Gazette de Montréal* une analyse du contenu de la nouvelle Constitution, analyse que l'imprimeur John Neilson remet en circulation sous forme de brochure. Solon insiste : « Nous regardons comme étant du devoir des Curés, des Seigneurs, des Notaires, Maîtres d'école et Marchands instruits, de répandre nos productions parmi le peuple, de les lire, de les expliquer, de manière que jouissant d'une constitution libre, il n'en ignore pas la valeur et la nature[57]. »

Protes et pressiers chez Neilson et chez Mesplet s'activent : les gazettes ne manquent plus de nouvelles locales. À Québec, Neilson a, dans ses formes, les caractères d'extraits des règles et procédures de la Chambre des communes de la Grande-Bretagne. Déjà des commandes pour des feuilles volantes ou des brochures électorales arrivent.

La première élection des « représentants » aura lieu à l'été 1792. Le suffrage, sans être universel, est très général : votent les Canadiens de naissance ou naturalisés de 21 ans, propriétaires, dans les campagnes, de biens fonciers d'une valeur minimale de 2 livres, ou, dans les villes, propriétaires de biens de 5 livres ou locataires payant un loyer annuel de 10 livres. Peu de chefs de familles — mâles pour la très grande majorité — sont ainsi exclus et l'électorat des campagnes pèsera de tout son poids dans l'élection de députés. Les Canadiens de 21 ans qui sont conseillers législatifs, ministres de l'Église d'Angleterre ou de l'Église catholique romaine, ou encore ceux qui sont reconnus coupables de trahison ou de félonie n'ont pas le droit de vote[58].

La campagne électorale de 1792 consacre la formation d'un espace public par des débats à propos de « l'intérêt public » ou du « bonheur public ». L'opinion publique naît de cette discussion publique dans diverses « publications » et de cette « publicité » que se donnent les candidats dans les gazettes ou dans la quinzaine de feuilles volantes et de brochures qui circulent lors de la campagne électorale. On y explique ce qu'est la « représentation », on y décrit les qualités que doivent avoir les représentants, le fonctionnement d'une élection, on insiste sur la nécessité de voter et sur la circonspection à avoir face aux promesses des candidats. Les enjeux sociaux se révèlent rapidement : qui peut prétendre mériter le pouvoir que le peuple souverain doit déléguer ? Les seigneurs, avec leurs droits et privilèges, qui ont fait des lois qui les avantagent ? Les négociants qui spéculent toujours un peu au hasard et qui feraient de même avec les affaires publiques, mais dont « l'intérêt d'union » avec le peuple est plus évident que celui du seigneur avec ce même peuple ? L'avocat qui fait habituellement sa fortune sur la ruine de ses clients ? Le « mécanique » ou l'artisan dont le génie permettrait de faire autant des lois que des « machines » ? Le laboureur qui nourrit le genre humain et est « l'âme de l'État » ? Tel est le contenu d'un *Dialogue sur l'Intérêt du Jour entre plusieurs Candidats et un électeur libre et indépendant...* qui paraît en mai 1792 et qui se termine par cette « sentence » : « Celui qui cherche à vous leurrer par politesse, traitement, et autres manières pas usitées avant l'époque de la nouvelle Constitution, il veut vous acheter pour vous vendre. » Dans Charlesbourg, l'élection est même contestée et donne lieu à une « conversation » entre un candidat et un électeur peu averti des nouvelles règles politiques et pour qui l'élection est une fête où l'on prend un coup et où un vote est un possible objet d'échange. Le candidat finit par le persuader : « Le pays ne vaut pas la peine d'être défendu à force d'armes, si nous n'y sommes pas bien par les lois. Vous voyez que si on livre une place dans la Chambre pour de l'argent, ce n'est pas moins trahir le pays, que si on livre un poste à l'ennemi en temps de guerre[59]. »

Aux premières élections, 51 candidats — il y a une élection complémentaire — sont élus comme représentants de 11 circonscriptions urbaines et de 39 rurales. Seize britanniques sont élus, huit en milieu urbain et huit en milieu rural; ils constituent 31 % de la Chambre d'assemblée alors qu'ils forment moins de 10 % de la population de la colonie. Des 35 Canadiens élus, 32 le sont dans une circonscription rurale, trois dans un comté urbain. Trente marchands, en particulier du secteur du commerce des fourrures, forment 58 % de la députation, qui compte aussi neuf seigneurs, neuf membres de professions libérales et trois artisans. Plus de 50 % des députés sont propriétaires d'une seigneurie, signe de l'importance de la richesse foncière auprès de la population rurale. Mais il est aussi évident que, dès les premières élections, la prépondérance numérique des Canadiens s'est manifestée, comme l'avait prévu et voulu Grenville[60].

Cette situation détermine alors l'orientation d'une question laissée jusque-là en suspens, celle de la langue, qui se pose, en décembre 1792, à l'occasion du choix de l'orateur et du statut de la langue d'usage et de publication des débats de la Chambre. En ces premières heures du parlementarisme, la discussion sur le choix de l'orateur est haute en couleur. À la proposition d'élire Jean-Antoine Panet, on oppose l'idée selon laquelle l'orateur doit parler la langue du roi et connaître la Constitution britannique. Les tenants du candidat Panet arguent que le roi signe des traités dans toutes les langues, que Jersey et Guernesey sont francophones et que Panet, avocat, connaît la Constitution britannique. De stratégie en stratégie, Panet est enfin élu, à 28 voix contre 18. L'orateur rassure tout de suite la députation anglophone en déclarant au lieutenant-gouverneur, au nom de la Chambre : « C'est une satisfaction bien grande pour nous d'avoir l'occasion de joindre nos éloges et notre admiration pour le système du Gouvernement de la Grande-Bretagne, qui lui donne une supériorité et un avantage si décidé sur les autres Nations[61]. »

Le débat sur la langue d'usage à la Chambre est plus houleux. Plaidant en faveur de l'unité de la langue dans l'Empire, le député John Richardson propose que seul l'anglais soit considéré légal. Joseph Papineau fait la contre-proposition d'une reconnaissance des deux langues tandis que Pierre-Amable de Bonne propose que les « motions » soient traduites dans l'autre langue mais que les projets de lois (bills) sur le droit criminel soient présentés en anglais et que ceux concernant le droit civil le soient en français, le texte devant être, dans chaque cas, traduit avant discussion.

En Chambre, le seigneur Taschereau se moque un peu de son collègue Richardson qui a fait voyager les députés dans l'Empire en leur faisant faire «le tour du globe sans qu'ils puissent débarquer nulle part parce qu'ils ne parlent pas l'anglais»! Le seigneur de Lotbinière fait valoir que l'unité de la langue dans l'Empire ne garantit pas pour autant la fidélité au roi. La presse s'empare aussi de la question et le débat devient assez vif. Le 23 janvier 1793, la loi est enfin votée (20 pour, 14 contre): les textes des *motions* seront «mis dans les deux langues» et tout député pourra présenter un projet de loi dans sa propre langue, la traduction des textes étant exigée avant tout débat[62]. Donéravant, la langue, tout autant que la religion, allait occuper le devant de la scène publique. De catholique qu'elle était depuis 1763, la colonie devenait aussi manifestement francophone. Si certains songeaient à la protestantiser, d'autres allaient penser à l'angliciser.

La Terreur (1793) et la tradition contre-révolutionnaire

Une nouvelle percutante touche Québec au moment de la passation de la loi sur la langue à l'Assemblée: Louis XVI a été décapité le 21 janvier 1793 et la France a déclaré la guerre à l'Angleterre le 1er février. Les tensions entre l'ancienne et la nouvelle mère patrie vont affecter la colonie jusqu'à leur atténuation en 1815 tandis que se met en place un courant d'idées susceptibles de renforcer l'appui de la colonie et des Canadiens, en particulier à la monarchie.

Très tôt, les autorités coloniales font connaître leur opposition à la France ennemie et à la Révolution régicide. Sortir de la monarchie absolue, certes, mais de la monarchie, point. Le 25 avril, le lieutenant-gouverneur incite à prendre tous les moyens pour «harasser» les vaisseaux français et ruiner le commerce de la France. Deux jours plus tard, la Chambre d'assemblée vote unanimement l'adresse suivante au lieutenant-gouverneur et au roi:

> Nous, les fidèles et loyaux sujets de Sa Majesté représentants du peuple du Bas-Canada [...] assurons votre excellence que c'est avec horreur que nous avons appris que le forfait le plus atroce et le plus déshonorant pour la Société a été commis en France. Et c'est avec peine et indignation que nous sommes maintenant informés que les personnes qui y exercent le pouvoir suprême ont déclaré la guerre contre Sa Majesté.

Le Conseil législatif emboîte le pas, suivi du juge en chef Smith, qui observe :

> Cet ennemi est la bande de Démocrates, qui sous prétexte de donner la liberté à la France, a trouvé moyen de conduire son Roi à l'échafaud, et a inondé son Royaume du sang de plusieurs milliers de ses concitoyens.

> Il est néanmoins possible que les séductions de nos ennemis trouvent moyen de placer ici des instruments propres à agir avec succès sur les ignorants. C'est pourquoi nos concitoyens, et spécialement les grands Jurés, feront bien de veiller sur les discours des uns et des autres, afin de mieux découvrir la diffusion de ce poison, qui a converti l'un des plus beaux royaumes d'Europe en un pays le plus misérable de la terre [...][63].

La suspicion s'installe.

L'autorité met aussi en circulation une propagande contre-révolutionnaire : de 1793 à 1812, huit livres ou brochures font voir les souffrances du roi et de l'Église et les « horribles effets de l'anarchie et de l'impiété ». En 1793, le gouvernement fait imprimer 150 exemplaires d'une « Vue de la guillotine » et de la mort de Louis XVI qui frappe l'imagination[64].

Rien n'est laissé au hasard. À la vieille rivalité franco-anglaise et à la suspicion croissante s'ajoute une « mentalité de garnison » qui fait voir çà et là des agents et des espions de la France. Ceux-ci sont peu nombreux mais il suffit d'un cas, comme celui du « citoyen » Genet, pour exacerber les craintes. Ministre de la Révolution aux États-Unis, Genet réussit, en juin 1793, à faire passer au Bas-Canada une adresse tirée à 350 exemplaires, *Les Français libres à leurs frères canadiens,* dans laquelle il propose aux Canadiens de les « rendre aussi libres que nous ». Il est temps, selon lui, « de renverser un trône où se sont trop longtemps assises l'hypocrisie et l'imposture ». Le message est relayé à Montréal par Mesplet et ses amis de la *Gazette de Montréal,* il est colporté dans des campagnes, il est lu à haute voix sur un perron d'église, dans une taverne. Mais l'autorité coloniale a rapidement vent de l'affaire[65].

En novembre, le gouverneur lance une chasse aux séditieux :

> Diverses personnes mal intentionnées, ayant depuis peu manifesté des tentatives séditieuses et méchantes, pour aliéner l'affection du Roi aux Sujets de sa Majesté, par de fausses représentations de la cause et de la conduite des personnes qui exercent actuellement l'autorité suprême en France, et particulièrement certains Etrangers, étant de ses ennemis, qui se tiennent cachés dans différentes parties de cette Province [...][66].

Une loi sur les étrangers, passée en 1793 et reconduite jusqu'en 1814, vise d'abord à bien identifier les Français qui entreraient dans la colonie.

En juin 1794, le gouvernement et l'Église encouragent la formation d'associations «loyales», sur le modèle de celles mises sur pied en Angleterre et en Écosse au moment de la guerre d'Indépendance étatsunienne. Les membres, surtout anglophones, de ces associations à Québec, à Montréal, à Sorel, à Trois-Rivières, à Saint-Ours, à Berthier et à L'Assomption, contribuent à maintenir la vigilance face aux possibles émissaires français et à des menées «séditieuses» qui se greffent, de fait, à des événements ponctuels ou à des lois mal reçues par la population[67].

Le mécontentement populaire s'exprime le plus souvent à l'occasion d'obligations de corvées ou d'exercices militaires : entre 1779 et 1789, plus de 40 % des amendes imposées par les juges de paix ont trait à ces motifs d'accusation. En janvier 1794, censitaires et paysans de Berthier s'insurgent contre le traitement qui leur est fait par le seigneur anglais Cuthbert et par des officiers de milice. D'avril à juillet, à Montréal, des événements liés à une condamnation au pilori amènent des citoyens à libérer le condamné et à jeter le pilori à la rivière.

Puis l'insatisfaction et les troubles se généralisent en mai 1794 alors qu'en raison de craintes de guerre avec les États-Unis, le gouvernement passe une loi de milice. On s'oppose alors à la loi, selon un témoin, parce qu'on «croit que les commandements que l'on fait, ne sont pas pour défendre le pays ; mais pour faire des soldats, les répandre dans les régiments et les envoyer hors du pays, soit par terre soit abord des frégates, et qu'on ne les reverra jamais, qu'après ces premiers Commandements, on en fera d'autres pour en faire autant et ainsi de suite jusques à ce que le pays soit dépeuplé». Le souvenir de la déportation des Acadiens était encore vif. L'opposition à l'enrôlement est réelle : dans le district de Québec, 34 des 42 paroisses disent non à la loi. La résistance s'organise à Charlesbourg où l'adresse de Genet circule ; de même, à Montréal, à la Côte des Neiges, où une foule de 500 personnes protestent. En septembre, sept individus sont arrêtés à Montréal, six pour «discours séditieux», un pour avoir publié «un écrit séditieux et libelleux contre le Gouvernement».

À nouveau en 1796, une loi de voirie est passée, obligeant les habitants à construire ou à entretenir les chemins royaux et les ponts. La population refuse de se plier à la loi. Des comportements violents mènent à des arrestations ; des inspecteurs de chemins doivent démissionner sous la menace. En mars 1797, 11 Montréalais et 23 Québécois sont trouvés coupables de provocation, de trahison, d'agression ou de propos séditieux. Dans la seigneurie de la Malbaie, de nouvelles servitudes de corvée et des projets du seigneur de s'approprier les pêches les plus profitables du marsouin et du saumon suggèrent que sans adhérer nécessairement à la lettre de la propagande révolutionnaire, les milieux populaires deviennent économiquement et socialement réceptifs à l'esprit des revendications révolutionnaires traditionnelles au sujet de la taille ou des impositions fiscales, des corvées ou des obligations de milice.

Cette psychose des agents révolutionnaires connaît un paroxysme en 1797 lors du procès de David McLane accusé de haute trahison et de conspiration. Devant un juge francophone et douze jurés anglophones, dans une parodie de procès, McLane, simple d'esprit plus que conspirateur, est condamné à mort. Devant une foule imposante, il est pendu le 21 juillet, puis on lui tranche la tête et on l'éviscère. Les autorités coloniales avaient voulu faire un exemple. C'était réussi. À nouveau, l'imprimé sert une cause : le juge en chef Sewell fait imprimer 2000 exemplaires de la transcription des témoignages du procès ; de son côté, la *Gazette de Québec*, qui avait relaté les péripéties du procès, en publie le résumé dans deux brochures, l'une de langue anglaise, l'autre de langue française[68].

L'Église catholique, restée plutôt discrète depuis 1789, s'engage à fond dans la dénonciation de la Révolution. On publie dès 1793 la *Lettre de Mgr de Léon aux ecclésiastiques français réfugiés en Angleterre*, qui souligne la générosité de la «Nation Anglaise» et du roi, appelant les bénédictions du ciel sur ce peuple choisi par le ciel «pour réparer les droits de la nature et de l'humanité outragées». Le document devient le vade-mecum des outrages de la révolution : religion violée, autels dépouillés, patrimoine ecclésiastique usurpé, vases profanés[69]. L'évêque de Québec, Mgr Hubert, met ses curés en garde, en notant

> Que l'esprit de religion, de subordination et d'attachement au Roi, qui faisait autrefois la Gloire du Royaume de France, a fait place à un esprit d'irréligion, d'indépendance, d'anarchie, de parricide, qui, non content de la mort ou de l'exil de la saine partie des Français, a conduit à l'échafaud leur vertueux Souverain et que le plus grand malheur qui pût arriver au Canada serait de tomber en la possession de ces révolutionnaires.

Les événements français renforcent la conviction épiscopale d'une sainte alliance du Trône et de l'Autel :

Le respect que nous devons aux représentants de Sa Majesté ne saurait être porté trop loin, puisqu'ils sont assez réservés pour ne rien exiger de contraire à notre conscience. Ajoutez à cela que les agitations surprenantes dans lesquelles la révolution de France jette les Esprits des peuples rendent le concert entre l'empire et le sacerdoce plus nécessaire[70].

Les débuts de la saga napoléonienne (1798-1805)

La dénonciation de la Révolution « sanguinaire » se poursuit avec la construction d'un discours contre Napoléon qui prend prétexte des victoires anglaises sur le « monstrueux tyran » pour se formuler. Quatre mois après la victoire du contre-amiral Nelson à Aboukir, en Égypte, Mgr Denaut écrit aux fidèles : « Le Dieu Tout-puissant, qui tient dans sa main les destinées des Rois et des Empires, vient de donner encore des marques non équivoques de cette protection soutenue qu'Il daigne accorder aux armes de Notre Gracieux Souverain. » L'évêque invite les curés à « faire sentir si vivement à leurs paroissiens les obligations qu'ils ont au ciel de les avoir mis sous l'empire et la protection de Sa Majesté Britannique, et les exhorter tout de nouveau à s'y maintenir avec fidélité et reconnaissance ». Son successeur, Mgr Plessis, en rajoute le 10 janvier 1799 lors d'un *Discours à l'occasion de la victoire remportée par les forces navales de Sa Majesté britannique dans la Méditerranée le 1 et 2 août 1798 sur la flotte française.* L'évêque affirme qu'il « est glorieux pour le contre-amiral Horatio Nelson d'avoir été l'instrument dont le Très Haut s'est servi pour humilier une puissance injuste et superbe ». Il reprend le motif de l'évêque de Léon et l'applique à « Buonaparte » :

> Il n'y a pas d'excès en ce genre qui aient été à son épreuve. Les lieux de piété proscrits ; les monumens de la religion mis en pièces ; les Prêtres égorgés auprès des Autels [...] ; le culte Divin anéanti ; les SS. Mystères Foulés aux pieds ; les jours solennels abolis ; l'idole placée dans le temple du vrai Dieu, les Vierges Saintes chassées de leurs azyles chéris ; le chef de l'Église Catholique [...] mis cruellement hors de son siège [...].

Et le prédicateur de demander : « Quel retour, Messieurs, exige de nous tant de bienfaits[71] ? »

Inspirées de la presse anglaise, les gazettes locales célèbrent « l'invincible marine » qui a défait les jacobins français. Des rimeurs locaux, qui versifient comme au collège, prennent pour inspiration les événements publics et se montrent favorables à la monarchie, chantent la loyauté et la victoire anglaise :

> Chantons de Nelson le courage,
> Couronnons au front de lauriers,
> Des Français, il dompte la rage,
> Rien ne résiste à nos guerriers.
> Conservons notre monarchie,
> Respectons le trône des Rois,
> Détestons l'affreuse anarchie,
> Qui réduit la France aux abois.

Ou alors ces rimeurs s'emploient à faire voir les contradictions du consul («Souverain pour la vie / Quoique républicain ») et à imaginer le scénario d'une reconquête du Canada par Napoléon et de sa vente au plus offrant, comme il vient de le faire pour la Louisiane[72].

Un point tournant : le Quebec Mercury *(1805)* et Le Canadien *(1806)*

Depuis 1760, les groupes sociaux ont affirmé leur identité au fil d'événements qui révélaient autant leurs intérêts matériels que leur position intellectuelle. L'autorité coloniale, inspirée de Londres et pressée par les révolutions atlantiques, avait fait montre d'une libéralité obligée qui lui avait mis à dos les coloniaux britanniques, les marchands en particulier. Ceux-ci, qui avaient mis du temps à obtenir les libertés anglaises dans la colonie, s'étaient retrouvés minoritaires dans une Chambre d'assemblée numériquement dominée par les Canadiens.

Les seigneurs, appui traditionnel des autorités coloniales et personnification des idées monarchiques, se trouvèrent en processus de marginalisation par l'implantation de la démocratie parlementaire. Joseph Quesnel avait d'ailleurs, en 1803, dans une pièce de théâtre qui ne fut jamais jouée, *L'anglomanie*, ridiculisé le loyalisme zélé de ces seigneurs. L'Église catholique avait déjà annoncé toutes ses couleurs : monarchisme et anti-démocratie, alliance du Trône et de l'Autel, défense de l'autorité en place, loyalisme par conviction et par intérêt, son statut légal étant suspendu depuis l'Acte de Québec.

Autant la vie publique avait paru léthargique et les débats d'idées avaient été réduits à leur plus simple expression entre 1760 et 1789, autant l'opinion publique avait été sollicitée depuis la Révolution en France, depuis l'octroi d'une Chambre d'assemblée et les débuts de la démocratie parlementaire en 1791. En témoigne, dans l'ordre symbolique, le long poème du seigneur Ross Cuthbert, *L'aéropage* (1803), portrait-charge des débats de la Chambre d'assemblée. Puis, la dénonciation de la Terreur en France, la propagande contre-révolutionnaire des autorités politiques et religieuses et la « mentalité de garnison », inspirée par la crainte des espions et du retour des Français menés par « Buonaparte », avaient donné toute sa dimension au débat d'idées et aux enjeux véritables de celles-ci.

À compter de 1805, la presse se conjugue au parlementarisme pour former une opinion publique dont la vitalité sera irréversible. La fondation du *Quebec Mercury* puis du *Canadien*, la querelle autour des prisons, la consolidation du Parti canadien derrière le leadership de Pierre-Stanislas Bédard, la crise sous le gouverneur Craig contribuent à l'identification des courants d'idées et au décollage d'un véritable débat intellectuel.

Les marchands anglais, dont les frustrations politiques s'accumulent depuis près d'un demi-siècle, se donnent dans le *Quebec Mercury* (5 janvier 1805) un moyen d'expression et d'affirmation. Proclamant la primauté du commerce (« certain is that private interest is public good »), le *Quebec Mercury* dénonce le système seigneurial qui l'entrave, cherche les moyens d'assurer aux coloniaux anglais le contrôle des institutions politiques et se fait, pour des années à venir, le propagateur d'une politique d'assimilation des Canadiens par l'union législative, l'école, la religion ou la langue :

> This province is already too much a French province for an English colony. To unfrenchify it as much as possible [...] should be a primary object, particularly in these times when our archenemy [Napoleon] is straining every nerve to Frenchify the universe [...] After forty seven years possession of Quebec it is time the province should be English[73].

À nouveau, après la bataille parlementaire de 1792 sur le choix d'un orateur francophone ou anglophone et celle de la langue de publication des Débats de la Chambre, le français devenait l'objet d'une stratégie susceptible de faire prendre conscience aux Canadiens de leur différence linguistique et culturelle et de leur détermination à la sauvegarder.

Le *Mercury* n'a que mépris pour les Canadiens, routiniers dans leur type d'agriculture, influencés par des « parish despots » — les curés — et déclarés ignorants, « chevaliers de la croix », c'est-à-dire analphabètes, signant d'une croix. Pour ces marchands et ce *Mercury* qui perçoivent le commerce comme le moteur du développement économique, la querelle des prisons de 1805 allait être un révélateur de deux visions différentes de l'avenir de la colonie. La question était alors de savoir si la construction ou la réfection de prisons allait être financée par une taxe foncière ou par une taxe sur les produits d'exportation contrôlée par les marchands anglophones de la colonie. La loi passée à la Chambre d'assemblée par une majorité de Canadiens francophones imposa la taxe sur l'import-export et fit du coup la preuve, si la chose était encore nécessaire, qu'une Chambre d'assemblée, contrairement à ce qu'avaient tant répété les seigneurs aux paysans, ne taxait pas toujours les moins fortunés.

Près de deux ans après la parution du *Mercury*, paraît le 13 novembre 1806 le prospectus d'un journal francophone qui s'intitulera *Le Canadien*. Son titre indiquait son programme, étant entendu que «la liberté d'un Anglois» était aussi celle du Canadien. Le prospectus place le journal à l'enseigne de la liberté de presse, condition essentielle d'une Constitution qui ne pourrait être que despotique sans elle. Selon le futur *Canadien*, la presse permet de faire connaître l'opinion du peuple à l'autorité politique, parfois tentée de s'en remettre à un entourage limité et intéressé. *Le Canadien* entend aussi réfuter «les noires insinuations d'un papier publié en anglois», «dissiper les malentendus» entretenus par lui et «venger la loyauté» des Canadiens.

L'hebdomadaire dont le premier numéro sort des presses le 22 novembre est une réplique soutenue aux positions et allégations du *Mercury*. Il est l'organe de la députation francophone de la Chambre d'assemblée dans la mesure où quatre de ses fondateurs-rédacteurs sont députés (Pierre-Stanislas Bédard, le leader des députés francophones, Jean-Antoine Panet, l'orateur de la Chambre, Jean-Thomas Taschereau, Joseph-Bernard Planté) et deux le deviendront (Joseph LeVasseur Borgia, François Blanchet). À un double titre *Le Canadien* porte son nom : il valorise la Constitution britannique en tentant de généraliser son application démocratique à la colonie canadienne et il tente précisément de définir le Canadien en regard des Français, des Britanniques et des «Américains».

Les députés-rédacteurs formulent dans *Le Canadien* leur compréhension ou leur vision de la Constitution britannique, témoignant de la rapidité et de la qualité de leur apprentissage du système politique britannique depuis 1791. *Le Canadien* admire quasi sans réserve la Constitution britannique, ce «trésor rare». Le journal cite Fox, réfère aux lois britanniques, aux règlements et précédents de la Chambre des communes, familiers que sont ses rédacteurs avec les quatre volumes des *Precedents of Proceedings of the House of Commons* (1796) de Hatsell[74].Très rapidement, en s'appuyant sur Blackstone, DeLolme et Locke, *Le Canadien* cherche à tirer les conséquences de la souveraineté du peuple et du pouvoir de la majorité en établissant l'indépendance et la primauté de la Chambre d'assemblée dans l'équilibre des pouvoirs constitutionnels; ils ont à le faire, la Constitution de 1791 étant muette à ce sujet et la primauté de la Chambre élue allant dans le sens de leur pouvoir[75].

Il en est de même pour l'idée d'un ministère, de la responsabilité ministérielle absente de la Constitution de 1791 mais à l'œuvre dans le système métropolitain. Car pour *Le Canadien*, et pour Bédard et Bourdages en particulier, il faut pouvoir critiquer le gouverneur, représentant du roi, sans mettre en cause, du coup, la royauté. Or le moyen d'y arriver est de s'assurer que le gouverneur s'entoure de conseillers choisis dans la Chambre d'assemblée, de façon à ce que, au moins en partie, le gouverneur soit «responsable» devant la Chambre, et donc devant le peuple. Bédard a une vision claire de ce mode de fonctionnement constitutionnel; il écrit dans *Le Canadien* du 24 janvier 1807:

> Le Ministère doit nécessairement avoir la majorité dans la Chambre des communes. Dès qu'il perd l'influence qui la lui donne, ou dès que son système ne paroit plus bon, il est relevé. Quelquefois aussi il arrive, que lorsque le Roi désire savoir lequel des deux systèmes, de celui du ministère ou de celui d'une opposition, la nation veut adopter, il dissout le Parlement. Alors la nation exerce son jugement en élisant ceux dont elle approuve le système et la conduite.

Pour Bourdages, dont l'intervention en Chambre est rapportée dans *Le Canadien* du 26 avril 1809, «cette idée d'un ministère n'étoit pas un vain nom; [elle était] essentielle à la conservation de notre constitution». L'édition du 9 mars 1808 laisse entendre qu'il «y a un ministère dans la province» et déjà en 1807 le gouverneur Craig, récemment arrivé, était prêt à le croire: «They either believe, or affect to believe, that there exits a Ministry here and that, in imitation of the Constitution in Britain, that Ministry is responsible to them for the conduct of Government. It is not necessary to point out to your Lordship the steps to which such an Idea may lead them[76].» Cette réflexion du *Canadien* et des députés sur la responsabilité ministérielle n'est pas théorique; elle s'inscrit dans le quotidien de l'activité parlementaire où les conseillers du gouverneur, nommés, ne sont pas membres de l'Assemblée. Ce sont souvent, précise *Le Canadien* du 30 décembre 1809 et du 5 janvier 1810, ces « émigrés », plus soucieux de ce qu'ils emporteront que de ce qu'ils laisseront, qui ont l'attention du gouverneur dans la colonie et de l'autorité métropolitaine. Et pour le journal francophone, c'est ce « Ministère constamment dans l'opposition » qui crée une « mésintelligence entre le représentant du Roi et la Chambre d'assemblée » et qui suscite « cette odieuse division entre Anglais et Canadiens. [...] Car comme tout le ministère est formé d'Anglais, tous les Anglais de la Chambre d'assemblée se rangent autour d'eux [...] et la Chambre [...] se trouve divisée en Anglais d'un côté et Canadiens de l'autre [...][77]. » Perception décisive du vice premier du système politique colonial, qui est la source des problèmes à venir et des interprétations qu'on donnera de ceux-ci.

Le Canadien ne peut répliquer au *Mercury* et défendre la loyauté des Canadiens sans du même coup devoir préciser l'identité des « nouveaux Sujets » de Sa Majesté, admirateurs de la Constitution et désireux de tirer pour eux-mêmes toutes les conséquences des « libertés anglaises ». Le britannisme du *Canadien* peut étonner, lui qui donne à penser que 1791 constitue une date plus marquante que 1760. Le premier numéro du 22 novembre 1806 présente les Canadiens comme des « Américains Britanniques ». Bédard évoque, le 4 novembre 1809, « ces tems malheureux qui ont précédé la conquête du pays, où un Gouverneur étoit une idole devant laquelle il n'étoit pas permis de lever la tête », alors que depuis « cette époque le règne des lois a graduellement établi son Empire » et que la colonie jouit d'une Constitution « dans laquelle un homme est quelque chose ».

L'avocat Denis-Benjamin Viger, qui a fait sa cléricature chez Bédard et Panet et qui collabore au *Canadien*, publie en 1809 une brochure où il explique les intérêts réciproques de la colonie et de la Grande-Bretagne. Dénonciateur du « délire révolutionnaire » de 1789 et du « trop illustre tyran qui gouverne la France », Viger pense que la conquête fut « un bienfait du ciel », car la France attachait peu d'importance à sa colonie ; il considère que les mœurs actuelles des Canadiens ne sont plus celles des anciens Français et que la différence était déjà marquée avant la Conquête. Il rappelle qu'en 1775 la fidélité fut celle « des Canadiens ». Il distingue clairement les Anglais de la colonie — les « émigrés » — des Anglais de Londres, ses attentes se situant manifestement dans la métropole. Pour lui, les Canadiens sont « destinés à former un peuple entièrement différent des Français et de nos voisins mêmes[78] ».

Ce britannisme s'explique en amont et en aval. Les Canadiens ont appris à apprécier les avantages réels de la Chambre d'assemblée octroyée par Londres ; ils ont conscience de n'avoir connu rien de tel sous le Régime français. Leur britannisme est aussi, à l'adresse de Londres, un rappel de fidélité, en un temps de revendication d'extension des pouvoirs de la Constitution et en un temps où il faut se démarquer tout autant de la France napoléonienne que des Américains sur lesquels compte la minorité agissante de coloniaux anglais soucieux d'accroître la population anglophone des Cantons. Dans ces circonstances, la France et les États-Unis ne peuvent servir de modèle : pour « les nouveaux Sujets », le « trésor rare » est dans la Constitution britannique.

Le Canadien *et la* Chambre d'assemblée *vs le gouverneur Craig (1810)*

Les revendications et l'influence du *Canadien* inquiètent singulièrement certains milieux. Le seigneur Pierre-René de Saint-Ours rapporte au secrétaire de Craig, H.W. Ryland, que « quelques personnes, même de Montréal, où ce même papier a été aussi avidement reçu [qu'à Québec] dans la ville et les faubourgs ont été jusques de dire que si de tels abus continuaient qu'il fallait une révolution pour y remédier ». De son côté, Mgr Plessis confie au sulpicien Roux : « Le *Canadien* vient de sortir de ses cendres par une nouvelle et ample souscription. Vous n'imaginez pas les ravages que fait ce misérable papier dans le peuple et le clergé. Il tend à anéantir tous principes de subordination, et à mettre le feu dans la province. » Quelques rédacteurs de l'ancien *Courier de Québec* (3 janvier 1807-31 décembre 1808) fondent même *Le Vrai-Canadien* (10 mars 1810-6 mars 1811) pour contrer « le souffle empoisonné de certains papiers séditieux qui, depuis quelques années, circulent dans cette Province » ; son format et ses caractères imitent *Le Canadien* et le journal favorable à l'Exécutif se donne comme devise : « Toujours fidèle au Roi[79] ».

La tension a manifestement monté dans la colonie depuis l'arrivée du gouverneur Craig en octobre 1807. Malgré les sentiments loyalistes exprimés après la victoire (21 octobre 1805) de Nelson contre Napoléon à Trafalgar (« Oui, fiers Anglais, n'en doutez pas / Pour vaincre vous aurez nos bras / Pour vous, pour nous, on se battra »), le gouverneur croit à « l'apparition des Français dans les parages » ; ils « seront ici tôt ou tard » et « commenceront l'attaque par le Sud ». Craig pense que les Canadiens

« sont encore des Français de cœur », qu'ils se joindraient à une armée américaine commandée par un officier français et qu'ils retourneraient volontiers sous la domination de la France[80].

En Chambre, les députés francophones, qui tiennent d'autant plus à la séparation du législatif et du judiciaire que les juges, souvent anglophones, prennent, une fois élus, un parti manifestement progouvernemental, ont fait de l'inéligibilité des juges un nouveau cheval de bataille. La Chambre vote donc une loi rendant les juges inéligibles. Mais, comme tant d'autres lois passées par la Chambre élue, celle-ci est rejetée par le Conseil législatif[81]. En Chambre et en pleine période électorale, la question de la liste civile (les salaires des fonctionnaires et les pensions octroyées par le gouverneur à partir de sommes non contrôlées par la Chambre d'assemblée) continue à être litigieuse. L'Assemblée entend voter la totalité des dépenses coloniales à partir du principe « no taxation without representation » et le manifeste électoral de P.-S. Bédard, par exemple, est explicite sur ce point. Mais Craig refuse de transmettre au roi une adresse de la Chambre sur cette question[82].

La tension est telle que le gouverneur fait saisir les presses du *Canadien* le 17 mars 1810 et fait emprisonner ses rédacteurs, dont Pierre-Stanislas Bédard, le chef du Parti canadien. Le 21 mars, une proclamation du gouverneur paraît dans les journaux et est affichée aux portes des églises paroissiales :

> Vu qu'il a été imprimé, publié et dispersé divers écrits méchants, séditieux et traîtres, dans cette province, dont le soin et le gouvernement m'a été confié, et vu que ces écrits ont été expressément calculés pour séduire les bons sujets de Sa Majesté, pour remplir leurs esprits de défiance et de jalousie contre le gouvernement de Sa Majesté, pour détourner leur affection de sa personne sacrée, et pour faire mépriser et vilipender l'administration de la justice et du gouvernement de ce pays ; et vu que pour accomplir ces desseins méchants et traîtres, leurs auteurs et partisans ne se sont pas fait de scrupule d'avancer avec audace les faussetés les plus grossières et les plus effrontées, tandis que l'industrie qui a été employée à les disperser et à les répandre à grands frais, dont la source n'est pas connue, fait voir fortement la persévérance et l'implacabilité avec laquelle ils se proposent de venir à bout de leurs desseins [...] il m'a été impossible de passer plus longtemps sous silence ou de souffrir des pratiques qui tendent si directement à renverser le gouvernement [...].

Dans sa proclamation, le gouverneur mise clairement sur le loyalisme inspiré de la religion : « Avez-vous, dans aucun temps ou dans aucune circonstance, été troublés dans l'exercice libre et non contrôlé de votre religion?» Il y exhorte

tous les sujets de Sa Majesté d'être sur leur garde [...], et de faire attention comment ils écouteront les suggestions artificieuses d'hommes méchants et mal intentionnés, qui en répandant de faux bruits, et par des écrits séditieux et traîtres, attribuent au gouvernement de Sa Majesté de mauvais desseins, ne cherchant par là qu'à aliéner leurs affections et les porter à des actes de trahison et de rébellion : requérant toutes les personnes bien disposées et particulièrement tous les curés et les ministres de la sainte religion de Dieu, qu'ils emploient tous leurs efforts pour empêcher les mauvais effets de ces actes incendiaires et traîtres, qu'ils détrompent, qu'ils mettent dans la bonne voie ceux qui auront été trompés par eux, et qu'ils inculquent dans tous, les vrais principes de loyauté envers le Roi, et d'obéissance aux lois. Et de plus, j'enjoins strictement et je commande, à tous magistrats dans cette province, à tous capitaines de milice, officiers de paix et autres bons sujets de Sa Majesté, de faire chacun d'eux une recherche diligente, et de chercher à découvrir tant les auteurs que les éditeurs et disséminateurs d'écrits méchants, séditieux et traîtres, comme susdit, et de fausses nouvelles, qui dérogent en aucune manière au gouvernement de Sa Majesté, ou qui tendent en aucune manière à enflammer l'esprit public, et à troubler la paix et la tranquillité publique[83].

La proclamation est transmise aux curés dans une circulaire de l'évêque Plessis :

Son Excellence le Gouverneur en Chef nous a chargé de vous notifier son intention positive, que vous eussiez tous à publier vous-mêmes cette proclamation au peuple dans vos paroisses respectives [...]

Son Excellence attend de plus, que dans vos instructions publiques, ainsi que dans vos conversations particulières, vous ne laissiez échapper aucune occasion de faire prudemment entendre au peuple, que son bonheur à venir repose sur l'affection, le respect et la confiance qu'il montrera au gouvernement ; qu'il ne peut, sans courir les plus grands risques, se livrer aux idées trompeuses d'une liberté inconstitutionnelle que chercheraient à lui insinuer certains caractères ambitieux, et ce au mépris d'un gouvernement sous lequel la divine Providence n'a fait passer cette colonie que par l'effet d'une prédilection dont nous ne saurions assez bénir le ciel.

Nous n'ajoutons pas ici que vous êtes, vous-mêmes, intéressés de très près à maintenir les fidèles dans le respect et la soumission qu'ils doivent à leur Souverain et à ceux qui le représentent, parce que nous savons qu'indé-

pendamment de tout intérêt, le clergé de ce Diocèse a toujours fait hautement profession de ces principes qui portent sur la plus solide de toutes les
bases, savoir sur les maximes de la religion sainte que nous prêchons aux
peuples, qui est essentiellement ennemie de l'indépendance et de toute
réflexion téméraire sur la conduite des personnes que Dieu a établies pour
nous gouverner.

Le lendemain, l'évêque expédie aux archiprêtres une autre circulaire
au sujet de la loyauté du clergé :

> Quelques personnes cherchent à rendre la loyauté du clergé suspecte au
> gouvernement. Il est du devoir et de l'intérêt de tous d'éloigner ce soupçon
> qui ne ferait honneur ni à votre religion ni à votre prudence. Le moment est
> critique. Tous les yeux sont ouverts sur vous. Le Gouverneur en chef doit
> faire passer en Angleterre un rapport de la manière dont vous vous serez
> conduits dans la crise présente. Ce rapport ne peut être avantageux qu'autant
> que vous vous tiendrez séparés des prétendus amis du peuple pour vous
> attacher invariablement aux intérêts du pouvoir exécutif. Prenez sérieusement
> cet avis et le communiquez dans le plus court délai aux curés de vos
> juridictions[84].

Mgr Plessis prend toutes les précautions nécessaires contre « l'esprit de
démocratie [qui] a fait du ravage parmi nous ».

De son côté, Craig rapporte à Liverpool, secrétaire d'État aux
colonies :

> [...] on propagea assidûment les rapports les plus faux et les plus scandaleux,
> et l'on répandit à travers la province les publications les plus séditieuses et les
> plus incendiaires que les agents lisaient et commentaient dans chaque
> paroisse. Le gouvernement y était grossièrement représenté et vilipendé, l'ad-
> ministration de la justice vouée au mépris et l'esprit de mécontentement, de
> méfiance et d'aberration qui les animait pouvait avoir les conséquences les
> plus alarmantes. Enfin, la situation était devenue telle, qu'il ne fallait plus
> temporiser et qu'il était impérieux pour le gouvernement exécutif d'inter-
> venir[85].

Le gouverneur ne temporise plus. À peine saisies les presses du *Cana-
dien* et emprisonnés ses rédacteurs, il dissout la Chambre d'assemblée sous
le prétexte que celle-ci refuse au juge de Bonne le droit de siéger. L'évêque
Plessis, dans un sermon exceptionnellement bien diffusé, associe l'Autel au
Trône pour dénoncer le fondement même du travail de la Chambre et du
Canadien : « Avouons mes frères, que de tous les sophismes dont on a

abusé, ces derniers temps, pour leurrer et égarer les nations et les disposer à la révolte, voilà peut-être le plus méchant, [...], le plus faux et le plus absurde, je veux dire, le système de la souveraineté du peuple.» L'abbé de Calonne, frère du ministre de Louis XVI et «chassé» de France par la Révolution, écrit pour sa part:

> Je suis bien revenu de l'idée que le gouverneur avait trop pris l'alarme. En vérité, Monseigneur, c'est plus violent qu'on ne pense communément. Il a raison de dire que ce sont tous les principes français. On a répandu des écrits dans ma paroisse, et ce n'est rien, mais on en a endoctriné quelques-uns qui sont complètement pervertis. Il y en a un entre autres qui a tenu les propos les plus incendiaires jusqu'à parler de révolte et d'aller en force enlever ceux qui sont arrêtés, si on ne les faisait sortir de prison[86].

Le résultat des élections, vers le 21 avril 1810, donne tort aux menées du gouverneur. Le Parti canadien qui avait fait élire 33 députés en 1804, 36 en 1808, 37 en 1809, en fait élire 38 en 1810 comparativement aux 12 députés du «Parti Britannique». C'est la panique chez le gouverneur et dans l'entourage de ses conseillers et hauts fonctionnaires. Déçu du résultat des élections, Craig étale ses griefs dans une lettre au secrétaire d'État aux colonies à Londres: non-contrôle de la Chambre d'assemblée, prétention à l'existence d'un ministère et d'une nation. Il écrit:

> La Chambre n'a jamais été remplie comme elle est aujourd'hui, je parle de la portion canadienne de la représentation, d'avocats, de notaires, de boutiquiers et d'habitants ordinaires comme on les appelle, c'est-à-dire de cultivateurs des plus ignorants dont quelques-uns ne savent ni lire ni écrire [...].

> Votre Seigneurie se rend compte que, dans une assemblée comme celle que je viens de décrire, le gouvernement ne puisse exercer aucune influence. C'est certainement l'assemblée la plus indépendante qui existe dans n'importe quel gouvernement connu au monde, car un gouverneur ne peut même compter sur l'influence qu'il pourrait retirer des relations personnelles [...].

> Le grand véhicule de communications entre les chefs et le peuple a été une feuille appelée Le Canadien qui a été publiée et répandue activement dans le pays durant les trois ou quatre dernières années. Le but avoué de cette feuille a été de vilipender et d'avilir les officiers du gouvernement en les traitant de Gens en place pour attirer le mépris sur le gouvernement de Sa Majesté lui-même en faisant allusion à l'existence supposée d'un Ministère dont la conduite se trouvait aussi exposée à leur censure que l'est celle des ministres de Sa Majesté en Angleterre [...].

En vérité, il semble que ce soit leur désir d'être considérés comme formant une nation séparée. La *Nation Canadienne* est leur expression constante et quant à cette considération qu'ils ont été jusqu'à présent de paisibles et fidèles sujets, il suffit de faire remarquer à cet égard qu'il ne s'est produit aucun événement pour les encourager à se montrer autrement[87].

Si Craig participe de cette «mentalité de garnison» qui lui fait craindre les succès de Napoléon sur la scène européenne, ses propos et ses actes — saisie du *Canadien* et emprisonnement de ses rédacteurs, dissolution de la Chambre — donnent une juste mesure de la conscience nouvelle qu'ont les Canadiens de leur destin et de leur pouvoir. La querelle des prisons, le titre même du *Canadien* et l'appellation de Parti «canadien» sont des signes minimaux mais réels de cette conscience communautaire nouvelle qui sera alimentée par les scénarios mis en place par le gouverneur, par ses conseillers ou par certains de ses concitoyens anglophones.

Car la lettre de Craig à Liverpool inclut aussi des solutions possibles pour contrer ces menées des Canadiens : abrogation de la Constitution de 1791 octroyée prématurément, nouvelle division électorale de la province avec davantage de comtés dans les «townships» anglophones. Le bilan du gouverneur s'inspire d'un mémoire du juge en chef Sewell sur la situation de la province où est proposée l'assimilation des Canadiens par une forte immigration britannique, par la modification du suffrage et du cens d'éligibilité à la Chambre et surtout par l'union du Haut et du Bas-Canada[88]. Ce premier projet d'Union de 1810 est contemporain d'autres propositions, y compris celle d'un espion, John Henry, qui envisage un cens électoral fondé sur des revenus élevés, un pouvoir accru du gouverneur pour créer de nouveaux comtés anglophones, l'obligation pour les députés de savoir lire, écrire et traduire de l'anglais, l'établissement d'écoles anglaises dans les paroisses, l'imposition de l'anglais dans les cours de justice dans un délai de cinq ans et dans la Chambre d'assemblée dans un délai de sept ans[89].

Ces plans de contrôle et d'assimilation témoignent, tout en l'exacerbant, d'une conscience nouvelle des Canadiens quant à leur destin.

Le clergé et la bourgeoisie de professions libérales

Jusqu'au départ du gouverneur en juin 1811, l'évêque de Québec, Mgr Plessis, se dit d'accord avec Craig à propos de la dissolution de la Chambre et de la saisie du *Canadien* :

Il est vrai que les membres de l'assemblée se sont mal conduits envers le gouvernement et qu'il a eu raison de casser leur chambre. Il est encore vrai que le papier intitulé *Le Canadien* était une méchante feuille dont les rédacteurs ont censuré l'administration publique avec beaucoup trop de licence et que l'on a sagement fait en les incarcérant, seul moyen de calmer leur démangeaison d'écrire.

J'ai été appelé au conseil ainsi que l'abbé de Calonne, comme pouvant seconder les vues du Gouvernement et servir au maintien du bon ordre dans la Province[90].

Par cette nomination au Conseil législatif du seul évêque et de l'un des clercs les plus monarchistes de la colonie, l'alliance du Trône et de l'Autel était consommée. Les deux pouvoirs avaient intérêt à faire alliance : le Trône avait de plus en plus besoin de l'appui de l'Autel, qui était, lui, en position de vulnérabilité. En effet, le statut légal de l'Église catholique romaine n'était plus reconnu depuis 1791 et l'appropriation des biens des jésuites en 1800 rappelait ponctuellement la réalité de la menace. Il avait fallu depuis la Conquête, tout comme en 1810, et il allait falloir encore témoigner de loyalisme à l'égard du pouvoir britannique colonial. De surcroît, comme l'écrivait l'évêque à un prêtre, «quand l'étoffe est si courte, on est fort en peine de boucher tous les trous[91]». En effet, les effectifs du clergé ne permettaient pas de suffire à la tâche : le nombre de prêtres était passé de 148 en 1791, à 168 en 1805 et à 182 en 1812[92]. L'Église ne pouvait plus officiellement recruter en France et les séminaires-collèges — Québec (1765), Montréal (1767), Nicolet (1803) et Saint-Hyacinthe (1811) — étaient trop récents pour fournir les vocations nécessaires. Il n'empêche que les autorités britanniques laissèrent entrer une cinquantaine de prêtres immigrés entre 1791 et 1802, dont un bon nombre de sulpiciens ou d'ecclésiastiques «chassés» par la Révolution qui firent preuve d'un profond loyalisme à Montréal ou dans cette «petite France» du pourtour du lac Saint-Pierre. L'abbé de Calonne était de ce nombre.

Au contraire, les gens de professions libérales — avocats, notaires, juges, médecins, arpenteurs — voyaient leurs effectifs croître, passant de 150 en 1791 à 224 en 1805, à 273 en 1810 et à 331 en 1815 (tableau 13), les Canadiens constituant 59 % de ces gens en 1791 et 66 % en 1815. Cette croissance, présente surtout chez les gens de robe, signifie aussi que les Canadiens sont majoritaires dans toutes les professions, sauf la médecine, et particulièrement nombreux dans le notariat. Ce sont ces gens de professions libérales associés à des marchands qui sont députés à la Chambre d'assemblée, membres du Parti canadien, rédacteurs du *Canadien* et promoteurs des libertés, des idées libérales et de ce projet de « nation canadienne » décrié par le gouverneur Craig.

Il est alors devenu clair pour l'Église que le « clergé du Canada n'a rien à espérer des laïcs catholiques pour ses intérêts généraux et pour ceux de la religion » et qu'après « Dieu, la religion catholique dans ce pays n'offre de protection à ses ministres que dans le Gouvernement. Les fidèles les plus zélés sont dans les basses classes du peuple. La haute classe des catholiques, conseillers, juges, avocats, marchands de quelque crédit, n'est point en général amie du clergé[93]. »

Une seconde guerre contre les Américains (1812)

Le conflit anglo-étatsunien, né du blocus napoléonien qui fermait l'Europe au commerce anglais, suscite dans la colonie d'Amérique du Nord un loyalisme qui diffère singulièrement de ce qu'avait été l'attitude de « neutralité bienveillante » des Canadiens en 1774 et 1775. L'arrivée du gouverneur Prevost en septembre 1811, qui met un terme à la « mentalité de garnison » et à la stratégie d'antagonisme connues sous Craig, facilite l'enrôlement des Canadiens et le vote, par la Chambre, des crédits nécessaires à la guerre. L'ancienne aristocratie trouve dans le conflit ponctuel qui va opposer les États-Unis et le Canada tout autant une occasion de défendre les valeurs monarchiques contre la République que de redorer son blason militaire[94]. L'Église catholique réitère sa fidélité en la monarchie et son refus du républicanisme : « Dans cette crise importante, rappelons-nous [...] que si l'Amérique a depuis longtemps eu pour attitude de nous donner des marques d'ingratitude et de rébellion, nous de notre côté, avons toujours résisté à la contagion de ses pernicieux exemples. » Au moment d'une émeute — isolée — contre l'enrôlement à Lachine en juin 1812, l'abbé Lartigue, qui a fait des études de droit avant d'être ordonné, proclame sans hésitation :

> Car il n'est plus temps de dire que vos Pasteurs doivent vous annoncer l'Évangile sans se mêler d'affaires politiques. Non, M[es].F[rères]., quand nous vous parlons de vos obligations comme sujets et comme citoyens, ce n'est pas autre chose que l'Évangile, et le pur Évangile que nous vous

prêchons. Depuis quand les devoirs des sujets envers leurs souverains ne sont-ils donc plus un dogme de la religion ? [...] Rendez à César ce qui est à César : que toute âme soit soumise aux puissances établies de Dieu ; car celui qui résiste à la puissance, résiste à Dieu lui-même. Avez-vous oublié ces paroles du prince des apôtres : soyez soumis à tous ceux qui sont au-dessus de vous, soit au roi comme chef de l'État, soit aux gouverneurs comme à ceux qui vous commandent de sa part. Et encore soyez soumis à tous ceux qui vous gouvernent, quand même ils seraient injustes à votre égard. Car c'est là la volonté de Dieu. Ce n'est pas ici la politique qui nous inspire ces maximes ; c'est la parole même de votre Dieu que nous annonçons de sa part.

Le futur évêque de Montréal trouve sa politique dans l'Évangile, dans la « parole même » de Dieu ou dans les préceptes de soumission et de loyalisme de saint Paul. Mais, chose nouvelle, l'abbé, qui a fait sien ce nouveau sens du destin de ses « compatriotes », se dit « Canadien aussi » et évoque la « nation canadienne » ; celle-ci devra son avenir à son passé de loyauté qui remonte jusqu'à 1774-1775[95].

La bourgeoisie de professions libérales et les marchands canadiens-français, qui voient depuis des années les anglophones de la colonie compter sur la venue des loyalistes pour peupler les Cantons, paraissent alors moins attirés par la démocratie républicaine des États-Unis. Leur salut repose dans les mains de l'Angleterre, qui leur a paru plus fiable depuis la Conquête que l'autorité politique de la colonie ; tout anglophones qu'elles soient, métropole et colonie diffèrent du point de vue de la crédibilité constitutionnelle. Et puis, ces Canadiens, qui plaident déjà pour la « conservation de leurs établissemens et de leurs mœurs », évaluent que c'est cette différence même en Amérique du Nord qui constituera un rempart contre l'envahissement des États-Unis.

Et lorsque le colonel Michel de Salaberry remporte la bataille de Châteauguay le 26 octobre 1813, on ne tarde pas à y voir et à faire voir la loyauté des Canadiens qui ont contribué à sauver la colonie[96].

Une vision de la Constitution et du pouvoir (1814)

Dès 1807, Le Canadien et le Parti canadien avaient cherché à identifier la raison du blocage et du disfonctionnement des pouvoirs dans la colonie. Le Canadien avait assez explicitement fait référence à l'idée d'un ministère, comme il en existait un dans la métropole, ministère qui rendait « responsable » ou imputable le gouvernement.

La bataille de 1808 au sujet de la non-éligibilité des juges qui reprend de plus belle en 1814, la crise de 1810 et les scénarios d'assimilation alors formulés, la stratégie de contrôle total des dépenses de la colonie, le projet, avorté, de nommer à Londres un agent de la Chambre d'assemblée susceptible de présenter la réalité coloniale autrement que ne le faisaient les gouverneurs ou les «émigrés», la reconnaissance même, en 1807 et en 1810, par le gouverneur Craig de ces visées de «ministère», tous ces événements justifient les Canadiens de faire le point en 1814 sur les difficultés dans la colonie. Qu'il soit de Bédard, de Bourdages ou de Blanchet, le *Mémoire au soutien de la requête des habitans du Bas-Canada* résume bien la compréhension qu'ont alors les Canadiens de la Constitution et l'orientation de leurs revendications.

Le *Mémoire* réitère la fidélité des Canadiens à l'égard de Londres tout en épinglant, de façon très lucide, le vice des institutions coloniales. La distorsion dans l'équilibre des pouvoirs vient du fait que les «gens à place» sont tous des anglophones, que ce sont eux qui accèdent au Conseil législatif et au Conseil exécutif et qui modèlent l'opinion des gouverneurs qui se succèdent. Différemment de ces gens plus ou moins de passage, les Canadiens, «plus attachés à leur pays», sont majoritaires à la Chambre d'assemblée mais aucun d'eux «n'a pu être conseiller, ce qui est la cause de tout le désordre qui paraît dans l'exercice de notre constitution». Le *Mémoire* précise que si «le Gouverneur avait le pouvoir d'appeler au Conseil les principaux membres de la majorité de la Chambre d'assemblée, il aurait par là un moyen d'entendre les deux partis, et de n'être point obligé de ne connaître l'un que par les informations reçues de l'autre [...]». Faute de cette «responsabilité» du Conseil et de l'Exécutif, les Canadiens «incapables de se protéger eux-mêmes, n'ont point d'autres ressources que dans la protection de la mère-patrie». Mais Bédard n'est pas dupe: diviser pour régner est une stratégie métropolitaine, comme il le confie à John Neilson le 16 janvier 1815: «Comment peut-on concevoir [...] que la constitution puisse aller avec les postes tels qu'ils y sont placés? Comment peut-on concevoir qu'un des partis soit en possession d'une des branches de la législature et l'autre parti de l'autre branche? Les choses ne paroissent-elles pas arrangées comme exprès pour opérer une division dans la législature[97]?» D'où les attentes qu'ont les Canadiens face à Londres plutôt qu'à l'égard de l'autorité coloniale à Québec.

Le vice ainsi identifié, l'antagonisme entre anciens et nouveaux sujets, entre Anglais et Canadiens s'explique donc et n'a pas à être mis au seul compte des Canadiens. Pas plus que *Le Canadien* ne doit être compris sans référence préalable au *Quebec Mercury*.

Ce mémoire sur l'évolution constitutionnelle et politique de la colonie parvient à Londres au moment de la fin du règne de Napoléon et du blocus économique qu'il avait mis en place. Un prêtre des Missions étrangères écrit de Londres à un confrère du Séminaire de Québec :

> Que nous avons à bénir la divine Providence des heureux changements survenus en Europe ! La Divine Providence a enfin jeté des yeux de miséricorde sur nous ! Le S.[aint] P. [ère] est retourné à Rome et ses domaines lui sont rendus ! Les Bourbons remonteront sur le trône de leurs ancêtres ! Nous allons enfin respirer ! Dieu a aveuglé Buonaparte. Il a refusé des conditions de paix qui, l'affermissant sur le trône de France, auraient prolongé nos malheurs et mis l'Église dans le plus grand danger[98].

La fin du blocus réjouissait l'Église pour des raisons évidentes. Elle allait aussi rendre à nouveau régulière la circulation des personnes et des biens entre l'Europe et l'Amérique, en particulier l'échange de biens culturels entre le Canada et la France.

Un regard sur les affaires d'Europe et d'Amérique

Si *La Gazette de Québec* et *La Gazette de Montréal* font place à la nouvelle internationale, l'attention portée par *Le Canadien* aux affaires étrangères est révélatrice de l'intérêt porté par la bourgeoisie canadienne montante aux situations politiques coloniales ou impériales. S'alimentant au *Courrier de Glasgow* ou à *La Gazette royale d'Écosse*, aux gazettes de Londres ou aux « papiers » de Kingston (Jamaïque), *Le Canadien* extrait des nouvelles ou des textes qui concernent surtout, entre 1808 et 1810, les campagnes de Napoléon en Espagne et au Portugal. Le point de vue y est très britannique, mais un certain lexique devient récurrent : « nation espagnole », « grande nation », « nations d'Europe », « patriotes » espagnols.

Le Canadien espère que Napoléon sera battu et que sa défaite sera la gloire « des armées de Sa Majesté ». Il y est peu question, jusqu'à la disparition du *Canadien* en mars 1810, de l'Amérique latine alors en pleine rupture avec Madrid et Lisbonne, à la suite précisément de l'action de Napoléon dans cette partie de l'Europe. Le journal reconnaît que « sans paix avec la France, Bonaparte [...] ne peut s'attendre à empêcher la séparation des colonies Espagnoles de leur mère-patrie ; séparation qui paraît déjà commencée » ; mais *Le Canadien* insiste « pour comparer notre heureux sort avec la condition divisée et désespérée des États de l'Amérique qui nous avoisinent ». Sur la question des relations entre les colonies et les empires, le journal rappelle que « les Canadiens n'ont jamais célébré les droits de l'homme » et qu'ils « sont contens de leur gouvernement et ne désirent point d'en changer[99] ».

Conclusion

On a tiré et on tirera de la « conquête » du Canada par l'Angleterre tout un lexique et un militantisme idéologiques. Mais un fait demeure : traumatisme ou pas, l'expérience individuelle et collective des Canadiens en est alors traversée de part en part : langue, religion, mœurs, régime politique.

Les deux événements majeurs de l'histoire du Québec — la conquête militaire de 1760 et la cession par la France de sa colonie à l'Angleterre, ainsi que les rébellions de 1837 et de 1838 — ne sont pas une guerre d'indépendance ou une révolution démocratique réussie mais des défaites. La drôle de défaite de 1760 constitue une défaite de la France dans l'une de ses colonies dont le coefficient de canadianisation demeure mal connu. En un sens, et sans faux-fuyant, c'est la France qui est défaite mais les colons qui construisent la Nouvelle-France depuis un siècle et demi et qui sont près de 70 000 vers 1760 continuent le Canada et non la France. Qu'on appelle ces colons et qu'ils se nomment « Canadiens » et qu'ils qualifient de même leur parti et leur journal est un signe d'identité en construction. À vrai dire, en 1760, ce qui est en cause, c'est l'identité déjà bivalente des Canadiens *avant* la cession, des Français devenus Canadiens et dont le rapport à la France est progressivement modifié : ou bien la France a perdu sa signification identitaire ou cette identité française est ravivée par la cession mais dans de multiples directions : regret, nostalgie, sentiment d'abandon, oubli. Radicale ou partielle, s'opère une rupture dont la suite constitue une trame centrale de l'histoire et de l'imaginaire québécois.

Si la France s'estompe dans l'imaginaire et dans la réalité, l'Angleterre s'esquisse par touches et retouches, au point que les Canadiens attendent d'elle, en métropole, ce qu'ils ne peuvent espérer de ses représentants coloniaux et de ses immigrés. Quant à la sollicitation américaine, celle du continent sinon de l'hémisphère, elle se manifeste par les « Yankees », perçus de deux façons principales. Ce sont d'abord des républicains qui viennent proposer aux Canadiens en 1774 de se séparer du roi et du pays auxquels ils tentent de s'identifier depuis 15 ans seulement. On peut dès lors comprendre l'ambivalence des Canadiens à l'égard des «Bastonnois». Et puis, les «Américains», ce sont, vers 1810, ces loyalistes que les rédacteurs du *Quebec Mercury* et les concepteurs de plans d'assimilation des Canadiens accueillent dans les cantons pour augmenter la population anglophone et protestante et finir par obtenir la majorité dans la Chambre d'assemblée. L'ambivalence se nourrit aussi de cette image.

Cet éclatement d'identité se double d'une expérience de la vie en commun, de la politique : la société bas-canadienne passe de la monarchie absolue à la monarchie constitutionnelle. Les Canadiens font alors leur apprentissage du libéralisme dans un contexte colonial : comment gouverner la colonie? comment institutionnaliser les libertés? quel type de représentation établir? quelle extension donner au suffrage qui accompagne la souveraineté du peuple dans une colonie dont la métropole est une monarchie constitutionnelle?

La Constitution britannique devient attrayante parce qu'elle permet de revendiquer les droits et libertés des Britanniques. Dès 1784, des Canadiens se joignent aux Anglais de la colonie pour revendiquer une Chambre d'assemblée dont il font rapidement l'apprentissage et dont ils constituent la majorité dès le tournant du XIXe siècle, après avoir obtenu un Orateur francophone et des *Débats* de la Chambre bilingues. Pour les Canadiens, Londres, pour qui c'était un réel défi, avait été conséquente avec les libertés anglaises en laissant s'exercer la représentation de façon normale, c'est-à-dire selon la population. Londres et la Constitution britannique devenaient un objet d'admiration, un moyen et la source de grandes attentes, alors que les Anglais de la colonie, déçus, se mettaient à la recherche d'autres moyens pour modifier ce jeu démocratique.

Mais il s'agissait toujours de monarchie et non de république comme aux États-Unis ou en France. Ce sentiment monarchique avait une tradition : c'est ce que les Canadiens avaient connu depuis 1608. La monarchie constitutionnelle anglaise allait s'appuyer, dans la colonie, sur des seigneurs qui avaient tout intérêt à perpétuer ce régime politique et sur l'Église qui, par principe et par intérêt, fait sans cesse alliance avec l'État. Même les notables parlèrent en 1762 de «souverain nécessaire» à ses peuples et on peut voir dans l'idée même de ministère ou de gouvernement responsable, après 1810, une façon de contester le pouvoir sans toucher à celui du Roi. Ce sentiment monarchique est entretenu par l'autorité coloniale et dans la presse en 1789 : tant que la Révolution n'est pas régicide, elle est acceptable, dans la mesure où la France ne paraît que refaire 1688. Avec la Terreur, en 1793, l'Église ajoute ses imprécations à celles de l'État. Il faut certes tenir compte du travail pro-révolutionnaire de *La Gazette de Montréal* de Mesplet et de Jautard, tout en rappelant que le projet d'une Chambre d'assemblée conçu par Grenville dès 1789 mais octroyé en 1791 pouvait satisfaire des «Canadiens» qui apprécièrent d'autant plus la nature de ce parlementarisme qu'il leur donna bientôt un levier politique décisif. L'octroi d'une Chambre d'assemblée levait la pression créée par la double conjoncture de 1776 et de 1789. Certes, le conflit de la Chambre avec le gouverneur et avec le Conseil législatif allait tempérer cet enthousiasme, mais pour l'instant, l'institution était remarquable, elle était un modèle. À cette époque, le Bas-Canada paraît plus réformiste que révolutionnaire, plus favorable à la monarchie constitutionnelle qu'à la république.

Pour ces contemporains, le défi avait été de savoir comment, en Amérique, sans la France mais avec la Grande-Bretagne, on était Canadien.

Chapitre II

L'ÉMERGENCE D'UNE OPINION PUBLIQUE
DANS LA COLONIE (1760-1815)

L E BAS-CANADA COLONIAL est alors très majoritairement une société rurale et agricole où dominent la culture et la communication orales. La vie y est scandée par le calendrier saisonnier et religieux et les relations entre les hommes — la sociabilité — sont profondément marquées par cette ruralité et cette oralité. Les habitants, isolés par le travail, l'espace et les saisons, peuvent se retrouver le dimanche à l'église, à écouter le sermon du curé et à échanger sur le perron de l'église ou dans la salle d'assemblée paroissiale. Cette culture orale, où les légendes et les contes se transmettent par la parole, profite à l'Église catholique qui dispose d'un réseau de transmission de la parole évangélique et politique. Le sermon du curé, le mandement de l'évêque de Québec lu dans les chaires de toutes les paroisses du Bas-Canada, les grands sermons imprimés de l'évêque Plessis, parfois lus à haute voix pour les analphabètes, indiquent bien la position privilégiée occupée par l'Église dans cette société rurale et orale. À la campagne, les lieux de sociabilité sont diversifiés : la famille, l'église, le marchand général et l'auberge, si l'importance de l'agglomération le permet. L'oralité y domine l'écrit : on évalue à 16 %, en moyenne, le taux d'alphabétisation de la population du Bas-Canada entre 1760 et 1820. Ce taux d'alphabétisation, qui est un indicateur plus qu'une preuve définitive, car il est le résultat de l'analyse de la capacité, pour les conjoints, de *signer* leur nom sur l'acte de mariage, connaît un minimum durant la décennie 1770-1779, au terme d'une décroissance amorcée non pas au moment de la conquête britannique mais avec la décennie 1730-1739. Fluctuant jusqu'à la décennie 1810-1819, le taux d'alphabétisation sera par la suite en croissance faible mais irréversible (tableau 46).

Sociabilité, vie associative et alphabétisation

La sociabilité urbaine, celle des lieux et des formes de médiation entre les citoyens, est plus intense. Le salon et le café assurent par exemple une sociabilité interfamiliale et une sociabilité professionnelle (marchands, avocats). Des préoccupations et des intérêts divers suscitent des lieux et des formes de rassemblements multiples. Certaines de ces associations volontaires qui alimentent la vie associative s'inspirent alors de la plus symbolique de ces « assemblées » : la Chambre d'assemblée.

Les préoccupations politiques marquent la plupart des associations, tel le Club constitutionnel de 1791 organisé pour familiariser les citoyens avec les institutions britanniques ou ces Associations loyales mises sur pied en 1794 pour faire pièce aux idées de la Terreur. L'Académie de Montréal paraît à ce point liée aux « gazettes », qui font la « publicité » des associations, qu'elle n'a vraisemblablement eu d'existence que journalistique dans les colonnes de la *Gazette du commerce et littéraire* de Fleury Mesplet à compter du 21 octobre 1778. On y débat de sujets divers et on se répond entre membres comme si, de fait, cette Académie tenait des réunions dans le Montréal de l'époque. La Société des Patriotes, dont la devise est « Humanité, tolérance et liberté » et à laquelle Mesplet s'intéresse aussi, célèbre la Révolution de 1789 et souhaite l'obtention d'une Chambre d'assemblée tout en dénonçant le clergé. En témoignent les « santés », véritables condensés d'opinion publique, qui sont levées lors d'un dîner de la Société des Patriotes : « Au généreux La Fayette ! », « Au patriotique Mirabeau ! », « À l'abolition des abbés ! », « À la destruction des Récollets ! », « À la félicité du peuple ! », « À une Chambre d'assemblée dans cette province ! » Différemment, l'éphémère Société littéraire de Québec se réunit le 3 juin 1809 pour célébrer l'anniversaire de George III.

L'anglophone Montreal Society United for Free Debate, qui se réunit à l'hôtel Dillon et regroupe quelques francophones dont un ami de Mesplet, Henri Mézière, paraît être l'association la plus centrée sur la sociabilité et sur le débat de sujets para-politiques : supériorité du commerce ou de l'agriculture, éducation publique ou privée, mariage ou célibat. Cette société de débats annonce plus que toute autre l'associationnisme ultérieur qui comprendra aussi des « lectures » ou conférences publiques. Quant aux loges maçonniques, on en sait peu de chose, sinon qu'elles existent et que certaines comprennent des francophones[1].

Davantage qu'à la campagne, la sociabilité urbaine fait appel à l'imprimé et à l'écrit et le taux d'alphabétisation est singulièrement plus élevé à la ville. De 1760 à 1820, 41 % de la population de la ville de Québec sait lire et écrire, soit presque trois fois plus que la moyenne bas-canadienne. On est donc d'autant plus alphabétisé au Bas-Canada colonial qu'on habite à la ville — où la présence de l'école est plus fréquente —, qu'on est protestant, de langue anglaise, homme et pratiquant un métier qui exige ces savoirs. Si les protestants anglophones bas-canadiens sont deux fois plus alphabétisés que les catholiques francophones, c'est que, peu nombreux, ils sont concentrés à la ville (Québec et Montréal), qu'ils ont le plus souvent bénéficié d'une éducation métropolitaine et que la tradition protestante, misant sur la lecture privée de la Bible, favorise l'apprentissage de la lecture. 18,6 % des hommes du Bas-Canada sont alphabétisés, comparativement à 14,3 % des femmes et la proportion est même légèrement plus forte dans la ville de Québec : 47,6 % comparativement à 34,5 %. Enfin, à Québec, les gens de professions libérales et d'affaires et les officiers sont alphabétisés à 88 %. 56 % des boutiquiers, des artisans autonomes, des sous-officiers et des fonctionnaires savent lire et écrire comparativement à 31 % des artisans, des ouvriers spécialisés, des soldats et des petits commerçants (tableaux 47-52).

Les « gazettes » et les communications

Si la sociabilité rurale mise sur l'oralité, la sociabilité urbaine et la vie associative font appel à la culture de l'imprimé. Les clubs et sociétés font publier des brochures, annoncent leurs réunions dans les journaux, qui rendent parfois compte de celles-ci. Ces formes et lieux de rassemblement créent des groupes d'intérêt, des « publics » qui finissent par susciter un public et une vie publique où se forme l'opinion publique. Nul moyen mieux que les gazettes qu'on appelle aussi les « papiers publics » — de l'anglais *public papers* — ne contribue à façonner cette opinion publique naissante. Public, publication, publicité ont la même racine. Et ce public de lecteurs qui s'informent, s'interpellent et se répondent façonne une sociabilité plus abstraite, urbaine, qui est tout autant celle de l'Académie « voltairienne » de Montréal qui a une existence de papier que cette nouvelle diagonale publique qui traverse la fondation et le dialogue du *Mercury* et du *Canadien*[2].

Si dès 1764, comme on l'a vu, l'autorité coloniale encourage la fondation d'une «gazette» à Québec pour diffuser renseignements et ordonnances, l'octroi du parlementarisme en 1791 véhicule l'idée que les «libertés anglaises» ne peuvent exister et survivre que par la «liberté de la presse».

En Amérique, l'imprimeur de l'époque ne peut vivre que par la publication d'une «gazette». Les journaux sont peu nombreux dans la colonie de 1764 à 1814; 14 y sont publiés, neuf à Québec et cinq à Montréal. Les deux villes ont sensiblement la même population, autour de 6500 habitants en 1784 et de 15 000 en 1815 (tableau 1). Des 14 titres publiés hebdomadairement, cinq sont de langue anglaise, cinq sont bilingues et quatre sont de langue française. Symptomatiquement, la population anglophone, moins nombreuse mais plus urbaine, plus riche et plus scolarisée, dispose de plus de moyens culturels et communicationnels. À Québec, les principaux journaux sont *The Quebec Gazette / La Gazette de Québec*, *The Mercury*, *Le Canadien*; à Montréal, *La Gazette du Commerce et littéraire* de Mesplet qui connaîtra différents titres et différents statuts linguistiques, *The Canadian Courant* et *The Canadian Spectator / Le Spectateur canadien* (tableau 62).

Tant que la *Quebec Gazette / Gazette de Québec* est perçue comme un lieu de publication des ordonnances et que les curés doivent y souscrire et «lire dans leurs congrégations, le dimanche immédiatement après le service à l'église, toutes les ordonnances et ordres qu'on publiera de temps en temps», l'Église ne voit pas d'un mauvais œil ce concurrent écrit de ses messages oraux de prédication. Les choses changent avec la publication de *La Gazette* de Mesplet à Montréal, qui diffuse les idées des Lumières à la manière subtile des philosophes de l'*Encyclopédie*. Monsieur Montgolfier, supérieur des sulpiciens à Montréal, se plaint à l'évêque de Québec: «javais toujours espéré que cette gazette, en la méprisant, comme elle mérite, tomberoit delle même: mais comme il a paru quon cherchoit a luy menager la protection du gouvernement [...]». Il s'en ouvre aussi directement au gouverneur qui l'assure qu'il ne laissera rien s'y publier qui puisse «fomenter la discorde parmis les Peuples qui par toutes sortes de raisons doivent soutenir les Intérêts d'un gouvernement qui les a protégés [...][3]». Mesplet avait d'ailleurs promis, en mai 1778, de ne rien publier «qui pourrait porter le moindre ombrage au gouvernement et à a religion» et de ne pas aborder les «affaires présentes». Il ne s'y tiendra pas: après qu'il eut été acculé à vendre son journal et son imprimerie, *La Gazette*, première manière, cesse d'être publiée en juin 1779, et Mesplet ainsi que son rédacteur Valentin Jautard sont emprisonnés pendant trois ans. La lutte pour la liberté de presse était commencée[4].

Le Canadien allait la maintenir, lui qui pensait que les «libertés anglaises» ne pouvaient s'exercer sans cette liberté fondamentale qu'était la liberté de presse:

> [...] la Liberté de la Presse [...] ne doit respecter que la religion et le Gouvernement sage [...], elle doit méconnaître les Riches et les Grands s'ils sont vicieux et protéger les pauvres et les petits s'ils sont vertueux; elle doit être continuellement sur ses gardes, afin de ne point injurier personnellement aucun individu quelconque; mais elle peut et elle doit même s'entretenir hardiment et généralement de tout ce qui est contraire à la société et nuisible au peuple [...][5].

Après 1779, à nouveau en 1810, un journal francophone, *Le Canadien*, allait être saisi et ses journalistes emprisonnés.

La publication des journaux et la présence d'imprimeurs dans les seules «villes» de Québec et de Montréal, tout comme l'importance décisive du lieu d'habitat urbain dans le taux d'alphabétisation, indiquent bien, en milieu colonial et américain, la relation étroite qui existe entre la population et le niveau de développement culturel. Le Bas-Canada de l'époque, qui se limite à la vallée et aux rives du fleuve Saint-Laurent, voit sa population quintupler de 1763 à 1814, passant de 70 000 à 335 000 habitants. Un demi-siècle après la conquête du pays, on compte 300 000 Canadiens français et 25 000 Anglo-Américains et ce clivage linguistique correspond à peu près au partage religieux entre catholiques et protestants.

Le phénomène d'agglomération de la population coloniale est minimal: en 1765 on ne compte que huit agglomérations de plus de 1000 habitants comparativement à 41 en 1790, alors que la majorité de la population réside encore dans des agglomérations de moins de 1000 habitants. Six lieux ont toutefois plus de 2000 habitants en 1790: L'Assomption, Berthier-en-Haut, Saint-Eustache, Varennes, Québec et Montréal. Au tournant du XIXe siècle la taille démographique de Montréal dépassera celle de Québec (tableaux 1 et 3).

Ce type d'agglomération de la population ne permet guère la mise en place de moyens et d'institutions capables de susciter et d'assurer une certaine vie intellectuelle dans une colonie du Nouveau Monde. Les associations, l'imprimerie, la presse, les théâtres et même les auberges exigent un seuil démographique de rentabililité économique. La lenteur caractérise la circulation des biens et des personnes : la navigation intérieure et atlantique se fait essentiellement à la voile, lorsque le fleuve n'est pas gelé, soit de mai à décembre. Même avec le premier bateau à vapeur, *The Accommodation,* lancé par les Molson en 1809 et suivi par le *Swifture* en 1812, on met 36 heures pour franchir la distance entre Montréal et Québec. Le « chemin du Roy », sur la rive nord, est la seule voie terrestre, d'ailleurs peu praticable au dégel printanier. C'est celle qu'emploie le maître de poste, responsable du relais de la poste deux fois par semaine, vers 1810, entre Québec et Montréal. Les relais se font à Trois-Rivières, à Berthier-en-Haut, à L'Assomption. À compter de 1797, un courrier assure la communication entre Montréal et Burlington au Vermont ; cette voie, qui débute dans les ports atlantiques des États-Unis, accélère les échanges avec Halifax et Saint John ou les assure de décembre à mai lorsque les glaces bloquent la navigation[6].

Imprimeurs et imprimés

L'imprimerie est alors un métier polyvalent : si l'imprimeur de Québec ou de Montréal publie une gazette pour vivre ou survivre, il accomplit aussi des travaux de ville, il offre des livres et de la papeterie en vente, il relie journaux, brochures et livres, il est parfois responsable du « bureau de la poste » ou fabrique même du papier comme c'est le cas pour James Brown. L'imprimeur a souvent un patronyme anglais et est venu des États-Unis : c'est le cas de Brown, Gilmore, Mower et Mesplet, Français qui a transité par Philadelphie.

L'imprimé colonial date de 1764. Le nombre de titres imprimés (1115 de 1764 à 1820) est en croissance continue et près de 50 % des titres parus durant cette période le sont de 1811 à 1820, 71 % de 1801 à 1820. Cet imprimé, majoritairement de langue française (52 %), paraît à Québec (77 %) puis à Montréal (23 %). Un tiers des titres parus ne compte qu'une page, un quart de deux à quatre pages et un autre quart peut porter le nom de livre et comporte plus de 50 pages (tableau 61).

L'imprimé bas-canadien concerne d'abord le gouvernement (proclamations, documents de la milice, de la Chambre d'assemblée et du Conseil législatif, règlements de police, de ville ou de port) et la politique (tracts électoraux, brochures politiques). Puis viennent les titres religieux (livres de prières, mandements, sermons, catéchismes), les catalogues commerciaux, des comptes rendus de procès, les almanachs et les calendriers, les «étrennes» annuelles du porteur de journaux et quelques poèmes, les abécédaires et les livres de classe (tableau 82). Politique, l'imprimé est d'abord et avant tout pratique et socialement fonctionnel[7].

Les bibliothèques

Si l'imprimé local renvoie à l'utile, la lecture se pratique en «bibliothèque», en des lieux socialement limités, souvent rudimentaires. Dès 1778, le très «éclairé» imprimeur Fleury Mesplet voit l'intérêt des bibliothèques. Il écrit dans sa *Gazette littéraire et du commerce*:

> Déjà l'émulation commence à faire sentir ses aiguillons; déjà l'amour du bon goût qui perce à travers les ténèbres des préjugés, nous réveille du sommeil léthargique où nous étions plongés; nous commençons à sentir les impressions de la lecture des livres choisis dont quelques particuliers enrichissent le Pays; mais en trop petit nombre pour être comparés à l'utilité que l'on pourroit retirer des Bibliothèques publiques qui devroient se trouver dans nos villes[8].

Le gouverneur Haldimand a d'autres raisons de penser à l'établissement d'une bibliothèque à Québec:

> Le peu de ressources que nous trouvons icy et ayant lieu de m'appercevoir tous les jours que l'ignorance de ces peuples est un des plus grands obstacles que nous ayons à vaincre pour leur faire connaître leurs devoirs et leurs propres Interest m'a fait naître l'idée d'établir une bibliothèque Publique. J'ay fait convenir l'Evêque et le Supérieur du Séminaire de l'Avantage qui en résulteroit; Ils sont entrés dans mes idées et j'ay fait ouvrir une Souscription qu'ils ont signé avec moy de même que plusieurs prêtres, presque tous les marchands anglais et plusieurs Canadiens [...][9].

L'appui du clergé est plus réservé que ne le laisse entendre le gouverneur:

> Je vous avoue, monseigneur, que si je contribue à cet établissement [bibliothèque], ce ne serait, qu'à contre cœur et par ce pur motif de politique chrétienne. Je suis intimement persuadé que dans tous les établissements de l'Imprimerie et de Bibliothèque publique, quoiqu'ils aient eu eux-mêmes quelque chose de bon, il y a toujours plus de mauvais que de bon, et qu'ils font plus de mal que de bien, même dans les lieux où il y a une certaine police pour la conservation de la foi et des bonnes mœurs[10].

En raison des lenteurs et des difficultés d'approvisionnement en livres français, la Quebec Library / Bibliothèque de Québec ouvre ses portes en novembre 1783 comme bibliothèque par souscription plutôt que comme véritable bibliothèque «publique» financée par les deniers publics et accessible à tout public lettré. En janvier et février 1779, la *Quebec Gazette / Gazette de Québec* et la *Gazette* de Mesplet à Montréal évoquent l'intérêt d'une bibliothèque à Montréal. Réunis au café Dillon, des souscripteurs-actionnaires fondent la Montreal Library / Bibliothèque de Montréal en 1796[11].

Les abonnés souscripteurs des deux bibliothèques prennent connaissance des titres disponibles par les rares catalogues qu'elles publient. Le contenu français de la Bibliothèque de Québec passe de 1209 volumes en 1792 à 1245 en 1801 à 1425 en 1808 et à 1535 en 1813. Ce sont les ouvrages d'histoire, les biographies, les mémoires et les récits de voyages qui sont principalement offerts aux emprunteurs : les histoires de Bossuet, de Raynal, de Charlevoix et de divers pays, des ouvrages sur la France et sur la Révolution, les mémoires de Thomas Paine et de Calonne. Puis viennent les volumes de sciences, d'art et de littérature : l'*Encyclopédie* en 35 volumes, Buffon en 27 volumes, les *Confessions* de Rousseau, l'*Essai sur l'entendement humain* de Locke, Fénelon, des ouvrages sur l'agriculture et sur l'horticulture. Parmi les œuvres complètes, on compte celles de Voltaire (40 vol.), de Rousseau (23 vol.), d'Helvétius, de Hume, de Montesquieu, de Corneille, de Racine, de Molière, de Boileau, de La Fontaine. Suivent en importance les titres de poésie, de théâtre et les romans : l'Arioste, du Tasse, Milton en français, Beaumarchais, madame de Genlis, Chateaubriand (*Atala*, l'*Itinéraire de Paris à Jérusalem*), la Nouvelle bibliothèque de romans en 32 volumes, le *Tableau de la littérature française du XVIIIe siècle*. Les souscripteurs peuvent aussi emprunter des ouvrages de politique : Blackstone sur les lois anglaises et sur la procédure criminelle, une *Constitution de l'Angleterre*, *Du gouvernement civil* de Locke et des ouvrages de droit sur la coutume de Paris ou les *Causes célèbres* en 64 volumes. Peu nombreux dans cette bibliothèque, les ouvrages de religion avaient une fonction manifestement apologétique : l'*Anti-dictionnaire philosophique*, les *Erreurs de Voltaire* de l'abbé Nonnotte, les *Pensées* de Pascal, Fénelon sur les preuves de l'existence de Dieu.

En 1797, la Bibliothèque de Montréal offre 1558 volumes, dont 830 en anglais et 728 en français ; elle a des allures XVIIIe siècle avec Voltaire, Helvétius, Mirabeau, Condorcet, Volney, puis Locke, Bayle. Il va de soi que dans l'une et l'autre bibliothèque, des emprunteurs francophones pouvaient emprunter des ouvrages de langue anglaise sur la politique, la constitution et le parlementarisme anglais[12].

Le clergé n'est pas inconditionnellement contre le livre ; il est contre l'imprimé qu'il ne contrôle pas, le « mauvais » imprimé. Car des ecclésiastiques possèdent parfois d'importantes bibliothèques surtout constituées d'ouvrages de théologie, de religion et de belles-lettres (tableau 59). On trouve aussi des livres dans les presbytères et, bien sûr, dans les collèges-séminaires à Québec, à Montréal, à Nicolet et à Saint-Hyacinthe. En 1782, la bibliothèque du nouveau Séminaire de Québec, utile tout autant à la formation du clergé qu'aux élèves, contient majoritairement des ouvrages de théologie et de religion, des livres de classes, de belles-lettres et d'histoire[13].

Les députés, qui ont un urgent besoin de consulter des ouvrages de droit constitutionnel, de procédure ou sur tout autre sujet à propos duquel il y a lieu de légiférer, trouvent dans la bibliothèque de la Chambre d'assemblée, à compter de 1802, une documentation utile. Cette bibliothèque, qui ne compte encore en 1811 que 137 titres, offre deux titres sur trois en Droit (tableaux 79 et 85).

Il est donc possible pour des souscripteurs, des prêtres, des collégiens et des députés d'avoir accès à des livres dans des institutions à caractère semi-public ou privé. Mais des individus ont aussi des bibliothèques ou, plus justement formulé, des livres. On dispose, pour le savoir, de l'inventaire après décès. À Montréal, ville et île, de 1765 à 1790, 12 % d'un échantillonnage d'inventaires après décès comportent des livres. Les propriétaires de livres, essentiellement francophones, sont des marchands et des membres de l'élite, qui disposent surtout de livres religieux et de belles-lettres (dictionnaires, théâtre, poésie, correspondances et mémoires) (tableaux 71-74). À Montréal, de 1800 à 1820, 38 % d'un autre échantillonnage d'inventaires après décès révèle la présence de 11 512 livres, soit une moyenne de 56 volumes ou de 16 titres par propriétaire. Ces propriétaires de livres sont deux fois sur trois des protestants, donc des anglophones qui possèdent d'ailleurs les bibliothèques privées les plus imposantes. Les « bibliothèques » sont plutôt des étagères de salle à manger ou de chambre à coucher : 28 % des bibliothèques comptent de 1 à 5 volumes, 27 % de 6 à 19 volumes ; une majorité de bibliothèques est donc constituée de 1 à 19 volumes. Un faible 13 % de ces bibliothèques privées comptent plus de 100 volumes et, en général, ces « bibliothèques » privées contiennent des ouvrages de belles-lettres (poésie, dictionnaires, grammaires), de sciences et d'art, d'histoire profane, de droit ou de dévotion (tableaux 75-78).

À Québec, de 1760 à 1799, 26,1 % des inventaires après décès révèlent des livres, 36,6 % de 1800 à 1819, pour une moyenne de 31,3 %, le tiers des inventaires. Le nombre des « bibliothèques » identifiées passe de 127 à 190 et celui des volumes inventoriés passe de 2 584 à 11 330, soit respectivement une moyenne de 20 et de 60 volumes par « bibliothèque ». Ce sont surtout les fonctionnaires, les marchands, les gens de professions libérales puis les hommes de métiers qui possèdent des livres chez eux. Les paysans disposent de moins d'un pour cent des volumes inventoriés. 63 % des « bibliothèques » privées comptent de 1 à 20 volumes, 10,7 % plus de 100 volumes. Et on trouve parmi ces livres, comme à Montréal, des ouvrages de belles-lettres, de sciences et d'art, d'histoire, de droit et de liturgie et de dévotion (tableaux 54-58).

Faute d'emprunter des livres ou de les posséder, on peut, au XVIIIe siècle, louer des livres dans des bibliothèques commerciales de location appelées *circulating libraries* en anglais. Moyennant une cotisation dont le mode et le montant varient, on peut louer un livre pour une semaine et s'engager à assumer le coût des dommages faits au livre. Certaines de ces bibliothèques, qui pouvaient compter plus de mille titres, publient un catalogue de leur collection, principalement composée d'ouvrages de fiction. On connaît trois de ces bibliothèques de location : à Québec, celle de Germain Langlois qui ouvre ses portes en novembre 1764 et celle de Thomas Cary qui loue des livres à compter de septembre 1797 ; à Montréal, la première est celle de William Manson, qui s'annonce pour la première fois dans *La Gazette de Montréal* du 20 octobre 1806. Seule la bibliothèque de location de T. Cary joint à la location de livres la possibilité de lire des journaux dans une *news room*, une salle de lecture de périodiques et de journaux[14].

Le commerce colonial du livre

Le commerce spécialisé du livre n'apparaît qu'au tournant du XIXe siècle avec deux libraires anglophones, John Neilson à Québec et H.H. Cunningham à Montréal. Celui qui veut se procurer un livre peut l'acheter chez des imprimeurs ou chez des marchands qui annoncent les titres qu'ils ont en inventaire ou qui font partie d'arrivages maritimes récents. Le livre peut aussi se trouver dans des encans qui liquident des successions.

À Québec, 563 annonces de livres à vendre paraissent dans les journaux de 1764 à 1819. Ces annonces de John Neilson, de William Brown, de John Jones, de Samuel Neilson et de Thomas Cary comprennent la plupart du temps moins de cinq titres et offrent, par ordre d'importance, des ouvrages de sciences et d'art, de belles-lettres, d'histoire, de droit et de religion. Les auteurs les plus offerts sont Walter Scott, Fénelon, O. Goldsmith, Samuel Johnson et Voltaire, puis parmi d'autres auteurs français : Montesquieu, Lesage, Bossuet, Racine, La Fontaine, Rousseau, Molière et Chateaubriand (tableaux 64-70).

Les Neilson sont les premiers à spécialiser leur commerce de librairie à partir de leur imprimerie. De 1792 à 1812, la « librairie » Neilson vend près de 50 000 volumes, une moyenne annuelle de près de 2500 volumes. Ce sont surtout des livres en français — livres religieux et scolaires (tableau 80). Par contre, ce sont les titres anglais qui dominent les trois catalogues publiés par Neilson en 1802, 1803 et 1811 et, à nouveau, les titres offerts sont des ouvrages de belles-lettres, de sciences et d'art, d'histoire, de religion et de droit (tableaux 83-84).

À Montréal, de 1776 à 1815, une soixantaine d'encans, tenus dans des commerces d'encans ou dans les cafés Teasdale, Gillis, Sullivan ou Clamp, comprennent des lots de livres parfois fort importants. Ces livres proviennent de successions ou de l'importation et sont occasionnellement décrits dans des catalogues disponibles avant l'encan[15]. Il n'y a pas de librairie française à Montréal avant 1815 et seul H.H. Cunningham a pignon sur rue comme libraire et papetier. Dans un tel contexte, on comprend les prêtres des Missions étrangères du Séminaire de Québec et les sulpiciens du Collège de Montréal de faire appel à leurs confrères de Paris, de Londres ou de Baltimore pour faire l'acquisition de livres. C'est là un recours obligé après la cession de 1760 mais surtout au moment du blocus napoléonien qui ferme les ports anglais en métropole et en colonie au commerce français. Mais il est alors possible de contourner cette situation en faisant appel aux prêtres français en exil à Londres ou aux sulpiciens américains de Baltimore qui ont davantage gardé le contact avec l'Europe grâce aux ports atlantiques des États-Unis, qui tant bien que mal commercent toujours avec l'Angleterre et la France[16].

Instruction publique et éducation secondaire classique

L'instruction constitue le pivot du développement culturel et intellectuel dans la colonie. Elle assure l'alphabétisation, la lecture, la création symbolique et la création des institutions susceptibles d'assurer et de perpétuer le développement culturel d'une société. Le défi colonial est de taille : le taux d'alphabétisation moyen de la colonie est d'environ 16 %, celui de la ville de Québec de 41 % et ce taux est d'autant plus fort qu'on est protestant et anglophone, urbain et de sexe masculin.

Voyageurs et polémistes du *Quebec Mercury* reviennent souvent sur l'idée « qu'il n'y a pas dix personnes de lettrées » parmi les Canadiens. Immigrants récents ou passants, ils ne tiennent pas compte de la concentration de la population anglophone dans les villes et de leur formation scolaire américaine. À ces attaques, *Le Canadien* du 20 janvier 1810 réplique que « les sciences ne sont jamais encouragées dans les colonies ; elles ne trouvent de l'encouragement que dans les métropoles » ; le rédacteur du journal ajoute qu'il « seroit curieux de voir une colonie composée toute de nobles et de philosophes ».

Mais les témoignages convergent néanmoins pour déplorer le piètre état de l'instruction dans la colonie de 1760 à 1815. Point d'université en 1760, point de collèges avant 1765 à la suite du bombardement du Collège des Jésuites de Québec en 1759, quelques écoles privées essentiellement dans les centres urbains. En 1790, on évalue que Montréal, Québec et Trois-Rivières qui regroupent une population de 33 200 habitants disposent de 20 écoles, soit une école pour 1660 habitants, alors qu'en milieu rural, dont la population atteint 128 100 habitants, on compte 30 écoles, soit un rapport d'une école pour 4270 habitants. Les 10 000 protestants de la colonie ont à leur usage 17 écoles (1 / 588 habitants), les 160 000 catholiques 40 écoles (1 / 4000) ! À Québec, le maître d'école est un homme, protestant et enseignant à la Haute-Ville. Tout comme l'alphabétisation, l'instruction croît proportionnellement à l'appartenance religieuse et sexuelle et à l'habitat urbain. Ce dernier facteur s'explique facilement : la densité démographique rend possible la création et le maintien d'une école[17].

L'Église catholique assumait, depuis la Nouvelle-France, un rôle traditionnel en matière d'éducation et elle avait bénéficié de dotations terriennes très importantes pour l'aider à assumer ce rôle ainsi que celui de l'organisation hospitalière et charitable. En 1760, le clergé régulier et séculier, masculin et féminin, disposait d'importantes seigneuries susceptibles de générer et d'assurer des revenus[18]. Le gouvernement colonial perçoit aussi l'ampleur du problème et crée en 1787 et en 1790 deux comités d'enquête sur l'état de l'éducation qui permettent d'identifier les positions de l'Église et des marchands[19].

La première véritable initiative vient en 1801 avec la loi des Écoles royales et elle est la résultante des efforts de l'évêque anglican de Québec, le révérend Jacob Mountain, qui, dès 1799, presse le gouverneur Milnes d'agir. Selon le révérend Mountain, il faut tout faire pour que les familles coloniales anglaises ne soient pas obligées d'envoyer leurs enfants étudier aux États-Unis, car ceux-ci « ne s'imprégneront pas de cet attachement à notre constitution religieuse et civile, de cette vénération pour le gouvernement de leur pays et de cette loyauté à leur Roi envers qui il est si nécessaire, dans les temps présents, d'inculquer un grand attachement ». À cet objectif antirépublicain, Mountain joint une préoccupation pour les « classes inférieures » dont il est « de notoriété publique [qu'elles] n'ont fait jusqu'ici aucun progrès dans la connaissance de la langue du pays sous le gouvernement duquel ils ont le bonheur de vivre ». Et le remède à cette « absence de communauté de langue » consiste à « favoriser, par tous les moyens possibles, l'acquisition de la langue anglaise par les enfants des Canadiens[20] ». Cette intention politique et culturelle est présente et récurrente dans la loi scolaire de 1801 ; en 1808 le secrétaire du gouverneur Craig — celui-ci s'étonne même que la loi fût passée en 1801 — rappelle que les Écoles royales visent « à modifier graduellement les sentiments politiques et religieux des Canadiens[21] ».

La loi de 1801 constitue la première volonté de prise en charge de l'éducation par l'État. Il n'y est pas fait mention des aspects religieux et linguistique ; l'article 4 précise que les écoles privées confessionnelles ne sont pas soumises à la loi et les règlements 20 et 23 stipulent que les dénominations religieuses ont autorité quant au choix des manuels scolaires. L'article 8 indique que la fondation d'écoles royales relève de la décision de la majorité des habitants d'un lieu. Durant la période, le succès de la loi est tout relatif : le nombre des écoles est inférieur à 10 jusqu'en 1807 et il est maximal en 1815 alors que la colonie compte 29 écoles. En 1818, sur les 35 écoles royales, 11 seulement sont francophones.

Si l'état de l'instruction s'est un tant soit peu amélioré, il est encore pitoyable en 1815. Certes, le clergé catholique romain ne voyait pas d'un bon œil ces écoles royales conçues en partie pour protestantiser et angliciser les Canadiens; mais il faut tenir compte d'autres facteurs pour expliquer cette lenteur de la scolarisation: la dispersion des habitats, les rigueurs du climat, la rareté des manuels, le manque d'instituteurs et, bien sûr, la pauvreté et l'apathie des parents majoritairement analphabètes qui, comme le laissait entendre Mgr Hubert devant le Comité sur l'éducation de 1790, ne voyaient pas l'utilité des arts libéraux pour l'agriculture et avaient besoin de bras pour défricher et récolter[22].

L'Église catholique s'intéresse manifestement plus à l'éducation secon-daire classique, celle qui est le plus susceptible de permettre le recrutement d'un clergé local qui puisse compenser la faiblesse des effectifs et l'empê-chement de recrutement en Europe et en France particulièrement. Quatre séminaires-collèges, qui vont former tout autant des candidats à la prêtrise qu'au droit et à la médecine, sont fondés avant 1815: le Petit Séminaire de Québec en 1765, le Collège sulpicien de Montréal en 1767, le Séminaire de Nicolet en 1803 et le Séminaire de Saint-Hyacinthe en 1811, ces deux dernières institutions conçues pour favoriser les vocations sacerdotales en milieu rural. Avec l'adaptation qui s'impose, l'enseignement qui y est diffusé est celui des humanités gréco-latines en vogue en Europe et en France, où la religion, le latin, les belles-lettres et la rhétorique constituent l'essentiel du *cursus studiorum*. Il faut y ajouter deux années terminales de philosophie dont l'enseignement, qui vise à former davantage des citoyens que des savants, est inspiré de la bible pédagogique de l'époque, le *Traité des études* de Charles Rollin:

> En effet cette étude, quand elle est bien conduite et faite avec soin, peut beaucoup contribuer à régler les mœurs, à perfectionner la raison et le juge-ment, à orner l'esprit d'une infinité de connaissances [...]; et ce que j'estime infinimement plus, à inspirer aux jeunes gens un grand respect pour la religion, et à les prémunir par des principes solides contre les faux et dan-gereux raisonnements de l'incrédulité, qui ne fait tous les jours parmi nous que de trop rapides progrès[23].

La connaissance de cet enseignement de la philosophie est cruciale pour comprendre la formation intellectuelle et civique des futures élites religieuse et civile et le destin des grands courants d'idées dans la société: monarchisme, libéralisme, démocratie, républicanisme, rationalisme, anticléricalisme. La philosophie, enseignée en latin, comprend trois parties aux aspects révélateurs.

En Logique, *contra* le scepticisme grec et surtout *contra* le doute cartésien et l'autorité de l'évidence cartésienne, on s'emploie à trouver les critères de la certitude dans le sens commun, dans le consentement des peuples et dans l'évidence de l'autorité.

En Métaphysique, l'accent est mis sur l'immortalité de l'âme et surtout sur les preuves de l'existence de Dieu *contra* l'agnosticisme et l'athéisme, jugés dangereux pour la morale individuelle et le fondement de l'autorité.

L'enseignement de l'Éthique est alors le lieu de la formation civique et politique des élèves. L'Éthique y est plutôt normative, insistant davantage sur les devoirs que sur les droits. Ces devoirs s'exercent envers Dieu auquel il faut rendre un culte intérieur *et* extérieur pour contrer le protestantisme de l'examen individuel et « l'indifférence religieuse » qu'un certain Lamennais va bientôt dénoncer. Ce sont les devoirs envers la société civile qui sont les plus révélateurs de la traversée de la philosophie par la culture. Les manuels de philosophie enseignent que la meilleure forme de gouvernement est la monarchie de droit divin, avec une tolérance minimale pour la monarchie constitutionnelle sous laquelle vit la colonie depuis 1763. *Omnis potestas a Deo* (Tout pouvoir vient de Dieu) devient la formule dont se souviennent les élèves, y adhérant ou la refusant par la suite. Le pouvoir vient de Dieu, il est transmis à un Souverain et ce n'est donc pas le peuple qui est souverain. La rébellion contre l'autorité légitime y est proscrite. Cet enseignement loyaliste d'une Église loyaliste signe une fois de plus l'alliance du Trône et du Collège.

Conclusion

L'opinion publique naît avec la presse et l'imprimé en 1764 et connaît une croissance remarquable avec la démocratie parlementaire à compter des élections de 1792. Son réel décollage date de 1805 et de 1806 alors que se crée entre le *Quebec Mercury* et *Le Canadien* une rivalité tout autant politique que culturelle. Un espace public, différent de celui de la période coloniale française, s'était construit. L'opinion de la bourgeoisie libérale et marchande francophone prend alors forme et sa cohérence s'impose : admiration et utilisation des libertés des sujets britanniques et de la Constitution ; combat pour la primauté de la Chambre élue sur les autres composantes du pouvoir politique ; conséquemment, promotion d'une certaine responsabilité du gouvernement et identification du vice politique fondamental de la colonie, soit le recrutement des conseillers auprès des seuls immigrants anglophones; séparation du législatif et du judiciaire, contrôle des dépenses publiques et de la liste civile.

Cette escalade de revendications allait culminer dans la crise politique sous le gouverneur Craig, appuyé par l'Église catholique. Les solutions d'assimilation de Craig, de Sewell et d'autres — dont un premier projet de réunir le Bas et le Haut-Canada en 1810 — contribuent à identifier des valeurs culturelles (langue, religion) de destinées différentes et à exacerber la conscience de groupe des Canadiens.

En un sens, le système culturel se met en place selon ce clivage des valeurs. Les anglophones protestants, concentrés à Québec et à Montréal, sont plus alphabétisés. Anciens métropolitains familiers avec les institutions culturelles, ils dotent Québec et Montréal d'imprimeries, de journaux, d'associations, de bibliothèques «publiques» et de librairies. L'initiative même des écoles royales, conçues comme antirépublicaines et probritanniques par l'évêque Mountain, ne peut que plaire au clergé catholique dans sa première caractéristique. Surtout que dans ses collèges, le clergé forme les futurs prêtres et les futurs gens de professions libérales à dénoncer la raison cartésienne, la souveraineté du peuple et la Révolution, ce qui n'implique pas pour autant que, sortis du collège, avocats ou médecins ne puissent penser le contraire. Mais l'alliance trinitaire du Trône, de l'Autel et du Collège-Séminaire est scellée.

Si, avant 1810, les Canadiens avaient fait l'expérience de la vie associative, des bienfaits de l'imprimerie et en particulier de la liberté de presse, c'est après cette date que la croissance de l'alphabétisation, bien que faible, devient irréversible, que les imprimés se multiplient et que la bibliothèque de la Chambre d'assemblée s'impose comme instrument culturel. Cette culture citadine, où se forge l'opinion publique dans la parole et dans l'écrit, s'inscrit toutefois dans une culture majoritairement rurale, orale et matérielle qui explique les faibles améliorations de l'instruction publique.

Deuxième partie

1815-1840

Chapitre III

ENJEUX DÉMOCRATIQUES
ET PRISE DE CONSCIENCE COLONIALE
(1815-1834)

L'OBTENTION D'UNE CHAMBRE D'ASSEMBLÉE où jouait la règle de la représentation selon la population avait constitué un tournant décisif dans la vie publique de la nouvelle colonie britannique : les francophones, qui reconnurent l'attitude conséquente de la métropole quant au respect des «libertés anglaises», ne pouvaient pas ne pas constituer la majorité démographique et démocratique et les anglophones ne pouvaient pas ne pas trouver cette situation désavantageuse. Le rapport démographique alimenta très tôt une crise institutionnelle et constitutionnelle où la Chambre d'assemblée, branche démocratique du système politique colonial qui tablait sur les droits et libertés, cherchait à affirmer sa primauté sur la branche «aristocratique» et non élue qu'était le Conseil législatif. Dès le départ, ce fut la stratégie de la Chambre d'assemblée de chercher à obtenir le contrôle des subsides et du budget et de contester le Conseil législatif dans sa composition et dans sa stratégie de bloquer les projets de loi votés par la Chambre ; les députés tirèrent toutes les conséquences du système anglais en veillant à la séparation des pouvoirs exécutif, législatif et judiciaire et en contestant l'éligibilité des juges à la Chambre d'assemblée et leur présence au Conseil législatif. Ces tensions originaires du système politique colonial ne pouvaient qu'alimenter des recours à la métropole soit pour modifier ce système soit pour contrer des projets coloniaux de changement constitutionnel comme le premier projet d'Union de 1810.

Après une période d'accalmie sous le gouverneur Prevost (1811-1815), les questions non résolues — conflit entre la Chambre d'assemblée et le Conseil législatif, confusion des pouvoirs législatif et judiciaire, budget et liste civile, stratégies d'assimilation — refont surface et s'intensifient en raison même des effets conflictuels qu'elles produisent mais surtout en raison aussi d'un groupe social en ascension, les gens de professions libérales, qui, avec les marchands, vont revendiquer et proposer des solutions à ces questions non résolues et dont Louis-Joseph Papineau sera la figure tutélaire. Le travail de la Chambre d'assemblée, le contenu de *La Gazette de Québec*, du *Canadien* ou de *La Minerve* comportent quelques grandes questions qui sont les véritables enjeux des débats, des conflits et des projets : l'avancement de la cause démocratique, le règlement des difficultés constitutionnelles et institutionnelles, la réévaluation conséquente du lien colonial et l'élaboration d'une identité « canadienne », qui inclut aussi les relations entre l'Église et l'État.

Une petite-bourgeoisie en ascension

L'affirmation du libéralisme et du patriotisme s'appuie socialement alors sur la croissance d'une bourgeoisie de professions libérales qui voit tripler ses effectifs de 1815 à 1838 ; avocats, notaires, médecins et arpenteurs passent de 331 en début de période à 939 au moment des rébellions, avec un décollage évident après 1821 (tableau 13). En 1831, par exemple, les gens de professions libérales sont majoritairement francophones, surtout présents à Québec et dans les milieux ruraux et ces francophones, principalement notaires et avocats, vont progressivement développer une culture de gens de droit, caractérisée par l'éloquence et l'écrit.

Ce sont aussi ces bourgeois de professions libérales francophones qui dominent la culture politique de la colonie : ils forment en moyenne, durant la période, 74 % de la députation à la Chambre d'assemblée (tableau 22). Les gens de professions libérales, avocats et notaires surtout, y dépassent légèrement les marchands en nombre, constituant presque la moitié de la députation durant la cruciale décennie 1830. C'est là le noyau du Parti canadien et futur Parti patriote (1826) qui, tout en se faisant le porte-parole des aspirations des milieux populaires canadiens-français et en y prenant appui, entend façonner une société à la mesure de ses visions et de ses intérêts de groupe.

Les signes de visibilité sociale de cette nouvelle bourgeoisie ne manquent pas : résidence cossue, consommation de biens importés comme ceux que la librairie Fabre offre à sa clientèle, assistance au théâtre (essentiellement anglophone), portraits de personnages publics, tels les Papineau, père et fils, John Neilson, Vallières de Saint-Réal, Elzéard Bédard, Louis Bourdages, Ludger Duvernay, Mgr Plessis, Mgr Lartigue et Mgr Signay, réalisés par les peintres Louis Dulongpré, Jean-Baptiste Roy-Audy, Antoine Plamondon ou Théophile Hamel, portraits en miniatures ou silhouettes auxquels consentent les Berthelot, Mondelet, de Saint-Ours ou de Salaberry[1].

L'affirmation de cette bourgeoisie a des effets sur le recrutement même des collèges, dont le nombre passe de quatre à sept, avec la fondation d'institutions à Sainte-Thérèse (1825), à La Pocatière (1829) et à L'Assomption (1832) si l'on exclut le Collège de Chambly (1825-1844). Conscient de cette nouvelle donne, Mgr Plessis écrit au supérieur du Collège de Saint-Hyacinthe :

> Nos collèges des villes de Québec et de Montréal ne nous procureront jamais un nombre d'ecclésiastiques proportionné à celui que nous devons attendre de nos collèges de campagne. Les écoliers des villes en faisant leurs études, sont en général entretenus des projets de leurs parents, qui les destinent à devenir des notaires, des avocats, des membres de la législature et quelques-uns des ecclésiastiques ; mais indifférents pour ce dernier état, et quand il faut se décider ils choisissent naturellement ceux dont les dehors et la liberté les flattent davantage. Il n'en est pas ainsi pour les écoliers de nos collèges de campagne ; appartenant à des familles dont les vues les plus ambitieuses se portent à voir leurs enfants prêtres, ce dont leurs parents les entretiennent et les flattent en toute occasion, ils mènent dans leurs familles une vie uniforme et tranquille, avant d'aller au collège, et pendant le temps de leurs vacances, de sorte qu'ils désirent retourner à leurs études ; ce qui n'est pas le cas avec les écoliers de nos villes [...][2].

La fondation de collèges par le clergé diocésain et régulier visait à compenser la disparition des jésuites et des récollets de la colonie et le fait qu'on ne pouvait plus légalement recruter de prêtres en France. « L'étoffe continuait d'être courte », confiait Mgr Plessis : dans le Bas-Canada, en 1830, un prêtre devait encadrer, en moyenne, 1834 fidèles, comparé à 1080 vingt ans plus tard. À Montréal, un prêtre avait la responsabilité de 1000 fidèles en 1815, de 1260 en 1831. Montréal drainait alors 48 % des effectifs totaux du clergé canadien mais ce ne sera qu'en 1836 que

Mgr Jean-Jacques Lartigue, suffrageant à Montréal depuis 1821, s'y verra confier un nouveau diocèse.

Si, en termes d'effectifs, l'Église catholique est alors «souffrante» en regard d'une bourgeoisie «triomphante», il n'empêche que la nouvelle (1829) église sulpicienne de Notre-Dame à Montréal, avec ses 1500 bancs et son auditoire possible de 10 000 fidèles, symbolise bien les espoirs de l'Église. Espoirs, car la pratique religieuse est à la baisse dans le diocèse et à Notre-Dame même, si l'on prend comme indice la pratique pascale, c'est-à-dire l'obligation de «faire ses Pâques», de communier une fois l'an, durant le temps de Pâques. Entre 1836 et 1840, le taux de non-pascalisants fluctue entre 6,8 % et 61,6 % selon que la paroisse est très urbaine ou en milieu politique patriote. Dans la paroisse Notre-Dame de Montréal, qui comprend 10 % des catholiques du diocèse, un tiers seulement des paroissiens font leurs Pâques en 1839, une minorité. Dans neuf paroisses du diocèse, la même année, 37 % des paroissiens, en moyenne, ne font pas leurs Pâques[3].

L'importance des gens de professions libérales anglophones dans les villes de Québec et de Montréal est le signe d'un phénomène plus global : l'immigration en provenance des îles britanniques, après la fin des guerres napoléoniennes. En moyenne, 8041 immigrants britanniques débarquent annuellement au port de Québec de 1818 à 1822, 10 867 de 1823 à 1827, 31 541 de 1828 à 1832, 22 444 de 1833 à 1837, avec une provenance d'Irlande de plus en plus marquée en fin de période[4]. Ces mouvements migratoires, qui font de Montréal une ville majoritairement anglophone à partir de 1835, ne sont pas sans éveiller des craintes d'assimilation parmi les Canadiens. La population bas-canadienne, qui franchit le cap du demi-million au tournant de la décennie 1830, se regroupe surtout à Québec et à Montréal, ces deux villes rivalisant au plan démographique jusqu'à la fin de la décennie 1830 (tableaux 1 et 11).

Les enjeux démocratiques et identitaires

On n'a rien oublié alors des crises politiques antérieures comme l'indique la création, en 1812, d'un Comité sur l'administration Craig dont fait partie un certain Louis-Joseph Papineau. Né en 1786, fils du notaire, seigneur et député Joseph Papineau (1752-1841) qui siégeait à la Chambre d'assemblée depuis 1792, Louis-Joseph Papineau (1786-1871), avocat, député depuis 1809, est élu orateur de la Chambre en 1815 au départ d'Antoine Panet qui exerçait la fonction depuis 1792. La succession au poste de leader du Parti canadien s'ouvre avec le départ de Pierre Bédard emprisonné en 1810, et jusqu'en 1817, un certain flou prévaut à la direction du Parti, alors que Papineau se familiarise avec sa fonction de président de la Chambre.

Cette indétermination à la direction du Parti canadien trouve une illustration dans l'initiative prise en 1813 par le député James Stuart, prétendant à la direction du parti, de faire mettre en accusation par la Chambre d'assemblée le juge en chef du Bas-Canada, président du Conseil législatif et ex-aviseur du gouverneur Craig, Jonathan Sewell, et le juge en chef du district de Montréal, James Monk. L'initiative de Stuart a le triple attrait d'un projet démocratique de séparation du législatif et du judiciaire, d'une attaque contre les survivants de la politique de Craig et d'un évident règlement de comptes entre Stuart lui-même et Sewell. La saga occupera le devant de la scène publique un bon moment, le temps au moins que le gouverneur Prevost achemine l'accusation à Londres, sans toutefois suspendre les juges, qui seront acquittés par le Conseil privé en 1816. Ironie un peu prévisible, le Conseil législatif, présidé par Sewell, refusera à Stuart les crédits pour aller présenter le cas à Londres... C'est aussi à propos d'un cas de confusion entre le législatif et le judiciaire — le cas du juge Foucher — que Papineau, aussi prétendant à la direction du parti, fait ses premières interventions remarquées concernant l'administration impartiale de la justice et témoigne de ses préoccupations démocratiques en matière de séparation des pouvoirs[5].

Le refus du Conseil législatif de voter les crédits permettant à James Stuart, qui fait presque figure alors de leader du Parti canadien, de porter à Londres les accusations contre les juges n'est qu'un épisode d'un projet plus ancien de nommer un agent ou un délégué de la Chambre d'assemblée à Londres pour y faire valoir le point de vue des Canadiens. L'enjeu est sérieux, car les députés du Parti canadien ont la conviction que seuls les coloniaux britanniques qui font partie des Conseils exécutif et législatif ont l'oreille de Londres. Ce projet d'un agent londonien a avorté depuis 1807, en raison de prorogations du gouvernement ou le plus souvent de refus, encore une fois, du Conseil législatif de voter les crédits à cette fin. L'Assembée du Bas-Canada trouvera certes parmi les députés de l'opposition whig à Londres des défenseurs de son point de vue, mais il faudra attendre 1831 pour qu'elle puisse choisir cet agent et voter, par résolution, les crédits appropriés tout en passant outre à l'approbation du Conseil législatif. La lenteur de réalisation de ce projet et l'importance qu'aura ce délégué dans la décennie 1830 indiquent bien l'intensification des relations conflictuelles entre la colonie et la métropole et une prise de conscience nouvelle des limites d'une situation coloniale[6]. Litiges et tractations rendent nécessaire cet intermédiaire entre une Chambre d'assemblée qui demande des réformes de façon de plus en plus pressante et un ministère des Colonies qui doit temporiser entre l'Exécutif majoritairement anglophone et la Chambre majoritairement francophone.

La ferveur démocratique du Parti canadien et de Papineau, son chef de plus en plus affirmé et nouveau seigneur de la seigneurie paternelle de la « Petite-Nation », trouve un cheval de bataille récurrent dans la question des subsides et de la liste civile. L'enjeu est simple mais fondamental : « no taxation without representation », pas de démocratie véritable sans contrôle des dépenses publiques par les représentants du peuple. La bataille parlementaire pour le contrôle des dépenses publiques recèle aussi une dimension coloniale en ce qu'elle entend limiter le pouvoir de dépenser « arbitraire » du gouverneur. En visant l'Exécutif, la Chambre d'assemblée touche au pouvoir de la métropole et envisage une plus grande autonomie pour la colonie. De 1818 à 1822, la question connaît une escalade et devient la cause d'un imbroglio parlementaire décisif. À Londres, qui exige de la Chambre d'assemblée coloniale qu'elle vote les subsides, celle-ci oppose un refus à travers des exigences révélatrices des tensions avec la métropole. En effet, les députés du Parti canadien refusent de voter globalement le budget et la liste civile et de les voter pour « la vie du Roi », décidant de les étudier et de les voter annuellement et article par article[7].

Papineau mène le combat à propos des subsides : il dénonce explicitement les sinécures entretenues par le gouvernement colonial et s'oppose à une liste civile « permanente » en raison de la nécessité d'un budget variable selon les besoins du pays et par mesure de précaution contre des augmentations excessives de la liste civile comme en 1819 et en 1820. Le chef du Parti canadien insiste sur le rôle de surveillance des dépenses publiques que doit jouer la Chambre d'assemblée dans les colonies et considère que les raisons pour voter la liste civile « pour la vie du Roi » n'ont « point, et n'ont jamais reçu d'application aux colonies, entre la situation desquelles et l'Angleterre il ne peut y avoir sous ce rapport aucune analogie[8] ».

Deuxième et troisième projets d'Union (1822 et 1824)

À cette crise des institutions parlementaires et des rapports avec la métropole se greffe, à partir de 1817, un nouveau contentieux relatif au partage
des droits de douane pour les biens du Haut-Canada transitant par les
ports du Bas-Canada. En raison de la crise parlementaire, l'entente entre
les deux provinces n'est pas renouvelée en 1819 et le Haut-Canada
s'adresse au Parlement impérial en 1822. Conflit politique et mésentente
commerciale sont ainsi à l'origine de cette nouvelle grande crise qui, après
1810, frappe le Bas-Canada en 1822 et conduit à un deuxième projet
d'Union sous le règne perturbé du gouverneur Dalhousie (1820-1828).

Le « Canada Trade Act », présenté à la Chambre des communes en
juin 1822 comme un projet de loi commercial et visant « d'autres buts »,
devient, le mois suivant, un projet de loi concernant la question douanière
entre le Haut et le Bas-Canada, accompagné d'un projet d'Union des deux
provinces. Cette Union serait administrée par une seule Chambre d'assemblée et par un seul Conseil législatif, le gouverneur aurait le droit de créer
de nouveaux comtés dans les « townships » du Bas-Canada et donc
d'accroître dans l'Assemblée unie la députation anglophone, le critère
financier de l'éligibilité des candidats y serait haussé à 500 livres sterling,
les débats s'y tiendraient en anglais seulement et le roi aurait un droit de
veto sur les lois votées par cette nouvelle Assemblée[9].

Le projet d'Union, connu dans la colonie en septembre, suscite assemblée sur assemblée, adresse sur adresse en faveur ou contre cette idée
d'Union. Le principal promoteur de ce projet d'Union et agent des « unionistes » à Londres est nul autre que James Stuart, qui fut, un moment,
prétendant au leadership du Parti canadien et grand accusateur des juges
Sewell et Monk. Son retournement ne cesse d'étonner. Les *Observations on
the Proposed Union of the Provinces of Upper and Lower Canada* de Stuart
considèrent que le maintien de deux Chambres d'assemblée dans la
colonie résulte d'une division artificielle qui prive le Haut-Canada d'un
accès à la mer et à la mère patrie. Stuart affirme que la Chambre d'assemblée du Bas-Canada est aux mains de « foreign people » et qu'avec le maintien de deux Chambres, « the country is destined to remain perpetually
French » et que, dans un tel scénario,

> It will become necessary, not for the French to assume an English character,
> but for the English to assume a French character ; and both parties will be led

to believe, that the French canadian have not, without reason, designated themselves as the *Nation Canadienne,* in anticipation of the future national character they are to bear, and the high destinies that await them as a separate and independent people.

Les moyens d'assimilation ayant été négligés, selon Stuart, l'Union doit être réalisée de toute urgence afin d'éteindre les «national prejudices and peculiarities» des Canadiens français qui s'y opposent parce qu'ils sont illettrés, qu'ils n'ont aucune notion de gouvernement et encore moins du cadre politique d'un régime d'union; ceux-ci croient de plus que l'Union les dépossédera de leur langue, de leur religion et de leurs lois. Stuart joint à ses *Observations* les pétitions des unionistes des «townships» et de Montréal; ceux-ci écrivent:

> And your Petitioners cannot omit to notice that the unreasonable extent of political rights which [have] been conceded to this population, to the prejudice of their fellow-subjects of British origin, together with a sense of their growing strength, has already the effect of realising, in the imagination of many of them, their fancied existence as a separate nation, under the name of «*Nation Canadienne* »; implying pretensions, not more irreconcilable with the rights of their fellow-subjects, than with a just subordination to the parent state[10].

Les pétitions contre l'Union se multiplient tandis que Papineau se fait le porte-parole de l'opposition au projet de loi. Il réitère son admiration pour la Constitution britannique et dénonce ces «Pigmées [qui en 1822] ont prétendu attaquer la magnifique fabrique élevée en 1791 par la main des Géants». Le chef du Parti canadien considère ce projet d'union comme un acte d'oppression qui a «fortifié parmi nous un esprit d'union que rien ne pourra désormais affaiblir». Il réaffirme que les Canadiens sont «nés sujets anglais aussi bien que ceux qui nous viennent des bords de la Tamise» et que les législateurs de 1791 «nous ont donné le seul moyen efficace par lequel nous pouvons conserver [tous nos droits] : une majorité dans la représentation aussi longtems que nous aurons une majorité de la population». En décembre 1822, il écrit à R.J. Wilmot, sous-secrétaire d'État aux Colonies, pour l'informer de l'opposition et du Bas et du Haut-Canada au projet d'Union et de l'envoi de pétitions contre ce projet. Contre les «calomnies» véhiculées par les unionistes, entre autres celle «d'un prétendu attachement à la France», il rappelle «la conduite sans défaillance» et la loyauté des Canadiens français en 1774 et en 1812. Pour Papineau, il y a «angliciser» et «angliciser»:

Angliciser le pays signifie pour eux [les unionistes] priver la grande majorité des habitants de cette province de tout ce qui est cher aux hommes : leurs lois, leurs usages, leurs institutions et leur religion. [...] La Grande-Bretagne ne veut d'autre moyen d'angliciser cette colonie que celui que lui procurent le loyalisme et l'affection des habitants ; elle ne veut d'autre race britannique que celle qui se compose de sujets britanniques de naissance, loyaux et affectueux. Tels sont les habitants des deux provinces.

Délégué à Londres avec John Neilson, au début de 1823, pour porter la pétition de 60 000 signatures contre le projet d'Union et pour faire valoir le point de vue canadien, Papineau s'indigne qu'on ait appris tardivement dans la colonie l'existence de ce projet, que Londres n'ait pas consulté les principaux intéressés et il insiste sur l'opposition générale à ce projet qui s'étend « à toutes les classes ». Les deux délégués font valoir que cette Union, qui équivaudrait, en terme de territoire, à sept États étatsuniens, rendrait très difficile la participation des députés aux travaux de la Chambre en raison des distances et du climat. Ils ajoutent un argument relatif à la différence fondamentale des systèmes juridiques dans chacune des provinces et répliquent ponctuellement aux arguments des unionistes. D'abord, l'Union n'entraînerait aucune réduction de dépenses. Sur le plan démocratique, le Parlement impérial ne peut décider, en lieu et place de la Chambre d'assemblée coloniale, de la création de nouvelles circonscriptions électorales pour favoriser une tendance politique ; les délégués s'inquiètent du fait que le Haut-Canada (120 000 habitants), beaucoup moins populeux que le Bas-Canada (550 000 habitants), ait vu, récemment, modifier le nombre des représentants auquel il a droit (40) alors que la Chambre d'assemblée du Canada n'a connu que le blocage, par le Conseil législatif, de ses projets de loi relatifs à l'augmentation des députés (50) y compris de députés venant des « townships ». Papineau et Neilson voient clairement que le critère d'éligibilité des députés haussé à 500 livres sterling est proposé pour entraver les candidatures canadiennes-françaises et ils estiment inconstitutionnel le projet de conseillers législatifs présents dans la future Chambre d'assemblée. Quant à la disparition du français dans les délibérations de la Chambre, ils regrettent qu'on ait oublié que ce furent cette langue et cette culture qui ont contribué à maintenir la colonie britannique en Amérique du Nord depuis la guerre d'Indépendance américaine[11].

Délégué à Londres avec Papineau, John Neilson se servira aussi de son journal, *La Gazette de Quebec/The Quebec Gazette*, récemment cédé à son fils, pour s'opposer à l'Union[12] tandis que le jeune Étienne Parent, qui entre à la rédaction du *Canadien* en mars 1822, sera, avec Papineau, la voix la plus forte contre ce projet. Le vieux *Canadien* de 1806 saisi par Craig en 1810, publié de 1817 à 1819, paraît de nouveau de 1820 à 1825 et Parent y affirme que ce «n'est pas tant l'Union que l'on cherche comme une majorité dans la représentation pour obéir aux vœux de l'exécutif». Le jeune journaliste estime que l'Union «ne feroit qu'augmenter les frottements d'une machine où il n'y en a déjà que trop» et se sert d'une métaphore tout aussi mécanique pour caractériser le problème posé par le rapport entre le Conseil législatif et l'Exécutif: «Trop peu nombreux, eu égard à la population, pour pouvoir dominer par lui-même, [le parti Anti-Canadien] s'est toujours servi des Gouverneurs, comme d'un levier, pour multiplier ses efforts.» Occasion de définition des Canadiens français face aux déclarations des unionistes, l'Union fait dire à Parent que les Canadiens français sont des descendants des Français mais «habitans de l'Amérique» et qu'en 1763 «le Roi de France a abandonné en faveur du Roi d'Angleterre, le droit qu'il avoit à la fidélité des Canadiens[13]».

Grâce aux interventions des libéraux, et en particulier de Sir James Mackintosh et du député de Bristol, Henry Bright, le gouvernement britannique ne trouva pas l'unanimité qu'il escomptait et renonça «pour le moment» à présenter le projet de loi d'Union «qu'il considère toujours convenable et sage en théorie[14]».

On discutait encore de ce projet d'Union du Haut et du Bas-Canada lorsque le juge Jonathan Sewell et John Robinson proposent un «Projet d'union générale dans l'Amérique du Nord britannique». L'esprit de Craig hantait toujours le Bas-Canada anglophone. Prenant prétexte du loyalisme des habitants des diverses colonies (Haut, Bas-Canada, Nouvelle-Écosse, Nouveau-Brunswick et Île-du-Prince-Édouard) et de leur désir de protection par la mère patrie, ce projet d'Union fait voir que les Canadiens français ne peuvent être tentés de faire alliance avec les États-Unis; le projet soutient que, pour les Canadiens français tout autant que pour le clergé, l'annexion aux États-Unis signifierait la fin de leurs coutumes, de leur langue, de leur religion et de leur «système féodal». Sewell, le champion colonial de l'assimilation des Canadiens français, considère que la réunion des provinces augmenterait la force militaire de la colonie et, surtout, qu'une seule Assemblée législative plutôt que cinq dans l'ensemble des colonies serait plus facile à contrôler par Londres, tout comme une Assemblée de 30 députés où la majorité serait réduite à seize députés.

Ayant à l'esprit la Chambre d'assemblée bas-canadienne, les auteurs du projet ajoutent :

> Dans un seul parlement général, la représentation d'une seule province ne constituerait pas une majorité ; en conséquence, les simples passions ou préjugés locaux disparaîtraient et l'on considèrerait collectivement les intérêts de l'Empire et des provinces[15].

Le projet d'union législative n'eut pas de suite. Pas pour le moment. Mais les deux projets d'Union indiquaient clairement que des deux côtés, francophone et anglophone, le contrôle de la Chambre d'assemblée était l'enjeu fondamental. Les francophones du Bas-Canada y constituaient une majorité en raison de leur poids démographique et du seuil économique très bas d'éligibilité des représentants ; les anglophones cherchaient dans une Assemblée des provinces unies, même par des entorses au principe du « Rep by Pop », à obtenir cette majorité. Les projets d'Union visaient manifestement au renforcement du pouvoir exécutif et, du même coup, du pouvoir métropolitain ; le veto royal, déjà en place depuis 1791, confirmait cette visée. La suppression du français dans les débats parlementaires paraissait être l'envers d'une crainte de voir la « nation canadienne » se consolider. Papineau, qui siège en Chambre depuis l'époque de Craig et du premier projet d'Union de 1810, note que ces deuxième et troisième projets ont plutôt fortifié « l'esprit d'union » parmi les Canadiens français, à tout le moins celui des 60 000 d'entre eux qui ont signé la pétition contre le projet. L'avocat des unionistes et les unionistes mêmes ont aussi conscience d'un projet de « nation canadienne », comme si, au fil de l'adversité, la conscience patriotique s'était construite et avait atteint un nouveau seuil au moment où le Parti « canadien » de 1805 se transformait en Parti « patriote » (1826) et où le lexique de la « patrie » devenait plus récurrent.

Loyalisme et dissidence de l'Église catholique

Le projet d'Union de 1822 avait suscité une levée de boucliers et créé un rare consensus parmi les Canadiens français comme on commençait alors à les appeler, y compris parmi le clergé catholique qui avait signé les pétitions. L'enjeu était clair pour l'Église : son loyalisme politique s'arrêtait là où commençait sa raison d'être. Là étaient ses véritables intérêts, dans le maintien des droits de la religion catholique romaine. Mgr Lartigue avait tiré, en 1827, toutes les conclusions de l'expérience de 1822 :

Je ne vois qu'une ou deux circonstances dans lesquelles nous serions obligés de nous mêler d'affaires politiques si elles avaient lieu : ce serait dans le cas où le gouvernement britannique voudrait décréter quelque chose contraire à la religion, comme il avait fait dans le projet du premier bill d'union qui a avorté sur les remontrances de la province ; ou bien s'il était encore question de l'union des deux provinces [...], mais alors il faudrait en séparer toute affaire politique et ne se montrer que dans les questions qui intéressent de près ou de loin la religion[16].

L'opposition au projet d'Union constitua bien la seule dissidence de l'Église catholique dans une tradition de loyalisme qui ne se démentait pas. Le secrétaire d'État aux Colonies, Lord Bathurst, avait vu l'importance de ce loyalisme et confiait au gouverneur du Bas-Canada :

Il nous faut viser avant tout à ne pas laisser les démagogues faire des catholiques les instruments de leurs mauvais desseins [...] C'est pourquoi vous saurez, j'espère, vous mettre en bonne intelligence avec l'évêque catholique. Comme il a sur le clergé un très grand pouvoir, il doit, par l'intermédiaire du clergé, en avoir un très grand sur le peuple aussi [...] et il n'y a pas de moyen plus efficace (pas d'autre moyen efficace, je crois) de se concilier les laïques catholiques que de passer par le clergé. Ici, on ne se montrera pas réfractaire à leurs intérêts et à leurs désirs, même si cela doit désavantager les protestants[17].

Le « zèle et la loyauté » de Mgr Plessis et ses « services rendus » depuis l'époque du gouverneur Craig sont récompensés par sa nomination au Conseil législatif en avril 1817. Deux ans plus tard, Mgr Plessis confie à Lord Bathurst : « Je persiste à croire, Milord, qu'en favorisant la religion catholique dans les provinces de l'Amérique du Nord, Votre Seigneurie travaille au soutien du gouvernement de Sa Majesté et que nos autels défendent le trône en même temps que le trône les protège[18]. » L'alliance de l'État et de l'Église ne pouvait être plus explicite. À Montréal, les sulpiciens, dont les biens seigneuriaux étaient menacés en raison de l'absence de statut juridique de l'Église catholique, se rallient à cette entente, se présentant comme « les plus agréables au Gouvernement », comme « le quartier général » et « le boulevard » de la loyauté[19].

Le clergé, faible en effectifs et toujours sans statut légal depuis 1791, prend acte de la montée de la bourgeoisie et des idées libérales. Mgr Plessis, évêque depuis 1806, pouvait évaluer l'évolution de la pratique religieuse : « Cependant, à l'époque où il [Mgr Briand] a gouverné, on pouvoit prendre sur soi beaucoup plus qu'il ne seroit prudent de le faire aujourd'hui. Il y avait plus de respect pour le clergé et moins d'yeux ouverts pour observer ses démarches. Les fidèles étoient plus dociles et encore à l'abri des effrayants progrès qu'ont faits dans leurs esprits, les principes de liberté et de démocratie propagés par notre nouvelle constitution, par l'exemple contagieux de la révolution française.» L'évêque de Québec notait le déclin de la ferveur religieuse dans les villes et agglomérations; il estimait que «l'esprit d'indépendance et de démocratie qui, grâce à notre constitution *libérale*, prévaut dans le peuple», avait même gagné le clergé[20]. De son côté, le curé de Baie-du-Febvre observe à une correspondante en 1817:

> Madame, ne croyez pas que les mœurs ici, que la religion ne souffrent aucune éclipse [...]. À mesure que la colonie devient florissante par le commerce, l'industrie, les sciences même, qui sont enseignées avec éclat dans tous nos collèges à mesure que la philosophie se répand et jusques dans nos feuilles canadiennes, on voit cet esprit d'impiété, de vertige, qui renversa la France, le trône et les autels [...]. Dans la Chambre d'assemblée, des Canadiens ont montré des principes impies, ils ne vouloient rien moins qu'enlever aux prêtres l'éducation de la jeunesse et aux religieuses l'administration des malades[21].

Le manque d'effectifs ecclésiastiques face à une population croissante et de surcroît très dispersée, la diminution de la pratique religieuse et la montée des idées libérales sont autant d'indices de ce que l'on commence à appeler «l'indifférence pour les choses du salut». Le supérieur du Séminaire de Nicolet propose un peu plus de zèle à ses confrères: «il y aurait des mécontents sans doute, mais il y auroit moins de tièdes et d'indifférens». Un correspondant d'un prêtre du Séminaire de Québec note le même esprit à Paris: «On voit partout du découragement, de l'indifférence [...][22].» À cette indifférence croissante en matière de religion, un petit noyau de prêtres cherchent à opposer une restauration religieuse, un nouveau souffle chrétien. Ce sont, pour l'essentiel, des prêtres français — les abbés Raimbault, Fournier, Orfroy — «chassés» par la Terreur et arrivés au Canada avec l'approbation des autorités britanniques, à la fin du XVIIIe siècle. Ces prêtres, comme l'abbé de Calonne, à Trois-Rivières, ont déjà publiquement soutenu les initiatives du gouverneur Craig en 1810. Ils sont regroupés sur le pourtour du lac Saint-Pierre et leur présence est à ce point remarquée qu'on parle de la région comme d'une «Petite France». L'abbé de Calonne (1743-1822), frère du ministre de Louis XVI et qui «a déjà vécu à la cour de Versailles», est parfaitement informé par ses parents et correspondants de l'évolution de la situation politique et religieuse en France. Il reçoit les parutions contemporaines et est abonné à *L'Ambigu*, journal anti-bonapartiste publié à Londres, et à *L'Ami de la Religion et du Roi*, dirigé par M. Picot, ex-confrère au Séminaire d'Orléans, des abbés Raimbault de Nicolet et Fournier de Baie-du-Febvre. Il lit ces journaux et les fait circuler. C'est par l'abbé de Calonne que Félicité de Lamennais fait parler de lui au Canada. Le 16 mars 1819, un parent lui écrit de Paris : « il paraît depuis un an un ouvrage intitulé sur l'indifférence de la religion par l'abbé de Lamenais. Il est à sa 4ᵉ édition. Cet ouvrage est sans contredit le plus beau de ce siècle. » L'agent d'affaires de l'abbé de Calonne le lui expédie le mois suivant et l'abbé cite Lamennais pour la première fois dans un article envoyé à *La Gazette des Trois-Rivières* du 9 novembre, qui inaugure, dans l'immédiat, une longue polémique sur les orientations à donner à l'instruction publique et, à moyen terme, une tradition possible de libéralisme, mais catholique cette fois[23].

Nouvelle crise coloniale (1827)

La double crise des projets d'Union de 1822 et de 1824 s'est à peine estompée qu'à nouveau les tensions montent entre le Bas-Canada et l'Angleterre, le Conseil législatif et le vote du budget colonial devenant les pommes de discorde.

Vieux routier de la vie publique, le médecin et député François Blanchet publie en 1824 un long *Appel au Parlement impérial* qui dénonce les menées antidémocratiques des unionistes à propos de la représentation mais qui met surtout à l'ordre du jour politique un nouveau combat, celui de l'électivité du Conseil législatif. Blanchet inaugure une tradition, qui sera reprise par Papineau et Parent, par exemple, de dénonciation des prétentions britanniques d'implanter au Bas-Canada, en Amérique, une aristocratie susceptible de légitimer un Conseil législatif semblable à la Chambre des Lords :

> Le continent de l'Amérique diffère essentiellement de l'Ancien Continent sous presque tous les rapports. Le climat, la nature du sol, les productions naturelles, les végétaux, les animaux, tout diffère. Les hommes y sont aussi différemment modifiés, et vouloir leur faire trouver bon en Amérique, ce qu'ils trouvent bon en Europe, est une absurdité complète. De sorte que malgré tous les efforts du despotisme, tant civil que religieux, pour maintenir les institutions Européennes dans l'Amérique du sud, rien n'a réussi, et il va

s'établir là un système de gouvernement bien différent de ceux de l'ancien continent. Ceux mêmes qui ont été élevés en Europe, sont les plus opposés à ses institutions ; nous pourrions citer pour exemple Bolivar, le libérateur, le président actuel de la République de Colombie. Croit-on que lorsque l'opinion publique dans tout le vaste Continent de l'Amérique est en faveur des gouvernements représentatifs, il soit bien facile d'établir et de maintenir en Canada une noblesse dégénérée. L'idée en est vraiment des plus ridicules.

Et pour donner plus de poids à cette idée républicaine des «gouvernements représentatifs», Blanchet fait appel au témoignage de Charles Fox lors des débats à propos de la Constitution de 1791 : «Donnez aux Canadiens, disait Fox, une Constitution qui ne leur laisse rien à désirer de leurs voisins. Rendez les Membres du Conseil législatif électifs et vous aurez tout.»

Blanchet présente aussi un dossier accablant sur la nomination des conseillers législatifs, sur les cumuls de fonctions et de salaires démesurés et sur le fait scandaleux que quatre juges de la ville de Québec, membres du Conseil, puissent, en raison du quorum qu'on y exige, paralyser la vie politique coloniale en bloquant les projets de loi de la Chambre d'assemblée. Quant à la stratégie «des Gouverneurs et de leurs dépendans» de «faire croire que les Canadiens descendans François, étoient plus François dans leurs dispositions qu'Anglois», il en fait pièce en affirmant :

> Les Canadiens ont goûté aux bienfaits de la liberté, et rien ne pourra détruire ce sentiment en eux. [...] Les Canadiens François sont donc attachés à leur gouvernement par des principes que rien ne pourra détruire, nous voulons dire des *principes anglois,* des *principes libéraux,* et non des principes d'accaparement et de distinction[24].

La question des subsides atteint en 1827 un point de non-retour tel que le gouverneur Dalhousie proroge les travaux de la Chambre en mars et met publiquement en cause les députés en laissant entendre qu'ils n'ont pas assumé leurs responsabilités et en mettant en doute leur fidélité à leur pays et à leur Roi. Papineau signe avec sept autres députés une «Déclaration des membres de l'Assemblée à nos constituans», réplique au gouverneur qui «voulait nous perdre dans l'opinion publique et dans celle de nos constituans». Les députés s'y expliquent à nouveau sur leur refus de voter globalement «pour la vie du Roi» un budget colonial sans cesse en croissance et servant toujours par la liste civile à enrichir des privilégiés à la discrétion de l'Exécutif. Aux accusations de déloyauté les députés rétorquent en chœur : « La patrie ! La patrie ! ce mot seul suffit », qui tient lieu de « serment de fidélité à son pays natal[25] ».

Le candidat Papineau reprend ce thème dans un discours important fait à l'occasion de l'élection dans le Quartier Ouest de Montréal, le 11 août 1827. Pour lui, les règles qui s'appliquent en Angleterre « pour la vie du Roi » n'ont « jamais eu d'application, ne peuvent pas avoir une application sensée dans ses Colonies », façon de marquer une nouvelle sensibilité étatsunienne et républicaine. Il montre comment la liste civile est passée en 1810 de 20 000 à 40 000 livres sterling, puis à 60 000 en 1818. L'orateur de la Chambre et leader du Parti patriote met le gouverneur en contradiction avec lui-même en lui rappelant qu'exerçant les mêmes fonctions en Nouvelle-Écosse, il y avait accepté le vote annuel du budget, ce qui se pratique de surcroît dans le Haut-Canada. Très au fait des pratiques constitutionnelles des autres colonies de la Grande-Bretagne, Papineau réitère l'importance de la Chambre d'assemblée — qui vient d'être prorogée et qui l'est plus fréquemment qu'ailleurs — comme levier contre les abus :

> [...] il n'est aucune autre partie de l'Empire Britannique où il soit aussi nécessaire et essentiel qu'en celle-ci, de trouver beaucoup d'indépendance et d'énergie dans le corps représentatif, parce que là seul peut se trouver un contre poids à l'excès des pouvoirs qui se trouvent concentrés dans un trop petit nombre de personnes, dont la plupart n'ont aucun lien d'intérêt permanent dans le pays.

Papineau trouve devant ses électeurs une formule qui explique bien la dimension démocratique de son refus de voter aveuglément un budget qui sert, entre autres choses, à payer des juges de surcroît nommés au Conseil législatif : « Qu'ils ne soient pas Juge[s] et législateurs, et administrateurs tout ensemble. Qu'ils ne soient pas dans une situation à gagner plus par le métier de courtisans flatteurs, que par celui d'interprètes impassibles des lois, et nous les rendrons indépendants des votes annuels de nos assemblées. » Papineau, qui s'exprime peu sur la religion, a l'occasion de le faire en expliquant pourquoi la Chambre — entravée à nouveau par le Conseil législatif — a voté une loi pour donner les mêmes droits aux protestants dissidents des Églises d'Angleterre et d'Écosse :

> Je ne rappelle ces circonstances que pour déclarer mon opinion invariable que l'homme ne doit de compte de son culte, de sa foi, qu'à son Créateur et non à la puissance civile ; que la diversité d'opinions religieuses, qui

n'entraîne pas de résistance aux lois, ne doit pas être soumise à l'oppression des lois qui la punissent ; que la liberté que je réclame pour moi, pour tous mes compatriotes, pour tous ceux qui pensent comme eux, je la laisse à tous ceux qui pensent autrement [...][26].

Liberté pour nous, liberté pour eux : la formule était promise à un bel avenir en ces années d'éveil des nationalités.

La victoire éclatante du Parti patriote à l'élection de 1827 place le gouverneur Dalhousie dans une position délicate à l'ouverture du nouveau Parlement. Le conflit touche un nouveau sommet lorsqu'en novembre le gouverneur refuse d'approuver le choix de Papineau comme orateur et proroge à nouveau la législature[27]. La coupe déborde. Des assemblées à Québec et à Montréal formulent des « résolutions » — dont le nombre ne se rend pas encore à 92 — qui résument les nombreux griefs et abus : mode de composition et dépendance financière des membres du Conseil législatif, dépenses excessives en salaires et sinécures non contrôlées par la Chambre des élus, blocages répétés du Conseil législatif à propos des modifications de la représentation parlementaire des « townships » ou de la nomination d'un agent à Londres, scandale financier du receveur général Caldwell qui s'était approprié 96 000 livres sterling, distribution discrétionnaire des terres du domaine public, inefficacité des lois sur l'éducation sous-financée en raison de la non-restitution des biens des jésuites susceptibles d'être affectés à cet objectif, blocages de projets de lois sur l'éducation alors qu'on se complaît à stigmatiser « l'ignorance » des Canadiens[28].

Lors d'autres assemblées tenues à Vaudreuil et à Saint-Benoît, le docteur Jacques Labrie, auteur d'une récente introduction à la Constitution britannique, invite à signer les pétitions au roi et aux deux Chambres du Parlement impérial. Il réitère sa loyauté à la Constitution en comparant favorablement le régime colonial anglais au régime colonial français, se félicitant de ce que « l'arbitraire a cessé de faire *légalement* notre partage ». Selon lui, « les Canadiens obtiendront justice, sans fausser leur allégeance, sans s'écarter de leurs devoirs », parce que « jamais les Canadiens n'avaient rien demandé à la métropole sans l'obtenir[29] ». Labrie avait raison : Londres avait plu aux Canadiens en leur octroyant le « Rep by Pop » en 1791 ; Londres avait entendu la colonie lors des projets d'union en 1810, 1822 et 1824. Mais, dix ans avant les Rébellions, Labrie prenait une gageure sur l'avenir : Londres écouterait-elle les Canadiens et ceux-ci obtiendraient-ils justice « sans fausser leur allégeance » ? Chose certaine, écrit un correspondant de D.-B. Viger : « Tous nos habitants prennent part maintenant aux affaires publiques, les connaissent et les discutent. Cette malheureuse crise où nous nous trouvons aura au moins l'effet de leur désiller les yeux[30]. »

Le Comité des Communes sur les affaires du Canada (1828)

Le même Viger est alors à Londres, où il sera rejoint en mars par John Neilson et Augustin Cuvillier, pour porter les plaintes et revendications des Canadiens et la pétition de 87 000 signatures des leurs contre le projet d'Union. Neilson en a l'habitude, lui qui fut délégué en 1822 au moment de la crise du projet d'Union. Si les attentes à l'égard de Londres se multiplient pour les Canadiens, c'est que les problèmes coloniaux se répètent au point de devenir structuraux. Les Canadiens ont eu l'écoute de Londres en 1822, mais six ans plus tard les mêmes problèmes se sont aggravés et les réformes tardent.

Le gouvernement tory au pouvoir en Angleterre est connu pour son attitude favorable aux anglophones du Bas-Canada et sa position en faveur de l'assimilation des Canadiens français. L'opposition whig, qui favorise l'égalité des droits, privilégie aussi le contrôle local dans les colonies. William Huskisson, secrétaire d'État aux Colonies, saisit la Chambre le 2 mai 1828 d'un projet de Comité *ad hoc* sur les affaires du Canada. Aux interventions en Chambre s'ajoutent des témoignages devant le Comité, du 8 mai au 15 juillet ; les principaux intervenants seront, outre Huskisson, Wilmot et Stephen pour le Secrétariat aux Colonies, le tory Labouchere, Sir James Mackintosh pour l'opposition libérale, Samuel Gale, le seigneur Edward Ellice et trois grands marchands de Montréal : Gillespie, McGillivray et Merritt pour le « parti britannique » de la colonie, et Neilson, Viger et Cuvillier à titre de délégués de la Chambre d'assemblée.

En Chambre, Huskisson rappelle le droit de l'Angleterre de modifier la constitution de quelque colonie. Le secrétaire d'État perçoit le Bas-Canada comme une France féodale du XIIIᵉ siècle et entend bien pénétrer les Canadiens « with English feelings » et de la supériorité britannique, quel que soit l'avenir de cette colonie. Son sous-secrétaire, Edward Stanley, qui a visité l'Amérique du Nord en 1824, explique que la division de la colonie en deux Canadas a obligé le gouverneur à diriger avec une minorité contre la majorité. Selon lui, le Conseil législatif n'a pas du tout joué son rôle et les conseillers « were the means of keeping up a continual system of jarring and contention between the government and the people ». Devant le Comité de la Chambre, l'ex-sous-secrétaire d'État aux colonies, Wilmot, revient au projet d'Union et persiste à penser que « all our colonies should be Anglicised rather than preserved in their original form ». Témoignant devant le Comité, James Stephen, conseiller juridique du Colonial Office, présente une vision plus globale de la situation et de l'avenir. Il note l'obstination avec laquelle « the French Population look forward to the establishment of *la Nation Canadienne* as a great counterpoise to the English authority on the North American Continent » et écrit au successeur de Huskisson au Secrétariat d'État aux colonies, Sir George Murray, que « the Canadian Constitution is already so essentially republican, that it is to late to think of imparting a monarchical spirit and character to that Government ». Cette coexistence d'un projet de « nation canadienne » et d'un penchant républicain paraît inquiéter Stephen. Il est d'autre part clair pour lui que le contrôle de la Chambre d'assemblée sur le budget colonial et l'électivité du Conseil législatif diminueraient le pouvoir de l'Exécutif. S'il voit bien l'américanisation des institutions coloniales et s'il entrevoit déjà — signe de la pression coloniale — une possible concession du gouvernement responsable, il envisage aussi une éventuelle Union. Le Haut-Canada n'est-il pas sans accès à l'Atlantique, coincé entre le Bas-Canada et le Saint-Laurent, d'une part, et les États-Unis et la rivière Hudson, d'autre part ? Un avenir incertain pour le Bas-Canada pourrait susciter des projets d'annexion du Haut-Canada aux États-Unis.

Tout conservateur qu'il soit, le député Labouchere, d'ascendance française, croit que la Constitution de 1791 n'a pas donné tous ses fruits tout simplement parce qu'on n'a pas su, administrativement, préserver l'indépendance du Conseil législatif.

Du côté de l'opposition, Sir James Mackintosh, bien informé de la situation bas-canadienne par les délégués de la Chambre d'assemblée, réplique à Huskisson en lui reprochant d'insister davantage sur les irréelles injustices subies par les coloniaux anglais que sur les revendications fondées des auteurs de la pétition. Selon Mackintosh, Londres n'a pas à intervenir dans les affaires internes de la colonie, et surtout pas sous le prétexte que la cause des conflits résiderait dans le maintien des mœurs et lois françaises. Le député libéral souligne les conséquences du blocage du processus parlementaire par le Conseil législatif et s'emploie à montrer comment les conseillers, financièrement dépendants de l'Exécutif, sont les instruments du gouverneur. Et si l'on songeait à modifier les règles de la représentation au profit d'une minorité, un vrai libéral considérerait cela « as a very bad symptom if the House were disposed to treat as a favoured race, as a ruling caste, any body of men, and to look on them as placed in one of our colonies to watch over the rest of inhabitants. Shall we have an English colony in Canada separate from the rest of inhabitants? Shall [...] we deal out to them six hundred years of misery, as we dealt out in Ireland [...]?»

Le député Hume s'interroge sur la structure des pouvoirs législatifs concédés par Londres à la colonie et sur sa véritable signification « if all the legislative power was to be lodged in the hands of the executive ». Qu'est, en effet, devenu le pouvoir réel de la Chambre d'assemblée constamment entravé par le Conseil législatif et par l'Exécutif? Cette structure de pouvoir permet-elle autre chose dorénavant dans la colonie que l'accumulation de frustations? Il est plus que temps, selon Hume, que Londres « conciliate the population of Canada, instead of driving them to despair by acts of severity and oppression [...][31]».

La prestation des délégués bas-canadiens consiste à dénoncer le régime seigneurial, le maintien des lois et de la religion des Canadiens, et leur « distinct condition from the people of America ». Des trois délégués de la Chambre d'assemblée, Neilson, plus expérimenté, paraît le plus convaincant. Il dépose de nombreux projets de lois votés par la Chambre d'assemblée pour modifier la représentation des seigneuries et « townships » ou pour assurer l'indépendance de la magistrature, par exemple, lois qui furent toutes bloquées par le Conseil législatif ou par le gouverneur. Il plaide en faveur du droit de taxation de la Chambre — «no taxation without representation» — et accumule les preuves d'attitudes de mauvaise foi, d'abus de pouvoir et de malhonnêteté: refus constant des gouverneurs d'accepter une liste civile qui inclurait certes les salaires des principaux fonctionnaires mais qui exclurait les sinécures et autres formes de patronage; énormes dépenses faites de façon discrétionnaire par le gouverneur Dalhousie sans accord de l'Assemblée et sans imputabilité; détournement de fonds publics de 96 000 livres sterling par le receveur général. Ce pragmatisme, doublé de la référence constante aux enjeux libéraux et démocratiques de ces actes, porta fruit[32].

Le Comité parlementaire remet son *Rapport* et ses recommandations le 22 juillet. À propos des subsides et de la liste civile, Londres reconnaît à la Chambre d'assemblée le contrôle sur la recette et la dépense de tout le revenu public en recommandant «de rendre le gouverneur, les membres du conseil exécutif et les juges, indépendants des votes annuels de la chambre d'Assemblée, pour leurs salaires respectifs ». Il regrette que l'Assemblée coloniale n'ait pas informé à temps le Parlement de Londres des dépenses de 140 000 livres sterling faites par le gouverneur Dalhousie sans l'approbation de la Chambre d'assemblée et invite l'administration coloniale à prendre les moyens pour que ne se reproduisent plus les malversations qu'on avait connues. Concernant la litigieuse et récurrente question du Conseil législatif, le Comité recommande « fortement de donner à [ce corps] un caractère plus indépendant » et de faire en sorte « que la majorité de [ses] membres ne soit pas composée de personnes en place sous le bon plaisir de l'exécutif ». Les juges ne devraient plus siéger au Conseil législatif ni pouvoir être élus à la Chambre d'assemblée. À propos de la représentation des « townships », on suggère de tenir compte de la population et de l'étendue des territoires. Pour corriger le problème de la distribution des terres publiques, on accepte qu'un droit puisse être prélevé sur les terres concédées mais ni habitées ni améliorées. La tenure des terres sous le mode seigneurial est maintenue avec la possibilité de changer ce mode de propriété du sol. On souhaite que les biens des jésuites soient affectés à l'éducation. Quant à la proposition d'une Union des deux Canadas, le Comité n'est « pas préparé à recommander cette mesure », compte tenu de « la disposition générale des esprits qui paraît prévaloir dans ces colonies[33] ».

On respira... Les résolutions de la Chambre d'assemblée du 6 décembre 1828 à l'égard du *Rapport* témoignent certes d'une vive satisfaction mais d'une égale prudence, en particulier à propos de la liste civile, de la hausse possible du budget et de l'éventuelle composition du Conseil législatif. Il y avait en effet beaucoup de bonne volonté et de conditionnel dans ces recommandations « administratives » qui devaient faire baisser la pression coloniale[34].

Le principe électif et le Conseil législatif (1830-1834)

L'élection d'un gouvernement whig en Angleterre, en principe favorable aux appels du Bas-Canada, laisse toutefois peu de jeu à Lord Grey, accaparé par les questions domestiques — le Reform Bill — et par celle de l'esclavage dans certaines colonies. Londres ne donna pas vraiment suite aux recommandations du Comité de 1828.

On assiste au même moment à une radicalisation du Parti patriote sous la pression des milieux populaires sensibles aux exigences fiscales des seigneurs et aux dîmes des curés, mais inquiets de l'immigration massive et du sort des terres inoccupées de la Couronne. La presse, l'habitude de plus en plus fréquente de la pétition et les élections contribuent à politiser la population. Puis entre en scène une nouvelle génération de députés, jeunes et plus radicaux : Louis-Hippolyte La Fontaine, Augustin-Norbert Morin, Charles-Ovide Perrault, Étienne Rodier, le Dr Cyrille Côté, le Dr Edmund O'Callaghan, les frères Nelson, Robert et Wolfred, tous deux médecins[35].

Très rapidement, le Conseil législatif redevient une pomme de discorde parlementaire. L'idée d'un Conseil législatif électif que le député François Blanchet avait mise de l'avant en 1824 fait son chemin et devient le nouveau cheval de bataille. La décennie 1830 allait d'ailleurs être témoin d'une volonté de généraliser ce principe de responsabilité des élus aux institutions civiques, que ce soit au Conseil législatif, dans les Fabriques ou dans la structure scolaire.

Lord Howick, sous-secrétaire du Parlement, montre une certaine ouverture en faveur de certaines formes d'électivité du Conseil, mais Lord Goderich, secrétaire d'État aux Colonies, s'y oppose : c'eût été ouvrir une brèche en direction du principe ultérieur du gouvernement responsable.

Le gouverneur de la colonie fait un effort pour nommer au Conseil des Canadiens, membres ou pas de la Chambre d'assemblée. Papineau et Neilson refusent toutefois cette invitation en invoquant le règlement qui interdit à un citoyen de siéger à la Chambre s'il reçoit une rémunération de la Couronne. Papineau ne croit pas ou plus à cette solution pour lui-même ni pour les huit Canadiens, dont quatre membres de l'Assemblée, nommés au Conseil en 1831. Ceux-ci y seront d'ailleurs peu actifs. Le Parti patriote s'en tient à cette position et demande même l'expulsion du député Mondelet, nommé au Conseil. On finit par voir une intention dans la stratégie du gouverneur de nommer des députés canadiens au Conseil à la veille des sessions et dans la possibilité d'en nommer ensuite un nombre égal favorable à l'administration[36].

Le conflit persistant autour du Conseil législatif n'a d'intérêt et de sens pour l'histoire des idées que comme révélateur des enjeux démocratiques et émancipatoires qui s'y cachent. La crise politique de la colonie s'y greffe depuis des années et pour des années encore. Voix du Parti patriote et orateur de la Chambre, Papineau exprime déjà au début de la décennie

1830 des réserves par rapport à Londres; tout admiratif de la Constitution qu'il fût jusqu'alors, il se demande si cette magnifique Constitution anglaise convient bien au Canada, colonie et non gouvernement indépendant. Sa critique du Conseil législatif l'entraîne dans une critique globale des institutions coloniales y compris dans une mise en perspective historique de la Constitution de 1791:

> Le gouvernement était aigri contre les colonies par la flétrissure récente que lui avait imprimée le triomphe des États-Unis, et Pitt était dans les agonies que lui donnaient les efforts des Français pour reconquérir leur liberté [...]. En même temps qu'il voulait pour la vieille France des fers, voulait-il la liberté pour la nouvelle? S'il l'a voulu, il n'a pas pris les moyens de la lui procurer.

Le Bas-Canada, le Haut-Canada et les colonies atlantiques se retrouvent dès lors seules parmi les colonies britanniques avec ce type d'Exécutif et de Législatif. Et d'affirmer Papineau en Chambre: «Aussi n'ont-ils été constitués, je pense, que d'après la maxime des tyrans: "divisez et régnez"[37].» La dimension coloniale du problème refaisait surface.

Papineau entend miner encore la crédibilité du Conseil législatif en faisant valoir que celui-cil diffère de la Chambre des Lords en ce qu'il n'est pas une cour de révision ou d'appel, façon élégante de rappeler que les juges n'ont rien à y faire[38]. Mais la critique fondamentale qu'il fait du Conseil législatif, celle qui indique dorénavant une orientation républicaine du Parti patriote et de son chef, réside dans la vacuité d'une instance de pouvoir qui ne peut s'appuyer en Amérique sur aucune forme d'aristocratie. Une «aristocratie au milieu des forêts» lui semble une idée ridicule, d'autant plus que celle qu'on veut implanter dans la colonie est une «aristocratie mendiante» qui parasite l'Exécutif. L'orateur de la Chambre déclare: «La bonne vieille politique de l'Angleterre de ne pas consacrer le principe aristocratique dans ses autres colonies a donc été sage, et celle de l'introduire ici une œuvre ou de folie ou de méchanceté ou d'imitation servile et irréfléchie de ce qu'elle voyait exister chez elle, et dont elle ne pouvait pas donner la réalité mais seulement un hideux simulacre.» Il ajoutera pour bien marquer son appartenance à l'hémisphère américain: «mais il n'y avait rien ici de cette aveugle déférence qu'on a en Europe pour les titres et la naissance, qui font tant ressortir l'arrogance et l'orgueil de ceux qui viennent parmi nous de l'ancien continent, et qui pensent que l'humiliation à laquelle ils s'y sont soumis doit être compensée ici, pour eux, en exigeant la même servilité à leur égard». Dans cette logique, la réponse à sa propre question est évidente : « Est-ce dans l'état des mœurs et des usages en Angleterre, ou dans ceux des provinces voisines et des états d'Amérique, que nous devons chercher des exemples pour nous guider[39] ? »

Un moment, Papineau hésite à suivre le modèle des institutions électives ; un Conseil élu ne sera-t-il pas moins attirant que la Chambre qui prend les véritables initiatives législatives ? Il opte pour le principe de l'électivité sur la base de cette considération globale : « Maintenir la forme actuelle avec ses vices, c'est perpétuer les distinctions nationales. Quiconque a abjuré ces sentiments étroits devient un membre utile de la société où l'intérêt de tout doit être l'intérêt commun, et il n'y a que dans un système général d'élections, que chacun placé sur un pied de parfaite égalité, a le degré d'influence qui lui appartient dans le pays, et qu'il n'emprunte pas du dehors[40]. » Autre façon de dire que la polarisation entre Canadiens et Anglais est créée et entretenue par et dans la structure de pouvoir coloniale perpétuée par la métropole.

Il faut donc en finir avec le Conseil actuel qui « étouffe la voix du peuple » et fausse le système représentatif ; il faut mettre un terme au pouvoir démesuré de huit ou dix hommes appelés au Conseil « par un hasard aveugle, ou par un favoritisme encore plus aveugle » et qui bloque les lois sur l'éducation, les hôpitaux ou les chemins. Le temps des « mots sonores » de « peuple loyal » est terminé, les « phrases mensongères ne tromperont plus que des sots ». Papineau fait cette affirmation radicale en Chambre en avril 1833 : « Chaque jour de cette session nous a prouvé que nous ne pouvions reposer aucune confiance dans l'administration, ni dans le chef, ni dans ses conseillers[41]. »

Que faire alors ? Si Papineau maintient ne pas vouloir de « séparation forcée », il requiert qu'il soit « permis de discuter les raisons et les causes qui y conduiront, quoi qu'assurément elle ne soit pas désirable ». Le Parti patriote ne demande rien « de plus maintenant que ce qui a été accordé purement par chartes royales à plusieurs des anciennes colonies. Une constitution républicaine. » Papineau ne demande rien de moins que l'Angleterre « autorise le pays à réformer lui-même sa constitution, elle serait la seule détermination équitable et prudente qu'elle pourrait adopter ». Et, en bon républicain, il propose, au début de 1833, la tenue d'une Convention pour discuter de l'élaboration d'une nouvelle Constitution[42].

De son côté, Parent écrit en faveur d'un Conseil législatif électif qui soit responsable de ses actes devant ses commettants et demande que l'Exécutif aussi réponde de ses actes. Dès 1832, le directeur-rédacteur du *Canadien* exige rien de moins qu'une « organisation ministérielle régulière », qu'un « ministère provincial », que le gouvernement responsable[43]. La situation a atteint un point de non-retour.

Cette radicalisation de la ligne politique du Parti patriote lui a coûté l'appui de John Neilson, un des piliers, avec Parent, du parti dans la ville et la région de Québec. Neilson s'était opposé en Chambre à la proposition du député Bourdages sur l'électivité du Conseil législatif et avait emporté le vote, misant sur une réforme administrative plutôt que constitutionnelle[44]. Le projet finit par passer en Chambre (51 pour, 12 contre) tout en étant naturellement rejeté au Conseil. Une première scission marquait ainsi le Parti patriote ; peu banale, elle éloignait du parti un anglophone libéral qui avait été fort utile à la cause canadienne en Chambre et comme délégué à Londres en 1822 et en 1828, et elle rendait plus évidente la différence de sensibilité entre les libéraux de Québec et ceux de Montréal.

La représentation des notables dans les Fabriques (1831)

Le problème de l'électivité des charges publiques s'était déjà posé en 1829 avec la loi des écoles dites de la Chambre d'assemblée qui devaient fonctionner grâce à des syndics locaux élus par les propriétaires fonciers.

Indicateur de la montée des professions libérales, le débat public à propos de la présence des notables aux assemblées des Fabriques repose la question de la représentation démocratique et soulève de façon explicite, pour la première fois, le problème de la distinction à faire entre la mission spirituelle de l'Église et ses affaires administratives ou temporelles.

Pétitions, procès, débats dans la presse et à la Chambre, projets de lois gravitent autour de deux questions : les biens matériels des églises paroissiales sont-ils la propriété de l'Église ou des paroissiens qui ont cotisé ? et qui doit administrer ces biens, les anciens et nouveaux marguilliers ou aussi les notables taxés qui ont droit à une représentation ?

Le projet de loi présenté par le député patriote Bourdages, qui prévoit le droit de vote pour les notables aux élections des marguilliers et leur présence lors de la reddition des comptes de la paroisse et « pour tous règlements du gouvernement temporel des églises», inquiète Mgr Lartigue, qui s'attriste de voir sa «pauvre patrie» traiter «ainsi la religion et ses ministres». Le chef du Parti patriote est conscient de la délicatesse de la situation qui met en cause les droits de tous les paroissiens catholiques face à la majorité du clergé. Papineau rappelle à l'Église qu'elle n'est plus sous le Régime français ni sous le régime monarchique, que le peuple a le droit de savoir ce qu'on fait des deniers donnés à l'Église et que l'administration des paroisses est un lieu d'apprentissage de la participation démocratique. Le seigneur Papineau propose de définir le «notable» non par la dîme payée mais par la propriété foncière. Toujours sous des pseudonymes dans ses interventions journalistiques, Mgr Lartigue se refuse à voir ainsi introduit le principe démocratique de la Chambre d'assemblée — «no taxation without representation» — dans la conduite des Fabriques, corporation civile responsable de l'administration matérielle des paroisses. Pour l'évêque, les marguilliers sont les adjuvants ecclésiastiques, administrateurs des biens, et non pas représentants du peuple, et on doit s'en tenir à l'usage: l'administration est la responsabilité des marguilliers, anciens et nouveaux. Il raille Papineau — «l'orateur qui veut tellement nous spiritualiser que bientôt nous n'aurons plus de temporel» — et s'étonne que des députés catholiques ne créent pas les mêmes tracasseries aux ministres protestants.

Requêtes et mémoires du clergé n'y font rien, à telle enseigne que l'abbé Painchaud, qui intervient sous le pseudonyme de «Raison» dans *La Gazette de Québec* du 10 décembre 1831, écrit: «Le clergé canadien n'ayant plus rien à espérer de la Chambre d'assemblée, fera sagement d'en dénouer le fil de ses espérances pour l'attacher à l'exécutif.»

Le projet de loi est adopté, mais renvoyé aux calendes grecques par les conseillers législatifs, tous anglo-protestants, sauf James Cuthbert! À nouveau, la radicalisation du Parti patriote lui avait doublement coûté: en promouvant le principe électif dans l'administration des paroisses, il s'était aliéné une bonne partie du clergé et avait connu une autre confrontation en Chambre avec John Neilson, qui maintenait que les fonds des Fabriques relevaient non d'une taxation mais d'une contribution volontaire. Le perspicace abbé Jacques Paquin, qui a le sens de l'histoire vécue et écrite, presse son évêque pour que «le clergé s'organise, s'accoutume à se mêler des affaires publiques, se donne à l'étude de ses droits et les défende en corps, en masse et d'un même esprit[45]».

L'émeute électorale du 21 mai 1832

Tout autant que la question du Conseil législatif, le problème de la liste civile dans le Bas et le Haut-Canada entretient les tensions avec la métropole. Pour Londres, l'enjeu consiste à exiger une liste civile susceptible de maintenir l'indépendance de l'Exécutif, mais on ne s'entend pas sur l'étendue de cette liste, litigieuse depuis près de vingt ans. Pour Papineau et le Parti patriote, «le refus des subsides est un moyen constitutionnel comme contrepoids aux abus du pouvoir» et l'octroi de ces subsides «le boulevard de la liberté politique», le «grand levier politique». On ne manque pas de faire voir cette prétention à une liste civile qui n'existe pas dans d'autres colonies comme la Jamaïque. En 1831, Papineau et Neilson se sont à nouveau opposés à ce sujet, ce dernier proposant l'acceptation d'une liste civile de 5900 louis que la Chambre refusa. En 1833, un même refus de voter les subsides doit à nouveau faire comprendre à Londres qu'une réforme ne pouvait être plus longtemps différée[46].

Une émeute vient, en 1832, jeter de l'huile sur les braises toujours incandescentes des conflits relatifs au Conseil législatif et au vote du budget. L'élection, qui oppose dans le quartier ouest de Montréal Stanley Bagg et Daniel Tracey, dure 23 jours, selon la pratique de l'époque où le bureau de vote ne ferme que lorsque s'écoule plus d'une heure sans voteur. Le scrutin se termine après un suspense par une faible majorité de quatre voix en faveur de Tracey. L'élection, qui donne lieu à des bagarres entre «boulés» (*bullies*) des deux côtés, dégénère en émeute et en intervention de l'armée qui, sur ordre de tirer, tue trois Canadiens.

L'événement récapitule symboliquement les tensions du moment: programme politique de Tracey, patriote irlandais et rédacteur du journal pro-Patriote *The Vindicator*, qui prend position en faveur du refus de vote du budget, du Conseil législatif électif et de l'abrogation d'une compagnie londonienne qui vise les terres de la colonie et, d'autre part, le programme de Bagg qui promet maintes réformes sans jamais les réaliser; le vote est fortement polarisé sur les plans ethnique (Canadiens français et majorité irlandaise vs Anglais et Américains), social (majorité populaire vs marchands et fonctionnaires) et politique (Patriotes vs administration locale); élection, enquête et procès reproduisent un sentiment d'inégalité devant la justice et la magistrature (Grand Jury recruté de façon partiale, verdict de non-lieu qui se limite au constat des événements sans imputation de responsabilité, unilinguisme anglais des juges); polarisation et ponts coupés entre Papineau et le gouverneur Aylmer qui écrit aux militaires pour les féliciter de leur intervention; perplexité des Canadiens face au Roi qui invite le colonel Mackintosh et le capitaine Temple à dîner et les décore pour leur geste, perplexité qui excuse le roi mal informé et mal conseillé et qui incite Papineau à maintenir, malgré tout: « C'est à l'Angleterre que nous demandons un remède à nos maux. »

Par ses dimensions spectaculaires, l'événement a aussi libéré les tensions en leur conférant une visibilité nouvelle: le triomphe public fait à Tracey et à Duvernay, avant les élections, lors de leur sortie de prison où ils avaient été incarcérés pour « libelle » contre le Conseil législatif, la « marseillaise canadienne » qu'on adapte pour célébrer le geste de Duvernay et de Tracey, les 23 jours d'élection et de tensions urbaines, l'intervention de l'armée et les funérailles solennelles des trois Canadiens tués marquaient par les démonstrations et par la violence qu'un seuil nouveau de conflit avait été atteint[47].

Conclusion

La trajectoire politique et intellectuelle parcourue entre 1815 et 1834 suit deux courbes principales: le recours aux principes démocratiques et la prise de conscience coloniale.

L'explication sociale de cette évolution se trouve dans la montée d'une bourgeoisie de marchands et de gens de professions libérales qui croit tout autant aux grandes idées de liberté (souveraineté populaire, liberté de parole, de presse, d'association) qu'à la légitimité de son pouvoir politique comme groupe. Cette bourgeoisie libérale trouve dans la Chambre d'assemblée et dans une certaine presse les lieux et moyens privilégiés de son action. Elle dispose aussi durant cette période d'un lieu de rassemblement dans un parti politique devenu « patriote » et d'une voix nouvelle et imposante en la personne de l'orateur de la Chambre et du chef du Parti patriote, Louis-Joseph Papineau. La conjugaison de ces lieux, de ces moyens et de cette voix explique la visibilité nouvelle de cette bourgeoisie et le tonus de ses revendications.

La conviction démocratique de ces libéraux, du Parti patriote et de Papineau se manifeste de multiples façons. Le combat pour assurer la primauté de la Chambre d'assemblée sur les autres instances de pouvoir

(Conseil législatif et Conseil exécutif) en fournit un premier exemple tout au long des débats sur le refus de voter le budget et la liste civile. Certes, l'argument démocratique (la primauté des élus sur les nommés) sert ici d'assise au pouvoir de cette bourgeoisie, mais il est démocratique et ne se limite pas aux seuls Canadiens français; il inclut des gens comme John Neilson, Edmund O'Callaghan, Daniel Tracey et un large segment de la communauté irlandaise, et il se veut ouvert à tous les libéraux anglophones comme à la reconnaissance des droits de toutes les dénominations religieuses et non pas seulement de ceux de l'Église d'Angleterre et d'Écosse ou de l'Église catholique.

Cette conviction démocratique constitue aussi le pivot de la bataille politique et idéologique centrale menée durant cette période, celle de l'électivité des institutions publiques, et en particulier du Conseil législatif et des Fabriques. Dans le cas des Fabriques, on considère que l'apport matériel des catholiques à leur Église est une forme de taxation et qu'en conséquence il doit y avoir dans l'administration de ces biens temporels une représentation, un droit de regard des payeurs. Cette obligation de rendre compte de l'argent public sera à nouveau l'argument de Papineau pour refuser ou consentir des octrois de la Chambre à des institutions hospitalières ou charitables catholiques.

Dans le cas du Conseil législatif, il est évident qu'en devenant électif, il allait, selon toute vraisemblance, devenir majoritairement canadien-français, comme la Chambre d'assemblée. Mais comment contester la valeur démocratique de l'argumentation de Papineau et du Parti patriote selon laquelle «il n'y a que dans un système général d'élections, que chacun placé sur un pied de parfaite égalité, a le degré d'influence qui lui appartient dans le pays, et qu'il n'emprunte pas du dehors»? La solution élective prétendait régler, sur un mode évidemment plus républicain qu'auparavant, le problème lancinant de la colonie, bien identifié depuis le Mémoire de Bédard de 1814: d'une part, un pouvoir électif, la Chambre d'assemblée, qui formulait la volonté et les aspirations de la majorité fortement canadienne-française mais non réductible à ce groupe; d'autre part, un pouvoir non électif, le Conseil législatif, qui formulait la volonté et les aspirations d'une minorité essentiellement anglophone et qui servait d'entrave et de système de blocage dans le mécanisme constitutionnel de la colonie. C'est cette même question de l'électivité du Conseil législatif qui avait créé la crise coloniale de 1827, qui avait elle-même justifié la création d'un comité des Communes sur les affaires du Canada et qui constituait dorénavant le symbole de la radicalisation démocratique et républicaine de la Chambre, du Parti patriote, de Papineau, du *Canadien* de Parent et de *La Minerve* de Duvernay.

Cette radicalisation autour de la question de l'électivité et, secondairement, de la liste civile, contribuait du coup à la radicalisation des rapports entre la colonie et la métropole. Cette prise de conscience coloniale nouvelle se lit dans plus d'un signe. D'abord dans la décision unilatérale de la Chambre d'assemblée de nommer en 1831 un délégué à Londres. Les affaires bas-canadiennes atteignent un tel degré d'intensification et d'urgence qu'il fallait disposer d'un lobby à Londres auprès du secrétaire aux colonies, des députés et de la presse. Les projets d'Union de 1822 et de 1824 avaient révélé le malaise évident des Britanniques et d'Américains de la colonie tout en contribuant à construire une polarisation et des images réciproques de plus en plus marquées. Il devenait clair que l'enjeu de ces projets d'Union était le contrôle d'une éventuelle Chambre d'assemblée unique dans la colonie et, par ricochet, la consolidation de l'Exécutif et du pouvoir métropolitain. Et à leur façon, les unionistes renforçaient tout en la nommant et la répétant cette idée qu'il y avait dans l'air colonial un projet de « nation canadienne » identifié aux Canadiens français. Mais « pour le moment », l'Union ne paraissait pas être une solution aux yeux de Londres.

Les adresses et pétitions au roi et au Parlement, l'envoi de projets d'Union ou de délégués avec des milliers de signatures de pétitionnaires, la présence d'agents du Haut et du Bas-Canada, la correspondance des gouverneurs avec le secrétaire d'État aux colonies, le Comité des Communes tout comme les interventions parlementaires de l'opposition indiquent concrètement la montée de tension coloniale. C'est que les enjeux devenaient de plus en plus clairs et radicaux, et la lenteur des réformes de plus en plus apparente et intolérable. Et la question de la liste civile et celle de l'électivité du Conseil législatif touchaient au nerf des relations impériales : trop limiter ou éliminer la liste civile entamait le pouvoir de l'Exécutif et du gouverneur, donc de la métropole, et accepter l'électivité du Conseil législatif équivalait à y accorder une majorité aux Canadiens français et donc à isoler et affaiblir le pouvoir de l'Exécutif et du gouverneur confronté à une Chambre d'assemblée et à un Conseil législatif fortement centrés sur les besoins et le destin de la colonie. Tel était le nœud constitutionnel qui se resserrait depuis près de vingt ans et dont on cherchait le dénouement.

Londres reconnaît les problèmes structuraux de la colonie dans le *Rapport* du Comité de 1828 mais les solutions proposées, administratives et misant sur la bonne volonté, ont peu de suite en Angleterre ; dans la colonie, les quelques efforts du gouverneur pour nommer des conseillers législatifs canadiens-français ne satisfont ni la Chambre d'assemblée ni les Canadiens français.

Au tournant de la décennie 1830, Papineau et le Parti patriote sont devenus moins enthousiastes à l'égard de la Constitution de 1791, en particulier de ses articles relatifs au Conseil législatif. C'était un point tournant, car depuis 1810, le propos récurrent du Parti canadien, de son chef Bédard et du *Canadien* avait été la reconnaissance des institutions britanniques. Bédard avait même parlé en 1808 du « poison de l'égalité » aux États-Unis. Papineau aussi avait louangé 1791, la Constitution et les institutions britanniques. Mais il était devenu doublement clair que le maintien d'une structure politique et constitutionnelle coloniale où le Conseil législatif avait été chargé, au prix de distorsions à la démocratie, d'assurer un pouvoir à la minorité britannique de la colonie avait vérita-blement créé, entretenu et polarisé les « distinctions nationales » et parais-sait avoir été conçu par l'Angleterre pour diviser et régner dans sa colonie. Le britannisme traditionnel des Canadiens français, leur respect et leurs attentes envers Londres venaient d'être mis à l'épreuve.

La radicalisation dans la colonie s'alimente d'abord à l'acuité des débats qui départagent Canadiens français et coloniaux britanniques, colo-nie et métropole, et qui divisent le Parti patriote lui-même. Celui-ci n'avait-il pas vu John Neilson prendre ses distances et ne s'était-il pas mis à dos le clergé catholique lors de la présentation de la loi sur les Fabriques ? L'Église catholique, outre l'intermède de son opposition « spirituelle » à l'Union, renouvelait constamment sa volonté d'alliance « temporelle » avec le pouvoir politique britannique colonial contre la montée libérale.

La tension entre la colonie et la métropole a aussi modifié la percep-tion que les Canadiens ont alors d'eux-mêmes. On continue à se percevoir comme sujets britanniques, comme individus capables et désireux de revendiquer les libertés anglaises. C'est la distinction que fait Papineau : oui à l'anglicisation politique, non à l'anglicisation culturelle. Chez un Pierre Blanchet, cette perception de soi comme attaché aux principes anglais, c'est-à-dire aux principes libéraux, indique que les Canadiens sont plus anglais que français.

Mais cette nouvelle perception de soi des Canadiens français du début de la décennie 1830 réside à la fois dans leur attrait récent pour l'expérience américaine, étatsunienne essentiellement, et dans l'expression et l'affirmation de leur identité canadienne.

L'émergence d'une conscience d'appartenance à l'hémisphère américain tient bien sûr à la mémoire de 1774 et de 1812 et à la présence de loyalistes étatsuniens à Montréal et dans les « townships ». Papineau et d'autres concitoyens ont voyagé aux États-Unis et lisent des journaux étatsuniens, dont *Le Courrier des États-Unis* publié à New York depuis 1826 par la colonie française qui y a immigré. S'ajoute à ces données géographiques et culturelles une dimension politique fondamentale : c'est en effet la comparaison entre l'Angleterre et les États-Unis suscitée par la question de l'électivité des institutions publiques qui contribue d'abord et avant tout à ce regard nouveau vers la république voisine, ancienne colonie de l'Angleterre. Si, vers 1830, les exemples doivent dorénavant venir du Sud, c'est que le Sénat des États-Unis est électif et peut servir de modèle au Bas-Canada, qui dénouerait ainsi le nœud gordien qui étouffe la vie constitutionnelle et politique coloniale.

Cette admiration pour le système républicain a pour corollaire la dénonciation et le refus de toute « aristocratie au milieu des forêts » et un infléchissement de l'attrait pour la monarchie. Infléchissement, et non abolition de la monarchie : on refuse de voter la liste civile « pour la vie du Roi » parce qu'une telle proposition n'a pas de sens en Amérique, mais la personne du roi demeure symbolique et les Bas-Canadiens continuent d'expédier des adresses à sa personne en même temps que le modéré Parent écrit dans *Le Canadien* du 21 juin 1833 « que les Rois d'Europe avec leur cent mille baïonnettes, avec leurs cours brillantes sont petits auprès de cet homme d'un peuple libre et souverain ».

Ce regard vers les États-Unis ne comporte pas alors de projet d'annexion à la grande république ; au contraire, dans *Le Canadien* du 22 février 1832, Parent ne croit pas qu'« un peuple de six cent mille et quelques âmes puisse maintenir son indépendance et sa nationalité, surtout au voisinage d'une nation puissante et entreprenante. [...] C'est pour cette raison que nous avons toujours maintenu que l'intérêt bien entendu de l'Angleterre et du Bas-Canada était que la nationalité du peuple canadien fût conservée et favorisée jusqu'à ce qu'il fût en état de se défendre des empiètements de ses voisins. » Et d'ici là, la langue française constituait précisément le barrage qui permet à la Grande-Bretagne de conserver ses colonies d'Amérique du Nord.

De son côté, l'unioniste Sewell avait bien vu en 1824 qu'une intégration des Canadiens aux États-Unis menacerait leur langue, leur religion et leur «système féodal». En répliquant à *La Gazette de Québec*, Parent endosse ce risque. Même s'il n'est pas question d'annexion pour lui, la Louisiane française, entrée dans l'Union américaine en 1812, préfigure le destin d'une culture française en Amérique. Pour Parent, «nos institutions, notre langue et nos lois» seraient menacées, le français ne serait certainement pas toléré au Congrès et l'arrivée massive de citoyens des États-Unis dans le nouvel État du Québec ferait perdre aux Canadiens français leur prépondérance comme «peuple distinct[48]».

Quant à la conscience canadienne — c'est-à-dire canadienne-française — de la majorité bas-canadienne, elle s'était esquissée au fil des combats démocratiques que la bourgeoisie avait menés durant la période. La définition des aspirations des Canadiens français, l'opposition aux projets d'Union d'une «nation canadienne», la détermination des Canadiens français à être des sujets anglais dans une colonie canadienne dont la métropole respecterait la volonté démocratique, plutôt que de la diviser, façonnent progressivement une représentation de groupe. *La Minerve* pose à ses lecteurs en 1827 la question: «Qu'est-ce que les Canadiens?» Le rédacteur répond en soulignant la fidélité «par amour et par devoir» des Canadiens à l'égard de l'Angleterre mais il insiste surtout pour montrer, *a contrario*, que les «aventuriers» de la colonie ne peuvent se prétendre Canadiens. La déclaration de fidélité à la mère patrie est non ambiguë: «La mère-patrie est-elle coupable de ces attentats contre le plus paisible des peuples? Il est aisé de dire que non, que tous les plans et projets dont on nous a menacés, ont pris leur origine de ce côté-ci des mers et au milieu de nous.» C'est l'oligarchie que les Canadiens ne prisent pas: «Si la mère-patrie avoit besoin de nous pour sa défense, si elle demandoit notre vie, nous l'avons déjà fait voir, nous ne balancerions pas; mais de croire que l'influence que doit avoir le peuple dans notre gouvernement, doit être l'apanage du petit nombre des habitans, uniquement parce qu'ils ont abandonné leur pays; de penser que ce petit nombre de gens sans mission aient le droit de se servir du nom de la mère-patrie comme d'un épouvantail, Jean-Baptiste n'en peut convenir [...].» La conscience coloniale des Canadiens s'affûte non pas «contre les Anglois» mais à la vue des exploiteurs : « Les Canadiens-françois ne tendent à un pouvoir exclusif ; ils n'ont pas de haine nationale contre les Anglois ; et dès qu'un habitant du pays montre qu'il en est vraiment citoyen, on ne fait plus de différence. Mais ceux qui ne regardent le Canada que comme un poste de traite exclusive, un lieu où l'on peut vivre à même les deniers publics ou s'enrichir pour retourner vivre ailleurs ; ceux qui spéculent sur les propriétés du pays ; on ne peut raisonnablement les reconnaître pour citoyens d'un pays qu'ils ne reconnoissent pas pour le leur et qu'ils abandonneroient au besoin en secouant la poussière de leurs pieds. » Du point de vue de leur identité, les Canadiens ne sont pas pour autant des Français : « Au reste on verra combien on aurait tort d'attribuer les noms de *Canadiens* et d'*Anglois* à des prétentions exclusives de la part des anciens habitans du pays, considérant que cette distinction a précédé la conquête, et que dans tous les documens du tems nous trouvons que les *Canadiens* et les *François* n'étaient pas la même chose. » « Généalogiquement », les Canadiens « sont ceux dont les ancêtres habitoient le pays avant 1759 » ; « politiquement », ce sont « tous ceux qui font cause commune avec les habitans du pays, quelle que soit leur origine ; ceux qui ne cherchent pas à détruire la religion ou les droits de la masse du peuple ; ceux qui ont un intérêt réel et permanent dans le pays ; ceux en qui le nom de ce pays éveille le sentiment de la patrie[49] [...] ».

De son côté, *Le Canadien,* qui paraît à nouveau le 7 mai 1831 sous la direction de Parent, se donne un titre et une devise — « Nos institutions, notre langue et nos lois » — qui sont emblématiques : ils formulent les caractéristiques culturelles du groupe canadien, résument en amont une évolution et annoncent en aval une tendance forte. Parent écrit dans ce premier numéro de la quatrième série du *Canadien* :

> Notre mot d'ordre [...] nous le tirerons des cœurs de tous ceux pour qui l'amour du pays n'est pas un mot vide de sens ; de ceux qui dans la vie jettent les yeux au-delà de leur existence individuelle, qui ont un sentiment national, cette belle vertu sans laquelle les sociétés ne seront autre chose que des assemblages d'êtres isolés incapables de ces grandes et nobles actions, qui font les grands peuples, et qui rendent les nations un spectacle digne de l'œil divin. [...] Car c'est le sort du peuple Canadien d'avoir à conserver non seulement sa liberté civile, mais aussi à lutter pour son existence comme peuple [...][50].

Par ailleurs, le lexique de la « patrie » et du Parti « patriote » réfère à la dimension politique du projet plus large de ce même groupe.

Au moment où l'on s'apprête à rédiger et à faire voter les 92 Résolutions, il est clair pour la Chambre d'assemblée, pour le Parti patriote et pour Papineau que le temps des «mots sonores» est fini. Après l'émeute électorale du 21 mai 1832, la proposition toute républicaine de Papineau de convoquer une Convention — à l'américaine — pour concevoir une nouvelle Constitution est indicative du point d'avancement des esprits. Mais c'est le «constitutionnalisme» qui aura dominé la période, c'est-à-dire la volonté de la métropole d'enchâsser les libertés et la patience de la colonie à voir ce processus se mettre en place.

Le libéralisme réformiste anglais, que les Canadiens admirent jusque vers 1830 et à propos duquel ils commencent à s'interroger par impatience, sert au même moment de modèle libéral en Europe. Son réformisme permanent, fait d'un dosage de libéralisme et de conservatisme, résiste assez bien à l'épreuve de la question de la représentation et du suffrage (*Reform Bill* de 1832). Il n'empêche que, dans des colonies britanniques comme le Bas-Canada, ce réformisme temporisateur impatiente, comme ce fut le cas avec le *Rapport* de 1828 du Comité des Communes sur les affaires du Canada.

Dans ces mêmes colonies, le libéralisme de l'Empire est confronté à la question de l'extension de la démocratie et du principe électif; non seulement à propos des réformes locales — électivité du Conseil législatif et des Fabriques — mais tout autant à propos de l'extension du principe électif non plus aux seules libertés individuelles mais aussi à la liberté collective d'un peuple, d'une nation. Après 1830, le libéralisme rejoint la question de la nationalité, du droit des peuples à disposer d'eux-mêmes. Il est important, de ce point de vue, de souligner qu'au Bas-Canada, tout comme en Europe et dans les Amériques, le courant libéral avait devancé le courant nationalitaire.

Dernière conséquence de cette extension du principe électif, qui comporte des droits mais aussi des devoirs: le cheminement vers une plus grande responsabilité, vers la demande d'un «Gouvernement responsable» pour les colonies. «L'autonomie» des colonies pouvait résulter d'un choix: l'appel plus radical au principe des nationalités ou la demande plus réformiste du gouvernement responsable[51]. Le Bas-Canada est alors confronté à ce choix.

Chapitre IV

TENSIONS DANS LA COLONIE
(1834-1837)

L E MEILLEUR INDICE du non-règlement de la situation coloniale réside dans le constat que les causes de la crise de 1827 demeurent les mêmes en 1834 : dysfonctionnement et composition du Conseil législatif et demande de son électivité, d'une part, et mésentente sur la liste civile et le vote du budget annuel, d'autre part. Le Comité de la Chambre des communes de 1828 avait certes recommandé que le Conseil législatif ait «un caractère plus indépendant» et qu'on assure l'indépendance du salaire du gouverneur, des membres de l'Exécutif et des juges, mais le conflit demeurait entier et il s'était même aggravé après l'émeute du 21 mai 1832. Témoignent aussi de cette escalade les 92 Résolutions qu'on propose à la Chambre d'assemblée le 17 février 1834, résolutions qui récapitulent les insatisfactions et les demandes des Canadiens français depuis deux décennies et auxquelles Londres mettra trois ans à répondre par les Résolutions Russell de mars 1837. Les trois ans qui séparent les demandes de la Chambre d'assemblée de la réponse du Parlement britannique s'inscrivent d'ailleurs dans une époque de montée des nationalités en Europe et constituent une période de longues négociations entre le Bas-Canada et Londres par agents interposés, par une enquête de Commission et par des débats à Westminster. Déjà constantes et sérieuses, les tensions coloniales se haussent pour culminer dans une impasse. Le contenu des revendications, le haussement de ton en Chambre, dans la presse et dans les assemblées populaires, indiquent que le Bas-Canada s'éveille manifestement aux nationalités.

Les 92 Résolutions (février 1834) : un point tournant

Ébauchées par Papineau, mises en forme par Augustin-Norbert Morin et présentées en Chambre par Elzéar Bédard, député de la région de Québec à l'appui duquel tient le Parti patriote, les 92 Résolutions ressemblent par leur forme aux cahiers de doléances du temps de la Révolution française et tressent les liens d'un nœud serré dont le dénouement ou le non-dénouement constitue un enjeu décisif, un point tournant dans le destin colonial du Bas-Canada.

Les 92 Résolutions[1] s'ouvrent sur un rappel de fidélité et d'attachement des Canadiens français à l'Angleterre et au Parlement impérial ; on dit s'inspirer de la Constitution et des droits britanniques et réclamer les mêmes pouvoirs de contrôle que le Parlement britannique puisque rien n'a changé depuis le *Rapport* du Comité de 1828 (résolutions n°s 1, 2, 5-8, 52, 69, 72, 79). Le pouvoir prépondérant de la Chambre d'assemblée, expression de « la volonté générale », y est réaffirmé de même que son droit de contrôle sur la totalité des revenus coloniaux (n°s 23, 32, 39).

Si tout le système politique colonial fait l'objet de griefs, les résolutions décrites du numéro 9 au numéro 40 visent une seule et même réalité : le Conseil législatif. Pour le Parti patriote et la majorité parlementaire, là réside le vice fondamental du système colonial basé sur l'irréaliste prétention de constituer une authentique aristocratie en Amérique, sur le pouvoir arbitraire et excessif d'un gouverneur à contrôler l'une des instances du gouvernement et à y nommer les seuls individus qui approuvent ses vues et sur l'effet de blocage de la vie politique coloniale par une instance qui aura refusé 302 projets de lois approuvés par la Chambre d'assemblée de 1822 à 1836. En raison du système de nomination au Conseil, celui-ci est devenu le symbole « du monopole et du despotisme exécutif, judiciaire et administratif », le moyen de donner « sécurité à une classe particulière des sujets de Sa Majesté » et un « caractère alarmant de lutte et d'antipathie nationale » qui est de nature « à susciter et à perpétuer entre les diverses classes des habitants de la Province, des méfiances, des distinctions et des animosités nationales ». Dans l'esprit des 92 Résolutions, la confiance dans le Conseil législatif ne sera établie que le jour où il deviendra électif.

Les griefs s'accumulent aussi contre la structure coloniale du pouvoir, du sommet à la base. On déplore l'attitude du Secrétaire colonial qui endosse le système de nomination au Conseil législatif et dont les dépêches «insultantes» sont «incompatibles avec les droits et privilèges» de la Chambre (n°s 49, 51). Par des appropriations de revenus tirés de la vente des terres et non votés par la Chambre, par des réserves trop fréquentes face aux projets de lois et par la mise en accusation devant le Bureau colonial d'un des leurs (Aylmer), les gouverneurs ont peu à peu perdu de leur crédibilité (n°s 65, 66, 84,10, 85). L'administration coloniale est aussi passée au crible; on pointe du doigt l'inégale répartition des emplois publics: en 1832, les 75 000 Britanniques de la colonie ont droit à 157 emplois publics comparativement à 47 pour les 525 000 Canadiens, situation où 12 % de la population dispose de 77 % des postes alors que 88 % récolte 23 % des emplois. Sans compter que les Britanniques obtiennent les postes supérieurs et les plus lucratifs. On dénonce le cumul des fonctions et le «family compact», les nominations de juges à l'Exécutif et les opinions politiques de ceux-ci, les défalcations du Receveur général, les refus de procéder dans le cas de malversations de juges (n°s 74, 84).

Ces griefs ne minent pas définitivement la confiance en l'Angleterre; ils la mettent en doute toutefois suffisamment pour que les allusions «au pays voisin» soient fréquentes. Les États-Unis sont présentés comme un modèle contre les abus, comme un rappel de la différence sociale entre les Amériques et l'Europe et donc comme le paradis de l'électivité des fonctions civiques. Et il se pourrait même, de l'avis des «résolutionnaires», que les colonies britanniques d'Amérique du Nord fassent un jour ce que firent les colonies au Sud en 1776 (n°s 31, 41, 43, 45, 46, 48, 50, 56).

Le jour même du débat en Chambre, Parent publie les 92 Résolutions dans *Le Canadien* tout en présentant le Bas-Canada comme «la sentinelle avancée des Droits Coloniaux». Papineau, qui se lève en Chambre pour convaincre la députation de l'opportunité des Résolutions, sait pertinemment que Neilson et quelques députés n'endosseront pas la ligne de la majorité. Le chef du Parti patriote prend la mesure du moment: «Nous avons à examiner, si aujourd'hui nous ne sommes pas rendus à cette époque qu'il faut que la première magistrature de l'état [la Chambre d'assemblée] recouvre le respect qu'elle a perdu, et que l'honneur, la fortune, la liberté et l'existence du peuple soient mises en sûreté, ou se résoudre à voir tomber l'un au dernier degré d'avilissement, et l'autre s'emporter à des excès. Oui, je le crois, nous en sommes venus à ce jour.» Pour Papineau, qui déclare que «chacun de nous doit être aujourd'hui accusateur, si l'amour du pays nous anime», l'histoire des dernières années doit départager les citoyens. Le ton monte, à la mesure de l'exaspération et de la détermination : il raille ce gouverneur, « appuyé par une branche de la Législature, [qui] peut toujours faire le bien de ses favoris, d'hommes qui eux-mêmes peuvent faire la fortune des gouverneurs ». « Il me semble, poursuit-il, qu'il n'y a rien de plus bas que la noblesse anglaise, qui nous vient dans ce pays, tant elle aime les places, tant elle aime l'argent. » L'orateur vise le duc de Richmond venu « réparer les débris de sa fortune » dans la colonie et son successeur venu « gagner de quoi réparer son vieux château délabré ». Une allusion caustique aux grands propriétaires les présente comme des gens dont le gouverneur, puisant dans les coffres de l'État, peut acheter « non leur conscience, car ils n'en ont pas, mais leurs opinions [...] ».

Pour Papineau, il est dorénavant clair qu'il « ne s'agit que de savoir que nous vivons en Amérique, et de savoir comment on y a vécu ». Le modèle de société et d'institutions politiques qu'il envisage pour le Bas-Canada va dans le sens du destin des Amériques : « Il est certain qu'avant un temps bien éloigné, que toute l'Amérique doit être républicaine. » Ce républicain avoué depuis le début de la décennie 1830 est aussi un démocrate qui a vu dans le Conseil législatif l'origine des « distinctions nationales » et qui entrevoit dans son éventuelle électivité la fin de cet antagonisme ethnique. Il souhaite qu'une « poignée d'hommes du pouvoir » ne puissent « empêcher des remèdes qui mettront fin à nos maux, et feront de tous les colons un peuple de frères, et leur donneront les motifs de se lier ensemble. Les distinctions, les privilèges, les haines et les antipathies nationales, tout cela sera détruit. » Avant de reprendre son siège, l'orateur résume son propos : « Il y a dans ces résolutions autant de force dans la vérité des faits que de ménagement dans les expressions[2]. »

La Chambre passe au vote le 21 février et les 92 Résolutions sont votées à 56 voix contre 23. La presse anglophone y perçoit un ton et une scission. Parent, qui sait s'indigner tout en gardant son sang-froid et qui a ce réflexe naturel de situer le Bas-Canada dans la trame des événements internationaux, réplique dans Le Canadien du 26 février :

> Si la représentation désirait sincèrement une prompte scission entre cette colonie et l'Angleterre, le plus sûr moyen de la voir s'effectuer serait assurément de laisser le gouvernement s'avancer de plus en plus dans la pente de l'abîme vers lequel il s'achemine ; de le laisser combler la coupe des abus, de lui lâcher la bride dans la carrière de l'arbitraire, jusqu'au point où le peuple ne pouvant supporter le poids des chaînes, les secouerait spontanément et en assommerait ses tyrans. Et dans ce cas il n'aurait pas à craindre comme les

peuples Européens, comme l'Espagne ci-devant, comme l'Italie aujourd'hui, que des légions de soldats n'accourussent de chez ses voisins, relever l'autel du despotisme qu'il viendrait de renverser. Voilà qu'elle [sic] serait la politique la plus sûre à suivre pour des ennemis de l'allégeance britannique.

Le rédacteur du *Canadien* partage les vues continentales de Papineau en dénonçant les ministres coloniaux qui s'obstinent «à faire vivre des Américains sous un régime Européen».

Au moment où se clôt la session le 18 mars, *La Gazette de Québec* du modéré Neilson affirme que c'est «une révolution dans toute la force du terme que les auteurs des 92 Résolutions demandent et fomentent». Dans *Le Canadien* du 4 avril, le tout aussi modéré Parent réplique en exigeant tout simplement un gouvernement responsable en lieu et place d'une oligarchie irresponsable. Il écrit:

> Que toutes les classes, toutes les origines qui composent notre population soient mises sur le pied d'égalité; que l'une n'ait pas plus de privilèges que l'autre; alors et alors seulement les intérêts particuliers qui mettent le trouble et la confusion partout, disparaîtront; alors on ne verra plus un Conseil législatif, appeler l'agiotage sur nos terres, appuyer tous les écarts d'une administration ennemie et imbécile. Si c'est là une révolution, c'est une révolution que veulent les auteurs et les approbateurs des 92 Résolutions.

La « peste » du libéralisme

La presse anglophone n'est pas seule à percevoir des odeurs de soufre qui planeraient sur le Bas-Canada. L'Église catholique, loyale depuis 1791 et éprouvée lors du bill des notables en 1831, s'est donné le mot par le truchement du curé Paquin, qui allait lui-même prêcher par l'exemple en 1837-1838: «que le clergé s'organise, s'accoutume à se mêler des affaires publiques, se donne à l'étude de ses droits et les défende en corps, en masse et d'un même esprit». Pour sa part, le curé de Saint-Laurent, près de Montréal, donne à son évêque le pouls de la population au moment des 92 Résolutions:

> Depuis les tristes affaires de la dernière Session de Notre Parlement Provincial, nos campagnes sont inondées d'une foule de jeunes prétendus Patriotes qui bouleversent les idées de nos bons, honnêtes et religieux habitans, et les harcèlent pour leur faire signer des requêtes à l'appui des 92 Résolutions [...]. On choisit pour cela les jours consacrés à Dieu et à rassembler les fidèles; on les guette au sortir des Églises pour leur dire que ces

requêtes sont pour conserver la Religion et chasser les Anglois ; que les prêtres qui y montrent de l'opposition ne sont pas pour les Canadiens, qu'ils en sont leurs ennemis [...]. Ce qu'ils ont fait ici, ils l'ont fait ailleurs ; ils le font presque partout.

Le curé Saint-Germain, qui, plus tard, fait rapport sur les effets du choléra, avoue à Mgr Lartigue : « je ne puis m'empêcher de vous parler d'un autre genre de maladie qui travaille le corps social, fait des progrès extrêmement rapides et dont les suites sont d'autant plus fâcheuses que c'est le moral qu'il attaque. Cette peste, dont je veux parler, c'est le Libéralisme, dont on peut dire avec l'Apôtre : *Serguit ut Cancer*. Il va vite... très vite [3] ! »

Londres, Bas-Canada, Londres

Après tant d'années d'espoirs et de déceptions, les 92 Résolutions ne pouvaient trouver réponse auprès du gouverneur, de l'Exécutif ou du Conseil législatif. Leur vrai destinataire était le Parlement impérial auquel on les achemine le 1er mars par l'entremise d'A.-N. Morin qui part pour Londres rejoindre l'agent de la Chambre d'assemblée, Denis-Benjamin Viger. L'envoi des 92 Résolutions est accompagné d'une adresse de la Chambre rédigée par Papineau qui rappelle d'entrée de jeu que le *Rapport du Comité de 1828* n'a eu « aucun résultat efficace ». Le contenu des 92 Résolutions y est repris avec çà et là quelques propos appuyés concernant, par exemple, le pouvoir de la Chambre d'assemblée de réviser la Constitution de 1791 en faveur d'un Conseil législatif électif. Pour Papineau, une telle attitude libérale entraînerait « une noble rivalité avec les États-Unis d'Amérique » et « conserverait des relations amicales avec cette Province comme Colonie, tant que durera notre liaison, et comme alliée, si la suite des tems amenait des relations nouvelles ». L'adresse se termine sur un ton allusif, invitant le Parlement « à faire en sorte qu'on ne puisse en opprimant le Peuple de cette colonie, lui faire regretter sa dépendance de l'Empire Britannique, et chercher ailleurs remède à ses maux [4] ».

La discussion sur les 92 Résolutions s'engage à Westminster le 15 avril 1834. Le député radical de Bath, John Arthur S. Roebuck, se fait la voix de l'opposition parlementaire et prévient le gouvernement que le Bas-Canada « is actually in a state of revolution ». En témoignent, selon lui, la rupture des rapports entre le gouverneur et la Chambre d'assemblée, l'irresponsabilité constitutionnelle du Conseil législatif et un Exécutif dont il dit : « I solemnly charge the Executive for the last twenty years with disgracefully and most corruptly endeavouring to create and perpetuate national and religious hatred among a large body of His Majesty's subjects. » Selon Roebuck, les réformistes canadiens-français ne croient plus aux promesses de changement ; ils ont plutôt la conviction « that a trick was played upon them ». À ceux qui attisent les braises en identifiant la Convention proposée par Papineau à la Convention de la Terreur, le député propose de considérer « that the people of Canada were not copying revolutionary France, but quiet and well-governed America ». Roebuck propose enfin à la Chambre « the appointment of a Select Committee to inquire into the means of remedying the evils which exist in the form of the Governments now existing in Upper and Lower Canada ».

Si le député Stewart propose tout simplement un retour au projet d'Union pour régler la situation, le secrétaire d'État aux Colonies, Lord Stanley, appuyé par O'Connell, qui est toutefois favorable à un Conseil législatif électif, propose plutôt « that a Select Committee be appointed to inquire and report, wether the grievances complained of in 1828 [...] had been redressed [...] and also to inquire into other grievances now set forth in the Resolutions of the House of Assembly in Lower Canada[5] ». La proposition de Roebuck est battue et la Chambre nommera en février 1835 une Commission royale sur la situation canadienne présidée par Lord Gosford, nommé du même coup gouverneur en remplacement d'Aylmer.

À l'approche de nouvelles élections, la presse, la Chambre et les assemblées extra-parlementaires battent le tambour. Parent, qui fait preuve d'une évidente conscience historique, s'en prend dans *Le Canadien* du 6 juin 1834 à Lord Stanley, « le grand machinateur », favorable au maintien de l'actuel Conseil législatif pour protéger « l'intérêt Britannique » :

> Ce mot vient d'ici, et l'on sait ce qu'il veut dire. C'est *l'intérêt* qui jeta les hauts cris, lorsque le Parlement Impérial passa l'acte de la 14e année, qui rétablit les anciennes lois du pays que cet *intérêt* avait fait abolir depuis la cession ; c'est cet *intérêt* qui dès le premier parlement essaya de bannir la langue française [...] ; c'est cet *intérêt* qui à l'époque de 1810 s'opposa à l'exclusion des Juges de la Chambre et au contrôle des représentants du peuple sur les dépenses du gouvernement ; c'est cet *intérêt* [...] qui fit traîner dans les cachots les citoyens les plus dignes, les plus méritans ; c'est cet *intérêt* qui en 1822 voulut noyer la population canadienne [...].

De son côté, Papineau dénonce les positions du gouverneur Aylmer et son influence sur Lord Stanley, dont l'intervention en Chambre le 15 avril est qualifiée de «discours trompeur». Le chef du Parti patriote raille le Conseil législatif et cette «Aristocratie de comptoir, qui vit dans l'Opulence et meurt dans la Banqueroute». Pour débloquer une situation politique où la Chambre d'assemblée refuse de voter les subsides, vit sous la crainte de prorogation et attend de Londres une réponse aux 92 Résolutions, Papineau développe une nouvelle stratégie, celle qu'adoptèrent les Américains en 1774: remontrances par le moyen d'assemblées populaires, d'associations et de comités de correspondance de députés, et non-consommation de produits importés de manière à toucher aux revenus de la colonie. Papineau invite les gens à s'habiller de vêtements faits d'étoffe du pays et à consommer des alcools produits dans des brasseries et des distilleries locales. Et, à nouveau, il prévient Londres de «comprendre que les réformes voulues par les peuples de l'Amérique Continentale, leur doivent être gracieusement octroyées, si on ne veut pas qu'un peu plus tard, elles soient forcément arrachées[6]».

Quant à un correspondant du *Canadien* du 27 juin 1834, il fait, avec des accents empruntés à Lamennais, un libérateur du patron des Canadiens français, saint Jean-Baptiste: «c'est de bon augure pour les patriotes que d'avoir pour patron le précurseur de l'Homme-Dieu, qui est venu prêcher l'Égalité des hommes aux yeux du Créateur et délivrer le monde de l'esclavage des puissances ennemies d'un autre monde».

Les élections d'octobre et de novembre 1834 portent essentiellement sur les 92 Résolutions conçues en partie comme programme électoral du Parti patriote. Celui-ci obtient 77% du suffrage et 41 députés patriotes sur 88 sont élus par acclamation. La politique du Parti patriote formulée dans les 92 Résolutions est endossée par la très grande majorité de la population, y compris par des Anglais réformistes des Cantons et par des Irlandais.

Papineau et la majorité parlementaire sont dorénavant en position de force pour faire des remontrances à Londres et attendre sa réponse aux 92 Résolutions. Les avertissements se font plus vindicatifs: «Une nation n'en sut jamais gouverner une autre. Les affections Bretonnes pour l'Irlande et les colonies n'ont jamais été que l'amour du pillage de l'Irlande et des colonies, abandonnées à l'exploitation de l'aristocratie bretonne et de ses créatures.» Les visions du destin manifeste du Bas-Canada se précisent: «Un gouvernement local responsable et national pour chaque partie de l'Empire, quant au règlement de ses intérêts locaux, avec une autorité de surveillance dans le gouvernement impérial, pour décider de la paix et de la guerre et des relations de commerce avec l'étranger : c'est là ce que demandent l'Irlande et l'Amérique Britannique[7]. »

Chapman et Roebuck, les voix de la Chambre d'assemblée à Londres

Le dépôt des 92 Résolutions devant les Communes de Londres et la nomination d'une nouvelle Commission d'enquête sur les affaires canadiennes incitent la Chambre d'assemblée à se donner une voix à Londres, susceptible d'expliquer aux hommes politiques et à la presse le point de vue colonial bas-canadien. À la suite du retour de D.-B. Viger et d'A.-N. Morin, fin 1834, on compte sur Henry S. Chapman, éditeur-propriétaire du *Daily Advertiser* de Montréal qui, depuis les 92 Résolutions, partage les vues du Parti patriote. Favorable aux radicaux britanniques et tenant de l'idée que le conflit colonial est social et non pas ethnique, Chapman se retrouve donc à Londres en décembre 1834 comme émissaire, avec Robert Nelson. Il y apporte des exemplaires de sa récente brochure *What is the Result of the Canadian Election?* où il considère le vote massivement favorable au Parti patriote comme un vote en faveur de l'électivité du Conseil législatif. En septembre 1835, il répond à un article du *Monthly Repository* de Londres en présentant le Conseil législatif et l'oligarchie comme la résultante d'un projet « to manufacture an Aristocracy out of the salaried officials » et comme « a perfectly irresponsible body ». Il se fait fort de rappeler que les autres provinces britanniques d'Amérique du Nord réclament aussi ce que réclame le Bas-Canada[8].

John Arthur Roebuck est nommé agent de la Chambre d'assemblée le 28 février 1835 et Chapman devient son secrétaire. Correspondant de Papineau et défenseur des 92 Résolutions à la Chambre des communes en avril 1834, le député de Bath fait alors partie de l'opposition radicale qui s'inspire des idées de Jeremy Bentham. Le Parti radical, favorable à l'émancipation des colonies en ces temps difficiles où elles entraînent des dépenses pour la métropole, dénonce aussi le patronage qui assure le maintien de l'aristocratie. La voix de la Chambre d'assemblée est donc dans l'opposition, faute évidemment de pouvoir se trouver dans le gouvernement. Elle est dans l'opposition radicale et non pas dans l'opposition whig dont le passage récent au pouvoir n'a guère modifié les choses en matière de politique coloniale. C'est dire la marginalité de cette voix bas-canadienne à Londres, même si celle-ci bénéficie aussi de l'appui de députés (le radical modéré Joseph Hume, ami de Papineau, le leader irlandais Daniel O'Connell, John Temple Leader et quelques autres), de Lord Brougham et des journalistes Thomas Falconer, John et Samuel Revans.

Roebuck ne tarde pas à intervenir en Chambre. Le 9 mars 1835, il se lève pour dénoncer l'irresponsabilité du Conseil législatif, pour affirmer que les recommandations du Comité de 1828 n'ont jamais eu de suites et surtout pour contrer la fausse affirmation selon laquelle il y aurait dans la colonie bas-canadienne un Parti français et un Parti anglais. Si tel était le cas, demande-t-il, comment expliquer que, parmi les 21 députés d'origine britannique, 10 se soient joints aux députés francophones pour signer la pétition de la Convention de Montréal qu'il vient de déposer devant la Chambre? Il revient sur cette idée dans un article de la *London Review* de juillet 1835, repris en brochure sous le titre *The Canadas and Their Grievances* et dans lequel il analyse ce qu'il considère les plaies (*evils*) de la colonie qui s'ajoutent à la question de la liste civile et à celle de l'électivité du Conseil législatif[9].

Ces interventions ont toutes comme objectif de préparer le terrain aux résultats de la Commission Gosford dont les commissaires arrivent à Québec le 23 août 1835. Un événement imprévu, la transmission par le gouverneur du Haut-Canada, Sir Francis Bond Head, des directives du Colonial Office à la Commission Gosford, semble annoncer la suite de la saga entre la métropole et la colonie. Il était clair dans cette directive que Londres n'entendait pas concéder de changements à la Constitution du Bas-Canada à propos du statut du Conseil législatif. Pour Papineau, cette Commission «offensante et usurpatrice» a pris en Angleterre les directives du ministre et elle est là pour les suivre; «tous engagements de confiance sont déliés et rompus». Le jeune député Louis-Hippolyte La Fontaine va plus loin: les directives constituent « la première réponse indirecte qu'on nous donne aux 92 Résolutions[10]». Le 13 mars, Papineau avoue à Roebuck que la séparation morale d'avec l'Angleterre est consommée et que celle-ci a perdu la confiance du peuple canadien[11]. C'est un point tournant: l'image de l'Angleterre vient d'en prendre un coup. On ne sait où peuvent mener des attentes déçues.

La Commission Gosford et son Rapport *(2 mars 1837)*

La Commission fait son travail d'enquête en même temps qu'elle est la cible des réformistes. Papineau observe qu'elle ne prend ses renseignements qu'auprès des «journaux fanatiques». À Londres, Chapman publie une autre brochure, *Recent Occurences*, dans laquelle il tend à miner la crédibilité du gouverneur Gosford et de la Commission.

Mais c'est surtout l'intervention de Roebuck en Chambre, le 16 mai 1836, qui constitue le point d'orgue de la revendication coloniale en métropole. Après avoir à nouveau enfoncé le Conseil législatif — « nothing more than a *clique* holding power for their own particular purposes » —, Roebuck présente la Commission Gosford comme une stratégie « to gain time » alors que les griefs en cause durent depuis trente ans. Pour bien faire voir la question de principe en cause et les faux-fuyants du gouvernement, il reprend l'observation de Papineau faite dans son discours sur l'état de la province, un mois plus tôt : « On feint de croire, que nos réclamations sont le fruit de nos différences d'origine et de catholicisme, quand il est constant que les rangs des libéraux comptent une majorité des hommes de toute croyance et de toute origine. Mais que dire à l'appui de cet avancé quand on voit le Haut-Canada où il n'y a que peu de catholiques et où presque tous les habitants sont d'origine anglaise dénoncer les mêmes maux et demander les mêmes réformes. »

Les répliques, véritable feu croisé, visent toutes à miner la crédibilité de Roebuck. Bien documenté, le sous-secrétaire aux Colonies, Sir George Grey, fait l'historique des résolutions de la Chambre d'assemblée du Bas-Canada concernant la demande d'un Conseil législatif électif depuis la motion Bourdages de janvier 1832, pour montrer que cette demande, absente des préoccupations du Comité de 1828, justifiait la Commission Gosford. Sir George cherche même à déstabiliser Roebuck en lui rappelant une lettre de 1835 dans laquelle l'agent de la Chambre d'assemblée du Bas-Canada affirmait que l'électivité du Conseil législatif était une « illusion », obligeant ainsi le député de Bath à faire une encombrante distinction entre ses vues et celles de la Chambre d'assemblée. Pour sa part, le député Robinson, actionnaire d'une compagnie propriétaire de terres au Canada, soutient que Roebuck ne représente que le parti de Papineau et que l'électivité du Conseil législatif est le prélude à la perte de la colonie. À propos des députés du parti de Papineau hostiles « to the colonization of British subjects », il observe :

[I] did not blame them for endeavouring to maintain their own nationality, and their own interests; but, having conquered that colony, were the people of Great Britain to deal with it only in reference to the Canadian people and their interests? Why call themselves exclusively Canadians, as if they wished to be considered a distinct people?

Joseph Hume lui répond en demandant si le peuple du Canada — Haut et Bas — devait être traité comme un peuple conquis. Le débat se corse lorsque Sir John Hanmer met en cause le droit de Roebuck d'être l'agent du Bas-Canada en raison des émoluments qu'il reçoit pour cette tâche. Le député Worburton n'apprécie pas l'allusion et invite Sir Hanmer à faire une proposition en bonne et due forme s'il veut discuter de cette question à propos de laquelle il y a des précédents. Sir Robert Peel, l'ancien premier ministre, fait narquoisement remarquer à Roebuck qu'il n'a fait une proposition que pour mieux la retirer et se donner ainsi un temps de parole! Quant à Lord John Russell, le ministre de l'Intérieur, il dit attendre le rapport de la Commission avant de se prononcer[12].

La Chambre d'assemblée vaque néanmoins à ses affaires : le Comité des Griefs présidé par le Dr O'Callaghan remet son rapport sur la conduite du gouverneur Aylmer[13]; dans différentes «adresses», la Chambre réitère la ligne politique et les demandes des 92 Résolutions; elle maintient sa position d'un vote des subsides postérieur à l'obtention des réformes demandées, et ce jusqu'au 30 septembre 1836, au moment où l'on décide d'ajourner les travaux de la Chambre tant et aussi longtemps qu'on n'aura pas obtenu une nouvelle Constitution. C'est le cul-de-sac.

Pendant ce temps, à Londres, Roebuck et Chapman exposent les enjeux de la situation coloniale bas-canadienne, insistant sur le peu de crédibilité d'une Commission dont les dés étaient pipés comme l'a révélé la divulgation des directives ministérielles[14].

Le *Rapport* de la Commission Gosford est signé et daté du 15 novembre 1836 et il est déposé devant les Communes le 2 mars 1837. À propos du Conseil législatif, les commissaires observent qu'après 1791, en raison d'une évolution démographique des Britanniques plus lente que prévu, «instead of shaping its policy so as to gain the confidence of the House, [the Government] adopted the unfortunate course of resting for support exclusively on the Legislative Council»; et que la présence d'une majorité francophone à la Chambre d'assemblée «seems to have been thought a sufficient reason that there should be a majority of English in the Council», constituant ainsi une structure de pouvoir fondée sur des

« antagonist principles almost from the commencement ». Le *Rapport* envisage un Conseil législatif électif avec un seuil financier d'éligibilité très haut, mais affirme : « we cannot advise the experiment now ». Les commissaires considèrent qu'avec un Conseil législatif électif, le Parti patriote voudra aller plus loin dans ses revendications et que l'état de la colonie ne permet pas un tel changement. Par « état de la colonie », on entendait une situation qui risquait de trop ressembler à celle des États-Unis et que de toute façon les Canadiens français avaient besoin de la protection britannique, minoritaires qu'ils étaient non seulement en Amérique du Nord mais dans les colonies mêmes de l'Angleterre en Amérique du Nord. L'idée d'une union générale des colonies d'Amérique du Nord, formulée en 1824 et rediscutée en 1828, faisait son chemin.

Concernant la question de la responsabilité ministérielle ou du gouvernement responsable demandé de façon de plus en plus explicite depuis 1814, les signataires métropolitains du *Rapport* reconnaissent que « the means by which a colony can be advantageously released from its state of dependance, and started into being a nation by the voluntary act of the parent state, is an unresolved problem in colonial history » ; ils maintiennent que les conditions des colonies britanniques sont les meilleures de toutes les situations coloniales. En conséquence, le gouvernement responsable est « incompatible with the unity of the Empire » et avec son octroi, « the relation of dependance [...] would be destroyed ». L'Exécutif devait être responsable face au seul Parlement impérial.

À propos du contrôle des revenus et dépenses, la Commission s'en remet aux recommandations Goodrich de 1831 : contrôle du budget colonial à l'exception d'une liste civile de 19 000 livres pour « la vie du Roi » ou pour au moins sept ans[15].

Conclusion

Les signes de montée de tension politique dans la colonie ne manquent donc plus : formulation systématique des doléances dans les 92 Résolutions, appui électoral massif à ces revendications, nomination d'un nouvel agent de la Chambre à Londres — de surcroît député du Parti radical anglais —, mise sur pied d'une nouvelle commission d'enquête, ajournement de la session en septembre 1836 jusqu'à l'obtention d'une nouvelle Constitution, et ce après que Papineau eut reconnu que la « séparation morale » d'avec l'Angleterre était, selon lui, chose faite.

Les 92 Résolutions qui réaffirment, mais du bout des lèvres, une loyauté envers la couronne britannique, qui visent essentiellement l'électivité du Conseil législatif après en avoir décrit les vices et qui affichent une admiration sans ambiguïté pour les institutions étatsuniennes constituent une véritable ligne de départage des opinions. Si le document paraît radical à un libéral réformiste comme John Neilson, il est tout autant signe de détermination que de souplesse pour Papineau et pour le modéré Parent. Appuyées par 14 des 21 députés d'origine britannique qui siègent à la Chambre d'assemblée après la décisive élection de 1834[16], les 92 Résolutions formulent des revendications identiques à celles du Haut-Canada, signe qu'elles expriment des doléances qui ne peuvent être réduites à des «distinctions nationales», à une «appartenance» culturelle ou religieuse.

Le jeune député Louis-Hippolyte La Fontaine avait eu raison, dès mars 1836, de voir dans la création de la commission Gosford une première réponse de Londres aux 92 Résolutions. Les recommandations Gosford reconnaissent le dysfonctionnement du Conseil législatif tout en différant son électivité et sa réforme par crainte d'un républicanisme à l'américaine et par souci de «protection» des Canadiens partout minoritaires; le gouvernement responsable est jugé incompatible avec le statut colonial du Bas-Canada; les droits de la Couronne sur les terres non concédées sont considérés comme inaliénables; et si Londres se dit d'accord pour une réforme de la loi des tenures, il maintient une liste civile de 19 000 livres votée «pour la vie du Roi» ou, concession, pour un minimum de sept ans.

Quatre jours après le dépôt du *Rapport* Gosford, le 6 mars 1837, Lord John Russell proposait 10 Résolutions à la Chambre des communes en réponse aux 92 Résolutions de la Chambre d'assemblée. Allaient-elles reconduire les recommandations de la commission Gosford?

Chapitre V

UNE CULTURE POLITISÉE, LIBÉRALE ET MARQUÉE PAR LES ANGLOPHONES (1815-1840)

L A POPULATION DU BAS-CANADA triple presque en trois décennies, passant de 335 000 habitants en 1814 à 697 084 en 1844 (tableau1). Cette croissance démographique s'explique à la fois par une forte natalité et par une intensification de l'immigration en provenance des îles britanniques après la fin des guerres napoléoniennes. Les arrivées d'immigrants au port de Québec, par période de cinq ans, sont éloquentes : 8041 immigrants en moyenne par année durant la période 1818-1822, 10 867 de 1823 à 1827, 31 541 de 1828 à 1832 et 22 444 de 1833 à 1837[1]. À compter de 1833, une tendance se renverse : alors qu'auparavant cette immigration venait essentiellement d'Angleterre, elle provient dorénavant majoritairement d'Irlande. La trame irlandaise de l'histoire du Bas-Canada s'esquisse et, au moment où, dans son pays, O'Connell a obtenu l'émancipation politique des catholiques, les Irlandais majoritairement catholiques du Bas-Canada imposeront leur présence dans la vie politique et électorale de même que dans des formes culturelles comme la presse et les associations.

Irlandais

Démographie et culture

Cette immigration, sur laquelle on mise aussi, depuis les projets de Sewell de 1811, pour assimiler les Canadiens français, aura des effets décisifs aux niveaux politique et culturel ; à titre d'exemple, Montréal devient une ville majoritairement anglophone à compter de 1835 et la bourgeoisie marchande anglophone imprimera sa marque sur les institutions culturelles de

effets immigration

la ville — associations volontaires, bibliothèques semi-publiques, musées, librairies — que les francophones adopteront et adapteront avant mais surtout après 1840.

La taille des agglomérations va de plus permettre la viabilité de certaines institutions ou formes culturelles dans la colonie. Montréal qui, jusqu'en 1830, a la même importance démographique que Québec, dépasse ensuite la capitale politique et atteint les 45 000 habitants en 1844 contre 33 000 à Québec (tableau 1). Les agglomérations de 1001 à 2000 habitants passent du quart des localités en 1822 au tiers dès 1825 ; un quart des localités a entre 2001 et 3000 habitants durant la période tandis que les agglomérations de 3001 habitants et plus constituent le quart, puis le cinquième des localités en 1825 et en 1831 (tableau 4). En milieu colonial américain, les densités démographiques rendent possibles ou pas des institutions comme une église, une école, une auberge, un bureau de poste, un journal, une bibliothèque ou une librairie.

La circulation des personnes, des biens et des idées

Les communications intérieures se font essentiellement par voie maritime et la navigation qui commence entre le 8 avril et le 2 mai se termine fin novembre, début décembre. Cette navigation se fait encore pour l'essentiel à la voile, bien que sept vapeurs soient en circulation entre Québec et Montréal en 1819. Des compagnies de diligences, qui empruntent le «chemin du Roy» sur la rive Nord, permettent les communications ter- restres, difficilement au printemps, tandis que des diligences d'hiver, inaugurées en 1825 entre Montréal et Québec, et en 1828 entre Saint- Jean-sur-Richelieu et New York, sont disponibles trois fois par semaine. La «Red Line» puis la «Green Line» assurent l'acheminement de la poste royale grâce à des relais à Trois-Rivières, Berthier-en-Haut et L'Assomp- tion. Le nombre des bureaux de postes quadruple durant la période, pas- sant de 10 en 1816, à 42 en 1827, à 117 en 1834, tandis que les revenus des lettres doublent et ceux des journaux triplent, ce qui indique une intensification des échanges et un essor de la presse[2].

La levée du blocus napoléonien en 1815 et le développement de la technologie maritime permettent une intensification de la circulation inter- nationale des personnes, des biens et des idées. Comme la navigation à voile à destination de l'Europe n'est possible que de mai à décembre, il existe un décalage de trois mois dans l'arrivée de nouvelles et de biens dans la colonie. Le « Royal William », premier vapeur construit à Québec à faire la traversée atlantique en 1833, met 20 jours en 1836 à relier Québec et Liverpool. En hiver, les ports atlantiques (Halifax, Portland au Maine, Boston, New York) prennent le relais et la diligence New York – Albany – Troy – Saint-Jean – La Prairie achemine voyageurs et courrier au Bas-Canada. Les communications non hivernales avec les États-Unis sont de plus facilitées par la voie des rivières Hudson et Richelieu via le lac Champlain et grâce à l'ouverture du canal de Chambly en 1835. Ce corridor est bientôt emprunté par les voyageurs-« touristes » ; en témoignent les 26 guides de voyage publiés entre 1824 et 1840 et destinés au « tour » canado-américain. Ces guides sont publiés à New York, et seules les trois éditions de *Picture of Quebec and its Vicinity* de Bourne paraissent au Bas-Canada[3].

Le « chemin de fer », qui fait timidement (26 km) son apparition en 1836, relie Saint-Jean-sur-Richelieu et La Prairie, sur la rive sud du Saint-Laurent, face à Montréal. Le pont Victoria ne sera inauguré qu'en 1860. Mais déjà, l'axe du chemin de fer nord-sud indique l'importance des communications continentales.

Cette circulation européenne prend le visage d'immigrants, de militaires et de voyageurs qui traversent l'Atlantique pour des raisons diverses. Les immigrants, on l'a vu, sont surtout britanniques et, parmi les militaires, on trouve des peintres et des aquarellistes comme James Pattison Cockburn ou Thomas Davies.

Entre 1815 et 1840, l'immigration française est très faible : on l'a évaluée à quelque 325 personnes entre 1815 et 1860. Suscitée par des guerres ou des coups d'État, cette immigration amène dans la vallée du Saint-Laurent des instituteurs ou des journalistes comme Leblanc de Marconnay ou Alfred Rambaud. Six frères des Écoles chrétiennes débarquent à Montréal, via New York, entre 1837 et 1839[4].

Le jeune étudiant Théodore Pavie, qui voyage au Bas-Canada en 1829-1830, est un voyageur romantique attentif à l'exotisme de la nature et des Indiens du Nouveau Monde et sensible à la nostalgie du passé colonial du Bas-Canada. Il note : à Québec « j'entendais des hommes, dans la chaleur d'un souvenir, s'écrier avec enthousiasme : "Et malgré tout, nous sommes Français." » Pavie est suivi par Alexis de Tocqueville et Gustave de Beaumont qui séjournent à Montréal et Québec du 24 août au 2 septembre 1831. Séjour bref durant lequel Tocqueville se fait le porte-parole de John Neilson qu'il rencontre et avec lequel il visite la campagne, L'Ancienne-Lorette et Saint-Thomas-de-Montmagny. Neilson est alors encore près du Parti patriote même s'il vient de s'en distancer à propos de la question des notables. S'il a entendu parler de Papineau, Tocqueville ne le rencontre pas. Il écrit même : « Celui qui doit remuer la population française, et la lever contre les Anglais n'est pas encore né », insistant pour dire qu'il ne voit nulle part celui « qui comprendrait, sentirait et serait capable de développer les passions nationales du peuple ». Au témoignage de Neilson, Tocqueville ajoute ceux des frères Mondelet, dont l'un vient d'accepter une nomination au Conseil législatif, d'un marchand anglophone, de Denis-Benjamin Viger et du sulpicien Quiblier, seigneur loyal dont le voyageur finit par voir les choix légitimistes tout en retenant : « ou il faut nier l'utilité d'un clergé ou l'avoir comme au Canada ». Sur le point de quitter la vallée du Saint-Laurent, celui qui déjà médite sur la démocratie en Amérique note dans son journal : « Au total, cette race d'hommes nous a paru inférieure aux Américains en lumières, mais supérieure quant aux qualités de cœur. On ne sent ici en aucune façon cet esprit *mercantile* qui paraît dans toutes les actions comme dans tous les discours de l'Américain. » Les Canadiens français « ont en eux tout ce qu'il faudrait pour créer un grand souvenir de la France dans le Nouveau Monde[5] ». Les Canadiens sont toutefois plus nombreux à voyager en France. On a évalué à 265 le nombre de ceux qui traversent l'Atlantique entre 1815 et 1850, dont 168 de 1815 à 1844. Ce sont des ecclésiastiques : prêtres de Saint-Sulpice qui vont parfaire leurs études à la Solitude d'Issy-les-Moulineaux, curés qui y font un « pèlerinage » culturel, évêques qui s'y rendent pour diverses raisons. Mgr Plessis et Mgr Lartigue, accompagnés du futur Mgr Turgeon, parcourent l'Angleterre, la France et Rome en 1819-1820. L'évêque de Québec visite et décrit soigneusement les églises de France dont celle des Carmes, à Paris, qui lui fait se souvenir de son ancienne lecture de l'*Histoire du clergé de France pendant la Révolution* de l'abbé Barruel qu'il rencontre, tout comme il visitera, à Turin, Joseph de Maistre, dont il connaît les *Considérations sur la France* et l'ouvrage *Du pape*. Confronté quotidiennement à l'irréligion du peuple et aux « dangereux esprits » qui rôdent autour du trône, Mgr Plessis se délecte des conférences de l'abbé Frayssinous à l'église Saint-Sulpice. Mgr Lartigue est tout aussi frappé par cette « nation dégradée et abâtardie » ; selon lui, les Parisiens « tranchent sur tout, même les voituriers et les gens de dernière classe, et croyent bonnement qu'il n'y a rien de bien que chez eux ». Quittant la France, il consigne dans son journal : « J'ai quitté avec plaisir le volcan de la France impie, pour entrer sur la terre pacifique d'Angleterre», pourtant protestante[6].

Tout aussi nombreux que les ecclésiastiques, les étudiants — surtout en médecine — et les hommes d'affaires font le voyage en France. Parmi ceux-ci, des libraires (Reiffenstein et Germain) s'y approvisionnent. Édouard-Raymond Fabre, qui a connu Hector Bossange (celui-ci était venu de Paris pour ouvrir une librairie à Montréal, entre 1816 et 1819, et en était reparti marié à la sœur de Fabre, Julie), retrouve les Bossange à Paris. Il y séjourne en 1822-1823, faisant auprès du grand libraire Martin Bossange, quai Voltaire, son apprentissage de libraire en vue d'ouvrir sa propre librairie à Montréal, commerce dont l'arrière-boutique sera le rendez-vous des Patriotes après 1830. Martin Bossange avait publié en 1821 un des premiers ouvrages sur le Canada, *Beautés de l'histoire du Canada* de Philarète Chasles, alias D. Dainville. En exil à Paris après les rébellions de 1837 et de 1838, Papineau sera un familier des Bossange tout comme d'autres Canadiens français qui suivront la filière parisienne des Bossange[7].

D'autres hommes de lettres peuvent enfin voir l'ancienne France. L'abbé Holmes du Séminaire de Québec y voyage avec trois élèves, Amable Berthelot y séjourne, Isidore Bédard y meurt. Le futur historien François-Xavier Garneau séjourne en Angleterre et en France de 1831 à 1833, visitant cette dernière à deux occasions. Son britannisme l'emporte sur sa découverte de la France «révolutionnaire qui venait encore de jeter un troisième trône aux quatre vents du ciel». Le récit de son voyage, rédigé en 1854, offre une vue panoramique de sa géopolitique:

> Mais si la France n'était pas complètement un pays constitutionnel comme celui [l'Angleterre] que je venais de quitter, elle n'était pas non plus un pays foncièrement, essentiellement de liberté comme les États-Unis, malgré les révolutions qui agitaient son sol périodiquement depuis un demi-siècle [...].
>
> La France n'était pas encore faite pour ce système d'échecs et de contrepoids, fruit du temps et de concessions réciproques en Angleterre et d'un calcul de probabilités imaginaires en France, puisque la royauté et l'aristocratie y avaient été bouleversées tant de fois qu'elles ne tenaient plus au sol par aucune racine. Cependant si la royauté n'y avait plus de racines, la liberté n'y était guère plus solidement établie[8].

Parmi les hommes politiques qui se rendent en Angleterre d'abord puis en France, Viger est l'un des premiers, lui qui fait le voyage en 1828 et qui devient, en 1831, le premier délégué de la Chambre d'assemblée du Bas-Canada à Londres. Le jeune Hippolyte La Fontaine quitte précipitamment le Bas-Canada pour l'Angleterre et la France en décembre 1837 dans l'espoir d'y expliquer la situation coloniale. Il visite fréquemment les Bossange, rencontre Thiers, Lord Brougham et quelques journalistes. Papineau quittera son exil étatsunien pour Paris en 1839, y rédigeant et y publiant une *Histoire de l'insurrection du Canada en réponse au rapport de Lord Durham*[9].

Le livre et les journaux commencent à circuler avec plus d'intensité entre la France et le Bas-Canada : Hector Bossange y contribue grâce à sa librairie montréalaise, suivi en cela par son beau-frère Fabre et par d'autres exportateurs d'imprimés. Les ouvrages des ténors de la restauration catholique arrivent rapidement dans l'ex-colonie française à travers des réseaux, tel celui des prêtres français (abbés de Calonne, Raimbault) arrivés en 1796 et installés sur le pourtour du lac Saint-Pierre, qui lisent Lamennais, *L'Avenir* ou *L'Ami de la religion*. Il en est de même pour les tableaux religieux nationaux confisqués par la Révolution et que l'abbé Desjardins rachète et expédie à Québec[10].

La France absente du Canada depuis 1763 recommence à montrer quelque intérêt à l'égard du Canada. En 1831, au moment où Tocqueville voyage au Bas-Canada, la nouvelle *Revue des Deux Mondes* publie un long article sur le Canada signé « Barker » ; l'auteur s'est documenté dans quelques récits de voyages et surtout dans les documents parlementaires britanniques, et en particulier dans le *Rapport* du Comité d'enquête de 1828. Sans avoir mis le pied au Bas-Canada, l'auteur affirme : « Les Canadiens français en sont encore, pour la civilisation, au temps de Louis XV. Mêmes lois, mêmes coutumes, mêmes habitudes, mêmes idées ; le régime féodal et ecclésiastique d'alors subsiste encore chez eux dans son intégrité, et, chose étrange, ils ne témoignent pas le moindre désir d'améliorer leur condition. Seuls sur le continent américain, ils sont restés impassibles et comme engourdis au milieu des révolutions qui ont affranchi le Nouveau-Monde. » Et répétant le propos d'un ex-marchand anglais de la colonie, Barker avance que les Canadiens français « sont les meilleurs colons de l'Angleterre » ; selon toute vraisemblance, pour Barker, la France leur manque peu.

Mieux informé par ses relations bas-canadiennes (N. Lemoult, A. Berthelot, D.-B. Viger, F.-X. Garneau, J.-I. Bédard, L. Duvernay, E. Parent, A.-N. Morin) et par sa lecture de *La Minerve* et du *Canadien*,

Isidore Lebrun publie à Paris en 1833 son *Tableau statistique et politique des deux Canadas,* en vente chez Fabre à Montréal et chez Neilson et Cowan à Québec. Regrettant que le Canada soit « oublié des uns et méprisé des autres » et plaidant pour un renouveau de l'effort français en Amérique, Lebrun esquisse un tableau du Bas-Canada — avec sa dîme, ses notables, son régime seigneurial, ses réserves du clergé et ses collèges — qui se révèle plus objectif que celui de Barker mais davantage marqué au coin des vues républicaines de l'auteur. Les milieux cléricaux ne tardent pas à réagir : l'abbé Thomas Maguire, sous le pseudonyme de Vindex, laisse entendre que Lebrun veut importer au Bas-Canada « le poison du *libéralisme irréligieux,* et avec lui le fanatisme révolutionnaire[11] ».

À son tour, Alfred de Vigny s'intéresse au sort de cette « nationalité mourante » lorsqu'il assiste à une séance de la Chambre des Lords, le 16 mars 1839 :

> Il avait été froidement question, devant moi, de la nécessité absolue d'étouffer une nation Française de quatre cent cinquante mille âmes. L'opération était facile, on pouvait être assuré que la France ne s'en agiterait pas, qu'elle n'étendrait pas même sa main paresseuse pour demander quelque carte du globe afin de s'enquérir dans quel coin de l'Amérique du nord s'est blottie cette tribu désolée.

Vigny, nostalgique un peu aveuglé par son ignorance personnelle, écrivait dans ce texte qui ne sera jamais publié : « Abandonné par nous, ces paisibles laboureurs n'ont plus ni passé ni présent ; ni histoire ni journaux[12]. » On était à l'époque d'un autre document, le *Rapport* Durham, qui statuerait lui aussi sur l'absence d'une histoire et d'une littérature. La France pleurait le Canada ou l'évaluait à l'aune de 1789 ou le regardait avec les lunettes de la métropole britannique ou de « l'Amérique ». Dans tous les cas, les signes d'attachement étaient paradoxaux.

Les Canadiens voyagent souvent, notamment aux États-Unis, pour s'y embarquer sur un transatlantique à destination de Londres ou du Havre. Les États de la Nouvelle-Angleterre seront un refuge pour les Patriotes exilés de 1837 et de 1838 qui connaissent plus d'un chemin pour atteindre la frontière, Highgate et Swanton. La presse étatsunienne est très familière à Étienne Parent, par exemple, qui lit et cite le *Star* de New York, le *New York Sunday News* ou le *New York Daily News* où publiera d'ailleurs le Patriote Thomas Storrow Brown ; il connaît aussi les journaux de la Nouvelle-Orléans comme *L'Abeille* ou, mieux, *Le Courrier des États-Unis*

(1826-), publié à New York pour la communauté française de la ville et qui devient rapidement une des principales courroies de l'information et de la littérature françaises au Bas-Canada[13].

Contre la presse libérale, établir une chaire dans un bon papier public

La montée de la bourgeoisie de professions libérales et la polarisation progressive de la vie politique expliquent l'essor de la presse entre 1815 et 1840. Quarante-deux journaux, qui paraissent au moins durant six mois, sont publiés au Bas-Canada, la moitié en français, l'autre moitié en anglais alors que la communauté anglophone ne constitue qu'environ 15 % de la population. Vingt-quatre titres paraissent à Montréal, dont 19 en français, 8 à Québec, dont 5 en français, et 10 en province, à Trois-Rivières ou dans le gros village de Saint-Charles-sur-Richelieu (tableaux 62 et 62A).

Si *Le Canadien* de 1806 était né pour répliquer au *Quebec Mercury*, la presse francophone de la décennie 1830 continue certes de guerroyer avec la presse anglophone comme le *Montreal Herald*, mais elle se veut d'abord un porte-voix de la Chambre d'assemblée. Pierre Bédard, qui vient de quitter la direction du Parti canadien, écrit à John Neilson, propriétaire de la bilingue *Gazette de Québec*: « La Chambre n'ira pas bien tant qu'il n'y aura pas une presse qui publie tout ce qui se passe, et qui la soustraie à l'influence de la galerie et des charlatans pour la mettre sous celle de la Province entière. » Neilson en est convaincu, qui confie à Papineau : « Les Canadiens sont bons Anglais dans le cœur, mais il faut la langue pour se faire entendre, et vous l'avez par la presse. Il faut la faire marcher partout. » *Le Canadien,* disparu en 1810, relancé de 1817 à 1819, reparaît de 1820 à 1825 et Étienne Parent s'attaque à la publication des débats de la Chambre pour faire en sorte « que les choses soient remachées pendant le reste de l'année ». Lorsque *La Minerve* de Montréal lance son prospectus de publication le 9 novembre 1826, elle insiste aussi sur l'importance de la publication des débats parlementaires. Après trois ans de journalisme, le jeune Parent est déjà convaincu « que rien n'échappe à l'opinion, cette reine du monde. C'est elle qui fait régner les rois et c'est elle qui les détrône[14]. »

La polarisation politique de la presse ne se limite pas aux échanges entre journaux francophones et anglophones. En ces temps de montée du Parti patriote (1826), elle oppose tout autant *La Minerve* de Duvernay et le *Irish Vindicator* de Tracey et O'Callaghan au *Canadien* de Parent et à

La Gazette de Québec de Neilson, ou *Le Libéral* de Québec et *La Quoti-dienne* de Montréal au *Populaire* et à *L'Ami du peuple, de l'ordre et des lois*. Même les «étrennes» du porteur de journaux, qui transmettent sous forme de poème ou de chanson les souhaits du Nouvel An du journal, sont remplies d'allusions à l'anglicisation, à la liste civile, au favoritisme ou aux malversations.

Si les journaux sont d'abord de raison et d'orientation politiques, les contemporains leur confèrent aussi une dimension culturelle et patrio-tique. Michel Bibaud, qui publie dans ses périodiques poèmes et récits historiques qui donneront le premier recueil de poésie, *Épîtres, satires, chansons, épigrammes et autres pièces de vers* (1830), et une première *Histoire du Canada sous la domination française* (1837) par un Canadien français, soutient dans la bien nommée *Bibliothèque canadienne*: «Un journal est le livre le moins cher qu'on puisse trouver; car il peut tenir lieu de plusieurs livres.» Parent dira que la presse périodique constitue «la seule biblio-thèque du peuple». Le propos des prospectus de publication est récurrent; *Le Courrier du Bas-Canada* le formule ainsi: «C'est par les gazettes seules qu'on peut commencer à faire ramifier pour ainsi dire l'instruction dans toutes les branches de la Société, et à faire naître le désir d'en étendre la sphère. Dans un pays où il ne peut se trouver un grand nombre de citoyens qui aient assez de loisir ou de fortune pour se procurer ou lire communément des livres [...].» *L'Écho du pays* de Saint-Charles-sur-Richelieu annonce ainsi ses couleurs: «Nous embrasserons tout ce qui peut être utile à notre pays, tout ce qui peut servir à accélérer le progrès des lumières dans cette province malheureusement trop isolée, et à éclairer sur ses droits un peuple trop négligé [...]. [Notre journal], comme son titre l'annonce, sera l'Écho des sentiments de la nation; sa voix toujours sin-cère sera prête à s'opposer sans cesse à toute violation des droits du peuple [...][15].»

Ces journaux de quatre pages sont hebdomadaires ou bihebdoma-daires, à l'exception de deux quotidiens anglophones, le *Daily Advertiser* (1833-1834) et le *Daily News* (1835-1874). Si leur tirage est limité — *La Minerve* tire à 1200-1500 exemplaires entre 1832 et 1837 —, leur lectorat est multiplié par la lecture à haute voix faite au profit des analphabètes. Le patriote Boucher-Belleville note dans son journal: «Tous les dimanches, à l'issue de l'office divin, [des hommes éclairés] haran-guaient le peuple, l'instruisaient sur sa position et formaient des cabinets de lecture où on lisait et où on commentait les journaux», en particulier

La Minerve, Le Populaire ou le *Vindicator* qu'on devait traduire à l'occasion[16].

Les journalistes de l'époque paient de leur personne la défense de la liberté de presse. Duvernay et Tracey seront mis en prison en 1831 pour libelle à l'égard du Conseil législatif et auront droit à un triomphe public à leur libération. Parent, qui considère la presse comme « la dernière enceinte de la Constitution anglaise, et ce n'est pas la moins redoutable », sera emprisonné pour « menées séditieuses », lui le modéré, le conciliateur. On se sert du prétexte que Denis-Benjamin Viger aurait été propriétaire de presses ou d'édifices où l'on imprimait des journaux « séditieux » pour le garder en prison en 1838. De nombreux imprimeurs, rédacteurs de journaux et libraires joignent les rangs des Patriotes : Duvernay de *La Minerve*, François Cinq-Mars qui fonde *L'Aurore des Canadas* et imprime *L'Abeille canadienne* et *Le Diable bleu* ; François Lemaître qui imprime *Le Libéral, La Quotidienne*, l'éphémère *Gazette patriotique*, la *Quebec Commercial List* et *Le Journal de médecine de Québec* ; Louis Perrault, imprimeur du *Vindicator* ; Hiram-F. Blanchard qui, à Stanstead, sort le *Canadian Patriot* de son atelier ; Silas-H. Dickerson qui publie la *British Colonist and St. Francis Gazette* ; Napoléon Aubin et Adolphe Jacquies du *Fantasque* ; Jean-Baptiste Fréchette, propriétaire du *Canadien* ; Robert Bouchettte, rédacteur du *Libéral* ; Boucher-Belleville de *L'Écho du Pays* de Saint-Charles ; le libraire Édouard-Raymond Fabre, bailleur de fonds de *La Minerve* et du *Vindicator* et son collègue le libraire Théophile Dufort[17].

Cette presse dynamique et vindicative de la bourgeoisie de professions libérales et du Parti patriote déplaît singulièrement au clergé qui voit le pouvoir de la chaire contesté. L'évêque de Québec confie à son collègue de Montréal en 1824 : « Le mépris est tout ce que l'on peut accorder à ces sortes de publication. Le *Canadien* est un papier que je ne lis qu'extraordinairement et que je n'ai jamais encouragé parce qu'il a constamment été mauvais, soit sous un rapport, soit sous un autre, depuis qu'il est au monde. » Des curés écrivent à Duvernay pour critiquer son journal ; le curé Brassard se fait fort de préciser : « Dieu me garde d'approuver ses principes. » Cette prise de conscience du pouvoir de la presse et cette dénonciation des principes de certaines « gazettes » ne persuadent pas pour autant l'évêque de Québec de fonder un journal ecclésiastique. Pourtant, au moment de la Révolution de juillet 1830 en France, son collègue de Montréal en sent la nécessité, signe que l'initiative culturelle est en voie de passer de Québec à Montréal :

Voici le moment le plus pressant peut-être qu'il y ait eû pour la Province, d'y établir sur un bon pied un Journal Ecclésiastique, afin de contrecarrer les diatribes révolutionnaires qui vont retentir, et qui ont déjà commencé à paraître, dans tous vos papiers : on n'y voit déjà que des horreurs en ce genre ; et malheureusement nos Catholiques, Irlandais comme Canadiens, donnent généralement à plein collier dans ces folies. [...] Si nous laissons le temps aux Journaux démocrates, qui pullulent en ce pays, de verser le poison de leurs erreurs parmi nos peuples sans leur présenter l'antidote, il ne sera plus temps d'essayer à ramener au bon chemin l'esprit public lorsqu'il aura été une fois faussé.

Pensez-y, Monseigneur, car le besoin me paraît urgent : c'est une belle chose sans doute de bâtir une maison d'éducation religieuse ; mais je crois que former l'esprit public à cette époque est encore plus pressant. Au reste, l'un ne sauroit nuire à l'autre.

En 1831, le bill des notables contribue à sensibiliser le clergé à « la nécessité d'avoir une presse et un journal ecclésiastique » et c'est même *L'Avenir* de Paris, publié par Lamennais et les catholiques libéraux, qui sert à l'occasion de modèle.

Devant la montée des idées libérales et ce qu'il perçoit être leur radicalisation, Mgr Lartigue se fait insistant :

Voilà nos papiers canadiens qui deviennent plus révolutionnaires que jamais : la *Minerve* du 16 de ce mois a donné un article signé S******[Sicotte], où la *Révolution* est hautement proclamée, et où la haute-trahison n'est déguisée sous aucun voile.

Croyez-vous maintenant que si nous avions une presse indépendante [...] elle ne seroit pas nécessaire pour bâillonner cette canaille ; car telle est la liberté de la presse comme ils l'entendent, qu'ils refusent d'imprimer ce qui est contraire à leurs opinions [...]. Pour moi, après avoir fait tous mes efforts, je me lave les mains par rapport aux résultats que j'en redoute ; et je serois fâché, qu'on pût dire par la suite, que le clergé n'a pas voulu empêcher le mal quand il l'auroit pu.

Dès 1832, Mgr Lartigue voit clairement qu'il faut « former et maîtriser l'opinion publique et la faire tourner au profit de l'Église » ; il est parfaitement conscient du fait que « l'Évêque ne doit pas se contenter de prêcher dans sa cathédrale, mais établir sa chaire dans un bon papier public [...] : en sorte qu'il vaudrait mieux laisser une cure ou quelque autre poste vacants, pour employer un prêtre propre à la rédaction de cet ouvrage sous l'autorité de l'Évêque[18] ». La chose ne se fera pas officiellement avant 1840.

Elle se fera officieusement et par les loyaux sulpiciens de Montréal qui, à titre de seigneurs de l'île de Montréal, négocient alors à Londres la reconnaissance de leurs droits de propriété ; les sulpiciens financent donc *L'Ami du peuple, de l'ordre et des lois*, fondé officiellement par Pierre-Édouard Leclerc, chef de la police montréalaise et par John Jones, imprimeur du roi[19]. La réplique à *La Minerve* et au *Vindicator* viendra du journal des Messieurs de Saint-Sulpice.

Aide-toi et l'association t'aidera

Mgr Lartigue saisit bien que le milieu politique et culturel vient de faire un saut qualitatif, attribuable à un certain nombre de facteurs. L'opinion publique s'est consolidée grâce à la vie parlementaire délibérément relayée par la presse libérale qui tisonne le débat public. La densité démographique rend possible à Québec, à Montréal et en quelques autres agglomérations une école ou un journal ; les immigrants britanniques, concentrés dans les villes de Québec et de Montréal et dans les agglomérations des cantons, disposent à la fois d'un avoir économique et d'un savoir enrichi des expériences culturelles de la métropole. Il n'est donc pas surprenant que cette bourgeoisie coloniale se donne une presse variée et durable et qu'elle adopte et adapte dans la colonie les institutions culturelles de la métropole.

Si la sociabilité, c'est-à-dire les formes diverses de la socialisation, passe par la famille nucléaire et élargie, par les corporations professionnelles comme le Barreau, elle se construit surtout dans les associations que rassemblent un certain nombre de besoins ou d'intérêts. L'essor des associations se fait dans les villes de Québec et de Montréal dans la décennie 1820 grâce à l'initiative des Britanniques de la colonie. Durant la décennie suivante, les francophones donneront une orientation politique et patriotique au phénomène des associations pour en expérimenter les fonctions culturelles après 1840.

Les anglophones de la colonie ont d'abord développé leur vie sociale dans la sociabilité familiale et gouvernementale pour l'extérioriser ensuite dans les «clubs» sportifs[20]. Et tout comme une activité physique amérindienne coloniale avait piqué leur curiosité et leur avait fait adopter la crosse, la flore, la faune, la géologie, l'histoire de cette société nord-américaine les fait bientôt se regrouper dans des associations comme la Quebec Literary and Historical Society (1824-) ou la Montreal Natural History

Society (1825-)[21]. Et au moment où s'amorcent de grands travaux comme ceux du canal Lachine ou de la construction navale, la bourgeoisie marchande adopte immédiatement le modèle écossais des Mechanics' Institutes et fonde des «Instituts des Artisans» à Montréal (1828) et à Québec (1831) pour former les artisans à de nouveaux métiers par des classes du soir, des conférences et une bibliothèque[22].

En milieu francophone, la Société littéraire de Montréal (1817), fondée pour «rendre le nom Canadien illustre dans la littérature», fait long feu. Un correspondant de *L'Aurore* explique sans le savoir le caractère éphémère de la Société: «Nous avons aussi une Société politique et économique. Qui est-elle, me demandera-t-on? C'est notre Chambre d'assemblée. À mon avis, cette institution vaut bien une Académie des Sciences et une Société littéraire.» En 1827, la bien nommée Société pour l'encouragement des arts et des sciences au Canada, organisée pour «faire sortir de l'obscurité ceux de nos concitoyens que la nature a doués de talens nécessaires», vivote jusqu'à sa fusion dans la Quebec Literary and Historical Society en 1829[23]. Quelques Canadiens apprennent à connaître en Europe les modèles métropolitains d'associations. Le futur historien François-Xavier Garneau, qui voyage en Angleterre et en France en 1831, se familiarise avec les clubs londoniens, les sociétés littéraires et scientifiques à Birmingham ou les cabinets de lecture à Paris. Correspondant avec Denis-Benjamin Viger, admirateur des «établissements publics à Paris», Pierre de Sales Laterrière en propose l'adoption au Bas-Canada «pour faire sortir des bois la jeunesse canadienne[24]».

Mais c'est plutôt la dynamique politique qui éveille les Canadiens aux avantages des associations. Sollicités par le Parti patriote et par les élections, par les assemblées populaires à compter de l'été 1833 et par les Comités de correspondance (1834) des députés du Bas-Canada entre eux ou avec des alliés du Parti radical à la Chambre des communes de Londres, les Canadiens découvrent leur sens patriotique en fêtant pour la première fois le 24 juin 1834 leur patron «national», saint Jean-Baptiste. Grossie par l'immigration, la communauté irlandaise de Montréal fonde deux associations: la Saint Patrick, favorable au mouvement constitutionnel, celui du *statu quo*, et la Hibernian Benevolent Society, pro-Patriote et en faveur des 92 Résolutions. L'année suivante, c'est au tour des Anglais de fonder la Saint George Society, des Écossais de se regrouper sous la bannière de la Saint Andrew Society et de la petite communauté allemande de créer la German Society, ces associations et la Saint Patrick se fédérant en décembre

1835 dans la Montreal Constitutional Association[25]. Démographiquement, Montréal est alors une ville majoritairement anglophone.

C'est dans ce contexte qu'est fondée le 6 mars 1834 la société Aide-toi et le ciel t'aidera, à l'image de son homonyme français qui se regroupe autour du journal libéral *Le Globe* et qui participe à la Révolution de juillet 1830. L'avis de convocation d'une réunion de fondation à l'hôtel Nelson de Montréal mise « sur votre patriotisme et votre désir d'avancer tout ce qui tient à votre Pays » et précise les objectifs de l'association : « Nos jeunes Canadiens pourront s'y habituer à écrire et à y prendre le goût de l'étude. » On prévoit que « chaque membre, à tour de rôle, fournira un essai sur la politique ou la littérature » et que l'on « discutera de vive voix un sujet quelconque ». Ludger Duvernay, maître d'œuvre de la fête patriotique du 24 juin et propriétaire de *La Minerve*, écrit dans son journal, le 24 avril 1834 :

> Formons des sociétés patriotiques qui soient comme le foyer d'où sortiront les lumières qui doivent guider nos compatriotes. Que dans les cités, les vrais patriotes se rassemblent dans un local désigné, que là dans le calme de la réflexion, on discute les meilleurs moyens de remédier aux maux que nous prévoyons ; que les membres les plus éclairés se présentent à chaque réunion, avec un discours, une pièce de vers de leurs inspirations et propres à entretenir, à ranimer le feu sacré de l'amour de la patrie, soit en éclairant la conduite de nos gouvernants, soit en accordant un juste tribut de louanges aux éloquents et braves défenseurs de nos droits, aux Papineau, aux Bourdages, aux Viger etc. Que cette patriotique association se propage dans les villages, que de nombreuses ramifications s'étendent jusque dans les campagnes, y portent la sève précieuse de l'amour de l'indépendance[...][26].

Le clergé ne voit pas d'un très bon œil ces « prétendus clubs » où se fomentent les projets libéraux, où les notaires et les médecins « voudraient tout conduire ». L'un d'eux, le Dr Côté, député, informe ses constituants : « je fus averti par plusieurs personnes respectables de la paroisse de Saint-Valentin que le curé de cette paroisse s'était permis dans la chaire de faire des sermons politiques contre les associations patriotiques, et que le 16 il leur avait promis un plat sur la politique [...] ». Le 2 juillet 1834, *L'Ami du peuple, de l'ordre et des lois* des sulpiciens identifiait l'association Aide-toi et le ciel t'aidera au patriote Thomas Storrow Brown et « aux anciens clubs révolutionnaires[27] ».

L'intensification du débat politique et de ce patriotisme associatif de même que l'exemple des sociétés secrètes européennes expliquent l'échange virulent qui se tient en 1837 à propos des associations, sans que l'on connaisse bien le destin de la société Aide-toi et le ciel t'aidera entre 1834 et 1837. Une intervention sur l'éducation faite devant les membres de la société en mars 1837 met le feu aux poudres. Se référant aux *Paroles d'un croyant* de Lamennais, dont Duvernay avait publié une édition pirate en mai 1836, l'auteur regrette « le stationnaire » qui est « la maladie secrète de notre société » ; il prétend que « l'existence industrielle et scientifique [...] manque à notre existence et la fait éphémère et sans force. Nous vivotons. Il n'y a pas assez de chaleur et de soleil pour féconder les germes de croissance jettés épars sur notre sol. » Le conférencier attribue l'absence d'industrie et de science aux prêtres qui « ne peuvent être capables d'instruire les masses » et souhaite que « notre engourdissante éducation soit améliorée ».

Dans *L'Ami du peuple*, « Un Trifluvien », alias M\gr Lartigue, n'apprécie guère cette « tirade contre l'éducation » et ce « charlatanisme libéral » ; il ordonne : « Cessez surtout de régenter magistralement la société civile, qui ne vous y appelle pas, et n'a aucun besoin de vos services ; rentrez dans les souterrains de votre Association secrète, si le gouvernement est assez insouciant de sa propre conservation pour vous laisser impunément miner le Trône et l'Autel. » « Un jeune Canadien », alias l'abbé Joseph-Sabin Raymond du Séminaire de Saint-Hyacinthe, prend le relais ; reconnaissant qu'« aujourd'hui la plume de l'écrivain et la parole de l'orateur sont les plus hautes puissances sociales », le jeune admirateur de Lamennais tente aussi d'associer la société Aide-toi et le ciel t'aidera aux sociétés secrètes : « Car quel rapport de principes et de mœurs y a-t-il entre elle et les Carbonaris d'Italie, les "descamisadas" d'Espagne et ces clubs de la France ? » Prenant soin de rappeler que la nationalité est « un mot électrique qui met en commotion jusqu'aux dernières fibres de notre cœur », il estime que le peuple « saura ce qui peut assurer sa vie de peuple, son existence de nation » et que « ce sera à la lumière de la vraie science mise en état de lucidité par le soleil du christianisme que l'on connaîtra les moyens de perfectionnement social ». Les « fibres » de la nationalité allaient devoir être réchauffées par le « soleil du christianisme » selon l'abbé Raymond, figure montante du catholicisme québécois.

Si l'échauffourée du 6 novembre 1837 entre le Doric Club et les Fils de la liberté, la fondation de la société secrète des Frères Chasseurs à l'été 1838 et plus globalement les rébellions de 1837 et de 1838 allaient différer la consolidation du mouvement associatif, les prolégomènes à son essor continu étaient formulés : dans *Le Fantasque* de Québec, Napoléon Aubin anticipe l'intérêt que les jeunes manifesteront à l'égard de ces associations faites pour qu'ils s'aident « mutuellement dans leur carrière future » ; il évalue que « le seul moyen de secouer le joug de la crainte, des appréhensions et surtout de l'ennui, est de se réunir afin d'apprendre à se connaître. La littérature, la musique, les représentations théâtrales, les arts, les sciences, la politique offrent de beaux champs à l'intelligence[28]. » Une culture publique façonnée par la sociabilité était née ; elle allait s'affirmer après 1840 et le mouvement associatif allait conserver en milieu clérical ce soupçon de société secrète, construit à partir de l'association Aide-toi et le ciel t'aidera et de celle des Frères Chasseurs.

S'emparer de l'éducation

La Gazette des Trois-Rivières du 23 février 1819 publie l'anecdote suivante : l'évêque, voyant son carrosse bloqué par la charrette d'un charretier rondelet qui refuse de se ranger, s'impatiente et lui dit : « mon ami, vous avez l'air d'être mieux nourri qu'appris ». « Pardieu, Monseigneur », répond le pitaud, « c'est nous qui nous nourrissons, et c'est vous qui nous instruisez ». Cet échange met le lecteur sur la piste des tensions qui traversent l'instruction publique entre 1815 et 1840 : quatre systèmes scolaires se succèdent — écoles royales, écoles d'enseignement mutuel, écoles de Fabriques paroissiales, écoles de la Chambre d'assemblée — qui confèrent une responsabilité soit à l'État soit à l'Église et qui sont l'aboutissement tout autant de débats du Comité d'éducation de la Chambre que de polémiques dans la presse. La responsabilité en matière d'écoles est manifestement un enjeu social, la visée d'intérêts et de pouvoirs qui entendent bien y transmettre leurs valeurs propres.

Les écoles royales mises en place en 1801 étaient passées de 4 à 35 en 1818, et de ces 35 écoles royales, 11 sont alors implantées en milieu francophone. Leur nombre grimpe de 37 en 1819 à 41 en 1824, puis de 41 en 1825 à 66 en 1831, connaissant un apogée — 84 — en 1829, et ce, d'abord et avant tout dans les « Townships » peuplés par des loyalistes américains et des colons britanniques. Les écoles royales dont on avait craint, non sans raison dans les milieux ecclésiastiques, les visées d'anglicisation, amorcent leur déclin en 1832 à la suite de la loi scolaire de 1829, passant alors de 69 en 1832 à 3 en 1846[29].

L'idée est lancée en 1817 d'établir des écoles préconisant «l'enseigne-ment mutuel» de l'Anglais Joseph Lancaster, c'est-à-dire une méthode où le maître est aidé dans son enseignement par les élèves plus instruits — les «moniteurs» — qui enseignent certaines matières à leurs cadets; l'idée fait son chemin mais péniblement à travers polémiques et oppositions farouches. *L'Aurore*, qui publie de nombreux textes sur l'éducation en 1817 et en 1818, s'interroge sur le système lancastrien. Très rapidement, le clergé catholique redoute ce système. Un prêtre français, «chassé» par la Révolution et établi dans la «petite France» du pourtour du lac Saint-Pierre, confie à une correspondante: «Comme je ne suis pas lancastrien et que je ne suis pas du tout libéral, mes idées n'étant point par conséquent libérales, je viens de donner la chasse à un homme libéral qui était venu ici pour enseigner de manière libérale; j'ai acheté l'emplacement qu'il venait de louer, et, tout de suite, j'en ai acheté un autre proche de l'Église, où il y a maintenant une école de garçons.» Faisant allusion à une pétition sans suite faite à la Chambre d'assemblée, l'abbé Fournier précise à madame de Loynes de Morett: «[...] l'orage commence déjà à se former, on crie déjà au fanatisme. Dans la Chambre d'assemblée, des Canadiens ont montré des principes impies, ils ne voulaient rien moins qu'enlever aux prêtres l'éducation de la jeunesse, et aux religieuses l'administration des malades[30].»

Son confrère de Trois-Rivières, l'abbé de Calonne, prend le relais dans l'opposition aux écoles de Lancaster. Inconditionnel du gouverneur Craig en 1810 et nommé par lui au Conseil législatif, l'abbé puise dans l'ouvrage de Félicité de Lamennais, *Essai sur l'indifférence en matière de religion*, pour contrer le projet libéral de la Chambre d'assemblée: «ne l'oublions jamais, la religion est l'unique éducation du peuple. Sans la Religion, il ne sauroit rien, rien sur tout ce qu'il importe le plus à la société qu'il sache, et à lui de savoir.» Outre qu'il s'agit de la première référence à un auteur promis à un certain destin au Canada français, la position de l'abbé de Calonne — «il ne peut y avoir de bonne éducation, si la religion n'en est pas la base» — formule la dimension éducative de l'ultramontanisme, c'est-à-dire une pensée qui affirme la primauté de la religion sur tout autre aspect de l'instruction. La prise de position de l'abbé de Calonne suscite une polé-mique entretenue de septembre 1819 à mars 1820 dans *La Gazette des Trois-Rivières*, *La Gazette de Québec*, *Le Canadien*, *La Gazette de Montréal*, *Le Spectateur* et *Le Courrier du Bas-Canada*. Aux répliques libérales —

«Ceux qui s'engraissent de la substance du peuple et dont les plaisirs étaient dus en partie à sa misère, avaient donc intérêt à ce qu'il fût ignorant jusqu'à l'aveuglement» — succèdent des interventions comme celle de l'abbé Painchaud de Sainte-Anne-de-la-Pocatière — «je me demande si de tous temps l'ignorance des champs n'a pas été le séjour du bonheur, plutôt que la science et les beaux-arts des cités[31]».

L'instruction publique demeure un sujet controversé. La *Gazette de Québec* polémique à nouveau sur l'éducation dans les campagnes en 1821 au moment où Joseph-François Perrault publie son *Cours d'éducation élémentaire*, placé à l'enseigne de la méthode lancastrienne. *Le Canadien* emboîte le pas à propos des écoles à la Lancaster alors que le Comité d'éducation de la Chambre propose en 1824 la mise sur pied d'écoles de Fabriques qui constituent une première et temporaire reconnaissance d'une responsabilité confessionnelle en matière d'écoles. Dans les paroisses de moins de 200 familles, la loi permet aux Fabriques, instance administrative des biens matériels de la paroisse catholique, donc aux curés et aux marguilliers, de fonder des écoles et d'y appliquer le quart des revenus paroissiaux. Les résultats de la loi sont réels mais limités : 48 écoles de Fabriques en 1828, 68 en 1830. La nouvelle loi ne satisfait pas tout le monde ; «Franc-parleur» le proclame :

> Qu'on ne vienne donc plus nous dire qu'il faut mettre l'éducation entre les mains du clergé, que c'est sa propriété. D'abord, je ne vois point les prodiges qu'il a faits en cette manière, si ce n'est de faire tomber des établissements [des écoles de l'Institution royale] qui n'étaient pas de son goût. En second lieu je ne vois pas pourquoi il faille de toute nécessité confier l'éducation civile des laïcs aux ecclésiastiques. Il me semble à moi qu'une chose si importante devrait, autant que possible, être confiée à la communauté entière, surtout après l'indifférence et l'apathie, qui a négligé un moyen si aisé et si simple d'éducation.

Mgr Lartigue lit *Le Canadien* et constate, le lendemain, que les députés du Parti patriote ne désespèrent pas voir se multiplier les écoles à la Lancaster. Il écrit à son vis-à-vis de Québec :

> Vos philosophes Québécois ont résolu, paraît-il, de détruire le principe du Bill d'éducation passé l'an dernier pour introduire dans la Chambre d'assemblée le système biblique, gazé sous le nom de Lancaster. Le protonotaire Perrault qui en est enjoué ne s'aperçoit pas que les Borgia et Co veulent s'en servir pour ruiner l'influence du clergé, qui de son côté n'a pas mis assez de

zèle à faire ériger dans les campagnes des écoles en vertu du dernier Bill. Il faut faire avorter ce nouveau plan d'impiété.

Mgr Plessis le rassure :

Beaucoup de curés se remuent pour avoir des écoles sur le principe du Bill de l'année dernière ; mais il faut du temps pour les établir. Prenons patience. Je n'ai pas encore vu le Bill des Ecoles Lancastriennes et ne sais pas ce que l'on prétend en faire. Croyez que les membres de l'Assemblée ne sont pas aisés à mener. Je leur trouve un peu trop de libéralité en matière de religion, témoin leur adresse au Roi de la session précédente dans laquelle ils considéraient l'enseignement des Ministres de toute secte comme tendant à donner de la morale au peuple[32].

Ces visées et menées au sujet du contrôle social de l'instruction publique ne font pas pour autant oublier d'autres facteurs en jeu dans l'accès au savoir (tableaux 30 à 39). L'étude des écoles sur l'île de Montréal en 1825 et en 1835 démontre que la fréquentation scolaire est fonction de l'habitat (les citadins sont avantagés en regard des ruraux), du sexe (les garçons fréquentent davantage l'école), de l'appartenance linguistique et des revenus (les anglophones fondent deux fois plus d'écoles, davantage fréquentées)[33]. En ce qui concerne la communauté anglophone de la colonie, ces variables s'appliquent non seulement à l'école mais aussi à la presse, aux associations et à l'ensemble des institutions culturelles. L'avoir donne et prend les moyens du savoir.

La loi des écoles de Fabriques de 1824 fait long feu. La bourgeoisie de professions libérales canadienne-française qui est en ascension et qui, avec des marchands francophones, donne au Parti patriote une majorité en Chambre, réussit à faire voter en 1829 une loi des écoles dites d'Assemblée que le clergé appréhendait : « L'horizon se noircit d'une manière alarmante ici comme en Europe », déplore l'abbé Painchaud. « Un esprit d'insubordination et d'irreligion machine dans les ténèbres un système de subversion générale [...]. On cherche à faire ici ce qu'on vient de faire dans la trop malheureuse France, soustraire l'éducation au contrôle ecclésiastique, c'est-à-dire porter un coup mortel au sanctuaire [...]. Empressons-nous de nous emparer sagement et à temps opportun des lieux forts avant que l'ennemi s'y fortifie[34]. »

La nouvelle loi repose sur l'élection de cinq « syndics » par les propriétaires fonciers, et la députation réussit ainsi à faire valoir un principe qui lui est de plus en plus cher : l'électivité des fonctions civiques. Le gouvernement finance pour un montant de 50 livres la construction d'une « maison d'école », assume le salaire du maître (20 livres par année) et vient en aide aux familles pauvres en ajoutant au salaire du maître dix chelins pour chaque élève pauvre inscrit gratuitement, pourvu qu'il y en ait au moins vingt mais pas plus de cinquante. Nouveauté : le gouvernement nomme des inspecteurs d'écoles et soumet les instituteurs, à compter de 1832, à l'obtention d'un certificat de compétence. Au moment où, de surcroît, le Comité d'éducation de la Chambre devient permanent, la loi entraîne un premier décollage scolaire : le nombre des écoles passe de 325 en 1828 à 1372 en 1835, celui des écoliers de 11 679 à 53 377 et celui des maîtres de 468 en 1829 à 1305 en 1831 (tableaux 29 et 40)[35].

Le taux de scolarisation a un effet évident sur le taux d'alphabétisation qui, de 19,2 % entre 1810 et 1819, passe à 25,4 % de 1830 à 1839 (tableau 46). L'effet est différent dans la ville de Québec, plus scolarisée que la campagne, comme le sont habituellement les agglomérations importantes ; la ville de Québec a un taux d'alphabétisation de 39 % en 1800 comme en 1830 malgré des hausses à 43 % entre 1810 et 1830. Le quart de la population du Bas-Canada serait donc alphabétisée, de même que plus du tiers des habitants de la ville de Québec. Les hommes le sont davantage que les femmes durant la première moitié du XIXᵉ siècle (tableau 47) ; les anglophones protestants le sont deux fois plus que les francophones catholiques (tableau 50), les premiers habitant surtout la ville, disposant de revenus plus importants, pouvant être d'immigration récente et étant motivés par la lecture individuelle et intensive de la Bible[36].

Mais à nouveau ce décollage scolaire fait long feu. Les tensions politiques après les 92 Résolutions de 1834 et surtout les conflits entre la Chambre et le Conseil législatif entraînent celui-ci à ne pas reconduire en 1836 la loi de 1829, à bloquer la passation de la loi pourtant votée par la majorité élue de la Chambre d'assemblée. Ceux qui, dans la presse coloniale anglophone et au Conseil législatif, stigmatisaient l'ignorance des Canadiens français en les traitant de « chevaliers de la croix » parce que, analphabètes, ils signaient leur nom d'une croix et en se moquant de leur refus de restituer les biens des jésuites pour les appliquer aux besoins de l'éducation, sont les mêmes à bloquer en 1836 une loi scolaire qui avait enfin donné des résultats. Parent qui, au *Canadien*, promouvait l'école comme moyen de connaissance des droits politiques, écrivait le 6 avril 1836 à propos du Conseil législatif : « Ses méfaits ne se comptent plus. Par son seul rejet du bill des écoles élémentaires, quarante mille enfants environ vont être privés d'éducation. Le Conseil va continuer à peser sur le pays comme un cauchemar sur un estomac malade, et pour prolonger son règne vandalique, il veut laisser le peuple dans l'ignorance. Il a raison : si la masse du peuple pouvait sentir ce qu'il y a de tyrannique, d'oppressif et même de dégradant dans l'existence de ce corps, il y a longtemps que l'indignation publique aurait fait rendre *aux vieillards malfaisants* un compte terrible de leurs méfaits. »

C'est le moment pour le clergé, qui veille depuis 1815, de tenter de s'emparer « comme de droit de l'éducation du Peuple » et d'entreprendre une démarche de rétablissement des écoles de Fabriques : « Outre qu'elle [une nouvelle loi] ferait honneur à l'Église, c'est le seul moyen d'arracher la génération future à une éducation détestable ; et je voyais dernièrement par les journaux que les laïcs renouvelleraient le plus tôt possible leur mauvaise loi de 1829, si nous négligions cette occasion précieuse, et peut-être unique, de nous emparer de l'instruction de la jeunesse[37]. »

Parent, lucide et capable d'aveu, reconnaissait dans *Le Canadien* du 20 juin 1838 ce « peuple prospère et vigoureux d'un demi-million d'hommes, à qui il ne manque que des écoles pour être le plus beau du monde ». La non-reconduction de la loi de 1829 et les rébellions allaient laisser des marques et hypothéquer un décollage scolaire qui était pourtant singulièrement le bienvenu.

Le projet de fonder des écoles normales pour pallier un manque flagrant d'instituteurs connaît le même sort. Les rébellions et le temps mis à rechercher des professeurs en Europe font que l'école normale de Québec n'ouvre pas ses portes et que celle de Montréal ne recevra qu'une vingtaine d'élèves de 1837 à 1842. Quant à la suspicion de l'Église catholique à l'égard de ces écoles normales, elle est la même qu'à l'égard des écoles d'Assemblée ; Mgr Lartigue affirme à son collègue de Québec : « Ce que le bill de 1829 a fait pour rendre mauvaises nos écoles primaires et les ôter des mains du clergé pour les transporter aux laïcs, les nouvelles écoles normales vont le faire à l'égard de l'instruction et de l'éducation des maîtres d'écoles dans toute la province[38]. »

L'échec d'un décollage scolaire avant 1840 est sans doute attribuable aux conflits politiques et, en particulier, à l'antagonisme entre la Chambre d'assemblée et le Conseil législatif et à l'opposition entre les libéraux du Parti canadien/patriote et l'Église catholique romaine. Ces tensions divisaient manifestement les forces et les efforts. L'insuccès de la majorité parlementaire à obtenir la restitution des biens des jésuites en faveur de l'éducation explique aussi cet échec. Il faut enfin y ajouter les facteurs matériels : le climat hivernal, la dispersion géographique des écoles et les distances à franchir, la pauvreté de parents le plus souvent analphabètes qui comptent « les bras » disponibles, le manque d'instituteurs formés de façon satisfaisante et la rareté des manuels avant 1830.

Lamennais et le libéralisme catholique : une polémique de collège

Le clergé n'a pas ces inquiétudes pour l'enseignement secondaire classique dont il garde la responsabilité. Cinq nouveaux collèges s'ajoutent aux quatre déjà fondés avant 1815 : deux éphémères, Saint-Roch de Québec (1818), Chambly (1825) et trois durables, Sainte-Thérèse au nord de Montréal (1825), Sainte-Anne-de-la-Pocatière (1829) à l'est de Québec, sur la rive sud, et L'Assomption fondé en 1832 par un laïc, le Dr Jean-Baptiste Meilleur, grand promoteur de l'instruction publique.

Les collèges ne sont pas pour autant à l'abri des critiques et de l'actualité politique. Un correspondant du *Canadien* écrit en 1823 : « Nous avons, il est vrai, plusieurs séminaires, mais nous croyons que tout le monde est pleinement convaincu de leur inefficacité ; l'on sait que l'objet que l'on y a en vue est moins de faire des citoyens, de préparer la jeunesse à jouer un rôle avantageux dans le monde, qu'à exercer les étudiants à l'état ecclésiastique. Quelle triste figure, pour la plupart du tems, ne fait pas notre jeune monsieur qui après son cours d'étude, entre dans le monde ? [...] Le monde est une terre tout-à-fait étrangère pour lui [...][39]. »

Sans doute à certains égards, mais à d'autres la vie *extra-muros* pénètre la vie *intra-muros* des collèges. Au moment de la Révolution de juillet en France et de la montée de popularité du Parti patriote, le Collège des sulpiciens de la rue Saint-Paul connaît, en novembre 1830, « une petite Révolution à la Française », selon le mot de Mgr Lartigue. À la manière des étudiants de l'École Polytechnique de Paris, les élèves du Collège de Montréal miment le renversement du ministère du prince de Polignac, l'exil de Charles X et la montée sur le trône de Louis-Philippe d'Orléans et s'en prennent au loyalisme bien connu des sulpiciens. Les collégiens, dont les fils Papineau peut-être — Amédée et Lactance —, placardent des appels à la révolte, hissent le tricolore et pavoisent la façade du collège de l'effigie de monsieur Séry — alias Polignac — qui traite trop souvent les Canadiens « d'ignorants ». On entonne « la Collégiade » qui dénonce les

Messieurs de Saint-Sulpice : « Nous sommes fils de citoyens, / Enfants de la patrie ; / Soyons-en les fermes soutiens / Contre la tyrannie, / Élevons nos voix / Contre *le Français* / Qui nous traite en despote. / Qu'il suive les lois, / Respecte nos droits. / Sinon — à la RÉVOLTE ». Mais rapidement « la terreur a cessé de planer sur les Maîtres » et tout est « revenu sous l'ancien régime »... aux dires de Mgr Lartigue[40].

Si les collèges/séminaires se multiplient, c'est pour pallier le manque d'effectifs ecclésiastiques et du coup lutter contre la montée du libéralisme et enrayer « l'indifférence en matière de religion » à propos de laquelle Lamennais avait publié un ouvrage remarqué en 1817 et qu'on avait cité lors de la fameuse polémique de 1819 sur l'instruction publique.

La hiérarchie catholique bas-canadienne se met aussi à l'heure du renouveau religieux, de la restauration religieuse qui, avec Frayssinous, Lamennais, de Bonald, de Maistre et Chateaubriand, lutte contre l'incrédulité et tente de redorer le blason de la « tribune apostolique ». Mgr Plessis, son futur successeur l'abbé Turgeon et le futur évêque de Montréal, Mgr Lartigue, voyagent en Europe de juillet 1819 à août 1820, fréquentent le milieu des prêtres royalistes et contre-révolutionnaires, rencontrent Frayssinous, de Maistre, Barruel. Mgr Lartigue s'abonne au *Drapeau blanc* auquel collabore Lamennais, à propos duquel il écrit : « Quel terrible homme contre l'impiété est ce Mr. de La Mennais, dont j'ai commencé à lire l'ouvrage contre l'indifférence en fait de Religion ! Cet ouvrage, par l'énergie de ses pensées, la profondeur de ses raisonnements, par la force de son éloquence, est digne de faire époque dans les annales du Christianisme[41]. »

Dix ans plus tard, Lamennais est familier à une bonne partie du clergé canadien-français. Le grand vicaire Viau écrit à Mgr Lartigue : « Lamennais fait aimer la religion et son chef visible sur la terre. Ils [Lamennais et Muzarelli] m'ont rendu tout à fait ultramontain, je leur en sais gré. » Son évêque lui répond : « Lamennais a le double mérite, et de l'originalité de la pensée, et de la beauté de l'expression [...]. Je crois, au reste, que tous ceux qui examinent ces grandes questions sans préjugés, seront bien vite Ultramontains[42]. » C'était compter sans les sulpiciens qui désapprouvent déjà les idées de Lamennais : « Le général des Jésuites a expressément défendu d'enseigner son système philosophique dans tous les collèges de la Société. Il vient de publier un ouvrage sur la puissance du Pape dans les rapports avec le gouvernement civil, et deux lettres adressées à l'archevêque de Paris, qui lui ont fait beaucoup de tort et qui ont déplu même à Rome[43]. »

« Ultramontain » : le terme était lancé au Bas-Canada. Utilisé en France, il référait à Rome « au-delà des monts », au-delà des Alpes, et plus explicitement à la reconnaissance de juridiction de Rome et du pape sur les Églises nationales et en particulier sur l'Église de France traditionnellement gallicane, soumise à la royauté ou assujettie à la Révolution, au pouvoir civil. Les ultramontains récusaient non seulement l'esprit de 1789 qui avait déclaré la séparation de l'État et de l'Église et la prépondérance du pouvoir civil sur le pouvoir religieux mais promouvaient, au contraire, l'alliance de l'Église et de l'État, du religieux et du politique.

Cet engouement pour le penseur et l'écrivain Lamennais et pour ces « jeunes Lévites » français qui donnent une nouvelle inspiration au christianisme se greffe au Bas-Canada à un intérêt récent pour le romantisme et pour Chateaubriand en particulier. Certes Bernardin de Saint-Pierre avait ouvert la voie au tournant du siècle, mais c'est le romantisme catholique, celui du *Génie du christianisme* et des *Martyrs* de Chateaubriand — qu'on trouve au *Catalogue* de 1816 de la librairie Bossange —, qui passionne quelques Canadiens francais.

La lettre que le futur supérieur du Collège de Sainte-Anne-de-la-Pocatière, l'abbé Charles-François Painchaud, écrit à Chateaubriand le 19 janvier 1826, donne le ton de cet engouement. L'abbé affirme dévorer les ouvrages de l'auteur du *Génie du christianisme* qui a voyagé en Amérique et avoue devoir parfois les déposer pour « sécher d'abondantes larmes de religion et d'admiration ». Il se réjouit de ce que « ce genre de défense » du christianisme se soit formulé : « Ainsi, dans ces derniers temps, après l'orage destructeur de la révolution française qui a ébranlé le monde physique et moral, il ne fallait rien moins qu'un Bonald, un de Maistre, et surtout un Chateaubriand, pour couvrir de leurs boucliers impénétrables la reconstruction de l'ancien temple. » Saluant « l'homme de la nature et celui de la religion », Painchaud reconnaît : « La force irrésistible de vos arguments ferme d'autant mieux la bouche aux philosophistes, qu'ils n'ont même pas l'occasion de vous reprocher, comme aux auteurs ecclésiastiques, l'exercice commandé du métier, si l'on peut s'exprimer ainsi. » De son côté, l'abbé Joseph-Sabin Raymond confessera à Chateaubriand le 4 avril 1834 : « À peine âgé de treize ans, je commençai à lire vos ouvrages. *Le Génie du christianisme* habitua dès lors mon âme aux doux et tendres sentiments, à l'amour et à l'admiration de cette religion, dont vous nous disiez les charmes [...]. Mille fois j'ai béni mon professeur de rhétorique qui me le mit entre les mains. [...]. Je me représentais tombant dans vos bras [...]. Je me consolais en allant puiser dans vos livres de nouvelles émotions[44]. » L'union des restaurateurs ecclésiastiques et laïques du génie de la religion chrétienne était bienvenue. Le renouveau religieux au Bas-Canada trouve ici, vers 1820, autour d'un noyau de prêtres contre-révolutionnaires français, de Mgr Plessis, de Mgr Lartigue et de quelques clercs, son inspiration, son premier souffle.

Les sulpiciens ne sont plus les seuls en 1830 à poser la question de l'orthodoxie de la pensée et des écrits de Lamennais qui, d'ultramontain, est devenu soucieux de concilier la tradition catholique avec les libertés acquises en 1789, et en particulier avec l'idée de la souveraineté du peuple. Mgr Lartigue doit se porter à sa défense, appuyé par *La Minerve* qui, pour défendre le catholicisme et la liberté, cite Lamennais et *Le Mémorial catholique* auquel il collabore[45]. Des prêtres bas-canadiens qui lisent *Le Mémorial catholique* et le font circuler s'abonnent bientôt à *L'Avenir* (16 octobre 1830-) de Paris qui regroupe les catholiques libéraux français et prend position en faveur des libéraux italiens et surtout des catholiques libéraux et patriotes polonais qui résistent à la Russie tsariste et se battent pour leur émancipation. Objet d'attaques, de critiques et de vigilance de la part de Rome, *L'Avenir* est supendu le 15 novembre 1831 et « les pèlerins de la liberté » se rendent à Rome pour se faire entendre par le pape (13 mars 1832), au moment où Lamennais vient de publier son *Essai d'un système de philosophie catholique*. La suspension de *L'Avenir* inquiète les admirateurs bas-canadiens de Lamennais ; Mgr Lartigue écrit au futur cardinal Wiseman, à Rome, le priant de lui dire « ce que l'autorité et les personnes désintéressées pensent et disent à Rome de ses principes, pour lesquels nous ne sentons ici aucune répugnance, et dans lesquels nous ne voyons rien que de catholique, mais qu'on a bien vilipendés dans l'Église gallicane ». Le 25 février, le supérieur du Collège de Saint-Hyacinthe, l'abbé Prince, est confiant que « Rome ne prononcera aucune condamna-tion, ni ne manifestera aucune désapprobation à l'égard des doctrines soutenues par *L'Avenir* [...]. Mais les États Pontificaux sont dans une situation qui donne de telles alarmes qu'il est difficile d'obtenir un exa-men, et un jugement explicite[46]. » On devient prudent lorsque *Le Cana-dien* publie un article qui expose l'examen critique que le jésuite Rozaven vient de faire des écrits de Lamennais[47].

L'encyclique *Mirari vos* tombe le 15 août 1832 et condamne les doc-trines de *L'Avenir*: souveraineté du peuple, liberté de conscience, liberté de presse, réitérant la position de l'Église sur la soumission aux Princes, en l'occurrence la soumission des patriotes polonais catholiques au tsar de toutes les Russies. *Le Canadien* du 9 novembre 1832 publie le texte de l'encyclique tandis que *La Minerve* du 12 novembre rend publique la lettre de soumission des rédacteurs de *L'Avenir*, datée du 10 septembre. Pour Mgr Lartigue, la condamnation papale des positions politiques de *L'Avenir* n'entame pas le système philosophique de Lamennais qu'on enseigne à Saint-Hyacinthe depuis 1830 et avec lequel des professeurs s'étaient familiarisés lors de leurs études au Séminaire de Nicolet, dans la patrie des prêtres «français» de la «petite France». Mais pour son collègue de Québec, l'encyclique devra faire «un bien inexprimable, surtout au milieu des ecclésiastiques entraînés par La Mennais, et même sur l'esprit égaré de ce savant prêtre[48]».

Importée à l'occasion d'une première polémique sur l'instruction publique en 1819, la pensée de Lamennais connaît un nouveau sommet d'intérêt lors d'une autre polémique liée cette fois à l'enseignement de la philosophie au Collège de Saint-Hyacinthe. Lors des «exercices publics» d'août 1833 à l'occasion desquels les élèves de Philosophie soutiennent «deux thèses nouvelles», l'une sur l'origine des idées et l'autre sur le fondement de la certitude, le professeur de philosophie, l'abbé Raymond, avait dû intervenir pour défendre les élèves énergiquement interrogés par l'abbé Jacques Odelin. Cartésien, celui-ci soutenait la raison individuelle, le sens privé, l'autorité de l'évidence du «cogito ergo sum» comme base de la connaissance tandis que les élèves et leur professeur soutenaient, avec Lamennais, que le fondement de la certitude se trouvait dans la raison générale, dans le sens commun, dans l'évidence de l'autorité. Quinze jours après cette séance publique du collège, la polémique se porte dans les journaux et fait couler beaucoup d'encre, du mois d'août 1833 au mois de septembre 1834. L'enjeu est clair : il s'agit de contrer la Réforme pro-testante de l'examen individuel, le cartésianisme, le «siècle philosophique» et les écoles antireligieuses contemporaines pour faire «admettre la plus grande autorité visible, l'Église catholique». Le supérieur du Collège explique clairement que deux philosophies différentes conduisent à deux sociétés différentes :

> Or dans ce combat d'où doit résulter le sort de la société, il n'existe que deux principes réellement opposés [...]. Deux philosophies représentent l'expres-sion de ces principes comme base de leur enseignement. L'une dit à l'homme : tout ce que la raison infaillible présente comme vrai à ton esprit, crois-le, c'est la vérité. L'autre lui dit : homme, défie-toi de ta raison, dont

tant d'erreurs et de préjugés ont démontré la faiblesse, un penchant invincible te porte pourtant à la recherche de la vérité ; eh bien ce que la généralité de tes semblables admet, voilà ce qu'il faut croire comme vrai ; la raison particulière ne peut être juste qu'autant qu'elle se conforme à la raison générale[49].

Le plus mennaisien des professeurs de Saint-Hyacinthe, l'abbé Raymond, informe le rédacteur de *L'Avenir* des péripéties de la polémique au moment où Lamennais publie, en avril 1834, *Paroles d'un croyant*, paroles d'un prêtre démocrate qui vient de quitter toute fonction sacerdotale et dont le souffle démocratique fait des Évangiles le texte fondateur d'un christianisme social. Lamennais y célèbre « la sainte cause des peuples », les peuples écrasés par les rois et le « peuple martyr, qui meurt pour le salut du genre humain », tout en stigmatisant « les rois de ce temps-là [qui] clouèrent sur une croix [...] un séditieux [...] ». Ce croyant affirme que la « liberté n'est pas un placard qu'on lit au coin de la rue. Elle est une puissance qu'on sent en soi ». Le ton de l'ouvrage est celui d'un poème épique et messianique : « En ce jour-là, il y aura des grandes terreurs [...]. Les rois hurleront sur leurs trônes [...] » et « jamais le ciel n'aura été si serein, ni la terre aussi verte et aussi féconde ». Il est aussi incantatoire : « Si vous ne vous souvenez plus des enseignements du Christ, ressouvenez-vous des catacombes. » Lamennais bénit les armes du soldat qui va combattre « pour que tous aient au ciel un Dieu, et une patrie sur la terre ». Paroles bien accueillies dans une société catholique où un Parti patriote commence à parler de patrie et aura avantage à faire paraître en 1836 une édition pirate des *Paroles*.

Rome met cette fois moins de temps que pour *L'Avenir* à condamner l'ouvrage. L'encyclique *Singulari nos* du 24 juin 1834 le qualifie de « détestable production d'impiété et d'audace » qui contient une « une doctrine vaine, futile, incertaine[51] ». Rome a parlé et les soumissions du clergé mennaisien bas-canadien se succèdent. Mgr Lartigue :

Nous avons reçu du Pape une Bulle datée du [24] juin de cette année, et qui condamne formellement le livre intitulé *La Parole d'un Croyant;* or quoique le système de La Mennais sur la certitude n'y soit pas nommément désigné en mauvaise part, néanmoins ses idées philosophiques en général y étant réprouvées, je défends qu'à l'avenir on enseigne dans le Collège de St-Hyacinthe rien des livres, des systèmes ou de la doctrine de cet Auteur, comme tiré de ses écrits ; et je désire même que son nom ou son autorité ne soit mentionné en aucune manière dans l'enseignement.

L'abbé Prince, supérieur du Collège, se soumet aussi publiquement, invoquant précisément contre Lamennais l'argument anticartésien de la faillibilité de la raison individuelle. Quant à l'abbé Raymond, il rédige en une nuit un «mémorial menaisien» dont la publication lui est refusée par Mgr Lartigue; il entendait expliquer «l'apostasie désolante» de ce «Napoléon de la pensée», «génie excessif en tout» dont il disait: «Il a changé, voilà sa gloire», tout en précisant: «Notre foi à nous, ne connaît pas de métamorphoses.» Mgr Lartigue s'emploie à récupérer les numéros de *L'Avenir* qui peuvent encore traîner dans les collèges et presbytères, à vérifier le catalogue de la bibliothèque du Collège de Saint-Hyacinthe et à prévenir l'abbé Prince et les mennaisiens: «Tenez-vous en garde du côté de l'évêque de Québec [...] qui ne parle rien moins que de vous éliminer du Collège de St-Hyacinthe [...]. Filez doux avec lui et heurtez le moins possible les préjugés des autres établissements d'éducation, car nous sommes menacés d'orage et il faut ramener par les égards, les respects et les politesses, l'évêque diocésain[52].»

Secoué par cette double tempête politique et doctrinale autour des idées de Lamennais, l'enseignement de la philosophie allait bientôt retrouver son orthodoxie. Le jour même où l'abbé Raymond fait son deuil de l'élan mennaisien tant admiré jusqu'en 1834, l'abbé Holmes du Séminaire de Québec annonce au supérieur du Collège de Saint-Hyacinthe que le manuel de philosophie de l'abbé Demers est sur le point d'être publié:

> On y embrasse aucun système sur l'orgine des idées — on se contente d'exposer la doctrine des plus célèbres philosophes sur cet article, comme sur les moyens de la certitude Métaphysique et Morale [...]. Les démonstrations seront appuyées sur des principes admis par tous les partis (je vous entends dire tout bas, ils seront *donc appuyés* sur le sens commun). L'origine du pouvoir politique est la question la plus épineuse, surtout dans le temps où nous sommes. J'espère que la cour de Rome ne se fâchera pas quand nous établirons que le pouvoir civil ne vient ni des princes ni du peuple, mais de Dieu. *Non est potestas nisi a Deo.*

Rome ne se fâcha pas et les *Institutiones philosophicæ ad usum studiosæ juventutis* de l'abbé Jérôme Demers, premier manuel de philosophie à être publié au Québec au début de 1835, développaient de plus les preuves de l'immortalité de l'âme et de l'existence de Dieu contre les «systèmes d'athéisme[53]». Le Collège de Saint-Hyacinthe allait hériter de cette vie intellectuelle, de cet enthousiasme indélébile de jeunesse, qu'on surveillât ses possibles penchants patriotes en 1838 ou qu'il devienne au milieu du siècle un foyer rayonnant d'opposition aux libéraux radicaux tels que Louis-Antoine Dessaulles[54].

Des bibliothèques... anglophones

L'évolution de la presse, des associations, de l'école et des collèges en témoigne : les institutions culturelles canadiennes-françaises sont traversées par la politique et par des visées de pouvoir. Sauf quelques revues de Michel Bibaud, la presse est politique sinon partisane et, en proportion de la population, la presse anglophone est plus importante que la presse francophone. On ne retrouve pas chez les Canadiens français d'associations durables créées par intérêt scientifique, historique et littéraire ; l'association canadienne-française est patriotique et s'emploie à susciter orateurs et écrivains lorsque les rébellions viennent interrompre ces projets. Il en est de même pour le taux d'alphabétisation et le taux de scolarisation plus forts dans la population de langue anglaise, et cette tendance est de plus en plus manifeste au fur et à mesure qu'on considère les institutions culturelles, telles que les bibliothèques et la librairie, qui commandent un certain capital en sus de l'éducation.

La bibliothèque bas-canadienne est essentiellement anglophone, parfois bilingue, rarement francophone. Il n'y a pas à l'époque de véritables bibliothèques « publiques » malgré la raison sociale de la Quebec Public Library/Bibliothèque publique de Québec ou celle de la Montreal Public Library/Bibliothèque publique de Montréal. Il convient plutôt de penser en termes de bibliothèques de collectivités diverses, collectivités des députés et des conseillers législatifs, de collégiens, d'avocats et de médecins ou de certaines associations aux intérêts divers. La bibliothèque « mutuelle » envisagée par des habitants de Saint-Charles-sur-Richelieu ne verra jamais le jour.

La Quebec Public Library est la propriété de ses souscripteurs, au nombre de 55 en 1821 et de 142 en 1832. Dix pour cent seulement des propriétaires sont francophones et les *Catalogues* de 1821 et de 1832 de la bibliothèque comptent respectivement un tiers et un quart des pages qui dressent la liste des ouvrages en français. Lorsque la Montreal Public Library s'incorpore en 1819, un cinquième des pétitionnaires sont francophones. La collection de livres qui comprend environ 10 % de titres français en 1824 n'en contient presque plus en 1833 et offre 20 % de titres français au moment où cette bibliothèque fusionne avec la Mercantile Library en 1843. Les emprunteurs peuvent choisir à Montréal en 1824 parmi des auteurs classiques français (Corneille, Racine), les romans traduits de Walter Scott, l'*Itinéraire de Paris à Jérusalem* ou le *Génie du christianisme* de Chateaubriand, les ouvrages contre-révolutionnaires de Barruel, de Berryer ou de Fleury, les études de Blackstone, de Lolme, de Bentham, de Malthus, de Ricardo ou d'Adam Smith. À Québec, la bibliothèque offre, dans sa section «Sciences, arts et littérature» en 1832, les ouvrages d'éducation de la jeunesse de madame de Genlis et de madame le Prince de Beaumont, les *Œuvres complètes* de madame de Staël, les *Confessions* de Rousseau, la *Richesse des nations* d'Adam Smith, l'*Encyclopédie* en 35 volumes. L'ouvrage le plus récent dans le *Catalogue* date de 1829 et dans la section «Sciences, arts et littérature», un titre sur cinq est publié après 1800[55].

La Bibliothèque de la Chambre d'assemblée (1802-) et celle du Conseil législatif (1802-) à Québec sont ouvertes aux députés et aux conseillers législatifs et à d'autres citoyens qui peuvent y demander accès. La Bibliothèque de la Chambre compte 137 titres en 1811, 1151 en 1831 et 1955 en 1841 et la collection est surtout constituée d'ouvrages de droit — constitutionnel, anglais, français et colonial —, d'histoire générale et américaine et de littérature (tableau 85). L'un de ses bibliothécaires, Georges-Barthélémy Faribault, a constitué une collection d'ouvrages sur l'Amérique et le Canada qu'il a décrite dans un *Catalogue* publié en 1837. La Bibliothèque de la Chambre d'assemblée jouera un rôle de premier plan dans l'apprentissage de la démocratie parlementaire chez les Canadiens français, dans les recherches historiques du Dr Labrie ou de François-Xavier Garneau et dans la conception de grands travaux de canalisation ou de voirie mis en œuvre par le gouvernement colonial[56].

Des membres de la bourgeoisie de professions libérales, des militaires, des associations d'intérêts divers se donnent des bibliothèques : bibliothèques des avocats et du Barreau de Québec et de Montréal, Garrison Library de Québec, bibliothèque de la Société médicale de Québec ou de la McGill Medical School, bibliothèques de la Quebec Literary and Historical Society ou de la Montreal Natural History Society, sans compter les bibliothèques de collèges/séminaires à Québec, à Montréal, à Saint-Hyacinthe, à Nicolet ou à Sainte-Anne-de-la-Pocatière. La communauté anglophone adopte très rapidement le modèle des Mechanics' Institutes écossais et anglais dotés de bibliothèques et l'on voit s'ouvrir de tels « Instituts d'artisans » à Montréal (1828) et à Québec (1831)[57]. Ces bibliothèques répondent à des besoins spécifiques de leurs propriétaires et rejoignent des publics limités, avec souvent des collections limitées.

Lorsqu'on n'est pas propriétaire/souscripteur de bibliothèque publique, député, avocat ou membre d'une association, on peut louer des livres à une bibliothèque de location ou « ambulante », traduction littérale de la *Circulating Library*. À nouveau, ce type de bibliothèque est l'initiative, mieux, l'entreprise d'anglophones, sauf dans le cas de Germain Langlois à Québec. À Montréal, on voit ouvrir les *Circulating Libraries* de Laughlin (1818-), de Nickless et McDonald (1819-) et de Miller (1828-); à Québec, Thomas Cary exploite une *Circulating Library* depuis 1797 et l'abonné de 1830 désireux de lire des ouvrages en français a le choix parmi 800 titres au *Catalogue* — sur un total de 5314. Il peut louer Corneille, Racine, Fénelon, Molière, La Fontaine, Bossuet, Rousseau, *Gil Blas*, *Don Quichotte*, *Paul et Virginie*, *Les liaisons dangereuses*, *De la littérature* de madame de Staël, *Robinson Crusoé*, *Les voyages de Gulliver* ou le *Tableau de Paris* de Mercier en quatre volumes[58].

Lorsqu'Alexis de Tocqueville se rend à un cabinet de lecture lors de son passage à Québec en 1831, la tradition de ce lieu de lecture de journaux et de revues a déjà, au Bas-Canada, une quinzaine d'années d'existence. Les appellations — Montreal News Room (1817-1819, puis 1829-), News Room and Exchange (1820-), Quebec Exchange and Library (1821-), News Room and Library à Montréal (1833-) — indiquent bien la relation entre le journal et la bourse (« exchange »), entre le besoin de lire la presse et celui de suivre le marché grâce à des journaux commerciaux. Ce que Tocqueville fait spontanément à Québec, des voyageurs canadiens-français le font aussi à l'étranger. Un correspondant de *L'Écho du pays* fait allusion à la ville d'Ogdensburgh et « aux chambres de nouvelles où vous lisez deux journaux publiés dans le village ou ceux des autres parties des États-Unis » tandis que, en exil, Amédée Papineau se rend à la « chambre des nouvelles » d'Albany dans l'État de New York. Ces cabinets de lecture, qui relèvent de l'entreprise privée, disent bien l'importance croissante de la presse[59].

Dernier lieu possible de lecture : chez soi, dans le privé d'une bibliothèque personnelle qui peut être celle de tel avocat, de tel officier ou de tel curé et qui peut contenir quelques dizaines ou quelques centaines de livres. Ce peut être aussi la « bibliothèque » de Thomas Toutlemonde à laquelle l'inventaire après décès donne accès. À Québec, de 1820 à 1829, par exemple, on a ainsi repéré 90 «bibliothèques» privées. Elles appartiennent surtout à des gens de professions libérales, à des fonctionnaires, à des marchands; le tiers des inventaires après décès des hommes de métier contiennent des livres, le cinquième dans le cas des agriculteurs (tableau 54). Soixante-deux pour cent de ces «bibliothèques» contiennent entre un et trente titres, 30 % entre 31 et 300 titres et 8 % entre 301 et 2166 livres (tableau 56B). Ce sont, par ordre d'importance, les marchands qui possèdent le plus de livres (29 % du total), puis les fonctionnaires (22 %), les gens de professions libérales (13 %), les hommes de métier (4 %) et les agriculteurs (0,65 %) (tableau 55B). Ces livres sont majoritairement en anglais, même si les propriétaires sont à peu près également francophones (43) ou anglophones (47). Ces «bibliothèques» ont un contenu très varié, en fonction des propriétaires; mais le roman, l'histoire profane et le droit civil constituent plus du tiers de ces livres rangés au salon ou sur une simple tablette (tableaux 57B et 58)[60].

Fabre, libraire à Montréal

Le commerce de librairie commence à se développer et à se spécialiser en milieu francophone après 1815; Bossange, Fabre et Dufort à Montréal, Fréchette à Québec bénéficient de la levée du blocus européen et de la reprise de la circulation normale des biens par voie transatlantique. Mais cette spécialisation est relative: les encanteurs sont encore fort actifs à Québec et à Montréal où dans la seule période de 1816 à 1820 on tient 26 encans de livres dont dix offrent des lots de plus de 500 livres. Durant la décennie 1830, des catalogues imprimés à l'occasion d'encans indiquent qu'une dizaine d'avocats, médecins et marchands se départissent de leurs bibliothèques ou que leurs successions en disposent. Certains livres se trouvent aussi, parmi d'autres menus objets, dans les cassettes des colporteurs qui courent les côtes et les campagnes[61]. Les «libraires» eux-mêmes cumulent les métiers: imprimeurs, propriétaires de journaux, papetiers, relieurs, l'inventaire de leurs commerces est plutôt polyvalent. Bossange offre une variété de produits importés: des tables de nuit en acajou, de la tapisserie française, de la verrerie, des tissus, des vêtements, des chaussures, des articles de parfumerie, de l'alimentation fine et des vins. Fabre tient du papier, des plumes, de l'encre, des canifs, et «un grand Assortiments d'argenterie pour Église» et d'images pour le chemin de la Croix[62]. Mais il n'en demeure pas moins qu'à Montréal, par exemple, les libraries anglophones sont plus nombreuses, telles celles de Lovell, de McKay, d'Armour, de Mower et de Merrifield[63].

Le livre et la librairie deviennent plus visibles grâce aux catalogues et à la publicité. La liste de Doige (1819), les « *Directories* » annuels de McKay puis de Lovell permettent d'identifier et de localiser les commerces de livres montréalais, par exemple. Les annonces de livres à vendre se multiplient dans la presse. À Québec de 1820 à 1839, dans *La Gazette de Québec/Quebec Gazette* et dans *Le Canadien* surtout, on trouve 8961 titres de livres annoncés dans 631 annonces de livres dont le tiers comportent plus de cinq titres. À elle seule, de 1764 à 1839, la librairie Neilson, appelée ensuite Neilson et Cowan, fait la moitié de la publicité de livres (tableaux 64-66). À Montréal, de 1816 à 1822, Bossange fait paraître près de 60 annonces dans *L'Aurore*, *Le Spectateur*, la *Montreal Gazette*, le *Herald* et le *Canadian Courant*[64].

Libraires et clients disposent surtout de catalogues pour faire connaître ou pour choisir les livres. On en connaît au moins une douzaine de 1815 à 1840 et Fabre en a publié cinq dont trois de plus de cent pages. Catalogues et annonces permettent ainsi de connaître l'offre de livres et non pas la demande et la lecture réelles. Les titres qu'on trouve dans les annonces des journaux touchent surtout aux belles-lettres, au droit et à l'histoire (tableau 68). Selon le nombre de titres annoncés de 1764 à 1839, les auteurs les plus présents (30 titres et plus) sont Walter Scott, Fénelon, Oliver Goldsmith, Samuel Johnson, Voltaire, Cicéron, Montesquieu, Lesage, Bossuet et Shakespeare (tableau 70).

Le *Catalogue* de juin 1837 de la maison Fabre donne un bon aperçu de la lecture offerte dans cette librairie de Montréal, propriété d'un riche Patriote et lieu de rendez-vous du Comité central et permanent des Patriotes. Dans ce *Catalogue*, 57 pages décrivent les titres de littérature et d'histoire, 40 pages ceux de religion et de piété, 10 ceux de droit et de jurisprudence et 8 ceux de médecine. Les collèges et les élèves peuvent y trouver les classiques de l'enseignement des humanités : le *Traité des études* de Rollin, les *Principes de belles lettres et de littérature* de Batteux, le *Cours de littérature ancienne et moderne* de Laharpe, celui de Villemain et celui de Guizot, publié en 1830, Fénelon, La Bruyère, La Fontaine, Montaigne et Walter Scott en 73 volumes. Les mères de famille peuvent s'y procurer les œuvres de madame de Genlis, de madame le Prince de Beaumont ou de madame de Renneville sur *La tendresse maternelle* ou sur *Les jeunes personnes.* Le client intéressé par les débats d'idées a le choix ; intéressé par le courant contre-révolutionnaire, il peut acheter les ouvrages des abbés Fleury, Gaume, Bergier (*Le déisme réfuté*), Barruel (*Les Helviennes*), ceux du comte de Maistre et du vicomte de Bonald. Curieux du romantisme, il trouve au *Catalogue, Paul et Virginie* de Bernardin de Saint-Pierre tout comme l'*Itinéraire de Paris à Jérusalem*, les *Natchez*, les *Voyages en Italie et en Amérique* de Chateaubriand ou *Corinne, Delphine*, les *Lettres sur l'Angleterre* de madame de Staël. Le rayon Lamennais comprend *La religion considérée dans ses rapports avec l'ordre politique et civil* et l'*Imitation de Jésus-Christ* traduit par celui-ci, mais davantage d'ouvrages sur Lamennais, ceux de Rozaven, de Guillon (*Histoire de la Nouvelle Hérésie du XIXᵉ siècle, ou réfutation complète des ouvrages de l'abbé de LaMennais*), de Mᵍʳ Tharin sur les *Paroles d'un croyant* ou de Vidal, *Paroles d'un catholique, ou défense de l'ordre social*. Montesquieu, Benjamin Constant, Stuart Mill, Simondi apparaissent aussi au catalogue. Les titres sur l'Amérique comprennent *La démocratie en Amérique* d'Alexis de Tocqueville, son étude du *Système pénitentiaire aux États-Unis* publiée avec Gustave de Beaumont dont on trouve le roman, *Marie, ou de l'esclavage aux États-Unis*, les ouvrages de Pradt, les récits de voyage de Mackenzie et de Weld ainsi que *Le Réveil*, journal français de New York. Parmi les titres bas-canadiens, des ouvrages scolaires : l'*Arithmétique* de Bibaud, et celle de Ladreyt, l'*Abrégé de géographie* de l'abbé Holmes, la *Grammaire* de Lemoult et Potel, celle de Meilleur pour la langue anglaise, la *Rhétorique* du Collège de Montréal, les *Institutiones philosophiæ* de l'abbé Demers, le *Petit* et le *Grand Catéchisme* de Québec, l'ouvrage de l'abbé Maguire, publié à Paris, sur l'administration des paroisses, l'histoire du Canada de Perrault et celle de Smith, les *Épîtres, satires et poèmes* de Bibaud, le *Hawkins' Picture of Quebec*. Et finalement la présence sociale nouvelle des artisans est perceptible dans la diversité des manuels du relieur, du fondeur, du tourneur, du carrossier, du chapelier et bonnetier, du brasseur, du bottier, de l'armurier, du sellier ou du tailleur[66].

La librairie francophone s'approvisionne principalement en France après la fin du blocus économique et cette importation est significative : 25 tonnes de livres de 1824 à 1827, par exemple, le tiers de chez Bossange de Paris importé par Fabre en particulier, le cinquième par Augustin Germain de Québec qui expédie lui-même de Paris. L'Église continue de faire concurrence à la librairie en important directement des livres : les sulpiciens recourent à leurs confrères de Paris, l'abbé Holmes achète pour le Séminaire de Québec et d'autres institutions d'enseignement lors d'un voyage en Europe en 1836, l'abbé Maguire commande des titres chez le libraire-éditeur Gaume[67].

Un pas est franchi entre 1815 et 1844 dans la mise en place d'un système bas-canadien d'« édition ». Alors que depuis 1764, date du premier imprimé, le livre colonial produit l'était par l'imprimeur, on assiste vers 1830 à une alliance imprimeur-libraire dont les deux grandes figures sont Neilson à Québec et Duvernay-Fabre à Montréal. Duvernay a commercialement les reins solides : il imprime et publie *La Minerve* et le quart des titres publiés à Montréal entre 1827 et 1837 — une trentaine sur un total de 123 dont 46 en langue française — sort de ses ateliers. Ce sont surtout des livres scolaires, politiques et religieux auxquels s'ajoutent des calendriers et des almanachs.

Duvernay opère une jonction décisive avec Fabre : une dizaine de titres qu'il imprime sont vendus à la librarie Fabre. Cette étape est franchie en raison de l'essor de l'instruction publique grâce à la loi des écoles d'Assemblée de 1829 et au marché nouveau pour le manuel scolaire original ou adapté d'ouvrages étrangers. Duvernay et Fabre publient, par exemple, *Le maître français* et un *Traité abrégé de la sphère* en 1829, un *Nouvel Alphabet* en 1830 et un *Abrégé de géographie du Canada* et une *Histoire abrégée de l'Ancien Testament* en 1831. Les associés « éditent » aussi des ouvrages religieux : *La Confrérie de Notre-Dame auxiliaire* en 1829, un livre de prières en langue nipissing en 1830, des *Exercices de piété* en 1832, l'année du choléra. Patriotes tous deux, Duvernay et Fabre diffusent les brochures de Papineau, de Viger, de Bourdages, de Mailhot ou de La Fontaine qui se retrouvent d'ailleurs à la librarie Fabre[68]. Duvernay imprime même en 1836 une édition pirate des *Paroles d'un croyant* de Lamennais qu'on diffuse sous le manteau mais dont la Bibliothèque de la Chambre d'assemblée acquiert deux douzaines d'exemplaires. Pour Mgr Lartigue, cet ouvrage condamné par Rome constitue une « rébellion contre l'Église » et le clergé doit paraître ignorer cette édition. « Je crois qu'en effet », écrit-il à l'évêque de Québec, « la Religion ne ferait qu'y perdre, et le Clergé se compromettre ; mais en temporisant, nous aurons notre tour ». Alors que Duvernay est en exil au Vermont, les formes d'impression des *Paroles* seront même volées de son atelier en septembre 1838[69].

Fabre ne limite pas son activité « éditoriale » à ses initiatives avec Duvernay. Il imprime ou fait imprimer chez Louis Perrault un *Treatise on Agriculture*, un *Chemin de la Croix*, un *Syllabaire des écoles chrétiennes*, un

Cours d'histoire pour les Frères de la Doctrine chrétienne qui arrivent à Montréal en 1837. Chez Workman et Bowan, il fait imprimer un *Catholic School Book* qu'il vend à sa librairie.

L'état d'avancement culturel du Bas-Canada à la veille des Rébellions

Dans une histoire sociale des idées qui conjugue culture et vie civique, une question se pose à la veille de la première rébellion de novembre 1837 : quel est l'état d'avancement culturel du Bas-Canada et comment cet état d'avancement culturel peut-il porter un projet d'émancipation nationale ? Comment la communication culturelle, matérielle et symbolique rend-elle possibles ou pas une conscience commune et un projet nationalitaire des Bas-Canadiens sinon des Canadiens français[70] ?

La communication matérielle principale est assurée par le fleuve, le «chemin du Roy» et 26 km de chemin de fer entre Saint-Jean-sur-Richelieu et La Prairie. Dans les deux cas de la navigation et du chemin de fer, c'est la technologie nouvelle de la vapeur qui permet ces avancées. Le climat est ici un facteur à la fois de ralentissement et d'accélération des communications : si le gel interrompt la navigation fluviale de la fin novembre au mois de mai et rend difficile la circulation printanière des diligences, il permet toutefois aux «sleighs», aux carrioles et aux voitures à patins de franchir rapidement les cours d'eau en hiver. Les Patriotes y songeront, eux qui miseront sur la prise des glaces en amont du fleuve pour empêcher l'arrivée de renforts militaires britanniques. Ce type de communication relie une société essentiellement rurale ; seule une localité sur quatre compte alors entre 2000 et 3000 habitants et Montréal dont la population est d'environ 40 000 habitants vers 1837 et majoritairement anglophone — quoique d'une très faible majorité — sera désertée par les Patriotes et leurs chefs. Quant à la ville de Québec avec ses quelque 30 000 habitants, non seulement les Patriotes y seront moins présents que les réformistes comme Étienne Parent ou John Neilson, mais surtout l'administration coloniale et la garnison y occupent tout autant l'espace physique que social.

La communication matérielle repose aussi sur l'imprimé et la communication orale. À la veille de la rébellion de 1837, la presse est bien établie à Montréal (*La Minerve*, le *Vindicator*, *L'Ami du peuple, de l'ordre et des lois*) et à Québec (*Le Canadien*, *La Gazette de Québec*) et plus éphémère à Trois-Rivières ou à Saint-Charles-sur-Richelieu (*L'Écho du pays*). Signe des temps, on voit les journaux se multiplier en 1837 : *La Quotidienne*, *Le Populaire* à Montréal, *Le Libéral* à Québec, et le déclenchement des rébellions fera disparaître un journal aussi crucial que *La Minerve* de Duvernay qui, en exil, tentera de relancer des journaux à Burlington ou ailleurs en Nouvelle-Angleterre. Il est certes alors possible de se faire publier à Montréal et à Québec mais « l'édition » qui compte des brochures politiques comprend surtout des ouvrages scolaires comme en témoigne, par exemple, le *Catalogue* de 1837 de la librairie Fabre de Montréal dans sa section d'ouvrages « canadiens ». On peut certes trouver des histoires de France, d'Angleterre ou des États-Unis, des ouvrages inspirants comme ceux de Chateaubriand, de Lamennais ou des tout premiers romantiques dans des librairies de Montréal et de Québec mais la bibliothèque bas-canadienne est alors anglophone, à l'exception de celle de la Chambre d'assemblée ou de celle du Barreau.

Dans une société rurale, le réseau de la communication orale est varié : c'est celui de la sociabilité domestique et villageoise, celui des auberges qui joueront un important rôle de rassemblement en 1837 et celui de l'Église catholique, que ce soit à l'extérieur de l'église, le perron, ou à l'intérieur, la chaire, dont les deux évêques se servent abondamment pour la communication de leurs mandements et lettres circulaires. C'est aussi le réseau des associations volontaires. Chez les francophones, l'association est alors essentiellement patriotique et peu tournée encore vers des préoccupations scientifiques et littéraires. Duvernay, le propriétaire de *La Minerve*, et le fondateur de l'Association Saint-Jean-Baptiste, souhaite vivement que s'y propage « la sève précieuse de l'amour de l'indépendance ». La fondation en 1834 de la société Aide-toi et le ciel t'aidera, à l'image de son homonyme de France née autour de la Révolution de 1830, suggère qu'une dynamique nouvelle s'exprime au Bas-Canada francophone. Les sulpiciens qui la comparent aux « anciens clubs révolutionnaires », et l'abbé Raymond, qui l'identifie aux sociétés secrètes italiennes et espagnoles, perçoivent cette donne nouvelle. À quelques mois de la rébellion, qui va perturber l'ensemble des institutions et moyens culturels, un conférencier déclarait devant la société en question : « Or je crois qu'il n'y a pas assez d'intelligence et d'industrie dans toutes les classes du peuple pour être national. La nationalité est fille de l'industrie et de la science. Et dans notre pays, il n'y a ni industrie ni science. » Il marquait ainsi l'amorce sinon les limites du développement culturel et intellectuel de sa société à l'aube des rébellions.

Un même type de décollage interrompu se rencontre dans le monde de l'éducation. Depuis les résistances au projet des Écoles royales de 1801, les polémiques se sont multipliées autour des projets de lois scolaires visant à instituer les biens nommées écoles de Fabriques (1824) ou des écoles de la Chambre d'assemblée (1829). Celles-ci avaient pourtant commencé à donner des résultats au moment où le Conseil législatif refuse, en 1836, de reconduire la loi de 1829 ; les écoles, les maîtres, les écoliers avaient vu leur nombre croître de façon remarquable, mais tout allait être à recommencer après 1840. À telle enseigne qu'on peut alors évaluer le taux moyen d'alphabétisation de la population du Bas-Canada à 25 % et à environ 33 % à Québec et vraisemblablement à Montréal aussi. S'ils pouvaient compter sur sept collèges classiques en 1837, les Canadiens français ne disposaient pas encore d'université, d'un lieu d'érudition possible.

D'un strict point de vue territorial, le Bas-Canada culturel, en 1837, se limite passablement, pour les francophones, à Québec et à Montréal, sauf bien sûr l'instruction publique qui aura réussi, jusqu'en 1836, à se ramifier dans les campagnes. Journaux, associations, bibliothèques, librairies se concentrent dans les villes principales mais il faut tenir compte du fait que les gazettes rejoignent les ruraux même analphabètes grâce à la lecture à haute voix.

Cet état de choses se reflète dans la production intellectuelle, romanesque, historique et poétique. Si les deux premiers romans canadiens-français paraissent en 1837 précisément, l'attrait pour la littérature de fiction commence vers 1820 et prend des formes plus concrètes après 1830 avec le romantisme. On connaît Walter Scott au Bas-Canada francophone à partir de 1818, Chateaubriand à compter de 1812 et Lamartine en 1826. Ce préromantisme est surtout catholique et compris comme façon de promouvoir le « génie du christianisme » ; c'est d'ailleurs dans cette mouvance intellectuelle que l'on s'emballe, ici et ailleurs, pour les idées du second Lamennais, celui qui commence à adhérer aux valeurs libérales. Le versant romantique du roman, genre encore peu populaire au Bas-Canada, est illustré par un attrait nouveau pour la nature, l'exotisme, le gothique, l'Indien. Ce dernier thème, exploité dès 1827, suscitera un bon nombre de récits brefs avant 1837. L'exotisme mis en vogue par Chateaubriand l'est aussi par Fenimore Cooper, le « Walter Scott américain », comme le qualifie un article de *La Minerve*. Mais ce sont symptomatiquement des Français, Isidore Lebrun et Philarète Chasles, qui invitent les écrivains canadiens à s'inspirer de la « muse américaine[71] ».

Après 1830, la littérature française devient familière au public lettré bas-canadien par la librairie, la bibliothèque mais surtout par le feuilleton. *L'Ami du peuple* publie Balzac en feuilleton à compter de 1835 et le prospectus d'un journal au titre révélateur, *Le Glaneur*, propose : « on y reproduirait quelques morceaux choisis des Chateaubriand, des Lamennais, des Dumas, des Janin, des Victor Hugo et de tant d'autres écrivains qui illustrent la France en ce moment ». *Le Populaire* du 10 avril 1837 prospecte les domaines que pourrait exploiter « une littérature nationale » épique ou picaresque : « un caractère neuf, original, héroïque, attrayant, piquant, brillant et sublime, qui serait apprécié autant que recherché dans la vieille Europe, où le mérite littéraire de chaque peuple du monde ne manque point d'admirateurs éclairés ». C'est en partie ce qu'exploiteront, en 1837, les deux premiers — brefs — romans à paraître au Bas-Canada : *Le Chercheur de trésors, ou de l'influence d'un livre* de Philippe Aubert de Gaspé fils, qui reprend un motif de la tradition orale, et *Les révélations du Crime de Cambray, ou Cambray et ses complices* de François-Réal Angers, qui s'inspire de la chronique sociale et judiciaire du temps. Indice éloquent, les deux « romanciers » sont rapporteurs des débats de la Chambre d'assemblée pour les journaux. Mais cette avancée a des limites : la critique reproche à de Gaspé de ne pas avoir représenté « les mœurs canadiennes » et lorsque Napoléon Aubin publie dans *Le Canadien* du 17 décembre 1838 le prospectus d'un *Répertoire de la littérature canadienne* qui permettrait à celle-ci de prendre place « avec honneur dans la légion si brillante des littératures contemporaines », l'initiative ne trouve pas assez de souscripteurs[72].

La vie politique, l'essor de la presse, de « l'édition » et de l'école rendent en même temps possibles « l'éditeur » et « l'auteur » qu'on voit poindre grâce au livre scolaire : Lemoult et Potel, rédacteurs d'un *Nouveau cours complet de grammaire* (1830) et de *L'Enseignement universel* (1831), J.-B. Boucher de Belleville et J.-B. Meilleur qui publient respectivement une *Nouvelle grammaire française* (1831) et un *Cours abrégé de leçons de chymie* (1833) ; grâce à la brochure politique ou à la fiction : le *Napoléon à Sainte-Hélène. Scènes historiques* (1831) de Firmin Prudhomme ou les *Épîtres, satires, chansons, épigrammes et autres pièces en vers* (1830) de Michel Bibaud.

Bibaud constitue une figure exemplaire de l'auteur qui sort de l'anonymat et des modes d'émergence de « l'écrivain ». Il a créé une tradition du recueil, de « miscellanées » ; il rédige ou publie la *Bibliothèque canadienne*

(1825-1830) et *Le magasin du Bas-Canada* (1832) auxquels succéderont, après l'Union, *Les mélanges religieux* (1840-1852), *L'Encyclopédie canadienne* (1842-1843) et les «albums» de *La Revue canadienne* (1846-1848) et de *La Minerve* (1849-1851). Au fil des numéros et des ans, ses périodiques «recueillent» ses «œuvres» poétiques ou historiques et l'auteur Bibaud met en place une façon de faire qui s'imposera avec le temps: mise en texte, mise en fascicule, mise en livre.

C'est que, pour l'auteur de fiction, la publication n'est pas évidente. Le roman comme genre a mauvaise presse à moins qu'il ne moralise. Et lorsqu'Aubert de Gaspé fils veut publier son *Influence d'un livre* en septembre 1837, il recourt à la double pratique de la publication d'extraits dans un périodique et de la souscription. De Gaspé écrit à son ami L.-T. Drummond en février 1837: «Me voilà auteur. Et comme tu devais t'y attendre, je demande ton patronâge en attendant ton opinion sur le petit ouvrage que je vais publier. [...] Tu me rendrais un grand service si tu voulais me faire circuler dans Montréal une liste de souscription [...].» Pour couvrir des frais d'impression de 64 «pounds», de Gaspé a besoin de 256 souscriptions à cinq chelins par exemplaire. *Le Télégraphe* de Québec du 14 avril et *Le Populaire* de Montréal du 21 avril annoncent l'ouverture de la souscription affichée aussi aux bureaux de divers journaux, à l'hôtel Albion, à la librairie canadienne de C.-P. Leprohon de Montréal qui mettra le roman en vente[73].

L'auteur a des «souscripteurs» parce que l'activité éditoriale est encore minimale et parce que, conséquemment, il n'a pas d'existence légale ni de droits économiques avant la passation d'un «Acte pour protéger la propriété littéraire» par la Chambre d'assemblée en 1832. Et encore, la loi met du temps à être appliquée. Elle reconnaît aux auteurs de «publications littéraires», de gravures, de cartes et d'œuvres de musique de même qu'à leurs exécuteurs, administrateurs ou représentants légaux un droit de propriété de 28 ans à compter de la date d'enregistrement de l'œuvre auprès du greffier de la Cour supérieure de leur district. Ce droit, qui peut être prolongé d'un délai de 14 ans, est reconnu à condition que l'enregistrement soit mentionné dans l'ouvrage publié[74].

La production historique en est aussi à ses premiers essais au moment où l'on réfère encore à l'*Histoire et description générale de la Nouvelle-France* (1744) du jésuite Charlevoix. Le journaliste et poète Michel Bibaud publie des travaux historiques dans ses revues où paraissent aussi quelques écrits du docteur Jacques Labrie et de Jacques Viger. Ces travaux et les appels en faveur d'une histoire du pays ont pu être inspirés par les *Beautés de l'histoire du Canada* que Philarète Chasles publie en 1821 sous le nom de Dainville et à l'adresse de Bossange de Paris. Le docteur Labrie, qui a terminé en 1831 un imposant manuscrit sur l'histoire du Canada, voit celui-ci périr durant la rébellion de 1837. Le notaire et instituteur Joseph-François Perrault publie entre 1832 et 1836 son *Abrégé d'histoire du Canada* en cinq parties au moment où paraît une chronique « Histoire du Canada » dans *L'Écho du pays*. Michel Bibaud rassemble ses écrits historiques et publie en 1837 une *Histoire du Canada sous la domination française* très politique et événementielle, sans souffle véritable. François-Xavier Garneau, qu'on considère comme le premier historien national, a déjà fait de la copie de documents historiques à Londres durant son séjour européen entre 1831 et 1833. Si le premier tome de son *Histoire du Canada* ne paraîtra qu'en 1845, Garneau annonce dès 1837 son intérêt à écrire une histoire sentie de son pays en publiant dans *Le Canadien* de son ami Parent, entre février et août, une vingtaine de textes sur les combats et batailles « livrés en Canada ». Son ami Georges-Barthélémy Faribault, bibliothécaire de la Bibliothèque de la Chambre d'assemblée, publie alors son *Catalogue d'ouvrages sur l'histoire de l'Amérique*, qui réfère à une trentaine de titres sur l'histoire des Amériques postérieurs à 1800. Si le combat politique du Parti canadien puis du Parti patriote a pu raviver la mémoire des luttes constitutionnelles menées depuis 1763 et contribuer à esquisser les composantes d'une identité nationale, la célébration épique de cette résistance et de la nationalité canadienne-française n'a pas encore, à la veille des rébellions, trouvé de véritable lieu d'expression historique[75].

Cette quête et cette célébration se trouvent surtout dans la poésie, écrite par des auteurs souvent anonymes et éparpillée dans la presse de l'époque. À côté d'une poésie scolairement versifiée, de poèmes construits sur le panthéon de la mythologie gréco-latine ou franchement partisans, on trouve çà et là quelques solides indignations, quelques vibrants appels au patriotisme, quelques expressions d'une émouvante sympathie pour les opprimés et contre les tyrans. On versifie sur des questions et des événements très précis comme la liste civile ou l'émeute électorale de mai 1832 ; on célèbre le « libérateur » Papineau suggérant au peuple de comprendre « Que les armes peuvent reprendre / Des droits par les armes acquis ». Napoléon Aubin prophétise : « Peut-être un jour, notre habitant paisible / Se lassera du pesant joug d'un roi ». Duvernay clame : « Mes derniers vœux seront contre la tyrannie / Et mon dernier cri LIBERTÉ ! »

George-Étienne Cartier proclame son pays et ses amours et affirme : « Avant tout je suis Canadien » : « Originaires de la France, / Aujourd'hui sujets d'Albion, / À qui donner la préférence / De l'une ou l'autre nation ? / Mais n'avons-nous pas je vous prie / Encore de plus puissans liens. / À tout préférons la Patrie, / Avant tout soyons Canadiens. » Viger et Aubin reprennent le couplet de la patrie alors que Joseph-Isidore Bédard reconnaît que la « fière Albion » veille mais que les « tyrans » sont dans la colonie. Michel Bibaud, qui publie le premier recueil de poésie en 1830, dit la place du poète dans le concert des nations émergentes : « S'il faut des orateurs pour maintenir mes lois, / Des guerriers valeureux pour défendre mes droits ; / Il ne me faut pas moins des poëtes, / Pour chanter mes succès et publier mes fêtes ! / Sans eux, je ne saurais, dans mes prétentions, / M'associer, à juste droit, parmi les nations[76]. »

Avant 1837, la conscience identitaire des Canadiens français trouve son expression la plus achevée dans la devise du « nouveau » *Canadien* de 1831 : « Nos institutions, notre langue, nos lois ». Cette devise rappelle que les lois françaises ont toujours cours dans nombre de domaines, qu'il faut compter parmi « nos » institutions le régime seigneurial et la religion catholique et que la langue française a été constitutionnellement maintenue à la Chambre d'assemblée. Avec le laboureur dans le cartouche du journal, *Le Canadien*, symbole de résistance et d'affirmation depuis 1810, résume l'identité canadienne-française dans sa devise : le « Canadien » francophone vit dans une société catholique, à tenure seigneuriale et à système juridique français. Cette conscience identitaire se retrouve-t-elle avant 1837 dans un chant populaire ou national ? Visiblement, la presse est attentive aux airs nationaux et populaires de différents peuples et aux chants patriotiques de l'Espagne (Hymne de Riego) ou de la Grèce (Navarin) ; mais avant le fameux « Canadien errant » d'après les rébellions, le « chant patriotique du Canada » fut-il vraiment un point de ralliement avec des vers comme « songe à t'émanciper », « Formez une nation » ou « Ô terre d'Amérique, tout te fait souveraine[77] » ?

On ne peut manquer d'observer après 1832 l'émergence de symboles nationaux. Que ce soient les banquets du 24 juin qui, à l'initiative de l'Association Saint-Jean-Baptiste, sont décorés de feuilles d'érable et bien garnis en viandes et produits du pays, que ce soient les bannières des manifestations patriotes — « Papineau, principe de liberté », « Fuyez tyrans, car le peuple se réveille » —, les pavoisements de branches d'érable ou les « colonnes de liberté », tous ces symboles convergent vers le drapeau patriote certes souvent déployé mais à la signification indéterminée parce que multiple. On ne dispute pas sur le choix des couleurs horizontales — rouge, blanc, vert — de ce «tricolore» canadien que le Haut-Canada aurait aussi adopté, mais on ne s'entend pas aujourd'hui sur les sens multiples de ces couleurs : le vert pour les Irlandais, le blanc pour les Français, le rouge pour les Britanniques, ou Liberté, Égalité, Fraternité pour les républicains, ou Foi, Espérance, Charité pour les patriotes chrétiens ? Se rappelle-t-on que certaines descriptions du drapeau y ajoutent deux étoiles sur la bande blanche qui seraient apparues aux premiers jours des combats ? Que penser encore de la description qu'en donne *La Gazette de Québec* à l'occasion de l'assemblée populaire du comté des Deux-Montagnes du 1ᵉʳ juin 1837 : «le *pavillon national du Canada*, tricolore, (rouge, blanc et vert) ; emblèmes, un castor, une branche d'érable et un poisson (maskinongé)» et dont un exemplaire se trouve au musée du Château Ramezay[78] ?

Conclusion

L'essor culturel du Bas-Canada se fait à l'enseigne de l'affirmation des nouveaux acteurs sociaux que sont les bourgeois de professions libérales, non sans que le clergé catholique et protestant prenne note de cette donne inédite.

Cette bourgeoisie de professions libérales regroupée dans le Parti canadien puis dans le Parti patriote, qui forme la majorité dans la Chambre d'assemblée, constitue bientôt avec des marchands francophones la majorité des députés de la Chambre. Cette conjugaison d'une bourgeoisie en pleine ascension et de son occupation de la scène politique contribue à politiser la vie publique et en particulier la dynamique culturelle.

La presse, qui est souvent «l'organe» de la Chambre d'assemblée et du Parti patriote, est le forum des débats entre francophones et anglophones, entre Patriotes et Constitutionnels, entre la bourgeoisie et le clergé catholique qui voit son pouvoir de la chaire contesté par le réseau nouveau des journaux sans pour autant se donner une presse ecclésiastique officielle ; celui-ci bénéficie toutefois de l'officieuse presse sulpicienne, *L'Ami du peuple, de l'ordre et des lois*, qui jouera un rôle décisif dans l'opposition montréalaise au projet patriote. La présence des journalistes parmi les Patriotes et l'usage intensif de la presse et des imprimés (brochures, mandats d'arrêt, affiches, proclamations, circulaires au clergé, mandements épiscopaux) par les Patriotes, les Loyaux, les autorités politiques et le clergé, confirmeraient encore, s'il était besoin, la politisation de la culture de l'imprimé.

Cette politisation de la sphère publique traverse aussi la vie associative qui est souvent le berceau de la bibliothèque de collectivité et de la future bibliothèque publique. Si la vie associative anglophone est culturelle (Quebec Literary and Historical Society, Montreal Natural History Society) et nationale (sociétés St. George, St. Andrew, St. Patrick), la vie associative francophone est essentiellement patriotique avant 1840. Il en est de même pour la question scolaire dont l'objet politique est le contrôle social du système scolaire. L'enjeu est parfaitement résumé dans l'appellation même des lois scolaires votées en 1824 et en 1829 : loi des écoles de Fabriques, loi des écoles de la Chambre d'assemblée ou de syndics.

Du point de vue de l'histoire de l'imprimé, c'est précisément cette conjugaison du politique et du scolaire qui rend possible et viable l'édition — mieux, l'impression : l'imprimeur et le libraire s'associent pour publier des ouvrages scolaires ou des brochures politiques. L'écrivain ou l'auteur naît aussi dans ce contexte comme rédacteur de grammaires ou auteur de pamphlets tandis que le poète (Bibaud) et les romanciers (de Gaspé et Angers) sont, chacun dans sa sphère, des cas uniques avant 1840.

La censure cléricale vise alors la politique comme en témoignent la condamnation de la presse libérale et de *L'Avenir* de Paris par l'encyclique *Mirari vos* de 1832 et celle des idées libérales des *Paroles d'un croyant* de Lamennais dans *Singulari nos* de 1834 ; en témoigne encore la vigilance épiscopale face à l'édition pirate des *Paroles* par Duvernay en 1836.

Le second facteur en importance à marquer le développement de la culture coloniale se trouve dans la situation internationale après la signature du traité de Vienne en 1815. L'effet général du traité de Vienne est de normaliser la circulation des personnes, des biens et des idées après la levée du blocus économique mis en place par Napoléon. Les effets particuliers se retrouvent dans l'essor de l'immigration britannique et son impact sur la population bas-canadienne et dans la reprise de l'importation culturelle entre le Bas-Canada et la France en matière de livres et de biens de luxe.

L'immigration britannique et l'accroissement naturel de la population permettent une nouvelle densité démographique dont rend compte l'essor de la presse : des 42 journaux qui paraissent au Bas-Canada entre 1815 et 1840, 24 sont publiés à Montréal, 8 à Québec et 10 en province où quelques agglomérations peuvent assurer une certaine viabilité à la presse. Pourtant, cette densité ne suffit pas à permettre, en milieu francophone, l'établissement d'associations volontaires culturelles, de bibliothèques ou de librairies en dehors de Québec et de Montréal avant 1840.

Mais, dans ces villes, la communauté anglophone déploie tous ses moyens en matière culturelle. Cette prépondérance de la communauté anglophone dans le milieu culturel s'explique. Les marchands ont les moyens de leurs initiatives culturelles ; métropolitains d'origine, ils sont éduqués et familiers avec les institutions culturelles de la métropole comme ils le sont avec ses corridors économiques. Il faut encore rappeler que l'immigration britannique s'installe d'abord et avant tout en milieu urbain, là où les institutions culturelles s'implantent plus facilement et plus rapidement.

La présence culturelle des anglophones est visible dans la presse : 50 % des titres publiés entre 1815 et 1840 sont de langue anglaise alors que les anglophones ne constituent qu'environ 15 % de la population totale du Bas-Canada. Les associations de type culturel (historique, littéraire, scientifique) sont aussi anglophones et ce sont elles que les francophones vont adopter et adapter après 1840. Les bibliothèques de différentes collectivités ou de divers groupes d'intérêts sont essentiellement anglophones, parfois bilingues comme dans le cas des professions libérales, rarement francophones sauf pour les collèges dits classiques. Les bibliothèques de souscription — la Quebec Library et la Montreal Library — ont un membership très majoritairement anglophone. C'est aussi le cas des bibliothèques de location — les *circulating libraries* — et des cabinets de lecture — les *newsrooms*. Si les inventaires après décès révèlent que les propriétaires de bibliothèques personnelles sont également anglophones et francophones, le contenu de celles-ci comprend globalement plus de livres de langue anglaise. La librairie montréalaise et québécoise a aussi une enseigne anglophone bien que la levée du blocus économique permette l'établissement durable de librairies francophones à Montréal et à Québec après 1815.

Il n'est pas surprenant, enfin, que les anglophones du Bas-Canada aient un taux d'instruction et d'alphabétisation plus élevé que celui des francophones. Ils habitent en milieu urbain par choix et par statut professionnel, ils sont protestants et lisent la Bible.

Par ailleurs, durant cette période, la jonction entre le libéralisme et le catholicisme ne s'opère pas. Le moment est décisif. Les espoirs créés en Pologne et en Belgique par Lamennais et ses amis de *L'Avenir* rencontrent des difficultés après les deux encycliques papales de 1832 et de 1834 qui condamnent les idées philosophiques et politiques de Lamennais. À Montréal et à Saint-Hyacinthe, les jeunes clercs qui s'étaient enthousiasmés pour les idées de Lamennais se soumettent à l'autorité épiscopale et papale laissant dorénavant aux Patriotes la publication pirate des *Paroles d'un croyant*, à Papineau une amitié à construire avec Lamennais (1839) et à son neveu Dessaulles une admiration indéfectible (1839) pour l'auteur des *Affaires de Rome*. Il s'agissait d'un point tournant qui allait marquer profondément l'histoire du libéralisme canadien-français. Celui-ci n'allait pas pouvoir compter sur le catholicisme pour instaurer un régime de libertés convenant à chacun des courants d'idées. Dès 1835, le libéralisme est tenu en garde et l'avenir politique allait appartenir à ceux qui trouveraient un régime autre que celui d'une « Église libre dans un État libre », autre que celui de la « séparation ».

Jusqu'à quel point la culture est-elle porteuse d'un projet nationalitaire en 1837 ? Quel est l'état d'achèvement culturel de celui-ci ? La culture des « Canadiens » mime certes la culture des anglophones mais elle a manifestement sa dynamique propre. Sauf pour l'école, les institutions culturelles se concentrent dans deux villes, Québec et Montréal, qui, symptomatiquement et pour des raisons différentes, ne joueront pas un rôle important dans les rébellions mêmes. Ces institutions culturelles comportent aussi des limites : le Bas-Canada compte sept collèges classiques mais point d'université francophone et très peu de bibliothèques et de librairies hors de Québec et de Montréal. La presse constitue le moyen de communication le plus dynamique et il faut insister sur le fait qu'en face d'une *Minerve* et d'un *Vindicator* pro-Patriotes se positionnent *La Gazette de Québec* de la famille Neilson, *Le Canadien* de Parent et *L'Ami du peuple* des sulpiciens, dont on a sous-estimé la vigueur.

Sauf pour la poésie, la production symbolique en est à ses premiers essais : le roman naît précisément en 1837 tout comme l'histoire, à laquelle commence à s'attaquer Garneau après quelques tentatives antérieures de Bibaud, de Viger et de Labrie. L'auteur est encore un pédagogue qui prépare des manuels scolaires ou un homme politique qui publie une brochure ; l'écrivain est à venir, lui qui mise alors sur la souscription pour se trouver un lectorat. Les premiers signes de promotion d'une « littérature nationale» sont aussi contemporains d'un projet de *Répertoire de la litté-rature canadienne* qui ne verra le jour que dix ans plus tard.

Une conscience symbolique et historique commence à s'articuler et trouve son souffle principal dans une poésie patriotique inspirée par le romantisme contemporain, où l'on retrouve beaucoup les accents catholi-ques de Chateaubriand. Le patriotisme traverse la presse, la poésie et les associations, que ce soit la société Aide-toi et le ciel t'aidera ou l'Asso-ciation Saint-Jean-Baptiste. Les symboles nationaux se multiplient sans qu'aucun ne se soit encore imposé. Le drapeau des Patriotes et la devise du *Canadien* — «Nos institutions, notre langue, nos lois» — seraient-ils les symboles les plus avancés de la conscience nationale à la veille des Rébellions? Si oui, ils sont encore porteurs d'indétermination : le drapeau avec son héraldique variable et *Le Canadien* avec sa «nationalité» encore à expliciter.

Chapitre VI

LE BAS-CANADA ET LES MOUVEMENTS D'ÉMANCIPATION COLONIALE ET NATIONALITAIRE EN EUROPE ET DANS LES AMÉRIQUES (1815-1837)

DANS L'ATTENTE D'UNE RÉPONSE aux 92 Résolutions, l'escalade politique et constitutionnelle se double d'une percée culturelle perceptible dans l'essor de l'école, de la presse, de l'association et de la poésie patriotiques. Escalade politique et essor culturel se conjuguent encore à l'effervescence internationale qui suit la fin des guerres napoléoniennes et le traité de Vienne de 1815 et qui prend, durant la décennie 1830, la forme de quêtes d'émancipation coloniale et nationalitaire. La compréhension des rébellions de 1837 et de 1838 passe par la prise en compte de cette triple conjoncture de la politique coloniale, de l'essor culturel colonial et des mouvements d'émancipation en Europe et dans les Amériques.

À cet égard, trois questions se posent à propos des Patriotes et des leaders politiques : quelle connaissance avaient-ils des mouvements d'émancipation européens (Italie, Grèce, Belgique, Pologne, Irlande) et américains (Argentine, Chili, Colombie, Mexique) ? quel usage idéologique et politique ont-ils fait de cette connaissance ? enfin, ont-ils formulé pour le Bas-Canada le principe des nationalités, celui du droit des peuples à disposer d'eux-mêmes ?

On dispose, tout compte fait, de sources nombreuses pour tenter de répondre à ces questions. Les journaux, d'abord et avant tout : seize hebdomadaires ou bihebdomadaires dont un bilingue — *The Quebec Gazette / La Gazette de Québec* de la famille Neilson — et un de langue anglaise, le *Vindicator*, voix des Irlandais pro-Patriotes. De ces titres, onze sont publiés à Montréal, quatre à Québec et un, *L'Écho du pays*, à Saint-Charles-sur-Richelieu[1]. On peut compter sur les écrits de journalistes, d'hommes publics — Papineau, Parent, Garneau, Viger — et de Patriotes (résolutions, déclarations, adresses, mémoires, journaux personnels, correspondances). Le point de vue de l'Église sur la situation internationale s'exprime dans des mandements, des correspondances, des brochures ou un journal comme *L'Ami du peuple*, voix des sulpiciens de Montréal. Quelques journaux de voyages, ceux de Mgr Plessis, de Mgr Lartigue, de Pierre-Jean de Sales Laterrière et surtout de François-Xavier Garneau, permettent enfin de savoir comment des voyageurs ont perçu l'Europe d'après le traité de Vienne.

Une question se pose d'entrée de jeu : comment l'information sur l'émancipation catholique en Irlande ou sur l'insurrection de Varsovie rejoint-elle alors Jean-Baptiste le campagnard ou le citadin? Que cette question se pose à propos de la pénétration sociale des idées de Papineau, de Parent ou de Mgr Lartigue ou de celle de la révolution grecque ou argentine, elle reste la même. Elle renvoie à la place de l'imprimé dans une société rurale de culture orale où la majorité de la population n'est pas alphabétisée. Le tirage des journaux — qui se multiplient — est certes limité, mais non pas aux seuls abonnés et alphabétisés. L'information journalistique circule parmi ceux qui savent lire — 25,4 % entre 1830 et 1839 — mais elle rejoint aussi les non-alphabétisés grâce à la lecture à haute voix des gazettes sur le perron d'église ou à l'auberge. Conscients du lectorat paysan, les rédacteurs de journaux inventent même des dialogues entre Jean-Baptiste et Pierre pour évoquer en termes pittoresques et simples la question irlandaise, par exemple. Et puis l'imprimé est oralement reconduit aussi par l'évêque qui achemine des mandements aux curés, qui les lisent en chaire et peuvent y revenir au prône ou au confessionnal.

L'information internationale dans la presse bas-canadienne

« Le paquebot Columbia arrivé à New York la semaine dernière a apporté des journaux d'Angleterre jusqu'au 2 juillet », précise *Le Spectateur canadien* du 17 août 1822 à ses lecteurs. Tel est le leitmotiv par lequel commence la « correspondance étrangère » de la presse bas-canadienne.

La distance, la mer, les tempêtes, les accalmies, autant de contraintes dans l'acheminement de la nouvelle avant le télégraphe et le câble atlantique. Les rédacteurs de journaux naviguent entre l'abondance et la pénurie qui les hantent ou les réjouissent, en particulier entre les sessions parlementaires où la matière à imprimer peut se faire plus rare.

La presse bas-canadienne s'en remet ainsi aux arrivages et précise le plus souvent la source d'où elle tire nouvelles et extraits. C'est surtout la presse étatsunienne qui alimente *Le Canadien* ou *La Minerve*: souvent le *Commercial Advertiser* de New York, puis d'autres journaux de cette ville (le *New York Columbian*, le *New York Journal* ou le *New York Evening Post*), de Boston (*Boston Palladium* ou *Sentinel* ou *Pilot*), de Baltimore (*Federal Gazette* ou *Republican, Baltimore American*) ou des journaux étatsuniens de langue française comme *L'Abeille américaine* de la Nouvelle-Orléans ou *Le Courrier des États-Unis* de New York. D'Amérique du Sud, les journaux bas-canadiens citent des gazettes du Chili, de Bogota, de Caracas ou le *Noticioso* de La Havane. Les journaux britanniques les plus utilisés sont le *London Morning Chronicle*, le *Bell's Messenger* ou le *Bell's Weekly Dispatch*. La nouvelle française vient le plus souvent du *Constitutionnel*, du *Moniteur de Paris*, de *L'Ami des lois* ou de *La Minerve* française.

Pour en extraire des passages, on puise aussi dans des ouvrages: *Le cri des peuples* de Crevel, *Le droit des gens* de Vattel, *La révolution actuelle de la Grèce* de Blaquières, *Des trois derniers mois de l'Amérique méridionale et du Brésil* de Pradt, *Le voyage du capitaine Mall au Mexique, au Chili et au Pérou*, *De l'Amérique* d'Azaïs, *De la révolution piémontaise*, *L'histoire constitutionnelle de l'Angleterre* d'Hallam. Les rédacteurs se soucient de l'histoire et de la statistique des pays; ils empruntent à l'*Annuaire historique universel pour 1824* d'Avenel et publient des statistiques sur les États de l'Europe ou sur la Turquie[2].

Les aléas de l'approvisionnement en nouvelles sont tels qu'il faut donc multiplier les sources: presse étrangère, ouvrages, annuaires. Combien de textes sur la situation internationale commencent par la formule: «il paraît que…». Le rédacteur du *Spectateur canadien* avoue: «rien de plus obscur, de plus incertain et de plus contradictoire» qu'une éventuelle intervention de la Russie en Turquie. Au moment du conflit gréco-turc, *La Minerve* doute du protocole entre la Grande-Bretagne, la France et la Russie publié par un journal d'Augsbourg, «journal il est vrai l'un des plus justement accrédités de l'Europe», mais dont les renseignements «ne nous semblaient pas encore revêtus d'un caractère officiel, qui nous permît d'en admettre la vérité sans examen. Nous voulions d'ailleurs douter encore de l'existence d'un document qui renverse tant d'espérance, anéantit tant de généreuses illusions. Malheureusement nous sommes forcés aujourd'hui à l'authenticité de cet acte, qui réimpose à la Grèce une partie du joug qu'elle venait de briser elle-même, et nous le mettons avec douleur sous les yeux de nos lecteurs.» Les correspondants de certains Canadiens ne sont pas dupes non plus, en ces temps de Sainte-Alliance, de la lecture particulière que la presse anglaise peut faire de la situation de la France; un des leurs écrit à l'abbé de Calonne: «Je vous avertis cependant à ne pas croire à tout ce que disent les Papiers anglois sur notre situation; parce que cela vous alarmerait beaucoup trop. Le fait est qu'elle s'améliore tous les jours, que l'esprit devient meilleur et qu'on commence à apprécier la bonté paternelle de notre cher Roi.» Le rédacteur du *Spectateur canadien* écrit après la victoire de l'Autriche sur le royaume de Naples: «En attendant, tout ce qui sortira des presses de Naples devra être considéré comme l'expression des sentimens de l'Autriche et non ceux de la nation Napolitaine[3].»

Les rédacteurs de journaux bas-canadiens cherchent à fonder la crédibilité de l'information dans la reproduction de documents «officiels»: déclarations des cours d'Autriche, de Prusse ou de Russie; déclarations d'Indépendance de pays d'Amérique du Sud; proclamations de Santander ou de Santa Anna; discours d'Ypsilanti aux patriotes grecs ou de Ferdinand aux cortès espagnols; abrégé de la constitution espagnole; lettre de San Martin; serment des députés mexicains; capitulation de l'Espagne au Mexique. Dans quelques cas, la reproduction d'un même document dans deux ou trois journaux indique une perception commune de son importance ou un approvisionnement commun ou en cascades.

À telle enseigne que la nouvelle internationale dans la presse bas-canadienne se présente sous trois formes: la nouvelle événementielle, le plus souvent militaire et politique; les analyses ou études, de longueur variée, extraites de sources diverses; les prises de position anonymes de journaux dont on connaît parfois le rédacteur principal.

La France de 1815

Profitant du mécontentement populaire envers le retour des Bourbons, Napoléon revient de l'île d'Elbe et débarque au golfe Juan le 1ᵉʳ mars 1815. L'aventure des Cent-Jours se terminera à Waterloo le 18 juin.

La nouvelle parvient au Canada dans la seconde moitié du mois de mars et Mgr Plessis confie au sulpicien Roux : « La nouvelle révolution a stupéfié les esprits, comme elle a glacé les cœurs. » Pierre-Jean de Sales Laterrière, qui arrive à Bordeaux en mai 1815, débarque au cœur de l'événement. Il note dans son *Journal de voyage* qu'il fut « bien vite à entrer au logis, voyant qu'il ne fesait pas beau dehors, les canons que l'on rencontra dans les rues et le tumulte qu'il paraissait y avoir ne me [donnèrent] pas des idées bien favorables à ma situation ». Les canons sont là, selon Laterrière, pour forcer les habitants à reconnaître l'empereur et le voyageur canadien juge opportun de se faire passer pour un Américain plutôt que pour le citoyen d'une colonie britannique.

Il est évident pour les prêtres de la « Petite France » du pourtour du lac Saint-Pierre qu'il n'y aura pas de paix en Europe tant et aussi longtemps que Napoléon n'aura pas été « détruit ». *Le Spectateur canadien* partage ce point de vue : sans marine, Napoléon troublera toujours la paix européenne. Les milieux cléricaux s'inquiètent de l'évolution de la situation et en particulier des acquis de la Restauration des Bourbons : un correspondant de l'abbé Calonne lui écrit le 20 mars : « Les choses ne vont pas merveilleusement en France et ni le choix des hommes en place ni les institutions ne sont rassurants pour l'existence future de la monarchie légitime, de la morale et de la religion. » Trois ans plus tard, la Restauration assurée, le neveu de l'abbé Raimbault salue « le règne qui nous rend à nous-mêmes ». Mais le jeune Étienne Parent, qui vient d'entrer au *Canadien*, pose rapidement les bonnes questions : « Vive la liberté, vive le Roi, mais vive le Ministère[4] ? »

Naples contre les Bourbons et l'Autriche

À compter de mai 1820, la presse bas-canadienne rend compte de l'évolution de l'insurrection dans le royaume de Naples où le roi est remplacé par son fils. Les lecteurs sont informés que la révolution se propage à la Sicile et au Piémont[5].

Pour *Le Spectateur canadien*, non seulement les Romains et les Sardes pourraient vouloir imiter les Napolitains, mais les Lombards et les Vénitiens risquent aussi de se soulever contre l'Autriche. Une victoire de Naples pourrait mobiliser les autres peuples d'Italie et la Sicile « donnera le branle au reste de l'Italie ». Pour *Le Canadien*, les événements de Naples constituent une « révolution bien agréable aux amis de la liberté[6] ».

La Sainte-Alliance n'a pas très bonne presse: les événements liés à la tentative d'unification de l'Italie «ont fait connaître les pensées et les intentions jusqu'alors cachées des souverains absolus», de cette «ligue de Despotes» qui a mécontenté les peuples d'Europe en leur imposant par les armes et contre leurs vœux des règnes tyranniques. L'Autriche est particulièrement visée; *Le Spectateur canadien* rappelle que les sujets ne sont pas «uniquement faits pour le plaisir des souverains, et les nations pour être la pâture des gouvernemens». Malgré le fait que «Metternich semble vouloir faire entendre qu'une constitution libre dans un état est comme un monstre dans la nature» et «que le despotisme seul est conforme à l'ordre, à la raison et à la religion», le journal écrit qu'il est «à conjecturer que la manie constitutionnelle se répandra en dépit de tous les efforts des souverains despotiques d'Autriche, de Prusse et de Russie[7]».

La Grèce contre la Turquie

La tension internationale se déplace vers la Grèce à compter de 1821. La presse bas-canadienne suit les événements: non-reconnaissance de l'indépendance des îles ioniennes par la «Porte ottomane», appel aux armes d'Ypsilanti, occupation de l'Acropole par les Turcs, combat à Scio, intervention de la Russie dans le conflit en 1825. Puis le conflit s'accentue: massacre de Missolonghi, présidence de Capo d'Istria, capitulation d'Athènes, défaite de la flotte grecque à Navarin, massacre des Crétois et retournement de la situation jusqu'à la reconnaissance de l'indépendance grecque par les Turcs et au choix du prince de Saxe-Cobourg comme roi de la Grèce[8].

Les Canadiens, qui sont passés par le séminaire et le collège classique, ont pour s'intéresser à la Grèce moderne une familiarité exceptionnelle avec la Grèce ancienne. *Le Spectateur canadien* rappelle aux pays d'Europe leur reconnaissance obligée de la Grèce: «Nations éclairées! Gouvernemens éclairés! Le tems est venu de payer vos dettes à la Grèce notre patrie.» Parent, qui sort du collège, écrit dans *Le Canadien* du 27 mars 1822: «L'ami de l'humanité ne verra pas sans plaisir les débris de la plus florissante nation qui fut peut-être jamais, se relever d'eux-mêmes; et les descendants des vainqueurs de Marathon et de Salamine secouer le joug de l'Ottoman après huit cent ans de servitude. Les ruines du peuple de Lycurgue et de celui de Solon valent bien la peine qu'on se réjouisse quand on les voit ressortir de l'obscurité.»

Les Canadiens ont aussi comme sujets britanniques, le souci de voir comment la Grande-Bretagne est présente sur la scène internationale. La *Gazette de Québec* se demande «si, comme protectrice des Grecs des îles ioniennes, l'honneur de l'Angleterre n'exige pas l'intervention de son gouvernement, pour protéger les états de la Grèce dans leur émancipation de l'abominable tyrannie du Croissant». *Le Canadien*, qui déplore l'indifférence des puissances chrétiennes dans le conflit gréco-turc, admet que «partout où il s'agit de la liberté des peuples, l'Anglois se fait toujours reconnaître[9]».

Le long conflit en Méditerranée se révèle être un bon apprentissage des enjeux nationalitaires. On s'interroge tantôt sur la responsabilité des chefs politiques comme Ypsilanti: «Ce dernier se trouve chargé d'une responsabilité bien grande, s'il est la cause première de tous les maux qui sont tombés sur sa nation.» Tantôt, la résistance paraît dépendre des appuis: combien de temps résisteront les Grecs «s'ils ne sont pas secourus du dehors»? Mais on est conscient que l'ingérence d'un pays étranger dans les affaires intérieures d'un autre pays peut poser problème: on peut souhaiter l'intervention de l'Angleterre en Grèce sans avoir souhaité celle de la France en Espagne. Ou alors ce sont les coûts de l'indépendance qui sont rappelés par *La Gazette de Québec* qui souhaite «voir les Grecs jouir de cette indépendance qu'ils ont méritée si noblement par leur persévérance, leurs sacrifices et leur héroïsme[10]».

Trois journées glorieuses en France (1830)

La Révolution de juillet 1830 en France est annoncée par la presse francophone du Bas-Canada par un «extraordinaire», une feuille volante de *La Minerve* du mercredi 8 septembre. *La Minerve* emprunte un texte de la *Montreal Gazette* du vendredi précédent, texte tiré du *Journal of Commerce* de New York du vendredi matin et apporté par le vaisseau *Hibernia* arrivé de Liverpool le 4 août. Les journaux avaient déjà annoncé la dissolution de la Chambre et la tenue d'élections prochaines en France, tout comme ils avaient publié l'ordonnance et le discours de Charles X sur la dissolution parlementaire.

Après l'annonce des «Trois Glorieuses» journées des 27, 28 et 29 juillet, la presse publie de nombreux documents qui informent les lecteurs de la suite de la nouvelle Révolution: adresse des députés et de Louis-Philippe d'Orléans aux Français, proclamation de La Fayette, ordonnances de Charles X auxquelles les Français ont refusé de se soumettre, discours de Louis-Philippe d'Orléans à l'ouverture des Chambres jusqu'à la nouvelle du procès intenté aux ex-ministres de Charles X. L'événement frappe l'imagination, car la presse multiplie les textes sur l'adoption de *La Marseillaise* ou sur les interventions de Chateaubriand et de Lamartine tout en publiant le poème «À la jeune France» de Victor Hugo[11].

Dans des *Souvenirs* rétrospectifs écrits après les Rébellions de 1837 et de 1838, Amédée Papineau évoque 1830 et la petite révolution «à la Française» qui eut lieu au Collège des Sulpiciens de Montréal : «La révolution de 1830, en France, eut un immense retentissement au Canada. Les Mondelet, La Fontaine, Vallée, Rodier se pavoisaient dans les rues de Montréal avec des rubans tricolores à leur boutonnière. Cela se répercutait jusque dans les collèges. Et, à la rentrée des classes à l'automne, nous eûmes presque une insurrection dans celui de Montréal. Pour taquiner nos professeurs, que l'on voyait regretter la chute des Bourbons, on entonnait les couplets de *La Marseillaise* et de *La Parisienne* et l'on étalait des bouts de rubans aux trois couleurs[12].»

Si le *Vindicator* avait pronostiqué en janvier 1830 que la France «sera bientôt le théâtre d'une 2e révolution», *La Minerve* fait état en juin de mauvais présages : «Les hommes du passé ont attendu dans le silence et dans l'ombre, et dès qu'un pernicieux concours d'événements leur a permis de se montrer, ils sont venus avec arrogance redemander leurs existences évanouies, renonçant aux leçons de l'expérience, et fermant les yeux aux progrès immenses qui s'étaient faits pendant leur sommeil. De là le mouvement que le ministère Polignac a cherché à imprimer à la France.» Dès l'annonce des journées de juillet, le journal de Duvernay écrit, faisant allusion à la dissolution du Parlement et à l'abolition de la liberté de la presse : «Il faut avouer qu'un gouvernement est dans une situation bien extrême quand il se croit dans la nécessité de recourir à des expédiens de cette nature.» Il est clair pour la voix des Patriotes qu'«on ne se joue plus impunément des peuples, qui disposent à leur gré des couronnes[13]».

Très tôt, la presse bas-canadienne fait une lecture de la confusion constitutionnelle qui règne en France. *L'Observateur* tire du *Tableau historique des progrès de la civilisation en France* un extrait qui affirme : «Nous sommes aujourd'hui un composé de divers alliages ; la charte est le grand dissolvant qui tend à former, de toutes les substances diverses, un élément simple, un tout homogène. Le chimiste politique qui analyserait toutes ces substances vous dirait, en vous les montrant les unes après les autres : là sont les rêveries de l'ancien régime ; ici, les utopies républicaines ; là, les folies de l'empire ; plus loin, le délire de la gloire militaire. » Le *Vindicator* du 10 septembre 1830 se demande quelle sera la forme de gouvernement qui pourra convenir à la France tout en doutant que la république de type étatsunien soit appropriée. *La Gazette de Québec* voit se suivre les révolutions en France : « La France a fait évidemment des progrès immenses dans les connaissances nécessaires pour établir et maintenir un gouvernement libre [...] » ; le journal de John Neilson remarque que les événements récents font « espérer que la dernière révolution sera plus heureuse que celle qui l'a précédée », tout en traduisant un texte du *London Courier* qui avertit que si les Français vont vers la république, « qu'ils ne sortent pas de chez eux, et qu'ils ne travaillent pas à révolutionner d'autres pays ». Napoléon était toujours dans les esprits et dans la mémoire. La position de *La Minerve* sur la Révolution de juillet est un bon indice de l'importance simultanée des libertés et du constitutionalisme : 1830 « sera regardée comme caractéristique, dans l'histoire des empires, et surtout dans l'histoire de l'homme, de l'homme considéré dans la société, et regardé non comme un esclave soumis au caprice de quelques individus couronnés, mais comme un être raisonnable, doué d'intelligence, capable de perfectionnement, et dévoré du besoin impérieux de liberté ». Le journal patriote ajoute : « Les gouvernemens appelés constitutionnels sont donc des gouvernements de faits bien plus que des principes et des théories. [...] ; mais la république n'est pas populaire en France, ce nom rappelle encore les souvenirs de terreur de 1793. On préférera encore longtems sans doute la monarchie mitigée, parce qu'elle est dans les mœurs, parce qu'elle est l'anneau final d'une chaîne, à laquelle se rattachent toutes les autres institutions, qu'il faudrait autrement renouveler en entier ; parce qu'enfin elle offre plus de garanties que la république pour la sûreté extérieure et les relations pacifiques avec les autres états de l'Europe[14]. »

À nouveau, la situation française est l'occasion de penser à l'Angleterre et à ses institutions. Le *Vindicator* constate « how far the nation is behind in the enjoyment of those civil rights, to which Englishmen lay claim » ; *La Gazette de Québec* s'empresse de souligner les emprunts constitutionnels faits à l'Angleterre par la France : « Dans les amendemens faits à la Charte, la chambre a introduit plusieurs contre-parties de la constitution anglaise ; en effet ce grand modèle paraît être généralement son guide, et elle n'en a pas dévié essentiellement dans aucun point » ; le journal, toujours favorable aux Patriotes, observe: «L'un des avantages de la constitution anglaise c'est de pouvoir toujours être amendée[15].» L'empathie est telle pour la France qu'une souscription est levée par *La Minerve,* non sans que certains s'en étonnent ou que d'autres y voient un geste d'abord symbolique[16].

Un mois après son lancement, *L'Ami du peuple, de l'ordre et des lois,* qui est la voix ultra-loyaliste des sulpiciens en train de négocier leurs droits seigneuriaux avec Londres, entreprend de donner une autre signification à la Révolution de juillet en dénonçant «l'ambition démocratique, [la] violence populaire». Évoquant en 1834 les guerres et les révolutions sur «l'ancien continent», le rédacteur Pierre-Édouard Leclère, ou le rédacteur Michel Bibaud, écrit: «À la vue de tant de maux, de tant d'infortunes, quelle voix osera encore crier à la révolution, quel homme assez ennemi de son pays voudra plonger le Canada dans l'abyme de tant de misères, il n'en est point, nous osons le croire, mais s'il en était quelques-uns, que le peuple ferme l'oreille à leurs voix insensées; qu'il apprenne par l'histoire des nations à se préserver de tant de maux et qu'il se défie surtout des ambitieux qui cherchent à les précipiter dans la révolte. Nous ne croyons pas la révolution possible dans ce pays; mais si elle arrivait on verrait tous les promoteurs de troubles se cacher au jour du danger, et ne reparaître que si le triomphe de leur parti leur offrait toute sûreté.» À compter d'avril 1837, *Le Populaire* ajoute sa voix pour dénoncer les «Trois Glorieuses» sur lesquelles Papineau prendrait exemple[17].

La Belgique se sépare des Pays-Bas

Un mois après la Révolution de juillet en France, un mouvement révolutionnaire prend forme aux Pays-Bas et s'installe à Bruxelles en août, ce dont la presse bas-canadienne rend compte à partir de la mi-octobre 1830. En novembre, les journaux annoncent que le gouvernement provisoire de Bruxelles est prêt à déclarer l'indépendance de la Belgique. Les événements s'enchaînent rapidement: occupation d'Anvers, proclamation du Comité central, ouverture du Congrès national, reconnaissance de la Belgique par de grandes puissances, démarches comme en Grèce pour trouver une famille royale capable d'assumer l'établissement d'une monarchie constitutionnelle[18].

La Minerve insiste sur les tensions entre les communautés, arguant qu'il faut aux Wallons «des institutions franchement constitutionnelles et qu'il y a trop de disparité sous tous les rapports entre les Belges et les Hollandais, pour qu'un gouvernement marche avec facilité entre ces deux grandes divisions du royaume des Pays-Bas». Dès novembre 1830, *La Gazette de Québec* souhaite que les Belges ne «consentent à rien de moins qu'à une séparation d'avec la Hollande, et à l'établissement d'un gouvernement constitutionnel et libéral». Mais une série d'articles de Denis-Benjamin Viger, intitulée «Réflexions sur la Belgique», qui est publiée dans *La Minerve* en mai 1831 et qui sera reprise en brochure, traduit le mieux la perception que les Canadiens français pouvaient avoir des revendications nationalitaires de la Belgique. Conscient qu'il y a peu sinon pas de relations entre la Belgique et le Bas-Canada, Viger n'en considère pas moins les événements des Pays-Bas comme «une source de réflexions éminemment utiles au peuple du Bas-Canada». Faisant l'histoire de la Belgique, Viger, bien au fait des revendications politiques du Bas-Canada, observe «qu'avant d'en venir à une résistance ouverte, les Belges avaient pendant longtemps fait entendre leurs réclamations». Il reconnaît que la Constitution «mettait en présence deux peuples animés l'un contre l'autre par des rivalités anciennes, des haines pour ainsi dire héréditaires depuis des siècles» et fait un inventaire des maux politiques des Pays-Bas : représentation parlementaire inégale entre Hollandais et Belges, nomination de Hollandais surtout à la Chambre haute et dans la fonction publique, royauté mal conseillée dont il tire une interrogation : «Dans quelle situation nous trouverions-nous aujourd'hui si la faible minorité qui a eu assez d'influence ici pour paralyser à la fois les intentions du gouvernement lui-même pour s'entraîner dans l'erreur dans plus d'une occasion, et les vœux du pays, avaient pu exercer sur la majorité un pouvoir sans bornes et nous traiter comme les Hollandais l'ont fait des peuples de la Belgique?» Faisant état des restrictions faites par les protestants à l'égard de collèges catholiques avec l'intention de «produire graduellement une fusion des deux peuples, en amenant les Belges à des sentimens analogues sur les matières de religion», Viger évoque l'histoire des écoles de l'Institution royale, des biens des jésuites et du Séminaire de Montréal et des réserves du clergé protestant.

La matière à comparaison avec le Bas-Canada ne manque pas : après les institutions politiques et la religion, Viger aborde la question de la langue, rappelant que les Belges étaient forcés d'utiliser le hollandais devant les tribunaux, dans les écrits juridiques et les conventions, et faisant allusion à la «morgue froide et insultante de cette armée de fonctionnaires hollandais». Avec à l'esprit les combats menés par les Canadiens français, il écrit: «Telles sont toujours les conséquences nécessaires des tentatives faites pour établir un régime exclusif en faveur d'une classe d'hommes particulière dans une société, au lieu de placer tous les citoyens sans distinction sous l'égide de lois égales.»

Le souvenir du projet d'Union de 1822 rappelle à Viger ce qui aurait pu se passer de similaire au cas belge: partage de la dette — «C'était leur faire payer le prix du joug qu'on leur avait imposé en les unissant à la Hollande» —, représentation égale et non proportionnelle — «On aurait pour ainsi dire noyé la représentation du Bas-Canada» —, abolition de l'usage du français et de la juridiction de l'évêque catholique. L'auteur des articles comprend 1830 à la lumière de 1815, du traité de Vienne et de la Sainte-Alliance qui se partagea les nations: «Ce fut au milieu des camps qu'on se les divisa et qu'on les répartit entre les souverains comme on fait d'un butin pris sur l'ennemi»; ce faisant, «on jetta dès lors les germes de nouvelles révolutions qui devaient nécessairement éclater dès le moment où il se présenterait pour ces peuples une occasion de secouer des chaînes qu'ils ne recevaient qu'en frémissant». Dès 1830, Viger énonce le leitmotiv qui prépare la formulation du principe des nationalités que Parent et Papineau reprendront: «or nulle nation ne veut obéir à une autre par la raison toute simple qu'aucune nation ne sait commander *à une autre*». Il se félicite néanmoins de ce que le Canada soit une colonie britannique: «C'est en laissant aux habitans de la plupart de ses colonies, la surveillance et la conduite de leurs intérêts, l'emploi des impôts prélevés sur eux, la législation intérieure enfin, que l'Angleterre a jeté les fondemens de leur prospérité […].» Il poursuit en proposant que dans les colonies britanniques «les peuples ne sont pas sans cesse tourmentés de la crainte de voir les caprices d'un individu, les fantaisies du pouvoir du jour, la cupidité d'employés qui changent d'un moment à l'autre ébranler l'édifice de leurs droits; au contraire ils ont sur cet article la plus sûre de toutes les garanties possibles: leur sort est entre leurs mains». Viger conclut ses réflexions en affirmant que «notre cause est celle de notre métropole elle-même[19]».

« Varsovie n'est plus à nous »

La nouvelle de l'insurrection de Varsovie du 29 novembre 1830 paraît dans *La Minerve* du 7 février 1831 et est tirée du *Journal de Paris* du 14 décembre 1830 arrivé à New York le 30 janvier à bord du *Sovereign* qui avait quitté Londres le 20 décembre. La presse publie divers documents officiels — manifeste à la nation, adresse du gouvernement au peuple de Pologne et aux Lithuaniens, texte de la capitulation de Varsovie, lettre du ministre des Affaires étrangères reconnaissant en janvier 1832 que «Varsovie n'est plus à nous» — et plusieurs esquisses historiques ou biographiques de leaders polonais[20].

La presse bas-canadienne est attentive à la présence de la France aux côtés des Polonais; elle souligne la grandeur du pavillon blanc de la Pologne et du Tricolore de la France dans l'insurrection, informe ses lecteurs de la souscription levée en France en faveur des Polonais, publie le manifeste du Comité central français à l'appui de la Pologne et l'adresse de La Fayette qui assure la Pologne de l'aide de la France: «Dombrowski, Kosciusko, Poniatowski, noms qui appartiennent à la France autant qu'à la Pologne, vos compatriotes invoquent notre aide, et elle leur sera accordée.» Pour bien faire voir l'impulsion donnée par la France à la liberté, La Fayette ajoute: «Déjà les Grecs vous bénissent; que la Pologne ait à reconnaître qu'elle vous est redevable en partie de son indépendance et de sa liberté[21].»

La presse se réjouit aussi de l'évolution de la situation particulière de la Pologne. *La Minerve* traduit un texte du *Bell's Messenger* qui déclare: «Tout homme de quelque sensibilité doit se réjouir de la tentative qu'a fait ce peuple pour reconquérir la liberté [...]. Quelque soit la sympathie éprouvée pour la France et la Belgique, on doit se rappeler qu'elles possédaient des formes libérales de gouvernement, tandis que les Polonais étaient presque les seuls esclaves non-émancipés en Europe.» *La Gazette de Québec* estime qu'il «paraît même probable que Nicolas permettra la séparation de la Pologne et qu'il accordera aux Polonais une constitution assez libre. Les Polonais méritent cela. Jamais peuple ne s'est montré plus guerrier et plus enthousiasmé de la liberté.» Une analyse intitulée «De la nationalité polonaise», que *La Minerve* reproduit du *Journal des Débats* de Paris, affirme que: «Nulle part on ne peut mieux étudier que sur la Pologne ce que c'est que la nationalité, quel est ce principe mystérieux et puissant de la vie des peuples.» La nationalité se reconnaît à deux signes: la révolte et «la puissance que les peuples ont de produire de grands caractères». L'analyse se termine par une question: «Quelle sera donc la destinée de cette grande et singulière nation à qui il semble aussi impossible de vivre que de mourir?» Quant au texte que *Le Canadien* traduit du *Times* de Londres, il propose un dernier espoir américain aux Polonais désenchantés : « Polonais, sortons de ce malheureux pays qui n'est plus maintenant le nôtre, quoique baigné du plus beau sang de ses défenseurs ; sortons de l'Europe, froide spectatrice de notre lutte et de notre désespoir. L'Amérique est le seul pays digne d'offrir l'asyle à des hommes qui ont tout sacrifié pour la liberté ; nous y porterons la Pologne dans nos cœurs[22]. »

Assez rapidement, le cas polonais devient un repoussoir pour *L'Ami du peuple* et bientôt pour *Le Populaire*. Le journal des sulpiciens, qui reconduit la pensée contre-révolutionnaire tout en tentant de faire échec aux Patriotes, estime que les maux dont ont souffert la Pologne, l'Espagne et le Portugal devraient convaincre les Canadiens de se satisfaire du système qui est le meilleur et qui « comporte le moins d'imperfections ». Encore en 1838, *Le Populaire* distingue la Pologne du Bas-Canada : « Les Canadiens ne sont, en aucune manière, à comparer avec les peuples que nous venons de citer [Grecs, Polonais, Belges], et les sympathies doivent être mesurées sur leur véritable situation politique, non point sur les déclarations de quelques uns de leurs enfans mécontens. Les Canadiens ne formèrent jamais une nation indépendante, ils n'ont aucune nationalité à revendiquer, aucune liberté à reconquérir. » *Le Populaire* suivait en ces matières la position de Mgr Lartigue qui, dans son mandement du 24 octobre 1837, se référait au Bref des évêques polonais condamnant la ligne révolutionnaire des catholiques polonais libéraux[23].

La répression de la révolution polonaise par le tsar incite les journaux bas-canadiens à chercher une explication à l'insuccès des patriotes polonais. À la faiblesse militaire, aux désaccords des chefs militaires, à la fureur des partis et à la « fièvre des discordes », *La Minerve* ajoute la persistance de la féodalité : « Si les différentes révolutions de la Pologne n'ont point présenté ces caractères et ces triomphes, cela tient à la faute de ceux qui se disaient patriotes et qui ne l'étaient pas assez, ou du moins qui n'avaient pas exécuté toutes les obligations imposées par ce beau titre. La Pologne est une contrée encore imprégnée de principes féodaux : deux classes d'individus s'y remarquent seules : les nobles, qui sont riches et orgueilleux ; les paysans, qui sont pauvres et serfs[24]. »

Le Bas-Canada et l'Irlande : même combat, même stratégie ?

Comme partie de l'Empire britannique, l'Irlande a intéressé les Bas-Canadiens bien avant la Révolution de juillet en France et l'éveil des nationalités en Belgique ou en Pologne. Déjà avant 1830, l'émigration irlandaise vers le Bas-Canada et la question de l'émancipation politique des catholiques attirent l'attention de la colonie britannique d'Amérique du Nord. Depuis les premières requêtes des catholiques en faveur de la plénitude de leurs droits politiques et civiques en 1824 jusqu'au rappel de l'Union en 1833 en passant par la création de l'Association catholique, par la question de l'admission des catholiques à la Chambre des Pairs, par l'arrestation et le procès de Daniel O'Connell ou par l'élection de celui-ci et son premier discours à la Chambre des communes, la presse canadienne a suivi de près les événements d'Irlande, en particulier le *Spectator* qui devient l'*Irish Vindicator* puis le *Vindicator*.

Jusqu'à la fondation du *Spectator* en 1823, la situation de l'Irlande sert d'abord à alimenter les rivalités locales de la presse. *La Gazette de Québec* s'en prend au *Quebec Mercury* et à ses alliés qui appellent «à grands cris cette politique de fer et de feu qui a successivement écrasé et consumé l'Irlande». *Le Canadien* évalue que la situation des Canadiens est meilleure que celle des Irlandais mais que la question des réserves du clergé protestant au Bas-Canada et celle de l'abolition du régime seigneuriale qui laisserait le clergé catholique financièrement dépourvu constituent des problèmes délicats. L'analyse de la situation irlandaise suggère que celle-ci est due «à la négligence, à la sottise, à la témérité, à l'orgueil insupportable, et au despotisme des hommes constitués en autorité dans ce pays», à «la race des petits tyrans qui ont été les premiers auteurs de cet état horrible de la société». Quant aux remèdes proposés, *Le Spectateur canadien* doute de leurs effets: «on propose comme de coutume contre le mal, non des remèdes qui les coupent dans la racine, mais qui l'engourdissent momentanément, tels que la suspension de l'*habeas corpus* et la remise en force de celui qu'on appelle *bill d'insurrection*». Déjà en 1822, au moment d'un nouveau projet d'Union, *Le Canadien* réfléchit à partir du cas irlandais aux conséquences d'une telle initiative: «Qui sait ce qui arrivera dans ce pays si nos ennemis viennent jamais à obtenir une majorité dans notre chambre? Pouvons-nous nous attendre à un sort meilleur que les Irlandais[25]?»

Le nouveau *Spectator* ne tarde pas à observer que dans la colonie: «A faction will make the province a second Ireland.» D.-B. Viger, qui poursuit sa réflexion sur la situation coloniale et internationale, considère qu'on «n'a jamais mis plus de constance dans l'exécution d'un projet que dans celui d'anglifier l'Irlande». *La Minerve* invente un dialogue entre Pierrot Campagnard et Jean-Baptiste Bourgeois pour sensibiliser ses lecteurs à la question de l'émancipation des catholiques. Pierrot se demande « si ces gens-là sont aussi misérables qu'on le dit » ; Bourgeois explique : « En effet, mon bon ami, ces Catholiques sont privés d'envoyer au Parlement d'Angleterre, des représentans catholiques, ils sont forcés de choisir des protestans ; on leur fait payer une véritable dîme (non pas le vingtième comme vous autres heureux habitans !) ; et à qui ? à des Ministres Protestans qui les détestent, les abhorrent et crient continuellement que les Catholiques irlandais sont bien comme ils sont. » Pierrot, pensant au Bas-Canada : « mais dites-moi donc, tous ces Anglais qui demeurent par ici, sont-ils du bord de ces hommes-là ? » ; Bourgeois répond qu'une grande partie sont « du bord » des oppresseurs et qu'il faut être vigilant : « ça nous loue d'être bons Catholiques, tandis que quand ils parlent des Catholiques d'Irlande, ce sont des chiens à tout brûler ». À propos du roi qui a choisi Canning, favorable à l'émancipation, comme ministre, Pierrot reconnaît : « Mais notre Roi, j'n'en reviens pas, il faut qu'il ait un cœur plus grand que notre presbytère, pour avoir pu choisir un homme qu'il aimait pas. » Au même moment, O'Connell appuie les catholiques du Bas-Canada sur la question des subsides et de la liste civile[26].

À compter de septembre 1828, l'appui à l'Irlande se consolide et se concrétise dans la création de Sociétés d'amis de l'Irlande à Montréal, à Québec et à Trois-Rivières. Les grandes figures comme le D^r O'Callaghan ou Cassidy y prennent la parole à l'occasion de réunions diverses. À Trois-Rivières, Dominique Mondelet lit un projet de lettre adressée à O'Connell décrivant la position des amis trifluviens de l'Irlande : « Animés par le sentiment de la condition malheureuse du peuple irlandais, portés à y compatir, par la voix de l'humanité, guidés par celle de la raison, et mus par l'intérêt qu'ils prennent au bien-être et à la prospérité de l'Empire Britannique… », les Bas-Canadiens admirent la stratégie de l'Association catholique en Irlande qui « fait sans difficulté, ce que les proclamations, les menaces, les canons ne peuvent même commencer. C'est donc le patriotisme aux prises avec l'intolérance, la raison avec les préjugés, qui ont donné naissance à l'Association. » Mondelet, qui reprend le leitmotiv des nationalités — « nul homme n'a de juridiction coercitive sur nous » —, se fait critique à l'égard de la métropole : « Voilà donc l'Angleterre au niveau de l'Espagne et de Constantinople, et recevant des pays catholiques l'exemple de la libéralité, et des pays protestants les reproches les plus sanglans sur l'obstination de ceux qui dirigent ses conseils. » Le Dr Wolfred Nelson se lève, se déclarant protestant mais précisant qu'il ne pense pas pour autant que le protestant soit supérieur au catholique. Le Dr Kimber cherche pour sa part à comprendre l'acharnement de l'Angleterre en Irlande : « La glorieuse Angleterre auroit subi tous les désastres résultans de révolutions, des guerres civiles, pour obtenir sa grande charte, le palladium sacré de la liberté nationale ; elle aurait versé son sang, dépensé ses trésors pour délivrer l'Europe de l'asservissement où allait la réduire le plus puissant de ses ennemis, elle aurait du sein de ses conseils déterminé l'abolition du traffic d'esclaves en Afrique, elle aurait favorisé l'indépendance des Grecs, reconnu celle d'une partie des Colonies Espagnoles », mais à l'égard de l'Irlande, « elle nourrirait encore dans son sein un esclavage aussi déraisonnable qu'impolitique ? »

Au moment où un comité de la Chambre des communes fait enquête sur les affaires du Canada, le député Vallières de Saint-Réal intervient dans *La Gazette de Québec* et y communique ses inquiétudes : « tant que les catholiques irlandais seront persécutés à cause de leur religion, il n'y aura de sûreté pour aucun catholique dans aucune partie de l'Empire ». Il compare le Canada et l'Irlande, deux dépendances de l'Empire britannique, deux pays de conquête ; mais à la différence de l'Irlande, la religion n'est pas gênée au Bas-Canada, selon lui, c'est plutôt à sa langue, à ses lois et à ses institutions qu'on en veut. Moins la métropole d'ailleurs que l'administration coloniale : « Pourquoi ne ressemblons-nous pas à la malheureuse Irlande ? Il n'y en a qu'une seule raison : c'est que nous possédons la majorité dans la représentation du pays. » Tant que les Canadiens français conserveront la majorité parlementaire, le Bas-Canada ne deviendra pas « l'Irlande du nouveau monde[27] ».

Le *Canadian Spectator* devient l'*Irish Vindicator* le 12 décembre 1828, quatre mois avant que ne s'amorce le dernier droit des revendications en faveur de l'émancipation des catholiques à la Chambre des communes en avril 1829. En mars, les Communes votent majoritairement en faveur de l'émancipation et la Chambre des Lords finit par y consentir en mai, permettant du coup à O'Connell de faire son entrée à la Chambre des communes. Le leader irlandais catholique entreprend alors une nouvelle campagne en faveur du rappel de l'Union entre l'Angleterre et l'Irlande[28].

L'émigration et une organisation locale des Irlandais immigrés donnent à ceux-ci une visibilité nouvelle au Bas-Canada et imposent leur présence comme donne nouvelle dans la politique et dans la stratégie des Patriotes. Après l'obtention de l'émancipation, l'*Irish Vindicator* passe aux mains d'intérêts canadiens-français en juillet 1829 et devient le *Vindicator* en novembre 1832. L'arrestation de Duvernay de *La Minerve* et de Tracey du *Vindicator* et leur emprisonnement soudent les bonnes relations entre les Canadiens français et une partie des Irlandais du Bas-Canada qui se battent aussi pour l'électivité du Conseil législatif. Une partie seulement, car l'élection partielle sanglante de mai 1832 à Montréal indique bien par le résultat du vote — quatre voix de majorité en faveur de Tracey — le partage du vote irlandais et les tensions au moment du choléra[29].

Le *Vindicator* de Tracey tient la dragée haute ; il avertit la métropole que « the governing must be just, if the governed are to be obedient ». La voix des Patriotes irlandais, qui considère que le « bill » d'émancipation ne va pas assez loin, dit savoir par expérience comment procèdent les métropoles : « Never there was a concession yet made by the dominant authority of Great Britain to Ireland but when under the convincing power of absolute necessity. » Le journal observe que l'Angleterre « is still leaning to the old machiavillian maxim *divide et impera* ».

La comparaison entre Papineau et O'Connell s'impose dès 1833 ; un correspondant de Duvernay lui écrit : « Si Mr. Papineau [...] adressait aux gens des campagnes de temps à autre sur les affaires de la province quelques petites leçons comme a fait O'Connell en Irlande, il en résulterait un grand bien et avant peu nos campagnes seraient préparées à tout. » O'Callaghan, placé à la direction du *Vindicator* en mars 1833 par les nouveaux propriétaires canadiens-français, écrit à propos de Papineau : « God has marked this man to be a Political Chief, the regenerator of a nation », comme O'Connell. L'agent de la Chambre d'assemblée à Londres, A. Roebuck, déclare de son côté : « The persecutions of Ireland have produced O'Connell, the misgovernment of Canada [...] has produced its O'Connell also in the person of Mr. Papineau. » Encore, lors de la première assemblée populaire tenue à Saint-Ours-sur-Richelieu, on propose de se rallier autour de « l'O'Connell canadien[30] ».

Les symboles sont ainsi mis à contribution, y compris la fête patronale des Canadiens français, la Saint-Jean-Baptiste, associée à la Saint-Patrick. En 1834, on lève des « santés » à Papineau et à O'Connell, à Duvernay et à O'Callaghan, à l'union entre les Irlandais et les Canadiens, aux 92 Résolutions. En 1835, on lève les verres à Bourdages, à Bédard, à Waller, à Tracey, à la société Aide-toi et le ciel t'aidera ; Viger fait un discours sur « L'union fait la force », Rodier sur « Le peuple, source légitime de tout pouvoir politique » dans lequel il affirme que « Nul n'a été créé pour exercer sur les autres un pouvoir arbitraire ». Rodier, l'homme des célébrations de Juillet 1830, fait référence aux *Paroles d'un croyant* et soutient que « la doctrine de l'obéissance passive est aussi infâme que ridicule ». De Bleury, pour sa part, parle du roi d'Angleterre et déclare : « il était au bord du précipice ; le peuple l'a sauvé » ; C.-O. Perrault dit quelques mots sur « Les institutions électives », le colonel De Boucherville sur « La milice canadienne », Girod, autre admirateur de 1830, fait un « Éloge de Daniel O'Connell » et de Marconnay célèbre « La liberté de la presse ». On lit une lettre d'O'Callaghan qui compare « St. Jean Baptiste et St. Patrick » et suggère que leur « vie fut une vie de dévouement pour la cause de la Réforme[31] ».

Mais les sulpiciens, *L'Ami du peuple*, l'*Irish Advocate* (1835-1836), la voix des tories et des orangistes locaux, et *Le Populaire* ont une autre vision de la situation irlandaise et de son leader, Daniel O'Connell. Pour *L'Ami du peuple*, la situation de l'Irlande s'explique par la trop grande libéralité du gouvernement whig. Le journal publie fréquemment les discours du roi d'Angleterre, où celui-ci exprime sa volonté « de purifier l'Irlande et d'y réprimer tous les mouvements », et commente ainsi son attitude : « Cette recommandation nous semble un augure peu favorable pour les mécontens du Bas-Canada. » De son côté, *La Gazette de Québec* ne manque pas de souligner qu'O'Connell s'est dit en désaccord avec une branche intermédiaire élective de la législature — le Conseil législatif — sous une monarchie tout en soulevant quelques questions sur les usages faits du « tribut O'Connell » et sur la possible création d'un similaire « tribut Papineau ».

Au moment où, en avril 1837, O'Callaghan lance au Bas-Canada le cri de ralliement d'O'Connell — « Hurrah for Agitation », « Agitate ! Agitate ! » — et où Roebuck déclare aux Communes que « si nos possessions s'étendent au-delà de l'Atlantique, notre justice s'y étend aussi », *Le Populaire* prétend que le joug n'est pas insupportable, tout en soulevant la question de la préparation à la lutte et de la disponibilité de chefs. *L'Ami du peuple* refuse toute analogie entre le Bas-Canada et l'Irlande, niant toute forme de domination religieuse ou politique au Bas-Canada : « Serait-ce de la domination politique ? Mais ce serait d'un parfait ridicule. Il n'y a pas ici de domination de parti ; pas plus qu'il n'y a d'aristocratie ; il n'y a pas au monde une république qui puisse offrir le tableau d'une semblable égalité[32]. »

La campagne de *L'Ami du peuple* et du *Populaire* contre l'identification du Bas-Canada à l'Irlande et la comparaison Papineau-O'Connell s'intensifient au moment où s'organisent les assemblées populaires au printemps 1837. *L'Ami du peuple* soutient que «les Canadiens n'ont rien de tous ces fléaux à combattre», tout en ironisant sur «nos petits grands hommes [qui] nous présentent sans cesse Papineau comme l'O'Connell du Canada, et cependant Papineau fait pour son pays tout le contraire de ce que fait O'Connell pour l'Irlande». Il importe donc pour le journal des sulpiciens de convaincre les Irlandais du Bas-Canada de dissocier leur pays d'origine et leur pays d'adoption: «nous demanderons seulement aux enfans de l'Irlande ce que ce peut avoir à faire avec ce qui se passe en Canada. Lors même qu'il serait vrai que le gouvernement ait eu de grands torts envers l'Irlande, serait-ce pour les Irlandais une raison de se soulever ici, s'ils s'y trouvent un gouvernement juste, protecteur et doux, et des droits parfaitement égaux.»

Le Populaire dénonce Papineau comme «l'agitateur en chef» et estime aussi que «la cause des Irlandais en Canada doit à jamais être détachée du chef des contrebandiers Canadiens», allusion à la stratégie récente du Parti patriote. Mettant celui-ci en contradiction eu égard à son opposition à l'immigration, le journal stigmatise «nos révolutionnaires, qui veulent abattre le trône et l'autel, qui méprisent les Irlandais, parce que ce brave peuple est loyal comme le désire le grand O'Connell[33]».

Les sulpiciens ne se préoccupent pas seulement des Irlandais dans leur journal; ils joignent le geste à l'écrit et, avec le clergé, s'assurent que le père MacMahon dénonce les Irlandais supporteurs des Patriotes ou chargent l'abbé Phelan «de contrarier la propagande d'O'Callaghan et de son *Vindicator* parmi les Irlandais de Montréal». Trois mois après la destruction de l'atelier du *Vindicator* par les loyaux du Doric Club, l'abbé Maguire publie dans *La Gazette de Québec* et bientôt en brochure la *Doctrine de l'Église d'Irlande et de celle du Canada sur la révolte* qui plaide en faveur du droit d'intervention de l'Église dans les matières du gouvernement civil[34].

Les Amériques : les États-Unis (1776) et la question du Texas (1836)

La réalité et l'image de la guerre de 1812 entre le Canada et les États-Unis s'estompent progressivement après 1815 même si la victoire de Château-guay est évoquée à l'occasion. La familiarité avec le grand voisin qui a fait son indépendance est telle qu'à partir de 1830 la presse bas-canadienne publie le message du président à la nation, de Monroe à Van Buren en passant par Jackson[35]. Il n'est pas rare non plus que le *Vindicator* ou *La Minerve* reprenne le texte de la Déclaration d'Indépendance ou publie des extraits d'une « Histoire de la Révolution américaine », et ce surtout en 1837[36].

Si le succès de la Grande République est donné en exemple par Papineau et les Patriotes après 1830, les journaux n'en évoquent pas moins, à partir de 1833, la réalité de l'esclavage dans le Sud et les initiatives abolitionnistes. Inventant aussi une conversation entre deux « habitans canadiens », *Le Populaire* affirme pour tempérer l'enthousiasme pro-étatsunien des Patriotes : « Je ne puis entendre appeler LIBRE un pays où règne l'esclavage[37]. »

L'intérêt soutenu pour les États-Unis est aussi perceptible dans le soin que prend la presse de reproduire des récits de voyages ou des observations sur la situation américaine. On publie des extraits de l'analyse du système pénitentiaire d'Alexis de Tocqueville et de Gustave de Beaumont, de longs passages de l'ouvrage de Tocqueville *De la démocratie en Amérique*, quelques pages des *Lettres sur l'Amérique* de Michel Chevalier ou de *Marie, ou de l'esclavage aux États-Unis* de G. de Beaumont[38].

Mais c'est la déclaration d'indépendance du Texas à l'égard du Mexique en mars 1836 qui polarise l'attention sur l'actualité étatsunienne au moment où le Bas-Canada attend toujours une réponse aux 92 Résolutions. *L'Ami du peuple* ne tarde pas à voir que le cas texan peut devenir un modèle de rapport du Bas-Canada aux États-Unis, en particulier pour les Patriotes qui voient les États-Unis « comme l'arc-en-ciel de la liberté ». Ayant à l'esprit les attentes des Patriotes à l'égard des États-Unis, le journal insiste sur le fait que le gouvernement étatsunien est resté étranger aux initiatives du Texas jusqu'à ce qu'une « reconnaissance de la part des anciens maîtres soit venue légitimer la révolte ». À l'adresse des « prétendus Patriotes » qui s'opposent à l'immigration alors que le Texas appelle à l'immigration, le journal de Montréal rappelle que « la république du Mexique n'était pas de taille à lutter contre les États-Unis ». Et toujours vigilant à l'égard de *La Minerve* ou du *Libéral* de Québec qui fait une analogie entre la révolution étatsunienne et la situation au Bas-Canada, *Le Populaire* écrit le 4 octobre 1837 : « depuis longtemps, nous nous sommes appliqués à démontrer l'inutilité d'une expectative dans la sympathie des États-Unis. Nous avons prouvé, jusqu'à l'évidence, que ni les intérêts ni les affections de nos voisins ne pourraient compenser les risques, les pertes et les conséquences immenses qui militaient contre une semblable coopération.» Le journal antipapineauiste, rédigé par Leblanc de Marconnay, qui passe de *La Minerve* au *Populaire* puis à *L'Ami du peuple*, insiste sur l'«énorme différence» qui existe entre le Texas et le Canada : «Les Texiens appartenaient à l'une de ces républiques insolites de nouvelle date, qui portent tous les germes d'une révolution dans leur sein», façon de faire comprendre qu'on n'a pas affaire à la Grande-Bretagne. Et puis, au Canada, on est loin du compte : «Les Texiens ont repoussé les Mexicains, ils sont maîtres de leur territoire, ils ont déclaré leur indépendance, ils ont soutenu des combats violents pour l'obtenir et la consolider. En Canada, tout reste à faire[39].»

Les « Patriotes » de l'Amérique du Sud

«Il y a environ un demi-siècle, l'Europe était à peu près la seule partie du monde qui fournit matière aux feuilles périodiques ; les journalistes ne parlaient guère alors de l'Asie, de l'Afrique ou de l'Amérique, qu'à l'occasion de l'arrivée d'un vaisseau de découverte ou d'un voyageur célèbre ; aujourd'hui la matière et la besogne sont doublées, en conséquence de l'apparition du continent américain sur l'horizon politique.» Ce commentaire du *Spectateur canadien* du 6 juillet 1822 rend bien compte de la place faite par la presse bas-canadienne aux événements qui secouent les colonies d'Amérique du Sud et leurs métropoles depuis 1808, année de l'amorce des mouvements d'émancipation coloniale. De 1815 à 1837, les journaux abondent en information sur la situation militaire et politique surtout en Argentine, au Chili, au Pérou, au Venuezela, en Colombie, en Équateur et au Mexique. Le nom des grandes figures circule dans la presse : Bolivar, San Martin, O'Donnell, O'Higgins. On publie des biographies et des discours de Bolivar, des renseignements sur les moments décisifs comme le congrès de Tucuman du 9 juillet 1816, qui déclare l'indépendance des provinces du Rio de la Plata, et quantité de proclamations de militaires et d'hommes politiques[40].

Le lecteur de la presse peut apprécier les répercussions qu'ont eues en Espagne les guerres napoléoniennes et comprendre comment les difficultés intérieures de l'Espagne et du Portugal expliquent en partie les initiatives et les succès d'émancipation coloniale dans leurs colonies d'Amérique méridionale. Si, compte tenu des répressions intérieures, *La Gazette de Québec* évalue que l'Espagne n'est pas encore un pays prêt pour un système de gouvernement libéral, *Le Canadien* de Parent n'est pas favorable à une intervention de la France en Espagne pour au moins deux raisons : le souvenir des campagnes de Napoléon est encore très vivace et le principe de l'autonomie des nations est manifestement en cause[41].

Compte tenu de la situation intérieure de l'Espagne, le message récurrent de la presse bas-canadienne consiste à répéter que l'Espagne ne devrait pas persister à vouloir conserver ses colonies et que « l'ingrat » ne peut « espérer de jamais redevenir possesseur de tout ce qu'il a perdu », car on aura d'ici un an réussi « à effacer du Continent Méridional jusqu'au moindre vestige de la puissance Espagnole ». Les journaux insistent sur le despotisme des gouvernements de l'Espagne et du Portugal, sur la tyrannie de la vieille Espagne et sur une « féodalité dont on n'a presque pas d'idée de ce côté-ci de l'Atlantique[42] ».

La double crise métropolitaine et coloniale révèle à nouveau les jeux de la Sainte-Alliance et *Le Canadien* se félicite de ce que le Bas-Canada ne connaisse pas les pressions de cette alliance de monarchies absolues : « Nous ne savons quel seroit au juste notre sort, si en ce moment nous tombions entre les mains des Saints Alliés, (peut-on profaner jusqu'à ce point le mot Saint !) mais ce dont nous sommes bien certains, c'est que nous ne serions jamais à la peine de professer dorénavant une si mauvaise doctrine. Bénissons donc le ciel de nous avoir fait naître dans un empire où l'on peut dire hautement tout ce qui est juste. Nous sommes nés sur le sol de la liberté, nous à qui la liberté a été si libéralement donnée, payons le plus vif intérêt à ceux que l'on va voir bientôt combattre pour se la conserver. » À nouveau, la Sainte-Alliance n'a pas bonne presse ; on la qualifie « d'instrument du despotisme », de ligue de têtes couronnées opposées à la république et favorables à l'esclavage, de « tête hideuse » du despotisme, de monarques « qui s'arrogent le droit de régler les affaires intérieures des nations étrangères, ou même de les punir de ce qu'elles font chez elles » ; *Le Spectateur canadien* ajoute : « c'est ce nous semble, une chose inouïe dans les fastes de l'histoire ancienne et moderne[43] ».

Tout autant que les membres de la Sainte-Alliance, les puissances de l'époque doivent donc réagir à ces « choses inouies » et devant « ces républiques insolites de nouvelle date ». Et au premier titre, les États-Unis d'Amérique dont on dit dès 1819 qu'ils commencent à penser à la reconnaissance des nouveaux États indépendants du Sud. Le président Monroe tient encore à la neutralité de son pays au début 1822 tout en constatant que l'indépendance est acquise en Argentine, en Colombie et au Mexique, ce avec quoi *Le Spectateur canadien* se dit d'accord. Puis les États-Unis reconnaissent l'indépendance de l'Amérique espagnole en 1822 et 1823 avant que Monroe ne déclare en 1825 sa fameuse «doctrine» de non-ingérence des pays d'Europe dans les affaires des Amériques. La Grande-Bretagne reconnaîtra l'indépendance du Mexique, de l'Argentine et de la Colombie en 1825, au grand dam de la Sainte-Alliance, et la France appuiera le Mexique en 1827[44].

Les reconnaissances internationales tardent aussi en raison de la confusion relative qui règne en Amérique du Sud. *La Gazette de Québec* écrit en 1818: «Quant à l'Amérique méridionale, la confusion et toutes espèces d'atrocités y ont régné ces dix dernières années, et continueront encore à régner probablement plusieurs années»; le journal explique ainsi cette confusion: «Un peuple composé de différentes races et de différens pays, sans éducation ou vertu publique, aspire à se gouverner lui-même, conduit par des chefs dont plusieurs paraissent sans caractères ou principes, conduits par tout autre motif que celui du bien-être général.» *Le Canadien* ne se fait pas d'illusions sur les motifs et comportements de certains nouveaux pays: ce n'est pas parce que le Chili a secoué le joug de l'Espagne que «c'est le peuple le plus libre, le plus éclairé et le plus philanthropique du monde[45]».

Ces «républiques insolites de nouvelle date» apparaissent telles parce que se posent en même temps la question de l'indépendance et celle de la forme de gouvernement la plus appropriée: «Tandis que tous, ou presque tous les peuples de l'Europe tendent vers le gouvernement monarchique constitutionnel et représentatif, ceux de l'Amérique méridionale penchent vers le régime républicain. Ce n'est pourtant pas l'amour de la liberté, mais celui de l'indépendance qui agite les Américains Espagnols. L'indépendance est sans doute pour un peuple un bien inestimable; mais il faut qu'il sache en user: si tous les peuples de l'Amérique espagnole devaient se conduire comme a fait depuis quelques années celui de Buenos Ayres, il leur serait infiniment plus avantageux de demeurer soumis au Roi constitutionnel de la vieille Espagne.» La même réserve est exprimée à propos du Paraguay qui, toute république que soit ce pays, semble se comporter comme la France d'après 1789 avec sa politique de déportations, d'exils et de bannissements, et à propos du Mexique où le «sacre» de «l'Empereur» Iturbide est qualifié de «farce solennelle». *Le Spectateur canadien* définit ce qu'il entend par la «vraie liberté»: «Quoique devienne la liberté de l'Espagne Européenne, l'indépendance de l'Amérique Espagnole est assurée; la vraie liberté, c'est-à-dire celle qui est accompagnée de la sagesse, de la modération et de la justice, ne s'y établira peut-être pas incontinent ; mais il n'est pas à croire que l'exemple des États-Unis soit perdue pour elle ; le Mexique à la vérité paraît vouloir différer quant au régime politique des autres provinces qui ont secoué le joug de l'Espagne ; mais que cet état soit une république, un royaume ou un empire, qu'il soit gouverné par un seul homme ou plusieurs, le nombre des partisans de la liberté y est trop considérable, comme il a paru par la première révolution pour que le despotisme s'y puisse maintenir longtems, quand même Iturbide et ses partisans seraient pour cette espèce de gouvernement, comme quelques-uns l'ont cru. »

Le cas particulier du Brésil, qui acquiert de façon inédite son indépendance du Portugal, invite à d'autres réflexions : « le Brésil conserve encore une apparence de dépendance ; il ne reste plus que de savoir si les Brésiliens seront plus heureux comme républicains, que comme sujets d'un gouvernement monarchique aussi modéré que l'est présentement celui de la métropole ». *Le Spectateur canadien* y trouve l'occasion d'expliciter son penchant pour la monarchie constitutionnelle, y compris en Amérique : « Il serait à désirer que le Brésil demeurât royaume, non seulement pour qu'il y eût de la variété dans les nouveaux états de l'Amérique, mais parce qu'il est connu que le gouvernement monarchique, constitutionnel et représentatif est plus favorable que le gouvernement républicain, à la tranquillité publique et à la vraie liberté, dans un grand pays, où les mœurs ne sont pas très simples et très pures. » Et à nouveau, le modèle demeure la Grande-Bretagne. *Le Spectateur canadien* en propose la libéralité à Ferdinand d'Espagne : « qu'il exerce la libéralité Britannique envers ses colonies ; qu'il protège la religion au lieu de la persécuter en son nom et il verra, comme l'Angleterre, ses colons réunis auprès de son gouvernement pour en être les plus sûrs soutiens[46] ».

Dans une colonie britannique où, après 1830, le discours dominant propose le modèle étatsunien et insiste sur l'appartenance de la colonie au Nouveau Monde, les exemples américains autres que celui des États-Unis intéressent les leaders politiques au premier chef. Ludger Duvernay, propriétaire de *La Minerve*, trouve certes dans son journal une information importante sur les Amériques mais il se fait aussi rappeler par un de ses correspondants français : « Jetez les yeux sur la carte des Amériques et vous verrez que vous êtes le seul peuple de ce vaste continent qui soit resté le très-humble sujet d'une puissance européenne. » Finalement, l'exemple de l'expérience américaine continentale affluera dans les résolutions et adresses des Patriotes. À l'assemblée de Sainte-Scholastique, on dit s'en remettre à «la coopération de nos frères des colonies voisines dans nos vues désintéressées de liberté et d'indépendance coloniales [...] et à l'appui des républiques voisines, qui, plus heureuses que nous, ont traversé avec tant de bonheur la lutte contre le despotisme de la métropole». L'Adresse des Fils de la liberté considère le moment comme «une occasion favorable de prendre notre rang parmi les souverainetés indépendantes de l'Amérique», tandis que l'Adresse de la Confédération des Six Comtés (L'Acadie, Chambly, Richelieu, Rouville, Saint-Hyacinthe, Verchères) reconnaît être en communauté d'esprit «avec les diverses nations de l'Amérique du Nord et du Sud qui ont adopté les principes contenus dans cette déclaration[47]».

Papineau, Parent, Garneau et l'émancipation coloniale et nationalitaire

L'étude de la géopolitique de Papineau, de Parent et de Garneau entre 1815 et 1837 donne une bonne idée de la représentation qu'avaient les Canadiens français de l'état et de la destinée possible du Bas-Canada. Papineau a une vision politique, partisane et parlementaire des choses; il doit composer avec la réalité et la responsabilité du pouvoir à titre de chef du Parti canadien puis du Parti patriote. Son discours public est infléchi par un constant esprit de stratégie personnelle et politique que lui imposent ses responsabilités.

Parent, le rédacteur du *Canadien* de Québec, est l'homme de l'opinion publique. Son travail l'oblige à une lecture la plus large possible de la presse étrangère, ne serait-ce que pour sélectionner les nouvelles et les textes qui alimenteront le journal. Il a une conscience aiguë de ce qu'est devenue l'Europe d'après le traité de Vienne; il écrit en 1834: «Mais c'est surtout en Amérique que la réforme politique a surtout marché à pas de géant, n'ayant pas trouvé dans les sociétés américaines, simples, morales, religieuses, les vices et les obstacles qu'elle a rencontrés dans le luxe et la corruption des sociétés européennes. Les idées nouvelles ont cependant fait aussi en Europe des progrès étonnans; des progrès tels que l'antique despotisme est partout obligé de transiger avec la liberté; il la voit renverser une antique dynastie, lui arrachant aujourd'hui deux royaumes, l'Espagne et le Portugal; renverser dans la Belgique son œuvre de 1815; le menacer en Italie; murmurer sur le Rhin; ronger ses chaînes en Pologne; il la voit dans la Grande-Bretagne abattre une à une les colonies du gothique édifice de l'aristocratie ; il la voit à Paris et à Lyon s'essayer contre la quasi-Légitimité[48]. »

Garneau aussi, de la région de Québec, est le voyageur, le poète devenu historien. Contemporain des romantiques, il voyage dans l'Europe du Congrès de Vienne, des tentatives de restauration monarchique et de l'éveil des nationalités. Il se met à la rédaction de son *Histoire du Canada* au moment de la première rébellion de 1837 ; le premier des trois volumes paraîtra en 1845, le dernier en 1852. Garneau séjourne en Angleterre et en France entre 1831 et 1833, publie rétrospectivement le récit de ce voyage en 1854 et le dernier volume de son histoire du pays, qui couvre la période qui va de 1791 à 1840, comprend une analyse de la décennie 1830 et des rébellions faite à la lumière de l'adoption, en 1840, du régime constitutionnel de l'Union.

La perception de l'Angleterre constitue le pivot de la géopolitique de tout homme public du Bas-Canada de l'époque, situation coloniale oblige. La nouvelle métropole britannique invite les Canadiens français à se situer, incidemment, par rapport à leur première métropole, la France, mais elle les entraîne d'abord à prendre en considération le devenir d'anciennes colonies devenues indépendantes tels les États-Unis ou des parties de la Grande-Bretagne, l'Irlande et l'Écosse principalement. Il est par ailleurs fréquent que les Canadiens français de l'époque comparent la condition coloniale du Bas-Canada avec la situation de dépendance ou d'émancipation d'autres sociétés comme la Pologne, l'Italie, la Belgique, la Grèce ou des pays de l'Amérique du Sud.

Papineau, Parent et Garneau partagent un même britannisme, une même admiration pour la Constitution anglaise et les droits et libertés des sujets anglais. À défaut de pouvoir attendre quelque réforme significative des autorités coloniales, ils misent tous trois sur une justice qui serait instaurée par la métropole, qui ne les déçoit pas lors des projets d'Union de 1811, de 1822 et de 1824, qui les inquiète pourtant au moment de la Commission Gosford et qui les désillusionne finalement avec les Résolutions Russell de février 1837. À la suite de Papineau dont le britannisme est relativisé après 1830 au profit d'une admiration grandissante pour la République voisine, Parent et Garneau sont sensibles aux questions politiques qui commencent à faire douter les Canadiens français du bon vouloir de Londres : composition essentiellement anglophone du Conseil législatif dont les membres sont nommés et non élus, dépendance financière des conseillers à l'égard du pouvoir exécutif, blocage par le Conseil de dizaines de lois pourtant votées par la Chambre d'assemblée élue. Parent et Garneau suivent le Parti patriote au moment des 92 Résolutions de 1834 mais s'interrogent et se séparent de Papineau, après les Résolutions Russell, à l'occasion de l'initiative des assemblées populaires au printemps 1837.

Garneau parlera du *Canadien* comme du «dernier combattant de la vieille Angleterre. Pour sa part, Parent affirmera en janvier 1838: «l'idée d'une séparation d'avec l'Angleterre n'avait nulle part de racines profondes ni dans les masses des populations coloniales ni dans les esprits réfléchis»; le rédacteur du *Canadien* pense alors se faire le porte-parole au moins des citoyens de la grande région de Québec[49].

Alors que Papineau et les Patriotes entrevoient la liberté avec l'Union américaine, Parent la recherche avec l'Angleterre: «dans l'intérêt de [leur] existence nationale, les Canadiens doivent rester unis à l'Empire Britannique; dans l'intérêt de sa domination sur le continent américain, la Grande-Bretagne doit protéger les Canadiens dans leurs droits nationaux». C'est le même homme qui a le courage d'écrire que la Grande-Bretagne n'a pas eu peur de Napoléon et n'aura peur ni du Canada ni du Bas-Canada[50].

Papineau, Parent et Garneau ont aussi une représentation de la France historique et contemporaine. Pour Papineau, la conquête militaire du Canada par l'Angleterre en 1760 et sa cession par la France en 1763 ont correspondu au passage d'un règne de violence absolutiste au règne de la loi et de la justice. Il écrit en 1820: «Rappelons-nous que sous le gouvernement français (arbitraire et oppresseur, à l'intérieur comme au dehors) les intérêts de cette colonie avaient été plus souvent négligés et mal administrés que dans aucune autre partie de ses dépendances [...]. Mais voyez le changement. George III, un souverain révéré pour son caractère moral, l'application à ses devoirs royaux et l'amour de ses sujets, succède à Louis XV, un prince méprisé à bon droit pour ses débauches, son indifférence envers les besoins du peuple, ses prodigalités à même le trésor public, au bénéfice de ses favoris et de ses maîtresses. De ce jour le règne de la loi remplace celui de la violence.» Il est clair pour Parent que, depuis 1760, «le Roi de France a abandonné en faveur du Roi d'Angleterre, le droit qu'il avait à la fidélité des Canadiens». Ces coloniaux francophones et sujets britanniques qui connaissent la révolution anglaise de 1688 et la guerre d'Indépendance de 1776 peuvent départager le pour et le contre de 1789 et surtout de 1793. Papineau peut se défendre en toute honnêteté «d'un prétendu attachement à la France et aux principes français» et insister pour faire comprendre que la «Convention» à laquelle il pense souvent réfère à l'exemple étatsunien et non pas français[51].

La France de 1830, qui donne son élan au mouvement européen des nationalités, n'impressionne guère le chef Patriote, le rédacteur du *Canadien* et l'historien en puissance. Papineau ne parle pas publiquement de 1830 et il faut noter que les 92 Résolutions, à la rédaction desquelles il participe, ne font aucune référence à la France de la Révolution de juillet. Admirateur de la monarchie constitutionnelle à l'anglaise que la France contemporaine vient d'adopter, Garneau considère, en ex-Français britannique d'Amérique du Nord, qu'en France la royauté et la liberté sont mal assurées : «En un mot c'était une copie de la constitution anglaise adaptée à la France [...]. De ce que je dis ici, il résulte que si la royauté était mal assise en France, la liberté n'y était pas mieux assurée, et qu'elle a encore beaucoup de luttes à soutenir avant que de s'y enraciner aussi fortement qu'elle l'est de ce côté-ci de la Manche et de l'Atlantique.» Pour Parent, la France de 1830 est celle qui avait tant promis à la Pologne en 1830 et en 1831 et si peu tenu ses promesses. Constatant cela en juillet 1837, il proposait aux Patriotes «américanomanes» de ne pas trop compter sur «l'ailleurs», sur les États-Unis[52].

Jusqu'à l'été 1837, Papineau, Parent et Garneau partagent une même admiration pour la grande république voisine qui, différemment de la France, a fait son Indépendance sans Terreur. Ils convoitent surtout certaines de ses institutions électives comme le Sénat, qui leur sert de modèle pour demander à Londres l'électivité du Conseil législatif. Mais leur américanité, leur sentiment d'appartenance à l'Amérique, est plus large que cette question institutionnelle. Papineau estime que c'est «dans l'état des mœurs et des usages» des États-Unis «que nous devons chercher des exemples pour nous guider». Il ajoute : «Il faut nécessairement qu'il y ait un roi en Europe où il est entouré de monarchies [...]. Il n'en est pas de même ici, nous n'avons, nous ne pouvons avoir d'aristocratie ; nous n'avons pas besoin de ces magnifiques attributs. Nous avons besoin d'un gouvernement simple, tel que celui des États-Unis [...]. De longtemps nous n'aurons pas la force de supporter la splendeur royale et l'aristocratie, l'apanage [d'un] brillant empire canadien.» Le leader patriote observe qu'il n'y a «rien ici de cette aveugle déférence qu'on a en Europe pour les titres et la naissance, qui font tant ressortir l'arrogance et l'orgueil de ceux qui viennent parmi nous de l'ancien continent, et qui pensent que l'humiliation à laquelle ils y sont soumis doit être compensée ici, pour eux, en exigeant la même servilité à leur égard». Son républicanisme ne fait pas de doute : « Il est certain qu'avant un temps bien éloigné, que toute l'Amérique doit être républicaine [...]. Il ne s'agit que de savoir que nous vivons en Amérique, et de savoir comment on a vécu[53]. »

Pour Parent, l'Amérique est « l'hémisphère natal de la liberté » et le poète Garneau, qui considère que la liberté est acquise et bien assise en Amérique, y trouve aussi l'inspiration romantique du Nouveau Monde et de la nature. Mais l'imminence d'un affrontement en 1837 départage les adhésions à ce républicanisme étatsunien.

Papineau et les Patriotes ont abondamment rappelé à l'Angleterre, dans les 92 Résolutions, l'exemplarité et l'attraction des institutions américaines. Ils imiteront les Patriotes étatsuniens en créant des Comités de correspondance, en proposant l'emploi de la Convention, en organisant les Fils de la liberté sur le modèle des Sons of Liberty de 1775 et en faisant leur la stratégie yankee de non-consommation des produits importés de la Grande-Bretagne. Pour Papineau, les États-Unis constituent l'exemple réussi de la colonie britannique qui a cherché et fait son indépendance.

La géopolitique de Parent et de Garneau limite leur républicanisme. Pour le rédacteur du *Canadien*, les États-Unis pourront représenter une planche de salut uniquement si la politique de l'Angleterre devient menaçante pour la nationalité canadienne-française. Tout en étant conscient qu'il faut aux habitants du Bas-Canada « d'autres institutions que celles de l'Europe », l'écrivain a cette formule : « Le lion a ses griffes, il est vrai ; mais l'aigle n'a-t-il pas des serres ? » Encore une fois, Parent a le sens des contraintes et des questions pertinentes : sur qui, au niveau international, le Bas-Canada peut-il véritablement compter ? Il n'attend rien de la France, rien du Yankee : chez lui, le sentiment des Américains ne « peut résulter [que] d'une règle d'arithmétique ». Réaliste, il évalue, en juillet 1837, que les Américains et les Anglais « seraient sots pour ferrailler les uns contre les autres à notre sujet ». Alors que Papineau ne fait pas de référence publique à l'exemple de la Louisiane, Parent pose et rappelle le cas louisianais qui « fait trembler ». Avec le cas de la Pologne, il en tire un autre exemple de « soumission honorable », car pour lui tout comme pour Garneau, l'annexion du Bas-Canada aux États-Unis placerait les Canadiens français dans une situation périlleuse pour leur nationalité, leur langue, leur religion et leur système juridique. Aux Patriotes « américanomanes », il suggère « d'étudier l'histoire de la Louisiane au lieu de parodier celle de la Pologne ou de l'Irlande ».

Le débat au sujet du syndrome louisianais révèle plus globalement la connaissance et la perception que pouvaient avoir Patriotes et réformistes du système politique étatsunien. Papineau a une vision particulière du rapport entre les États et l'État fédéral. Dans un premier temps, il explique à l'assemblée de Saint-Laurent du 15 mai 1837 que les « États-Unis ne peuvent avoir de colonies. Leur constitution prévoit qu'un territoire, dès qu'il a 60 000 habitants, puisse se constituer en État libre et indépendant. Il devient le maître et l'arbitre absolu de son sort. » De là il conclut que les vingt-six États alors constitués aux États-Unis forment « vingt-six souverainetés indépendantes » qui jouissent d'une prospérité qu'elles n'auraient pas connue « si elles eussent demeuré dans la dépendance et la servitude coloniale ». Par contre, Parent estime qu'un Bas-Canada annexé aux États-Unis ne serait qu'un État parmi les autres États de l'Union et que ses représentants au Congrès et au Sénat y parleraient anglais[54].

Conséquents avec leur américanité, Papineau, Parent et Garneau perçoivent l'Europe comme un Ancien Monde, comme le continent de la dépendance, caractérisé par une orientation sociale différente. Conscient qu'il faut à l'Amérique d'autres institutions que celles de l'Europe, Parent met en garde l'Angleterre de vouloir « faire vivre des Américains sous un régime Européen ».

La référence internationale de Papineau sera double : l'une américaine, celle d'une colonie britannique qui a réussi son indépendance, les États-Unis ; l'autre européenne, l'Irlande, partie de la Grande-Bretagne, en voie d'obtenir les réformes que demande aussi le Bas-Canada. C'est l'approche du parlementaire : comparer sans cesse et uniquement la condition coloniale du Bas-Canada à celle des autres colonies britanniques y compris la Jamaïque, Malte et les colonies britanniques d'Amérique du Nord. Selon lui, le Colonial Office a les mêmes vues pour l'Irlande et pour le Bas-Canada : « Car il n'y a pas de doute que l'homme pétulant et hautain qui est à la tête du bureau colonial, M. Stanley, qui a asservi l'Irlande, sa patrie, par une loi barbare et inhumaine, voudrait nous donner quelque chose de semblable. » Conséquent avec sa vision d'une certaine aristocratie européenne, il écrit : « Quand je pense qu'un duc de Richmond, qui avait commandé l'Irlande en qualité de vice-roi, où un sentiment d'orgueil national l'environnait tous les jours, au milieu de Dublin, de la pompe et de l'éclat de la Royauté, et que cet homme, après avoir abandonné ce théâtre brillant, s'en vint ici pour réparer les débris de sa fortune [...]. »

Papineau présente la stratégie et l'accomplissement d'O'Connell comme modèle de ce qui peut être obtenu aussi pour le Bas-Canada : « Que puisque des jours de paix et de justice sont promis à l'Irlande, dont le pillage et l'oppression pendant des siècles ont gorgé et déshonoré l'Aristocratie Britannique, à laquelle le libérateur de son pays et l'ami du nôtre, O'Connell arrache enfin à cette proie si riche, cette victime si grasse, ils seront donnés aussi aux Canadas. O'Connell a déjà renversé Stanley, l'Oppresseur, il renverserait de même son successeur, si lui aussi voulait un gouvernement qui eut pleine puissance et autorité sur le peuple, et non un gouvernement qui tire son autorité du peuple. C'est un tel gouvernement que la colonie doit avoir ; désormais elle n'en doit ni ne peut en supporter d'autre. » Les réformes qu'O'Connell a promises et obtenues pourront servir de guide au Parti patriote : « Qu'ils avaient la garantie de cet ami de la race humaine, O'Connell, qu'ils auraient une réforme, et que les promesses d'un tel homme devaient être d'un poids considérable. O'Connell promit l'émancipation à 7 000 000 de ses compatriotes et ne la leur gagna-t-il pas ? [...] Il garantit l'abolition des titres, et ils sont à la veille d'être abolis. Il leur donna sa parole que l'union serait révoquée et il réussira. [...] Les promesses d'un tel homme, qui a déjà délivré sa patrie des fers qui lui étaient imposés, et qui a balayé devant lui ministères après ministères, sont une assurance que le Canada aussi recevra bientôt la réforme qu'il avait demandée dans les institutions et son gouvernement. » Après l'annonce des Résolutions Russell en mars 1837, Papineau haussera le ton d'un cran à propos de l'histoire des ministres des Colonies : « l'inconséquente contradiction qu'il y a dans leur politique, qui à la fin et après des siècles d'oppression contre l'Irlande infortunée, devient libérale, parce que l'Irlande se fait craindre ; qui est si basse et si rampante vis-à-vis de la Russie, qui aussi se fait craindre ; et qui est si injuste, arrogante, et dédaigneuse à l'égard du Canada, qu'ils ne craignent point[55] ».

Garneau a rencontré O'Connell à Londres et a été impressionné par son discours sur les malheurs de l'oppression : « Le geste, le ton de sa voix, le langage, tout annonçait le puissant orateur. Il affectait la prononciation irlandaise. Son discours fut applaudi. L'occasion n'exigeait pas un grand déploiement d'éloquence, mais lorsqu'il parla des malheurs de l'oppression, sa voix prit ce timbre presque tremblant, ses yeux prirent cette expression de douleur et de vengeance que je n'oublierai jamais. » Mais la comparaison de la référence irlandaise chez Papineau et Parent est davantage révélatrice des visions de la situation et de la destinée du Bas-Canada, au moment où la communauté irlandaise de Québec et de Montréal devient une composante importante de la vie politique. Papineau se réjouit des réformes déjà obtenues par O'Connell, lui qui a eu raison de l'oppresseur Stanley. Après les Résolutions Russell, Papineau se radicalisera quelque peu et proposera que le Bas-Canada se fasse craindre comme l'Irlande. Parent conseille plutôt à l'Angleterre de ne pas répéter en Amérique les erreurs faites en Irlande; il écrit: «Nous ne pouvons croire que l'Angleterre se flatte de la folle espérance de gouverner des colonies américaines comme elle gouverne l'Irlande, avec des régimens de soldats. Quand elle voudrait, elle n'en aurait pas les moyens.» Le journaliste de Québec refuse la comparaison entre O'Connell et Papineau, car ce dernier ne fait pas plus l'unanimité au Bas-Canada que le premier ne la fait en Irlande. Parent se dit réformiste comme O'Connell et non révolutionnaire comme les Américains. Il opte pour la voie irlandaise contre la voie états-unienne alors que Papineau cherche une diagonale entre l'expérience réussie des États-Unis et l'expérience en passe de réussite d'O'Connell, entre le réformisme et un réformisme toujours susceptible de se radicaliser dans un contexte américain[56].

Le plus polonais des Canadiens français du XIXe siècle fut sans doute Garneau qui se retrouve dans la petite colonie des réfugiés polonais de Londres entre 1831 et 1833 et qui publie quelques poèmes sur «la cruelle destinée» de la Pologne. Le jeune poète trouve alors de nombreuses ressemblances entre les griefs des Polonais et ceux de ses concitoyens: «Le même bras d'airain a toujours pesé sur les colonies anciennes et modernes [...]. La domination étrangère est le plus grand mal dont un peuple puisse être frappé. Plusieurs de nos griefs ressemblent à ceux dont les braves et malheureux Polonais avaient à se plaindre. Mais courage! La cause de la justice et de la liberté est trop saine pour ne pas triompher.» Mais jamais, en 1834 ou en 1837, Garneau ne croira assez à cette similitude des griefs pour évoquer le cas de la Pologne dans le contexte de ses propres analyses ou revendications nationales. C'est que sa Pologne est plus poétique et romantique que politique.

Au contraire, la Pologne de Parent est très politique et lui inspire une attitude décisive: «Un peuple faible peut se résigner à un sort malheureux sans déshonneur; il y a une soumission honorable, comme il y a une domination déshonorante. Savez-vous où vous conduirait votre beau, votre trop chaleureux zèle [...]? À l'état où en est aujourd'hui la Pologne. On nous jetterait de loin quelques vains mots de sympathie, mais soyez-en sûrs, on laisserait le joug de l'oppression sur nos têtes, sans faire le moindre effort pour notre délivrance. [...] Nous n'avons de sympathie à attendre d'aucun côté; notre unique recours, c'est nous.» Parent pense à la Pologne abusée par la France qui n'a pas tenu ses promesses de soutien. C'est l'occasion pour lui de soulever une question de fond: sur qui, au niveau international, le Bas-Canada peut-il compter dans ses projets de revendication ou d'émancipation? Sur la France, sur les États-Unis, sur la Louisiane, sur le Haut-Canada? Et pour Parent, la référence aux expériences polonaise ou belge ne signifie surtout pas l'adhésion au principe des nationalités[57].

Dans ses écrits publics, Papineau ne dit mot de la Pologne, lui le lecteur de Lamennais avant 1837 et son ami après 1839, ce Lamennais qui, dans *L'Avenir* de Paris, avait joué sa vie intellectuelle et spirituelle à propos de l'insurrection polonaise de 1830. La chose étonne, tout comme le silence persistant de Papineau sur les expériences d'émancipation qui se font alors en Belgique, en Italie, en Grèce ou dans l'Amérique du Rio de la Plata. Papineau a choisi, en parlementaire responsable et stratège, conscient des positions et manières de ses interlocuteurs métropolitains, de mener son combat colonial avec des références aux seules colonies britanniques plutôt que d'affronter le Colonial Office avec des exemples plus radicaux. Les États-Unis, d'une part, pour indiquer jusqu'où pourrait aller la démesure; l'Irlande, d'autre part, pour rappeler la bonne mesure.

Il faut tenir compte, pour expliquer ce mutisme public de Papineau sur la décennie nationalitaire de 1830, du fait que sa radicalisation républicaine s'amorce en 1830, se fortifie progressivement lors de l'élection-émeute du 22 mai 1832 et de la rédaction des 92 Résolutions de février 1834 pour se consolider, après le rejet de ces dernières, dans les dix Résolutions Russell en février 1837. Il convient aussi de rappeler que du père au fils Papineau, on était passé de la monarchie absolue (1759) à la monarchie constitutionnelle (1763) puis à un attrait graduel durant la dernière décennie (1830) pour les institutions républicaines de type étatsunien. En 70 ans, la tâche n'avait pas été pas mince. On pourrait aussi expliquer le silence de Papineau sur la Belgique, la Pologne, l'Italie ou la Grèce par un simple réformisme qui l'inciterait à revendiquer une émancipation partielle, qui se situerait à mi-chemin entre celle des États-Unis et celle de l'Irlande. Cette hypothèse du réformisme de Papineau ne cadre toutefois pas avec le peu de place que ce dernier fait au gouvernement responsable dans sa pensée et son action politiques avant 1837 comparativement à la place faite aux questions revendicatrices de la liste civile et de l'électivité du Conseil législatif. Si Papineau avait été d'abord et avant tout un réformiste, il aurait, comme Parent l'a fait dès 1832, misé sur le gouvernement responsable.

Le clivage patriote-réformiste de Montréal et de Québec se dégage clairement de l'analyse des positions de Papineau, d'une part, de Parent et de Garneau, d'autre part. Si le britannisme de Papineau ne résiste pas au blocage constitutionnel de la décennie 1830, celui de Parent et de Garneau demeure constant tout en étant l'objet de critique. Si Parent est conscient de la puissance de l'Empire britannique en ascension, Papineau ne renonce pas pour sa part à défier cet Empire.

On est surpris du silence de ces trois individus sur la Révolution de juillet 1830 compte tenu de l'impact de ces journées sur le mouvement nationalitaire de la décennie. Car contrairement à Papineau, Garneau et Parent se sont servis de l'exemple polonais : Garneau pour témoigner de son attrait poétique et romantique pour la cause polonaise, Parent pour rappeler le cas d'une nation déçue et abusée dans ses attentes et pour refuser quelque recours au principe des nationalités.

En comparant ainsi les points de vue de trois figures publiques du Bas-Canada de l'époque, on se rend compte que ni Parent ni Garneau, à la différence de Papineau, ne valorisent l'indépendance des États-Unis. *A contrario*, alors que Papineau tait l'exemple louisianais, Parent tourne, dirait-on, le fer dans la plaie pour rappeler le risque de tout rapprochement entre le Bas-Canada et l'Union étatsunienne. Ce regard sur la situation internationale contemporaine renvoie ainsi Papineau, Parent et Garneau à leur propre société mais avec des visions différentes de l'avenir du Bas-Canada. Papineau voit cet avenir rattaché de quelque manière à l'Union étatsunienne alors que Parent et Garneau ne l'entrevoient pas dans une Union du Haut et du Bas-Canada ; pour Parent, cette union sera fédérale.

L'aspect le plus étonnant de cette comparaison réside dans le constat suivant : celui qui, à la lumière de la situation internationale, aborde davantage la question de la nationalité et formule le plus clairement le type de nationalité apparemment souhaitée par une moitié de la population, est Parent, le journaliste de Québec. Papineau n'est pas aussi explicite sur la question et tous deux font alors face au même défi : assurer la liberté sans risquer la nationalité. Mais il appert que la nationalité, résumée dans la devise du *Canadien* de 1831 — « Nos institutions, notre langue, nos lois» — à laquelle Parent ajoute dès l'été 1837 le projet d'une alliance de la bannière et de la croix, est un projet culturel et non politique, que la nationalité refuse de s'appuyer sur le principe des nationalités pour s'accomplir dans le sens des libertés, du libéralisme à l'anglaise.

Le lexique patriotique et nationalitaire

Les débats politiques, l'information sur la situation internationale, la lecture et la publication d'une certaine poésie initient les citoyens à un lexique contemporain que l'appellation même du journal *Le Canadien* ou du Parti patriote résume bien. Si l'origine même de l'appellation du Parti patriote demeure, somme toute, mal connue, on peut sans risque l'attribuer à la connaissance que les Bas-Canadiens avaient des *Patriots* américains de 1776 sinon à l'usage qu'on faisait aussi du terme en Amérique du Sud, usage auquel réfère la presse bas-canadienne dès 1818. Le qualificatif provient de toute façon du substantif «patrie», mot assez courant dans le lexique de l'époque, comme celui de «patriotisme». La constellation sémantique de la «patrie» est donc familière et usuelle comme l'atteste l'appellation du principal parti politique de l'époque[58].

Le terme «nationalisme» n'apparaîtra qu'à la fin du XIXᵉ siècle, mais le qualificatif «national» est courant tout comme le substantif «nationalité» que Parent utilise fréquemment à compter de 1831 avec le sens restrictif qu'on lui connaît. Le mot nationalité avait connu un usage plus intensif au moment de la révolution en Belgique, au point où il apparaît dans le *Dictionnaire de l'Académie française* en 1835. Dans un texte qui s'intitule «De la manière dont se forment les nations», *La Minerve* propose une définition enthousiaste de la nationalité : «La nationalité est le baptême regénérant des peuples, c'est l'eau lustrale qui lave de la souillure et de la servitude, c'est le Dieu qui les revêt d'un sacerdoce sublime, c'est le sceau qui leur imprime un caractère sacré, c'est le pacte qui leur délie les membres, qui rompt leurs chaînes, qui ouvre les portes de leur prison, qui leur donne participation à la souveraineté, qui les égalise à leurs ancêtres, à leurs voisins, qui les place à la tête de l'exploitation de leurs propres biens, de leurs propres affaires[59].»

Papineau utilise un lexique nationalitaire minimal : peu de «tyrans» ou de «tyrannie» dans son vocabulaire. Il le précise lui-même : «La patrie! La patrie! Ce mot seul suffit» comme «serment de fidélité à son pays natal». À un autre moment, il avouera : «L'amour du pays natal ou adoptif est le

premier des devoirs, la plus belle des vertus du citoyen», ou encore: le
contrôle des subsides est «le boulevard de la liberté nationale». À l'époque
de la Commission Gosford, il affirmera: «nous représentons un peuple».

Si le lexique nationalitaire de Papineau est minimal, c'est que le chef
du Parti patriote est le pourfendeur des «distinctions nationales».
Idéologiquement et politiquement, Papineau ne peut et ne veut attiser les
différences nationales. Il considère que les «antipathies nationales» constituent «un sentiment dégradant quand on a voyagé». Les occasions sont
d'ailleurs fréquentes où Papineau récuse ces «distinctions nationales»; et à
la presse anglophone ou aux Adam Thom qui reviennent sans cesse sur les
préjugés nationaux, Papineau rétorque: «On feint de croire que nos
réclamations sont le fruit de notre différence d'origine et du catholicisme,
quand il est constant que les rangs des libéraux comptent une majorité des
hommes de toute croyance et de toute origine. Mais que dire à l'appui de
cet avancé, quand on voit le Haut-Canada où il n'y a que peu de catholiques et où presque tous les habitans sont d'origine anglaise, dénoncer les
mêmes maux et demander les mêmes réformes?»

Tout en se défendant de susciter ou d'entretenir ces «disctinctions
nationales», Papineau montre du doigt les institutions responsables de la
création et du maintien des «distinctions nationales»: c'est le système
d'attribution des postes, c'est le système des réserves du clergé qui avantage
le clergé anglican et presbytérien — le clergé catholique romain a des
seigneuries — mais c'est surtout le Conseil législatif qui, au fil des années
et des nominations, s'est donné un rôle inacceptable: «sa prétention
injuste à n'avoir pour mission que de donner de la sécurité à une classe
particulière des Sujets de Sa Majesté en cette Province, comme ayant des
intérêts qui ne pourraient être suffisamment représentés dans cette Assemblée [...]. Une prétention de cette nature est une violation de la Constitution, et ne peut que susciter et perpétuer, entre les diverses classes des
habitans de la Province, des méfiances, des distinctions et des animosités
nationales, et tendre à donner à une partie du Peuple une supériorité
injuste et factice sur l'autre, avec l'espoir de la domination et d'une
préférence indue.» En août 1837, Papineau revient encore sur cette identification du vice par excellence de la situation coloniale sur lequel Lord
Durham n'insistera pas: «C'est le Conseil lui-même qui [...] a révélé la
bassesse de ses prédilections et de ses antipathies, s'est déclaré l'organe et
l'instrument passif d'une faction, s'est voué à fomenter et protéger des
distinctions nationales, comme élément à conserver et d'après lequel le

gouvernement devait être constitué, comme si les maux de l'Irlande et l'oppobre de l'Angleterre, ne les avaient pas suffisamment avertis que ce principe était une inspiration de l'enfer[60]. »

Conclusion

La nouvelle « étrangère » circule dans la presse bas-canadienne après le Congrès de Vienne et d'autant plus que les événements se précipitent en Europe et en Amérique. Les journaux prennent position assez souvent et tentent de corriger l'incertitude de l'information en publiant des documents « officiels ».

Au moment où tombe la mauvaise nouvelle des Résolutions Russell en avril 1837, le Bas-Canadien a appris, au mieux, un certain nombre de choses des tentatives réussies ou pas d'émancipation nationalitaire et coloniale. Les lecteurs de la presse et ceux auxquels on peut la lire connaissent quelques-unes des grandes figures des combattants pour l'indépendance et l'émancipation : O'Connell en Irlande, Bolivar et San Martin en Amérique du Sud, Ypsilanti ou Capo d'Istria en Grèce ; ils savent aussi la responsabilité qu'assument ces libérateurs et les attaques dont « ces grands caractères » peuvent être l'objet. On est conscient aussi, par l'exemple de la France en Espagne ou de l'Angleterre en Grèce, que l'intervention d'un pays dans les affaires intérieures d'un autre pays est une arme à double tranchant. Qui donc, dans le contexte de la Sainte-Alliance, voudra risquer sa paix au profit d'une possession « tyrannisée » ? Par ailleurs, on est tout aussi conscient que l'émancipation doit souvent se faire avec l'aide d'un secours extérieur ; l'expérience de la Pologne en attente de l'appui de la France a frappé l'imagination des contemporains. On constate encore que l'émancipation et l'indépendance d'un pays ne peuvent se faire sans la reconnaissance sinon des métropoles du moins des grandes puissances de l'heure, la Grande-Bretagne, la France ou les États-Unis.

L'expérience bilingue et bireligieuse des Pays-Bas et de la Belgique en 1830 a été éclairante pour D.-B. Viger, ses amis et ses lecteurs. On y a vu projeter sur un écran extérieur les mêmes problèmes politiques que ceux rencontrés par les Canadiens français — conflit Chambre haute et Chambre basse, conseillers influençant de manière univoque l'autorité locale, périls de la langue française — ou ceux que pourrait entraîner une éventuelle Union après les craintes de 1822 — représentation égale et non pas proportionnelle, partage de la dette, droits des catholiques.

On a pu observer aussi «la fièvre des discordes» en Pologne dont la révolution avortée a incité la presse bas-canadienne à rechercher les causes. Et rapidement pour *L'Ami du peuple*, pour Mgr Lartigue dans son mandement de 1837 et pour l'abbé Maguire dans sa *Doctrine de l'Église d'Irlande et de celle du Canada sur la révolte*, l'exemple polonais est devenu le repoussoir exemplaire, donnant aussi à penser à Étienne Parent qu'il y avait une «soumission honorable» et qu'il ne fallait pas compter sur «l'ailleurs», fûtce la France ou les États-Unis.

Papineau n'avait pas tort, dans la logique parlementaire qui était la sienne, de chercher à comparer d'abord le Bas-Canada avec les colonies britanniques. Il ne fut pas le seul à utiliser le cas de l'Irlande où l'on devine bien les similitudes et les ressemblances. On polémique d'ailleurs abondamment pour savoir si la triple comparaison Bas-Canada / Irlande, Papineau / O'Connell et Saint-Jean-Baptiste / St. Patrick est valable. L'Irlande est ainsi un double miroir : pour les événements qui y sont vécus — les tensions entre catholiques et protestants, la stratégie du rappel de l'Union à compter de 1830 — et pour les politiques qu'y applique l'Angleterre — les concessions par nécessité. Que Papineau et Parent ne perçoivent pas la même Irlande et le même O'Connell en dit long sur les deux hommes qui incarnent deux visions différentes de la destinée du Bas-Canada. L'un opte pour la voie irlandaise en réservant l'appel aux États-Unis, l'autre tente de tenir ensemble deux exemples de revendication coloniale, l'une en voie d'achèvement en Irlande, l'autre achevée aux États-Unis.

Le modèle étatsunien des Patriotes est connu ; l'exemplarité du cas texan l'est moins. C'est d'ailleurs *L'Ami du peuple* qui s'ingénie, en 1836, à faire voir que le Texas ne peut servir de modèle d'adhésion du Bas-Canada à l'Union américaine. Le journal antipatriote soutient que la situation du Texas en regard du Mexique n'est en rien comparable à celle du Bas-Canada par rapport à la Grande-Bretagne et il rappelle que les Patriotes attendront tout aussi longtemps que les Texans l'appui et la reconnaissance des États-Unis. D'ailleurs, le Mexique n'est-il pas l'une de ces «républiques insolites de nouvelle date» où règne une certaine confusion politique et constitutionnelle et à propos desquelles la presse bas-canadienne se demande si elles devraient opter pour une forme de gouvernement de type républicain ou du type de la monarchie constitutionnelle même en Amérique?

Si l'on suit avec intérêt au Bas-Canada ces expériences européennes et américaines d'émancipation des tyrannies et des métropoles, ces indépendances réussies en Grèce, en Belgique et dans certains pays d'Amérique du Sud ; si l'Autriche en particulier et la Sainte-Alliance en général ont mauvaise presse sauf peut-être dans l'*Ami du peuple* ; et si certains affichent un républicanisme certain, on est frappé de voir l'évocation récurrente dans la presse bas-canadienne de ce qu'un journal appelle « la manie constitutionnelle ». Il s'agit d'une « manie » perçue comme positive et qui consiste à souhaiter aux pays qui s'affranchissent d'une façon ou d'une autre — la Grèce, la Belgique, la Pologne — une « constitution libre ». Cette constitution libre s'apparente davantage au régime de la monarchie constitutionnelle si l'on se fie à ce qu'a d'exemplaire la Grande-Bretagne et à la place que lui fait la presse bas-canadienne dans la conjoncture internationale.

La Constitution anglaise est celle dont s'inspire — malhabilement — la France d'après la Révolution de juillet, constitution dont la grande force réside dans sa possibilité d'amendement et qui garantit le mieux, alors, les droits civils. Avec des arguments différents, les Bas-Canadiens valorisent l'Angleterre jusqu'aux Résolutions Russell tout en dévalorisant l'autorité coloniale avant, pendant et après ces mêmes Résolutions. On souhaite l'intervention de la puissance britannique en Grèce, on reconnaît que la monarchie britannique n'est pas une royauté « qui se joue des peuples », on propose à Ferdinand d'Espagne de témoigner à l'égard des colonies d'Amérique du Sud de la même libéralité que celle dont fait preuve l'Angleterre à l'égard de ses colonies. La critique de la métropole s'affirme après 1830 et au moment des 92 Résolutions, l'Irlande de 1830 fournit le prétexte à des Patriotes de demander pourquoi la Grande-Bretagne, si libérale en Grèce et ailleurs, ressemble tant à l'Espagne et à la Turquie quand il s'agit de la patrie d'O'Connell et, sous-entendu, du Bas-Canada et du Canada. Mais globalement, dans ce contexte du traité de Vienne de 1815 et de la décennie 1830, l'Angleterre est présentée comme un arbitre international valable et crédible et sa constitution comme un modèle applicable à plus d'un pays émancipé.

Qu'ont donc signifié la Révolution de juillet 1830 et la décennie qui a suivi au Bas-Canada ? Trois choses. D'abord que la France persistait dans son instabilité politique et constitutionnelle, qu'on espérait que la présente révolution soit plus heureuse que la précédente et que ce qu'un Garneau pouvait lui souhaiter de mieux était une royauté ou une liberté mieux assurée. 1830 allait aussi servir à la presse antipatriote et en particulier à *L'Ami du peuple* à dénoncer « l'ambition démocratique ». Enfin les « Trois

Glorieuses» journées de juillet 1830, malgré ce qu'en peut suggérer Amédée Papineau, n'ont pas été une source d'inspiration forte et continue. On en prendra pour indice le lexique dominant de la «patrie» et de la «nationalité», le lexique important mais secondaire de la «tyrannie» et de la «liberté». Le point le plus avancé d'une prétention nationalitaire au Bas-Canada à la veille des Rébellions trouve sa formulation chez Viger, Mondelet, Papineau, Parent et Rodier lorsque chacun reprend la formule: «Nulle nation ne veut obéir à une autre par la raison toute simple qu'aucune nation ne sait commander à une autre.» La formule n'est pas banale, mais elle se limite tout de même à l'expression d'une dimension de réserve ou de refus de ce qui deviendra bientôt la revendication d'un droit à l'autodétermination, le principe des nationalités.

Chapitre VII

1837

L A LUTTE CONSTITUTIONNELLE, qui aboutira aux rébellions de 1837 et de 1838, s'accélère avec le vote des Résolutions Russell par Londres et avec la tenue des assemblées populaires à compter de mai 1837.

Du point de vue de l'histoire intellectuelle, les rébellions constituent d'abord et avant tout une étape décisive dans l'évolution d'un certain nombre d'idées. La composante nationalitaire qui inspire les rébellions ayant été analysée, quatre causes ou dimensions peuvent expliquer, du point de vue d'une histoire sociale des idées, les rébellions de 1837 et de 1838 : la dimension antimétropolitaine (les rébellions se font-elles contre la métropole et sont-elles déclenchées par les Résolutions Russell et par la désillusion résultant des positions de Londres ?) ; la dimension antigouvernementale (visent-elles, et comment, l'oligarchie coloniale et la population britannique dont elle protège les intérêts ?) ; la dimension anticléricale (les Patriotes taxés par la dîme refusent-ils les principes et les positions politiques de l'Église ?) ; la dimension antiseigneuriale (ce régime social entrave-t-il des aspirations républicaines d'égalité ?).

Nous prenons donc le parti d'analyser les prises de position, les textes, les actes et les événements de 1837 et de 1838 à la lumière de ces questions et de ces quatre causes qui, documentées et pondérées, expliquent les rébellions.

Les Résolutions Russell (mars 1837) et le contexte de leur divulgation

Lord John Russell est conscient de la gravité de la situation lorsqu'il se lève à la Chambre des communes de Londres le 6 mars 1837 pour formuler la position du Parlement impérial sur les 92 Résolutions de 1834 et pour donner suite aux recommandations de la Commission Gosford déposées quatre jours plus tôt. Le ministre de l'Intérieur estime que les recommandations du Comité de 1828 sur les affaires du Canada ont été satisfaites et il n'est pas question pour lui de modifier la Constitution de 1791, car un tel geste serait inconséquent avec le statut colonial du Bas-Canada.

Les dix Résolutions Russell constituent un refus catégorique aux demandes de la Chambre d'assemblée et de la très grande majorité de la population du Bas-Canada. Non au Conseil législatif électif qui, selon Russell, ne ferait qu'entériner les lois votées par la Chambre d'assemblée et qui, surtout, exclurait les Britanniques de la colonie, aveu que le Conseil législatif nominatif constitue bien une structure de pouvoir voulue et perpétuée par la métropole. Au mieux, les juges sont — à nouveau — exclus du Conseil où l'on nommera alternativement des Britanniques et des Canadiens, mais cette recommandation n'est pas une règle de procédure, plutôt « a matter of discretion ».

Non au gouvernement responsable, incompatible avec le statut colonial du Bas-Canada. Pour une métropole monarchique, le roi ne peut être représenté dans la colonie par une personne susceptible d'être remplacée par la Chambre d'assemblée. C'est le gouverneur qui est responsable devant le roi qui le nomme et un gouvernement responsable n'est concevable que dans un gouvernement impérial. Si l'on propose de nommer à l'Exécutif des membres du Conseil législatif et de la Chambre d'assemblée, on s'assure par ailleurs que le gouverneur puisse en toute liberté agir à l'encontre de l'Exécutif.

Non aux prétentions coloniales en matière de propriété des terres de la Couronne sur lesquelles celle-ci a un droit inaliénable.

Non au contrôle des subsides et le gouverneur devra, avec ou sans l'autorisation de la Chambre d'assemblée, prélever la somme de 142 160 *pounds* pour payer les arrérages dans l'administration du gouvernement colonial depuis 1832.

Deux députés du Parti radical, Leader et Roebuck, l'agent de la Chambre d'assemblée, s'opposent au projet de loi. Pour le député Leader, il s'agit d'une mesure arbitraire, d'une loi coercitive, d'une provocation :

«And what would amount to but to send troops to the country, and provoke the people by threats and the fear of slavery?» Leader s'élève contre l'interprétation d'un «contest of races»: «no, it was a contest between the people and a nominated council, it was a contest between the oligarchy and the democracy» et la question de fond, selon lui, est de savoir si l'on se range du côté de la majorité ou de la minorité. Identifiant les deux combats de l'Irlande et du Bas-Canada, Roebuck fait appel au sens de la justice impériale telle qu'il la conçoit:

> I call, then, upon all those who have fought the good fight for our suffering fellow-citizens across the Irish Channel, to extend the range of their benevolence, and prove, that if our dominion reaches beyond the broad Atlantic, so also does our justice, and that our desire for good government is co-extensive with our empire.

L'appel aux députés irlandais trouve une oreille attentive chez O'Connell qui dénonce les positions de Lord Russell: «[...] they contained some of the very worst principles of the worst Tory times. They involved principles that had been the fruitful source of civil war, and dissension, and distraction in Ireland, for centuries. The analogy between Canada and Ireland was greater than the hon. Gentleman was willing to admit. In fact it was complete [...].» Et pour bien faire voir la profondeur de l'analogie et la distorsion politique identique à celle du Bas-Canada créée en Irlande, O'Connell ajoute: «The Irish nation was opposed by the Orange party, and that party called the nation a party.» Le grand tribun irlandais propose alors à la Chambre: «Give the Canadians further constitutional privileges[1].»

Rien n'y fait: la Chambre adopte les Résolutions Russell à 318 voix contre 56. Ce qui se veut un dénouement n'en est pas un véritablement. La crise construite depuis 1810 sur des litiges qui enveniment la vie politique de la colonie depuis le gouverneur Craig persiste. La question centrale du Conseil législatif électif n'est pas vidée, pas plus que celles des subsides et du contrôle des dépenses publiques par la Chambre d'assemblée ou celle du gouvernement responsable. Le nœud gordien s'est resserré pour maintenir une seule et même chose: le pouvoir impérial. En refusant de perdre le contrôle du Conseil législatif qui est sa voix coloniale et en reconnaissant d'entrée de jeu que le gouvernement responsable est incompatible avec le statut colonial du Bas-Canada, Londres affirme dorénavant plus clairement son refus d'accorder une plus grande autonomie à la colonie et sa volonté d'empêcher un pouvoir démocratique se muer en républicanisme. Empire et monarchie se tiennent. Du point de vue des Canadiens français, c'est la fin de quelque chose, la fin d'un espoir placé dans la métropole, espoir qui ne pouvait plus être être satisfait dans la colonie depuis deux décennies. Si Londres avait donné des signes d'écoute lors des projets d'Union de 1811, de 1822 et de 1824, si la Chambre des communes avait semblé vouloir entendre une autre voix lors du Comité sur les affaires du Canada de 1828 et de la Commission Gosford de 1835 à 1837, des positions étaient finalement prises sous la montée de la pression. L'empire faisait son nid. C'était un cul-de-sac qu'Alexis de Tocqueville, qui avait passé quelques jours au Bas-Canada en 1831 et qui, de loin, avait suivi la situation coloniale, allait percevoir en janvier 1838 :

> À l'époque de mon passage, les Canadiens étaient pleins de préjugés contre les Anglais qui habitaient au milieu d'eux, mais ils semblaient sincèrement attachés au gouvernement anglais qu'ils regardaient comme un arbitre désintéressé placé entre eux et cette population anglaise qu'ils redoutaient. Comment est-il arrivé qu'ils soient devenus les ennemis de ce même gouvernement[2] ?

Que faire face au mur : le renverser ou espérer encore que ceux qui l'ont édifié le renversent ? La mauvaise nouvelle des Résolutions, qui est connue au Bas-Canada vers le 10 ou le 11 avril 1837, tombe dans un milieu sensible à de multiples pressions.

Depuis au moins 1815, les crises agricoles, dues aux conditions climatiques et à l'épidémie de la mouche à blé et qui se traduisent par une diminution de la production agricole moyenne, touchent les paysans de plus en plus attentifs à l'analyse des tenants et aboutissants de cette situation[3]. Du coup, les seigneurs et les curés sont touchés par ces crises agricoles qui risquent sans cesse de les priver de leurs cens ou de leurs dîmes. La crise financière qui frappe l'Angleterre à la fin de 1836 touche les banques des États-Unis qui cessent leurs paiements en mai 1837.

À cette incertitude économique s'ajoutent des pressions démographiques perceptibles dans la croissance de la population qui double ses effectifs à chaque vingt-cinq ans et qui crée un surpeuplement dans les seigneuries dont l'exutoire prochain sera la colonisation de nouvelles régions ou l'émigration aux États-Unis. Ce défi démographique rend ainsi particulièrement vifs le problème de la propriété des cantons et la spéculation de la British American Land Company créée en 1831.

L'immigration britannique, qui suit la fin des guerres napoléoniennes, est visible dans les villes et, en 1835, Montréal devient une ville majoritairement anglophone. Les deux épidémies de choléra de 1832 et de 1834 contribuent à créer une certaine peur sociale et à faire percevoir l'immigration irlandaise, surtout, comme une politique douteuse de l'Angleterre. Cette pression démographique avive des tensions sociales et ethniques qui ne se limitent plus à la dénonciation de la disproportion des Britanniques dans les emplois publics : la bourgeoisie marchande anglophone, qui mise sur l'import-export et la liaison impériale, conteste de plus en plus fermement le régime seigneurial ; en milieu populaire urbain, à Montréal et à Québec surtout, l'affluence d'immigrants crée une concurrence nouvelle dans le monde du travail. L'émeute électorale du 21 mai 1832, en pleine épidémie de choléra, traduit bien la présence nouvelle des Irlandais dans la donne politique entre les Patriotes et les Britanniques[4].

La pression la plus palpable est politique. Non seulement, en milieu francophone, attend-on depuis février 1834 une réponse aux 92 Résolutions qui vient enfin avec le Rapport de la Commission Gosford du 2 mars 1837 et avec les Résolutions Russell du 6 mars, mais le Parti patriote dont les initiatives parlementaires sont différées jusqu'au règlement de la question des subsides, s'est organisé, depuis février 1834, en Comités de correspondance et en Comité central et permanent du district de Montréal (mai 1834) pour garder le contact avec Viger, Hume et O'Connell à Londres, avec les colonies sœurs, avec les députés et avec les autres comtés. La vie patriotique s'intensifie avec l'inauguration de la fête patronale de la Saint-Jean-Baptiste le 24 juin 1834, avec la mise sur pied de l'Union patriotique de Montréal (2 mai 1835), moyen « de résistance contre les abus du pouvoir » selon *Le Canadien* du 1er juin ; même les Irlandais favorables aux 92 Résolutions s'organisent dans la Hibernian Benevolent Society en mars 1834[5].

L'activité politique la plus inédite est pourtant celle des anglophones ; signe des temps, elle déborde dorénavant les initiatives longtemps limitées à celles d'une oligarchie regroupée dans le Conseil exécutif et dans le Conseil législatif. Les Loyaux, favorables au maintien de la Constitution, s'organisent en association. On voit se fonder, à partir de novembre 1834, une Quebec Constitutional Association puis une Montreal Constitutional Association dont le but est « de veiller aux intérêts des personnes d'origine Britannique et Irlandaise ». La Montreal Constitutional Association regroupera bientôt au moins quatre sociétés patriotiques : la Saint Patrick des Irlandais pro-Constitution, la Saint George des Anglais, la Saint Andrew des Écossais et la German Society, et se donnera une voix au printemps 1835 avec le *Morning Courier*. En décembre 1834, le Doric Club, plus radical que la Montreal Constitutional Association et plus secret, est fondé et publie son seul manifeste dans le *Morning Courier* du 22 mars 1836. La détermination patriotique des anglophones monte d'un cran avec la création du British Rifle Corps, organisation de «légionnaires bretons» dont le gouverneur Gosford décrète, par prudence, la dissolution en janvier 1836 et dont certains membres rejoignent alors le Doric Club. Vie associative patriotique et politique et presse périodique indiquent que les Loyaux sont organisés et tiennent un discours public aussi articulé et aussi présent que celui des Patriotes. Les Loyaux voient d'un mauvais œil les prétentions nationales des Canadiens français et des Patriotes déloyaux à la Royauté et à l'Empire. Une colonie britannique doit devenir et être britannique, que ce soit par l'assimilation des habitants de langue française, par l'Union du Haut et du Bas-Canada ou par l'Union des colonies britanniques de l'Amérique du Nord[6].

Les résolutions des assemblées populaires (mai à août 1837)

Parce qu'ils ont décidé en 1836 de ne plus siéger tant qu'ils n'obtiendraient pas satisfaction de Londres à propos des subsides et des 92 Résolutions et parce que le gouverneur ne convoque pas la Chambre, les députés du Parti patriote optent pour une stratégie extra-parlementaire et suscitent l'organisation d'assemblées populaires où se débattent les idées et les revendications que l'on exprime sous la forme de résolutions acheminées aux journaux patriotes comme *La Minerve*. On tient ainsi près d'une quarantaine d'assemblées populaires, une trentaine dans la grande région de Montréal et six, à Québec, à la Malbaie, à Saint-François-du-Lac, à Yamachiche et dans les comtés de Bellechasse et de Portneuf. Le gouverneur Gosford y voit un potentiel dangereux, les déclare illégales à partir du 15 juin 1837, ce qui n'empêche pas les Patriotes d'assister à la grande majorité de celles qui se tiennent après cette défense[7]. Un pas est franchi: la Chambre d'assemblée se réunit dorénavant avec son électorat et le phénomène est assez populaire pour qu'on se sente justifié de passer outre à une loi.

Ces résolutions véhiculent les positions et les aspirations de l'électorat patriote qui donne ses majorités au Parti patriote depuis dix ans; elles disent qui, de Londres, de l'Exécutif colonial, du clergé ou des seigneurs, est visé par l'opposition qui se lève contre les Résolutions Russell.

Au lendemain de ces Résolutions, la déception du Bas-Canada à l'égard de la métropole est à la hauteur des attentes qui y ont été placées depuis 1822, 1828 et depuis les 92 Résolutions de 1834 : profonde et troublante. L'escalade des « résolutions », amorcée en 1831 (Goderich), haussée en 1834 (les 92) puis en 1837 (Russell), se poursuit avec celles formulées dans les assemblées populaires. Il est d'ailleurs symptomatique d'une évidente modération que des revendications aussi récurrentes prennent toujours la forme constitutionnelle ou parlementaire de « résolutions ».

Pour les gens assemblés à Saint-Ours-sur-Richelieu, l'effet des Résolutions Russell est de « nous enlever toute garantie de liberté et de bon gouvernement pour l'avenir dans cette province » et « ce dernier espoir déçu nous a fait renoncer à jamais à l'idée de chercher justice de l'autre côté de la mer » ; à Sainte-Scholastique, on considère que le prélèvement de 140 000 *pounds*, sans l'accord de la Chambre d'assemblée, pour payer les arrérages de l'administration se fait « contre la volonté de la représentation du pays pour soudoyer la faction des fonctionnaires coloniaux péculateurs, corrompus, et coalisés contre le peuple » et qu'il est « une violation flagrante des droits essentiels du Peuple de cette Province [...][8] ». Les Patriotes de Saint-François-du-Lac estiment « que ce gouvernement ne doit plus être reconnu que pour un gouvernement de force et d'oppression, et qu'il est vis-à-vis de nous ce qu'il était vis-à-vis des anciennes colonies de l'Amérique, à l'époque de la passation des actes du timbre et de l'impôt sur le thé ». À La Malbaie, on va plus loin : « Nous considérons comme rompu et nul le contrat social qui nous attachait à l'empire britannique, qui en cessant de remplir ses engagemens nous relevait des obligations que les traités nous imposent. » À Saint-Constant, la perspective d'un recours aux armes n'est pas exclue : « vu la conduite infâme du pouvoir envers ce pays, [les habitants] verront avec plaisir l'occasion qui leur donnerait les moyens de secouer le joug tyrannique qui pèse sur eux, et que s'ils prennent jamais les armes ça ne sera pas pour conserver au gouvernement un pouce de terre dans l'Amérique du Nord[9] ».

À cette déception des attentes à l'égard de l'Angleterre correspond un espoir placé dans les États-Unis et dans l'appartenance du Bas-Canada à l'Amérique. Les habitants de Saint-Laurent, près de Montréal, considèrent que des réformes comme l'électivité du Conseil législatif sont les « seules qui conviennent à notre état de société». À Saint-Marc-sur-Richelieu, on appuie la stratégie de non-consommation de biens importés et celle de la contrebande entre le Bas-Canada et les États-Unis. Les Patriotes présents à l'Assemblée de Montréal formulent la résolution de ne compter «que sur nous-mêmes, sur notre propre énergie et sur la sympathie de nos voisins du continent d'Amérique[10]». Une nouvelle attente est créée, qui chasse l'ancienne à l'égard de Londres.

Si la désillusion à l'égard du gouvernement métropolitain est nouvelle et aussi radicale que l'avait perçue Tocqueville, elle est ancienne à l'égard du gouvernement colonial. Les résolutions des assemblées populaires réitèrent les demandes essentielles d'un Conseil législatif électif et du gouvernement responsable, demandes vieilles de dix ans qui ont fait désespérer les Canadiens français de toute solution venant de Québec et espérer un règlement qui viendrait de Londres mais qui ne vient finalement pas[11]. Il faut toutefois distinguer la dimension antigouvernementale des résolutions d'une attitude anti-anglophone. Certes, le vice par excellence du pouvoir colonial réside dans un Conseil législatif et dans un Exécutif composés essentiellement d'anglophones et les Patriotes voient là l'origine et la cause du maintien de ces «distinctions nationales» dont ils sont par ailleurs tenus responsables par les Britanniques de la colonie qui martèlent cette image auprès des gouverneurs et du Colonial Office. Le Parti patriote se fait fort de réfuter ces accusations, lui qui se compose aussi de députés anglophones élus dans des comtés francophones — Neilson dans Québec, Wolfred Nelson dans Richelieu, O'Callaghan dans Yamaska, W.H. Scott dans Deux-Montagnes — ou dans des comtés mixtes ou anglophones — Robert Nelson dans Montréal, E. Knight dans Missisquoi, M. Child dans Stanstead ou T.A. Young dans Québec; depuis 1830, ce parti s'est rapproché de la communauté irlandaise de Montréal et de Québec, au point où l'*Irish Vindicator* devient la propriété d'intérêts canadiens-français. Des résolutions insistent sur cette distinction; pensant à une éventuelle convention pour mettre au point une nouvelle Constitution, les Patriotes de Saint-Marc-sur-Richelieu adhèrent au «principe» de «l'égalité de tous les citoyens, point de distinction d'origine, de langue et de religion». Malgré la mémoire du passé politique et constitutionnel, malgré le favoritisme gouvernemental, malgré le ton de la presse anglophone ou la prose d'un Adam Thom, les Patriotes de Sainte-Scholastique appellent de «tous [leurs] vœux l'union entre les habitans de cette Province de toute croyance, de toute langue et origine»; ils rappellent:

Que nous n'avons jamais entretenu et que nous avons au contraire toujours réprouvé les malheureuses distinctions nationales que nos ennemis communs ont cherché et cherchent méchamment à fomenter parmi nous, et nous devons proclamer hautement que le fait allégué dans les rapports transmis au gouvernement de Sa Majesté que la lutte était ici entre les habitans d'origine bretonne et ceux d'origine canadienne, est un avancé malicieux et démenti par le caractère bien connu des habitans canadiens; et que quant à nous, quelque soit le sort du Pays, nous travaillerons sans peur et sans reproche comme par le passé, à assurer à tout le peuple sans aucune distinction, les mêmes droits, une justice égale et une liberté commune[12].

Ce propos récurrent ne doit toutefois pas faire oublier que, la pression montant, les premiers harcèlements de Patriotes se feront contre des anglophones[13].

Si elle est peu fréquente, la visée anticléricale des résolutions des assemblées populaires est toutefois précise dans l'esprit des Patriotes de Vaudreuil ou de Saint-Ignace: «Que la religion ne fut pas établie par son divin créateur avec l'intention d'en faire un engin d'intrigues politiques, ni un instrument de parti ou d'opposition aux besoins moraux des peuples.» Ce propos et ce ton ont leur origine dans la prise de position de Mgr Lartigue du 25 juillet 1837, lors du sacre de son coadjuteur, Mgr Ignace Bourget. Devant tout le clergé du diocèse de Montréal au cours d'un banquet clos par une santé «au Roi!», l'évêque du lieu réitérait la doctrine politique de l'Église catholique romaine: défense de se révolter contre l'autorité légitime et d'absoudre ceux qui prêchent cette doctrine[14]. La presse libérale de Montréal et de Québec réagit alors vivement à cette directive. La Minerve dit craindre que «le tribunal de la pénitence» ne soit «converti en épouvantail politique» et rappelle que «l'alliance de l'église avec l'état est une union dangereuse», que le «gouvernement théocratique est le plus dangereux et le plus insupportable de tous les pouvoirs» et que «l'histoire nous démontre [que l'alliance des deux pouvoirs] a fini par bouleverser toutes les nations où elle avait existé». Plus incisif, Le Libéral écrit: «Il vaudrait beaucoup mieux pour [les curés] de recevoir tranquillement leurs dîmes et les mille autres contributions sur l'ignorance du peuple, aussi longtemps qu'ils pourront en retour prêcher les doctrines morales du christianisme à leurs ouailles, que de descendre dans l'arène des disputes politiques, mus qu'ils sont toujours dans ces questions par leurs intérêts privés [...][15].» Au moment de la résolution des Patriotes de Vaudreuil, La Minerve revient à la charge pour préciser ce que les libéraux entendent par «autorité légitime»: «prêcher le respect pour l'autorité légitime c'est prêcher le respect pour le peuple, seule source légitime de l'autorité». Le peuple est souverain et «*Omnis potestas [non est] a Deo*».

Les avertissements à l'égard de la fiscalité ecclésiale (la dîme) peuvent se doubler d'autres à l'égard de la fiscalité seigneuriale (rente). La question de la tenure seigneuriale — le mode de propriété du sol — est litigieuse depuis 1760. Les Canadiens français y voient une des caractéristiques de leur identité sociale, un moyen de protéger cette identité contre une menace d'anglicisation alors que les Britanniques de la colonie considèrent ce mode de tenure foncière comme un archaïsme féodal et un obstacle au développement immobilier, commercial et industriel. En 1830, les pétitions qui circulent parmi les Canadiens français à propos de la tenure seigneuriale visent non pas son abolition mais la correction de certains abus. Des Comités de la Chambre d'assemblée enquêtent sur le sujet mais sans que suite soit donnée à ces réflexions. Un échange d'idées dans *La Minerve,* de décembre 1836 à mars 1837, entre «Agricola», alias le Dr Cyrille Côté, et «Jean-Paul», alias Amury Girod, à propos du régime seigneurial, indique la position de Patriotes plus radicaux et celle du Parti patriote. Pour le Dr Côté, le régime seigneurial est aristocratique, anti-démocratique et inacceptable dans la mesure où il réserve aux seigneurs les richesses du présent et de l'avenir (bois, minéraux, emplacements de moulins dans le réseau hydraulique). Girod reconnaît les abus réparables du système, favorise une compensation dans l'éventualité d'une abolition tout en s'opposant aussi au monopole des seigneurs sur la banalité. Le débat tourne court avec la nouvelle des Résolutions Russell qui proposent, d'une part, la révocation de la tenure seigneuriale au profit d'une tenure franche de toute contrainte et, d'autre part, le maintien des droits de la Couronne sur la propriété des terres des cantons de l'Est et ceux de la spéculatrice British American Land Company[16]. Le problème des terres est donc doublement litigieux.

Les Patriotes de Sainte-Rose et de Napierville estiment que pour «assurer tôt ou tard le triomphe des principes démocratiques qui seuls peuvent fonder un gouvernement libre et stable sur ce nouveau continent», pour «arracher au gouvernement tout espoir d'établir dans le pays un noyau d'aristocratie», que «cette assemblée regarde comme un des moyens les plus propres de parvenir à cette fin, l'abolition des droits seigneuriaux en accordant aux possesseurs d'iceux une compensation juste et raisonnable, et l'établissement d'une tenure entièrement libre que nos moeurs et nos besoins réclament hautement et impérieusement». À Saint-François-du-Lac, l'assemblée patriote porte en totalité sur le régime seigneurial et dénonce les lods et rentes comme une «taxe immorale et injuste sur l'industrie des habitants de ce pays». Des Patriotes de Vaudreuil jugent que les droits seigneuriaux sont «incompatibles avec la liberté et les sentiments du peuple[17]».

Chose certaine, les seigneurs savent où logent leurs intérêts; qu'ils soient «girouettes» ou «vire-capot» (Debartzch, Sabrevois de Bleury, Dumoulin, Dionne, Languedoc) ou qu'ils aient été de tout temps pro-Britanniques (Hertel de Rouville, de Saint-Ours, de Tonnancour, Rolland, Masson, B. Joliette, sans compter les seigneurs ecclésiastiques comme Saint-Sulpice ou le Séminaire de Québec), tous les seigneurs francophones et anglophones, à l'exception de Papineau, se rangent du côté du pouvoir. Certains comme Debartzch à Saint-Charles-sur-Richelieu ou Ellice à Beauharnois verront même leurs manoirs occupés par les Patriotes[18].

Papineau et Parent à propos des Résolutions Russell
et des assemblées populaires (avril-août 1837)

Papineau, qui participe aux assemblées de Saint-Laurent, de Sainte-Scholastique, des comtés de L'Islet, de Bellechasse et de L'Assomption, exprime clairement ses attentes déçues et la nécessité de trouver une autre approche: à Saint-Laurent, il déclare: «La circonstance nouvelle [...] c'est que le parlement britannique prend parti contre nous.» Il affirme aux Patriotes assemblés à Sainte-Scholastique: «Nous avions des espérances dans la Chambre des communes; mais cette Chambre nous a trompés; une malheureuse commission royale [Gosford] a trompé les Lords, les ministres et les Communes dans lesquelles nous avions déposé une confiance déplacée.» Puisque le «gouvernement persécuteur repousse toutes et chacune des réformes demandées», il semble bien, reconnaît l'orateur, que le temps des pétitions soit fini et que «les temps d'épreuve sont arrivés», qui révéleront les vrais patriotes. Le ton monte, car les griefs «deviennent de plus en plus intolérables»: à L'Assomption, le leader patriote ajoute à cette conscience de la gravité de la situation: «nous devons espérer qu'on ne nous poussera pas aux dernières extrémités». Si Papineau avance que le «système colonial européen doit être refait et refondu», que «toutes les colonies ont les motifs les plus urgents d'avancer l'heure de leur séparation» et qu'il «faut que nous soyons tôt ou tard prêts à prendre ce que la main de fer du pouvoir voudrait nous arracher», il précise que son approche réside toujours dans la résistance constitutionnelle. De même, le républicain admirateur des institutions étatsuniennes n'est pas prêt, pour le moment, à une union avec la grande république voisine : «Cette union est séduisante, et la nôtre dans le moment actuel est humiliante. Est-ce à dire que de suite nous devons répudier l'une, pour épouser l'autre? Doucement!» Mais il ne manque pas, du même souffle, de lancer à l'adresse du gouverneur et du ministre d'État aux colonies que si «la détermination de Lord Russell est un plan fixe», «l'histoire des anciennes plantations recommencera avec le même résultat inévitable[19]».

Si, à l'adresse du gouverneur et de l'Exécutif colonial, Papineau continue de réclamer le contenu des 92 Résolutions de 1834, il est clair par ailleurs que le refus de Londres par le biais des Résolutions Russell l'oblige à poursuivre la stratégie de non-consommation des biens importés, si ce n'est à encourager la contrebande, de manière à ce que la colonie, privée des revenus de la taxe, devienne un poids manifeste pour la métropole. À l'égard des anglophones de la colonie, Papineau réitère sa position : «Quiconque vient pour partager notre sort et comme un égal est un ami qui sera bienvenu, n'importe quel est le lieu de sa naissance.» Muet à propos des positions politiques de Mgr Lartigue et du clergé et à propos de la question seigneuriale, Papineau tiendra aux Patriotes de Berthier-en-Bas, en juin 1837, ce propos énigmatique : «dans la circonstance, le seigneur n'est pas plus que son censitaire[20]».

Du point de vue de l'histoire des idées de la majorité francophone, les rébellions de 1837 et de 1838 forment un chœur à trois voix : celle des patriotes et du Parti patriote que Papineau fait entendre, celle des Patriotes plus radicaux — le Dr Côté, Rodier, les frères Nelson —, identifiés en 1837 à certains comtés et à certains thèmes des assemblées populaires mais radicaux qui se révéleront surtout lors de la rébellion de 1838, enfin celle de Parent qui fait entendre un son différent, celui des désaccords. Désaccords entre Papineau et Parent, entre la région de Montréal et celle de Québec, où John Neilson, l'allié de Papineau à Québec comme à Londres, s'est distancié du Parti patriote à propos des 92 Résolutions. Les Patriotes devront même fonder l'éphémère *Libéral* à Québec pour tenter de faire échec au *Canadien* de Parent.

Dès avant les Résolutions Russell, Parent avait fait connaître ses couleurs : «Dans l'intérêt de [leur] existence nationale, les Canadiens doivent rester unis à l'Empire Britannique; dans l'intérêt de sa domination sur le continent américain, l'Angleterre doit protéger les Canadiens dans leurs droits nationaux.» Après les Résolutions Russell, à l'encontre de l'idée que le temps des pétitions est fini, Parent opte pour une «soumission accompagnée d'une protestation énergique et solennelle»; il se refuse à une opposition constitutionnelle et propose une «résistance décisive et portée sur le terrain où se sont posés les ministres eux-mêmes». Certes, le directeur du *Canadien* dénonce l'ingérence du Parlement impérial dans les affaires de la Chambre coloniale — cette «main dans la caisse provinciale» qui constitue un «acte d'agression [...] qui rompt le contrat social, et qui rendrait sainte toute résistance même par la force physique». Mais une métaphore du grand journaliste traduit bien sa position, lui qui observe que «le vaisseau de nos libertés a été jeté sur les rescifs de l'arbitraire Britannique, et les débris sont épars sur la plage»; il se refuse à tenter «les hasards d'une nouvelle destinée», proposant plutôt au «pilote de suivre une autre course» et de voir «si nous ne pouvons pas réparer les avaries de la tempête, assez pour faire espérer une navigation supportable». Cette navigation «supportable» est sa position, qu'il formule autrement, plus gravement: «Un peuple faible peut se résigner à un sort malheureux sans déshonneur; il y a une soumission honorable, comme il y a une domination déshonorante[21].»

Parent, qui proposera aux «modérés» d'organiser leurs propres assemblées populaires, exprime son désaccord avec le contenu de celles des Patriotes de la région de Montréal. À propos des résolutions de Saint-Ours-sur-Richelieu qui déclarent la guerre à l'Angleterre et font appel aux États-Unis, il remarque qu'on compte beaucoup «sur l'ailleurs» alors que les leaders n'ont pas la crédibilité des dirigeants des colonies américaines de 1774. Il qualifie «d'œuvre d'un désir enfantin» la pétition au Congrès américain de l'assemblée de Saint-Laurent et le propos de Papineau concernant un rapprochement avec les États-Unis, faute d'une union avec ceux-ci. L'ancien allié des Patriotes se méfie de cet «ailleurs» frontalier, car l'Américain «naît, il vit, il meurt calculateur» et il craint que le peuple canadien ne se retrouve dans la situation de «la Pologne qui comptait beaucoup sur l'appui de la France dans sa dernière insurrection». Mieux vaut donc ne pas trop miser sur les Américains: «on dîne mal et tard quand on [se] fie sur son voisin». Bien au fait de la situation internationale et conscient de la montée de la puissance impériale de la Grande-Bretagne, il réplique ainsi aux Patriotes du comté de Bellechasse: «Étrange conduite assurément que celle d'une faible colonie qui, tout en avouant qu'elle est incapable de repousser l'envahissement d'un droit vital, provoquerait néanmoins une métropole toute-puissante à la dépouiller de toutes ses libertés[22].»

L'opposition de Parent à l'approche patriote se radicalise même: «Nous n'avons pas repoussé l'oppression d'un Dalhousie ou d'un Aylmer, pour accepter aujourd'hui des fers des mains du Comité central, ni de qui que ce soit.» Le rédacteur du *Canadien*, qui est la cible du tir groupé du *Libéral*, de *La Minerve* et du *Vindicator*, croit représenter la position des Canadiens français: «Voudrait-on nous punir d'avoir raison, d'avoir su marquer le point juste de l'échelle où l'opinion publique devait s'arrêter[23]?»

Parent serait prêt à donner une autre chance au gouvernement colonial et métropolitain à condition qu'on introduise des réformes nécessaires «et de nature à satisfaire des hommes libres, et à les empêcher de chercher des sympathies en dehors de l'empire». Pour lui, la première réforme nécessaire est celle du Conseil législatif. Si Parent ne se préoccupe guère de la question seigneuriale, il entend «défendre notre établissement religieux» contre les charges de «L.M.N.», alias Thomas Storrow Brown, dans le *New York Daily Express*. Et pour la première fois, face à une certaine radicalisation patriote contre l'ingérence politique du clergé, Parent va proposer de «réunir l'étendard de la croix au drapeau des défenseurs de nos institutions, notre langue et nos lois», donnant ainsi son acte de naissance à un type de nationalité promu à un long avenir[24]. La religion était implicitement ajoutée à la devise du *Canadien*.

La session d'août 1837: Papineau vs Parent

La session que convoque le gouverneur Gosford dans le but d'informer officiellement la Chambre de la teneur des Résolutions Russell ne dure que huit jours (du 18 au 26) mais cette semaine permet d'observer l'ultime effort des modérés pour infléchir la stratégie des Patriotes. Papineau maintient qu'il faut «plus que jamais se tenir debout» et ne déroge pas à sa demande d'un Conseil législatif élu. Il dénonce la stratégie de Londres qui consiste à user du droit du plus fort pour protéger la minorité britannique de la colonie et à «faire durer le jeu ruineux et défraudé, que tous les ministres et tous les gouvernements sans une seule exception depuis 1792 jusqu'à ce jour, ont joué contre le pays en organisant les deux Chambres pour une lutte perpétuelle qui fait leur lucratif amusement, que gâterait et détruirait de suite un Conseil électif». Le leader patriote entrevoit le jour où la liaison avec l'Empire «devra inévitablement cesser par la suite des temps».

Le député Taschereau se lève pour proposer une autre réplique à la harangue du gouverneur. Des députés patriotes interviennent aussi pour déclarer ne pas pouvoir voter en faveur d'une réplique dont on ne connaît pas «le père», façon de faire comprendre qu'on y devine la paternité du directeur du *Canadien*, Étienne Parent, porte-parole des citoyens de la région de Québec. C'est en effet aux idées de Parent que Taschereau donne voix: regret que les subsides n'aient pas été votés à la session de 1835-1836 et surtout dénonciation que l'on ait donné une si grande — trop grande — portée à la demande de l'électivité du Conseil législatif. Le député de Beauce s'en prend aussi aux assemblées populaires où s'expriment un esprit de révolte et un appel inconsidéré à l'étranger; il se dit toujours favorable à un Conseil législatif élu, néanmoins il accepte de légiférer sur une promesse de réformes de la part des autorités métropolitaines.

Le député Drolet prend la parole pour refuser cette approche de conciliation: «si nous ne faisons pas du Conseil électif une condition sine qua non, une question sans laquelle nous ne voulons point de conciliation, nous faisons un pas rétrograde de vingt ans». Augustin-Norbert Morin s'indigne des propos du député Taschereau «dignes du Conseil législatif» et enfonce le clou de toute velléité de conciliation. Une nouvelle étape est franchie; selon lui, l'Exécutif «n'est plus à même, dans son chef, ni dans ses autres membres, d'opérer les réformes indispensablement nécessaires comme le préliminaire de tout arrangement entre la métropole et la colonie, d'une manière juste, équitable, impartiale, propre à satisfaire cette Chambre et le peuple [...][25]».

Quelques jours plus tard, Parent définit dans *Le Canadien* la nationalité qu'il conçoit, défend et défendra:

> la cause de la liberté défendue avec prudence et modération, et toujours dans l'intérêt ce que nous appelons nationalité, la conservation de ce qui nous constitue comme peuple, et de ce qui fait des Canadiens le peuple le plus heureux et le plus moral qui existe; en un mot c'est la cause du vrai patriotisme, opposée à celle du faux patriotisme, qui, nouvel Esaü, serait prêt à vendre notre droit d'aînesse pour un plat de lentilles, pour quelque chose de moins encore peut-être.

La grande question de Parent est alors de savoir si le Canada (et non seulement le Bas-Canada) prendra place au rang des nations, s'il fera partie de l'Union américaine ou si une nouvelle Union naîtra[26].

« L'adresse » des Fils de la liberté (4 octobre 1837)

Fondés en septembre 1837, à l'image des Sons of Liberty de la guerre d'Indépendance étatsunienne, les Fils de la liberté, qui se présentent, pour le moment, comme une association purement préventive et défensive, publient en octobre 1837 un manifeste rédigé par Thomas Storrow Brown et adressé aux «jeunes gens des colonies de l'Amérique du Nord». Le document rappelle que 1776 et 1789 ont fait trembler l'Angleterre, que «l'autorité d'une mère-patrie sur une colonie ne peut exister qu'aussi long-temps que cela peut plaire aux colons qui l'habitent» et qu'en conséquence il faut «secouer le joug de la monarchie». La perspective républicaine et sécessionniste du manifeste ne fait pas de doute: «Une séparation est commencée entre des parties dont il ne sera jamais possible de cimenter l'union de nouveau, mais qui se poursuivra avec une vigueur croissante, jusqu'à ce qu'un de ces événements inopinés et imprévus tels qu'il s'en offre de temps à autre dans la marche des temps actuels, nous ait fourni une occasion favorable de prendre notre rang parmi les souverainetés indé-pendantes de l'Amérique.» Ces Fils de la liberté, qui attribuent «tous nos maux à l'action délétère du gouvernement colonial», font appel à toute la jeunesse, indépendamment des croyances, de l'origine et des ancêtres, et, dans ce scénario d'avenir, garantissent «une stricte égalité devant la loi pour toutes les classes sans distinction d'origine, de langage ou de religion».

Parent ne prise guère le manifeste, la «démence» des «agitateurs» de Montréal et ces Fils de la liberté à cause desquels «nous nous trouverons entre la mitraille d'un côté, et le déshonneur de l'autre». Quant à Papi-neau et aux Patriotes signataires d'une adresse à la London Workingmen's Association rendue sensible à la situation canadienne par l'intermédiaire de radicaux britanniques, ils partagent cette vision d'avenir continentale: «Nous n'avons pas évoqué l'indépendance à l'endroit de la Couronne britannique, mais nous n'oublions pas que la destinée des colonies conti-nentales est de se séparer de l'état métropolitain lorsque l'action inconstitutionnelle d'un pouvoir législatif résidant en un pays lointain n'est plus supportable[27].»

La grande assemblée de la Confédération
des Six Comtés (23-24 octobre 1837)

Le mouvement des assemblées populaires amorcé en mai connaît son apothéose à Saint-Charles-sur-Richelieu, les 23 et 24 octobre, avec la grande assemblée de la Confédération des Six Comtés. Treize députés y participent dont Papineau, qui s'y présente habillé en étoffe du pays pour être conséquent avec sa stratégie de non-consommation de produits importés. Des bannières interpellent les participants : « Gosford persécuteur des Canadiens », « Honneur à ceux qui ont renvoyé leurs commissions et à ceux qui ont été démis », « INDÉPENDANCE », « Conseil Législatif sine qua non ! », « Vive Papineau et le système électif ». La mise en scène a quelque chose de militaire avec les décharges de canons et de fusils pour accueillir Papineau. Les résolutions de l'assemblée, rédigées par Papineau et O'Callaghan, récapitulent les demandes des résolutions des assemblées précédentes y ajoutant toutefois une nette préoccupation à propos de l'augmentation des effectifs militaires : « et comme comble de nos malheurs, le présent gouverneur en chef a dernièrement introduit de grands corps de troupes armées dans cette province, dans un temps de paix profonde, pour détruire par la force physique toute résistance constitutionnelle, et pour compléter par la désolation et la mort, l'oeuvre de tyrannie déjà résolue et autorisée au-delà des mers ».

L'Adresse de la Confédération des Six Comtés, vraisemblablement rédigée par Papineau, rappelle du même souffle la voie constitutionnelle suivie jusqu'alors mais aussi le fait que les Canadiens français supportent « l'insupportable » — allusion à Parent — d'un Exécutif irresponsable, d'un Conseil législatif non élu, de juges sous la dépendance de l'Exécutif et de leurs terres aliénées. Pour ces Patriotes, qui croient que la souveraineté populaire confère le droit de changer de système de gouvernement, Londres fait montre d'une « coupable détermination de saper et de renverser jusqu'aux fondations de la liberté civile » et ils disent ne « plus tenir à l'empire » : « Ainsi l'expérience du passé démontre la folie d'attendre et espérer de la justice des autorités Européennes. » À nouveau, la référence à l'expérience des États-Unis sert à prévenir la métropole de l'existence d'un scénario autre que celui du lien avec l'Empire : l'Adresse, qui se loge à l'enseigne des droits de l'Homme inscrits dans la Déclaration d'Indépendance américaine, rappelle que « notre histoire n'est qu'une récapitulation des maux que les autres colonies ont endurés avant nous. Nos griefs ne sont qu'une seconde édition des leurs.» Et les Patriotes sont convaincus que leurs voisins républicains «ne consentiront pas que les principes pour lesquels ils ont combattu avec tant de succès dans le dix huitième siècle, soient dans nos personnes foulés aux pieds dans le dix neuvième». Le texte se termine par une invitation à tous, de quelque origine, langue ou religion qu'ils soient et «n'ayant plus d'espoir que sur vous» à s'organiser en comités de vigilance, à élire des magistrats, à multiplier les organisations de Fils de la liberté «afin de se trouver prêts à agir avec promptitude et efficacité suivant que les circonstances pourront le requérir» et à encadrer les miliciens par des officiers de leur choix[28].

Dans *Le Canadien*, Parent se dit préoccupé par cette impression donnée à l'étranger que «le peuple canadien est sur le point de se déclarer indépendant». Il demande aux Patriotes et à leurs leaders s'il faut «que le gouvernement sache que pour obtenir *toutes* nos demandes, nous sommes *tous* prêts à *tout* risquer?» Il en appelle à l'organisation d'une Contre-Fédération des modérés qui trouverait son inspiration en Irlande plutôt qu'aux États-Unis: «Nous nous montrons alors non plus dans la position des anciennes colonies à la veille de leur déclaration d'indépendance, mais bien dans celle d'O'Connell et de l'Irlande, demandant avec insistance la répression des abus, et ne voulant y parvenir que par les voies paisibles, croyant avec lui que toutes les améliorations politiques ne valent pas une goutte de sang humain; nous sommes des Réformistes, nous cessons d'être des Révolutionnaires.» Car face à des «Révolutionnaires [...], le Parlement accordera tout aux Ministres et à l'oligarchie locale[29]».

L'assemblée de la Montreal Constitutional Association (24 octobre 1837)

Simultanément à la «Convention» de Saint-Charles, la Montreal Constitutional Association, qui regroupe les Loyaux britanniques, la St. Patrick Society, la St. George Society, la St. Andrew Society et la German Society, organise une grande assemblée à Montréal, point culminant d'une douzaine d'assemblées de Loyaux tenues à Rawdon, à Napierville, à Trois-Rivières, à Québec, à Aylmer, à Yamaska, à Milton et à Clarenceville. Les bannières, qui ondulent dans la foule, affichent: «Reform Not Revolution», «United we Stand», «A Reformed Council not an Elective One», «Registry and Abolition of Feudal Tenures». L'assemblée, organisée pour maintenir l'ordre mis en cause par une faction révolutionnaire incapable d'apprécier les institutions britanniques, vote des résolutions qui disent

clairement où se situent les Loyaux: droit à la protection du gouvernement, soutien de la Couronne menacée par officiers déloyaux, organisation d'associations de quartiers «in case of disturbance», refus du
Conseil législatif électif, abolition de la tenure seigneuriale.

Peter McGill, qui prend la parole, n'épargne pas la «vacillating policy
of the Colonial Office»; il s'en prend aux leaders patriotes, aux «disap-
pointed ambitions» de ces individus «imbued with a mortal hatred of
British supremacy» qui assaillent tout autant «the Altar, the Throne, and
the Bench». Ce protestant anglophone respectueux de l'ordre mise sur
l'intervention du clergé catholique et sur l'influence «of their venerable
and respected pastors, and holy religion which incalculates loyalty to the
Sovereign, and obedience to the laws». Quant au journaliste Adam Thom,
la personnification de l'opposition aux Canadiens français, il affirme que
«our present evils do emanate from Downing Street» et, évoquant la
garnison de l'île Sainte-Hélène, les baïonnettes des troupes sur le Champ
de Mars et l'altière citadelle de Québec, lance cette provocation: «will
Mr. Papineau be so valiantly infatuated as to hoist the tri-colour of rebellion[30]?»

Le mandement de Mgr Lartigue (24 octobre 1837)

Les choses atteignent manifestement un point de non-retour pour qu'en
ces journées des 23 et 24 octobre 1837 les Patriotes et les Loyaux s'assemblent et pour que l'évêque de Montréal, se souvenant de la question des
Fabriques et de la montée des libéraux, publie un mandement à l'intention
de tous les fidèles du diocèse. Mgr Lartigue insiste à nouveau pour préciser
l'origine divine et non populaire du pouvoir civil — *Omnis potestas a Deo*
— et pour rappeler les devoirs du catholique à l'endroit de la puissance
établie et constituée. Bien au fait de la montée des nationalités en Europe
et de la crise des catholiques libéraux face à l'insurrection en Pologne,
Mgr Lartigue joint au mandement le texte de la soumission de Lamennais
à la condamnation papale de *L'Avenir* de Paris publiée dans le même
journal du 6 février 1831, l'encyclique du pape Grégoire XVI du 15 août
1832 sur la condamnation des idées politiques des libéraux catholiques
polonais et le Bref papal aux évêques de Pologne leur enjoignant de prêcher la soumission des libéraux catholiques polonais à la puissance constituée du tsar de toutes les Russies. Ainsi, celui qui «s'oppose aux Puissances résiste à l'ordre de Dieu» et les suites d'une telle insoumission

peuvent être horribles : « Avez-vous jamais pensé sérieusement aux horreurs d'une guerre civile ? Vous êtes-vous représentés des ruisseaux de sang inondant vos rues et vos campagnes, et l'innocent enveloppé avec le coupable dans la même série de malheurs ? » L'évêque, ancien mennaisien soumis, reconnaissait dans la montée du mouvement patriote les dimensions de souveraineté populaire et de désir de distinction du religieux et du politique, sinon de séparation de l'Église et de l'État, qui avaient inspiré les catholiques libéraux et nationalitaires en Pologne.

Une *Défense du mandement de Mgr Lartigue*, rédigée par l'évêque lui-même et datée du 24 octobre, paraît dans *La Minerve* du 17 novembre et enjoint aux Patriotes de cesser de se dire catholiques ou de renoncer « aux maximes de révolte contre le gouvernement civil ». Car il est clair pour l'autorité religieuse qui s'adresse aux catholiques que si « vous rejetez leurs enseignements [ceux des évêques], vous n'êtes pas dans l'Église ». Tout en mettant le *Vindicator* en contradiction avec lui-même et en légitimant du même coup, et d'une manière subtile, l'intervention de l'Église dans les affaires temporelles, Mgr Lartigue rappelle au journal irlandais pro-Patriotes qu'il appuie l'union du clergé et du peuple en Irlande tout en la récusant au Bas-Canada. Mais l'évêque établit surtout une équation qui mettra un siècle à être résolue : les principes politiques tombent sous le domaine de la religion, car la base de la politique est la morale et la base de la morale est la religion. Cette hiérarchie spirituelle des finalités temporelles — religion / morale / politique — était promise à un bel avenir[31].

L'évêque intervient de la sorte parce que les curés lui rapportent des comportements inquiétants, en particulier dans le sud-ouest du district de Montréal. À Saint-Cyprien-de-Napierville, les habitants ont voté une résolution selon laquelle, disent-ils, « nous continuerons de protester de notre attachement le plus sacré à notre religion tout en espérant cependant qu'on donnera la liberté au peuple de faire et de penser tout ce que bon lui semblera sur la forme de gouvernement qui doit être décrit par le peuple et non par ses chefs religieux ». Le curé du lieu écrit à son évêque que les « esprits se sont échauffés » depuis le mandement, que des résolutions ont été votées à la sortie de l'office durant lequel le mandement a été lu, que l'on parle « d'abattre » les dîmes et les droits seigneuriaux et que si le percepteur des rentes venait percevoir les arrérages, « il recevrait plus de coups de fouet que d'argent ». Des Patriotes lui font un charivari, chantant un *Libera* devant le presbytère. Reconnaissant privément utiliser le confessionnal comme instrument de persuasion, le curé précise à son évêque :

«Au tribunal de la pénitence, ceux que l'on interroge sur la fidélité au roi répondent sèchement: "M. le curé, je ne suis pas venu ici pour parler politique. Si vous ne voulez pas me confesser, je vais me retirer"»; dépité, il ajoute: «Je ne sais pas par quel enchantement on est venu à persuader à nos bons habitants que l'obéissance aux autorités était une question purement politique qui n'intéresse pas la religion.» Il était en effet inquiétant que l'on cherchât à distinguer la politique de la morale, la souveraineté du peuple de la souveraineté de Dieu et du roi, le pouvoir civil du pouvoir religieux. En refusant cette distinction, l'Église prenait un risque que l'évêque de Québec reconnaissait: «on crie à haute voix aux portes des Églises que le clergé a pris parti avec les ennemis du peuple pour l'écraser». L'alliance de l'Église et du pouvoir politique, britannique ou pas, pouvait être un principe coûteux[32].

Escarmouches, affrontements, combats (6 novembre-16 décembre 1837)

Autant de résolutions et de mises en garde indiquent bien que la situation a alors atteint un point de non-retour; et de l'affrontement à Montréal (6 novembre) entre le Doric Club et les Fils de la liberté, d'une part, à l'échec des Patriotes à Sainte-Scholastique et à Sainte-Thérèse (16 décembre), d'autre part, on passe d'une phase d'assemblées et de discours à une phase d'agitation populaire dans la région du Richelieu et du nord-ouest de Montréal. Ces événements, décrits et analysés brièvement, n'ont d'intérêt pour l'histoire des idées qu'en raison de leur symbolique et de l'évaluation qu'ils permettent quant à l'ampleur des initiatives prises.

L'affrontement du 6 novembre marque le début de la répression par l'autorité politique et militaire et par les Loyaux. De ce moment à la bataille de Saint-Denis, les Patriotes n'ont d'autre choix que de s'organiser du mieux qu'ils peuvent. L'affrontement entre le Doric Club loyal, qui existe depuis 1834, et les Fils de la liberté, formés en septembre 1837, a une double signification. D'abord à propos du mouvement patriote à Montréal même: le Doric Club, qui a l'appui majoritaire de la population anglophone, de la bourgeoisie anglophone et de l'armée en garnison à l'île Sainte-Hélène, détient un avantage manifeste qui explique sa prédominance sur les Fils de la liberté. Ajoutons à ce facteur démographique et économique l'émission dix jours après l'affontement de mandats d'arrestation contre les leaders patriotes, dont Papineau, et il devient évident que, pour les Patriotes, Montréal est à éviter et que la résistance et la lutte doivent se déplacer vers la campagne. Deuxièmement, la non-intervention ou la tardive intervention de l'armée lors du saccage des locaux du *Vindicator*, par exemple, sera perçue par les Canadiens français comme une évidente collusion du pouvoir civil et du pouvoir militaire, sorte de reprise de l'émeute du 21 mai 1832[33].

C'est vers cette date (10 novembre) que les Patriotes décident de constituer une garde armée auprès des leaders patriotes comme Papineau et Nelson à Saint-Denis. Trois jours plus tard, l'autorité politique coloniale poursuit son épuration de la magistrature et de la milice, révoquant magistrats, juges de paix et officiers de la milice favorables aux Patriotes, de manière à mettre en place une structure judiciaire et militaire loyale. En septembre 1837, 18 magistrats et 33 officiers de milice avaient ainsi été révoqués tandis qu'en milieu patriote la dignité voulait qu'on remette sa démission. En élisant des magistrats et des officiers de milice à la suggestion des Patriotes, on constitue une structure judiciaire et militaire parallèle. La situation était à ce point pourrie que deux structures judiciaires parallèles se trouvaient prêtes à juger d'éventuels délits selon des critères vraisemblablement différents sinon opposés. Cette stratégie se révélait à la fois plus radicale et plus spécifiquement canadienne que la stratégie de non-consommation des produits britanniques importés, empruntée aux Américains[34].

Au moment où Lord Gosford lance des mandats d'arrêt contre les chefs patriotes (16 novembre), il autorise la formation d'un Corps de Volontaires de 1000 à 2000 hommes à Montréal et de 800 hommes à Québec. Ces Volontaires loyaux et motivés, constitués souvent de membres du Doric Club, s'ajoutent ainsi à une garnison qui, en août 1837, comprenait 1000 soldats à Montréal et 1700 à Québec. L'embuscade réussie des Patriotes le lendemain, près de Longueuil, pour libérer ceux des leurs qui ont été faits prisonniers sous le couvert des mandats d'arrêt, et l'établissement d'un camp à Saint-Charles-sur-Richelieu le 18 novembre donnent le branle à des déplacements militaires au cours desquels le colonel Wetherall quitte Montréal pour le fort de Chambly et le colonel Gore se met en marche (22 novembre) de Sorel pour Saint-Denis-sur-Richelieu. À Saint-Denis (23 novembre), 800 Patriotes, dont 200 armés, mettent en déroute 300 soldats de Gore. Ce sera la seule victoire des Patriotes. Le 25, Wetherall, parti de Saint-Hilaire avec 350 hommes, une cavalerie et deux pièces d'artillerie, écrase 200 à

300 Patriotes dont 50 armés, à Saint-Charles, dans une bataille qui indique assez clairement le manque total de stratégie de leur part. Le 6 décembre, 80 Patriotes exilés au Vermont partent de Swanton mais sont défaits par les Missisquoi Volunteers ; une semaine plus tard, le gouverneur Jenison du Vermont proclame la neutralité de l'État, laissant présager quelque désillusion pour les Patriotes et leurs leaders qui comptent depuis longtemps sur « l'ailleurs », sur leurs voisins républicains.

Au nord de Montréal, les 14 et 15 décembre, à Saint-Eustache et à Saint-Benoît, le général Colborne, avec 1200 soldats, 230 Volontaires et 12 canons, affronte 200 à 250 Patriotes ; entre 70 et 100 de ces derniers sont tués et un plus grand nombre sont faits prisonniers. Le 16, les Patriotes sont aussi défaits à Sainte-Scholastique et à Sainte-Thérèse[35].

Sous la clameur des armes, la voix des Patriotes s'est tue, celle de la presse en particulier. Le *Vindicator,* dont les locaux sont saccagés par le Doric Club, cesse sa publication. Confronté à l'exil, Duvernay publie le dernier numéro de *La Minerve* le 20 décembre et le même jour *Le Libéral* de Québec cesse de paraître. François Lemaître qui imprimait *Le Libéral* à Québec lance *La Quotidienne* à Montréal le 30 novembre mais son arrestation et la confiscation des presses empêchent la publication du journal de janvier à juin 1838. Par contre, la voix du pouvoir se fait entendre dans les proclamations, les arrestations et les emprisonnements, dans la presse conservatrice et dans les directives des évêques de Montréal et de Québec. *Le Populaire* continue de paraître jusqu'en novembre 1838 et *L'Ami du peuple, de l'ordre et des lois*, propriété des Loyaux sulpiciens et fondé par le directeur de la police secrète durant les rébellions, Pierre-Édouard Leclère, défendra l'ordre et la loi jusqu'en 1840.

L'alliance du pouvoir religieux et des pouvoirs politique et militaire prend alors de multiples formes. Le 4 décembre, l'évêque de Québec invite les fidèles à faciliter le passage des troupes en provenance du Nouveau-Brunswick, qui ne « ne viennent que pour protéger les habitants et pour maintenir la tranquilité publique » ; il les assure que leurs « efforts vers un but si louable ne manqueront pas d'être dûment appréciés par un gouvernement qui a donné des preuves non équivoques de ses bonnes dispositions en faveur du clergé ». Une semaine plus tard, il propose des prières publiques de réparation et dénonce ces « hommes aveuglés » qui font circuler des « doctrines propres à favoriser l'insubordination ». L'évêque de Montréal informe les curés que « l'Église a tellement horreur de ce crime qu'elle refuse d'enterrer dans les cimetières ceux qui [se]

rendent coupables» de cette révolte contre leur souveraine. Mgr Lartigue
adresse même une requête du clergé de Montréal à la jeune reine Victoria,
témoignant de son «extrême affliction» et implorant un «acte de clémence» malgré «le crime de quelques-uns[36]».

Pendant ce temps à Londres...

Un mois après les combats de Saint-Denis et de Saint-Charles, les affaires
du Canada refont surface à la Chambre des communes de Londres où
Lord Russell fait une lecture impériale des causes des rébellions: «The
intention was not to obtain redress by means of representation from the
Assembly, but to look for redress by arms, to obtain it by violence, and to
oppose by force her Majesty's Government in that province.» La responsabilité est ainsi imputée aux coloniaux et non pas au Colonial Office.

Le député radical Leader se lève à son tour pour dénoncer les effets des
Résolutions Russell: «Canadians, before excited by long years of misgovernment, were driven to desperation.» Cette politique du Colonial Office
n'a fait que placer les Canadiens devant un dilemme: «this dilemma,
either to submit to the resolutions and be slaves, or to resist them and run
the risk of civil war. In this dilemma, they made that choice which would
be made by every people who had since enjoyed any portion of freedom
— they determined on resistance.» Et pour éviter le pire, Londres n'a
qu'une alternative: donner suite aux griefs ou «an amicable separation of
the two countries. The North American provinces are now strong enough
to take care of themselves, and they know it.» Ses collègues Hume et
Grote partagent cette analyse d'une responsabilité métropolitaine des
événements survenus dans la colonie canadienne. Le député Molesworth
s'indigne quant à lui d'une attitude de refus des réformes par l'Angleterre
«which would offer the world the disgracious and disgraceful spectacle of
a free and mighty nation succeeding by force and arms in putting down
and tyrannising over a free though feebler community struggling in
defence of its just rights[37]».

Quant à l'agent de la Chambre d'assemblée du Bas-Canada à Londres,
Arthur Roebuck, il écrit au premier ministre Melbourne pour lui faire une
suggestion: mettre sur pied une fédération des provinces canadiennes[38]. Le
spectre d'une nouvelle Union réapparaissait à la Chambre des communes...

Chapitre VIII

1838

LES AFFRONTEMENTS DE 1838, impliquant des Patriotes qui s'étaient exilés aux États-Unis, donnent lieu à deux orientations de la part des Patriotes — la scission lors de l'assemblée de Middlebury et la Déclaration d'Indépendance de Robert Nelson —, positions auxquelles ont déjà répliqué l'Église catholique et le gouvernement métropolitain avant que n'aient lieu les affrontements, vains pour les Patriotes, de novembre et décembre 1838.

L'assemblée de Middlebury et la « Déclaration d'Indépendance »
de Robert Nelson

Des leaders des 400 à 500 Patriotes en exil dans les États du Vermont et de New York se réunissent à Middlebury, au Vermont, le 2 janvier 1838, pour faire le point et élaborer une stratégie après les échecs de novembre et décembre 1837 dans la vallée du Richelieu et au nord-ouest de Montréal. Les décisions que vont prendre ces Patriotes, en particulier celles de mener de nouvelles attaques et d'abolir le système seigneurial, vont créer une division parmi les Patriotes en exil. Ceux-ci ne peuvent finalement compter sur Papineau qui, en désaccord avec leur radicalisme, quitte Albany pour Philadelphie le 20 février 1838 avant de s'exiler l'année suivante à Paris pour y entreprendre une mission de sensibilisation à la situation du Bas-Canada. Le docteur Robert Nelson rend ainsi compte des divergences entre les radicaux et Papineau : « Papineau nous a abandonnés et cela pour des motifs personnels et familiaux concernant les seigneuries et son amour invétéré pour les vieilles lois françaises. Nous pouvons mieux faire sans lui qu'avec lui[1]. » Il n'avait pas tort quant aux motifs, car pour Papineau, l'abolition sans compensation du régime seigneurial était illégale et injuste et le vol à l'égard d'un seigneur ne se justifiait pas plus à ses yeux qu'à l'égard de quiconque. Mais du point de vue des Patriotes radicaux, le seigneur Papineau avait rejoint le démocrate Papineau, et si cette divergence sociale cachait des visions stratégiques différentes — attentes d'appuis diplomatiques et militaires de la part des États-Unis et peut-être de la France —, elle mettait aussi en cause la modération de Papineau à l'égard de l'Angleterre et son mutisme public à propos des interventions politiques du clergé catholique. De plus, les attentes de Papineau à l'égard des États-Unis avaient été refroidies par la déclaration de neutralité faite par le président Martin Van Buren le 23 décembre précédent, donnant instructions aux officiers et gouverneurs «d'empêcher l'intervention illégale de nos citoyens dans la lutte malheureuse commencée dans les Provinces Anglaises» et prévenant «tous ceux qui compromettront la neutralité de ce Gouvernement [qu'ils] s'exposeront à être punis et arrêtés[2]».

La «Déclaration d'Indépendance» signée par Robert Nelson résumait bien la radicalisation nouvelle et affichée des Patriotes exilés, déclaration qui avait pourtant été faite dans une circonstance qui la rendait un peu dérisoire, l'attaque ratée de Caldwell's Manor, près de Lacolle, le 28 février 1838. Le document déclarait la fin de la «connexion» avec l'Angleterre et l'Indépendance de la colonie et proposait l'établissement d'un gouvernement républicain. Cette république souveraine favoriserait l'égalité de tous devant la loi y compris celle des Indiens, l'abolition des droits seigneuriaux, du droit coutumier et la récupération de toutes les terres publiques, la séparation de l'État et de l'Église, l'abolition de la dîme et la liberté de conscience, le suffrage masculin à compter de 21 ans et le vote secret et, enfin, l'usage du français et de l'anglais «dans toutes matières publiques[3]».

«Rebelles et brigands» selon Mgr Lartigue

La convergence des intérêts de l'Église catholique et du pouvoir colonial britannique trouve une nouvelle occasion d'expression à l'occasion du second mandement de l'évêque de Montréal du 8 janvier 1838. Il faut imaginer les paroissiens entendant le curé sermonner ces «brigands et rebelles»: «Ils ont montré ce qu'était la liberté qu'ils vous promettaient, lorsqu'ils ont dépouillé vos granges et vos maisons, qu'ils ont enlevé vos bestiaux, et vous ont réduits à la dernière pauvreté afin de se gorger de

butin dans leurs camps, où ils démoralisaient notre jeunesse en l'entrete-
nant dans un état habituel d'ivrognerie, pour étourdir ses remords.» Face
aux paroissiens démoralisés, souvent apparentés à un exilé ou à un prisonnier, l'Église fustige ces faux patriotes «qui ne visaient qu'à s'élever, à
dominer dans un nouvel État chimérique, à prendre la place de ceux qu'ils
pourraient dépouiller»; le mandement qualifie les chefs patriotes de
«meneurs de révolte» et de «flatteurs qui, avec les grands mots de liberté
et d'indépendance, ne cherchent à vous endoctriner que pour leur avantage personnel». La directive épiscopale au clergé était claire: refus de
sépulture dans le cimetière catholique pour les personnes mortes les armes
à la main[4].

Pour répondre à ces gens qui «font entendre que *toute autorité vient
du peuple*» et qui cherchent à confiner l'Église dans des tâches spirituelles,
celle-ci fait imprimer un fort volume de 129 pages, *Doctrine de l'Église
catholique d'Irlande et de celle du Canada sur la révolte*, qui plaide en faveur
du droit d'intervention de l'Église dans les matières de gouvernement civil.
On y reproduit des textes d'évêques irlandais et bas-canadiens, y compris les deux mandements de l'évêque de Montréal et l'encyclique de Grégoire XVI du 25 juin 1834 contre les *Paroles d'un croyant* de Lamennais
dont Duvernay, de *La Minerve,* avait publié une édition pirate[5].

Anticipant un nouveau projet d'Union qui mettrait en cause la religion catholique, le statut de l'Église et la dîme, l'évêque de Québec prend
l'initiative d'une adresse à la Reine, réitérant «l'attachement inviolable à la
liaison» avec l'Angleterre et la loyauté du clergé et celle qu'il a inspirée au
peuple. De son côté, le supérieur de Saint-Sulpice à Montréal,
M. Quiblier, juge utile d'écrire à la Sacrée Congrégation de la Propagande
à Rome que «le Séminaire avait plus contribué [selon le général Colborne]
à abattre la rébellion que tous ses régiments[6]». L'offensive cléricale est telle
que des prisonniers politiques prennent la peine d'écrire à Mgr Lartigue:
«Le prestige qui vous entourait est tombé. [...] Le peuple canadien, après
tous les sacrifices qu'il a faits pour vous, était digne d'un meilleur
évêque[7].»

Nouveaux affrontements (novembre 1838)

À l'été 1838, les Patriotes en exil recrutent parmi eux et parmi leurs
concitoyens du Bas-Canada des Frères chasseurs ainsi appelés parce que la
recrue — *the great wolf hunt,* la grande chasse au loup — doit s'effectuer

de façon secrète pour faire échec aux espions et aux délateurs. Comme les *carbonari* italiens, les Frères chasseurs forment une société secrète paramilitaire qui planifie des attaques dans les comtés du sud-ouest du Bas-Canada, attenants à la frontière étatsunienne[8].

Le pouvoir colonial s'est aussi donné des moyens : création d'un corps de police montée en août, renforcement des effectifs militaires constitués de 5000 hommes sous le commandement du général Colborne et de plus de 1000 Volontaires loyaux.

Du 3 au 10 novembre 1838, de nouveaux affrontements ont lieu dans les comtés de Laprairie, Beauharnois et L'Acadie, lieux déjà reconnus en 1837 pour leur plus grand radicalisme. À Napierville, où le quartier-général des Patriotes aurait compté de 4000 à 5000 hommes, Nelson réitère sa Déclaration d'Indépendance et hisse non plus le drapeau aux trois bandes horizontales mais un drapeau blanc avec deux étoiles — référence possible au « Star-Spangled Banner » étatsunien — représentant les deux républiques du Bas et du Haut-Canada. Autre drapeau, autre vision.

À Beauharnois, les Patriotes antiseigneuriaux joignent le geste à la parole et occupent le manoir du seigneur Ellice, personnification par excellence de l'élite coloniale britannique, lobbyiste de longue date auprès de la Chambre des communes et de la Chambre des Lords. La belle-fille du seigneur, récemment arrivée de Londres et habituée aux soirées de conversations entrecoupées de chansons, de pièces de piano ou de guitare, est réveillée le 4 novembre par les jappements des chiens et l'énervement des dindes et se trouve « en *chemise de nuit* & robe de Chambre, in the midst of five or six of the most ruffian looking men I ever saw (except in my *dreams* of *Robespierre*) ». Elle fait face « with a trembling heart and the most smiling face I could *put on* ». Enfin libérée par les troupes anglaises le 12 novembre, elle est conduite en canot à Lachine tandis que « the water was lighted up by the reflection of the villages burning in all directions ».

Mais les insurgés sont défaits à Lacolle et à Odeltown et chaque fois, non pas par l'armée de Colborne, mais par des Volontaires loyaux de la région tout aussi motivés que bien armés[9].

C'est la fin de quelque chose. Et comme pour mieux enfoncer le coin de la défaite, l'évêque de Québec publie une circulaire « pour des prières publiques à l'occasion de l'insurrection du district de Montréal » dans laquelle il invite à « nous soumettre avec humilité aux châtiments que la divine providence nous envoie en punition de nos péchés[10] ». De son côté, le président Van Buren publie, le 21 novembre, une seconde proclamation de neutralité des États-Unis. Invitation à la culpabilité et déception bouclent la boucle et une semaine plus tard s'ouvre le procès d'État contre les prisonniers politiques.

« Épouvante » et répression

Si l'ambivalence et les longues discussions de nuit qui font tant rager le leader Girod sont un signe du caractère peu volontaire de certains soulèvements, le jeu de la rumeur et de la contre-information couplé à la lenteur des communications peut parfois expliquer la confusion des populations. Ou alors, ce sont le tocsin d'alarme ou la vue de « bayonnettes qui brillaient au soleil, à une assez grande distance » qui sèment « l'épouvante » quand ce n'est pas la triple répression de la police, de l'armée et du gouvernement et de la justice réunis. Des constables épient Montréal tandis qu'une police montée à cheval sillonne les campagnes et s'adonne à une chasse à l'homme qui oblige les Patriotes ou les personnes dénoncées à se cacher dans les bois, dans des cabanes à sucre, dans des caveaux de maison ou des fenils de grange en évitant de faire des feux ou de laisser des traces dans la neige ; d'autres fuient vers la frontière étatsunienne dans la neige, traversant « des savanes et des ruisseaux dont la glace se rompait à chaque instant sous [les] pas » et se nourrissant de navets à demi gelés laissés dans les champs. Le pillage par les Patriotes mêmes dans le nord de Montréal, dénoncé et par le chef Girod et par le curé Paquin, et celui à Beauharnois du manoir Ellice, n'ont toutefois pas l'ampleur du pillage militaire qui prend la forme, par exemple, du vol de quelque 800 chevaux. La répression militaire se veut exemplaire : Gore revient à Saint-Denis, pourtant calme après la seule victoire des Patriotes, et entreprend le saccage d'une partie du village. Dix-huit maisons ou granges sont brûlées à Saint-Charles. À Saint-Eustache, 60 maisons sont détruites. Saint-Benoît, déjà soumis, est réduit en cendres. Beauharnois est rasé, 80 maisons sont incendiées à Napierville, 20 à Châteauguay. On dira des soldats du régiment de Glengarry que « they made war like Cosacks[11] ».

La démission forcée de juges de paix et la mise sur pied d'une justice parallèle à celle mise en place par le gouvernement avec des Loyaux expliquent en partie la décision discutable et discutée des autorités coloniales de constituer une Cour martiale pour juger des civils et de refuser aux Patriotes arrêtés de se choisir des avocats canadiens-français sous le prétexte que des rebelles ne peuvent défendre des rebelles. Des 855 citoyens arrêtés lors de la seconde rébellion, 108 seront accusés de haute trahison lors de quatorze procès d'État, tenus du 6 décembre 1838 au 1er mai 1839. Neuf accusés seront acquittés, 99 seront condamnés à mort, à l'exil ou au bannissement : 12 sont pendus haut et court à la nouvelle prison du Pied-du-Courant, 58 sont déportés aux « Terres australes » — après les 8 exilés aux Bermudes de 1837 —, 27 sont libérés sous caution et 2 sont bannis à vie. Ce sont ces hommes, ces Canadiens errants, qui, dans la chanson « Le Proscrit / Un Canadien errant », sont bannis de leurs foyers et parcourent en pleurant des pays étrangers[12]...

Avant et après leur mort ou leur exil, les Patriotes, faits prisonniers ou pas, auront connu invectives, humiliations et souffrances. Invectives de la prose hargneuse d'Adam Thom qui, depuis 1835, dans le *Herald* de Montréal, défend de façon virulente des positions contre les Canadiens français et qui les reconduira dans le *Rapport* de Lord Durham, à titre de conseiller de l'enquêteur impérial. Invectives des anglophones qui lancent des « paquets de corde », de la boue ou des cailloux aux Patriotes en transit vers la prison. Humiliations des Patriotes de se voir traiter de « brigands » par Mgr Lartigue et les curés et humiliations de leurs parents de voir qu'on refusera la sépulture ecclésiastique à ceux qui mourront. Souffrances morales et physiques des déportés, tassés dans l'obscurité sous le troisième pont d'un voilier, courbés dans un espace de quatre pieds de haut sans air, dégoûtés de l'odeur des vomissements, de la vermine et des insectes sous les tropiques et portant finalement l'habit du prisonnier marqué d'un L B, pour Long-Bottom, lieu pénitentiaire de leur internement. Souffrance enfin d'un Chevalier de Lorimier courageux entre tous, conscient de « mourir lancé dans l'air » mais pensant à celui qu'il appelle « le Fort des Forts[13] ».

Londres, hiver 1838

Arthur Roebuck, non réélu dans la circonscription de Bath mais qui demeure agent de la Chambre d'assemblée, obtient la permission d'intervenir devant la Chambre des Lords le 19 janvier 1838. Lui qui a déjà proposé — avec l'accord de la Chambre d'assemblée et de Papineau ? — une fédération des colonies canadiennes, n'a plus qu'un souci : « arrange all matters in Canada » de façon à ce que les colonies ne se jettent pas dans les bras des États-Unis. Cet arrangement signifierait l'abolition — et non plus l'électivité — du Conseil législatif et son remplacement par un conseil consultatif, nommé par le gouverneur et composé de personnes élues dans les assemblées législatives de chacune des colonies du Canada britannique, de même que la mise sur pied d'une Cour supérieure de la Magistrature, arbitre des conflits parlementaires possibles[14].

À la Chambre des communes, Lord Russell, bien décidé à ne pas abandonner « the Province to the French party » et à assurer les intérêts commerciaux de la colonie, doit donner une suite à ses Résolutions : il propose de suspendre la Constitution de 1791, de mettre en place un gouverneur en Conseil comme forme de pouvoir temporaire et d'envoyer Lord Durham avec mission — une autre — d'enquêter sur la situation des provinces britanniques d'Amérique du Nord. Les voix dissidentes les plus fermes sont celles du chef du Parti radical John Stuart Mill et du député Washburton, favorable au Gouvernement responsable et à une séparation à l'amiable. Le député radical interpelle la Chambre : « Was this country, that had favoured Greece, Poland, South America and Hanover in their struggles for freedom, prepared to deny that aid to Canada ? » Le philosophe J.S. Mill, quant à lui, publie un article dans la *London and Westminster Review* dans lequel il dénonce les gestes récents du Colonial Office. D'abord le *Rapport* Gosford lui-même, véritable source des Résolutions Russell et sorte de rappel que « the local oligarchy, represented by the Council, have done their utmost to inflame those national differences which enable them to identify *their* cause with that of the English settlers and even of the mother country, is it to be wondered at that such animosities should exist ? » Puis Mill affirme que le prélèvement de 140 000 *pounds* sans l'accord de la Chambre d'assemblée pour payer les arrérages dus par le Bas-Canada a constitué une véritable provocation et il s'étonne : « there is something very alarming to us in the nonchalance with which Englishmen treat so grave a matter as the infraction of a constitution ». Pour le chef radical, le refus de voter les subsides était le simple usage d'un droit, car, demande-t-il, une constitution est-elle « a gift resumable at the discretion of the giver ? » Quant à la suspension de la Constitution de 1791, elle lui donne à penser que « an English Parliament has followed the example of Polignac and King Ernest, in treating a constitutional charter as waste paper ». Il comprend Papineau de ne pas avoir nécessairement suivi la voie d'O'Connell : l'Irlande est à nos portes, avec plus de cent députés au Parlement, remarque-t-il, et il a fallu 50 ans pour obtenir une justice imparfaite ; qu'en sera-t-il pour le Canada ? Enfin, il appuie le plan de son ex-député Roebuck exposé dès le 14 avril 1837 et récemment repris à la Chambre des Lords[15].

La Constitution de 1791 est suspendue le 27 mars 1838 et un Conseil spécial mis en place jusqu'en novembre 1840. Quant à la suspension aussi de l'*habeas corpus* dans le district de Montréal, d'avril à août 1838, elle ouvre la porte à de possibles formes de justice sommaire. Lord Durham débarque à Québec en avril et y séjourne jusqu'en novembre, alors que les mesures d'amnistie qu'il prend à l'égard des prisonniers et des huit exilés aux Bermudes lui valent un désaveu de la part de Londres qui entraîne sa démission[16].

L'exil de Papineau à Paris (février 1839)

Papineau s'embarque à New York le 8 février 1839 à bord du *Sylvie-de-Grasse* à destination du Havre puis de Paris. Il n'a plus véritablement de raisons de demeurer aux États-Unis. Il avait depuis 1830 proposé le modèle constitutionnel des États-Unis ; il avait adressé, avec d'autres, une pétition au Congrès lors de l'assemblée populaire de Saint-Laurent le 15 mai 1837 ; réfugié aux États-Unis depuis le 1er décembre 1837, il avait écrit à l'historien George Bancroft, le 18 : « Il nous faut effectuer l'achat de dix mille mousquets, de vingt pièces d'artillerie, des munitions, et de quoi payer les vivres des volontaires qui les feront jouer pendant quatre mois, pour que nos chances soient presqu'infaillibles. Si ces secours nous manquent, vous aurez la Pologne et ses horreurs à vos portes[17]. » Rien n'était venu, si ce n'est ce dont les Patriotes en exil avaient essayé de s'emparer. Pire, l'assemblée de Middlebury du 2 janvier 1838 avait ouvert une sérieuse brèche dans la cohésion des Patriotes en exil. Installé à Philadelphie à compter du 20 février 1838, Papineau attendra un an avant de partir, cédant enfin aux pressions de la famille Nancrède, d'Hector Bossange et surtout des Patriotes radicaux en exil plutôt désireux d'éloigner celui qui non seulement ne les dirige plus mais au contraire entretient une possible division parmi eux[18]. La désillusion étatsunienne de Papineau est alors partagée par plus d'un Patriote qui se désole de ce « peuple éminemment dollarifère » ou qui se console ainsi de l'échec de ce projet « d'indépendance » :

> Nous serions livrés aux Américains qui auraient, comme dans le Texas, envahi toutes les places et auraient inondé notre malheureuse patrie de monnaie-guenille et de fripons. Nos vertueux cultivateurs auraient été induits par de hauts prix à vendre leurs terres et à se retirer dans l'intérieur, laissant

à leurs nouveaux maîtres les plus belles propriétés, et prenant volontairement un rang inférieur dans la société. Je dis nouveaux maîtres! Oui, c'eût été de nouveaux maîtres et peut-être, le croirez-vous, moins humains que les premiers[19].

Même si elles tiennent d'abord à une décision de Papineau de n'avoir pas voulu demander de passeport au consul britannique à New York, les difficultés diplomatiques qu'il éprouve à son arrivée au Havre sont symptomatiques de ce que la France peut lui offrir. En témoigne la correspondance diplomatique de l'ambassadeur français à Washington, M. de Pontois, qui a voyagé au Bas-Canada à l'été 1837, a assisté à l'assemblée populaire de Saint-Constant et a rencontré Papineau à Saratoga et à New York. Cette correspondance avec le quai d'Orsay donne la mesure de ce que sont alors la perception du Bas-Canada par la France et sa géopolitique. Le diplomate de l'ancienne métropole du Canada avoue que la «première impression qu'éprouve un Français en entrant dans le Canada, est un sentiment de douleur et de regret». Sa perception est celle d'un admirateur de la république étatsunienne: «la rive canadienne est triste, dépeuplée, sans mouvement, sans vie, et offre en un mot, les traits effacés d'une colonie lointaine et oubliée de la Métropole», alors que sur la rive américaine «tout y est animé du souffle fécond de la Nationalité». L'homme qui a connu 1789 observe à propos de la population bas-canadienne: «Le temps n'a pas marché pour elle, les révolutions qui ont bouleversé le monde n'ont pas modifié ni ses idées, ni ses habitudes»; il perçoit une soumission au régime féodal et une «soumission aveugle aux préceptes des ministres de la Religion». Cette population est, selon lui, «peu préparée aux innovations politiques, peu faite pour les révolutions» même si «le sentiment de la Nationalité [...] qui se réveille [reste] encore vague et confus chez les Canadiens». Le diplomate allié des États-Unis qui garde à l'esprit l'histoire des relations entre la France et l'Angleterre, estime que le régime qui prévaut au Bas-Canada «n'a aujourd'hui [...] rien d'oppressif ni de blessant, et auquel on ne peut guères reprocher que les inconvéniens inséparables du régime colonial». Il considère que Papineau «n'a reçu que l'imparfaite éducation d'un Pays fort arriéré, qu'[il] a à peine vu l'Europe» et qu'il s'illusionne sur l'appui à attendre des États-Unis. Quant aux propos du ministre des Affaires étrangères, le comte Molé, ils expriment on ne peut plus franchement la place du Bas-Canada francophone dans la politique contemporaine de la France: «Les détails sur

M. Papineau, ce chef de l'opposition canadienne, ont pour nous tout l'intérêt de la nouveauté» et quant à «la sensation produite en Europe par les événemens du Canada, elle a été d'autant plus vive, qu'ils venaient réveiller subitement l'attention sur un pays dont on n'était plus depuis longtems habitué à s'occuper, et que pour les personnes mêmes qui n'ignoraient pas les démêlés de la colonie avec sa métropole, de tels événemens étaient encore un sujet de surprise tant on était loin de croire que les choses en fussent arrivées à ce point». Un an avant l'arrivée de Papineau en France, l'ambassadeur pouvait écrire à son ministre que le chef patriote «était sûr de rencontrer chez les personnes auxquelles seules il voulait s'adresser [c'est-à-dire aux ministres du roi] sympathie pour les habitans du Canada et désir de contribuer à adoucir leur sort *mais rien au delà*[20]». Telle était la France qui attendait Papineau et celle dont il attendait encore quelque chose.

Les premiers mois de son séjour allaient révéler à Papineau que, depuis plus d'un demi-siècle, il y avait un océan entre la France et le Bas-Canada. Le Dr Gauvin, alors à Paris, écrit à Duvernay, toujours en exil à Burlington, qu'il vient

> d'apprendre de source certaine que [les rédacteurs des journaux français], tout en ayant beaucoup à cœur le bien-être et l'indépendance du Canada, ne pouvaient s'accorder avec les opinions de M. Papineau qui ne voyait d'autre moyen de nous faire libres qu'en faisant partie des États-Unis. Vous devez bien croire que c'en était assez [...] pour empêcher ces messieurs, qui voulaient conserver au Canada ses mœurs et sa langue, de travailler, comme ils le paraissaient disposés même encore aujourd'hui, à l'émancipation de notre pays. D'après ce que je puis entrevoir, il y aurait, je crois, moyen de réintéresser ces messieurs à notre cause, et nous nous proposons Duchesnois, de Léry et moi de voir et de consulter les Français sur les moyens à prendre pour l'émancipation du Canada[21].

La «défection» des Français s'ajoutait à celle des Américains.

Lord Durham fait rapport (février-mai 1839)

Après cinq mois de séjour colonial et une démission qui fait suite au désaveu de sa conduite à propos de sa manière de régler le cas des prisonniers politiques de 1837, Lord Durham retourne en Angleterre à la fin de novembre 1838 et se met à la rédaction d'un rapport destiné au Colonial Office et au Parlement impérial. Sa consultation de personnes telles que Jonathan Sewell, Adam Thom et surtout Edward Ellice, qui lui soumet un mémorandum intitulé « Suggestions for scheme for the future government of the Canadas », daté du 21 décembre 1838 et auquel le rapport de Durham empruntera l'essentiel de ses recommandations, indique manifestement que non seulement le futur rapport s'inspire d'une tradition déjà vieille d'opposants aux réformistes bas-canadiens mais surtout qu'il vient clore un long cycle de débats constitutionnels dont ces conseillers avaient été témoins et acteurs. De même que les soulèvements de 1837 et de 1838 doivent être considérés comme l'apogée de luttes constitutionnelles menées au moins depuis 1810, le contenu du futur rapport de Lord Durham est la résultante à la fois d'enquêtes antérieures (Comité de 1828, Commission Gosford de 1835), de projets politiques laissés inachevés (projets d'Union de 1811 et de 1822) et d'une esquisse de règlement contenue dans les Résolutions Russell de mars 1837 sans compter la suggestion de l'agent de la Chambre d'assemblée du Bas-Canada, Arthur Roebuck, d'une confédération des colonies canadiennes de l'Angleterre. Pour Lord Durham, la voie est déjà « macadamisée », comme on dit à l'époque pour saluer l'inventeur du procédé, McAdam, et celui qui l'emprunte alors croise des figures connues du Colonial Office et des milieux patriotes. Inspiré des plus reconnus parmi les vieux routiers de l'anti-réformisme, le *Rapport* que Lord Durham dépose devant les Communes le 11 février 1839, ne peut pas ne pas être colonialiste, fortement marqué au coin de certitudes impériales[22].

En témoigne la perception que Durham véhicule à propos des Canadiens et de la supériorité anglo-saxonne. Pour lui, les Canadiens forment « une population sans culture aucune et singulièrement amorphe [qui] prête une obéissance absolue à des chefs qui la gouvernent au moyen d'une confiance aveugle et d'étroits préjugés nationaux » ; ils ont « l'aveugle ténacité d'un peuple mal éduqué et stationnaire » et ces Français d'Ancien Régime sont « décidément inférieurs aux colons anglais » en matière d'éducation politique, Anglais auxquels « on ne peut [...] contester la supériorité de la sagesse politique et pratique[23] ». Soucieux d'être juste, Durham remarque : « Ce n'est nulle part une vertu du peuple anglais de tolérer des coutumes ou des lois qui lui sont étrangères. Habituellement conscient de sa propre supériorité, il ne prend pas la peine de cacher aux autres son mépris pour leurs usages. Les Anglais ont trouvé dans les Canadiens français une somme égale de fierté nationale. » (p. 88-89) Il reconnaîtra qu'il s'agit de « deux races dissemblables engagées dans un conflit national[24] ».

Partie prenante de cette conscience de la supériorité anglo-saxonne et de la rivalité anglo-française multiséculaire, l'auteur du *Rapport* affirme que jamais les colons anglais du Bas-Canada «ne supporteront l'autorité d'une Chambre d'assemblée où les Français posséderont la majorité ou en approcheront» (p. 105, 71, 113). Il insiste manifestement non sur la lutte politique ou sur une possible lutte de classes mais sur la «lutte de races» comme cause principale et incontournable de la crise coloniale: «Je m'attendais à trouver un conflit entre un gouvernement et un peuple; je trouvai deux nations en guerre au sein d'un même État; je trouvai une lutte, non de principes, mais de races.» (p. 67-68, 79) Plus loin, il tire les conséquences de cette observation: «Jusqu'à ce que ce problème soit résolu, aucun gouvernement quelconque ne peut tenir; car, soit que les institutions politiques soient réformées ou laissées à leur état actuel, soit que le pouvoir soit confié à la majorité ou à la minorité, on peut être assuré, tant que durera la rivalité des races, que le parti qui en sera revêtu s'en servira à des fins partiales.» (p. 123) Mais du même souffle, Durham ajoute que «l'hostilité des races est trop insuffisante pour expliquer tous les maux du Bas-Canada», que «les résultats se sont montrés les mêmes à peu près parmi la population homogène des autres provinces» et «qu'on peut dire en justice que l'état naturel du gouvernement dans toutes ces colonies en est un de conflit entre l'Exécutif et le corps représentatif» (p. 123-124).

Le *Rapport* hésite à propos des autres causes globales de la crise coloniale. Tantôt, il minimise le fait que «la source originelle et invariable du mal [ait pu être] dans le vice des institutions politiques des provinces» (p. 66); tantôt, il est affirmé «qu'on peut attribuer l'extrême malaise actuel aux institutions de la province» (p. 115) et que «les causes des dissensions» se trouvent dans «le désordre qui résulte d'un régime colonial mal conçu» (p. 279). Mais, au total, l'aveu des déficiences des institutions politiques constitue un vade-mecum plutôt complet des doléances bas-canadiennes: exclusion des Canadiens français de la fonction publique, de l'armée et de la marine (p. 84-85); favoritisme dans le gouvernement et dans la magistrature (p. 87); négligence gouvernementale à propos de l'instruction publique (p. 81, 175); Exécutif et administration hors du contrôle de la Chambre d'assemblée (p. 126-128); gouverneurs successifs dépendants des mêmes conseillers et s'en référant constamment à un Colonial Office éloigné (p. 127-128, 147).

S'il porte attention aux «vices» du système colonial, Durham se fait bref à propos du Conseil législatif et de la demande réitérée de son électivité par les réformistes. Certes, comme Britannique, il préférera la solution du gouvernement responsable à l'électivité généralisée du système républicain américain, mais il endosse finalement le système du Conseil législatif nommé et non élu :

> De fait, dans la pratique le Conseil législatif n'était guère qu'un véto entre les mains des fonctionnaires publics sur tous les actes de l'Assemblée dans laquelle ils furent sans cesse en minorité. Ils usèrent de ce véto sans trop de scrupule. Loin de moi la pensée d'appuyer la censure que l'Assemblée et ses soutiens ont tenté de jeter sur le Conseil législatif. Je n'ai aucune hésitation à le dire : plusieurs des décrets qu'on lui reproche d'avoir bloqués étaient des décrets qu'il ne pouvait accepter sans manquer à sa loyauté envers la Constitution, envers le lien avec la Grande-Bretagne, envers toute la population anglaise de la colonie (p. 131-132).

Voilà l'angle mort fondamental de la vision de Durham qui est culturellement et politiquement partie prenante des questions à propos desquelles il fait enquête et rapport. Il voit certes des vices à la Constitution mais ne peut voir ce dont se plaignent les Canadiens français et les Patriotes depuis le mémoire de Bédard de 1814, à savoir que ce Conseil législatif a constitué depuis 1774 et 1791 une structure essentiellement anglophone, non élue et la véritable cause des « distinctions nationales » dont on fait porter la responsabilité à la seule majorité démographique et démocratique des Canadiens. La clameur de l'Exécutif et des anglophones en général contre des projets de « nation canadienne » ou de nationalité canadienne ne peut faire oublier le silence de Lord Durham sur le Conseil législatif porteur, de part en part, d'un projet national tout aussi évident et déterminé que celui des Canadiens. Une telle analyse n'efface certes pas la composante culturelle et ethnique de la crise politique coloniale mais elle permet d'en pondérer les responsabilités.

Après le diagnostic de Durham, viennent sa solution et ses remèdes : « Je n'entretiens aucun doute sur le caractère *national* [nos italiques] qui doit être donné au Bas-Canada : ce doit être celui de l'Empire britannique, celui de la majorité de la population de l'Amérique britannique, celui de la race supérieure qui doit à une époque prochaine dominer sur tout le continent de l'Amérique du Nord. » La perspective est claire : « la fin première et ferme du Gouvernement britannique doit à l'avenir consister à établir dans la province une population de lois et de langue anglaises, et de n'en confier le gouvernement qu'à une Assemblée décidément anglaise » (p. 303-304, 312, 318). Voilà le véritable enjeu depuis 1791 : qui contrôlera la Chambre ? Et l'on s'apprêtait à faire ce dont on avait fait reproche aux Canadiens, tant que ceux-ci, par le jeu de la représentation selon la population octroyé par Londres en 1791, réussissaient à créer une majorité parlementaire, composée aussi de députés anglophones. Et le *Rapport* propose que « le seul régime capable de contenir le mécontentement et par suite effacer la nationalité canadienne, c'est celui d'une majorité numériquement anglaise et loyale », régime qui, comme en Louisiane, s'inspirera de « l'exemple mémorable d'institutions parfaitement légales et populaires qui peuvent effacer les distinctions de races sans désordre ni oppression » (p. 315).

Et alors que les Louisianais sont en processus d'assimilation, il est clair que les Canadiens français « sont destinés à rester toujours isolés au milieu du monde anglo-saxon » et que « quoi qu'il arrive, quel que soit leur gouvernement futur, britannique ou américain, ils ne peuvent espérer aucunement dans la survie de leur nationalité » (p. 307). « Ce n'est qu'une question de temps et de mode » d'assimilation : « il s'agit simplement de décider si le petit nombre de Français d'aujourd'hui seront anglicisés sous un Gouvernement qui peut les protéger ; ou bien si l'on remettra à plus tard le procédé, jusqu'à ce qu'un plus grand nombre d'entre eux, par suite de la violence de leurs rivaux, aient à subir l'anéantissement d'une nationalité que sa survivance prolongée n'aurait que renforcée et aigrie » (p. 308-309).

Le moyen retenu peut paraître radical, mais il n'est pas nouveau ; il est dans l'air depuis 1811 et depuis 1822 et n'avait été que différé depuis : « je vois dans l'Union le seul remède immédiat et complet aux deux causes principales de leur malheureuse condition ». Et Durham précise : « La tranquillité ne peut revenir, je crois, qu'à la condition de soumettre la province au régime vigoureux d'une majorité anglaise ; et le seul gouvernement efficace serait celui d'un Union législative », c'est-à-dire constituée d'une seule Assemblée législative et non pas une Union fédérale fédérant des Assemblées législatives provinciales (p. 319, 321, 323). Pour cette colonie composée au Haut-Canada de 400 000 habitants et au Bas-Canada de 650 000 habitants dont 150 000 d'origine britannique, Durham propose une seule Assemblée législative élue selon le *Rep by Pop* et qui donnerait bientôt une majorité anglaise qui s'accroîtra de toute façon grâce à l'immigration : « Je suis opposé à tout système qui donnerait un nombre égal de députés aux deux provinces pour atteindre le but temporaire qui serait de surpasser en nombre les Français. La raison, c'est qu'à mon avis il est possible d'atteindre au même résultat sans violer aucunement les principes de la représentation et sans aucune apparence d'injustice qui pourrait soulever fortement l'opinion publique en Angleterre et en Amérique.» (p. 321, 334)

L'Empire finit ainsi par recourir à l'Union pour mettre fin à la majorité parlementaire canadienne-française au Bas-Canada et pour mettre un terme à cette tendance républicaine qui cherchait à donner prépondérance à la Chambre élue. Le moyen règle du coup l'épineuse question du Conseil législatif qui ne sera pas électif et qui permettra de faire disparaître «la nécessité de compter sur le caractère britannique du Conseil législatif pour réprimer au Bas-Canada les préjugés nationaux d'une Assemblée française», donnant ainsi l'impression que les préjugés nationaux ne peuvent être britanniques et impériaux mais que canadiens-français et coloniaux. Tout comme les Résolutions Russell, le *Rapport* Durham répond cinq ans plus tard aux 92 Résolutions. À propos de la liste civile : «Tous les revenus de la Couronne, sauf ceux qui découlent des terres et de l'émigration, devraient être immédiatement confiés à la Chambre de l'Union, en retour d'une liste civile suffisante» et on «ne devrait jamais proposer un vote des subsides sans le consentement préalable de la Couronne». Quant aux terres publiques, elles passent sous l'autorité impériale. Le problème central de la situation financière des deux provinces est ainsi solutionné :

> L'Union des deux provinces conférerait au Haut-Canada l'objet principal de ses désirs. Toutes les disputes relatives au partage ou à la possession totale des revenus tomberaient. L'excédent des revenus du Bas-Canada suppléerait à ce qui manque au Haut-Canada. La province inférieure incapable alors de tripoter dans l'excédent du revenu, qu'elle ne pourrait réduire, gagnerait autant à cette solution, et je crois, que la province supérieure trouverait ainsi le moyen d'acquitter l'intérêt de sa dette. En vérité, il ne serait pas injuste de charger le Bas-Canada de cette dette, puisque les grands travaux publics pour lesquels on l'a contractée intéressent l'une et l'autre province (p. 336-337).

S'ajoutent à ces mesures un plan d'immigration britannique et de colonisation (p. 336-337) et surtout la proposition de l'octroi par la métropole du gouvernement responsable dans l'administration de la colonie. Durham, qui déplore «l'absence complète de l'autorité efficace du peuple sur ses gouvernants» et la résistance impériale à concéder ce pouvoir d'autonomie relative à la colonie, propose donc que les actes du gouvernement soient sujets à quelque responsabilité et que l'Exécutif, à travers un ministère composé de députés de la majorité, soit responsable devant le peuple (p. 124, 128, 281, 298-301).

Papineau et Parent analysent le Rapport de Lord Durham

À Paris, Papineau, qui a reçu copie du *Rapport* de Lord Durham par l'entremise de Roebuck ou de quelque député du Parti radical, lui donne la réplique dans un article de la *Revue du progrès* de mai 1839 où il fait son histoire de l'insurrection du Canada et entreprend de réfuter le résultat de l'enquête et les recommandations de Durham. Rappelant « combien était lourd le joug, et humiliante la condition de notre servage national », Papineau impute au gouvernement la responsabilité des rébellions, avançant que la population ne les voulait pas et qu'on ne lui avait pas conseillé cette voie. Pour montrer la cohérence de sa pensée, il rappelle qu'il refuse aujourd'hui un scénario d'Union comme il l'avait fait dès 1823 en présence de Lord Bathurst auquel il avait plutôt proposé un scénario d'éventuelle indépendance « sous la protection du Congrès ». Le chef patriote déplore que la résistance ait été malheureuse mais en même temps il a « grand espoir qu'elle sera reprise et prévaudra » parce que le sort du Bas-Canada est aussi hideux que celui de l'Irlande, sort similaire où une aristocratie anglaise donne la chasse « aux îlotes de toutes ses possessions extérieures, toutes les fois que les serfs qui les habitent veulent cesser d'être corvéables, taillables, mortaillables à merci et à miséricorde ».

Il trouve le *Rapport* « vrai quand il accuse le pouvoir, faux quand il accuse le peuple » et la liste des aveux d'abus et d'arbitraire que Lord Durham dresse lui donne à penser qu'il s'agit là du « gouvernement Anglais peint lui-même », reconnaissant de plus la pensée d'Adam Thom, le chef de bande du Doric Club et le « commensal » et conseiller de Lord Durham et celle du neveu du Lord, Edward Ellice. Il est clair pour Papineau que, à la suite du *Rapport* Durham, les Canadiens « n'ont plus aucune justice à espérer de l'Angleterre et que pour eux, la soumission serait une flétrissure et un arrêt de mort, l'indépendance, au contraire, un principe de résurrection et de vie ». Il affirme sa « conviction que ce ne sont pas les statuts anglais qui régleront le prochain avenir du Canada ; mais que cet avenir est écrit dans les déclarations des droits de l'homme et dans les constitutions politiques que se sont données nos bons, sages et heureux voisins, les Américains indépendants[25] ».

La *Réfutation de l'écrit* de Papineau que Clément-Charles Sabrevois de Bleury fait paraître en octobre 1839 est celle d'un « vire-capot », comme on disait à l'époque, mais elle constitue du coup le rappel de l'opposition qu'avait connue Papineau dans la région de Québec depuis 1832. Sabrevois de Bleury, élevé dans un milieu aristocratique, militaire, élu député patriote de Richelieu en 1832 et favorable aux 92 Résolutions de 1834, se joint aux éléments plus modérés de la région de Québec en 1835, fonde le journal antipapineauiste le plus virulent en avril 1837, *Le Populaire*, et accepte en août 1837 d'être nommé au Conseil législatif. La *Réfutation* de l'*Histoire de l'insurrection du Canada* de Papineau, vraisemblablement rédigée par le rédacteur du *Populaire*, Hyacinthe-Poirier Leblanc de Marconnay, mais signée par Sabrevois de Bleury et incluant une vingtaine de textes déjà parus dans leur journal, vise à montrer que Papineau est seul la cause des maux qu'a connus le Bas-Canada et qu'il « a préparé, voulu et même prévu la résistance armée ». Le long texte de 136 pages, écrit au passé simple, perd en crédibilité par ses excès et ses allusions « au désir dénaturé [de Papineau] de bouleverser les institutions canadiennes », à l'espoir de celui-ci « de devenir Gouverneur d'un État de plus ajouté à l'Union Américaine », à son projet « de déraciner les principes religieux des Canadiens » ou à sa « soif de domination ». Mais le texte dit bien ce que pouvait être la stratégie au quotidien du Parti patriote et des Patriotes et ce que pouvait être la tentation de démoniser un opposant au régime[26].

Au *Canadien* de Québec, Parent avait suivi de près la tenue des assemblées populaires et critiqué l'adresse de la Confédération des Six Comtés et le manifeste des Fils de la liberté. Les événements de novembre et de décembre 1837 et ceux de janvier 1838 ont compromis, selon lui, « l'ancienne réputation de loyauté des Canadiens envers leurs souverains, réputation, qui, dans l'absence des liens d'une commune origine, faisait toute notre force auprès des autorités métropolitaines ». Contre Papineau, il se fait fort de dégager la responsabilité du gouvernement anglais tout en partageant son opinion quant à la responsabilité de l'Exécutif : « C'est contre l'oligarchie locale et non contre la Couronne britannique que l'insurrection a vraiment levé le bras », car cette « caste dominatrice [était] devenue assez influente, assez puissante par le temps pour se rire de tous les efforts de la Représentation ». Il voyait dans cette oligarchie la cause première de ces « distinctions nationales » attribuées à tort aux seuls Canadiens français :

Ce sont les avantages indus que la population Bretonne a toujours reçus, jusqu'à présent, et qui lui en ont fait espérer et demander de plus grands encore, qui ont donné un caractère en apparence national à nos dissensions politiques. Rétablissez l'égalité, détruisez le privilège, et vous verrez la partie nationale de nos difficultés s'éteindre faute d'aliment. Ceux qui attribuent nos maux politiques aux distinctions nationales, prennent la cause pour l'effet et vice versâ. Ce sont les dissensions politiques qui ont allumé les dissensions nationales[27] [...].

Moins antagoniste que Papineau à l'égard de Londres, Parent cherche avec les gens de la région de Québec et d'autres francophones ambivalents une voie médiane entre Papineau et Mackenzie, d'une part, et *La Gazette de Québec*, d'autre part : « N'y a-t-il pas entre ces deux extrêmes la position de M. O'Connell, qui lui réclame depuis si longtemps l'émancipation de son peuple ? » Il constate que la résistance n'avait pas prévalu et qu'elle ne prévaudrait pas, car elle était le fait d'une minorité : « l'idée d'une séparation d'avec l'Angleterre n'avait pris nulle part de racines profondes ni dans les masses des populations coloniales ni dans les esprits réfléchis ». Sa voie médiane préférait une « tutelle supportable » à une « émancipation doublement ruineuse » :

Mais vous pensez avec nous qu'il est pour les peuples comme pour les individus une époque d'émancipation complète qu'il est le plus souvent dangereux pour eux d'avancer ; car de même qu'il n'est pas bon pour l'individu qu'il soit trop tôt maître de ses actions, de même il n'est pas bon qu'un peuple prenne avant le temps rang parmi les nations, s'il ne veut pas être exploité par elles. Vous pensez avec nous qu'une tutelle supportable vaut toujours mieux qu'une émancipation doublement ruineuse ; car quand nous pourrions nous flatter de réaliser le rêve d'une indépendance immédiate, cette réalisation nous coûterait très-certainement plus que les avantages assez douteux que nous pourrions en retirer dans notre position géographique qui, au sortir de la domination du Lion nous ferait tomber sous celle de l'Aigle[28].

Pour Parent, l'indépendance politique équivaut donc à l'acceptation de « l'Américanisation » et, avec quelque ironie, il propose aux Patriotes d'étudier davantage l'histoire de la Louisiane que celle de la Pologne. C'est alors l'occasion pour lui de préciser sa conception de la nationalité, conception conservatrice qui refuse le principe libéral des nationalités, du droit des peuples à disposer d'eux-mêmes :

[...] nous devons rectifier une erreur dans laquelle tombe la Gazette [...] en disant que l'on emploie ici, le mot de nationalité dans le sens qu'il l'a été en

Europe à l'égard de la Pologne et de la Belgique dans leur lutte, la première avec la Russie, la dernière avec la Hollande. Pour les Polonais et les Belges, il s'agissait de l'établissement d'une existence politique séparée, tandis qu'ici il n'est question que d'une existence purement sociale, provinciale ; de conserver des usages et des lois dont l'abolition, à notre avis, tournerait au désavantage du peuple Canadien [...][29].

Pour Parent, « Nos institutions, notre langue, nos lois » et « notre » religion servent à identifier culturellement la nationalité sans que cette nationalité franchisse le pas d'une recherche de statut politique singulier. L'homme qui, depuis l'été 1837, préconise la conciliation, le compromis et accepte une « tutelle supportable », ne voit pas sa tête mise à prix comme celles de Papineau et d'autres Patriotes, mais son sens de la conciliation ne lui évite ni l'arrestation ni l'emprisonnement le 26 décembre 1838 pour avoir écrit dans *Le Canadien*, la veille de Noël :

Dans le siècle où nous sommes, siècle de publicité et d'opinion, lorsqu'on veut écraser un peuple on ne procède pas aussi sommairement qu'on le faisait dans le temps de jadis. Il faut aujourd'hui passer par certains préliminaires, il faut se créer une raison, un prétexte, et le procédé le plus ordinaire, comme le plus facile, c'est d'exaspérer une population, de la pousser à quelques excès. On est prêt, et les rigueurs ne se font pas attendre ; ces rigueurs provoquent de nouveaux excès, qui sont immédiatement suivis de nouvelles et plus terribles rigueurs. Et l'on fait marcher ainsi les gouvernements de rigueurs en rigueurs, et les peuples d'excès en excès, jusqu'à ce qu'une conciliation soit devenue impossible. C'est alors que les vrais conspirateurs, les vrais auteurs de tous les troubles, atteignent leur but, et qu'on « balaie un peuple de la surface du globe ». C'est ainsi que les Russes ont fait tout récemment en Pologne, et nous voudrions éviter à l'Angleterre l'honneur peu enviable de voir son nom associé à celui de l'Autocrate du Nord.

Pour ces « menées séditieuses », le directeur du *Canadien* passera les cinq prochains mois de sa vie en prison où, grâce à divers stratagèmes, il continue à diriger et à rédiger *Le Canadien* dans lequel il traduit et publie le *Rapport* de Lord Durham. Derrière les barreaux, Parent comprend que ce document, loin de favoriser la nationalité des Canadiens français, va plutôt « travailler ouvertement à l'extirper du pays ». Doté d'une conscience historique remarquable, il met ainsi en perspective l'effet du *Rapport* Durham sur le destin des Canadiens français :

remarquons-le bien, l'œuvre de Pitt [en 1791] isolait la population canadienne-française de ce continent et la liait à la Métropole par les liens de l'intérêt, de l'honneur et de la reconnaissance. L'œuvre de Lord Durham au contraire aura l'effet de relâcher les liens qui attachaient les Canadiens français à la Grande-Bretagne, et de les rapprocher des populations hétérogènes qui les avoisinent, de porter sur elles leurs espérances, et de confondre leurs intérêts sociaux et leurs affections nationales avec les leurs.

Mais conciliation, compromis et déceptions finissent par mener Parent à la résignation : « Situés comme le sont les Canadiens français, il ne leur reste d'autre alternative que celle de se résigner avec la meilleure grâce possible. » Puis la résignation déchoit en anglicisation : « L'assimilation, sous le nouvel état de choses, se fera graduellement et sans secousses, et sera d'autant plus prompte qu'on la laissera à son cours naturel, et que les Canadiens français y seront conduits par leur propre intérêt, sans que leur amour-propre en soit trop blessé[30]. » *Fatum* : « Avec la connaissance des dispositions de l'Angleterre, ce serait pour les Canadiens français le comble de l'aveuglement et de la folie que de s'obstiner à demeurer un peuple à part sur cette partie du continent. Le destin a parlé [...][31]. »

À l'image des quatre murs de prison auxquels il est confiné, Parent se convainc de l'inéluctabilité des choses ; l'idée de septembre 1837 d'une union « avec les peuples du fleuve et du golfe » refait surface : « composer avec tous les éléments sociaux épars sur les rives de ce grand fleuve une grande et puissante nation ». Éparse, la métaphore de la tempête, des récifs et du naufrage resurgit. Mais, cette fois, la navigation pourra-t-elle être « supportable » ? L'homme qui est entré au *Canadien* en 1822 pour combattre le projet d'Union de l'époque, s'oppose certes à l'Union préconisée dans le *Rapport* mais s'accroche à la planche de salut proposée par Lord Durham : le gouvernement responsable. Avec l'octroi de celui-ci à la colonie par la métropole, tout s'arrangera pour Parent « et bientôt l'on [n']entendra pas plus parler d'animosités nationales en Canada, qu'on en entend parler en Louisiane, en Écosse et dans le pays de Galles[32] ».

Le gouvernement responsable dans la pensée
et la stratégie de Parent et de Papineau

Était-ce miser trop fort, était-ce trop risqué que de mettre ainsi tous ses espoirs dans le gouvernement responsable, compte tenu de la place qu'avait occupée cette idée dans la pensée canadienne-française depuis 1830 ?

Parent et Papineau n'ont pas, depuis 1830, tenu le même discours sur cette question. Parent se dit favorable à un Conseil législatif électif et «responsable», déplore que l'Exécutif ne soit pas responsable de ses décisions mais refuse le scénario d'une représentation du Bas-Canada au Parlement impérial. Il affirme que les Canadiens peuvent «conduire [leurs] affaires seuls» et que les colonies américaines de la Grande-Bretagne peuvent se gouverner elles-mêmes. Le rédacteur du *Canadien* en appelle à «une organisation ministérielle régulière», à un «ministère provincial», à un «gouvernement responsable efficace envers le peuple»:

> Ainsi, au lieu d'appeler les membres influens de l'une ou l'autre Chambre pour en faire de simples Conseillers politiques, on voudrait maintenant qu'on en fît des chefs de départements responsables solidairement aux Chambres [...] mais avec cette grande différence que ce seraient des Conseillers tangibles et auxquels on pourrait faire rendre compte de tous les actes du gouvernement, et non pas des gens invisibles et sans responsabilité aucune, comme c'est le cas aujourd'hui[33].

Au moment où, au Haut-Canada, Mackenzie exige de plus en plus manifestement un gouvernement responsable et où la troisième partie du Rapport de la commission Gosford aborde la question, Parent maintient que les Canadiens seront satisfaits «lorsqu'ils exerceront sur les actes de leur gouvernement local la même influence que le peuple anglais exerce [sur] son propre gouvernement local». L'irresponsabilité de l'Exécutif lui fait voir clairement l'absurde sinon l'odieux de la situation bas-canadienne où «la minorité qui en Angleterre ne peut faire que de l'opposition, joue ici le rôle de la majorité, et cette majorité a été réduite à faire de l'opposition». Déjà, en septembre 1835, il est clair dans l'esprit de Parent que le système politique colonial, fondé sur la représentation, doit au plus tôt, comporter les attributs mêmes du système métropolitain sans quoi les «libertés anglaises» paraîtront en contradiction permanente. À nouveau, il montre du doigt les conséquences du système oligarchique maintenu par Londres dans la colonie: «La lutte politique qui existe en ce pays n'est pas une lutte de peuple à peuple, d'origine contre origine, mais une lutte entre libéraux et tories, entre réformistes et anti-réformistes, entre le grand nombre qui veut un gouvernement responsable et le petit nombre qui veut un gouvernement irresponsable[34].»

Après les Résolutions Russell mais avant la publication du *Rapport* Durham, Parent réclame «comme moyen de paix et de prospérité, que les colonies aient la régie pleine et entière de leurs affaires locales sous une extension du système constitutionnel, sans affecter l'unité impériale quant aux intérêts généraux de l'empire». Il demande «une forme de gouvernement représentatif purgé de tout principe vicieux, de toute ascendance factieuse, un gouvernement libre et responsable [...]». Et à ceux qui considèrent excessive la demande du gouvernement responsable, il répond : «Mais ce serait une quasi-indépendance, dit-on. Eh, oui : ce serait une quasi-indépendance[35].» C'est donc ce même homme qui, après le *Rapport* Durham, résigné, croit qu'avec le gouvernement responsable tout s'arrangera et que l'on n'entendra plus parler «d'animosités nationales en Canada».

Papineau n'accorde pas la même importance au gouvernement responsable. De plus en plus inspiré par le modèle américain et de plus en plus républicain depuis 1830, Papineau est favorable dès 1833 à une Constitution républicaine pour le Bas-Canada. Envisageant un régime de liberté semblable à celui des États-Unis, il considère le Conseil législatif non électif comme incompatible avec les mœurs et la culture politique de l'Amérique[36]. Certes, il est parfaitement conscient de la «vénalité» de l'Exécutif, du caractère «d'irresponsabilité absolue» du Conseil législatif et il fait allusion au souhait d'un «gouvernement local, responsable et national» avant février 1836, c'est-à-dire avant que la Chambre d'assemblée ne vote, à l'initiative du D[r] O'Callaghan, des résolutions en faveur d'un front commun Bas et Haut-Canada pour demander le gouvernement responsable[37]. Papineau demande l'électivité du Conseil législatif et le gouvernement responsable lors de l'assemblée populaire de Sainte-Scholastique, le 1er juin 1837 ; en août, il fera observer que le Rapport Gosford ne contient rien à propos du gouvernement responsable, formule dont un gouvernement pourrait tirer quelque considération si elle avait été retenue. À sa dernière intervention publique avant les rébellions, il parlera de «l'insupportable fardeau d'un Exécutif irresponsable[38]».

Mais pour le républicain Papineau, la responsabilité politique ne viendra pas d'abord de la formule britannique du gouvernement responsable mais du respect de la souveraineté populaire déléguée dans et à la Chambre d'assemblée et déléguée dans et à un Conseil législatif élu. Alors le gouverneur devrait tenir compte du poids populaire des deux Chambres et du coup, ces trois instances seraient responsables[39]. Porte-parole de ce vieux combat de l'électivité du Conseil législatif, le chef patriote ne pouvait pas, comme Parent ou Baldwin, s'en remettre à la solution du gouvernement responsable dont il n'y avait pas alors de modèle dans les colonies britanniques, dont on ne pouvait savoir comment elle allait s'accompagner ou pas de l'électivité du Conseil législatif et à propos de laquelle on ne pouvait que spéculer eu égard à ce que la métropole voudrait conserver de « responsabilité impériale ». En mars 1837 et encore en octobre 1839, Lord Russell n'avait-il pas considéré le gouvernement responsable incompatible avec le statut de colonie du Canada ? Et l'on savait dès 1836, à Londres, que l'octroi du gouvernement responsable au Bas et au Haut-Canada n'avait pas les mêmes incidences quant à la préservation des liens avec l'empire et il n'est pas exclu de penser qu'en l'absence d'une « French majority » au Bas-Canada, cet octroi eût pu être plus hâtif[40].

La dimension populaire des rébellions

Pour évaluer si et jusqu'où les rébellions de 1837 et de 1838 ont été anti-métropolitaines, anti-gouvernementales, anti-seigneuriales et anti-cléricales, il convient d'examiner la pénétration sociale de ces idées et la dimension populaire des rébellions.

Il faut d'abord évoquer ce que l'on appellera la culture politique de la société canadienne-française de l'époque. On l'a fait voir avec raison et finesse : le politique et la politique traversent de part en part la société québécoise durant le demi-siècle qui va de la Constitution de 1774 à l'Union de 1840[41]. Débats sur les Constitutions de 1774 et 1791, résistance constitutionnelle depuis le gouverneur Craig, pétitions de dizaines de milliers de noms en 1822 et en 1828, élections tumultueuses, campagnes de signatures en faveur de telle ou telle adresse accompagnant, par exemple, les 92 Résolutions, assemblées populaires de mai à novembre 1837, lecture à haute voix, sur les perrons d'églises ou dans les auberges, de *La Minerve* ou du *Canadien* au profit des analphabètes, les signes ne manquent pas pour montrer l'existence et la vitalité d'une sphère publique, d'un espace civique dynamique.

Mais, dira-t-on, les rébellions n'ont pas atteint Québec, Trois-Rivières et n'ont eu lieu que dans la grande région de Montréal... Encore faut-il savoir, du point de vue de la participation populaire aux rébellions, que le district ou la grande région de Montréal — les fameux Six Comtés : Richelieu, Verchères, Saint-Hyacinthe, Rouville, Chambly, L'Acadie, auxquels s'ajoutent ceux de La Prairie, de Beauharnois, de Missisquoi, de Deux-Montagnes, de Terrebonne et de Vaudreuil — comprend en 1831 et 1844 entre 55 % et 60 % de la population totale du Bas-Canada. Certes,

cette participation varie selon les lieux et les professions. Le taux de participation aux assemblées populaires construit sur le rapport entre le
nombre de mentions de Patriotes de tel lieu et la population du même lieu
est évalué à 6 % dans les Six Comtés confédérés de novembre 1837, à 8 %
dans les comtés de La Prairie, L'Acadie, Chambly et Beauharnois, à 4 %
dans Richelieu, Verchères et Saint-Hyacinthe, à 3 % dans Deux-
Montagnes, Terrebonne et Vaudreuil. Le même taux appliqué à des agglomérations atteint 20 % à Saint-Philippe-de-La Prairie, 18 % à Châteauguay, 14 % à Saint-Charles-sur-Richelieu, 13 % à L'Acadie, 12 % à Saint-
Eustache et à Saint-Denis, 11 % à Saint-Marc-sur-Richelieu et 10 % à
Saint-Jean-sur-Richelieu[42].

Une autre liste de 1295 Patriotes, engagés d'une façon ou d'une autre
dans les rébellions, indique que 56 % d'entre eux étaient des ruraux,
30 % des marchands et 14 % des gens de professions libérales. Les
cultivateurs et les journaliers sont sous-représentés par rapport à leur poids
dans la population, contrairement aux médecins et aux marchands qui
sont surreprésentés. Cinquante-cinq notaires, 54 médecins, 26 avocats se
retrouvent parmi les leaders du Parti patriote, lequel mise sur leur éducation et sur leur présence populaire dans les campagnes. Les 47 aubergistes-
hôteliers, qui constituent 10 % des marchands, et les 30 forgerons engagés
dans les rébellions rappellent l'importance de leur lieu respectif de travail
comme lieu de sociabilité rurale et villageoise[43].

Mais le signe le plus évident de la pénétration populaire des rébellions
dans la grande région de Montréal réside dans le fait que les Patriotes
prennent souvent appui sur la culture populaire, sur des formes d'expression orale ou gestuelle qui «parlent», qui «disent» les doléances et les
aspirations. Tantôt, on mise sur la dimension agricole de la vie quotidienne : on menace de s'attaquer aux récoltes ou d'ouvrir le champ de maïs
d'un Britannique à un troupeau de vaches, on coupe la queue et la crinière
du cheval du curé Paquin de Saint-Eustache, un paysan imite le bêlement
du mouton pour faire aboyer les chiens pendant qu'on lit une proclamation
interdisant les assemblées populaires. Tantôt, lors de la plantation du mai,
l'arbre enrubanné planté en l'honneur d'un concitoyen est coupé pour
marquer la désapprobation à l'égard d'un officier de justice ou de milice qui
refuse de démissionner ou que le pouvoir britannique nomme et met en
place. Ou ce sera Papineau arrivant à Berthier-en-Bas parmi des Patriotes
affichant une feuille d'érable à la boutonnière ou portant lui-même à Saint-

Charles, dans la logique de sa politique de non-consommation de biens importés, vêtements en étoffe du pays et ceinture fléchée.

C'est la politisation du charivari qui dit le mieux l'arrimage populaire des événements de 1837 et de 1838. Ces manifestations nocturnes et bruyantes, où l'on bat la casserole comme un tambour, sont faites par des individus déguisés, portant masques ou cagoules devant la maison d'un ou d'une adultère ou d'un mauvais payeur. Dorénavant, c'est à un seigneur, à un anti-Patriote notoire ou à un juge de paix « loyal » que l'on adresse le charivari qui sert ainsi à identifier ou à intimider des opposants[44].

Conclusion sur 1837 et 1838

Les chapitres V à VIII ont mis les rébellions en perspective ; leur propos était de comprendre cet événement décisif de l'histoire politique et intellectuelle dans le contexte de l'avancement culturel du Bas-Canada, de la situation internationale, des discours et des pratiques. Il faut maintenant conclure sur les causes des rébellions et de leur échec.

L'Ami du peuple avait publié dans son édition du 17 juillet 1833 un texte d'un certain John Thomas intitulé « Ce qui est nécessaire pour l'indépendance d'un peuple ». L'auteur rappelait qu'un pays devait être assez peuplé pour pouvoir se défendre sinon il devait faire appel à un secours extérieur et risquer une nouvelle domination. La population « entière » de ce pays devait être favorable à l'indépendance, faire front commun et éviter les querelles. Ses ressources financières, ses manufactures et son commerce devaient lui permettre de subsister durant la lutte et aux premiers jours de l'indépendance, indépendance qui requerrait aussi la reconnaissance des grandes puissances. Enfin, ce peuple devait pouvoir assurer à ses habitants de meilleures conditions d'existence. Le texte de Thomas mettait les enjeux en place quatre ans avant la première rébellion.

Il faut d'abord rappeler que les rébellions sont l'aboutissement d'une suite et d'une escalade de crises coloniales qui commencent manifestement en 1810 au temps du gouverneur Craig et d'un premier projet d'Union en 1811, suivi d'un second projet plus sérieux en 1822, puis d'un Comité de la Chambre des communes sur les affaires du Canada en 1828. Ces atermoiements métropolitains mènent aux 92 Résolutions, à la Commission Gosford de 1835 puis aux Résolutions Russell de 1837. Les rébellions sont l'aboutissement d'une crise décennale.

Qu'en est-il d'abord, en sus des pressions économiques et démographiques, des quatre causes proposées pour expliquer les rébellions (Londres, l'oligarchie locale, les seigneurs et le clergé) et de leur importance relative?

À long terme, il ne fait pas de doute que la première cause des rébellions réside dans la crise coloniale nouée autour de «l'oligarchie locale», de son accaparement du Conseil législatif, de sa stratégie de blocage constitutionnel, de son refus du contrôle colonial des dépenses et du fait global que le gouverneur et l'Exécutif étaient devenus partisans. De ce point de vue, Papineau, Parent, O'Callaghan, Wolfred Nelson avaient-ils tort de répéter que les «distinctions nationales» étaient davantage faites et entretenues par ce système de pouvoir colonial que par la majorité canadienne-française qui accueillait dans le Parti canadien puis dans le Parti patriote des anglophones défenseurs des libertés anglaises si ce n'est des libertés républicaines? Ce distinguo, fait à l'époque, a trouvé peu d'écho dans l'analyse historique postérieure. Il faut ajouter qu'au moment même des rébellions, les positions de l'oligarchie coloniale allaient trouver des appuis décisifs: il n'y avait plus seulement le *Montreal Herald* et Adam Thom pour invectiver la majorité, il y avait aussi le Doric Club, le British Rifle Corps, la Montreal Constitutional Association et les Loyaux volontaires pour faire face aux Patriotes de 1837 et surtout de 1838.

L'opposition à la métropole s'était construite après 1830, après les décevantes recommandations du Comité de la Chambre des communes sur les affaires du Canada. Le modèle américain était alors devenu une inspiration comme en témoignent très officiellement les 92 Résolutions de 1834 auxquelles réponse sera donnée trois ans après leur expédition à Londres. Les Résolutions Russell tombent comme un «non» de la part d'une personne qui semblait n'avoir que différé un «oui»; elles marquent la fin de tout espoir d'un «arbitre désintéressé», selon le mot d'Alexis de Tocqueville. La volonté et le pouvoir de maintien de la situation coloniale sont alors clairement dévoilés et il devient manifeste que Londres avait subtilement masqué sa stratégie de diviser pour régner, que la métropole endossait en bout de ligne l'autorité coloniale. Les résolutions des assemblées populaires qui suivent l'annonce des Résolutions Russell le disent: il «n'y a plus de justice à attendre» d'un «gouvernement de force et d'oppression». Le ton monte aussi chez Papineau à l'assemblée de Saint-Laurent du 15 mai 1837; il est évident pour le leader patriote que «les temps d'épreuve sont arrivés». Avec d'autres signataires de la pétition de septembre 1837 à la London Workingmen's Association, Papineau écrit : « Nous n'avons pas évoqué l'indépendance à l'endroit de la Couronne britannique, mais nous n'oublions pas que la destinée des colonies continentales est de se séparer de l'état métropolitain lorsque l'action inconstitutionnelle d'un pouvoir législatif résidant dans un pays lointain n'est plus supportable. » Un mois avant la bataille de Saint-Denis, l'adresse de la Confédération des Six Comtés témoigne qu'on est conscients que l'armée britannique se déploie et qu'il faut « se tenir prêts ». Il est difficile en effet, après les Résolutions Russell, de s'en tenir encore au « constitutionnalisme » quand celui-ci ne peut inclure la satisfaction de demandes exprimées depuis deux décennies. On ne peut plus donner à entendre qu'on y satisfera ; on n'y satisfera pas, on n'y satisfera plus. Il s'est trouvé en octobre et en novembre 1837 de plus radicaux que Papineau ; mais les Patriotes faisaient face à un même mur de refus qui les confrontait à la même question : pouvait-il y avoir une autre solution que l'anticolonialisme, même si l'anti-impérialisme était limité et tardif ?

La dimension anticléricale des rébellions paraît davantage exprimée que la contestation antiseigneuriale. Il faut dire que la seconde est d'ordre pratique, qu'elle est l'objet de doléances des coloniaux britanniques depuis un bon moment et que parmi les Canadiens français il s'en trouve un bon nombre acquis soit à l'idée d'une correction des abus soit à l'idée d'une abolition du système avec compensation juste et raisonnable. Il convient par ailleurs de rappeler que la question de l'abolition du régime seigneurial, point de divergence central entre Papineau et les tenants d'une attaque et d'un projet d'indépendance lors de l'assemblée de Middlebury de janvier 1838, est aussi celle qui permet d'identifier les plus radicaux des Patriotes de 1837.

Les résolutions des assemblées populaires disent clairement que l'Église et les curés doivent s'occuper des affaires spirituelles et ne pas transformer la chaire et le confessionnal en tribune politique. Leur propos n'est pas la « séparation » de l'Église et de l'État mais davantage l'impérieuse distinction des sphères. L'Église catholique du Bas-Canada a mis tout son poids dans l'opposition au Parti patriote et aux rébellions, différemment de l'Église orthodoxe en Grèce ou du clergé catholique en Belgique ou en Pologne. En un sens, tout était joué en 1835, quand l'Église catholique bas-canadienne avait pris position avec Rome contre Lamennais et contre toute tentative de conjuguer liberté et doctrine. Il ne restait à Mgr Lartigue qu'à répéter que le pouvoir ne vient pas du peuple et qu'il faut se soumettre « au Prince », et son collègue de Québec n'avait plus qu'à demander qu'on facilite le passage des régiments britanniques en provenance de l'est et qu'on refuse la sépulture ecclésiastique à ceux qui mourraient les armes à la main.

Comment alors expliquer l'échec des rébellions ? Cinq raisons convergentes peuvent être avancées : les dissensions et le manque évident d'unanimité à l'intérieur du mouvement patriote, les oppositions multiples à la position des Patriotes, leur inorganisation et leur manque de moyens, le manque d'appuis extérieurs et la puissance impériale de l'Angleterre.

Si les dissensions sont devenues flagrantes lors de l'assemblée de Middlebury, démarquant du coup les Patriotes radicaux et républicains des Patriotes « réformistes », elles étaient perceptibles dès 1831 à l'intérieur du Parti patriote avec la distance prise par John Neilson à propos de l'électivité du Conseil législatif et de la question des notables et plus tard à propos des 92 Résolutions. Les réserves de Bédard en 1836 concernant l'action à prendre contre le juge Bowen ou à propos des divulgations des directives de la commission Gosford par le gouverneur Head du Haut-Canada allaient s'ajouter à l'opposition solide et soutenue d'Étienne Parent à partir de la tenue des assemblées populaires en mai 1837, alimentant de la sorte cette fameuse rivalité Québec-Montréal qui datait de la prise du leadership du Parti canadien par le Montréalais Papineau vers 1815[45].

L'inorganisation des Patriotes se détecte de multiples façons : d'abord dans le manque de stratégie et d'encadrement militaires à Saint-Charles (Brown) ou à Saint-Eustache (Girod), puis dans le manque flagrant d'armes et de munitions qui crée cette situation un peu baroque d'une entreprise militaire où tous les engagés n'ont pas d'armes. Les armes manquaient et celles qui devaient impérativement venir ne sont pas venues. Cette inorganisation militaire et le fait qu'en novembre 1837 on en était encore à l'approche modérée des « résolutions » constituent les meilleurs indices de la non-préméditation des soulèvements de 1837 et confortent l'idée que, dans un contexte très volatil de déceptions profondes à l'égard de Londres, de tensions accumulées, d'escalades de revendications populaires, de mandats d'amener, d'initiatives d'arrestations de la part des autorités coloniales et de déploiements militaires, des Patriotes aient pris les armes pour protéger les leaders patriotes dont la tête avait été mise à prix[46]. Les signes de résistance des Patriotes paraissent plus nombreux que les signes de préméditation et d'attaque.

L'opposition au Parti patriote ne vint pas uniquement de ses rangs; elle se manifesta à Londres, tant de la part des Whigs que des Tories, à l'exception de quelques membres du Parti radical. Elle vint aussi, faut-il le rappeler, des Britanniques de la colonie, des «Loyaux» volontaires bien armés qui, dans les districts (Deux-Montagnes, Haut-Richelieu) où les deux groupes «nationaux» sont davantage présents, se mobilisent tout autant que les Patriotes quand ils ne les défont pas comme à Odelltown. L'opposition vint encore des seigneurs qui, tous à l'exception de Papineau, se rangèrent, comme après 1760, du côté de l'autorité britannique. Elle s'exprima aussi dans le médium culturel le plus dynamique de l'époque, la presse; les journaux patriotes comme *La Minerve* et *Le Libéral* trouvèrent des interlocuteurs de taille dans *Le Canadien, La Gazette de Québec* et *L'Ami du peuple* dont la vigueur avait été sous-estimée. La «population entière» ne partageait pas les vues du Parti patriote. Elle vint enfin de l'Église catholique dont le loyalisme militant lui fit obtenir en 1839 sa reconnaissance légale, statut qu'elle avait perdu depuis 1791 et à la conquête duquel elle avait assidûment travaillé.

Et puis, les appuis qui devaient ou pouvaient venir ne vinrent pas. On savait pourtant par l'information internationale qu'on pouvait avoir besoin d'une aide extérieure, que les interventions étrangères étaient une arme à double tranchant et que la reconnaissance de l'indépendance était lente et nécessaire. On connaissait les promesses faites à la Pologne par la France tout autant que les conséquences des «discordes» parmi les Polonais. La France, absente depuis 1763, avait oublié l'ex-Nouvelle-France. Si son ambassadeur à Washington s'en émouvait un peu, il ne percevait pas moins la colonie britannique d'Amérique du Nord comme une société d'Ancien Régime, jaugée à l'aune des admirables États-Unis. À Paris même en 1839, on ne pouvait comprendre que Papineau veuille d'une indépendance sous l'aile des États-Unis, au risque de voir la langue et la culture françaises s'estomper. Papineau y manquait non seulement de moyens pour élargir le cercle des appuis en faveur du Bas-Canada, mais la conjoncture elle-même jouait contre la mission que les Patriotes en exil aux États-Unis lui avaient confiée: consolidation du pouvoir de Louis-Philippe, qui ruine «l'influence républicaine qui seule pouvait être utile aux Canadiens», consolidation des relations entre la France et l'Angleterre et attention privilégiée de la France à sa colonie algérienne[47].

À distance et dans sa situation, que pouvait l'Irlande pour le Canada? Si O'Connell avait le plus souvent appuyé les revendications du

Bas-Canada, sa position est claire après la première rébellion. *Le Populaire* du 8 octobre 1838 rapporte ces propos du leader irlandais tenus à Dublin le 15 août : « Je joignis les Canadiens et je m'opposai à lord John Russell, lorsqu'il leur ôtait le pouvoir de disposer de leur propre argent ; mais lorsqu'ils éclatèrent en actes de violence et que le sang fut répandu, je cessai de m'intéresser à leur cause jusqu'à ce que lord Durham fût envoyé parmi eux. J'ai souvent proclamé que j'étais l'apôtre d'une [société] nouvelle, et que ma croyance immuable est que, dans l'Âge du monde où nous sommes, la puissance morale suffit pour conquérir toutes les libertés dont les hommes ont besoin. Je crois que lorsque les peuples ont recours à la force et à la violence, au sang et à la rébellion, ils nuisent invariablement à leur cause, et mettent les ennemis de la liberté dans le droit. »

Les États-Unis n'allaient pas brûler leurs ponts avec l'Angleterre pour une colonie qui, de l'avis de journalistes étatsuniens de l'époque, pourrait bien un jour tomber d'elle-même dans leur escarcelle. Parent l'avait compris qui prévenait de ne pas trop compter sur un pays qui, tout républicain qu'il fût, n'avait aucun intérêt à « ferrailler » avec l'Angleterre pour le Haut et le Bas-Canada. Les positions de neutralité du Vermont et des États-Unis furent très tôt connues et ni les armes ni quelque reconnaissance ne vinrent des États-Unis. Afin de contrer les appuis susceptibles de venir des « colonies du fleuve et du golfe » et du Haut-Canada, Londres prit soin de miner tout front commun et les Patriotes du Bas-Canada ne cherchèrent guère à s'allier à ceux du Haut-Canada, autre signe d'inorganisation.

Les Canadiens français n'avaient pas eu besoin de la reconnaissance par une certaine presse internationale du modèle constitutionnel et industriel britannique pour témoigner de leur propre admiration à l'égard du constitutionnalisme britannique. Les « libertés anglaises » avaient été leur inspiration jusqu'en 1830 et ils étaient conscients de la puissance maritime et militaire de la Grande-Bretagne qui avait humilié Napoléon à Trafalgar et à Waterloo. Certains ne se faisaient donc pas illusion sur les risques d'un affrontement avec cet Empire en ascension qui faisait déjà contrepoids à la Sainte-Alliance. Les cuillères fondues en balles, les vieux fusils de chasse et les faux ne pouvaient faire le poids contre cette armée expérimentée et bien équipée ; on ne pouvait pas ne pas le savoir. Et cette réalité conforte à nouveau l'analyse d'une rébellion, d'une nouvelle résistance sans grand espoir sinon celui de faire voir une certaine cohérence, une certaine dignité, une certaine fierté.

Les assises symboliques des rébellions n'étaient guère plus fortes que les assises logistiques. Certes, les Canadiens français avaient mené d'épiques luttes constitutionnelles depuis 1791 et la conscience des « pères » et de quelques moments forts du passé était vive ; mais cette politique épique n'avait pas encore trouvé d'expression historique et romanesque en 1837. Le souffle poétique touchait les hauteurs de la patrie et du patriotisme, dans la lancée d'une société patriotique. Mais les deux grands symboles de la nationalité, la devise du *Canadien* et le « tricolore » patriote, étaient encore porteurs d'une lourde indétermination, face d'abord à un projet de plus grand respect des prérogatives coloniales (contrôle des finances publiques, électivité des conseillers législatifs), face ensuite à une plus grande autonomie de la colonie, face, enfin, à une indépendance éventuelle chez certains Patriotes.

L'ultime avancée de la nationalité en 1837 conjugue trois composantes : la reconnaissance que « nulle nation ne saurait obéir à une autre par la raison toute simple qu'aucune nation ne sait commander à une autre », la claire distinction chez un Parent que la nationalité du Bas-Canada n'a rien à voir avec celle de la Belgique et de la Pologne, qu'elle a tout de la conservation et rien de la révolution et l'affirmation démocratique autant chez Papineau que chez Robert Nelson que les « distinctions nationales » sont davantage le fait — occulté — du système oligarchique colonial que des Patriotes.

L'amer échec de la première rébellion ne tarde pas à inspirer les poètes qui évoquent les « frères coupables », « St. Charles ! St. Eustache ! ô trop funestes plaines », les Patriotes détenus qui regrettent leur famille et la paix des champs, et les exilés. Pour un Joseph-Guillaume Barthe qui célèbre Papineau, « Sacré martyr de la liberté », on voit *Le Populaire* qualifier celui-ci de « traître » et lui imputer l'ambition d'« être Roi » tandis que P.-J.-O. Chauveau écrit dans « L'insurrection » : « Mais leurs chefs avilis, que l'épouvante glace, / Ont disparu — Comment ? pour combattre ils n'ont rien ? / point d'armes, plus de chefs ? Mais du sang Canadien. » Déjà au temps des 92 Résolutions, en 1834, on chantait « C'est la faute à Papineau » ; les couplets décrivaient tout autant les actions des Patriotes que les positions ou les réactions de leurs opposants mais, immanquablement, le refrain répétait que c'était toujours la faute à Papineau[48]. De janvier 1838 jusqu'en 1848, certains n'allaient pas manquer de suggérer et de répéter que tout était la faute à Papineau le fuyard... Il fallait trouver un bouc émissaire, faute d'explication valable.

Troisième partie

1840-1877

Chapitre IX

L'UNION, LE NATIONALISME CONSERVATEUR
ET UN NOUVEL ÉCHEC LIBÉRAL
(1840-1852)

C'EST LE DÉSARROI. 1837 et 1838 avaient été un long hiver de mécontentement et de frustration. Dans la grande région de Montréal, des familles étaient sans père ou sans toit. Des pères de famille avaient été empri-sonnés, pendus ou exilés en Australie et d'autres s'étaient exilés aux États-Unis. L'abattement était tout autant physique que moral : un quart de siècle de luttes constitutionnelles s'était terminé par les Résolutions Russell, par la répression et par le *Rapport* Durham. Qu'allait être la suite? Une loi constitutionnelle d'Union du Haut et du Bas-Canada. Ce qui n'avait pas été désirable ou possible en 1811 et en 1822 le devenait, s'imposait même pour la métropole.

La Fontaine devant l'échec de l'opposition à l'Union

Les deux provinces sont dorénavant réunies en une seule Assemblée législative. Malgré les recommandations de Lord Durham, la représen-tation parlementaire du Haut et du Bas-Canada est égale en nombre (42 députés pour chaque partie) et non pas proportionnelle à la population, selon le grand principe démocratique du Rep by Pop. Le Haut-Canada compte alors 400 000 habitants, le Bas-Canada 650 000. Concrètement, cette entrave à la démocratie met la majorité francophone du Bas-Canada à la merci de la minorité du Haut-Canada toujours sus-ceptible de faire front commun avec la minorité anglophone du Bas-Canada et de perpétuer ainsi le clivage ethnique de la colonie. La stratégie de Londres ne change pas; elle se radicalise en faisant fi du principe démocratique du *Rep by Pop*. L'effet le moins manifeste mais le plus décisif de cette stratégie de retrait de majorité est d'annuler toute tentative pour le Bas-Canada de conjuguer libéralisme et nationalisme, souffle nationalitaire et souffle démocratique. D'autre part, le Conseil législatif est reconduit et n'a rien d'électif: ses membres sont nommés à vie par le gouverneur. Le gouverneur dispose d'un droit de réserve sur toute législation, de même que la reine d'Angleterre, et ce pour une période de deux ans. La langue officielle et unique de l'Assemblée du Canada-Uni est l'anglais. Les dettes du Haut et du Bas-Canada sont fusionnées; celle du Haut-Canada est de l'ordre de 5 millions de dollars et entraîne des intérêts annuels de 224 000 $; celle du Bas-Canada est de 375 000 $. La dette est détenue à Londres par la banque Baring dont l'un des principaux associés, le « très honorable » F.-T. Baring, est membre du cabinet Melbourne et chancelier de l'Échiquier. Enfin, il n'est pas question de gouvernement responsable dans la nouvelle Constitution; une liste civile de 300 000 $ continue plutôt à prévaloir.

Adoptée le 23 juillet 1840, la loi est approuvée par 156 voix contre 6 à la Chambre des communes et par 107 contre 10 à la Chambre des Lords. O'Connell, scandalisé que la loi soit adoptée sans la consultation du peuple et de l'Assemblée du Bas-Canada, vote contre. Consulté, Lord Gosford, ex-gouverneur du Bas-Canada, dénonce la nouvelle Constitution comme « une intrigue mercantile ». Le non-respect du *Rep by Pop* de même que le partage d'une dette inégale lui font dire: « Could any thing be more arbitrary and unfair? » À sa façon, le jeune Pierre-Joseph-Olivier Chauveau, poète et futur premier ministre du Québec après 1867, reprend ce thème de l'arrangement financier et dénonce l'Union comme le « jour des banquiers » :

> Voyez: la table est mise et pour un seul repas,
> Sur une nappe affreuse et par le sang rougie,
> Les ogres du commerce ont les deux Canadas [...]
> C'est le jour des banquiers, vous dis-je! C'est leur gloire,
> Que les placards royaux affichent sur nos murs;
> L'Union qu'on proclame, est leur chant de victoire,
> Et tout devait céder à des motifs si purs. [...]
> Cependant, si Baring leur dit: moi je le veux [...]
> Un seul mot du banquier, c'est la vie ou la mort [1].

Au Canada-Est, qu'on continue d'appeler le Bas-Canada, l'opposition à l'Union est unanime parmi les francophones et elle part de Québec. Le Comité des électeurs de la ville tient sa première assemblée anti-Union le 24 janvier 1840, six mois avant l'adoption de la loi. Parent, John Neilson, qui se joint à nouveau à la majorité canadienne-française, Garneau en font partie. Parent le désillusionné, dont ce sont les dernières interventions publiques — il est élu député du Saguenay le 8 mai 1841 et nommé greffier du Conseil exécutif le 14 octobre 1842 — n'entrevoit rien de bon dans cette Union forcée :

> Comment pourrons-nous espérer de l'harmonie, de la confiance, de la coopération de la part de gens qui n'ont pas trouvé un mot de sympathie pour nous, qui n'ont montré pour nous que du mépris, qui n'ont vu dans notre Union qu'un vil objet de spéculation et d'intérêt sectionnaire, et qui, non contents de nous piller, de nous faire payer leur dette, poussent l'injustice jusqu'à vouloir proscrire notre langue et la bannir des Conseils de l'État et des Tribunaux. De pareilles prétentions font trop bien voir l'esprit qui anime notre futur conjoint pour espérer une Union heureuse.

L'homme qui avait récemment préféré une union des provinces du golfe à celle du Haut et du Bas-Canada, avoue avoir « rencontré le *Montreal Herald* et consorts » dans l'attitude des Haut-Canadiens. C'est peu dire. L'Union est pour lui une « politique inique, qui dans ce siècle, n'a de pendant que dans la politique Russe en Pologne ». L'homme qui, en 1839, avait fini par opter pour l'assimilation résume ainsi son propos : l'Union « tend à rien de moins qu'à nous enlever ce que nous avons de plus cher au monde, notre langue, nos mœurs et nos droits, c'est-à-dire notre nationalité[2] ».

L'Église catholique romaine fait aussi front commun contre l'Union, elle qui depuis le *Rapport* Durham craint une intention « d'anglifier », de « décatholiciser » les Canadiens français et de faire disparaître l'influence catholique dans l'éducation. Les évêques de Québec et de Montréal invitent les curés à signer les pétitions contre l'Union et à pétitionner eux-mêmes contre le projet. La position de l'Église n'est pas sans étonner les Patriotes ; l'un d'eux observe que le clergé ne fait plus la courbette et ne prêche plus la servilité[3]. Car l'Église catholique romaine, héritière du travail de Mgr Lartigue, développe aussi une vision de la destinée des Canadiens français pour contrer la nationalité libérale et émancipatrice des Patriotes et de leurs successeurs : « C'est ainsi que nous entendons la nationalité canadienne : la religion, le catholicisme d'abord, puis la patrie. Or celle-ci ne prend de force et de physionomie véritable que dans l'appui et la protection de celle-là : le Canada sans catholicisme c'est un drapeau sans couleur [...]. Car ce ne sont pas des frontières ni même des lois et des administrations politiques et civiles qui font une nationalité, c'est une religion, une langue, un caractère national. » Pour l'Église, c'est « parce que nous sommes catholiques que nous sommes une nation en ce coin d'Amérique[4] ».

Les campagnes de pétition à travers le Bas-Canada portent fruits : 39 928 Canadiens apposent leurs signatures à la pétition. Mais rien n'y fait : l'Union devient loi en juillet 1840.

Parmi les nouvelles figures qui s'ajoutent aux acteurs de la scène politique, qu'ils soient fidèles au poste comme l'Église catholique ou absents comme Papineau, toujours en exil en France, Louis-Hippolyte La Fontaine est sans doute la plus importante. Député de Terrebonne depuis 1830, favorable aux 92 Résolutions de 1834 et à la stratégie de non-importation des produits, anticlérical notoire jusqu'en 1837, La Fontaine se révèle pragmatique et soucieux de compromis quelques jours avant les insurrections de novembre 1837. À Londres, à Paris puis aux États-Unis, de la fin décembre 1837 à juin 1838, le jeune avocat plaide pour une solution constitutionnelle et devient progressivement l'interlocuteur du pouvoir britannique métropolitain et colonial. Momentanément prisonnier en 1838, l'homme garde son franc-parler : « Que l'administration locale cesse, dans tous ses rapports administratifs ou sociaux, de faire et de soutenir des distinctions de race, et qu'elle marche franchement vers une politique libérale, mais ferme, et [qu'elle cesse de soutenir] aussi des actes de favoritisme envers des classes privilégiées. » La Fontaine compte sur une amnistie des Patriotes et sur une indemnité à verser aux victimes de 1837 et de 1838 pour faire accepter l'Union. Dans une adresse du 25 août 1840 « Aux électeurs du comté de Terrebonne », postérieure donc à l'adoption de la loi d'Union par le Parlement britannique, le député résume ses griefs contre l'Union qui est

> un acte d'injustice et de despotisme, en ce qu'elle nous est imposée sans notre consentement ; en ce qu'elle prive le Bas-Canada du nombre légitime de ses représentants ; en ce qu'elle nous prive de l'usage de notre langue dans les procédés de la législature, contre la foi des traités et la parole du Gouverneur ; en ce qu'elle nous fait payer, sans notre consentement, une dette que nous n'avons pas contractée ; en ce qu'elle permet à l'Exécutif de s'emparer

illégalement sous le nom de liste civile, et sans le vote des représentants du peuple, d'une partie énorme des revenus du pays.

Il s'oppose au rappel ou à l'abrogation de l'Union proposé par quelques-uns et préconise la constitution de partis identifiés à des principes réformistes plutôt qu'à la nationalité. Sur cette base, La Fontaine entend faire cause commune avec les libéraux du Haut-Canada, si mal vus de Parent. Pour lui, l'Union est le prix à payer pour obtenir le gouvernement responsable promis aux seuls Canadiens du Haut-Canada[5].

À la veille des élections, le Comité des électeurs de Québec, avec à sa tête John Neilson, publie une «Lettre des électeurs de Québec qui désapprouvent l'acte pour réunir les deux provinces», qui rappelle les principaux griefs contre l'Union. Si l'Union est déjà loi, on espère néanmoins faire comprendre au gouverneur Thompson l'opposition irréductible au projet. Le gouverneur a beau s'immiscer dans le processus électoral comme aux beaux jours du gouverneur Craig, les «anti-unionnaires» obtiennent 23 des 42 sièges du Bas-Canada, une faible majorité mais au Bas-Canada seul. L'Union, votée à Londres en juillet 1840, entre malgré tout en vigueur le 10 février 1841 et si lors de la première session, qui s'ouvre le 15 juin, le principe de la responsabilité ministérielle paraît admis dans les faits, il ne sera reconnu par Londres qu'en 1848[6].

Après les Résolutions Russell, après l'échec des rébellions, après le *Rapport* Durham, l'opposition à l'Union depuis 1839 avait été aussi un échec. Certes, La Fontaine avait réalisé une percée au Bas-Canada, mais il devait dorénavant miser sur l'appui des réformistes du Haut-Canada qui avaient tout autant besoin de l'appui des députés anti-unionnaires élus au Bas-Canada. Jusqu'où La Fontaine pouvait-il compter sur les libéraux du Haut-Canada, ceux-là mêmes dont Parent disait ne rien attendre? Comment pouvait-il miser sur des hommes qui avaient approuvé l'Union avec ce qu'elle comportait d'inacceptable pour la très grande majorité des Bas-Canadiens francophones?

La reconstruction religieuse (1840-1848)

L'Église catholique romaine, qui avait perdu son statut légal en 1791 et dont le loyalisme ne s'était pas démenti au fil de l'affirmation de l'alliance du Trône et de l'Autel, avait fait l'ultime preuve de sa fidélité à l'occasion des rébellions de 1837 et de 1838. Ce loyalisme lui avait permis de regagner en 1839 un statut légal, c'est-à-dire un droit de personne morale capable de posséder des biens sans risque de confiscation. Elle pouvait dorénavant investir en toute assurance dans le foncier et l'immobilier. Mgr Bourget succède à Mgr Lartigue, décédé le 18 avril 1840. Celui-ci avait éveillé une partie de son clergé à la sensibilité de la restauration catholique française. Et, au-delà de la condamnation de Lamennais en 1832 et en 1834, la partie la plus cultivée du clergé bas-canadien — les abbés Raimbault et Fournier à Nicolet, Raymond, Prince, Larocque, Désaulniers à Saint-Hyacinthe, Painchaud à Sainte-Anne-de-la-Pocatière ou Viau à Montréal — avait trouvé une inspiration chez les catholiques libéraux qui s'étaient distanciés de Lamennais, comme l'abbé Gerbet, le père Lacordaire, restaurateur des dominicains, ou le comte de Montalembert. Mgr Bourget allait fournir des moyens à cette inspiration tout en l'infléchissant vers un conservatisme de plus en plus marqué.

La reconstruction religieuse se fait après les rébellions en s'appuyant sur des ressources humaines. Les entrées dans les grands séminaires de Montréal, de Québec et de Saint-Hyacinthe se multiplient : 156 recrues à Montréal de 1840 à 1848 et une moyenne annuelle de 25 nouvelles entrées après 1853. La moyenne des ordinations de clercs séculiers originaires du sud-ouest de Montréal double de 1844 à 1848. Le nombre des entrées féminines en communauté décolle après 1840. Le voyage du jeune évêque de Montréal en Europe à compter du 23 juin 1841 porte fruits : 73 religieux débarquent à Montréal de 1840 à 1848 dont 43 en 1847-1848. Les jésuites, absents de la colonie depuis 1800, reviennent en 1841 et fondent le collège Sainte-Marie en 1848 ; les oblats de Marie-Immaculée s'installent à Montréal en 1841 et à Bytown (Ottawa) en 1844. Mgr Bourget recrute des Dames du Sacré-Cœur en 1842, des religieuses du Bon Pasteur en 1844 et des Sœurs de Sainte-Croix en 1847. Les Clercs de Saint-Viateur et les Clercs de Sainte-Croix arrivent en 1847 et fondent des collèges à Joliette, à Rigaud et à Saint-Laurent. Les fondations canadiennes de communautés féminines s'additionnent : les Dames de la Charité de Saint-Hyacinthe en 1841, les Sœurs des Saints Noms de Jésus et de Marie et les Sœurs de la Providence en 1843, les Sœurs de la Miséricorde en 1846, les Sœurs de Sainte-Anne en 1848, les Sœurs de la Charité de Québec en 1849.

De nouvelles structures d'encadrement se mettent en place : après les diocèses de Québec et de Montréal, celui de Bytown en 1847, partie prenante de la nouvelle (1844) province ecclésiastique de Québec[7].

La reconstruction religieuse se donne d'autres moyens : la presse et la bibliothèque paroissiale. Après le refus fait à Mgr Lartigue par l'évêque de Québec de fonder une « gazette » catholique et à la suite de l'initiative des Sulpiciens avec *L'Ami du peuple, des lois et de l'ordre, Les Mélanges religieux,* voix officieuse du diocèse de Montréal, paraissent de janvier 1841 à 1852, mettant d'ailleurs à contribution d'anciens mennaisiens comme les abbés Prince et Raymond, toujours soucieux de restaurer et de défendre le génie du christianisme. S'inspirant du modèle français de l'Œuvre des Bons Livres de Bordeaux, les sulpiciens donnent suite au projet de bibliothèque religieuse de l'évêque de Québec de 1842, et ils inaugurent, le 19 septembre 1844, l'Œuvre des Bons Livres de Montréal. La bibliothèque, qui offre près de 2500 volumes au moment de son ouverture, mettra en moyenne en circulation près de 25 000 « bons livres » par année entre 1844 et 1849. Le nouvel évêque approuve et endosse l'initiative, rappelant à ses diocésains que l'Œuvre leur « fera passer [...] de bien doux moments pendant ces longues soirées d'hiver, où sans cela vous vous [sentiriez] comme bien d'autres, exposés à vous laisser aller à une joie profane[8] ».

Les stratégies pastorales se multiplient, se diversifient, se complètent. L'évêque exilé de Nancy, en France, Mgr de Forbin-Janson, inaugure une pastorale de « missions » et de prédication intense qui sera poursuivie par les oblats. L'évêque royaliste et légitimiste, tenant de l'alliance du Trône et de l'Autel, prêche dans une soixantaine de localités du Bas-Canada en septembre et en octobre 1840. La mode nouvelle n'est pas sans étonner le Patriote Louis Perrault qui écrit à Duvernay : « Depuis que les Pères Oblats [quatre Français importés par l'évêque de Montréal] sont en Canada, ils se transportent d'une paroisse à l'autre, et ce sont des retraites ou missions qui s'y font, de trois semaines de longueur. » Ce blitz de ferveur, déjà bien visible, se transforme en déploiement spectaculaire lorsque Mgr de Nancy achève son marathon pastoral en bénissant une croix gigantesque sur le mont Saint-Hilaire, le 6 octobre 1841. Cette intensification de la prédication populaire, qui vise aussi à implanter un mouvement de tempérance, est canadianisée par l'abbé Charles Chiniquy qui enflamme les paroisses et distribue sa croix noire de tempérance à fixer, bien en évidence, au mur des maisons paysannes. Les congrégations religieuses font du coup leur plein de membres[9]. Si les moyens de cette reconstruction religieuse frappent le regard des libéraux, ses effets deviennent rapidement perceptibles pour les catholiques : « On voit avec consolation la religion refleurir et comme triompher dans cette province. On dirait que les troubles politiques qui ont donné tant d'appréhension et causé de si vives alarmes parmi le peuple, n'ont été que des brouillards qui ont servi à donner un plus grand calme et une plus grande ferveur à l'Église du Canada. Depuis 1840 un changement de mœurs se fait sensiblement remarquer dans toutes les classes de notre société.» La communion pascale, l'obligation de communion annuelle des catholiques, qui avait touché encore en 1839 un vraisemblable plancher dans les milieux agglomérés et marqués par les rébellions récentes, devient plus fréquente. Dans la paroisse Notre-Dame de Montréal, qui compte 10% des fidèles du diocèse, l'abstention de la communion pascale décroît de 61% à 42% de 1839 à 1842[10]. En cette période d'abattement et de recherche de destin individuel et collectif, la pratique religieuse se renouvelle, s'intensifie et rejoint les milieux populaires par le spectaculaire, la tempérance, la Saint-Vincent-de-Paul ou l'hôpital de «la Miséricorde» pour les «filles tombées». L'Église, qui dispose de nouveaux moyens, commence même à confessionnaliser la vie intellectuelle comme en témoigne la réaction des milieux ecclésiastiques à la parution du premier volume de l'*Histoire du Canada* de F.-X. Garneau en 1845[11].

Un ultramontanisme de plus en plus concret:
le cas de l'instruction publique

Sous l'impulsion de Mgr Bourget, l'ultramontanisme prend de plus en plus ses couleurs géographique et idéologique. Comme on dit en France, les choses se font de plus en plus comme «au-delà des monts», au-delà des Alpes, à la manière romaine, *sic fit Roma*: le clergé abandonne la bavette à la française en faveur du col et du costume romains (1842) avant d'adopter (1853) la liturgie et le cérémonial en vigueur à Rome. Ces manières de faire sont d'ailleurs de mieux en mieux connues des clercs canadiens-français qui inaugurent en 1852 une tradition de voyages d'études (théologie, droit canon, philosophie) dans les universités romaines.

L'ultramontanisme n'est pas qu'un alignement romain des études et des manières ecclésiastiques. C'est tout autant une doctrine, opposée au gallicanisme qui, lui, admet un droit de regard du civil sur le religieux. Non seulement cette philosophie politique de Rome qu'est l'ultramontanisme s'oppose-t-elle à la séparation de l'Église et de l'État et promeut-elle une alliance de l'Autel et du Trône, mais elle prétend même que dans les questions dites mixtes, où le spirituel se conjugue au temporel, où la morale croise le politique, l'Église a primauté sur l'État. Pour fonder ce principe, l'Église argue de la hiérarchie des fins — primauté du ciel sur la terre, du spirituel sur le temporel, de l'âme sur le corps, de l'éducation sur l'instruction — pour prétendre à la responsabilité en matière de santé (l'Hôtel-Dieu) et d'instruction publique. Or après 1839, après la reconnaissance de son statut légal, l'Église va enfin réaliser son projet de « s'emparer de l'éducation », projet différé par les lois des Écoles royales (1801-1824) et des Écoles d'Assemblée (1829-1836).

Sa vision de l'éducation n'a pas véritablement changé depuis la polémique de 1819 sur les écoles lancastriennes. Pour *Les Mélanges religieux* du 7 mars 1845, « [...] l'éducation religieuse doit être l'essentiel et l'instruction intellectuelle seulement l'accessoire, et le pouvoir civil doit donc bien se garder de vouloir absorber l'autorité religieuse, si l'on veut que ces deux influences puissent marcher ensemble ». Dans son numéro du 20 août 1841, la voix de l'évêché de Montréal avait formulé la même idée autrement : « Il y a dans la simple intelligence du catéchisme catholique une éducation plus complète et plus profonde qu'on ne le pense généralement. » Par la loi scolaire de 1841, les Églises obtiennent le droit à la dissidence religieuse, le droit à l'école pour les minorités religieuses (catholique et protestante) et non pas linguistiques (francophone et anglophone) et une structure distincte pour les examinateurs catholiques et protestants. La loi de 1846 approfondit cette confessionnalisation du système d'enseignement : à Québec et à Montréal, les instituteurs seront choisis séparément par des examinateurs catholiques et protestants, les clercs seront exemptés des examens d'aptitude exigés des laïcs, et ceux-ci devront obtenir un certificat de moralité de la part d'un curé. Le clergé obtient un droit de regard dans le choix des manuels scolaires traitant de sujets religieux et moraux et, en 1849, le curé devient éligible au poste de commissaire scolaire. C'est la reconnaissance dans les faits du droit de primauté spirituelle des Églises dans une question mixte, et dans un domaine crucial, celui de la formation et de la transmission des valeurs[12].

La Fontaine tire profit de cette reconnaissance de la primauté de l'Église en matière scolaire au moment même où, en 1846, il se lève en Chambre pour réclamer la restitution des biens des jésuites et leur application à l'éducation. Pensant à leur réélection par des anglo-protestants, ses alliés libéraux du Haut-Canada votent contre le projet de loi.

La Fontaine devient donc celui qui défend à la fois la langue française, le statut et les biens de l'Église et l'école catholique. L'alliance du politique et du religieux pouvait-elle être mieux scellée ?

Nouveau souffle libéral

L'échec des luttes constitutionnelles et de la résistance armée tout comme l'exil obligé ou volontaire des Patriotes les plus engagés avaient entamé la tradition libérale. Comment le mouvement pouvait-il, en effet, renaître de ses cendres ? Le retour d'exil des Patriotes et de Papineau en 1845, à la suite de l'amnistie que La Fontaine réussit à obtenir, ramène le chef patriote à Montréal sans qu'il se manifeste encore publiquement.

D'ailleurs, la jeunesse montréalaise n'a pas attendu le retour de Papineau pour se donner un lieu de sociabilité et un forum de discussion. L'Institut canadien de Montréal ouvre ses portes le 17 décembre 1844 et contribue à meubler les longues soirées d'hiver grâce à un certain nombre d'activités. De 1844 à 1848, on y fait une vingtaine de conférences publiques, plus de vingt essais sont présentés par des membres de l'Institut à leurs pairs et on y tient une dizaine de débats susceptibles d'attirer de jeunes étudiants en droit. Wolfred Nelson est du nombre des conférenciers, de même qu'Amédée Papineau, Charles Mondelet, Charles Laberge, Rodolphe Laflamme ; on y retrouve aussi des conférenciers ou des essayistes plus modérés tels qu'Étienne Parent, Augustin-Norbert Morin ou Antoine Gérin-Lajoie, signe parmi d'autres que l'Institut n'a pas encore d'orientation idéologique marquée. La bibliothèque de l'Institut, qui compte quelque 1300 volumes en 1848 et en prête en moyenne 725 annuellement, met aussi plus de vingt journaux locaux et étrangers à la disposition de ses membres ou des abonnés de la bibliothèque.

Les conférences publiques que Parent fait à l'Institut canadien de Montréal entre 1846 et 1848 rappellent que celui-ci n'a pas encore radicalisé ses positions et qu'une alternative à ses positions était encore possible. Parent, l'homme de la « soumission honorable » en 1838, l'homme de l'opposition à l'Union en 1839 et 1840, y énonce une nouvelle vision de la conservation de la nationalité face à ce qu'il appelle le « nouvel ordre de choses ». Il prend note de « l'âge d'industrie », de « l'âge du positivisme » pour valoriser l'instruction populaire, l'étude de l'économie politique, pour « honorer » le travail et le commerce et pour assigner une nouvelle tâche sociale aux capitalistes, aux commis, aux ouvriers, aux prêtres et à «l'élite intellectuelle». La planche de salut dans ce nouveau régime d'Union du Haut et du Bas-Canada réside dans la participation des Canadiens français à la vie économique, commerciale et industrielle. De l'intérieur même de l'Institut canadien de Montréal est formulée, entre 1846 et 1848, une variante du libéralisme, un libéralisme modéré favorable à l'entreprise privée, au libre-échange, à une nationalité identifiée à des caractéristiques culturelles et non politiques et défavorable à l'anti-cléricalisme sinon consentant au cléricalisme. Parent, qui, dès le milieu des années 1830, avait évoqué le gouvernement responsable comme solution à la crise coloniale, se ralliera à La Fontaine sur cette question, lui qui avait aussi été l'un des plus farouches adversaires de l'Union[13].

La jeunesse libérale se donne aussi un journal dont le titre même est tout un programme: *L'Avenir*. Le format et la présentation typographique rappellent *L'Avenir* de Paris de 1830. Le journal, qui paraît à compter de juillet 1847, prend une orientation plus libérale en novembre au moment où Papineau revient à la vie publique. *Les Mélanges religieux* voient Lamennais renaître de ses condamnations: «Les doctrines de *L'Avenir* sont en effet les mêmes que celles de son confrère de Paris. Ce sont les mêmes doctrines que celles des *Paroles d'un croyant* et des *Affaires de Rome*. Ce sont enfin les doctrines de M. De Lamennais, cet ange déchu dont l'Église pleure la perte.» Les rédacteurs de *L'Avenir* de Montréal constatent rapidement que les temps ont changé: «Voyons donc! En 1831 ou 1832, les *Paroles d'un croyant*, par Lamennais, étaient publiées au long dans *Le Canadien* de Québec. Le peuple sentant toute la poésie, toute l'élo-quence de ce génie extraordinaire, applaudissait. Aujourd'hui, l'écrit le plus humble, le plus insignifiant, respirant un peu de liberté, est immédia-tement dénoncé comme contraire à l'ordre, contraire aux mœurs, chose terrible... Comme IMPIE! Et toutes les âmes pieuses, et tous les hypo-crites, et tous les hommes intéressés à la perpétuation du régime actuel, de fermer les yeux et de s'écrier "Dieu nous sauve de l'impiété de notre siècle[14]!"»

La parution de *L'Avenir* ranime les discussions autour de Lamennais comme le retour de Papineau rappelle l'époque des grands combats. Si les milieux catholiques s'étaient distancés de Lamennais en 1832 et surtout en 1834, les libéraux avaient suivi l'évolution de l'ex-prêtre catholique con-damné par l'Église. Papineau était devenu l'un de ses familiers à Paris entre 1839 et 1845. Son neveu, Louis-Antoine Dessaulles, de passage à Paris en 1839, découvre à la librairie Bossange ou dans la bibliothèque de son cher oncle, les *Affaires de Rome* que Lamennais avait publié en 1836. L'ouvrage contient le dossier accablant de la collusion de l'Église polonaise et du tsar pour écraser l'émancipation du pays animée par les libéraux catholiques polonais en 1830 et qui avait été la cause de la condamnation de *L'Avenir* de Paris en 1831. Le jeune Dessaulles découvre dans ce dossier explosif «combien les affaires se font franchement et saintement à Rome». Se rappelant l'intervention de 1837 du loyal Mgr Lartigue, il écrit à son cousin Denis-Emery Papineau: «[...] ce sont purement et uniquement des considérations politiques qui ont décidé le Pape à se prononcer. C'est l'Autriche qui a condamné Mr De La Mennais, c'est la Russie; ce n'est pas Grégoire XVI.» Le neveu de Papineau a pu voir dans cet ouvrage de Lamennais le pointillé de son destin: dénoncer toute ingérence religieuse ou spirituelle de l'Église dans les affaires politiques ou temporelles.

Le modéré Denis-Benjamin Viger mène aussi une polémique sur cette question avec *Les Mélanges religieux* au début de 1842. Pour Viger, qui semble avoir lu les *Affaires de Rome*, il est clair que le pape s'est fait «payer son bref aux évêques de Pologne par le gouvernement russe». Le respectable et honorable homme public va encore plus loin et identifie la situation bas-canadienne à la situation polonaise: il faut, selon lui, donner une portée uniquement politique et non pas dogmatique au mandement de Mgr Lartigue du 24 octobre 1837. *Les Mélanges religieux* n'en reviennent pas: «Citer La Mennais comme autorité incontestable contre le Pape! s'appuyer sur de La Mennais pour déverser la calomnie sur le Pape; de La Mennais, l'ennemi le plus acharné qu'ait actuellement l'Église, et qui depuis sa chute a voué sa vie toute entière à la combattre par l'erreur et le mensonge [...]. La Mennais [...] qu'un de ses plus grands admirateurs d'autrefois, mais qui l'abandonna à la voix de l'Église, a si justement appelé le juif errant de la politique[15].»

Si les milieux catholiques connaissent aussi un nouveau souffle «libéral» après 1840, il s'agit d'une inspiration toute particulière et évolutive, où s'impose chaque fois l'obligation de voir ce qu'a de libéral ce catholicisme et ce qu'a de catholique ce libéralisme. La «démocratie chrétienne» à la Lamennais est récusée par les ex-mennaisiens et par *Les Mélanges religieux* qui n'évoquent que le Lamennais réfuté par l'abbé Gerbet ou par l'abbé Peltier et qui insistent pour rappeler que «tous se sont rangés à la droite du vicaire de Dieu». «Tous», ce sont principalement Lacordaire et Montalembert, les anciens amis de Lamennais, les ex-pèlerins de Rome en 1831, soumis depuis au vicaire de Dieu.

Le Lacordaire des *Mélanges religieux* est celui qui a aussi réfuté le système philosophique de Lamennais, le pèlerin de Rome repentant, l'orateur qui vient de rétablir les dominicains en France. C'est ce même Lacordaire qu'admire l'abbé Raymond de Saint-Hyacinthe, celui-là même qui s'était soumis et éloigné de Lamennais dans une longue confession du 24 novembre 1834[16].

Mais c'est surtout le comte de Montalembert qui fascine certains milieux catholiques tout au long du XIXe siècle, de l'abbé Raymond à l'abbé Lionel Groulx. Raymond connaît Montalembert depuis *L'Avenir* de Paris de 1830-1831. Les deux hommes correspondent, Montalembert avouant au professeur de Saint-Hyacinthe s'être détourné «du précipice où M. de la Mennais, un ami d'autrefois, est tombé en cherchant à m'y entraîner avec lui», Raymond reconnaissant une «harmonie préalable» entre lui et les écrits de son correspondant et évoquant aussi Lamennais, «notre ami d'autrefois». Le voyage de Raymond en Europe en 1842-1843 — visites à Montalembert, à Lacordaire, à Gerbet, à Chateaubriand, à dom Guéranger, au père Rozaven, le contradicteur de Lamennais, aux pères Perrone et Ventura à Rome, au Collège romain, aux bureaux de *L'Univers* — sera décisif dans sa volonté de faire connaître «la nouvelle école catholique» et d'encourager le rehaussement intellectuel du clergé canadien. Tel est le sens premier du «libéralisme» catholique de l'abbé Raymond ou d'un abbé Bouchy au Collège de Sainte-Anne-de-la-Pocatière.

Mais le courant qui s'impose est celui représenté par *L'Univers* de Paris, journal conservateur fondé par l'abbé Migne en 1833 et animé à partir de 1840 par Louis Veuillot que *Le Canadien* de Québec cite dès la fin de décembre 1839. On reçoit *L'Univers* dans les évêchés, dans des presbytères, dans des collèges, cet *Univers* que Lacordaire décrivait «comme du jansénisme travesti absorbant le naturel dans le surnaturel : 1° *en politique*, l'État dans l'Église ; 2° *en philosophie*, la raison dans l'autorité ; 3° *en littérature*, les classiques profanes dans les classiques chrétiens». Les libéraux canadiens-français ne tardent pas à constater que «le parti de *L'Univers* est parmi nous. Il suit la même marche, il emploie les mêmes moyens, pour arriver au même but[17].»

1848 : une année chargée

Papineau, qui avait promis de ne revenir au pays que lorsque tous les Patriotes auraient été graciés, rentre à Montréal en septembre 1845 après huit ans d'exil aux États-Unis et en France. Absent, il n'a donc pas participé au mouvement d'opposition à l'Union ni assisté à la montée politique de La Fontaine, qui s'impose de plus en plus comme le nouveau leader national. Les choses avaient manifestement changé : le cousin de Papineau, Denis-Benjamin Viger, est co-premier ministre, son frère Denis-Benjamin Papineau est ministre, Ludger Duvernay a relancé *La Minerve*, favorable à La Fontaine, l'abbé Chartier a réintégré le ministère, Thomas Storrow Brown s'est fait l'avocat de la tempérance, Wolfred Nelson a été réélu député de Richelieu tandis qu'O'Callaghan est archiviste de l'État de New York, que le Dr Robert Nelson a décidé de ne pas revenir dans la monarchie britannique et qu'un ex-patriote comme le Dr Duchesnois s'est établi au Chili.

Comment le grand tribun allait-il être reçu et tenter de remettre à l'ordre du jour ses idées démocratiques, républicaines et nationalitaires ? Pressé par les électeurs du comté de Saint-Maurice, Papineau accepte d'être candidat aux élections de décembre 1847. Élu le 3 janvier 1848, il entre à l'Assemblée législative du Canada-Uni, à Kingston, le 14 mars. Ses interventions parlementaires et ses grands discours — aux électeurs de Saint-Maurice, à la communauté irlandaise, au marché Bonsecours ou à l'assemblée d'Yamachiche — véhiculent les positions qui allaient le mener à la grande confrontation parlementaire avec La Fontaine, les 22 et 23 janvier 1849, un an après son élection.

Dans ses discours de retour d'exil, Papineau s'explique d'abord sur les troubles de 1837 : jusqu'à la dernière heure, la résistance armée avait été déconseillée et n'avait été « prévue et conseillée par personne de sensé et de poids ». La consigne était de se rendre si l'on faisait l'objet d'un mandat ou de fuir aux États-Unis. Les vraies causes de la rébellion de 1837 devaient être cherchées chez les Volontaires anglophones armés qui troublaient la paix et attaquaient des maisons, dans les arrestations sans mandat faites par des bandes militaires et surtout dans la proclamation de la loi martiale : « Si le faible Gouvernement du jour, guidé par un faible consul, ne s'était pas porté à l'extrémité de proclamer illégalement la loi martiale, il n'y aurait pas eu de troubles. » Pour Papineau, « l'indignation et l'armement furent spontanés pour repousser la force par la force[18] ».

L'homme politique n'a pas changé ; dans son discours aux électeurs de Saint-Maurice, il professe : « Tout ce que j'ai demandé en Chambre en 1834, [...] je le redemande en 1847 [...] » : représentation selon la population, électeurs résidents, éligibilité non liée à la propriété, corruption découragée pour toujours, administration moins dispendieuse[19].

Papineau justifie son refus de l'Union d'abord et avant tout par une raison démocratique : la représentation parlementaire égale du Haut et du Bas-Canada et non pas proportionnelle à la population. Il déclare : c'est « le premier, le principal défaut de notre constitution actuelle », c'est la réforme parlementaire la plus urgente : « Donnez-la [la réforme], le peuple est avec vous et je suis avec le peuple ; refusez-la, le peuple est contre vous, et je reste avec le peuple. » Le démocrate n'accepte pas ce principe de la représentation égale et indépendante de la population qui avantage le Haut-Canada ; il pointe du doigt les six « bourgs pourris » de 12 000 habitants au Haut-Canada avec six députés alors que dans le Bas-Canada, deux comtés de 40 000 habitants n'ont droit qu'à deux députés. Le député de Saint-Maurice propose le principe d'un député par 10 000 habitants « dans l'étendue de la Province » ; c'est pour lui le seul moyen de sortir d'une situation « d'asservissement continu » et la raison de son refus de la stratégie de Baldwin d'augmenter le nombre de représentants au Bas-Canada... et au Haut-Canada ! C'est que, sur cet argument démocratique, repose un enjeu nationalitaire : il est impensable de demander le rappel de l'Union sans l'obtention de cette réforme, sans un système proportionnel à la population qui donnerait au Bas-Canada une possible majorité parlementaire. Papineau est clair sur cet enjeu : « Les hommes qui ne savent pas voir cet avenir sont des aveugles, les hommes qui ne le veulent pas, sont des tyrans. » À ceux qui s'interrogent sur cette agitation autour du *Rep by Pop*, que réclamera bientôt un Haut-Canada plus populeux grâce à l'immigration, Papineau rétorque : « Sans doute si l'Union durait encore, le Haut-Canada demanderait ses justes droits » et alors la demande du Haut-Canada serait fondée comme l'est aujourd'hui celle du Bas-Canada ; « la réforme parlementaire basée sur la population conduira à la demande judicieuse, utile aux deux partis, avec leur mutuel consentement, du divorce à leur mariage forcé[20] ». Papineau est ici un démocrate conséquent, mais avec un conditionnel : « si l'Union durait encore... » C'est la gageure qu'il fait.

L'attrait du gouvernement responsable ne le séduit pas plus qu'au temps des 92 Résolutions ou de 1837. C'est, pour lui, « une tromperie », « une énigme interprétée diversement par celui qui l'offre et par celui qui la reçoit». L'Union n'a mis en place qu'un gouvernement faussement responsable, qu'un ministère faussement libéral constitué de libéraux du Haut-Canada qui contribuent à imposer l'Union et qui sont moins libéraux que Lord Durham, favorable, lui, au *Rep by Pop* dans son *Rapport*. L'alliance avec les libéraux du Haut-Canada ne peut être qu'une mésalliance démocratique : « Il fut expédient pour les libéraux d'être en un jour plus arbitraires et oppresseurs que ne l'avaient été tous les ennemis des Canadiens durant quatre-vingt ans ; ils nous ont donné par là la mesure de leur moralité[21]. »

La mesure de la moralité politique se trouve encore, selon Papineau, dans la corruption, celle des « bourgs pourris » peu peuplés et faciles à intimider ou à acheter, celle d'une presse grassement payée où se recrutent « les souffleurs » canadiens de Lord Russell et d'Edward Ellice, celle des « *Mélanges* dits religieux », celle des « places » pour ceux qui goûtent un peu au pouvoir. À l'assemblée d'Yamachiche, indigné, il déclare : « À un ordre de commandement et de coercition [a succédé] un ordre de fraude et de corruption. On ne fouette plus les gens, on les achète[22]. »

Pour Papineau, il ne reste alors qu'une solution : demander le rappel de l'Union, l'abrogation de ce régime constitutionnel dont on a décrié les injustices depuis 1839. Dans les premiers moments de sa rentrée politique en décembre 1847, Papineau met le doigt sur une plaie qui lui semble cicatriser curieusement : « Comment se fait-il donc qu'un acte qui a fait du mal à tout le monde, à ceux qui l'ont demandé, à ceux qui l'ont repoussé ; contre lequel le blâme et le mécontentement sont universels dans le Bas-Canada, ne trouve pas dans l'enceinte législative une voix, une seule voix qui fasse écho aux plaintes presqu'incessantes qui sont entendues au dehors ? » L'Union est « un système de supercherie, un leurre grossier » qui fait du Bas-Canada une société doublement coloniale, de l'Angleterre d'abord puis du Haut-Canada. Comme en Irlande, il faut demander le rappel de l'Union, restituer au Bas-Canada « un gouvernement séparé ». C'est « le rappel de l'Union ou la réforme électorale » et le seul fait d'accepter la situation présente signifie pour l'ancien leader patriote « que nous sommes déjà assez façonnés à l'abjecte servitude pour la subir sans murmure[23] ».

Papineau n'est pas seul à vouloir réanimer le souffle libéral. Les jeunes de *L'Avenir* et, en particulier, son neveu, Louis-Antoine Dessaulles, mènent le même combat. Celui-ci publie dans *L'Avenir* du 31 décembre 1847 et du 5 février 1848 deux articles retentissants sous le pseudonyme d'«Anti-Union», dénonçant «les Tories du Bas-Canada et les libéraux du Haut-Canada qui ont fait l'Union». Sa charge est globale:

> Il est donc universellement admis que l'union est injuste, désastreuse pour nous, mauvaise en théorie, impossible en pratique; qu'elle a l'effet de donner deux administrations distinctes à une seule province trop étendue pour n'en avoir qu'une, et de compliquer par conséquent les rouages administratifs en les doublant; de présenter un monstrueux amalgame de systèmes de législation fondamentalement opposés; d'habitudes et de mœurs diverses, d'associations d'idées essentiellement contradictoires; en un mot, il n'y a véritablement que le coffre public que la constitution ait mis en commun; mais là encore la pratique a nullifié la théorie et le Haut-Canada a pris presque tout ce que le Bas-Canada y a mis; de plus l'Union a été imposée au Bas-Canada sans consentement et malgré son opposition; la majorité a été livrée à la merci de la minorité; nos taxes ont été doublées *et ce n'est pas nous qui en profitons* [...].

Le jeune Dessaulles propose plutôt de «suivre une politique plus durable et plus en accord avec nos besoins et les exigences du Bas-Canada». Le neveu de Papineau, qui a développé une conscience politique au moment où, en novembre 1837, il avait aidé son oncle à fuir Montréal et qui est inspiré par les *Affaires de Rome* de Lamennais, avoue plus clairement la dimension nationalitaire de sa stratégie de rappel de l'Union: «Nous sommes destinés à former un peuple à part et par nous-mêmes, que ce soit sous la protection du pavillon anglais ou sous celle du pavillon américain[24].»

L'année 1848 est aussi singulièrement chargée en Europe. La Révolution qui éclate en France le 22 février retentit dans la presse canadienne qui lui consacre une large surface rédactionnelle. *La Minerve* réformiste se donne une chronique intitulée «Revue européenne» et *L'Avenir*, qui fait paraître des «feuilles extraordinaires» et qui s'alimente au *Siècle* de Paris et au *Courrier des États-Unis* de New York, publie le 17 mai «L'adresse à la jeunesse parisienne de la jeunesse canadienne». On y déclare: «Membres de la grande famille française à quinze cents lieues de la France, nous la suivons du cœur, dans la voie qu'elle vient d'ouvrir au monde; et les mille échos de notre Saint-Laurent ont répété le cri de la Liberté parti des rives de la Seine[25].» Comment interprétera-t-on dans la presse ministérielle cet engouement pour 1848?

Jamais auparavant la question nationalitaire n'a été aussi explicitement abordée par les libéraux. Le discours de Papineau au marché Bonsecours de Montréal, le 14 avril 1848, en témoigne. Il y affirme que les mots « honneur, patrie et nationalité contiennent le principe des plus hautes vertus civiles, le symbole le plus concis de nos premiers devoirs de citoyens ». Faisant l'histoire « de notre nationalité » et avouant que « [...] jusqu'au moment suprême [...] la dernière pulsation de mon cœur sera pour la patrie et la nationalité Franco-Canadienne », le tribun rappelle que la « première cause des nationalités de chaque peuple, c'est la langue maternelle ». Pas plus aujourd'hui qu'hier, ce choix pour la nationalité ne doit créer de « distinctions nationales » :

> Ce n'est pas dans le Bas-Canada, qui le premier entre toutes les colonies anglaises, a le mérite d'avoir passé un acte de naturalisation en faveur de tous les hommes, sans distinction, de leur culte, ni du pays de leur naissance [...] et qui donne le droit à tous les membres de la famille humaine, de venir travailler le sol, exercer leurs diverses industries, jouir des mêmes droits civils, religieux et politiques, en libre compétition avec les constituans Français des représentans Français qui ont consacré ce principe humanitaire d'universelle fraternité.

Le défi consiste donc à conjuguer libéralisme et nationalité, car « le cœur est trop noble, la raison trop juste et trop élevée pour séparer le *libéralisme* de la *nationalité*, pour sacrifier celle-ci à celui-là » et « tant que le vrai libéralisme n'aura pas placé toutes les nationalités sur le pied de la plus complète égalité [...] », le Haut-Canada se fera accroire et fera croire qu'il est libéral. À nouveau, Papineau évoque l'Irlande et rappelle que les Anglais ont donné « à l'Irlande, en vue de détruire cet esprit naissant de nationalité, une Union sur le modèle de laquelle la nôtre est calquée ». Lui qui a tu avant 1837 toute référence aux mouvements d'éveil des nationalités en Belgique, en Pologne, en Italie, en Grèce, se permet alors de dire que la Russie est à la Pologne ce que l'Angleterre est au Canada[26].

Pour Papineau, le manque de libéralisme est celui des libéraux du Haut-Canada. Une fois acquise la représentation selon population avec l'accord de « vrais » libéraux haut-canadiens, le défi sera celui des libéraux du Bas-Canada qui devront s'engager à donner les mêmes droits à « tous les membres de la famille humaine ».

Un appel au principe des nationalités ?

Un an après le retour de Papineau en politique et la publication de *L'Avenir*, trois mois après la Révolution de février 1848 en France et au lendemain du discours de Papineau au marché Bonsecours, *L'Avenir* publie, le 14 avril, le premier d'une série d'articles sur «l'Union et la nationalité» qui occupera pour les mois à venir la presse ministérielle.

Le journal papineauiste entend réanimer le sentiment patriotique: «Longtemps comprimé, étouffé au nom de l'intérêt public, l'attachement à la nationalité qui nous caractérise, semblait destiné à devenir un de ces préjugés qui peuvent tenir au cœur, mais que la raison devait proscrire comme une faiblesse, une erreur de sentiment. Personne n'osait réclamer en son nom, par intérêt pour une position à laquelle nous avions été conduits par une suite d'événements malheureux [...].» Depuis 1838, il fallait «ne plus se considérer comme Canadien-Français si nous voulions être quelque chose dans ce système d'organisation sociale; et sous le prétexte de la confondre, la noya-t-on dans le libéralisme».

Pour les rédacteurs de *L'Avenir*, l'Union «demandait notre mort nationale en échange de cette liberté politique constitutionnelle que nous avions si chèrement achetée avec elle»; elle est un «acte de spoliation et d'annihilation à la fois, espèce de brigandage politique que le siècle semble vouloir répudier et venger partout aujourd'hui». Cette référence à la situation internationale est au cœur de cette revalorisation de la nationalité: si elle «est unanime on ne la lui [le peuple] refusera pas. Ces événements qui éclatent sans cesse en Europe lui donnent les garanties de succès.» La nationalité revendiquée est à la fois cette position selon laquelle «la nationalité est le principe de vie des peuples» et cette pondération selon laquelle nous «ne voulons qu'une chose, la *conservation* [nos italiques] de nos institutions, de notre langue, de nos lois, de nos mœurs». Soucieux de ne pas heurter les «distinctions nationales», *L'Avenir* boucle ainsi son premier article: «l'histoire de nos luttes ne peut-elle pas se résumer par cette devise de la nationalité polonaise, *liberté pour nous, liberté pour vous*? D'ailleurs serait-il décent que six cent mille individus demandassent à cent mille de leur enseigner leur langue, de leur imposer leurs institutions parceque parmi ces cent mille sont des criailleurs qui veulent se croire opprimés dès qu'ils ne sont plus les oppresseurs?»

La presse ministérielle favorable à La Fontaine ne tarde pas à réagir. *La Revue canadienne* du 18 avril prétend que l'article de *L'Avenir* est «de nature à produire les plus fâcheux résultats, si l'opinion publique n'est de suite éclairée sur ses tendances et si tous les bons citoyens ne se donnent la main pour empêcher ses pernicieux effets». Le périodique ministériel est prompt à demander aux partisans de Papineau et du rappel de l'Union où ils étaient en 1840-1841 lorsqu'il fallait faire face et au nom de qui ils arborent aujourd'hui «la politique sentimentale» du «drapeau de l'agitation, du trouble et de la discorde». *La Revue canadienne* laisse entendre que «les écrivains de *L'Avenir* auraient l'idée de révolutionner le Canada», de semer «au milieu de nous les vents et les tempêtes» et de nous «lancer sur la haute mer de la politique». On y est convaincu que le peuple «ne laissera pas l'os pour l'ombre» et que la monarchie constitutionnelle à l'anglaise demeure plus attrayante que la république de 1789 ou de 1793 : «Nous parierions que nos compatriotes, si admirateurs qu'ils soient de la Révolution française, préfèrent le gouvernement responsable avec sa perspective au gouvernement provisoire de Paris avec l'horizon sombre et menaçant qu'il présente. Nos compatriotes ne profiteront pas aujourd'hui des événements qui se passent en Europe pour faire un bouleversement sans trop savoir ce qui viendra après. [...]. Ils savent bien où vous voulez en venir.» Non seulement, pour *La Revue*, l'Union ne fut pas faite pour perdre les Canadiens français, mais elle les a plutôt sauvés.

L'Avenir du 22 avril dit au nom de qui on y parle : «au nom de nos institutions envahies par des institutions étrangères; au nom de notre langue rendue nulle en politique; au nom de nos lois et de nos mœurs que nous voulons conserver; au nom de notre nationalité, que nous voulons tirer de son engourdissement et de sa léthargie; au nom de notre nationalité nullifiée et jetée dans une position de minorité à pente rapide que lui a faite l'Union». Rappelant que «jamais, depuis l'Union, on[n'] a considéré la nationalité comme un lien politique ou social», le journal en profite à nouveau pour préciser le sens de la nationalité défendue : «Le gouvernement lui-même doit comprendre la liaison intime de la nationalité et de la connexion à la mère-patrie; c'est le seul lien qui nous y attache, et plus la nationalité sera forte, puissante, plus elle aura l'instinct de sa conservation, plus elle aura intérêt à maintenir cette connexion. Mais le jour où elle perdra ce motif elle n'aura plus d'intérêt à lui rester unie.»

Les Mélanges religieux entrent dans la ronde polémique, les 21 et 28 avril, avec une question typique : «Est-ce que par hasard nous sommes disposés même à risquer des libertés existantes, des libertés garanties, des libertés protégées, pour le plaisir de changer?» Le journal de l'évêché de Montréal suggère que la perspective d'années de troubles «nous justifie donc d'inviter encore nos confrères de *L'Avenir*, au nom de la religion, à se désister de leur entreprise et à ne tenter pas davantage d'entraîner leurs compatriotes dans une route de dangers sans nombre et de malheurs inévitables». Car avec les doctrines de *L'Avenir*, le peuple «aura pour cortège les misères, les privations, l'oppression et l'anarchie complète», tout cela parce que le rappel de l'Union est devenu le «dieu du jour» de Papineau et des libéraux du Bas-Canada. *L'Avenir* du 26 ne comprend pas qu'il faille «se désister au nom de la religion», que «la religion nous ordonnerait de ne pas préparer le peuple à demander le rappel de l'Union quand le temps en sera venu». Le journal libéral ne manque pas de constater que «*Les Mélanges* empiètent sur le terrain glissant de la politique», que la voix de l'évêché cherche à se faire entendre dans la sphère politique. Le contentieux intellectuel et politique des prochaines décennies était nommé.

La Minerve réformiste de Duvernay, qui s'est jusqu'alors tue, se contente de souligner, le 1ᵉʳ mai, que pour «réussir mieux à faire de la sensation, on fait appel au sentiment le plus fort, le plus vivace, le plus indestructible chez le peuple, celui de la nationalité». Son intention est claire: le journal n'entrera pas dans le débat «tant qu'on aura pas un but un peu mieux défini».

Au moment où, sous le pseudonyme de «Campagnard», Dessaulles reprend les arguments de la rédaction de *L'Avenir* tout en leur donnant une virulence sienne bien caractéristique (3, 10, 13, 27, 31 mai), *Le Journal de Québec* de Joseph Cauchon se met de la partie. Cauchon, brillant et persévérant stratège, est l'homme de La Fontaine et voit rapidement de quel bois se chauffent ses opposants: «Les grands événements qui se passent en Europe, les trônes qui vont s'abimer tour à tour dans le gouffre sans fonds de la démocratie, doivent contribuer puissamment, nous l'avouons, à donner de gigantesques espérances aux hommes de *L'Avenir* et de l'agitation.» Ce rappel du «Agitate! Agitate!» d'O'Callaghan est fait pour évoquer du même coup les «incertitudes de tous les systèmes et de toutes les théories possibles» et pour faire en sorte qu'on ne prenne pas «pour la volonté du pays des mouvements partiels et encore incapables de se dessiner et de se définir». *Le Journal de Québec* du 4 mai dénonce ce «nationalisme», cette «nationalité exclusive»: «Vous voulez agiter le rappel de l'Union au nom de la nationalité; vous rejetez le libéralisme, c'est-à-dire la justice pour tous.» Le débat sur les relations entre la nationalité et le libéralisme se corse manifestement.

Deux jours plus tard, *L'Avenir*, qui maintient que les discours du 24 juin «ne font pas voir que la nationalité a été reconnue comme principe d'action publique», affirme par ailleurs «demander constitutionnellement et légalement le rappel de l'Union» et ne pas vouloir «révolutionner le Canada». Le 13 mai, *Le Journal de Québec*, pour qui «cet exclusivisme national» est «une répudiation du libéralisme», ouvre à nouveau la plaie: «C'est la substitution d'un principe large, universel à l'égoïsme de l'homme, au *nous* rétréci de la famille et à l'exclusivisme de la nationalité.» Cauchon, comme La Fontaine et les réformistes, croit au gouvernement responsable et à la générosité politique des libéraux haut-canadiens: «Comme nationaux ils sont plus nombreux que vous, et comme tels (puisque vous les avez fait se souvenir qu'ils étaient nationaux) ils vous refuseront par un sentiment de conservation propre ce qu'ils vous auraient accordé avec joie au nom de la justice et des droits égaux.»

L'Avenir du 17, qui affirme ne vouloir que jouir tout simplement des mêmes droits que les habitants du Haut-Canada, s'emploie le 20 à interroger *Le Journal de Québec* sur la définition de son libéralisme: «à moins que vous ne nous fassiez voir que c'est en vertu de ce libéralisme que plus d'un tiers du Bas-Canada n'est pas représenté, que la population Canadienne-Française est pillée et volée par la population étrangère du Haut-Canada, que les intérêts du Bas-Canada sont sacrifiés et foulés aux pieds chaque fois qu'ils viennent en contact avec ceux du Haut-Canada, ce qui n'arrive que trop souvent. Nous vous demandons, M. le rédacteur, *est-ce là de la justice universelle, des droits égaux pour tous?*» Les polémistes sont nez à nez: Papineau et *L'Avenir* défendent une nationalité libérale qui exige le principe démocratique de la représentation selon la population refusé par le Haut-Canada et par les défenseurs canadiens-français de l'Union et qui entend respecter également les droits de tous; la presse ministérielle qui se dit libérale ne défend pas la réforme électorale du *Rep by Pop* tout en suggérant que la «politique sentimentale» de la nationalité ne pourra que ramener les «distinctions nationales» et les conflits de 1837 et de 1838 sinon ceux de 1848 en Europe. Pour les uns, la nationalité constitue le lien politique des Canadiens français du Bas-Canada et leur libéralisme impose le défi de l'égalité des droits pour la minorité anglophone. Pour les autres, la nationalité — à taire — sert de prétexte pour miner la crédibilité du libéralisme de leurs concitoyens. Pour les uns, il s'agit de principes; pour les autres, il s'agit de principes et d'épouvantails.

Fondamentalement, le stratège Cauchon ne croit pas aux espoirs placés par Papineau dans la réforme électorale du *Rep by Pop*; son journal écrit le 27 mai: «vous aurez contre vous tous les hommes du Bas-Canada qui ne parlent pas le français ; mais le Haut-Canada ne voudra pas surtout ce que vous voulez. Vous n'aurez donc pas dans la chambre une majorité en faveur de votre proposition et de votre agitation. » Et « dans cinq ans le Haut-Canada sera plus populeux que le Bas-Canada et [...] à son tour il se plaindra amèrement de l'inégalité dans la représentation ».

Quant au *Canadien* du 22 septembre et du 15 novembre qui s'identifie « avec la cause des peuples, avec leurs souffrances, et leurs espérances d'affranchissement » et qui trouve « pénible de voir les obsctacles qu'on suscite pour retarder l'heure de la justice et de la liberté pour le peuple des Canadas », il arrive trop tard pour épauler *L'Avenir* mais tout juste à temps pour faire voir qu'on a donné « le mot d'ordre pour perdre » Papineau et pour « polluer » l'histoire.

« L'action concertée » contre les libéraux et un point de non-retour pour Papineau (22-23 janvier 1849)

La résistance à Papineau depuis son retour en politique de même que l'opposition aux points de vue de *L'Avenir* sur la réforme parlementaire et sur le rappel de l'Union et à ceux de Dessaulles et des rédacteurs du journal sur la nationalité et le libéralisme sont planifiées dans les moindres détails par La Fontaine et les réformistes. Celui-ci a su se ménager les appuis de la presse grâce à l'exclusivité des annonces et des impressions gou-vernementales. Les positions de *La Revue canadienne*, de *La Minerve* et du *Journal de Québec* attestent bien cette fidélité de la presse minis-térielle, tout comme la décision des *Mélanges religieux*, en mars 1848, de tenir une chronique intitulée « Louis-Joseph Papineau[27] ».

À compter de mai 1848, il est devenu évident que les réformistes et le clergé mènent une « action simultanée ». Un feu nourri est alors ouvert par le Dr Wolfred Nelson qui accuse Papineau « d'avoir fui » aux États-Unis en novembre 1837. Nelson, qui n'a jamais soutenu cette idée avant 1848, se met à la colporter dans son comté et rend publique sa position dans *La Minerve* du 25 mai. Papineau réplique dans *L'Avenir* du 3 juin, mais se retire du débat devant le refus de Nelson d'une confrontation publique.

De témoignages assermentés ou pas en affidavits, de déclarations en serments publics, la polémique fait rage. Une chanson circule — sur l'air de « Marlbrough s'en va-t-en guerre » — qui raconte :

Pépèr' n'va pas t'en guerre,
Sur les pieds, sur les mains, sur la tête,
Pépèr' n'va pas t'en guerre.
On n'sait quand il viendra,
On n'sait quand il viendra,
On n'sait quand il viendra. (Refrain)
Il a pris l'escampette
Pour gagner les États.
Où vas-tu donc, Pépèr',
Où vas-tu de c'train-là?
Je cherche une cachette
Pour jusqu'après le combat.
Mais c'est pas brave, Pépèr'
De se sauver comme ça.
Dis rien, le p'tit Dessaulles
Arrangera tout ça.
La Saint-Denis se passe
Pépèr' ne revient pas.
Mais le p'tit Dessaulles
Arrangera tout ça. (Couplets)

Si, en novembre 1848, Dessaulles publie anonymement une brochure, *Papineau et Nelson. Blanc et noir*, qui regroupe les textes de *L'Avenir*, convaincu qu'on « cherche à perdre M. Papineau dans l'opinion », la polémique tourne court. Le mal était fait : le pavé jeté dans la mare avait brouillé la réputation du « grand homme » et « pollué » l'histoire[28].

Le sort de l'opposition libérale et de sa politique de réforme parlementaire et de rappel de l'Union se joue les lundi et mardi 22 et 23 janvier 1849. Le lundi, Papineau se lève à l'Assemblée législative du Canada-Uni à Kingston et fait un discours-fleuve. Sa carrière politique est à un point de non-retour. Il salue d'abord le rétablissement de la langue française dans l'Assemblée « comme un acte de stricte justice ». La chose faite, il passe à la charge. Il dénonce d'abord le gouvernement soi-disant libéral de La Fontaine, dont la politique lui paraît en tout point semblable à celle des tories. Selon lui, si ce gouvernement avait été vraiment libéral, son discours du Trône aurait comporté à l'égard des événements européens récents « quelques mots de sympathie en faveur des nobles et courageux efforts, qui viennent d'être faits en Europe contre toutes les tyrannies, contre toutes les espèces de despotisme. Est-ce que nos ministres, s'ils entendent par le mot liberté, ce qu'on doit entendre, [...] ne devaient pas concourir dans les sublimes combats des peuples contre leurs oppresseurs, dans les efforts d'hommes généreux, qui se dévouent à combattre le despotisme, pour lui substituer le principe démocratique des idées d'égalité et de fraternité humaine?» L'homme qui a suivi la politique depuis quarante ans refuse que la richesse individuelle soit un critère d'éligibilité à l'Assemblée alors qu'elle ne l'est pas au Conseil législatif. Le gouvernement responsable que Londres a finalement concédé à la colonie se trouve toujours, selon lui, à Downing Street et les ministres «n'ont de volonté que celle du bureau colonial». Il redemande le rappel de l'Union, union qui «nous met vis-à-vis du Haut-Canada, dans la même position qu'est l'Irlande vis-à-vis de l'Angleterre», cette Irlande qui est «la partie de toute l'Europe où il meurt, annuellement, le plus d'hommes». Il pointe du doigt la vénalité de la presse, de ces «journaux soufflés» par le ministère. Et puis Papineau met cartes sur table: il propose un amendement qui, accepté, changerait le système électoral et mettrait en place la représentation proportionnelle à la population. Mais, symptomatiquement, il doit quémander l'appui d'au moins une personne de l'Assemblée pour que son amendement soit débattu...

Le lendemain, La Fontaine se lève à son tour pour répliquer point par point à Papineau. Il lui rappelle d'abord que sans lui il «serait encore sur la terre de l'exil», que sans lui le français n'aurait pas été rétabli comme langue parlementaire. L'ex-Patriote dénonce «le système d'opposition à outrance» de l'ancien chef patriote; il récuse la comparaison entre le Bas-Canada et l'Irlande et demande à Papineau en face de lui: «Meurt-on de faim en Canada comme en Irlande? Est-ce que la famine a décimé notre population, comme elle a décimé la malheureuse Irlande? Est-ce que notre population est si dense et si considérable qu'il n'y ait plus de terres incultes en Canada?» La Fontaine s'indigne des accusations de vénalité de la presse ministérielle; il interpelle le député de Saint-Maurice: «Qu'il regarde en face chacun de mes collègues; qu'il me regarde en face moi-même; puis qu'il mette la main à l'endroit où il doit être supposé avoir une conscience, et qu'il déclare s'il croit lui-même ce qu'il dit.» Mais la déclaration la plus solennelle de La Fontaine concerne l'amendement de Papineau. Le chef du gouvernement affirme que c'est précisément la représentation égale qui «nous protège aujourd'hui» et dans l'avenir; et l'homme qui mourra en 1864, avant la mise en place d'un nouveau régime politique qui l'aurait contredit, déclare: «C'est en me fondant sur le principe de ne voir dans l'acte d'Union qu'une confédération de deux provinces, comme le

Haut-Canada l'a déclaré lui-même en 1841, que je déclare ici hautement que jamais je ne consentirai à ce que l'une des sections de la province [-unie] ait, dans cette chambre, un nombre de membres plus considérable que celui de l'autre, quelque soit le chiffre de sa population[29].»

L'amendement de Papineau est battu. C'en est fait de la réforme électorale, du *Rep by Pop* et de la stratégie maintenant pratiquement impossible du rappel de l'Union. Douze ans après 1837, deux ans après le retour de Papineau, le nouveau souffle libéral s'épuise parlementairement et électoralement. Que faire?

Au même moment la question de la nationalité se pose à nouveau en Italie où les libéraux tentent de faire l'unité du pays, désarticulé par la domination de certaines de ses régions par des empires voisins ou fragmenté par les «États», propriété du Saint-Siège, et, en particulier, par le territoire pontifical à Rome. *Les Mélanges religieux*, qui s'alimentent à *L'Univers* de Louis Veuillot, célèbrent une Rome idéalisée — la Rome païenne vaincue par la Rome des papes — et magnifiée par la venue de Pie IX sur le trône de Pierre. Le nouveau pape, qui fait montre d'un certain libéralisme au tout début de son pontificat, est favorable aux thèses nationales des libéraux tant et aussi longtemps qu'elles ne mettent pas en cause sa souveraineté sur ses territoires. Mais le temps venu de savoir s'il fallait déclarer la guerre à l'Autriche, dominatrice d'une partie importante du pays, Pie IX s'enferme dans une hésitation convertie en refus, se disant favorable à l'indépendance de l'Italie «comme Italien et comme souverain» tout en rappelant que son devoir «de prêtre et de pontife» lui dicte de chercher la paix.

La radicalisation des libéraux italiens oblige le pape à quitter Rome le 24 novembre 1848 et cette dramatique équipée soulève pour les catholiques deux questions de fond: dépossédé de ses territoires par les libéraux nationalitaires, à quel prix le pape peut-il être privé de son pouvoir temporel, de son pouvoir de souverain politique sur ses propres territoires, et cette indépendance temporelle du pape n'est-elle pas le patrimoine et la responsabilité de «toutes les nations catholiques»?

La réponse de Mgr Bourget vient dans une lettre circulaire à son clergé du 18 janvier 1849, quatre jours avant l'apothéose parlementaire de La Fontaine. L'évêque, dont c'est la première intervention dans les affaires non pas de Rome mais de Montréal, a compris qu'avec le gouvernement responsable, l'alliance du Trône et de l'Autel ne peut plus être assurée par les seules relations de l'évêque et du gouverneur, mais qu'il faut se faire entendre sur le terrain même de la souveraineté du peuple, auprès de l'électorat. Il suggère à son clergé : « Les souffrances de Notre Saint Père sont, à nos yeux, une mine précieuse qu'il faut exploiter au profit de la Foi de notre bon peuple, en lui inspirant une profonde vénération pour le Chef de l'Église, et une souveraine horreur pour les révolutions dont il est victime, et qui pourraient bien quelque jour nous atteindre. » Dans la lettre pastorale qui accompagne cette circulaire, Mgr Bourget prescrit à « ses brebis » : « Soyez fidèles à Dieu, et respectez toutes les autorités légitimement constituées. Telle est la volonté du Seigneur. N'écoutez pas ceux qui vous adressent des discours séditieux, car ils ne sauraient être vos amis. Ne lisez pas ces livres et ces papiers qui soufflent l'esprit de révolte, car ils sont les véhicules des doctrines empestées qui, semblables au chancre, ont rongé et ruiné les États les plus heureux et les plus florissants. » Les évêques de Montréal se succédaient et se ressemblaient sur le plan doctrinal. *L'Avenir* et les libéraux papineauistes, propagandistes de la nationalité, sont manifestement visés dans ce document où l'Église ne risque pas de glisser dans la politique, y étant dorénavant de plain-pied[30].

L'Avenir ne manque pas de se reconnaître dans cet avertissement épiscopal ; il publie le 14 mars 1849 un texte anonyme de Dessaulles intitulé « Pouvoir temporel du Pape ». L'admirateur de Lamennais qui suit les « affaires de Rome » depuis une décennie y décrit « la déchéance du *Pape, comme roi* », et la proclamation de la république à Rome. Il souhaite que le pape ne se serve pas « des armes étrangères [de l'Autriche] pour ressaisir un pouvoir temporel au nom de celui qui disait : mon royaume n'est pas de ce monde ». Selon *L'Avenir*, Rome doit se conformer à « la doctrine de l'établissement du pouvoir par le peuple », car « le pouvoir temporel du Pape n'a pas d'autre bâse que celle de tous les autres gouvernements politiques de l'univers ». Il s'agit, à Rome comme ailleurs, « d'une question politique, et de rien d'autre », et le politique et le religieux doivent être séparés.

À l'argument des *Mélanges religieux* selon lequel le pape doit pouvoir jouer un rôle d'arbitre entre les peuples et les rois, Dessaulles réplique : « Disons-le, la dernière sentence arbitrage, prononcée par le Pape dans la cause des peuples et des rois, n'a pas été de nature à faire regarder comme un bienfait de nos jours cet arbitrage que le peuple polonais ne demandait pas au Pape. L'exemple de la malheureuse Pologne cruellement livrée *à L'Empereur de Russie par le roi de Rome* [c'est-à-dire le pape] a pu faire comprendre aux peuples que leurs intérêts seraient plus en sûreté entre leurs mains qu'entre celles d'un intéressé, et que l'indépendance si vantée du Pape comme roi n'est en réalité qu'un jouet entre les mains de l'Autriche, de la Russie ou de toute autre grande puissance de l'Europe.» Dessaulles boucle son article par un rappel à ses lecteurs: «[...] cette révolution d'Italie est l'occasion d'attaques incessantes contre les principes démocratiques venant de sources d'autant plus à craindre qu'elles sont plus respectables. Avec bonne foi sans doute, on confond tout, pouvoir spirituel et temporel, les principes et les hommes[31].»

«L'action concertée» contre les libéraux et *L'Avenir* prend alors la forme d'une stratégie qui met à contribution tout autant *Les Mélanges religieux* qu'un théologien ou un prédicateur populaire. Le journal de l'évêché tente de marginaliser *L'Avenir*, de le présenter comme «un journal étranger, un journal protestant et fanatique, ou une feuille socialiste» dont la stratégie serait claire: «Ne nous étonnons pas; en faisant l'éloge des usurpateurs et des brigands de Rome, ils veulent accoutumer le peuple canadien à l'idée de voir quelques audacieux s'emparer de l'autorité souveraine et trôner au milieu de nous en maîtres souverains.» Puis le chanoine de la cathédrale de Montréal, Pierre-Adolphe Pinsoneault, se jette dans la mêlée, fort de ses études théologiques chez les sulpiciens français d'Issy-les-Moulineaux. Dans trois articles sur les «Nouvelles gentillesses de *L'Avenir*», le théologien, mis en situation, épingle «l'orgueuil démesuré de ces pygmées toujours disposés à se compter pour des géants».

C'est enfin au tour de l'abbé Chiniquy, le grand prédicateur des missions de tempérance, de mettre sa popularité au profit de cette campagne contre les libéraux en suggérant la marginalisation de ceux qui oublient «que la religion et la patrie sont deux choses intimement liées au cœur de tout bon Canadien». Pour le prédicateur, les Canadiens «ne voudront pas se séparer de [leurs] frères catholiques».

Sous le pseudonyme de «Campagnard», Dessaulles, la figure montante du libéralisme radical, réplique à ces «velléités de domination théocratique» en soutenant «qu'on redoute bien plus pour le temporel que pour le spirituel» les idées libérales de souveraineté du peuple et de souveraineté des peuples. Mennaisien impénitent, il demande aux décrieurs de *L'Avenir*: «Croyez-vous donner de la force au catholicisme en démontrant qu'il est incompatible avec le libéralisme[32]?»

Et pourquoi pas l'annexion aux États-Unis?

Deux circonstances vont permettre aux libéraux de répondre à leur propre question : que faire, après l'échec de la stratégie du rappel de l'Union et de la réforme parlementaire ? C'est d'abord l'abolition en 1846 des lois protectionnistes anglaises sur les céréales coloniales qui plaçait le Bas-Canada sur un pied de concurrence avec n'importe quel pays exportateur de céréales. C'est ensuite, à la mi-mars 1849, la loi d'indemnisation des habitants touchés dans leurs biens par les événements patriotes et militaires de 1837 et de 1838. Cette triple frustration de l'échec du rappel de l'Union, de la fin du protectionnisme et de la loi d'indemnisation crée un paradoxal front commun de marchands tories anglophones déçus par les « corn laws » et par Londres, par les indemnisations et par les autorités coloniales, par le rétablissement parlementaire du français et par la place prise par les Canadiens français dans l'appareil gouvernemental, d'une part, et de libéraux francophones conscients de l'échec du rappel de l'Union, d'autre part.

Les attentes à l'égard des États-Unis ne sont pas nouvelles. Depuis 1830, Papineau fait référence — contre l'Angleterre — à la grandeur de l'expérience républicaine des États-Unis et en particulier à la valeur d'un Sénat élu. Mais les espoirs placés dans une aide diplomatique et militaire étatsunienne en décembre 1837 avaient été déçus malgré l'hospitalité bienveillante des États du Nord-Est à l'égard des exilés. La république qui avait déçu fascine pourtant à nouveau les libéraux canadiens-français. Aubin écrit dans *Le Fantasque* en 1848 : « Chacun son goût : pour moi, je ne serai jamais anglomane ; car à l'épais *John Bull* à l'abdomen proéminent, à mine renfrognée et hargneuse, à l'air hautain et aristocratique, je préfère *Brother Jonathan* à l'œil intelligent, à manières sans gêne et à principes d'égalité[33]. »

La presse libérale et annexionniste — *L'Avenir, Le Canadien indépendant* de Napoléon Aubin, *Le Moniteur canadien* — entreprend de proposer le modèle de la Louisiane et de prendre ainsi à rebours l'ancien propos d'Étienne Parent. *L'Avenir* observe qu'il y a « pourtant un gouvernement au-delà des 45, qui, sans contraindre ses sujets à le glorifier du nom de juste, leur accorde sans crainte ce qui est juste et raisonnable » ; il poursuit : « Nos frères Louisianais, français comme nous, l'ont appris. Ce gouvernement nous accorderait ce que nous demandons et n'exigerait de nous que notre soumission aux lois générales qui régissent les États-Unis comme souveraineté.» Il est clair pour les gens de *L'Avenir* que démocratie et catholicisme sont conciliables : « la Louisiane est là qui nous répond qu'elle n'a pas passé elle par le creuset de la dénationalisation comme l'Irlande dans les serres de sa chère alliée du Royaume-Uni, puisqu'elle est encore française et catholique parce qu'elle est démocratique [...] ». On ne doute pas non plus que la liberté de culte aux États-Unis assurera la conservation du catholicisme[34].

Sous le pseudonyme « 34 étoiles », le démocrate radical Charles Laberge publie dans *L'Avenir* une série d'articles entre le 2 juin et le 30 octobre 1849 qui se termine par cette prise de position : « Nous sommes arrivés à l'époque où le *Canada* [nos italiques] doit devenir république, où notre étoile doit aller prendre sa place au ciel américain. » Et espérant être convaincant, il reprend en la remaniant la vieille formule de Parent : « Après être échappés aux griffes du lion britannique qui nous tient à terre, notre destinée est de nous élever dans les serres de l'aigle américain »... Quant au *Moniteur canadien*, il met en scène, de la fin d'août à la fin d'octobre 1849, un délicieux dialogue entre Jean-Baptiste fils, annexionniste, et Jean-Baptiste père, anti-annexionniste, susceptible de plaire aux milieux populaires auxquels on lit les gazettes à haute voix.

Il y a pourtant une médiane entre l'admiration du modèle étatsunien et l'annexionnisme, et cette position est formulée par Denis-Benjamin Viger dans *Le Moniteur canadien* d'octobre et de novembre 1849. Viger est admiratif de l'expérience des États-Unis mais il a trois raisons de ne pas croire à l'annexion : l'Angleterre ne peut vouloir abandonner sa colonie malgré ce que laissent entendre les annexionnistes ; les États-Unis ne sont alors pas intéressés par le Canada, en particulier le Sud qui perçoit le voisin nordique comme anti-esclavagiste ; et l'exemple louisianais, avec l'imposition par les États-Unis de l'anglais, d'un autre système juridique et de l'égalité des cultes, ne peut être garant de la conservation de la nationalité canadienne-française. Pour Viger comme pour Parent, l'avenir réside dans le lien britannique et l'Angleterre pourrait bien un jour concéder au Canada « une indépendance plus complète sous sa protection, chose qui serait dans les règles d'une saine politique puisqu'elle serait fondée sur leur avantage réciproque[35] ».

Les Canadiens français qui signent les deux manifestes annexionnistes d'octobre et de décembre 1849 sont peu nombreux et, pour l'essentiel, des membres de l'Institut canadien de Montréal et des proches de *L'Avenir*.

Papineau n'en publie pas moins une lettre dans laquelle il fait ressortir les avantages d'une annexion à la grande république voisine[36].

Lorsque, à l'Institut canadien de Montréal, Dessaulles entreprend ses six conférences sur l'annexion en avril 1850, le sujet est encore à l'ordre du jour mais il ne l'est plus vraiment lorsque se termine sa sixième conférence en mai 1851. Le neveu de Papineau y traite tout autant du rappel de l'Union que de l'annexion, signe que l'une ne va pas sans l'autre. Celle-ci résoudrait, selon lui, de nombreux problèmes : fin du Conseil législatif non électif, entrée dans une république réussie, et ce sans Terreur, bienfaits d'un enseignement public laïque, de la liberté de conscience et de culte, augmentation, pour lui qui est un seigneur plutôt désargenté, de la valeur des terres comme au Texas qui vient d'entrer dans l'Union, contrôle des dépenses publiques par le Congrès. Dessaulles ne peut lui non plus esquiver la comparaison louisianaise ; il l'assume en observant que les Louisianais « forment aujourd'hui une grande minorité » alors que les Bas-Canadiens francophones annexés constitueraient une « immense majorité » dans un État à eux[37]. Tourné sens dessus dessous, l'exemple louisianais n'en résiste pas moins à l'argumentaire libéral.

La Fontaine ne tarde pas à faire voir la contradiction explicite entre l'annexion et la nationalité, en particulier chez des libéraux qui prônent la nationalité depuis deux ans. La presse ministérielle pointe du doigt ces libéraux prêts « à faire le sacrifice de la nationalité sur l'autel de l'annexion ». La tentation annexionniste est, en effet, traversée de part en part par la contradiction : regroupement de tories anglophones et de libéraux francophones là aussi minoritaires, tentation démocratique et républicaine qui risque de mettre en jeu la dimension nationalitaire, usage paradoxal sinon incertain de l'exemple louisianais. C'est, après l'échec de la stratégie de rappel de l'Union, une « logique du désespoir » qui conduit les libéraux à préférer une annexion aux États-Unis à une annexion au Canada anglais, qui les conduit à l'ambivalence d'un droit à l'auto-détermination face à l'Angleterre ou d'un droit à la détermination comme 34e État de l'Union américaine. Une 34e étoile sur le « Star-Spangled Banner » eût donné un autre État dans la fédération étatsunienne, non un État souverain dans le concert des nations.

En 1849, il n'y eut pas chez les Canadiens français de ruée vers l'annexion ; à peine une ruée vers l'or de la Californie, dans la foulée de la ruée vers les fabriques de coton ou de briques de la Nouvelle-Angleterre.

Radicalisation libérale

Le double échec de la stratégie du rappel de l'Union et de l'annexion auquel s'ajoute la marginalisation de Papineau au début de 1849 entame sérieusement les espoirs des libéraux. Si le doublet du libéralisme et de l'anticléricalisme succède à celui du libéralisme et du nationalisme, c'est que l'anticléricalisme des libéraux peut maintenant s'exprimer après une évidente frustration devant «l'action concertée» et la corruption et, surtout, en raison de la désillusion quant à leurs espoirs politiques et électoraux.

L'Institut canadien de Montréal, fondé en décembre 1844, ne montre pas à ses débuts de tendances radicales. Actif, l'Institut compte plus de 400 membres en 1852, dont Louis-Joseph Papineau; on y tient de 1844 à 1852 entre 39 et 50 réunions annuelles, on y offre entre 2 et 13 conférences publiques par an. À la bibliothèque, le nombre de volumes passe de 400 à 2000, avec des emprunts annuels de livres qui oscillent entre 1300 et 3169; à la salle des périodiques, le nombre de journaux disponibles varie entre 15 et 60. Les tensions se révèlent aux élections de novembre 1847 et en avril 1848 lorsqu'on s'oppose à un vote de félicitations en faveur d'Antoine-Norbert Morin élu orateur de l'Assemblée législative du Canada-Uni. Elles s'affirment en mai 1848 lorsque le «parti de *L'Avenir*» se fait élire au conseil d'administration de l'Institut aux dépens du «parti de *La Minerve*». Rodolphe Laflamme est élu président contre Antoine Gérin-Lajoie, puis Jean-Baptiste-Éric Dorion, Louis Labrèche-Viger, Joseph Doutre et Joseph Papin, qui compteront parmi les grandes figures du radicalisme, sont élus aux autres postes. Déjà l'Institut est politisé de l'intérieur, lui qui, en 1854, comptera 14 députés parmi ses membres. Sa façon de fêter la Saint-Jean-Baptiste en juin 1850 est révélatrice de son militantisme démocratique, républicain et nationalitaire: on porte des santés à la souveraineté populaire, à la république des États-Unis, aux démocrates européens, à l'italien Mazzini, au hongrois Kossuth[38].

Mais c'est surtout *L'Avenir* qui se radicalise par ses positions sur la révolution de février 1848 en France et par les interventions de Dessaulles et de quelques autres rédacteurs en faveur des libéraux italiens et contre le pouvoir temporel du pape. L'énoncé de son programme, le 2 août 1848, éloigne le journal non seulement des positions tenues par l'Église et par l'électorat de La Fontaine mais de celles de Papineau lui-même: annexion, abolition des réserves du clergé protestant, de la dîme et de la tenure seigneuriale. À vrai dire, les projets d'abolition de la dîme et de la tenure seigneuriale ramènent les vieux démons radicaux de 1838. Le déisme de Papineau ne lui a jamais fait perdre de vue les inconvénients politiques d'un anticléricalisme exacerbé, ce en quoi il diffère de son neveu Dessaulles, plus frontal dans son anticléricalisme. De l'été 1849 à janvier 1850, *L'Avenir* mène un combat sans relâche pour le réaménagement ou pour l'abolition de la dîme. Dessaulles, Pierre Blanchet dit « le Citoyen », Joseph-Guillaume Barthe démythifient la générosité et le désintéressement du clergé à l'égard de l'éducation, de la pauvreté et de la maladie, en rappelant les revenus que celui-ci prélève des dîmes, de ses seigneuries et de ses propriétés non taxées et les avantages symboliques qu'il tire de cette générosité. Sur la question seigneuriale, l'oncle et le neveu s'entendent sur le principe : abolition mais avec juste compensation. *L'Avenir* ne suivra pas les positions de ces deux figures du libéralisme sur la question seigneuriale ; abolitionniste, le journal organise même une « convention » antiseigneuriale. C'est en 1850 que se joue pour Papineau la question du régime seigneurial ; il rend publique sa position sur le sujet mais il sera absent de l'Assemblée législative en 1853 lorsqu'on discutera des modalités d'abolition du régime, abolition qui sera votée en 1854, année du retrait de Papineau de la vie publique[39].

Mgr Bourget qui, en janvier 1849, a déjà dénoncé « ce journal français [qui] cherche à répandre des principes révolutionnaires », et qui défend aux curés d'absoudre au confessionnal les lecteurs de *L'Avenir*, dira du journal libéral : « Qu'elle est puante cette sentine de toute la corruption européenne[40]. » Les positions de *L'Avenir* sur la souveraineté, sur le suffrage universel et sur la république italienne tout comme les propositions du manifeste du Club démocratique d'une nationalité établie par la « rénovation démocratique » incitent les milieux conservateurs et cléricaux à présenter les libéraux de 1848 comme ceux de 1789 ou mieux de 1793. L'accusation de « démocratisme » n'est plus assez forte, « car les démocrates d'hier sont les socialistes d'aujourd'hui ». La charge contre la démocratie qui est « le droit du poing, l'autorité du nombre », donc du peuple, passe par l'identification du libéralisme au socialisme, au chartisme anglais, au communisme. La brochure de l'abbé Louis Proulx, *Défense de la Religion et du Sacerdoce, ou Réponse à la Presse Socialiste*, reprend toutes les condamnations de la philosophie du xviiie siècle, qui a fondé la démocratie et que partagent les « treize apôtres de Montréal » alias les treize rédacteurs de *L'Avenir*[41].

Prendre son mal en patience

Du côté libéral, les évaluations plutôt décourageantes de l'état des lieux ne manquent pas à partir de 1850. *Le Moniteur canadien* du 24 mai 1850 observe que le «parti clérical [est devenu] une véritable Inquisition politique d'un rigorisme absolu» qui semble «prendre une part beaucoup plus active dans les affaires temporelles que dans celles d'en haut». *L'Avenir* du 9 août suivant prend la mesure du chemin fait ou piétiné depuis 1837 et constate «l'humiliant, le noir spectacle de compter parmi les hommes politiques du jour, à peu d'exceptions près, autant de transfuges, autant d'hommes serviles et dévoués au maintien d'une connexion [avec l'Angleterre] [...], que nous comptions autrefois d'hommes indépendants et vraiment patriotes». Joseph Doutre, qui en vient à ne plus pouvoir cacher son exaspération dans sa «Chronique religieuse» de *L'Avenir*, parle le 29 janvier 1851 d'un peuple qui n'a appris qu'à «manger et prier Dieu». Quant à Jean-Baptiste-Éric Dorion, dit «l'enfant terrible», il avoue dans *L'Avenir* du 6 octobre 1852 : «L'éducation seule guérira le mal et forcera les hommes de Dieu à ne s'occuper que de religion ou à sortir de leurs taupières pour se mêler *ouvertement* de politique quand ils voudront l'influencer et diriger les consciences et les intérêts matériels. En attendant que l'éducation ait fait ouvrir les yeux au peuple sur ce chapitre, il faut prendre son mal en patience.»

L'Institut canadien est alors sur le point de prendre une orientation qui marquera la suite de son histoire. Non seulement réussit-on à résister aux pressions de l'abbé Chiniquy qui, en 1850, avait voulu faire interdire d'accès à la salle des périodiques de l'Institut les journaux critiques du pouvoir temporel du pape, et à celles qui, en mai 1851, veulent faire exclure *L'Avenir* du même lieu, mais l'Institut modifie sa constitution en octobre 1851 pour admettre comme membres tout autant les anglo-protestants que les franco-catholiques. Son libéralisme était ouvert au pluralisme et à ceux qui consentent à un effort pour participer aux activités de l'Institut dans la langue de ses fondateurs[42].

L'avancée démocratique des libéraux trouve alors son accomplissement dans trois signes. D'abord dans l'interminable programme politique de J.-B.-É. Dorion, à la fin de 1851, au moment où les libéraux n'ont plus véritablement de chef. Puis dans les résultats éloquents de l'élection de 1851 : dans la grande région de Montréal, les «rouges» (comme on commence à les appeler ironiquement à la suite des chemises rouges portées par les libéraux italiens de Garibaldi) obtiennent 33 % du vote, avec une percée de 56 % dans Montréal-Est (où Papineau connaît sa première défaite mais il se fait élire dans Deux-Montagnes) et des résultats de 39 % dans les « régions patriotes » de Chambly, Huntingdon, Rouville, Vaudreuil, Deux-Montagnes et Terrebonne, de 36 % dans Joliette et Berthier mais de 9 % dans Richelieu, Verchères et Saint-Hyacinthe ; dans la très grande région de Québec, on avait réussi à « faire dérougir » le vote à Kamouraska où une lettre de l'évêque de Québec prescrit de ne pas voter rouge. Enfin, la disparition de *L'Avenir* en janvier 1852 donne une première mesure du succès relatif des combats libéraux depuis l'Union[43].

Conclusion

Hier comme aujourd'hui une question se pose à propos de l'attitude des Canadiens français à l'égard de l'Union : comment expliquer qu'on s'y oppose systématiquement en 1840 et qu'on y consente majoritairement en 1849, alors qu'entre-temps le sentiment patriotique et le sens de la nationalité ont été réanimés dans le journal *L'Avenir*, à l'Institut canadien de Montréal et dans les interventions de Papineau ? Les positions de Parent, de Papineau et de La Fontaine illustrent bien les scénarios alors possibles de réaction au nouveau système constitutionnel : Parent opposé à 1837 et à l'Union mais qui finit par y consentir ; Papineau qui mène le combat politique non radical en 1837, qui s'oppose de Paris à l'Union en 1839 et qui en demande vainement le rappel en 1847 ; La Fontaine qui cherche dès décembre 1837 des compromis, s'oppose à l'Union mais décide d'en tirer tous les profits possibles pour les Canadiens français. Les positions de Papineau et de La Fontaine portent à vrai dire le véritable enjeu : quel type de nationalité allait prévaloir ?

Les libéraux qui avaient mené avec succès les luttes parlementaires de 1806 à 1837 connaissent leur premier échec en 1837-1838. Puis ils connaissent des échecs successifs : l'échec — pour tous — de l'opposition à l'Union en 1839. Papineau fera comprendre à compter de 1847 que Londres avait brisé de façon non démocratique — en octroyant la représentation égale plutôt que proportionnelle — la tradition d'une majorité parlementaire canadienne-française et que la réparation de cette injustice — mais un empire peut-il avoir de la justice une même définition que les colonies ? — passait nécessairement par la demande d'une réforme parlementaire. Cette réforme était d'ailleurs l'étape préliminaire d'une autre stratégie, celle du rappel de l'Union. C'est ici qu'on comprend comment le Colonial Office avait fini par avoir raison contre Lord Durham: si l'on avait opté pour le *Rep by Pop* plutôt que pour l'égalité de la représentation, il n'est pas interdit de penser qu'avant que l'immigration n'ait produit ses effets favorables au Haut-Canada, Papineau ait pu, sans avoir à demander la réforme électorale, réussir à mener à terme le rappel de l'Union avec une possible majorité parlementaire. Nouveaux échecs donc, et de la réforme parlementaire, et du rappel de l'Union, et de Papineau en Chambre en 1849. Suit l'échec de la stratégie de l'annexion aux États-Unis, construit lui-même sur l'échec du rappel de l'Union.

Ces échecs successifs culminent dans un échec global, celui de l'appel au principe des nationalités. Alors qu'en Europe l'appel au droit des peuples à disposer d'eux-mêmes connaît son apogée, au Bas-Canada l'appel au principe des nationalités paraît minimal. Certes *L'Avenir* entend faire considérer «la nationalité comme un lien politique ou social»; certes Papineau, en ce fameux 22 janvier 1849, propose à l'Assemblée législative du Canada-Uni de concourir à lutter contre le despotisme en Europe. Mais *L'Avenir* lui-même parle de «conservation» de «nos institutions, de notre langue, de nos lois, de nos mœurs», de «liaison intime de la nationalité et de la connexion à la mère-patrie». De fait, les libéraux n'ont pas réussi à conjuguer à leur façon nationalité et libéralisme. S'ils ont commencé, à l'Institut canadien de Montréal, à formuler le type de conciliation possible des droits d'une majorité coexistant avec une minorité, ils se sont vu priver du lieu et de la structure mêmes qui auraient rendu possible leur entreprise sur une scène publique plus vaste: une assemblée parlementaire majoritaire. Papineau avait vu juste: pas de réforme parlementaire ni d'obtention du *Rep by Pop*, pas de rappel de l'Union ni de stratégie possible d'appel au principe des nationalités. Sans assise parlementaire majoritaire, point de revendications nationalitaires efficaces. Restait la radicalisation, celle que connaîtra le libéralisme après 1852 à l'Institut canadien de Montréal surtout et dans *Le Pays*.

Entre 1840 et 1852, les libéraux font face à une nouvelle forme d'alliance de l'Église et du conservatisme, d'alliance du pouvoir religieux et du pouvoir politique. L'Église catholique récolte en 1839 les fruits de son loyalisme depuis 1763 et à l'occasion des rébellions de 1837 et de 1838, elle obtient une reconnaissance légale. Ses positions sur la souveraineté populaire, sur la stratégie libérale de rappel de l'Union, sur les dangers de l'annexion pour la religion, sur le pouvoir temporel du pape servent la vision et les visées du parti de La Fontaine qui, en retour, permet à l'ultramontanisme de mettre en place un système d'instruction publique confessionnalisé et sous la responsabilité et le contrôle de l'Église. Dorénavant, les valeurs transmises par l'école sont celles de la religion et du conservatisme. Dès lors, l'Union ne paraît plus menaçante pour l'Église catholique romaine. Aurait-on besoin d'un autre signe de cette nouvelle alliance qu'on le trouverait omniprésent dans ce même combat mené contre *L'Avenir* par *Les Mélanges religieux*, *La Revue canadienne* et *Le Journal de Québec*. L'ultramontanisme se met bien en place durant la décennie 1840 : non seulement Rome attaquée par les libéraux italiens et bas-canadiens devient-elle l'objet des préoccupations de Mgr Bourget qui romanise les pratiques ecclésiastiques, non seulement voit-on se mettre en place une alliance aux avantages réciproques du pouvoir religieux et du pouvoir politique conservateur, mais l'Église a réussi à faire valoir l'idée que dans des domaines mixtes comme l'instruction, elle avait primauté sur le pouvoir civil, sur l'État.

C'est cette alliance de principe et de fait qui va faire prévaloir un type de nationalité : la «conservation» ou la sauvegarde de la nationalité, ultérieurement appelée nationalisme de conservation et qui est un nationalisme conservateur au plan des valeurs. C'est celui que Parent a commencé à formuler vers 1837 et dont la caractéristique première est d'être apolitique et de se limiter à une revendication culturelle. Ce nationalisme est apolitique parce qu'il refuse d'associer une revendication nationalitaire à une description des caractéristiques culturelles de la nationalité, de faire appel au principe des nationalités pour donner à une communauté nationale identifiée par sa langue, ses mœurs, sa religion et son régime juridique une entité territoriale et étatique souveraine. La Fontaine ne peut accepter l'appel au principe des nationalités parce qu'il remet en cause la «connexion» avec l'Angleterre. L'Église catholique a les mêmes raisons de s'y opposer, avec de surcroît l'indignation devant ce principe qui justifie les libéraux italiens de s'en prendre au pape, à ses États et à son pouvoir temporel.

Le conservatisme *politique* fera la promotion de la «conservation» de la nationalité, de la langue, des lois, des mœurs, de la religion. Le conservatisme *religieux* fera la promotion de la «conservation» de la même nationalité, à la nuance près et d'importance qu'il défendra, conséquent avec ses intérêts spirituels et temporels, d'abord la religion, puis la langue, les lois et les mœurs. Dans un cas, on parlera d'un Canadien parlant français, catholique, rural et vivant sous un droit civil ; dans l'autre cas, on parlera d'un catholique, parlant français, rural et vivant sous un droit civil. La nuance aura des effets lorsqu'il s'agira de légiférer en matière de système scolaire religieux ou linguistique...

L'Union modifie aussi les composantes identitaires du Bas-Canada eu égard à la pondération des influences qu'exercent sur lui ses « métropoles » culturelles : l'Angleterre, la France, les États-Unis et Rome. Les Résolutions Russell de 1837 et la mise en place de l'Union avaient sonné le glas des attentes des Canadiens français à l'égard de l'Angleterre. C'est La Fontaine qui allait reconstruire ces attentes en visant l'amnistie des Patriotes, l'indemnisation des citoyens éprouvés dans leurs biens et l'obtention du gouvernement responsable qui entraînerait ces fameux doubles ministères où un chef canadien-français allait pouvoir s'imposer. Octroyé par Londres en 1848, le gouvernement responsable conférait à la colonie une certaine autonomie, qui ne satisfaisait pourtant pas Papineau et les libéraux.

La France de 1848 séduit certes les libéraux de *L'Avenir*, c'est-à-dire une minorité de Canadiens français qui, pour la plupart, selon *La Revue canadienne*, préfèrent le gouvernement responsable au gouvernement encore provisoire mis en place en France. Le réformisme à l'anglaise prévalait sur les tentations de Révolution à la française... Le nationalisme allait être culturel et non politique.

Les États-Unis fascinent encore les libéraux canadiens-français, même après les déceptions de 1837 et surtout de 1838. Désespérés de l'échec du rappel de l'Union, ils se lancent dans la stratégie truffée de paradoxes de l'annexion du Canada aux États-Unis. Mais c'est le syndrome louisianais qui est surtout révélateur. Chacun entend tirer l'histoire de la Louisiane de son côté. Les libéraux qui ont la même information que les réformistes à propos de la Louisiane ne tirent pas les mêmes conclusions de son passé et de son présent. Et, paradoxalement, les libéraux ont une notion de la « souveraineté » des États dans le régime fédéral américain qui semble satisfaire leur représentation d'une nationalité « sous pavillon américain ».

Enfin, l'après-Union constitue le moment fort de l'alignement religieux, idéologique et politique des milieux catholiques canadiens-français sur Rome, capitale de la catholicité. Rome apprend à connaître le loyalisme papal des Canadiens français. Mais, symptomatiquement, c'est moins la Révolution de 1848 en France qui sert de prétexte à l'Église pour s'opposer fortement aux libéraux locaux que la question romaine et celle du pouvoir temporel du pape. La dénonciation cléricale du libéralisme, celle de Mgr Bourget, du sulpicien Pinsoneault et du prédicateur Chiniquy, se fait sur la question du pouvoir papal mis à mal par les libéraux et les chemises rouges. Signe de l'importance du facteur religieux dans les échecs successifs des libéraux.

Chapitre X

DES BRÈCHES DANS LE LIBÉRALISME RADICAL
(1852-1867)

PAPINEAU, qui avait connu son Waterloo parlementaire en 1849, s'était abstenu des longs débats sur l'abolition du régime seigneurial en 1853 et s'était retiré de la politique en 1854, investissant alors temps et argent dans son domaine de Montebello. Antoine-Aimé Dorion, premier chef du Parti libéral, se donne le programme politique de 1854 qui est tout en rondeur : éducation populaire, électivité du Conseil législatif — qui sera en vigueur de 1856 à 1867 —, abolition des réserves du clergé protestant et du régime seigneurial qui va toucher Papineau et son neveu Dessaulles, choix de Montréal comme siège du gouvernement du Canada-Uni.

Programme et forces politiques du Parti libéral (1852-1858)

Aux élections de 1854, les libéraux se maintiennent. Ils obtiennent 34 % du vote dans la grande région de Montréal comparativement à 33 % en 1851 ; dans Montréal même, ils progressent à 62 % alors qu'ils étaient à 56 % trois ans plus tôt. L'aire patriote demeure libérale : les comtés d'Iberville, de Châteauguay, de Beauharnois, de Saint-Jean, de Napierville, de Chambly, de Vaudreuil, de Deux-Montagnes, de Joliette et de L'Assomption élisent un député libéral alors que les libéraux mordent la poussière dans Richelieu, Verchères et Rouville. Dans Bagot, Louis-Antoine Dessaulles est battu par 25 voix. La force politique des libéraux est encore appréciable quand on tient compte du fait que la grande région de Montréal, où ils obtiennent le tiers du vote et les deux tiers à Montréal même, comprend près de 50 % de la population totale du Bas-Canada et 50 % de la population francophone.

Mais aux élections suivantes, en 1857-1858, les libéraux sont en perte de vitesse : ils obtiennent 29 % du vote dans la grande région de Montréal, 41 % dans Montréal même, avec au total 20 % des députés francophones du Bas-Canada à l'Assemblée législative du Canada-Uni. Le défi est certes dans le travail électoral mais il est d'abord et avant tout dans le clivage qui se creuse entre le parti et le libéralisme doctrinal, celui qu'on doit défendre bec et ongles[1].

Libéralisme électoral et libéralisme doctrinal

Dorion donne au Parti libéral un nouvel « organe » en 1852 : le bien nommé *Pays* succède à *L'Avenir* et se veut plus modéré. Près de 130 agents dans autant d'agglomérations assurent au *Pays* un tirage d'environ 1500 exemplaires la première année de son lancement. Dessaulles, qui en est le codirecteur pendant quatre mois avec Labrèche-Viger, annonce les couleurs dans le premier numéro du 15 janvier 1852. Le « pays » envisagé sera d'abord un pays démocratique : « La démocratie ne connaît pas de différence d'origine. » En cela, il ressemblera à l'Institut canadien de Mont-réal qui, dans sa nouvelle constitution de 1850, avait adopté la même ligne de conduite pour son membership. La nationalité est placée à l'enseigne de la démocratie : « La démocratie, c'est l'état de l'homme rendu à lui-même, à sa dignité ; c'est l'état de l'homme se gouvernant lui-même, ne subissant d'autre loi que celle de la vertu et du respect d'autrui et de lui-même ; c'est la conquête de l'égalité des conditions dans les mœurs, la conquête de la souveraineté populaire dans le gouvernement ; c'est le but des aspirations de l'humanité, la réalisation des rêves de liberté qui, quoique séculaire-ment comprimés, résident dans le cœur de tous les hommes. »

Le Journal de Québec de Joseph Cauchon fait, dès le 3 février, des distinctions : « Nous tenons à être avec le pays, il est vrai, mais avec le véritable pays et non pas avec *Le Pays* de M. Dessaulles qui n'est et ne sera jamais que le pays de la famille Papineau. » Dessaulles, qui ne peut quitter Saint-Hyacinthe, où il réside, démissionne de la direction du journal ; on peut aussi penser qu'il n'annonçait pas la modération souhaitée par la nouvelle équipe de Dorion.

De 1852 à 1858, l'Institut canadien de Montréal voit le nombre de ses membres passer de 336 à 741. En sept ans, on y aura tenu plus de

250 réunions, présenté 49 conférences publiques et 19 essais et tenu 87 débats. Les conférences publiques ont porté sur l'instruction populaire, sur des Patriotes (Édouard-Raymond Fabre, de Lorimier), sur la Pologne, sur Kossuth et la Hongrie, sur le sentiment national. Le conférencier par excellence à l'Institut, L.-A. Dessaulles, aura, comme on dit à l'époque, en traduisant le mot anglais, *lecturé* sur Lamartine, sur le progrès et sur Galilée, conférence dans laquelle il établit un parallèle entre les péripatéticiens qui ont ostracisé Galilée et les ultramontains qui dénoncent les libéraux. En 1858, la bibliothèque de l'Institut dispose d'une collection de 4270 volumes et d'une salle de périodiques de 117 titres différents ; les abonnés y empruntent plus de 3100 volumes[2].

La radicalisation de l'Institut en 1848 avait laissé quelque amertume et inquiétude. Des nuages commencent à s'accumuler au-dessus de l'association en juin 1854 alors qu'une règle disciplinaire du Concile des évêques de Québec précise : « Lorsqu'il est constant qu'il y a dans un institut littéraire des livres contre la foi ou les mœurs ; qu'il s'y donne des lectures contraires à la religion ; qu'il s'y lit des journaux immoraux ou irréligieux, on ne peut admettre aux sacrements ceux qui en font partie, à moins qu'il n'y ait sujet d'espérer que, vu la fermeté des bons principes, ils pourront continuer à les réformer[3]. »

Un an plus tard, l'opposition ne vient plus de l'extérieur mais de l'intérieur même de l'Institut : le 28 février 1855, une proposition d'abonnement au journal ultramontain parisien *L'Univers* de Louis Veuillot est faite par Labrèche-Viger, l'ancien codirecteur du *Pays*, et appuyée par Hector Fabre, mais elle est battue de justesse grâce au vote prépondérant du président de l'Institut, sous le prétexte que ce journal fait de la polémique religieuse, « fléau » par excellence au Canada. Suit une autre proposition de désabonnement de l'Institut au *Witness*, au *True Witness* et au *Semeur canadien*, journal protestant canadien de langue française. Joseph Doutre contre-attaque en suggérant qu'il ne peut y avoir de censure à l'Institut, car celui-ci admet des membres de toute origine et de toute allégeance religieuse ou politique. Mais la contre-proposition de Doutre est battue, par 108 voix contre 75. Wilfrid Dorion vient à la rescousse en proposant que la proposition de désabonnement soit reportée dans douze mois et que l'Institut continue à recevoir les journaux qui lui sont expédiés gratuitement à condition qu'ils ne soient ni obscènes ni immoraux. À nouveau la proposition est gagnée (129 voix contre 128) grâce au vote de départage du président[4]. La guerre de procédure et d'opposition de

l'intérieur était commencée et l'Institut était bien identifié : « À force d'intrigues, en y introduisant tous leurs affiliés, [les radicaux] sont parvenus à
en avoir le contrôle presque exclusif, et ils ont changé la tribune de cette
institution nationale [...] en chaire de discorde, de rébellion et d'irréligion.
C'est là que les Doutre, les Blanchet et les Cyr vont vomir sur la jeunesse
canadienne leurs doctrines anti-sociales, anti-religieuses et révolutionnaires. [...] C'est à l'Institut que se traitent maintenant toutes les questions
du rougisme le plus outré[5]. » Le « rougisme » est épinglé et quelques
anciens de *L'Avenir*, qui espéraient relancer le journal, disparu en 1852,
avouent leur dépit : « nous aurons la conviction que *L'Avenir* est de trop
dans ce pays et que ce serait prêcher dans le désert que de s'évertuer
davantage à exposer les abus, à défendre la liberté, la justice et le bien-être
social, pour un peuple dont la majorité se vend aux élections comme un
troupeau d'esclaves, et qui bien loin de vouloir sortir de son esclavage, veut
encore se créer de nouvelles chaînes. [...] Dans notre travail, nous n'avons
à cœur que l'intérêt du peuple, mais le peuple, influencé et dirigé par ses
ennemis et une partie du clergé qui nous ont proscrit et dénoncé au nom
de la religion, n'a pas voulu nous comprendre[6]. »

Quatre ans après le premier avertissement aux instituts littéraires, il est
devenu évident pour Mgr Bourget qu'il n'y a plus d'espoir de réforme ;
s'opère alors une jonction entre les oppositions extérieure et intérieure à
l'Institut. Le 10 mars 1858, l'évêque de Montréal publie une lettre pastorale qui met les instituts littéraires en garde contre « des livres contraires à
la foi et aux mœurs » et suggère des moyens pour « purger » les bibliothèques de « tous les livres impies ou obscènes ». Il prescrit aux fidèles :
« Ne souscrivez à aucun journal capable, par ses doctrines anti-religieuses,
ses romans passionnés et ses feuilletons immoraux, de gâter l'esprit et le
cœur de vos enfants. »

Le 13 avril, le secrétaire-correspondant de l'Institut, Éraste d'Orsonnens, fait la double proposition de renoncer au principe d'autonomie de
regard de l'Institut sur sa bibliothèque et de constituer un comité, dont
H. Fabre ferait partie, qui aurait comme mandat de faire la liste des livres
à retrancher de la bibliothèque de l'Institut. La proposition est battue par
110 voix à 88. Deux jours plus tard, d'Orsonnens est destitué de ses
fonctions en raison d'un article qu'il a publié dans *La Minerve* du 6. Le
22 avril, 138 membres sur 741, près de 20 %, démissionnent de l'Institut
canadien de Montréal, dont H. Fabre et L. Labrèche-Viger que le libéra-

lisme radical retrouvera sur son chemin. Les démissionnaires vont fonder l'Institut canadien-français qui vivotera quelques années.

Le 30 avril 1858, Mgr Bourget se fait plus explicite dans un document « sur l'Institut canadien et contre les mauvais livres ». Il s'élève contre la prétention de l'Institut d'être « seul compétent à juger de la moralité de sa bibliothèque » qui contient un « trop grand nombre » de livres à l'Index comme l'attesterait le catalogue imprimé de 1852 ; il affirme que seule l'Église est capable de conduire « son troupeau dans les gras pâturages de la vérité » et qu'elle est « incontestablement investie du droit de régler l'administration de toutes les bibliothèques du monde ».

Le 31 mai 1858, nouveau et troisième document sur *Le Pays*, journal « irréligieux » qui « combat l'existence de Dieu et de sa divine religion », journal « hérétique » qui « attaque la Sainte Église Catholique », journal « impie » qui feint de respecter la religion pour mieux la ruiner, journal « libéral » qui « prétend être libre dans ses opinions religieuses et politiques [et] qui voudrait que l'Église fût séparée de l'État », journal « immoral », enfin, qui « blesse la pudeur et les bonnes mœurs par ses feuilletons impurs, ses histoires d'amour, ses chansons lubriques, ses poésies lascives, ses romans impudiques, ses pièces théâtrales ». L'évêque établit une équation simple, irrespect du clergé et du prêtre = irrespect de Jésus-Christ : « L'autorité dont il est revêtu, étant celle de Jésus-Christ lui-même, ce serait attaquer cette dernière autorité que de vouloir faire perdre au clergé son influence. »

Cette double condamnation du libéralisme à travers la bibliothèque de l'Institut canadien et *Le Pays* s'inspire à nouveau de l'encyclique *Mirari vos* de 1832 qui avait condamné *L'Avenir* de Lamennais ; elle s'inspire aussi de nouvelles directives romaines sur « les erreurs du temps » de mars 1858 qui constituent la première formulation du *Syllabus* de 1864, sorte de vade-mecum des erreurs doctrinales des XVIIIe et XIXe siècles[7]. Dorénavant, les membres de l'Institut canadien se verront refuser les sacrements de l'Église catholique, y compris le droit à l'extrême-onction et possiblement le droit d'être inhumé dans un cimetière catholique.

Démocratie et nationalité

Le libéralisme placé au-dessus de la nationalité à l'Institut canadien tout comme l'annonce par *Le Pays* d'un pays démocratique et libéral sans distinction d'origines inquiètent les milieux conservateurs et ultramontains.

Ce démocratisme qui tente de conjuguer nationalité et démocratie tout en donnant préséance aux valeurs libérales prend le nationalisme conservateur de front à un double titre. D'abord par son insistance sur la démocratie, puis par les effets attendus de la démocratie sur la nationalité. En 1857, le sulpicien Lenoir dénonce « la démocratie effrénée qui chercher à renverser le trône et l'autel » et rappelle l'histoire de la Pologne comme preuve des maux qui sèment la discorde. Dans l'ultramontain *Courrier du Canada*, Cyrille Boucher, qui sera l'ennemi personnel de Dessaulles et du rougisme, entreprend une série d'articles intitulée « De la démocratie » où il attribue la paternité de celle-ci au philosophisme et au protestantisme, deux « maux » bien incarnés par l'Institut canadien qui valorise la raison, l'examen personnel et l'admission des protestants tout autant que celle des catholiques comme membres. Cette démocratie, qui, selon Boucher, culbute les trônes, dresse des échafauds et assassine des rois, constitue « l'état malade des nations : quand elles reviennent à la santé, elles se posent à l'ombre des trônes, elles vivent sous le gouvernement paternel des rois ». Quant à la souveraineté du peuple, elle est associée à l'égalité, à l'athéisme, au matérialisme et aux révolutions. Boucher s'emploie enfin à souligner l'orientation doctrinale du libéralisme, « la tournure *tout à fait philosophique* que prennent certains journaux[8] ».

L'évolution de la fête patronale des Canadiens français, la Saint-Jean-Baptiste, et les discours du 24 juin sont révélateurs de ces tensions. Depuis l'Union, la Saint-Jean-Baptiste est devenue une fête religieuse alors qu'elle était d'abord et avant tout depuis 1834 une fête patriotique. À compter de 1846, les discours de célébration auxquels participe le clergé définissent la nationalité d'abord par la religion et insistent sur la « fraternité » universelle en escamotant la liberté et l'égalité. Symptomatiquement, l'Institut canadien est exclu de la procession de la Saint-Jean-Baptiste en 1858 pour avoir lancé le projet d'un monument aux Patriotes de 1837 et de 1838. *La Minerve* ministérielle, en annonçant l'événement, annonce du coup les couleurs : « Au catholicisme seul, le peuple canadien est redevable de sa nationalité. [...] Or une fois qu'une nation a contracté une dette aussi immense envers un culte ; une fois qu'un pays doit sa conservation de tous les jours à sa foi, à ses autels, comment s'étonner que ce peuple, que cette nation, que ce pays soit religieux dans toutes ses démarches solennelles [...]. Tel est notre peuple et notre société que pour nous, et le plus naturellement du monde, Catholicisme et Nationalité sont synonymes. » Répliquant plus tôt au *Pays*, *La Minerve* n'avait pas fait dans la dentelle pour dire son accord avec l'ultramontanisme : « La religion et la politique viennent de Dieu ; elles sont sœurs, elles sont grandes et sublimes unies ; mais quelle anarchie quand l'ambition et la jalousie les séparent[9] ! » Cette critique de la démocratie et de la souveraineté populaire et cette valorisation simultanée de la monarchie indiquent comment le nationalisme conservateur se construit sur le courant contre-révolutionnaire, anti-républicain et antidémocratique dont la généalogie remonte, ici et ailleurs, à 1789 perpétué par 1793, 1830 et 1848.

La mise en place d'un libéralisme doctrinal modéré

Si les libéraux obtiennent plus de la moitié du vote dans Montréal en 1854 et le tiers dans la grande région montréalaise, ils reculent à l'élection de 1857-1858 dans le même espace politique. Mais il faut surtout observer que la tendance politique majoritaire penche en faveur des réformistes de La Fontaine et de Cartier et que « le pays de la famille Papineau », selon le mot du *Journal de Québec*, est toujours à construire.

Cette majorité électorale commence d'ailleurs à s'appuyer sur un libéralisme doctrinal modéré qui trouvera son accomplissement dans le discours de Laurier de 1877 mais qui s'amorce en 1858 avec la démission de 138 membres de l'Institut canadien de Montréal dont celle d'Hector Fabre, cheville-ouvrière de cette scission et candidat d'un projet avorté de comité de censure de la bibliothèque de l'Institut. La dimension doctrinale de cet affrontement avait été identifiée par C. Boucher en 1857 lorsqu'il évoquait dans *Le Courrier du Canada*, « la tournure *tout à fait philoso-phique* que prennent certains journaux ». En situant le débat à ce niveau, les ultramontains et les conservateurs qui récoltaient les fruits électoraux de cet antagonisme creusaient le clivage entre le libéralisme doctrinal radical et le libéralisme électoral et créaient une cible distincte des « Rouges », susceptible de visées polémiques et d'une grande guerre de presse. On pouvait dès lors parler de philosophisme, de Raison et de rationalisme et stigmatiser le libéralisme en rougisme. On prendra aussi comme signes de cette émergence d'un libéralisme modéré le lancement du journal *L'Ordre* en novembre 1858, qui sera, à compter de juin 1861, le fer de lance de ce libéralisme modéré et la marginalisation sociale de l'Institut canadien de Montréal, exclu en 1858 du symbolique défilé du 24 juin.

Un nœud politique à dénouer : la crise de 1858

L'Union avait créé des tensions non seulement entre les Canadiens français mais aussi et surtout avec leurs concitoyens du Haut-Canada. De ce point de vue, la crise politique qui aboutit en 1858 apparaît comme un nœud gordien à dénouer, tirant ses mailles principales dans l'Union en amont et dans un projet (1864) de Confédération en aval.

La crise gravite autour de quatre problèmes : de possibles changements constitutionnels liés à la question de la représentation parlementaire et de la double majorité, l'éphémérité des gouvernements, le choix d'une capitale pour le Canada-Uni qui pouvait être Ottawa ou Montréal. La fragilité des ministères depuis l'Union avait été telle que les gouvernements tombaient les uns après les autres. L'un avait même vécu ce que vivent les roses : 48 heures. Cette instabilité ministérielle est alors reliée à la question de la double majorité : un cabinet est-il soutenu par *une* majorité en Chambre ou par *deux*, par chacune ou par les deux députations du Bas et du Haut-Canada ? Macdonald est-il supporté par le seul Haut-Canada et Cartier par le seul Bas-Canada ou Macdonald-Cartier doivent-ils obtenir la majorité des votes du Haut-Canada *et* celle des votes du Bas-Canada ? Le problème est devenu aigu en 1856, le ministère Taché-Macdonald ne s'étant maintenu que grâce à la seule majorité du Bas-Canada. Mais le défi essentiel de la crise politique concerne la représentation parlementaire : dans un Haut-Canada dont la population croît plus rapidement que celle du Bas-Canada — 952 000 contre 891 000 au recensement de 1851 —, n'est-il pas tentant sinon impérieux pour ses habitants de récuser maintenant la représentation égale entre le Bas et le Haut-Canada, qui avait jusqu'alors servi ses intérêts, et de demander la représentation selon la population ? La question récurrente allait mener au dénouement confédéral... Mais il est important de noter que, comme 1848, l'année 1858 est une année chargée et qu'elle noue aussi de façon complexe politique et culture.

La question italienne (1859-1861)

Les péripéties nouvelles de la formation du royaume d'Italie ramènent la question italienne au cœur des débats libéraux, tout comme cette question avait été en 1848 l'occasion de la radicalisation anticléricale du libéralisme. Contre la cession de Nice et de la Savoie à la France, Napoléon III appuie le Piémont, qui triomphe de l'Autriche à Magenta le 4 juin 1859 et à Solferino le 24 juin, rattachant dès lors la Lombardie au Piémont tandis que la Vénétie demeure sous la coupe autrichienne. En 1860, les événements s'accélèrent : réunion du premier parlement en avril, après la libération de la Toscane, de Parme, de Modène et de la Romagne ; en septembre, libération du royaume des Deux-Siciles et de Naples par Garibaldi et ses Mille et défaite à Castelfidardo des zouaves pontificaux, petite armée levée par le pape pour défendre ses États. L'unification italienne devient alors un événement international, car elle est la première réalisation concrète du principe des nationalités invoqué depuis 1830 et surtout à partir de 1848. Et à nouveau, la question du pouvoir politique ou temporel du pape met le feu aux poudres.

Durant toute l'année 1860, Mgr Bourget, qui s'impose de plus en plus dans l'épiscopat québécois, publie document sur document à propos de l'inviolabilité et de l'intégrité des États pontificaux ou de l'excommunication des envahisseurs des États pontificaux. Selon l'évêque de Montréal, dans les États du pape, « la justice est la mieux administrée », la législation et l'administration financières sont exemplaires, les abus dénoncés ont été corrigés. Il affirme que l'Église est « une société parfaitement organisée et jouissant, par le fait de sa divine constitution, de toute la liberté qui lui est nécessaire pour l'exercice de ses fonctions sacrées ; son indépendance de tout autre pouvoir y est reconnue, dans la personne de son chef comme une œuvre de la divine Providence, qui a su former des débris de l'Empire Romain un État temporel à son Église, pour qu'elle fût sur la terre le royaume de celui que l'Écriture appelle le Roi des Rois ». Pour l'évêque, la question italienne est aussi une question canadienne : « Il ne faut pas se faire illusion, l'esprit révolutionnaire fait ici, comme ailleurs, ses invasions, et il s'en trouve quelques-uns parmi nous qui condamnent le pape et approuvent Garibaldi. » Ces garibaldiens canadiens-français se retrouvent au *Pays* dont « les détestables écrits » ont fait à « l'autorité papale un si grand outrage » qui préoccupe l'évêque « jour et nuit[10] ».

L'un de ces « garibaldiens » est sans conteste Louis-Antoine Dessaulles qui habite maintenant Montréal et qui prend la direction du *Pays* de mars 1861 à décembre 1863. Le mennaisien Dessaulles, qui suit les « affaires de Rome » depuis 1839 et qui avait publié dix ans plus tard dans *L'Avenir* ses articles sur le pouvoir temporel du pape, plaide à nouveau dans *Le Pays* en faveur de l'intégration des États pontificaux dans le territoire national de l'Italie et repose du coup la question de la conservation ou de la disparition du pouvoir temporel du pape. En réplique à Mgr Bourget, dont les textes ont été lus par les curés aux fidèles, et bien documenté à partir de la presse périodique française, Dessaulles critique l'administration temporelle des États pontificaux : papauté mal conseillée par sa cour romaine, réformes non accomplies depuis 1849, dépenses exagérées, insuffisance des contrôles administratifs, pouvoir excessif du cardinal et de la famille Antonelli, injustice des tribunaux romains, audiences non publiques, détentions politiques, tout y passe. Et pour dédouaner ses interventions, le directeur du *Pays* précise : « ce n'est pas être anti-catholique ni anti-chrétien que de blâmer un système sous lequel le principe évangélique "Ne faites pas à autrui ce que vous ne voudriez pas vous être fait à vous-mêmes" est constamment violé dans la pratique[11] ».

Toutes les occasions sont belles pour nourrir le feu croisé de la polémique autour des affaires de Rome et de l'Italie. La visite faite par l'Institut canadien de Montréal au prince Napoléon lors de son passage à Montréal le 13 septembre 1861 incite la presse conservatrice à tenter à nouveau de clouer au pilori Dessaulles, *Le Pays*, l'Institut et le libéralisme.

Le prince Napoléon est le cousin de Napoléon III, empereur des Français de 1852 à 1870. En 1849, Louis-Napoléon avait contribué à la restauration du pouvoir politique du pape menacé par les libéraux italiens. Mais, à compter de 1858, l'empereur adopte une politique prudente d'appui à l'unité italienne, qui ira jusqu'à une politique de non-intervention lors de l'envahissement des territoires pontificaux par Victor-Emmanuel, qui vainc la faible armée papale à Castelfidardo le 18 septembre 1860. Or le prince Napoléon, marié à la fille de Victor-Emmanuel II, roi d'Italie en 1861, affiche un libéralisme et un anti-cléricalisme de plus en plus militants et une position claire en faveur de l'unité italienne et donc de la disparition du pouvoir temporel du pape. Si Cavour félicite le prince — « La destruction du pouvoir temporel sera un des faits les plus glorieux et les plus féconds dans l'histoire de l'humanité auquel le nom de V.A. [Votre Altesse] demeurera à jamais associée » —, le clergé catholique de Québec et de Montréal reproche la chose au prince qui observe la constante hostilité du clergé. L'Institut canadien s'empresse donc d'aller saluer ce personnage de stature internationale, ne serait-ce que pour faire transmettre des remerciements à Napoléon III qui a fait d'importants dons à l'Institut en 1855 à la suite des démarches de Joseph-Guillaume Barthe. L'adresse de l'Institut au prince ne trompe pas : « L'Institut-Canadien dont les sympathies sont acquises aux grandes causes, est heureux de communiquer avec ses bienfaiteurs par l'entremise d'un prince qui, dans ses travaux législatifs, a si éloquemment développé les vues libérales du gouvernement de la France sur les plus grandes questions de la politique européenne.» Le prince répond franchement en reconnaissant dans l'Institut l'institution «la plus éclairée du pays et indépendante du clergé[12]».

La polémique Fabre-Dessaulles par Montalembert interposé (janvier-mars 1862)

À quatre titres, la polémique qui s'enclenche en 1862 constitue un point tournant dans l'évolution du libéralisme radical et du libéralisme modéré. D'abord, les polémistes concernés : Dessaulles en passe de devenir le bouc émissaire des ultramontains, des conservateurs et des modérés, et Hector Fabre, membre démissionnaire de l'Institut canadien en 1858, cofondateur de l'Institut canadien-français et maître d'œuvre du libéralisme modéré ; puis les journaux engagés dans la polémique : *Le Pays*, cible privilégiée de l'ultramontanisme, et *L'Ordre*, fondé ultramontain en 1858 mais évoluant, à partir de juin 1861, vers un libéralisme modéré, sous la direction précisément de Fabre, qui écrit le 1er juillet 1861 : «Nous sommes catholiques et nationaux», dans l'ordre ; les enjeux : un libéralisme sans anticléricalisme est-il concevable et pourquoi un nationalisme conjugué au catholicisme plutôt qu'au libéralisme ? le prétexte enfin : Montalembert, mennaisien repentant, symbole d'une volonté tenace d'identifier un catholicisme qui puisse paraître libéral sans être le libéralisme catholique de Lamennais.

Le 7 janvier 1862, *L'Ordre* publie une lettre du comte de Montalembert qui écrit à Fabre : «J'ai été plus douloureusement affecté par l'adresse qui a été présentée à ce prince [Napoléon] par je ne sais quel Institut-Canadien, à Montréal ou à Québec. Je me suis demandé comment il avait pu se trouver, parmi cette population d'origine française qu'on nous représente comme attachée à la religion et aux souvenirs de la vieille France, des hommes aussi mal inspirés pour avoir pu décerner un hommage public de respect et de sympathie à celui qui n'a pas craint d'insulter le Souverain Pontife en même temps que toutes les opinions et toutes les traditions chères aux honnêtes gens.» Le 20 janvier, Fabre précise à son correspondant : «La démarche de l'Institut-Canadien auprès du prince Napoléon a été condamnée par toute notre population, sauf un petit nombre de démocrates libres-penseurs. L'Institut lui-même a été excommunié il y a quatre ans par l'évêque de Montréal, après une tentative de réforme faite par mes amis et moi. »

Dessaulles avait souligné, dans *Le Pays* du 14 janvier, les « petites irréflexions » et contradictions de l'ancien ami de Lamennais : « M. de Montalembert a toujours su conserver en poche un *prétexte* pour ne pas réaliser dans la pratique ses belles et sonores déclarations de tribune. Il est essentiellement *l'homme aux prétextes* de l'histoire européenne des vingt dernières années. » Pour le directeur du *Pays*, la visite au prince Napoléon est manifestement le prétexte d'une volonté d'écrasement de l'Institut : « On nous a certainement attaqués en publiant la lettre de M. de Montalembert, puisqu'on a commis ensuite l'inqualifiable gaucherie de nous avouer que l'on s'attendait à nous voir "courber la tête" sous ce *grand nom* » ; il y a dans ce geste de *L'Ordre*, pour Dessaulles, une « pensée d'agression contre l'Institut-Canadien » qu'on cherche à présenter comme peu représentatif du peuple canadien-français, catholique et français.

Au début de janvier 1862, *L'Ordre* présente l'Institut canadien comme une « œuvre mauvaise et pernicieuse », ce à quoi Dessaulles rétorque qu'il ne s'était point agi d'intolérance en 1858, lorsqu'on avait refusé la création d'un comité d'enquête sur la bibliothèque — auquel Fabre aurait participé — pour la simple et bonne raison que le fait avait été affirmé avant même d'avoir été établi. Et pour Dessaulles, on ne réussirait pas plus aujourd'hui qu'il y a quatre ans à faire la preuve de la présence de livres irréligieux dans la bibliothèque de l'Institut.

Puis après cette mise en train, les pièces de résistance : quatre articles de Fabre dans *L'Ordre* des 3, 5, 7 et 12 février 1862 et quatre répliques de Dessaulles dans *Le Pays* des 22 février, 1er, 11 et 13 mars, intitulées « Aux détracteurs de l'Institut-Canadien, grands et petits », « grands » référant à Montalembert et à Mgr Bourget et « petits » à Fabre. Pour celui-ci, « l'heure des explications complètes et décisives » est arrivée. Décidé à ne pas « se laisser entraîner dans des débats de petits faits, des chicanes de mots, où la victoire [serait] à la patience et à l'esprit procédurier », Fabre laisse entendre que la cause de l'Institut canadien est une cause perdue, car sa condamnation « a été formulée par *celui-là* même qui a la garde des consciences ». Le rédacteur de *L'Ordre* épingle ensuite les principes directeurs de l'Institut canadien : « liberté absolue en dehors de tout frein, de tout devoir, de tout principe religieux, moral et national » et principe d'universalité par lequel « on n'admet aucune distinction, aucune clause d'exclusion religieuse ou nationale pour les membres, les livres et les discours». Une conséquence sociale s'impose pour Fabre : «Si dans une société catholique vous élevez une tribune où l'on puisse combattre l'influence religieuse, directement ou indirectement, vous faites acte d'agression contre cette société.» Une «œuvre collective dans notre pays» ne peut être neutre : elle ne peut être que catholique et nationale. Et Fabre de formuler et son libéralisme très modéré et le credo du «vrai» nationalisme qui ne peut être libéral : «L'intérêt national se confond ici plus encore que partout ailleurs avec l'intérêt religieux, et le libéralisme qui se sépare de l'un, se fait par le même mouvement l'antagoniste de l'autre.» Ce que veulent selon lui les membres de l'Institut canadien, «c'est la fusion des races; ils font l'Institut à l'image de la société qu'ils rêvent, sans distinction religieuse, sans distinction nationale». Rêve antinational et ruineux pour la nationalité : «On ferait sortir les générations nouvelles de la voie chrétienne, où les attendent d'infaillibles lumières pour les jeter dans toutes les aventures de la pensée, dans tous les hasards de l'étude, pour les livrer aux incertitudes morales et aux désordres intellectuels.»

Le Pays dénonce la nouvelle croisade de Fabre. Utilisant les procès-verbaux de l'Institut, le journal fait l'historique des activités et des positions idéologiques du rédacteur de *L'Ordre*, tout en tentant malicieusement de le mettre en contradiction et d'en faire «l'homme des bons principes» qui défend, aujourd'hui, l'opposé de ses positions antérieures.

Puis, Dessaulles observe que les membres de ce «mauvais» Institut sont pourtant admis dans les familles, salués cinquante fois par jour dans la rue, sollicités pour l'obole aux pauvres. La pression montait manifestement : «Votre influence est énorme, sans doute, et c'est faire preuve de quelque courage que de se mettre en travers de votre route même sur un sujet qui n'a trait qu'au temporel. Néanmoins vous ne sauriez croire combien vos persécutions ont d'effet sur certains esprits qui comprennent qu'une fois l'Institut écrasé, si vous y parveniez, *d'autres seraient écrasés à leur tour.* Beaucoup d'entre eux commencent à dire que la pression est trop forte et qu'une réaction devient inévitable.»

À ceux qui avaient substitué «la calomnie au bûcher», Dessaulles explique que l'Institut ne compte que 44 membres qui ne soient pas Canadiens français et entre 25 à 30 membres protestants sur 480 membres. Ce décompte réglait-il toutefois la question de principe? Il récuse l'accusation selon laquelle l'Institut avait un enseignement tantôt national, tantôt antinational ou faisait un prosélytisme tantôt catholique, tantôt protestant, en déniant tout «enseignement» officiel de l'Institut. Il insiste et suggère que l'institution peut être neutre sans que les membres soient «indifférents à toute religion, à toute morale et à toute nationalité». La bibliothèque de l'Institut n'est pas celle d'un collège mais la propriété *commune* d'hommes libres et responsables. Dessaulles confronte les conservateurs à leur système : «Plus le peuple est instruit, moins il est maniable. [...] Cette idée se retrouve partout dans votre système. Pour l'ignorant vous déclarez que l'éducation primaire est un danger ; pour l'homme instruit que les neuf-dixièmes des livres qui sont le résumé de l'intelligence humaine sont dangereux. À qui appartient la censure?» Il termine son apostrophe aux détracteurs en rappelant la chronologie des événements de 1858 : 13 avril, discussion à l'Institut sur le contenu de la bibliothèque ; 22, démission des 138 membres ; 30, première des trois lettres de Mgr Bourget condamnant l'Institut. Cette séquence «convainquit l'Institut que tout ce mouvement était causé par une influence extérieure qui était devenue hostile à l'Institut», nommément Mgr Bourget.

Avec un rare sens prémonitoire des enjeux, Dessaulles écrit : «[...] si l'Institut venait à succomber devant vous, partisans de l'intolérance et de l'automatisme général, l'avenir politique et social du pays en recevrait une sérieuse atteinte, parce que cela démontrerait que l'esprit persécuteur y peut encore étouffer le libre arbitre individuel[13]».

Sept lettres de Mgr Bourget au Pays *(février 1862)*

Le 24 février 1862, au moment où Dessaulles en est à défendre l'Institut canadien contre ses détracteurs, Mgr Bourget termine la septième et dernière lettre qu'il destine au *Pays* et le secrétaire de l'évêché, le chanoine Paré, prie les directeurs de les publier. Dessaulles lit les documents et constate qu'à nouveau les affaires de Rome concernent éminemment les affaires canadiennes.

Après la censure de *L'Avenir* en 1849, puis du *Pays* en 1858, l'évêque de Montréal était revenu à la charge, dans son mandement du 31 mai 1860, auquel il avait annexé un «Premier supplément concernant les journaux qui ont attaqué la Bulle de Sa Sainteté Pie IX». Ce document contenait la première formulation des griefs qu'il fait maintenant au journal dirigé par Dessaulles.

Dans cette correspondance d'une cinquantaine de pages rédigées entre le 12 et le 24 février 1862, Mgr Bourget qualifie *Le Pays* d'antichrétien parce qu'il n'a pas de principes religieux, d'anticatholique parce qu'il se montre peu respectueux de l'Église, d'antisocial parce qu'il est favorable au renversement des gouvernements légitimes, d'immoral parce que favorable au théâtre et au roman qui véhiculent des représentations douteuses du mariage. La deuxième lettre fait observer que le journal libéral présente la « révolution » italienne et ses héros sous de trop belles couleurs et suggère qu'on pourrait bien « souhaiter semblable révolution en Canada ». L'évêque aligne ensuite les déclarations du pape susceptibles de convaincre *Le Pays* des réformes accomplies dans les États pontificaux et demande aux propriétaires et au directeur du journal : « N'êtes-vous pas maintenant, Messieurs, à vous étonner que *Le Pays* soit monté sur de si hautes échasses pour essayer de cracher à la face du Souverain Pontife, des Cardinaux qui l'entourent et par contre coup de 200 000 000 de chrétiens ? » Et tout comme Chiniquy en 1849, l'évêque suggère aux lecteurs du *Pays* de retirer leur soutien au journal.

Mgr Bourget poursuit en tentant de contredire les affirmations du *Pays* à propos de l'administration financière et judiciaire des États pontificaux, en réduisant les sources d'information du journal de Dessaulles aux seuls *Faits officiels du Piémont*. L'évêque ne manque pas de souligner le mauvais traitement fait dans *Le Pays* au pape et au cardinal Antonelli alors qu'on n'y trouverait qu'éloges du prince Napoléon. Pour le censeur de l'Institut canadien en 1858, sa bibliothèque demeure « comme une sentine puante qui infecte notre ville ».

Dessaulles lit et relit les lettres ; il serait favorable à leur publication, lui le polémiste. Mais les propriétaires du *Pays*, « Dorion et Cie », en décident autrement et l'écrivent à Mgr Bourget, le 4 mars : « [...] c'est pour maintenir intacte la ligne de démarcation qui sépare les choses de l'ordre spirituel de celles que Dieu a livrées aux disputes du monde que nous désirons éviter une discussion avec Votre Grandeur sur des matières qui ne sont pas, à la vérité, du domaine du dogme et de la foi mais dans lesquelles Votre Grandeur apporte la dignité et l'autorité d'un Pontife de l'Église. Nous disons que nous ne désirons pas discuter, car il n'a pu entrer dans la pensée de Votre Grandeur que *Le Pays* publierait, sans songer à se défendre, sept longues lettres dans lesquelles des accusations, aussi graves qu'imméritées, sont accumulées contre lui. » Les directeurs affirment ensuite ne pas reconnaître la distinction que l'évêque fait entre la direction et la rédaction du *Pays* et concluent avec une remarquable sérénité : « Enfin, nous prions Votre Grandeur de croire que, quelles que soient les conséquences de la position que nous avons cru devoir prendre, nous trouverons dans notre conscience, dans les traditions que nous ont laissées les hommes les plus distingués de notre histoire et dans l'approbation de nos concitoyens, la force nécessaire pour maintenir intacts la liberté de discussion, les droits de la presse et notre propre dignité.»

Dessaulles considère les lettres «comme s'adressant à moi» et répond, le 7 mars, à Mgr Bourget auquel il reproche d'abord sa «souveraine injustice». Il fait la liste des rétractations que la presse conservatrice européenne a dû faire à propos de la question romaine et précise à l'évêque que sa source d'information principale n'est pas *Le Siècle* mais bien plutôt *L'Annuaire de la Revue des deux mondes*. Concernant les plans révolutionnaires du *Pays*, Dessaulles lui rappelle : « Il y a une raison bien simple pour que *Le Pays* ne veuille pas de la révolution ici ; c'est que nous avons des institutions politiques qui, quoiqu'encore imparfaites, permettent leur propre modification *sans révolution*. [...] Dans un pareil pays, Monseigneur, les révolutions n'ont pas de raison d'être. Il n'y a que les gouvernements qui veulent refouler l'opinion publique qui sont brisés. Ceux qui marchent avec elle ne le sont jamais ; preuve qu'elle est la vraie souveraine. »

Dessaulles note «l'hostilité instinctive» de l'évêque «contre tout ce qui ressemble à un droit populaire, à la participation du peuple au gouvernement». Fidèle à lui-même, il avoue franchement à l'homme qui est devenu un ennemi : «L'absolutisme est bien plus commode en effet pour ceux qui ne veulent pas que les autres nations pensent et lisent, et qui ont toujours mis la pensée humaine *à l'index.*» Sa conclusion dessine la trajectoire des idées qui allaient traverser les décennies à venir :

> La conclusion la plus généralisée, Monseigneur, que l'on en tire, c'est que V.G. [Votre Grandeur], sans l'émettre explicitement, maintient et veut réaliser pratiquement l'idée que comme il n'y a aucun ordre de pensée qui ne puisse avoir quelque point de contact avec l'idée religieuse, il n'y a conséquemment aucun ordre d'idées qui ne doive être jugé au point de vue absolu de l'idée de la suprématie de la religion ; que conséquemment comme il n'y a pas de principe social ou politique qui ne puisse affecter de près ou de loin, soit en bien soit en mal, la religion, il n'est pas de principe social ou politique dont l'application, le fonctionnement pratique ne doive être subordonné à la censure ecclésiastique, conséquemment à la surveillance du Clergé. Votre Grandeur veut mêler intimement les domaines spirituel et temporel pour diriger et dominer celui-ci au moyen de celui-là, nous laïques

(même ceux qui flattent aujourd'hui V.G. dans un but d'ambition politique et d'égoïsme), nous voulons éviter la confusion de ces deux ordres d'idées et nous voulons que l'ordre spirituel soit entièrement distinct de l'ordre temporel. En un mot, Monseigneur, dans l'ordre purement social et politique nous réclamons notre entière indépendance du pouvoir ecclésiastique.

Question de fond pour Dessaulles, dans la mesure où elle noue ou dénoue l'antagonisme entre les libéraux et les conservateurs ultramontains. Là était la ligne de partage des idées, des droits. Distinction ou confusion, séparation ou alliance[14].

Nouvelle offensive contre l'Institut canadien de Montréal (1862-1867)

En élisant Louis-Antoine Dessaulles à la présidence de l'association de mai 1862 à novembre 1863, l'Institut canadien de Montréal indique on ne peut plus clairement sa volonté de poursuivre son œuvre et sa ligne de conduite. Le nouveau président ne déçoit pas les quelque 500 membres de l'Institut dans sa conférence du 23 décembre 1862 à l'occasion du 18e anniversaire de l'association. À la suite de la condamnation épiscopale de 1858, il rappelle les principes de l'Institut (tolérance, liberté de pensée, non-confessionnalité) et défend le contenu de la bibliothèque tout en ironisant sur le fait que jamais un évêque du Bas-Canada n'a demandé aux députés de l'Assemblée législative du Canada-Uni de « purger » cette bibliothèque qui contient des titres qu'on juge inadmissibles dans celle de l'Institut. Le président explique que l'Institut a été condamné sans preuve et sans droit à une défense et que la stratégie des opposants repose sur le « faire croire ». Il s'en prend aux détracteurs de la raison en suggérant « que ce n'est pas en niant notre raison qu'ils peuvent nous donner une bien haute idée de la leur. Que ce n'est pas en nous contestant le droit de juger qu'ils peuvent nous faire admettre leur droit de nous juger. Que ce n'est pas en nous conseillant l'abdication de notre propre raison qu'ils peuvent nous persuader de la supériorité de la leur sur la nôtre. [...] Que ce n'est pas enfin en faisant de la persécution morale acharnée contre nous, — et en vérité, nous sommes presque fondés à croire que s'ils pouvaient exercer la persécu-tion *légale,* ils se donneraient cette jouissance avec délices — qu'ils peuvent nous convaincre de leur esprit de conciliation et de charité[15]. »

Ce n'est pas, en effet, l'heure de la conciliation. Dans une annonce qu'il fait faire par tous les curés du diocèse le 18 janvier 1863, Mgr Bourget propose : « Nous allons donc prier pour que ce monstre affreux du rationalisme, qui vient de montrer de nouveau sa tête hideuse dans l'Institut et qui cherche à répandre son venin infecte dans une brochure qui répète les blasphèmes qui ont retenti dans cette chaire de pestilence, ne puisse nuire à personne.» Il n'y avait pas de doute : le discours de Dessaulles publié en brochure était visé.

C'est aussi l'esprit d'opposition plutôt que celui de conciliation qui décide l'abbé Louis-Herménégilde Huot à publier dans *Le Courrier du Canada*, à l'été 1863, une série d'articles sur «Le rougisme en Canada», mise en brochure en 1864. Celui qui signe «Un observateur» prend Dessaulles de front presque à chaque page, le qualifiant d'un «des plus chauds claqueurs du rougisme». L'abbé scrute les articles et les conférences de Dessaulles pour définir ce qu'est un «Rouge» depuis 1848 et pour stigmatiser les idées religieuses, les principes sociaux et les tendances anti-canadiennes du rougisme. Concernant la souveraineté populaire si chère à Dessaulles et aux libéraux, il écrit : «L'axiome rouge, Vox Populi, Vox Dei, que M. Dessaulles traduit par cet autre : *Les rois sont sujets et les sujets sont rois!* sape par la base tout respect pour l'autorité et cherche à détruire l'équilibre de l'échelle sociale, l'œuvre de Dieu et non des hommes[16].»

Et pour ne pas être en reste, l'infatigable Cyrille Boucher remet la conférence de 1858 de Dessaulles sur le progrès à l'ordre du jour, désireux d'empêcher la cicatrisation d'un sujet aux potentialités polémiques inépui-sables. L'objectif est clair : on veut, comme on l'avait fait pour Papineau en 1848, miner la crédibilité du président de l'Institut canadien et du rédac-teur du *Pays*[17].

Attentif à la montée de la tension et devenu soucieux de conciliation face à la surenchère, l'Institut canadien crée, en octobre 1863, un comité composé du Dr Joseph Emery-Coderre, de Joseph Doutre, de Wilfrid Laurier et de Louis-Antoine Dessaulles, chargé «de s'enquérir des moyens propres à aplanir les difficultés survenues entre Sa Grandeur l'Evêque de Montréal et l'Institut». Le 27 du même mois, une rencontre cordiale avec l'évêque ne donne pourtant aucun résultat.

C'est le moment pour *L'Ordre* de battre le fer et de reprendre cette idée de Cyrille Boucher de 1857 à propos «de la tournure *tout à fait philosophique* que prennent certains journaux». Succédant à Hector Fabre rendu au *Canadien* de Québec, Louis Labrèche-Viger, l'ex-rédacteur, avec Dessaulles, du *Pays* au moment de sa fondation en 1852, écrit à la une de *L'Ordre* du 27 novembre 1863 :

Nous croyons, dans l'intérêt du parti ministériel, devoir exprimer notre regret sincère de voir la rédaction du *Pays* se lancer dans des dissertations philosophiques qui n'avanceront guères les intérêts du parti libéral en Canada.

La mince satisfaction qui peut résulter d'un succès obtenu dans la discussion abstraite et sans aucune portée politique, ne devrait pas contrebalancer, aux yeux de notre confrère, le tort qu'il peut faire au parti qu'il sert. [...]

Le rédacteur du *Pays*, quelles que fortes que soient ses convictions philosophiques, n'ignore sans doute pas que ses opinions ne sont pas celles de tout le monde ; que peut-être la majorité même du parti ministériel ne penserait pas comme lui. Pourquoi donc lors froisser de propos délibéré les convictions, les susceptibilités, les préjugés même si vous voulez, de vos alliés politiques, qui savent que ces discussions surannées sont, dans notre population, l'écueil contre lequel s'est jusqu'ici brisé le parti libéral ?

On évoquait à nouveau la tournure philosophique des « dissertations » de Dessaulles dans *Le Pays* et à l'Institut canadien, mais on faisait un pas de plus que C. Boucher en 1857 : on imputait à ce radicalisme les torts causés au Parti libéral. L'idée allait avoir de l'avenir.

Le lendemain, Dessaulles recourt au « droit de la défense » pour expliquer qu'une défense modérée et sans hostilité de la raison contre la religion ne peut faire de tort au Parti libéral : « Est-ce en laissant écraser l'Institut ou toute autre association ayant un caractère libéral que le parti libéral acquerra plus de force ? »

L'Ordre ne cache ni ses intentions ni ses intérêts : « Le parti libéral n'est nullement identifié à l'Institut-Canadien » et « n'est pas constitué pour soutenir des thèses philosophiques, ni pour discuter sur l'Inquisition ». L'écart se creusait et les radicaux se voyaient poussés à la marge.

Dans un article au titre presque désespéré — « Nos articles n'ont-ils aucune utilité ? » —, Dessaulles joue toutes ses cartes : « Quelques-uns néanmoins partagent l'idée de notre confrère et regardent aussi comme *purement philosophique* la grande discussion de savoir *si le libéralisme est pour les peuples le fléau que la réaction prétend, et si le despotisme est la plus grande bénédiction qui puisse tomber sur eux*. Rien ne nous paraît plus erroné[18]. »

Il ne se fait plus d'illusions sur cette nouvelle « croisade » contre le libéralisme et *Le Pays*, sur ce « feu concentré sur l'Institut par *La Minerve, Le Canadien, Le Courrier du Canada, Le Journal de Québec, Le Courrier de Saint-Hyacinthe* ». L'occasion lui permet au moins de rappeler clairement les intentions des libéraux: «Nous réclamons l'indépendance de l'esprit humain dans l'ordre légal, dans l'ordre politique et social! Dans l'ordre religieux, nous laissons cela à la conscience de chacun: nous ne nous en mêlons pas[19]!»

En réélisant Dessaulles président de l'association de mai 1865 à mai 1867, l'Institut canadien endosse la nouvelle stratégie de ses dirigeants qui, faute d'avoir trouvé une solution locale avec Mgr Bourget, décident de ne pas attendre de faire affaire avec son éventuel successeur et d'en appeler à Rome, à l'autorité supérieure de l'évêque lui-même. Le 16 octobre, une Supplique au pape Pie IX, adressée au nom des membres catholiques de l'Institut par 18 d'entre eux, propose de faire lever la condamnation de l'Institut de 1858. Parmi les signataires, trois noms qui passeront à l'histoire: Wilfrid Laurier, un typographe nommé Joseph Guibord et Dessaulles qui, dans un mémoire au cardinal Barnabo qui accompagne la supplique, porte à l'attention du préfet de la Sacrée Congrégation de la Propagande l'existence «ici d'une école, composée surtout de jeunes gens récemment sortis des collèges qui semblent viser à être beaucoup plus catholiques que le Pape et les Conciles». Rome demande l'avis de l'évêque Bourget qui répond dans un Mémoire du 21 septembre 1866 que ce n'est pas lui mais l'Église qui a condamné l'Institut en 1858. Il ajoute des précisions sur les positions de Dessaulles à propos de la question italienne et du pouvoir temporel du pape et joint symptomatiquement à son Mémoire les articles de Fabre de 1862 contre l'Institut[20], façon de faire comprendre leur importance et leur signification réelles.

Le jour de son 22e anniversaire de fondation, le 17 décembre 1866, l'Institut canadien de Montréal inaugure son nouvel édifice, rue Notre-Dame. L'histoire n'est pas finie...

Philosophia contra rationalismum, democratiam aliaque

Les dénonciations du rationalisme ne manquent pas en ce milieu de siècle. Mgr Bourget identifie l'Institut canadien de sa ville à cette attitude intellec-tuelle. *La Minerve* renchérit: «Vous êtes les représentants de l'esprit philo-sophique et du rationalisme; voilà ce que vous êtes. Votre drapeau est celui de l'impiété; liberté d'examen et de penser, voilà votre devise. C'est pour-quoi nous vous répudions. Vous croyez à la toute puissance de la raison, vous déclarez que le courant régénérateur et civilisateur émane de la pensée et de la philosophie, et nous, nous prétendons que la raison seule ne peut enfanter que l'erreur et conduire les sociétés à l'abîme.» Arbitre dans la polémique sur «le progrès» entre C. Boucher et Dessaulles, l'évêque de Saint-Hyacinthe écrit à celui-ci: «Or comme la raison humaine *seule* ne saurait ainsi faire prendre son essor à l'humanité parce qu'elle ne peut lui montrer *suffisamment* ni son origine ni sa destinée, il s'en suit que le progrès qui n'a pour principe que la raison humaine ne peut pas être le progrès bien entendu de l'espèce humaine.» L'abbé Huot avait dit la même chose: le «dogme» du rougisme était «l'indépendance de la pensée dans l'ordre moral et religieux[21]». Le rationalisme avait le dos large: il englobait tout autant le libre examen protestant, le philosophisme, la «tournure philosophique» des débats que la démocratie.

Depuis la polémique de 1833 à propos de la «raison» cartésienne et de la raison du sens commun de Lamennais, l'enseignement de la philosophie dans les collèges cherche sa voie. En 1864, le débat sur le gaumisme, sur l'élimination des auteurs païens au profit des auteurs chrétiens dans l'enseignement des collèges classiques, ne mène à rien de concret mais il donne le pouls d'un milieu conservateur qui cherche à confessionnaliser de part en part la culture des Canadiens français[22].

Cette volonté de tout «catholiciser» inclut la philosophie qu'on ne conçoit pas sans religion et la raison mise à l'ombre de la foi. À la recherche d'une philosophie catholique, les manuels manuscrits et le plus souvent en latin de philosophie, copiés sur celui du maître, enseignent dans les deux classes terminales du collège classique que «la philosophie de St Thomas nous démontre que la vérité est toute trouvée et qu'il n'y a qu'à chercher les rapports, les raisons et les causes des vérités [...]. Le philosophe doit donc avant tout *croire* mais il peut après cela chercher à approfondir les vérités.»

L'enseignement de la morale est l'occasion de hiérarchiser les «fins» et les «devoirs» de l'homme et d'établir la prépondérance de sa fin spirituelle sur sa fin temporelle. Cette morale n'est pas qu'abstraite; le régime des fins justifie l'Église de prétendre à une responsabilité dans les questions «mixtes», dont l'école: «la société civile peut construire des écoles, elle n'y entre pas». C'est dans cette partie de la philosophie que des milliers d'étudiants se font enseigner que l'État est dans l'Église et non pas l'Église dans l'État, que ni le libéralisme «absolu» (primauté de l'État) ni le libéralisme «modéré» (danger de «l'indifférence») ni le libéralisme «catholique» (inconséquent) ne conviennent, que *Omnis potestas a Deo*, que la monarchie seule est susceptible de préserver l'alliance du Trône et de l'Autel et que la souveraineté populaire est un «sophisme».

C'est dans ce contexte qu'on s'achemine vers une philosophie catholique capable de fonder l'ultramontanisme, vers la restauration de la philosophie de saint Thomas d'Aquin. En 1865, l'abbé Isaac Désaulniers du Séminaire de Saint-Hyacinthe reconnaît: «Pour ma part, je le sais, j'ai enseigné pendant 20 ans à la suite de Descartes et de Mallebranche, et j'atteste que cette longue étude de la fausse philosophie n'a jamais satisfait les désirs de mon intelligence. Mais depuis que j'étudie saint Thomas, tout paraît lumineux, et j'admire profondément la merveilleuse harmonie de tous les principes de cette philosophie aussi étendue que profonde. Pie V le disait bien, la philosophie de St. Thomas est propre à réfuter les erreurs *passées, présentes et futures.*» C'est aussi le moment où paraît l'encyclique *Quanta cura* à laquelle est joint le fameux *Syllabus* des erreurs modernes, sorte de vade-mecum des erreurs doctrinales depuis l'époque révolutionnaire auquel se référeront les autorités religieuses tout au long de la seconde moitié du XIXᵉ siècle. Mᵍʳ Bourget note: «Vous comprenez, comme moi, que les lettres arrivent à propos, car il est visible que plusieurs des faux principes qui y sont réprouvés, se sont déjà infiltrés par les mauvais journaux et les discours de nos libéraux jusque dans nos heureuses et paisibles campagnes[23]. »

Vers la Confédération (1864-1867)

S'amorce, durant cette montée de tensions anticléricales et de tentatives de marginalisation du libéralisme radical, un nouveau changement constitutionnel de l'ampleur de ceux qu'on avait connus en 1791 et en 1840. La crise de 1858 s'est aggravée d'abord et avant tout en raison de l'évolution démographique et de ses répercussions politiques[24]. Et face aux demandes réitérées du Haut-Canada d'une représentation proportionnelle et non plus égale à la population, les changements constitutionnels deviennent incontournables, urgents et obligés, car il suffit alors d'une majorité de la Chambre — au lieu des 2/3 exigés par la loi de 1840 — pour effectuer ces changements.

Une alliance des libéraux du Haut et du Bas-Canada puis un ministère Brown-Dorion font long feu en raison à la fois de la dénonciation religieuse et conservatrice des positions de Brown à l'égard du régime scolaire qu'il souhaiterait mettre en place et de la difficulté même des libéraux du Bas-Canada à formuler leurs positions face à la crise. Le *Rapport* de la députation libérale du Bas-Canada d'octobre 1859 esquisse des éléments de solution : Union fédérale des deux Canadas (Est et Ouest) et non des provinces britanniques d'Amérique du Nord, attribution de fonctions restreintes au gouvernement central et de fonctions plus cruciales aux gouvernements provinciaux, garanties pour les institutions des Canadiens français. La crise est certes institutionnelle et constitutionnelle mais elle est aussi identitaire. Comment, en effet, est-on Canadien en 1860 ? *Le Pays* a sa réponse :

> On devrait comprendre que nous sommes arrivés à un état de société assez considérable pour nous considérer comme un peuple distinct, politiquement, socialement et moralement même, dans bien des cas, de l'Angleterre comme de la France.
>
> Certes, nous tenons beaucoup des deux, sous le rapport des traditions, des mœurs, de la religion, des lois, de la langue, etc. Sans doute que nous ne devons pas l'oublier, d'ailleurs nous ne le pouvons pas. Mais pour qu'un juste équilibre social et patriotique soit maintenu, nous devons au moins partager nos affections entre les deux mères-patries communes, et la patrie véritable, c'est-à-dire la patrie canadienne. Nous devons paraître et surtout être Canadiens avant tout[25].

Les résultats des élections de 1861 donnent la mesure du poids populaire du libéralisme. Si les libéraux augmentent leur vote dans la grande région de Montréal par rapport à 1857 (38 % contre 29 %), ils n'obtiennent que 36 % du vote dans leur fief de Montréal-Est même, contre 64 % pour les conservateurs qu'on commence à appeler les « Bleus ». Ailleurs au Bas-Canada, les conservateurs obtiennent 59 % du suffrage, les libéraux 6 % et les libéraux modérés 27 %, eux qui avaient recueilli 17 % du suffrage dans la grande région de Montréal. Derrière les conservateurs, les libéraux et les modérés sont ainsi nez à nez en 1861[26].

Le processus de changement constitutionnel s'amorce véritablement en 1864 avec la chute d'un autre ministère — le dixième à tomber en dix ans — et la formation en juin d'un gouvernement de coalition lié par un projet de sortie de la crise : une Confédération.

La presse libérale ne tarde à marquer son opposition au projet. *Le Pays*, sans avoir d'alternative véritable, dénonce George-Étienne Cartier qui a engagé le Bas-Canada « dans la voie d'une confédération basée sur le principe ruineux [...] de la représentation basée sur la population». En juillet, Charles Daoust, qui a succédé à Dessaulles à la direction du journal, publie une série d'articles qui tend à rappeler les projets métropolitains d'Union et à montrer le plan à étapes de l'Angleterre : 1811, 1822, 1824, 1840 et l'actuel projet d'Union fédérale. *Le Journal de Saint-Hyacinthe* anticipe que la Confédération va mettre le Canadien français en présence non plus de deux anglophones mais de sept. Après *Le Défricheur* d'Arthabaska de Jean-Baptiste-Éric Dorion et *Le Franco-Canadien* publié à Saint-Jean-sur-Richelieu par le jeune Félix-Gabriel Marchand, *L'Union nationale* de Médéric Lanctôt s'oppose au projet de Confédération tout en se situant au-dessus des partis. Quant à *L'Ordre*, la voix des libéraux modérés, il est, pour l'heure, opposé politiquement au projet mais sa modération lui fera accepter la Confédération pour des considérations religieuses.

En septembre 1864, la conférence de Charlottetown est l'occasion pour les représentants du Canada-Uni de s'allier à leurs collègues des «pays du golfe» qui se réunissent justement pour discuter d'un projet de fédération des colonies. Elle est suivie, du 10 au 22 octobre, de la conférence de Québec à laquelle participent les partis politiques de la colonie à l'exception des libéraux du Bas-Canada, mis à l'écart. Raison supplémentaire pour inciter Antoine-Aimé Dorion, le chef des libéraux bas-canadiens, à publier un manifeste le 7 novembre pour dénoncer ces «séances secrètes» et les tractations des ministres «dans l'intérieur de leur cabinet». Il constate que «l'absence de toute communication officielle des procédés de la conférence, le silence absolu des ministres Bas-Canadiens sur les détails de cette confédération projetée, semblent indiquer que l'on veut précipiter cette mesure, sans consulter le peuple». Dorion s'inquiète de la représentation envisagée pour le Québec (24 conseillers sur 76 nommés à vie; nombre fixe de 65 députés sur 194), des responsabilités de chacun des niveaux de gouvernement, du partage de la dette et surtout d'un projet non pas de confédération mais d'union législative[27].

Le principe des nationalités en 1864

La conférence que Gonzalve Doutre fait à l'Institut canadien de Montréal le 1er décembre 1864 sur «le principe des nationalités» révèle deux dimensions importantes des enjeux intellectuels et politiques de cette époque charnière : le démocratisme des libéraux, cet acharnement à placer leur libéralisme au-dessus de la nationalité face à un clergé et à un parti conservateur qui identifient religion et nationalité, et la référence à une composante inédite de l'américanité du Bas-Canada, le phénomène de l'immigration internationale. Le propos de Doutre a des accents différents des références faites au droit à l'autodétermination des peuples durant la décennie 1830 et en 1848, au moment de la question italienne.

Tout en précisant qu'il n'appuie pas le projet de Confédération, Doutre observe le «phénomène d'immigration universelle» et cherche à démontrer que nous ne sommes «pas dans une position à parler de nationalité, comme le sont la France et l'Angleterre, le Canada, ou mieux le Nouveau Monde, étant ouvert aux migrations de tous les peuples, ne devrait pas former autant de Nationalités qu'il renfermerait autant de fractions de peuple, mais bien une seule et même Nationalité, bâsée sur les intérêts et les besoins identiques de ses habitants». Il appréhende les conséquences de ces flots migratoires : «À quoi serviront toutes ces nationalités, qui n'aboutiraient qu'à des divisions intestines et non à une centralisation de force et de puissance» et entrevoit même dans le Nouveau Monde une nationalité quasi universelle qui «unirait toutes ces parties distinctes de nationalités pour n'en former qu'une seule et même nation». Doutre, alors professeur de droit à l'Université McGill, refuse de définir la nationalité par la langue, la religion, le sang ou la couleur de la peau. Il récuse la spécificité religieuse, estimant «que la tolérance religieuse est partout» et «qu'il n'y a qu'un Dieu là-haut et [que] toutes les divergences d'opinion ne se rapportent qu'à la manière de l'adorer». Pour Doutre, «le principe fondamental de la nationalité, c'est l'intérêt bien entendu, qui lie tous les habitants d'un même pays ; c'est le motif bien simple d'obtenir la plus grande facilité de relations morales ou sociales ; c'est le calcul bien logique démontrant que tous sont intéressés à conserver entre eux l'harmonie domestique, et à cultiver les mêmes sentiments de conservation et de prospérité communes». Une nationalité qui ressemble au membership tant décrié de l'Institut canadien de Montréal qui accueille des membres de toute origine, de toute croyance religieuse et politique et qui constitue une sorte de microcosme de cette «nationalité universelle» envisagée par Doutre.

Celui-ci est amené à préciser ses idées en répliquant à Laurent-Olivier David, qui avait publié dans *L'Union nationale* un article intitulé «Le rationalisme et la Confédération» : «je n'ai pas dit que les distinctions nationales dûssent disparaître, mais seulement qu'une nationalité ne doit pas avoir la suprématie sur les autres ; que toutes ces nationalités distinctes doivent se confondre en Canada dans une nationalité générale [...] » ; il ajoute « qu'en disant que c'était une absurdité de prétendre que la langue et la religion constituassent la nationalité, je bâsais mon assertion sur des faits indéniables, puisqu'ils sont historiques : les États-Unis d'Amérique, la Confédération Germanique, etc, etc, forment des nationalités qui n'ont pas pour bâse la langue et la religion ». Infléchissant momentanément son libéralisme, il avoue avoir « flétri ces fractions de peuple qui, refusant d'accepter le sort que la Providence leur assignait, savoir, de faire du Canada une nation, cherchent à se séparer, à s'affaiblir, sous le prétexte ridicule qu'elles doivent demeurer telles qu'elles étaient au lieu d'où elles sont parties ». Et cette image de soi comme Canadien l'invite à se situer à l'égard de la France : « j'aime d'abord mon pays le Canada, avant la France qui n'est presque plus rien pour nous », la France « qui nous est étrangère ».

À vrai dire, cette conception de la nationalité n'est pas nouvelle chez les libéraux ; on l'a entendue à l'Institut canadien depuis dix ans. En 1852, Charles Laberge posait la question : « Ne serait-il pas temps de comprendre que quelque soit la langue que parle chaque individu, quelque soit la religion qu'il professe, il est homme d'abord, Canadien ensuite et que ces qualités lui sont communes avec tous les autres ; que toutes les origines souffrent de ces divisions intestines ; que le pays ne progressera que du jour où, chacune professant pour les autres un respect éclairé, la laissant parfaitement libre dans sa sphère, toutes se donneront la main sur un terrain neutre : l'amour de leur commune patrie. » L'année suivante, Charles Daoust entrevoyait aussi « un citoyen du globe » : « Qu'est-ce donc que cette nationalité à laquelle le peuple se cramponne comme par instinct ? Est-ce la langue française ? Non ! La religion ? Non ! Les lois anciennes défigurées, tronquées par les statuts ? Non ! Est-ce le bonnet de laine bleu, les souliers de bœuf, le paletot d'étoffe du pays ? Est-ce la carriole à l'antique, la pipe et le curé, comme disait dernièrement un journal du Haut-Canada ? Assurément non ! Qu'est-ce donc ? [...] Ce n'est ni la langue, ni la religion, ni les lois, ni les institutions prises chacune en particulier ; c'est l'essence, l'abstraction, la forme insaisissable de tout cela, c'est le culte de la patrie, c'est la religion des tombeaux. »

En mai 1854, Francis Cassidy, le président irlandais de l'Institut pour lequel on avait modifié, en 1850, la constitution de l'association, affirmait aussi que « la langue et la religion n'entrent point dans la constitution de la nationalité ». En décembre, Pierre-Richard Lafrenaye préfigure déjà G. Doutre en décrivant « ce mouvement des populations qui s'opère sur notre continent qui, par la nature des institutions, tend à la fusion des nationalités et à l'homogénéité des races».

Mais il y a, à l'Institut canadien, une exception à l'égard de cette conception libérale radicale de la nationalité et c'est Arthur Buies, le seul Canadien français à avoir porté la chemise rouge des garibaldiens. Dans une conférence de 1862 sur «L'avenir de la race française en Canada», Buies tient un autre discours: «nous sommes dans un siècle où il n'y a plus de combats que pour la nationalité»; «du reste», poursuit-il, «c'est un trait distinctif de notre époque que la fusion des idées et des tendances des peuples entre eux, et, chose qui paraîtrait étrange aux esprits peu observateurs, c'est qu'au milieu de cette fusion, chaque peuple tend de plus en plus vers l'affermissement [,] la confirmation de sa nationalité, de son gouvernement propre, de son autonomie. La raison en est simple: c'est que le mot fusion ne veut pas dire confusion: c'est que les peuples en se rapprochant ne veulent pas s'annuler, c'est que pour devenir sympathiques, plus liés entre eux, ils ont besoin d'une indépendance forte et assurée (il n'y a guère d'union du fort au faible)[...][28].»

Le grand débat sur le projet de Confédération (février 1865)

Les questions de la représentation parlementaire, de l'électivité du Conseil législatif et des droits des minorités religieuses sont certes des causes de la Confédération et au centre des débats. Mais la référence aux dangers de l'annexionnisme et à la nécessité de construction d'un chemin de fer susceptible de créer un pays d'est en ouest indique qu'en cette fin de la guerre de Sécession, les États-Unis et leur pouvoir d'attraction préoccupent les Canadiens. Le très britannique Cartier en témoigne lors de son intervention à l'Assemblée législative du Canada-Uni en février 1865: «Nous qui avons eu l'avantage de voir le républicanisme à l'œuvre, durant une période de quatre-vingt ans, d'en voir les défectuosités et les vices, nous avons pu nous convaincre que les institutions purement démocratiques ne peuvent point assurer la paix et la prospérité des nations et qu'il fallait nous unir par une fédération faite pour perpétuer l'élément monarchique. La différence entre nos voisins et nous est essentielle; la conservation du principe monarchique sera le grand caractère de notre fédération, au lieu que de l'autre côté de la frontière, le pouvoir dominant c'est la volonté de la foule, de la populace, enfin. Quiconque parmi nous a conversé avec des hommes publics ou des écrivains des États-Unis, peut attester ici que tous admettent que le gouvernement y est devenu impuissant par l'introduction du suffrage universel, en d'autres termes, que le pouvoir de la populace a supplanté l'autorité plus légitime. »

Au monarchisme et au conservatisme de Cartier, les libéraux opposent, comme chez A.-A. Dorion, le principe démocratique du futur Sénat électif, de la décentralisation des pouvoirs vers la base populaire et de la sanction du projet par le peuple. Maurice Laframboise, le beau-frère de Dessaulles, fait voir pour sa part le comportement antidémocratique des Haut-Canadiens à l'égard du système de représentation proportionnelle : « mais je prétends que puisqu'ils nous en ont refusé l'application lorsque la population du Bas-Canada était en majorité, il est injuste qu'ils la demandent aujourd'hui parce qu'ils sont en majorité ; je ne vois pas de quel droit ils veulent l'obtenir aujourd'hui. Je dis que si l'application de ce principe était injuste il y a vingt ans, elle est encore injuste aujourd'hui ; et que si elle est juste aujourd'hui, elle était également juste il y a vingt ans. »

Jean-Baptiste-Éric Dorion attaque la formule de changement constitutionnel que le parlement impérial, dans un geste manifestement peu démocratique, a fait passer, en 1854, des deux tiers de la loi constitutionnelle de 1840 à la majorité simple, pour faciliter un éventuel vote sur la représentation parlementaire. Il dit nier « à cette chambre le droit de changer la constitution du pays [...] sans en appeler au peuple » et réfère au modèle étatsunien de changement constitutionnel récemment appliqué à la question esclavagiste. L'intérêt annexionniste n'est pas éteint comme en témoigne le retour sur l'exemple louisianais de Dorion qui estime que la Louisiane n'est pas perdue dans l'Union étatsunienne, que la situation de cet État n'est pas comparable au Bas-Canada, car la population blanche des débuts était constituée de Français et d'Espagnols et que ce sont les Louisianais eux-mêmes qui ont aboli l'usage du français dans leur législature « pour marquer leur mécontentement de ce que la France les avait ainsi vendus ». Craignant la marginalisation numérique des Canadiens français, Dorion rappelle le scénario d'un Bas-Canada semblable à la Louisiane : il « serait aussi indépendant que tous les autres États de l'Union », car « il possèderait, comme tous les États, la souveraineté pleine et entière pour toutes les affaires qui le concerneraient spécialement ». Quant « aux matières d'intérêt local, il serait parfaitement souverain chez lui, et il pourrait faire toutes les lois qui lui conviendraient pourvu qu'elles ne fussent pas hostiles aux autres États ». Dorion préfère pour le Bas-Canada la forme de l'État américain à celle de la province canadienne[29].

Le 10 mars 1865, à l'Assemblée législative du Canada-Uni, 91 députés votent en faveur du projet de Confédération, 33 contre; les anglophones du Haut et du Bas-Canada, les francophones conservateurs et modérés donnent alors une majorité au projet. Trente-sept députés du Bas-Canada votent pour, 25 contre. Parmi les 49 députés canadiens-français, 27 votent pour la Confédération et sur les 49 représentants des comtés majoritairement francophones, 25 approuvent le projet, 24 le désapprouvent. Le 13, *Le Pays* écrit : « C'est dans cette nuit mémorable qu'aura été commis l'acte le plus inique, le plus dégradant dont le régime parlementaire ait été témoin depuis la trahison des députés irlandais qui ont vendu leur pays à l'Angleterre pour des places, des honneurs et de l'or[30]. » Le projet de Confédération recevra la sanction impériale et royale le 1ᵉʳ mars 1867 et entrera en vigueur le 1ᵉʳ juillet de la même année.

Les évêques, la Confédération
et l'éducation catholique plutôt que francophone

Depuis 1858, l'Église catholique du Bas-Canada avait certes combattu « le rougisme » et ses visées de séparation de l'Église et de l'État, mais elle n'avait pas eu depuis 1864 à intervenir publiquement à propos du projet de Confédération. Les milieux conservateurs savaient avant même l'époque des débats parlementaires sur la question en février 1865 que l'Église catholique lui était favorable. Celle-ci n'avait pas réussi à bloquer la loi sur le divorce et à empêcher que la responsabilité en cette matière n'incombe au gouvernement fédéral, mais elle avait réussi à faire valoir son point de vue sur les droits des minorités religieuses, spécialement en matière d'écoles.

La question religieuse avait été soulevée non pas par elle mais par les protestants anglophones du Bas-Canada. Comme la Conférence de Québec de 1864 avait déjà proposé de confier la responsabilité de l'éducation aux provinces, les protestants minoritaires au Bas-Canada craignaient pour leurs institutions scolaires et, ainsi, s'était posée la question des droits réciproques des minorités catholiques au Haut-Canada, au Nouveau-Brunswick et en Nouvelle-Écosse. Au moment de la Conférence de Londres où, fin 1866 début 1867, on devait sanctionner le projet de Constitution, Alexander Galt, député de Sherbrooke, fait ajouter une clause précisant que là où des écoles de confessions minoritaires existeront *par la loi* au moment de la Conférence, on pourra faire appel au gouvernement fédéral dans le cas de menaces à ou de non-respect de ces droits, et le gouvernement fédéral pourra faire voter une loi remédiatrice. D'autre part, l'article 133 du projet constitutionnel prévoyait le droit des provinces de décider de la langue d'enseignement dans les écoles publiques.

Le système scolaire canadien est ainsi confessionnel et non pas culturel ou linguistique: les écoles sont catholiques ou protestantes et non pas francophones ou anglophones. La chose convient doublement au Bas-Canada: les protestants, majoritaires au Canada et en Amérique du Nord, ne craignent pas pour leur langue mais pour leur religion; l'Église catholique loyaliste, qui a réussi à obtenir en 1841 et en 1846, la confessionnalisation des écoles bas-canadiennes et dont l'ultramontanisme milite en faveur de l'alliance du religieux et du politique et de sa primauté dans les questions dites mixtes, défend ses intérêts spirituels et temporels en imposant de faire des écoliers des catholiques d'abord et des francophones du même coup[31].

C'est dans ce double contexte de vigilance contre le libéralisme doctrinal et électoral et de militantisme en faveur des droits catholiques des minorités, qu'à l'approche des élections de 1867, la hiérarchie catholique intervient publiquement dans le débat politique. L'élection prévue en septembre 1867 n'est pas référendaire, c'est-à-dire qu'elle ne porte pas sur la Confédération entrée en vigueur le 1er juillet. Mais il est clair que si un gouvernement libéral était élu, il pourrait rouvrir le dossier... À l'initiative de l'ultramontain évêque-coadjuteur de Trois-Rivières, Mgr Louis-François Laflèche, les évêques des cinq diocèses du Bas-Canada interviennent à l'été 1867, sauf Mgr Bourget qui fait bande à part en raison de son contentieux avec l'archevêque de Québec à propos du démembrement de la paroisse sulpicienne Notre-Dame de Montréal et de l'université catholique que la ville de Québec a obtenue, appuyée par Rome. Mgr Bourget n'en publie pas moins une circulaire au clergé le 5 mai, recommandant la soumission de l'Église hier (1791, 1840) comme aujourd'hui et en mettant chaque fidèle en présence de la gravité de son vote: «Je sais que je répondrai un jour de mon vote au tribunal de mon Souverain Juge.» Pour le vieil évêque de Trois-Rivières, Mgr Cooke, qui publie un mandement le 8 juin, la Confédération est une «chose jugée et obligatoire» et seuls importent le bon candidat, le bon vote: «Ce devoir vous aurez à le remplir dans les prochaines élections, en vous assurant que les hommes dont vous allez faire choix pour vous représenter dans les parlements, seront animés de cet esprit de conciliation, de cette bonne volonté dont le concours est indispensable pour tirer de la nouvelle constitution tout le bien que nous devons attendre.» Même recommandation de Mgr Baillargeon de Québec, le 12, au sujet de la Confédération : «Vous vous garderez donc de donner vos voix à des hommes disposés à la combattre ou à mettre des entraves à son fonctionnement.» L'évêque de Rimouski, Mgr Jean Langevin, ancien rédacteur des *Mélanges religieux* et du *Courrier du Canada* et frère de Louis-Hector, bras droit de Cartier, va plus loin : «la nouvelle constitution [...] vous est donnée comme l'expression de la volonté suprême du législateur de l'Autorité légitime et par conséquent de celle de Dieu même». Son mandement du 13 juin ajoute : du vote dépend «la conservation de tout ce qui nous est cher comme nation, notre Religion, notre Langue, nos Institutions». Enfin, dans un document de 16 pages, daté du 18 juin, Mgr Charles Larocque de Saint-Hyacinthe vise quant à lui les dernières velléités annexionnistes : «Des institutions républicaines ne nous iraient pas mieux qu'au grand peuple dont nous descendons, les Français ! Et le sort qui nous serait réservé, si un jour ou l'autre Dieu souffrait que nous entrassions dans la grande république américaine, serait exactement comparable à celui de tant de tributaires qui viennent s'engouffrer dans le large et profond St-Laurent, où ils disparaissent sans qu'il soit possible d'en apercevoir aucune trace[32].»

Les élections de septembre 1867 : le ciel est bleu, l'enfer est rouge

Les libéraux font un dernier baroud d'honneur au moment où les évêques prennent publiquement position.

Wilfrid Laurier, qui fut vice-président de l'Institut canadien de Montréal en 1865 et en 1866, a montré des tendances conciliatrices en faisant partie du comité chargé d'aplanir les difficultés avec Mgr Bourget et en signant avec d'autres membres catholiques de l'Institut la Supplique à Rome d'octobre 1865. Opposé depuis 1864 à un changement constitutionnel sans appel au peuple et favorable «à l'union sans fusion», le jeune avocat prend la relève de J.-B.-É. Dorion au *Défricheur* du village de L'Avenir, de novembre 1866 à la fin mars 1867. Le 27 décembre 1866, il y déclare que la Confédération sera «le tombeau de la race française et la ruine du Bas-Canada». Le 7 mars 1867, le ton est encore plus péremptoire :

Quand la charte de 1841 nous fut imposée [...], il n'y avait que deux voies d'ouvertes, et il fallait choisir entre l'une ou l'autre. Il fallait ou s'en tenir au programme de M. Papineau [...] ou accepter la nouvelle constitution, tirer le meilleur parti possible des franchises qu'elle accordait, sauf à se protéger, du mieux possible, contre les dangers qu'elle renfermait. Le nouveau chef [La Fontaine] se décida pour cette dernière voie, dans l'espérance qu'à l'aide de ce que la charte contenait de bon, le mauvais en serait paralysé. Tout le peuple l'y suivit. En vain la voix de M. Papineau cria-t-elle plus tard : « Le gouvernement responsable n'est qu'un leurre. » On cria dans le camp opposé : « l'Union faite pour nous perdre nous a sauvés. » Aujourd'hui que l'Union a vécu, où sont ceux qui oseront dire encore : « l'Union faite pour nous perdre nous a sauvés! Non, l'Union faite faite faite pour nous perdre n'a pas manqué son but » [...].

Aujourd'hui [la nationalité française] est plus vaste, plus nombreuse, mais elle porte dans son sein un germe dissolvant : elle est sans force, elle est divisée, elle n'est pas encore anglifiée, mais elle est en voie de l'être [...]. Nous sommes livrés à la majorité anglaise [...]. Il nous faut revenir entièrement et sans détour à la politique de M. Papineau. Protester de toutes nos forces contre le nouvel ordre de choses qui nous est imposé et user de l'influence qui nous reste pour demander et obtenir un gouvernement libre et séparé.

Pour se marier devant l'Église catholique et satisfaire aux exigences de l'évêché de Montréal, Laurier démissionne de l'Institut canadien le 13 mai 1867. La voie de la modération s'ouvrait devant lui[33].

Au *Pays*, Alphonse Lusignan poursuit l'opposition à la Confédération même après sa promulgation et dans l'espoir qu'une élection des libéraux en septembre puisse renverser les choses... Il publie même anonymement une brochure, *La Confédération, couronnement de dix années de mauvaise administration*, à laquelle Joseph-Alfred Mousseau réplique en remettant au programme l'idée de la planche de salut constitutionnel dans une brochure intitulée *Contre-poison. La Confédération, c'est le salut du Bas-Canada*[34].

Mais la Confédération vivra : les résultats des élections de septembre 1867 ne trompent pas. Les conservateurs obtiennent 101 des 181 sièges de la nouvelle Chambre des communes du nouveau Canada et au Québec ils remportent 45 des 65 comtés, 23 des députés dont 20 conservateurs — plus de la moitié — étant élus « par acclamation ». Le vote cumulatif des libéraux à Ottawa et à Québec leur donne 12 %. Dans la grande région de Montréal, ils récoltent 18 % du vote comparativement à 33 % en 1863 et dans Montréal même 8 % des suffrages comparativement à 42 % quatre ans plus tôt. Ils se maintiennent (41 % du vote) dans Verchères, Richelieu, Saint-Hyacinthe, Rouville, Bagot et Shefford ; ils perdent la moitié de leurs voix (22 %) dans Chambly, La Prairie, Châteauguay, Beauharnois, Napierville, Saint-Jean et Iberville ; ils obtiennent quatre fois moins de votes (5 %) dans Joliette, L'Assomption, Berthier et Montcalm. Ailleurs, le libéralisme est vivant dans Kamouraska, à L'Avenir, dans Drummond-Arthabaska et il aura connu une brève flambée à Trois-Rivières[35].

Le Journal de Saint-Hyacinthe du 9 septembre 1867 a raison d'affirmer « que la lutte véritable [avait été] entre le clergé et les rouges » et Le Pays du 15 août annonce les stratégies à venir : « La tentative, organisée sur une si grande échelle, d'influencer les élections par l'autorité religieuse est un fait anormal qui devra, dans l'intérêt de la religion, disparaître des luttes futures. » Ces luttes futures, la presse libérale a et aura à les mener avec des effectifs réduits : des sept journaux (Le Pays et L'Union nationale à Montréal, Le Journal de Saint-Hyacinthe, Le Franco-Canadien à Saint-Jean-sur-Richelieu, L'Électeur à Québec, Le Journal de Lévis auquel collabore le poète libéral Louis Fréchette et Le Défricheur à L'Avenir), quatre disparaissent après 1866 tandis que la presse conservatrice (La Minerve à Montréal, Le Canadien, Le Journal de Québec et Le Courrier du Canada à Québec, Le Courrier de Saint-Hyacinthe) voit paraître quatre nouveaux titres après 1866 : le très ultramontain Nouveau Monde à Montréal, L'Événement fondé à Québec par Hector Fabre, L'Union des Cantons de l'Est à Arthabaska et La Voix du golfe à Rimouski.

À peine les résultats électoraux sont-ils connus que Le Pays entreprend cette lutte de dénonciation de l'alliance électorale des conservateurs et du clergé. Dessaulles qu'on avait « casé », aux dires de La Minerve, dans un emploi de greffier de la Cour et qui venait de conclure une polémique de six mois sur l'alliance du Trône, de l'Autel et du Collège avec le supérieur du Séminaire de Saint-Hyacinthe, l'abbé Joseph-Sabin Raymond, lequel avait affirmé que « toute question politique renferme une question théologique », Dessaulles reprend donc du service et mène anonymement, de septembre 1867 à février 1868, l'enquête au Pays sur l'intervention du clergé dans la campagne électorale. Le journal libéral expose comment, après les mandements des évêques, les curés avaient utilisé les prônes, sorte d'annonces dominicales à propos des affaires temporelles de la vie paroissiale, la chaire, le confessionnal et en certains endroits le patronage politique même pour décourager le vote libéral contre la Confédération. À tel endroit, le curé fait du vote pro-Confédération une obligation de conscience; ailleurs on refuse au confessionnal l'absolution aux femmes dont les maris sont lecteurs du *Pays* ou qui refusent de retourner le journal « rouge ». Au séminaire de Sainte-Thérèse, on invite les élèves à écrire à leurs parents de ne pas donner leurs votes aux libéraux. Ou alors tel curé menace de refuser les sacrements et la sépulture catholique aux « Rouges » tout en rappelant en chaire que « le ciel est bleu et l'enfer rouge » ou demande de voter pour Lemieux et non pour le pire...! On avait commencé à faire le procès de l'influence « indue » de l'Église et du clergé en politique. L'ultramontanisme n'est plus seulement une théorie politico-religieuse, il est à l'œuvre dans le processus civil même. Et l'Église catholique a alors les moyens de sa politique : le nombre de prêtres du Québec est passé de 225 en 1830 à 464 en 1840, à 620 en 1850, à 948 en 1860 et à 1412 en 1870 et le nombre de fidèles par prêtre a diminué, passant de 1835 en 1830, à 1185 en 1840, à 1080 en 1850, à 893 en 1860 et à 658 en 1870.

Puis en décembre 1867, à quatre ans de son décès, Louis-Joseph Papineau quitte momentanément son manoir de Montebello pour venir faire une conférence à l'Institut canadien de Montréal, sorte de panorama et de testament politiques où il dénonce le nouveau règne constitutionnel « préparé dans l'ombre », ses choix religieux et confessionnels en matière d'éducation et le monarchisme du Sénat nommé et non électif. En juillet 1868, Étienne Parent sort aussi de l'ombre où l'avaient confiné ses tâches de grand fonctionnaire, pour célébrer, lui aussi, la Confédération, un de « ces événements providentiels » qu'il avait lui-même, dit-il, commencé à préparer trente ans plus tôt, en 1838[36].

Conclusion

Les efforts d'Antoine-Aimé Dorion pour faire survivre le libéralisme à l'échec de Papineau de 1849 ne donnent pas la satisfaction escomptée. Non seulement le conservatisme politique et idéologique se consolide-t-il, mais le libéralisme modéré en vient en 1861 à être électoralement nez à nez avec le libéralisme radical. C'est qu'on a trouvé un double moyen de neutraliser le libéralisme radical, le « rougisme » : il s'agit pour les conservateurs et les ultramontains d'associer étroitement le radicalisme libéral et le parti alors que pour les libéraux modérés il convient plutôt de dissocier le libéralisme doctrinal et le libéralisme électoral.

Cette double démarche est en un sens facilitée par la radicalisation constante des libéraux au *Pays* et à l'Institut canadien au moment où le plus radical d'entre eux, Louis-Antoine Dessaulles, est aux commandes. L'affirmation par les libéraux de la préséance des valeurs libérales et de la démocratie sur la nationalité trouve son accomplissement à l'Institut canadien de Montréal, à la fois dans la constitution de l'association et dans les positions qu'on y prend à propos de la nationalité et du principe des nationalités. Ce démocratisme des libéraux s'affirme d'ailleurs dans un Institut condamné en 1858 par l'évêque de Montréal. Au *Pays*, ce sont les positions du journal sur la question italienne et sur le pouvoir temporel du pape qui déclenchent les foudres de Mgr Bourget et de *L'Ordre*.

Après les allusions à «la tournure tout à fait philosophique» de certains journaux faites en 1857 par Cyrille Boucher, après la scission à l'intérieur de l'Institut canadien de Montréal et l'exclusion de celui-ci du défilé de la Saint-Jean-Baptiste en 1858, la polémique de 1862 entre *L'Ordre* et *Le Pays* permet aux libéraux modérés, aussi populaires électoralement, après les conservateurs, que les libéraux dits «rouges», de creuser le fossé entre le libéralisme doctrinal et le libéralisme partisan et électoral. La dénonciation des «dissertations philosophiques» du *Pays* sur le pouvoir temporel du pape ou sur la raison n'a qu'un but: montrer le tort qu'elles font au parti. Cinq ans plus tard, Wilfrid Laurier démissionne de l'Institut canadien et s'apprête à formuler ce que pourrait être un libéralisme modéré, c'est-à-dire un libéralisme sans anticléricalisme. La brèche dans le libéralisme radical ouverte en 1858 s'élargit en 1862. Elle le minera bientôt...

La crise politique de 1858 à propos de la question de la représentation proportionnelle met aussi les libéraux au défi. Les plus perspicaces d'entre eux prennent note d'une nouvelle donne: l'immigration, qui modifie le visage de l'Amérique du nord et du Canada infléchit le problème des nationalités et de leurs relations. À la solution proposée pour résoudre la crise — une Confédération des provinces de l'Amérique britannique —, les libéraux opposent une fin de non-recevoir, plaidant encore et toujours pour la démocratie et, en particulier, pour une nouvelle Constitution qui devrait être ratifiée par le peuple, ce qu'ils n'obtiennent pas, la Confédération étant décidée dans les antichambres.

S'opposer alors à la Confédération, c'est s'opposer aux conservateurs, aux modérés, au clergé du Bas-Canada et au Haut-Canada. C'est peu dire. L'Église catholique, qui dénonce la démocratie et la souveraineté populaire au profit de la monarchie, est ultramontaine comme jamais auparavant. Elle défend Rome et le pape, elle plaide pour l'alliance du pouvoir religieux et du pouvoir politique et elle obtient, tout comme les Églises protestantes, le contrôle sur les écoles qui sont confessionnelles avant d'être linguistiques. Cette revendication, que le pouvoir politique conservateur lui concède, cadre tout à fait avec sa conception de la destinée du Canada français, catholique d'abord, français ensuite. L'Église rend bien à l'État cette concession : son intervention dans l'élection non référendaire mais cruciale de 1867 la place toutefois dans une position risquée. Ce qu'on commence alors à appeler « l'influence indue » risque de déborder en des projets de théocratie.

Chapitre XI

LA TOLÉRANCE : UN ENJEU POUR LES LIBÉRAUX ET LES ULTRAMONTAINS (1867-1877)

L'APPEL À ROME, en 1865, des membres catholiques de l'Institut canadien de Montréal était resté sans réponse et l'opposition cléricale et conservatrice contre les libéraux avait été stimulée par la longue et virulente polémique entre Dessaulles et l'abbé Raymond du Séminaire de Saint-Hyacinthe à propos de l'enseignement anachronique des collèges cléricaux concernant les idées politiques diffusées par les professeurs ; cet antagonisme avait été aussi alimenté par l'enquête du *Pays* et du même Dessaulles sur l'intervention cléricale durant les élections de 1867.

L'Institut canadien de Montréal et la tolérance :
la seconde condamnation (1869)

Le 12 décembre 1868, Dessaulles fait une percutante conférence publique sur la tolérance à l'Institut canadien de Montréal, reprise à l'Institut canadien de Saint-Hyacinthe. Il y pose la question cruciale à propos du différend entre les libéraux de l'Institut et l'autorité religieuse : « D'où viennent nos difficultés ? De ce que nous avons des membres protestants, de ce que nous recevons des journaux protestants, et de ce que nous avons quelques livres philosophiques à l'*index*. » Invoquant l'idée que la tolérance est catholique parce qu'elle s'appuie sur l'amour du prochain, le conférencier tire au clair les positions de l'Institut : « Le principe fondamental de notre association est la tolérance, c'est-à-dire le respect des opinions d'autrui. Nous invitons tous les hommes de bonne volonté, à quelque nationalité ou quelque culte qu'ils appartiennent. Nous voulons la fraternité générale et non l'éternelle hostilité des races. » Mais « tous les hommes de bonne volonté » ne pensent pas ainsi lorsqu'ils lisent le texte de la conférence dans *Le Pays* ou dans l'*Annuaire* de l'Institut canadien de Montréal de 1868.

C'est le cas de l'abbé Raymond. Répliquant dans une conférence publique à l'Union catholique des jésuites de Montréal le 15 mars 1869, le conférencier considère la tolérance comme « le cri de guerre de tous les ennemis de l'Église ». Pour lui, « toute conviction est essentiellement into-lérante » et « tout ménagement est une imprudence ». Après avoir justifié l'Index et l'Inquisition, l'abbé Raymond reconnaît toutefois que la « tolé-rance de fait » puisse être « permise en certains temps et en certains lieux », comme c'est le cas, au Canada, pour la liberté des cultes. Mais le conféren-cier voit venir « le règne de la croix sur les nations » et sur ce Canada dont le catholicisme est le signe distinctif : « La gloire de notre patrie, c'est l'héroïsme de ses colons, les saints et les saintes de ses premiers temps, le caractère religieux et moral de ses habitants, ses magnifiques institutions d'éducation et de charité, son dévouement à toute noble cause, ses zouaves[1] [...]. »

Mgr Bourget n'a pas non plus la même conception de la tolérance que les membres de l'Institut canadien. Il fait parvenir à la Sacrée Congréga-tion de l'Inquisition un mémoire de 36 pages, daté du 27 avril 1869, qui constitue sa réponse à deux questions de fond : l'Institut canadien de Montréal est-il mauvais et dangereux et peut-il être réformé ? Insistant sur le fait que la conférence de Dessaulles sur la tolérance est publiée dans l'*Annuaire* de l'Institut et qu'elle représente donc la pensée de l'Institut, l'évêque ne croit pas l'association réformable : « Et, en effet, pour opérer, dans l'Institut, une réforme salutaire, il faudrait avant tout le faire renoncer à la tolérance qui est la fin de sa fondation, et à tous les principes faux, erronés et impies dont il fait profession. Il faudrait nécessairement modifier la constitution et les réglements qui renferment le germe de cette tolérance qui lâche la bride à tous les caprices et à toutes les aberrations de la raison humaine. Il faudrait purger la bibliothèque et la chambre de lecture de tous les livres et journaux contraires à la foi et à la morale, soit en les éliminant tout à fait, soit en les séquestrant si rigoureusement que ceux-là seuls pourraient les lire qui y seraient autorisés par le Saint-Siège. Il faudrait bannir des discussions les sujets qui, d'après les règles de l'Église, ne peuvent être soumis au libre examen des libéraux, comme le prétendent les libres penseurs du jour. Il faudrait interdire la tribune à tous ceux qui seraient disposés à y parler comme ceux dont les discours sont rapportés dans *L'Annuaire.*» Une telle réforme impliquerait, en effet, une réorientation complète et radicale des principes constitutifs et du contenu des activités essentielles de l'Institut : la bibliothèque et les conférences publiques. Le vieil opposant à l'Institut demande donc sa condamnation et la mise à l'Index de son *Annuaire* de 1868.

La condamnation par la Sacrée Congrégation de l'Inquisition — la même qui avait condamné Galilée à propos duquel Dessaulles avait fait une conférence publique en 1856 — tombe le 7 juillet 1869. Les «Éminentissimes et Révérendissimes Inquisiteurs Généraux» informent Mgr Bourget que «les doctrines contenues dans un certain *Annuaire*, dans lequel sont enregistrés les actes du dit Institut, devraient être tout à fait rejetées, et que ces doctrines enseignées par le même institut devraient elles-mêmes être réprouvées». Ils remarquent «de plus, qu'il était fort à craindre que, par de telles mauvaises doctrines, l'instruction et l'éducation de la jeunesse chrétienne ne tombassent en péril» et ils exhortent l'évêque à tout faire pour «que les catholiques, et surtout la jeunesse, soient éloignés du susdit Institut, tant qu'il sera bien connu que des doctrines pernicieuses y sont enseignées». Le Tribunal met l'*Annuaire* à l'Index.

Dès le 16, de Rome, Mgr Bourget expédie une circulaire au clergé du diocèse précisant qu'on «peut assurer que c'est ce mauvais livre [l'*Annuaire* et la conférence sur la tolérance] qui a fait juger et condamner ce mauvais Institut» qui veut «nous ravir notre peuple et surtout notre jeunesse». Le but atteint, l'évêque doit mettre en œuvre les moyens pour que la condamnation ne reste pas «lettre-morte» : «1° Les Curés publieront l'Annonce ci-joint, en observant ce qui y est réglé, et ils veilleront soigneusement à ce que leurs paroissiens ne fassent pas partie de l'Institut Canadien ; 2° Les Confesseurs exigeront, avec prudence et fermeté, que leurs pénitents se conforment à la prescription du St Office ; [3°] ; 4° Les Supérieurs de Séminaires, collèges et autres maisons d'éducation prémuniront leurs élèves contre les pernicieuses doctrines de l'Institut Canadien [...] pour qu'ils soient capables de résister aux sollicitations qui leur seront faites, pour les faire entrer dans l'Institut ; 5° Les Journalistes sont invités à prêter le secours de la presse contre les dangereuses doctrines de l'Institut, qui menace de renverser le trône aussi bien que l'autel ; 6° L'Institut canadien Français, le Cabinet de Lecture, l'Union catholique, le Cercle Littéraire et autres bonnes Institutions voudront bien apporter leur concours de zèle et de dévouement pour la propagation des bons principes [...] ; 7° Il est souverainement à désirer que l'on mette en circulation les brochures qui renferment l'antidote du poison des mauvaises doctrines que l'Institut Canadien cherche à répandre dans toutes les classes de la socitété ; 8° Des moyens doivent être pris avec prudence et discrétion, pour détourner les fidèles, les femmes surtout, d'assister aux lectures de l'Institut Canadien et de s'abonner à sa bibliothèque ou à ses journaux [...]. » Curés, confesseurs, supérieurs de séminaires, journalistes, écrivains et associations catholiques, tout le réseau de communication publique et privée est mis à contribution.

Tout était planifié. Le dimanche 29 août 1869, dans toutes les églises du diocèse de Montréal, l'Annonce aux prônes fait état de la condamnation par Rome de l'Institut et rappelle que « deux choses sont ici spécialement et expressément défendues, savoir : 1° de faire partie de l'Institut Canadien tant qu'il enseignera des doctrines pernicieuses, et 2° de publier, retenir, garder, lire l'*Annuaire* du dit Institut pour 1868 », et ce au risque d'être privé des sacrements y compris à l'article de la mort[2].

L'Institut canadien se doit de réagir. Un Comité spécial, composé entre autres membres de Dessaulles, communique au secrétaire de l'évêque Bourget, toujours à Rome, deux résolutions qu'il entend soumettre aux membres de l'association : (1) que l'Institut *comme corps* n'enseigne aucune doctrine et exige de ses membres le respect des doctrines professées par les autres ; (2) que les *membres catholiques* ayant appris la condamnation de l'*Annuaire* de 1868 par décret de l'autorité romaine se soumettent purement et simplement. Non seulement la proposition est-elle refusée par le Chapitre de l'évêché, mais elle donne de surcroît prétexte au très ultramontain *Nouveau Monde*, dirigé par le chanoine Lamarche, membre du Chapitre, d'alimenter le feu et de bloquer toute solution.

À nouveau, l'Institut fait appel à Rome dans une seconde supplique du 12 octobre 1869, que Gonzalve Doutre porte à la Sacrée Congrégation de l'Inquisition et qui affirme essentiellement que l'Institut canadien de Montréal n'enseigne aucune doctrine. L'animosité contre l'évêque de Montréal est à peine voilée : « Nous n'avons jamais trouvé chez lui ni la justice, ni la charité qui conviennent à un pasteur de l'Église. Sous les dehors les plus humbles en apparence, ceux qui ont eu affaire à lui savent quelle raideur et quelle inflexibilité il montre invariablement sur toutes les questions grandes ou petites. C'est un homme qui ne revient jamais *d'une opinion,* quelque chose qu'on puisse lui dire. Ceci est reconnu ici dans le Clergé comme parmi les laïques. » La supplique expose au cardinal

Barnabo la situation « mixte » du pays, l'impossibilité d'exiger des protestants de l'Institut de signer un acte de foi catholique : « Il y avait un moyen bien simple d'éviter ces malheureuses conséquences ; c'était de ne pas exiger *du corps* des déclarations auxquelles un bon tiers de ses membres ne pouvaient souscrire, et de se contenter de la juridiction sur les individus, juridiction à laquelle les catholiques de l'Institut n'ont jamais songé à se soustraire », s'étant soumis *à titre de catholiques* au décret de l'Index. Il était clair pour les signataires de cette seconde supplique qu'on visait autre chose que la réconciliation : on avait en vue la dissolution de l'Institut. La supplique vise une chose quant à elle : qu'on distingue « ce qui est réellement voulu par les lois de l'Église de ce qui est inspiré par l'esprit de parti[3] ».

L'Affaire Guibord (1869-1875)

Nouveau rebondissement : cinq mois après la seconde condamnation de l'Institut canadien de Montréal, l'un de ses membres, Joseph Guibord, meurt le 18 novembre 1869.

La mort de ce typographe de métier, qui avait été l'un des dix-huit signataires de la première supplique de l'Institut à Rome en 1865, devient le prétexte pour la hiérarchie catholique de joindre la parole aux actes. Alléguant que Guibord est sous le coup de censures ecclésiastiques — l'excommunication —, le curé Rousselot de la paroisse Notre-Dame refuse à la veuve Henriette Brown-Guibord la sépulture ecclésiastique de son mari ; et lorsque le 21, le cortège funèbre s'amène au cimetière de la Côte-des-Neiges, il est repoussé et on doit se replier sur le charnier du cimetière protestant en attendant que s'ouvre le procès intenté par l'Institut canadien et Joseph Doutre auxquels la veuve de Guibord s'en est remis.

Dessaulles propose une conférence à l'Institut canadien, le 29 décembre, sur ce qui va devenir l'affaire Guibord. Le conférencier soutient que puisque l'appel de 1865 à Rome n'a pas été jugé et qu'il n'y a pas d'excommunication formelle, Guibord peut être enterré en terre catholique. De surcroît, selon lui, la Sacrée Congrégation de l'Inquisition s'est penchée sur une question nouvelle, l'*Annuaire* de 1868, et sur cette question, on n'a pas entendu le point de vue de l'Institut. Féru de droit sans être avocat, Dessaulles affirme qu'on n'a pas satisfait aux deux conditions de refus de sépulture ecclésiastique, à savoir en droit ecclésiastique, une censure nominative et publique de l'individu concerné et, en droit civil, l'abjuration publique de la foi. Dessaulles, qui a vu le texte de sa conférence sur la tolérance mis à l'Index, une première au Canada, s'étonne qu'on refuse au bon citoyen Guibord ce qu'on a accordé à des non-croyants, à des criminels et à des suicidés.

L'enjeu est aussi plus large : il s'agit de savoir si, parce qu'elle est responsable de la tenue et de la conservation des registres d'état civil (baptêmes, mariages, sépultures), l'Église peut s'octroyer des pouvoirs sur les cimetières. Plus globalement, il s'agit de savoir lequel, du droit ecclésiastique ou du droit civil, a préséance. Dessaulles épingle cette prétention ultramontaine dans sa conférence : « Si l'État doit être l'humble serviteur du pouvoir ecclésiastique et ne peut mettre un frein à sa soif perpétuelle d'omnipotence, mieux vaut le savoir tout de suite ; mais rien n'indique que nous courions ce danger. Au contraire je suis convaincu qu'il n'est pas possible que les hommes éclairés qui président à l'administration de la justice en ce pays, n'affirment pas ce principe fondamental de droit public : QUE L'ÉGLISE EST DANS L'ÉTAT, ET NON L'ÉTAT DANS L'ÉGLISE[4]. »

Le procès s'ouvre en Cour supérieure et les plaidoiries ont lieu de janvier à avril 1870. Joseph Doutre et Rodolphe Laflamme représentent l'Institut canadien pour Henriette Brown, et Francis Cassidy, un des fondateurs et deux fois président de l'association qu'il avait quittée en 1867, L.-A. Jetté et F.-X.-A. Trudel, ultramontain que la presse libérale appelait « le Grand Vicaire », plaident en faveur du curé Rousselot et de la Fabrique de la paroisse Notre-Dame. Si Doutre fait référence au « mépris d'un droit temporel sous prétexte de religion » et s'enquiert de savoir si « le pouvoir ecclésiastique » est « justiciable des tribunaux », avec çà et là quelques piques anticléricales, la partie adverse contre-interroge Dessaulles, qui comparaît longuement, en lui rappelant ses accusations de despote à l'endroit du pape lors de ses conférences de 1850 sur l'annexion.

Le 2 mai 1870, le juge Charles Mondelet rend jugement : « En conséquence de ce, cette Cour ordonne qu'il émane de suite, un bref de *Mandamus* péremptoire, commandant aux défenseurs et curé, de donner aux restes du dit feu Joseph Guibord, la sépulture susdite, suivant les usages de la loi, dans le dit cimetière, sur la demande qui leur en sera faite comme dit est, et tel que la sépulture est accordée aux restes de tout paroissien qui, comme lui, meurt en possession de son état de catholique romain ; et aussi d'enregistrer suivant la loi, ès-registres de la dite paroisse de Notre-Dame de Montréal, dont les défenseurs sont les dépositaires, le décès du dit feu Joseph Guibord, suivant qu'il est prescrit par la loi.» Le juge exige que rapport soit fait de l'exécution de ce jugement le 6 mai et «condamne les défenseurs aux dépens».

Le jugement est aussitôt porté en appel devant la Cour de révision, qui renverse le jugement du juge Mondelet le 10 décembre 1870. Puis, les demandeurs interjettent appel devant le Comité judiciaire du Conseil privé à Londres qui, quatre ans plus tard, le 21 novembre 1874, renverse à son tour la décision de la Cour de révision et émet, le 23 juillet 1875, le décret d'inhumation de Guibord au cimetière catholique de la Côte-des-Neiges[5].

Si c'est un bien mince succès pour Dessaulles qui s'enfuit aux États-Unis cinq jours après le décret et en Europe en septembre pour échapper à ses créanciers, le fidèle Doutre obtient le 29 août un bref d'exécution du jugement du Comité judiciaire. Une première tentative de translation des restes de Guibord, du cimetière protestant au cimetière catholique, est bloquée par une foule de catholiques devant l'entrée du cimetière. On doit donc rebrousser chemin, avec le cercueil de Guibord.

Le 8 septembre, Mgr Bourget signe une lettre pastorale qui sera lue le dimanche suivant dans les églises du diocèse, dans laquelle il dit comprendre la «démonstration paisible» des fidèles désireux que leur «cimetière ne soit point profané» par un homme mort dans la disgrâce. Et faisant appel à son pouvoir «de lier et de délier», l'évêque, toujours combatif, assure les fidèles «que le lieu du cimetière où serait enterré le corps de feu Joseph Guibord, si jamais dans la suite il y est inhumé d'une manière quelconque, sera de fait, et demeurera, *ipso facto*, interdit et séparé du reste de ce cimetière». La menace est ainsi anticipée et déjà le scénario d'une inhumation est contré.

Le 3 octobre, l'évêque de Montréal publie une nouvelle lettre pastorale qui détaille les raisons de l'excommunication de Guibord : appartenance à un Institut qui enseigne de mauvaises doctrines et possède des livres à l'Index, défaut de confession annuelle et de communion pascale du défunt. Le document proteste enfin d'une décision des «Nobles Lords» du Conseil privé qui attriste des évêques «dont la loyauté ne s'est jamais démentie».

Enfin, le 16 novembre 1875, le maire de Montréal réunit la force constabulaire à laquelle s'ajoutent 1255 soldats de la milice canadienne et on procède finalement à l'enterrement de Guibord dans le cimetière «catholique». La cérémonie funéraire est minimale ; le curé Rousselot y assiste, à titre d'officier civil. À l'emplacement de la section N, lot 173, on recouvre même le cercueil de ciment de façon à dissuader toute tentative de vandalisme.

Le jour même, Mgr Bourget signe une dernière lettre pastorale au sujet de l'affaire Guibord; il y propose même une épitaphe symbolique pour Guibord: «Ci-gît le corps du trop fameux Joseph Guibord, qui mourut dans la rébellion au Père commun de l'Église et sous l'anathème de l'Église; qui ne put franchir les portes de ce lieu sacré que parce qu'il était escorté par une troupe de gens armés, comme pour un combat contre les ennemis de la patrie; qui, sans le bon esprit de ses concitoyens, aurait fait couler beaucoup de sang; qui a été conduit à ce sépulcre, non pas sous la protection de la croix, mais sous celle des baïonnettes; qui a été déposé dans cette fosse, à deux pieds en terre, non pas au chant onctueux des prières que l'Église a coutume de faire pour ses enfants, quand ils meurent dans la paix du Seigneur, mais au milieu des malédictions qui se comprimaient dans la poitrine des assistants[6] [...].»

La saga était terminée. L'affaire Guibord allait être le symbole d'un chant du cygne, le point culminant des conflits entre libéraux radicaux et ultramontains ultramontés.

La fin de quelque chose

La fin d'une autre saga, celle de l'Institut canadien de Montréal, se prépare au moment du décès de Guibord. Il reste à Rome à répondre à la deuxième supplique de l'Institut. Inspirées par les mémoires de Mgr Bourget et de Mgr Laflèche qui affirme qu'une association ne peut être «indifférente» au point de vue religieux, les Sacrées Congrégations de l'Inquisition et de l'Index mettent à l'Index l'*Annuaire* de l'Institut canadien de Montréal de 1869, annuaire qui comprend deux conférences de Dessaulles, l'une sur Guibord et l'autre sur l'Index. Même si l'Institut canadien de Montréal reste actif jusqu'en 1880, la grande saga qui dure depuis 1848 arrive à terme[7]. Sa fin coïncide, en 1870, avec l'unification de l'Italie, elle aussi amorcée en 1848, et avec le concile du Vatican qui déclare l'infaillibilité du pape en matière de dogme.

Et puis la mort de Papineau le 25 septembre 1871 n'est pas sans rappeler cette trajectoire du libéralisme qui part vers 1815, trouve son amplitude en 1837 et amorce un mouvement descendant vers 1848. Sa mort, qui donne lieu à des péripéties certes privées mais qui ne sont pas sans similitude avec le cas de Guibord[8], a un goût de cendres et laisse l'impression que c'est la fin de quelque chose, qu'une époque s'achève. Quatre mois plus tard, le 26 décembre, *Le Pays* disparaît, après *L'Union nationale* (1867) et après l'éphémère *Lanterne* (1868-1869) d'Arthur Buies. Le libéralisme radical, qui depuis 1867 est sans assises électorales significatives et qui voit le Parti libéral se transformer en Parti national, est aussi sans moyens : *Le Pays* est mort et si l'Institut canadien offre encore pour quelques années une bibliothèque, la voix de ses conférenciers s'est tue avec la dernière prestation de Buies le 22 avril 1871.

Le « Programme catholique » : la « guerre sainte » des ultramontains ultramontés (1871)

Les querelles intestines du clergé catholique canadien-français et la radicalisation de certains ultramontains se sont amorcées en 1865 avec le démembrement de la paroisse sulpicienne de Montréal, qui fait se ranger l'évêque de Québec, Mgr Taschereau, le Séminaire de Québec et l'évêque de Saint-Hyacinthe, Mgr Charles Larocque, avec les Messieurs de Saint-Sulpice, contre Mgr Bourget. Cette rivalité ecclésiastique se nourrit de prétentions territoriales du clergé : Montréal est le fief des sulpiciens, Québec celui du Séminaire de Québec, Ottawa celui des oblats, Joliette celui des clercs de Saint-Viateur. La radicalisation d'individus comme l'abbé Alexis Pelletier, alias Luigi, et de journaux comme *Le Nouveau Monde* de Montréal fait dire à l'abbé Raymond de Saint-Hyacinthe en 1870 : « Le mal à craindre en ce pays n'est pas dans ce moment le gallicanisme ni le libéralisme, mais ce pharisaïsme qui voit le mal partout, excepté en lui-même[9]. »

C'est le disciple trifluvien de Mgr Bourget, Mgr Laflèche, qui donne le coup d'envoi à un projet de théocratie catholique qui aura un versant populaire, la présence du clergé dans les élections, et un versant savant, la définition du libéralisme catholique. À la veille d'élections, l'évêque de Trois-Rivières invite ses coreligionnaires à s'assurer « que le candidat à qui vous donnez votre suffrage est dûment qualifié sous [le] double rapport [des intérêts religieux et temporels], et qu'il offre moralement parlant, toutes les garanties convenables pour la protection de ces graves intérêts ». Il précise : « Vous vous défierez donc de ces faux docteurs [...] qui vous disent quelquefois que les élections ne regardent pas les prêtres et qu'ils n'en doivent point parler en chaire [...][10].» Les péripéties des élections de 1867 et ce qu'on commence à appeler «l'influence indue» ou l'intervention du clergé refont surface.

L'affaire Guibord a alerté les plus ultramontains, les plus jaloux de la suprématie de l'Église sur l'État dans les matières mixtes. La loi fédérale de 1864 sur le mariage — ou le divorce, selon le point de vue —, la refonte du Code civil en 1866, la bataille pour obtenir un système d'enseignement confessionnel avec l'article 93 de la Constitution de 1867, le goût amer du jugement britannique en faveur de Guibord et de l'Institut canadien de Montréal motivent des gens comme F.-X.-A. Trudel, un des avocats de la Fabrique de Notre-Dame, à lancer sinon un projet de parti politique, du moins un «programme catholique» sur lequel devraient s'engager des députés éligibles par de «vrais» catholiques. Le 20 avril 1871, *Le Journal des Trois-Rivières* publie ce programme qui précise: «L'adhésion pleine et entière aux doctrines catholiques romaines en religion, en politique et en économie sociale, doit être la première et la principale qualification que les électeurs catholiques devront exiger du candidat catholique.»

Mgr Bourget et Mgr Laflèche adhèrent publiquement au Programme catholique tandis que les évêques Larocque, Langevin et Taschereau s'y opposent; celui-ci désapprouve le Programme catholique «formulé en dehors de toute participation de l'épiscopat». La presse catholique s'aligne aussi pour (*Le Nouveau Monde, Le Courrier du Canada, Le Journal des Trois-Rivières*) ou contre (*L'Ordre, L'Union des Cantons de l'Est* et *Le Pionnier* de Sherbrooke) le Programme. Pour les catholiques, la situation devient gênante. *Le Constitutionnel* de Trois-Rivières traduit cet embarras le 26 mai 1871: «Notre population se trouve donc placée dans la déplorable alternative de déplaire à deux évêques ou à désobéir à trois.» L'intervention de l'Église dans les affaires temporelles et politiques avait un prix et Dessaulles en a bien indiqué les conséquences, lui qui écrit le 3 juin 1871: «[...] il devait être évident à tout homme sensé que le clergé ne pourrait jamais rester toujours unanime une fois sur le terrain toujours un peu orageux de la politique». La célébration des noces d'or sacerdotales de Mgr Bourget le 29 octobre 1872 allait creuser ce conflit intra-ecclésial: le jésuite Braun, dont l'ordre s'apprête à demander une université à Montréal, fait l'éloge de la voie ultramontaine, déplaisant ainsi singulièrement à Mgr Larocque, à Mgr Langevin et à Mgr Taschereau, qui quitte même les lieux[11]. Le conservateur *Journal de Québec* peut même écrire le 2 novembre: «Ces noces d'or n'ont été qu'un prétexte ou pour parler plus franchement, un guêt-à-pens afin de faire tomber dans le goufre du Programme, évêques, prêtres et laïques. »

Les catholiques qui ne sont pas « programmistes » ou ultramontains déclarés sont bientôt rangés parmi les « libéraux catholiques ». C'est surtout le clergé du diocèse de Québec autour de Mgr Taschereau, de l'Université Laval et du Séminaire de Québec qui est visé. À la suite de l'ouvrage de l'abbé Benjamin Pâquet intitulé *Le libéralisme* et publié au début de 1872 s'enclenche une querelle savante autour de l'orthodoxie. L'abbé Pâquet, théologien formé à Rome et agent du clergé de Québec auprès des congrégations romaines, voit même la deuxième édition de son ouvrage célébrée par *La Civilta cattolica* : « La lecture de ce livre, qui nous arrive du Canada, nous a donné le plaisir qu'on éprouve à entendre un écho fidèle et lointain ; plaisir d'autant plus grand que l'écho est plus lointain et plus fidèle. » Pour le professeur de théologie, le libéralisme se résume par « l'esprit du mal » : « libre examen, libre pensée, indépendance de la science et de la raison, rationalisme, indifférentisme, tolérance ». Si Pâquet cite le Syllabus de 1864 qui déclare fausse la proposition selon laquelle le pape doit se réconcilier et transiger avec le libéralisme et le progrès, il écrit aussi favoriser « l'Église libre dans l'État libre ».

L'ultramontain abbé Alexis Pelletier ne peut laisser passer un tel laxisme. Sous le pseudonyme de A. de F., il publie une brochure intitulée *Le libéralisme ou quelques observations critiques sur l'opuscule de l'abbé Benjamin Pâquet intitulé le Libéralisme* dans laquelle il pourfend la « doctrine de tolérance », « de ménagements » de l'abbé Pâquet. Pour lui, on ne ne doit pas « tolérer » et on ne doit pas « vivre en paix autant que possible avec l'erreur », Jésus-Christ n'ayant pas, au dire du polémiste, vécu en paix avec l'erreur[12].

L'abbé Raymond de Saint-Hyacinthe, le clerc lettré qui a polémiqué avec Dessaulles et qui a répliqué à la conférence de celui-ci sur la tolérance, vient à la rescousse de son confrère de Québec avec lequel il se déclare fondamentalement d'accord. Il conclut une conférence publique à l'Union catholique de Saint-Hyacinthe le 8 décembre 1872 sur « l'action de Marie dans la société » par ces considérations inattendues mais circonstanciellement pertinentes : « Ici, il n'y a pas de libéralisme dans le sens condamné par le vicaire du Christ ; car il ne s'agit pas évidemment du libéralisme politique. Personne parmi ceux qui font profession de catholicisme, ne proclame comme un principe absolu la liberté des cultes, de la parole, de la presse ; personne ne soutient que le meilleur ordre politique est celui où l'État est indifférent à toute religion.» Pour le conférencier, il n'y a pas davantage de gallicanisme, «d'assujettissement de l'Église à l'État». Quant aux rares dispositions du Code civil qui en seraient marquées, elles devront être modifiées «en temps opportun», d'une manière non précipitée et sans heurter. Le supérieur du Séminaire de Saint-Hyacinthe est fier de pouvoir déclarer que «l'orthodoxie est générale parmi nous».

C'en est trop pour Mgr Pinsoneault, alias Binan, et pour l'abbé Pelletier, alias Luigi. Dans sa brochure *Le Grand-Vicaire Raymond et le libéralisme catholique*, qui paraît d'abord dans *Le Franc-Parleur* à compter du 11 janvier 1873, Mgr Pinsoneault identifie le «libéral catholique» Raymond par ses sympathies (Montalembert, Dupanloup, Falloux, même Lamennais) et par ses antipathies (Veuillot, Mgr Pie, l'école ultramontaine). Binan décrit la conférence de Raymond sur la tolérance comme «du Montalembert et du Dupanloup imités» et affirme : «Il ne peut rien dire ni rien écrire sans brûler le plus pur encens de son admiration sur l'autel catholique libéral.»

De janvier à mars 1873, dans le bien nommé *Franc-Parleur*, l'abbé Pelletier, alias Luigi, publie, en réponse aux positions de l'abbé Raymond, une longue thèse selon laquelle *Il y a du libéralisme et du gallicanisme en Canada* : «Le libéralisme-modéré ou libéralisme-catholique enseigne que la paix, la tranquilité, la conformité de pensées et de sentiments sont des biens si précieux que, pour les obtenir, on peut sacrifier certains droits de la vérité; que pour se concilier ceux qui professent l'erreur, les amener insensiblement à l'abjurer, il est permis de faire quelques concessions, de plier tant soit peu certains principes aux manières de voir des adversaires, quand ces principes choquent trop par leur inflexibilité.» Selon le libéralisme catholique tel que défini par Luigi, la vérité aurait besoin d'adoucissements, il faudrait ménager l'erreur, il conviendrait de faire des compromis en tenant compte de circonstances atténuantes. Et ceux qui parlent «franc et net» font l'objet de pressions, comme le *Nouveau Monde* ou comme l'abbé Proulx exilé en Beauce, véritable «colonie pénale». Il est clair pour le polémiste que le libéralisme canadien, par sa nature, ses caractères et ses agissements, ne diffère en rien du libéralisme européen.

C'est alors que Dessaulles, toujours au pays, publie sa brochure *La grande guerre ecclésiastique* dont le seul titre décrit l'intention : épingler cette guerre intestine du clergé et faire voir que, tôt ou tard, des ecclésiastiques dans l'arène politique disputeront et se disputeront[13].

Cette capitalisation libérale sur les querelles ecclésiastiques n'arrête pas pour autant les protagonistes. Mgr Pinsoneault, s'emploie quant à lui à faire le lien entre le Programme électoral catholique et la querelle savante à propos du libéralisme «catholique». Dans ses *Lettres à un député*, d'abord publiées dans l'inextinguible *Franc-Parleur* de mars à juin 1874, l'intransigeant clerc entend fournir un «cours de politique chrétienne» et identifier les «devoirs» d'un député contre «les Transigeants».

La brochure que publie Luigi en 1875 constitue le point d'orgue de cette escalade et de cette surenchère d'orthodoxie. Son titre, *Coup d'œil sur le libéralisme européen et sur le libéralisme canadien. Démonstration de leur parfaite identité*, résume le propos de cet ultramontanisme mis en branle par le Programme catholique mais qui parcourt toute la trajectoire de la tradition contre-révolutionnaire canadienne-française. L'abbé Pelletier compare le «libéralisme impie» en Europe (1789, Droits de l'Homme, séparation de l'Église et de l'État) et au Canada (souveraineté populaire, égalité, liberté des cultes promue par *L'Avenir* et l'Institut canadien de Montréal) et taxe de libéralisme catholique la politique de la main tendue, la crainte de «l'irritation des esprits». De son côté, en posant, à compter du 21 juillet 1875, la question: «Qu'est-ce que le libéralisme?», *Le Courrier du Canada* devait s'attendre à une réponse, tôt ou tard. Elle allait venir[14]...

C'est dans ce contexte que s'inscrivent deux événements significatifs à long terme: l'arrivée des dominicains au Canada en 1873 et l'abolition en décembre 1875 du ministère de l'Instruction publique. Les dominicains, restaurés en France par le père Lacordaire, ex-ami de Lamennais, héritent au Canada de la réputation qu'on y a faite au supérieur français. L'Ordre des Prêcheurs est perçu comme libéral, «tolérant» et les premiers dominicains en visite ou installés à Saint-Hyacinthe s'étonnent de ce Canada qui leur rappelle la France d'Ancien Régime[15].

Les ultramontains ont-ils alors matière à s'inquiéter du contrôle de l'instruction publique, eux qui ont obtenu en 1867, avec les protestants, un système scolaire confessionnel? Et pourtant, le «ministère» de l'instruction publique créé en 1867 paraît à certains milieux avoir des relents de présence étatique. Si les circonstances — double mandat trop accaparant du premier ministre Chauveau qui fut aussi «ministre» de l'Instruction publique, et concession aux protestants, en 1869, d'une division de ce ministère en deux secteurs confessionnels, l'un catholique et l'autre protestant, ce qui crée un précédent — expliquent en partie l'abolition du ministère, ce sont des raisons idéologiques qui en rendent compte. Au plus fort de la radicalisation et de la pression ultramontaines, le premier ministre conservateur Boucher de Boucherville décide de placer «l'enseignement primaire à l'abri des influences plus ou moins dommageables dans une atmosphère élevée et sereine d'où ne se feraient plus beaucoup sentir ni l'esprit de caste, ni les agitations politiques». Mgr Langevin se réjouit «de voir plusieurs de nos hommes d'état si bien disposés à reconnaître et à respecter les droits de l'Église en matière d'éducation [...]».

Les effets de cette décision sont démocratiquement douteux: on passe d'un ministre élu et responsable devant l'Assemblée législative à un surintendant non responsable publiquement de ses actes mais exécutant des décisions des Comités catholique et protestant de l'Instruction publique. Ces comités constituent un ministère sans le nom et sans la responsabilité, à cette nuance cruciale, toutefois, que le Comité catholique est aussi composé *ex officio* des évêques de la province de Québec et d'un nombre égal de laïcs.

Que vaut donc l'argument de sérénité de Boucher de Boucherville quand on connaît les querelles intestines des évêques et du clergé et que l'on sait qu'un prochain surintendant de l'instruction publique «non lié à politique» sera Gédéon Ouimet, politicien contesté et ancien premier ministre démissionnaire[16]? La décision d'abolir le ministère de l'Instruction publique équivaut tout simplement de la part des hommes politiques à abandonner l'éducation aux évêques catholiques et aux autorités protestantes. Le cas était exemplaire: il fallait bien que les politiciens cèdent pour que le clergé occupe un terrain qu'il prétendait sien.

Les multiples façons d'être libéral et «l'influence indue»

Si les milieux catholiques et ultramontains essaient depuis 1871 de répondre à la question: «Qu'est-ce que le libéralisme?», la réponse des milieux libéraux se prépare aussi depuis un moment. Et depuis 1867, la réponse a varié selon les aléas électoraux et idéologiques. À huit ans de distance, en 1868 puis en 1876, Arthur Buies, figure d'une nouvelle génération de libéraux, pose le même diagnostic: «Il y a aujourd'hui toute espèce de façon d'être libéral; mais il paraît que la plus en vogue est celle d'être libéral en niant le libéralisme.» Puis, toujours radical et ne niant pas le libéralisme, il écrit: «[...] faisons la distinction entre ce qu'on est convenu d'appeler par une cruelle ironie le "parti libéral" et les nombreux individus, les libéraux sérieux et vrais, qui brûlent du désir d'échapper à ce parti qui ne représente rien, qui ne signifie rien, qui n'est donc pas un vrai principe exprimé dans un programme quelconque, et dont l'invariable devise, qu'il soit au pouvoir ou dans la minorité, est : concession, louvoiement, équivoque, détours, temporisation, hypocrisie[17] ».

Le leadership du Parti libéral a aussi évolué : Wilfrid Laurier, qui a quitté l'Institut canadien de Montréal en 1865 et s'est opposé à la Confédération, est élu député à l'Assemblée législative du Québec en 1871 non sans avoir éprouvé lui-même ce qu'est une campagne électorale faite en contexte de Programme catholique, d'intervention du clergé et d'accusations de rougisme et de radicalisme. Au lendemain de l'élection, il écrit : « Les libéraux de 1871 ne peuvent être identiques, par les hommes et les principes, à ce qu'ils étaient en 1848, époque de renaissance libérale. » Le jeune député commence à entrevoir un avenir pour ce Parti libéral, même s'il participe en 1872 à la fondation du Parti national, parti réformiste modéré. Fabre, le toujours présent Fabre aux tournants du libéralisme, peut écrire, différemment de Buies : « Le parti libéral n'est point mort [...], il existe encore, moins *L'Avenir* et *Le Pays*. Le parti est devenu un parti purement politique[18]. »

Le 29 janvier 1874, au moment où Antoine-Aimé Dorion, le chef du Parti libéral au Québec depuis 1854, est nommé juge, Laurier est élu à la Chambre des communes où le gouvernement McKenzie remporte 206 des 276 sièges, dont 34 sur 65 au Québec. L'espoir que fait naître cette percée justifie de persévérer dans la recherche d'une ligne politique, même si certains commentateurs, comme Oscar Dunn, croient à la pérennité du conservatisme du Québec : « Ce ne sont donc pas les principes libéraux qui triomphent ; n'ayant pas été à la peine ils ne sont pas à la gloire. Il est très évident que le peuple en masse est resté conservateur : nous prenons ce mot, non pas dans le sens de partisan de tel ou tel homme, mais dans l'acception large d'un attachement inné ou raisonné au pays, ses constitutions, ses lois, et à la doctrine catholique. Notre province est conservatrice ainsi, et tout ce qui sent l'annexion aux États-Unis ou l'irréligion lui inspire une invincible antipathie. La majorité est en ce moment groupée autour des chefs libéraux, mais on aurait grandement tort de supposer pour cela qu'elle approuve leur passé ; elle les a acceptés bien plutôt parce qu'elle les croit revenus de leurs anciennes exagérations. »

À sa première intervention en Chambre, Laurier annonce des éléments de réponse à la question de la définition du libéralisme de son parti : « Les libéraux parmi les Canadiens français ne sont pas comme les libéraux de France et des autres pays européens [...], libéraux qui sont prêts à chaque instant à renverser le gouvernement. Nous ressemblons plutôt aux libéraux d'Angleterre, qui depuis tant d'années ont travaillé à introduire les réformes en se servant de moyens constitutionnels[19]. »

En 1875, la Législature québécoise fait voter une loi sur « l'influence indue », inspirée de loi fédérale de 1874. L'article 258 de cette loi prévoit : « Quiconque, directement ou indirectement, par lui-même ou par quelque autre, en son nom, emploie ou menace d'employer la force, la violence ou la contrainte, ou inflige ou menace d'infliger par lui-même ou par l'entremise de toute autre personne, quelque lésion, dommage, préjudice ou perte d'emploi, ou de toute manière que ce soit a recours à l'intimidation contre quelque personne pour induire ou forcer cette personne à voter ou à s'abstenir de voter à une élection [...] » est susceptible de poursuite. Dorénavant, les curés qui interviennent dans le processus électoral, comme on l'a fait au moins depuis 1867, risquent d'être amenés devant les tribunaux civils et de devoir rendre des comptes.

L'évêque de Rimouski, Mgr Jean Langevin, voit d'un mauvais œil cette initiative : ce que veulent « les partisans de ces doctrines dangereuses », c'est « d'amoindrir la juste et salutaire influence du clergé sur les masses ; c'est de détruire tout ce qui peut gêner leurs projets contre la liberté et les droits de l'Église ; c'est de s'emparer exclusivement de l'éducation de la jeunesse [...] ; c'est de faire prévaloir les intérêts matériels sur les intérêts spirituels et religieux[20] ».

Laurier prend de façon plus soutenue distance avec le « libéralisme impie » d'Europe tant décrié par Luigi et les « programmistes ». Lors d'une assemblée électorale à Sainte-Croix de Lotbinière, le 6 juin 1875, il déclare : « Lorsque le Parti conservateur s'affuble du manteau de la religion, ce n'est qu'un masque. Je reconnais qu'il y a eu en Europe des hommes dangereux qui se donnent comme libéraux, bien qu'ils n'aient de libéral que le nom. Ce n'est pas là le libéralisme de mon parti. Nous, nous sommes libéraux comme on est libéral en Angleterre, nous sommes libéraux comme O'Connell, John Bright et Richard Cobden. O'Connell est de nos chefs, lui qui a si vaillamment défendu la religion dans le parlement anglais ; c'est là que nous puisons nos doctrines, et non pas chez ces prétendus libéraux qui cherchent à faire triompher leurs idées par la violence et l'effusion de sang [...]. Je ne veux pas qu'on aille chercher en France les vieux haillons du parti rouge pour venir nous les jeter au visage. Non, le parti libéral n'a rien à faire avec les socialistes et les communistes[21]. »

Dans la foulée du Programme catholique et à titre de directives aux électeurs catholiques, les évêques de la province ecclésiastique de Québec publient le 22 septembre 1875 une lettre pastorale et une circulaire au clergé, lettre rédigée par Mgr Langevin et qui fera couler beaucoup d'encre. Il y est décrété qu'il « ne peut être permis en conscience d'être un *libéral catholique*», que vouloir confiner le prêtre à la sacristie équivaut à pratiquer «l'indépendance morale» et que l'intervention du prêtre est justifiée quand des fins spirituelles sont menacées : «Il y a en effet des questions politiques qui touchent aux intérêts spirituels des âmes, soit parce qu'elles ont rapport à la foi ou à la morale, soit parce qu'elles peuvent affecter la liberté, l'indépendance ou l'existence de l'Église, même sous le rapport temporel. »

Le document n'est pas sans une teinte de Programme catholique lorsqu'il aborde la question des masques du libéralisme catholique et de la «conciliation» : «Défiez-vous de ce *libéralisme* qui veut se décorer du beau nom de *catholique* pour accomplir plus sûrement son œuvre criminelle. Vous le reconnaîtrez facilement à la peinture qu'en a faite souvent le Souverain Pontife : 1° Efforts pour asservir l'Église à l'État ; 2° Tentatives incessantes pour briser les liens qui unissent les enfants de l'Église entre eux et avec le clergé ; 3° Alliance monstrueuse de la vérité et de l'erreur, sous prétexte de concilier toutes choses et d'éviter les conflits ; 4° Enfin, illusion, et quelquefois hypocrisie, qui sous des dehors religieux et de belles protestations de soumission à l'Église, cache un orgueil sans mesure[22]. »

Certains non-intransigeants — ceux que les ultramontains ultramontés appellent les libéraux catholiques — peuvent difficilement vivre avec cette prise de position. L'archevêque de Québec, qui vient d'apprendre que Rome lui a donné raison sur la question d'une autre université catholique à Montréal, publie un mandement le 25 mai 1876 qui vient nuancer la prise de position collective du 22 septembre 1875. Pour Mgr Taschereau, le Parti libéral et le Parti conservateur doivent être placés sur le même pied, façon de faire comprendre que le Parti libéral n'est pas le seul visé par la première intervention épiscopale.

À partir de l'été 1876, deux événements vont contribuer à crever l'abcès du devoir ou du droit du clergé à intervenir dans le processus civil et temporel des élections. Dans le comté de Charlevoix, la victoire du conservateur Langevin contre le candidat Tremblay en janvier est confirmée à l'été, lors d'une contestation de l'élection devant le juge Routhier, « programmiste » connu pour son ultramontanisme militant. L'affaire de « l'influence indue » rebondit en appel le 28 février 1877 lorsque le juge Taschereau, frère de l'archevêque de Québec, invalide l'élection de Langevin, frère de l'évêque de Rimouski.

Scénario similaire dans le comté de Bonaventure : le juge Casault annule l'élection sous les considérants suivants : « 1. Que la menace par un prêtre catholique de refuser les sacrements à ceux qui voteront pour un candidat constitue un acte d'influence indue aux termes de la clause 258 de l'Acte électoral du Québec. 2. Que lorsque les curés se mêlent activement d'une élection en faveur d'un des candidats, lequel déclare dans un discours aux électeurs qu'il est le candidat du clergé, qu'il a été demandé par le clergé, et que sans l'assurance de l'appui du clergé il n'aurait pas accepté la candidature, ces curés seront considérés comme les agents du candidat au point de le rendre responsable de leurs actes. 3. Que si, en présence d'un candidat, un curé constitué agent, menace ses paroissiens de refus des sacrements au cas où ils voteraient pour un candidat opposé, le candidat ainsi présent sera considéré comme ayant consenti à cet acte d'influence indue et comme l'ayant approuvé, et sera disqualifié si, dans un discours prononcé quelques heures après, il se déclare le candidat du clergé et ne désavoue pas ces menaces, ou n'en dégage pas autrement sa responsabilité. »

Comme le comté de Bonaventure fait partie du diocèse de Mgr Langevin, celui-ci publie le 15 janvier 1877 un mandement contre le jugement Casault. Imitant le Syllabus papal de 1864, l'évêque du bas du fleuve déclare « indignes des sacrements » ceux qui soutiennent les cinq propositions suivantes : « 1° Le Parlement est omnipotent et compétent à porter toute loi, même opposée à l'exercice de la religion ; 2° La liberté des électeurs doit être absolue ; 3° C'est aux cours civiles à réprimer les abus qui peuvent se glisser dans la prédication et le refus des sacrements ; 4° La menace du refus des sacrements à propos des élections par les Pasteurs de l'Église, est une influence indue, une manœuvre tellement frauduleuse dont les cours civiles ont à prendre connaissance ; 5° Il faut observer un serment injuste[23]. »

Pour le nouvel évêque de Saint-Hyacinthe, Mgr Moreau, ces jugements ne sont « rien autre chose que la condamnation publique et solennelle de

notre lettre collective, des décrets de nos derniers conciles, de nos directives aux curés, et enfin de toutes nos intructions aux fidèles pour leur faire
connaître leurs devoirs en temps d'élection ».

Si le temps des affrontements entre évêques n'est pas terminé, le temps
des affrontements entre les évêques et l'autorité civile ou temporelle risque
de commencer. Pour éviter cet affrontement, Rome délègue, en avril 1877,
Mgr Conroy, avec la directive que Rome n'a pas l'intention de condamner
le Parti libéral mais seulement les catholiques qui se réclament d'un
prétendu catholicisme libéral[24].

Le discours de Laurier sur le libéralisme (1877)

C'est dans ce contexte général de débats autour de la signification du mot
libéralisme et de procès à propos « d'influence indue », où les « Rouges »
sont identifiés à l'enfer et les « Bleus » au ciel, que Wilfrid Laurier, député
à Ottawa depuis 1874 après l'avoir été à Québec de 1871 à 1874 et
nouveau chef du Parti libéral, fait un discours retentissant au Club
canadien de Québec, le 26 juin 1877.

Conscient que son parti « occupe une position fausse au point de vue
de l'opinion publique », Laurier entend définir les principes du Parti
libéral en répondant aux accusations portées contre son parti et résumées
— le style du Syllabus est présent même dans son discours — « dans les
propositions suivantes : 1° le libéralisme est une forme nouvelle de l'erreur,
une hérésie déjà virtuellement condamnée par le chef de l'Église ; 2° un
catholique ne peut pas être libéral ». La rhétorique de persuasion de Laurier fait appel à quatre arguments. D'abord, il récuse toute compétence à
définir le « libéralisme catholique » tout en disant savoir « que le libéralisme
catholique n'est pas le libéralisme politique ».

Puis l'orateur refait à sa manière l'histoire du Parti libéral « depuis
1848 », l'histoire de *L'Avenir* et du *Pays* et celle de l'Institut canadien de
Montréal, en l'excusant et la banalisant : « La seule excuse de ces libéraux,
c'était leur jeunesse. » Et tout en reconnaissant les initiatives prises par ces
libéraux en matière d'abolition de la tenure seigneuriale, de décentralisation judiciaire et de colonisation, il déclare : « quant à l'ancien programme,
de toute la partie sociale, il ne reste plus rien du tout, et de la partie
politique, il ne reste que les principes du parti libéral d'Angleterre ».

Laurier dédramatise ensuite le libéralisme en faisant de celui-ci un
attribut de la nature humaine, une question de tempérament attiré « dans

des directions opposées, par le charme de l'habitude ou par le charme de la nouveauté », par l'attachement « à tout ce qui est ancien » ou par la disposition « à regarder tout changement comme une amélioration ». Il en profite pour glisser une incise : « Il y a eu plus de révolutions causées par l'obstination des conservateurs que par les exagérations des libéraux. »

Et puis l'orateur en vient au cœur de son argumentation : montrer que le libéralisme canadien est d'inspiration britannique et réformiste et non d'inspiration française et révolutionnaire. Il explique d'abord à son auditoire la genèse de cette confusion, dans la survalorisation de l'histoire de France et la négligence de l'histoire de l'Angleterre : « [...] notre éducation française nous conduit naturellement à étudier l'histoire de la liberté moderne, non pas dans l'histoire de la vieille Angleterre, mais chez les peuples du continent européen, chez les peuples de même origine et de même religion que nous. Et là, malheureusement, l'histoire de la liberté est écrite en caractères de sang [...]. Dans toutes les classes de la société instruite, on peut voir, effrayées par ces pages lugubres, des âmes loyales qui regardent avec terreur l'esprit de liberté, s'imaginant que l'esprit de liberté doit produire ici les mêmes désastres, les mêmes crimes que dans les pays dont je parle. »

Au contraire, selon Laurier, les Anglais ont su et savent canaliser les aspirations humaines ; ils ont « opéré une série de réformes qui ont fait du peuple anglais le peuple le plus libre, le plus prospère et le plus heureux de l'Europe ». Et si le peuple anglais n'avait pas eu ce sens de la réforme, demande l'orateur, « pensez-vous que le lion hideux de l'émeute n'aurait pas grondé sous les fenêtres de Westminster, et que le sang de la guerre civile n'aurait pas ensanglanté les rues de Londres, comme il a tant de fois ensanglanté les rues de Paris ? » Il s'agit donc de dissocier le Parti libéral du Canada de ces prétendus libéraux européenns qui ne sont que des révolutionnaires, de faire cesser ces accusations où l'on juge « la situation politique de notre pays, non d'après ce qui s'y passe, mais d'après ce qui se passe en France » et de faire comprendre que le Parti libéral, au Canada, tire ses principes du grand Parti libéral anglais.

Enfin, Laurier ne peut pas ne pas se prononcer sur la question de l'influence indue. Libéral conséquent, il laisse au prêtre la liberté « de prendre part aux affaires politiques », « d'enseigner au peuple ce qu'il croit être son devoir ». Tout en lui reconnaissant ce « droit incontestable », l'orateur estime que le prêtre « a tout à perdre » à s'immiscer dans les affaires politiques et que son droit s'arrête, de toute façon, là où commence le droit d'autrui, le droit de l'indépendance de l'électeur à voter selon *sa* conscience, sans intimidation aucune[25].

Dans *L'Événement*, Hector Fabre, l'homme qui balise cette marche au réformisme depuis 1858, écrit que Laurier «a ouvert une voie et montré la route à suivre [...]. Nous savons où nous allons désormais [...]».

Mgr Conroy, auquel on a selon toute vraisemblance transmis le texte du discours de Laurier, évalue dès le mois d'août 1877 que la lettre collective de l'épiscopat du 22 septembre 1875 contenait une esquisse de condamnation du Parti libéral. Ses démarches et tractations auprès de l'épiscopat aboutissent à la rédaction d'une nouvelle lettre pastorale des évêques sur les élections. Deux jours après l'accession de Laurier au cabinet libéral fédéral, les évêques écrivent : «[...] nous suivons l'exemple du Saint Siège, qui, en condamnant les erreurs du Libéralisme Catholique, s'est abstenu de signaler les personnes ou les partis politiques. Il n'existe, en effet, aucun acte Pontifical condamnant un parti politique quelconque ; toutes les condamnations, émanées jusqu'à présent de cette source vénérable, se rapportent seulement aux Catholiques-Libéraux et à leurs principes [...].» Dans une lettre circulaire qui accompagne cette lettre pastorale, les évêques recommandent aux curés : «Quand vous aurez ainsi à expliquer à votre peuple les principes qui doivent le guider dans son choix, laissez à la conscience de chacun le soin d'en faire l'application aux personnes et aux partis.» Ils ajoutent : «Le décret du Quatrième Concile vous défend implicitement d'enseigner en chaire ou ailleurs, qu'il y a péché de voter pour tel candidat, ou pour tel parti politique. À plus forte raison vous est-il défendu d'annoncer que vous refuserez les sacrements pour cette cause[26].»

Conclusion

Avec pour trame de fond la disparition de l'Institut canadien de Montréal, du *Pays*, de *L'Union nationale* et de *La Lanterne*, ainsi que le décès de Louis-Joseph Papineau, l'affaire Guibord demeure une amère victoire, un chant du cygne entendu du cimetière. Guibord est inhumé au cimetière catholique de la Côte-des-Neiges, désacralisé au périmètre de ses restes, mais ce triomphe juridique est sans gloire véritable.

L'équivalent ultramontain de cette ultime victoire libérale est le «Programme catholique». Tout comme l'affaire Guibord, ce projet théocratique constitue une dernière incandescence de la radicalisation conservatrice.

On comprend mieux que, dans ce contexte d'escalade, la tolérance soit devenue l'enjeu véritable de la décennie. C'est à ce principe que Dessaulles fait appel dans sa défense de l'Institut canadien de Montréal. C'est ce même principe que récuse l'abbé Raymond lorsqu'il affirme que « toute conviction est essentiellement intolérante ». C'est encore le manque de tolérance qui caractérise le comportement de Mgr Bourget à l'égard de l'Institut canadien de Montréal, qui est condamné à Rome et dont deux *Annuaires* sont mis à l'Index.

La tolérance ne départage pas que les libéraux des ultramontains ; elle départage ceux-ci des ultramontains ultramontés. Ceux que Luigi, Binan et le bien nommé *Franc-Parleur* qualifient de libéraux catholiques ou de catholiques libéraux sont ainsi parce qu'ils sont tolérants, « transigeants » face à des intransigeants, des radicaux ultramontains opposés à tout compromis, à toute concession.

Un même questionnement sur le libéralisme départage les libéraux. Buies perçoit très bien la variété des libéralismes qui se nomment au tournant de la décennie 1870, au moment où Laurier prépare son discours de 1877. Dès 1871, celui-ci déclare que le Parti libéral de 1871 n'est pas celui de 1848. En 1874, en réponse à la brochure de Luigi, *Coup d'œil sur le libéralisme européen et sur le libéralisme canadien*, Laurier distingue le libéralisme canadien du libéralisme européen, continental, français et italien, en particulier. En 1877, il poursuit son travail de distinction entre un libéralisme « purement politique » (dixit Fabre) et un libéralisme idéologique : un « catholique » peut voter « libéral », car le Parti libéral n'est pas, n'est plus celui de 1848 ; le Parti libéral ne s'inspire pas du libéralisme révolutionnaire de France ou d'Italie mais du libéralisme réformiste de l'Angleterre. Ce libéralisme est réformiste, sans anticléricalisme.

C'est ce que le délégué romain, Mgr Conroy, fait sanctionner en 1877 dans la lettre collective des évêques : l'Église n'a pas à condamner un ou des partis politiques ; le temps de l'influence indue est fini, il faut laisser le politique exister et laisser chacun voter selon sa conscience. Peut-on imaginer victoire plus savoureuse pour un libéral à l'anglaise que ce triomphe de l'individu ?

Libéralisme réformiste et ultramontanisme tempéré sont chacun les courbes descendantes de deux trajectoires : celle d'un libéralisme radicalisé en 1848, infléchi en 1858 par une scission pilotée par Hector Fabre, qui trouve dans le discours de Laurier de 1877 le terminus *ad quem* de ses initiatives ; celle d'un combat mené par l'évêque de Montréal qui reconstruit l'Église canadienne-française dans ce qui est devenu la métropole économique et culturelle de la province de Québec, Montréal, et dont la ténacité croît en proportion de l'opposition que lui offrent les libéraux radicaux. Les coreligionnaires de Mgr Bourget à Québec, qui n'ont pas connu les insurrections et le libéralisme radical de l'Union, peuvent assez facilement avoir le réflexe de chercher une voie médiane et paraître, du coup, «libéraux», «tolérants».

Chapitre XII

UNE DESTINÉE MANIFESTE
DU CANADA FRANÇAIS EN AMÉRIQUE
(1854-1877)

P OUR PRÉCISER LA DOCTRINE et la stratégie électorale du Parti libéral, Laurier peut en 1877 nier les sources françaises de son libéralisme et en valoriser plutôt l'inspiration anglaise. Comme si l'on pouvait alors présenter à l'électorat une image de lui-même où l'Angleterre comptait davantage que la France dans son identité. Le discours de Laurier de 1877 se fait par ailleurs sur fond de refus de l'annexionnisme et de fin de la guerre de Sécession aux États-Unis et dans un contexte immédiat où Rome est présente en la personne de son délégué, Mgr Conroy.

Durant la seconde moitié du XIXe siècle, en raison du développement du Bas-Canada, du Canada-Uni et du Canada, les « métropoles » politico-culturelles du Canada français se font plus présentes dans la recherche de son identité. La référence aux héritages culturels et politiques extérieurs du Canada français se fait plus fréquente et oblige à prendre la mesure du poids relatif de la France, de l'Angleterre, des États-Unis et de Rome dans l'identité en construction du Canada français.

L'Angleterre à nouveau admirée

L'image de l'Angleterre a changé au Canada français depuis 1840 parce que l'octroi du gouvernement responsable en 1848 a réussi à faire oublier les Résolutions Russell de 1837. C'est ce dont La Fontaine et Cartier ont convaincu leurs compatriotes qui ont du coup poussé Papineau à la marge de la popularité politique. Laurier a pris le relais de Sir Louis-Hippolyte La Fontaine et de Sir George-Étienne Cartier avant d'être lui-même nommé « Sir ». Si Laurier, parfait bilingue de mère écossaise et élevé à l'anglaise, a pu proposer aux Canadiens français ce britannisme politique, cet idéal libéral métropolitain, c'est que les traces d'anticolonialisme de 1830 et de 1837 s'étaient effacées, que la grande décennie des luttes constitutionnelles achevée en résistance armée avait fait place, à nouveau, à l'admiration pour l'empire de la reine Victoria. Laurier faisait renouer le Canada français avec sa vieille admiration d'avant 1830 pour l'Angleterre[1].

La redécouverte de la France par les Canadiens français

Depuis la publication de l'ouvrage d'Isidore Lebrun, *Tableau statistique et politique des deux Canadas* (1833) dont l'intérêt fait long feu, la France du coup d'État du 2 décembre 1851 intéresse surtout Mgr Bourget, qui y recrutera 225 religieux de diverses congrégations entre 1837 et 1876.

Certes, des Canadiens français voyagent en France avant le milieu du siècle et bénéficient à partir de 1864 de l'ouverture d'une ligne maritime régulière Le Havre-New York. Mais ce n'est qu'au milieu de la décennie 1850 que la France réapparaît dans l'actualité du Québec. Au printemps 1855, Joseph-Guillaume Barthe, membre de l'Institut canadien de Montréal, publie à Paris un ouvrage curieux tant par son contenu que par son titre, *Le Canada reconquis par la France*. Barthe propose l'affiliation de l'Institut canadien de Montréal à l'Institut de France et s'épuise en démarches auprès de l'administration et des milieux lettrés de Paris. Il s'agit davantage, à vrai dire, de susciter des alliances qu'une véritable reconquête, face à ce que Barthe découvre être l'ignorance des Français à l'égard du Canada français. Il écrit néanmoins : « France, voilà ce que nous valons, voilà ce que nous avons fait pour te rester fidèles. À toi maintenant à décider si nous devons être punis de cette fidélité par un abandon complet. »

Si la presse française manifeste peu d'intérêt à l'égard des démarches de Barthe, la presse canadienne-française dispose d'arguments variés pour critiquer toute idée de reconquête du Canada (français). Les journaux conservateurs ne voient guère d'intérêt à voir s'associer les Rouges des deux continents, surtout que pour *La Minerve*, qui a le sens de la formule, « les rouges de nos jours et dans notre pays ne sont donc que des imitateurs de ceux qui en France ont foulé aux pieds la couronne d'or et la couronne d'épines». *Le Canadien* du 17 septembre 1855 repique un article de *L'Univers* de Veuillot qui éreinte l'ouvrage de Barthe : «Ce qu'il y a de curieux, c'est que M. Barthe est au Canada, non à la tête mais à la queue du parti socialiste et anti-religieux qui exalte le protestantisme et qui prône l'annexion aux États-Unis.» *Le Journal de Québec* est même sceptique quant à la vie démocratique d'une France qui reconquerrait le Canada : «Nous n'admettons pas qu'il y eût intérêt moral ou politique pour les populations canadiennes à changer aujourd'hui de condition impériale, leur état plutôt démocratique qu'autre chose leur convient [...]. La France serait moralement et politiquement tenue de réserver au Canada tout le bénéfice de ses institutions libérales et presqu'entièrement démocratiques, et un semblable état s'accorderait fort mal [...] avec la formule actuelle de la vie politique française.» Mais c'est *La Patrie* qui ironise le plus sur les initiatives de Barthe, dans une série d'articles de juillet à octobre 1855. Alfred Rambaud, le directeur du journal, s'amuse un peu — «Lire le livre de M. Barthe deux ou trois fois, c'est déjà un supplice suffisant pour expier tous les péchés capitaux commis par tout le personnel de *La Patrie*» — avant de faire voir l'extravagance de ce qui n'est pas vraiment le projet de Barthe : «Tout en aimant la France, comme on aime une parente éloignée, tout en jouissant de ses triomphes et de la haute position qu'elle occupe dans l'univers, tout en s'enorgueillissant de descendre du peuple le plus civilisé et le plus chevaleresque du monde, les Canadiens sont attachés à leur sol d'adoption [...]. Il serait faux de dire que le Canadien aspire à voir le Canada rentrer sous la domination française, car il n'ignore pas que cela ne se pourrait faire sans une sanglante commotion, sans une guerre civile acharnée, horrible fléau que ses vœux n'appelleront jamais.» Même *Le Pays* a des raisons anti-coloniales de ne pas souhaiter la reconquête du Canada par la France : «pour les hommes qui se respectent, l'état colonial, sous quelque puissance que ce soit, est si incompatible avec les idées de dignité nationale et individuelle qu'il importe peu que la mère-patrie [...] soit sur le continent ou dans les Îles britanniques». Un voyageur français, de passage au Canada en 1851, perçoit la même réalité : «Aujourd'hui la pensée de redevenir Français n'est plus dans aucun esprit[2].» Si les démarches de Barthe n'entraînent aucune reconquête — c'est le moins qu'on puisse dire —, elles feront néanmoins bénéficier l'Institut canadien de Montréal et son petit musée de l'envoi de volumes et de gravures par le gouvernement de Napoléon III.

« Nos gens » reviennent : La Capricieuse *remonte le Saint-Laurent (1855)*

L'amarrage de la frégate française *La Capricieuse*, commandée par Belvèze, le 13 juillet 1855, au port de Québec, et son séjour jusqu'au 25 août, créent tout un émoi au Canada français. C'est la première fois depuis la conquête par l'Angleterre et la cession de la colonie canadienne par la France qu'un navire français remonte le Saint-Laurent. Cette première s'explique. L'abrogation, par l'Angleterre, des lois de navigation, en 1850, ouvre les ports canadiens à des navires autres qu'anglais. Puis le front commun anglo-français en Crimée contre la Russie favorable à la Turquie dans le règlement de la question d'Orient va rapprocher les vieux ennemis que sont l'Angleterre et la France dans une Entente cordiale qui durera d'avril 1854 à septembre 1855. Mais surtout, le développement du capitalisme en France suscite la recherche de nouveaux marchés, l'ouverture de nouveaux consulats susceptibles de favoriser le commerce français et l'initiative de la France de tenir en 1855 une deuxième Exposition universelle, quatre ans après celle de Londres. Du même coup, l'ambition et la pensée coloniales françaises prennent un nouveau départ, que ce soit à l'égard de l'Algérie ou du Canada.

Discours, célébrations, réceptions, santés ne manquent pas de réveiller les souvenirs : pour *Le Journal de Québec* du 26 juin 1855, *La Capricieuse* « arrive au nom et sous le drapeau de la vieille patrie, notre belle France, aujourd'hui l'alliée la meilleure de l'Angleterre ; et le Canada le saluera comme on salue un ancien ami, depuis longtemps disparu, mais dont le souvenir est resté cher et toujours présent, et qu'on revoit enfin, dans l'ivresse de toutes les joies du commencement ». Lors du banquet offert au commandant Belvèze par l'Institut canadien de Montréal, le président Robillard déclare : « La France nous a laissés Français lors de ses derniers et pénibles adieux ; elle nous retrouve encore Français après de bien longues années d'absence. » Mais ce sera le poète Octave Crémazie qui immortalisera le sentiment de nostalgie des Canadiens français à l'égard de la France dans son poème « Le vieux soldat canadien » :

> Comme ce vieux soldat qui chantait votre gloire,
> Et dont, barde inconnu, j'ai raconté l'histoire,
> Sur ces mêmes remparts nous porterons nos pas ;
> Là, jetant nos regards sur le fleuve sonore,
> Vous attendant toujours, nous redirons encore :
> Ne paraissent-ils pas[3] ?

Non, ils ne paraissent pas, car les Canadiens français trouvent dans l'Entente cordiale la formule magique de leur double allégeance. Quelques jours après l'inauguration par le commandant Belvèze d'un monument aux Braves français *et* anglais morts à la bataille de Sainte-Foy, Pierre-Joseph-Olivier Chauveau déclare au nom de l'Association Saint-Jean-Baptiste de Québec «que la même fidélité que nos pères avaient montrée pour leur ancien drapeau, nous l'avons montrée pour le nouveau». L'Entente cordiale résout aussi le conflit de la double patrie: «notre ancienne et notre nouvelle mère-patrie, désespérant de pouvoir se vaincre l'une l'autre, se sont décidées à dominer réunies le reste du monde[4]». Que de gloire à être la colonie et l'ex-colonie des deux plus grandes puissances de l'heure!

La belle unanimité des célébrations est toutefois rompue par *Le Moniteur*, confrère libéral montréalais du *Pays*, deux jours avant le départ de *La Capricieuse*: «Que M. de Belvèze laisse donc de côté sa mission mensongère [...]. [M]ais pas un démocrate n'a cru aux harangues, réponses et apostrophes du serviteur du coup d'état; pas un homme réfléchi n'a ajouté foi aux formules orales ou écrites de l'officier de Napoléon III; l'évangile du maître et du serviteur est trop connu.» Il faut, selon le journal, «[...] déchirer le voile sous lequel se cachent M. de Belvèze et ses desseins». Mais *La Patrie* refuse d'envisager la venue de *La Capricieuse* sous un jour politique: «La France ne pourrait, ni ne voudrait essayer une conquête, dont la seule idée est ridicule; elle n'y trouverait aucun avantage, et y trouverait de cruelles difficultés[5].»

Le bilan symbolique du passage de *La Capricieuse* paraît plus important que le bilan économique: l'objectif commercial est loin d'être atteint, mais un consulat de la France au Canada ouvrira ses portes en 1858 et le Canada participe, en 1855, à l'Exposition universelle de Paris et doit, selon *Le Journal de Québec* du 16 février 1855, «soutenir sa réputation en France et montrer à son ancienne métropole qu'elle a abandonné une possession digne de plus de soins». Le même journal estime que c'est «dans une occasion comme celle-là qu'un pays se fait connaître, lorsque, comme le nôtre, il est ignoré presque de tous; considéré par un grand nombre comme quelques arpents de neige habités par des sauvages tatoués et anthropophages et où quelques colons vivent misérablement». Le représentant même du Canada à l'Exposition de Paris, Joseph-Charles Taché, ne peut lui aussi taire quelque ressentiment en évoquant dans son ouvrage *Esquisse sur le Canada*, préparé à l'occasion de l'Exposition, l'abandon du

Canada par la France et ce «million de Français [qui] y ont grandi dans l'oubli!» Il regrette que «trop souvent en France, on attribue aux Américains tout ce qui se fait dans l'Amérique du Nord» et plaide vigoureusement en faveur d'une émigration française vers le Canada[6].

La France, qui vient ouvrir un consulat au Canada, a une image toute particulière du continent nord-américain, représentation d'une Amérique — c'est-à-dire des États-Unis — mercantile et matérialiste, qui conforte celle des Canadiens français eux-mêmes. De retour des États-Unis et du Canada en 1851, Xavier Marmier écrit dans le même esprit que Tocqueville vingt ans plus tôt: «la république des États-Unis a fait comme les Israélites, elle s'est passionnée pour le veau d'or, elle s'est agenouillée devant lui [...]. Il n'y a qu'une religion vraie, la religion du bien-être matériel. La banque est son temple, le registre en partie double sa loi, et l'or californien son soleil.» Le commandant Belvèze reprend l'idée tout en concevant une destinée spiritualiste pour les Canadiens français dans le Nouveau Monde: «Les Canadiens, Messieurs, seuls dans l'Amérique du Nord, ont toujours prétendu à une nationalité distincte; ils ont soutenu pour elle une glorieuse lutte, ils ont pensé, à bon droit selon moi, que la destinée des peuples n'était pas toute entière dans le perfectionnement de la vie matérielle et qu'elle se manifestait aussi par les travaux de l'esprit.» À propos de la civilisation française en général, il évoquera dans son *Rapport* de mission «l'antipathie qui existe entre la civilisation sans cœur et sans idée des États-Unis et les mœurs douces et expansives, chevaleresques et nobles de notre nation». Sa collègue, Manoël de Grandfort, seule femme à faire des conférences à l'Institut canadien de Montréal, n'entrevoit pas d'Entente cordiale entre la France et les États-Unis: «Il y a une aristocratie aux États-Unis; aristocratie de suif et de morue, plus hautaine, plus impitoyable que ne le fut jamais la vieille aristocratie d'Europe.» Au contraire, elle trouve aux Canadiens français une figure ouverte, franche: «Quoi d'étonnant? Les Canadiens ne descendent-ils pas de la nation la plus affable et la plus chevaleresque du monde?» Elle souhaite, bien sûr, une Entente cordiale entre la France et le Canada: «Puissent les Canadiens bientôt n'avoir plus à dire: "Il y a longtemps que la France nous croit morts et enterrés; on lui dirait que nous sommes ressuscités, qu'elle n'y croirait pas."» Cette perception se perpétue, comme en témoigne l'ouvrage de Claudio Jannet, *Les États-Unis contemporains*, publié en 1876: «Les Canadiens sont incontestablement mieux doués sous le rapport de la culture intellectuelle que le peuple des États-Unis ainsi que sous celui de l'esprit chevaleresque et du caractère religieux. Leur rôle est de conserver dans le nouveau monde ces éléments supérieurs de civilisation[7]. »

La redécouverte du Canada français par la France et la vocation de la race française en Amérique

C'est dans ce contexte de redécouverte française du Canada français, de la double représentation du matérialisme des États-Unis et de la supériorité spirituelle de la France, que se met en place l'idée d'une vocation particulière du Canada français en Amérique. Ces éléments se greffent sur des dispositions préalables qui vont assurer longue vie à cette vision d'eux-mêmes des Canadiens français. Le thème d'une vocation spéciale, d'une mission s'alimente à cette vieille idée d'une conquête anglaise «providentielle» en 1760 dans la mesure où elle évita au Canada britannique et non plus français les affres de 1789 et surtout de 1793. Reprise par Mgr Plessis au tournant du xixe siècle, l'idée avait été formulée par le juge Smith au moment de la Terreur. Puis Étienne Parent avait évoqué dès 1847 ce rôle particulier que le Canada français aurait à jouer sur le continent américain. La crise annexionniste de 1849 avait d'autre part fait craindre aux milieux conservateurs le républicanisme américain et, bien que peu menaçante, l'annexion devait être contrée par la formulation d'un autre destin du Canada français sur le continent américain. Ce destin trouve enfin sa logique dans un ultramontanisme en affirmation : le régime des fins, la hiérarchie des valeurs proposées par les ultramontains plaçaient la religion au-dessus de tout et donnaient la primauté au spirituel sur le temporel. Il allait donc de soi qu'en Amérique le Canada français incarnât le spiritualisme sinon la religion.

À l'occasion du 24 juin, fête de la Saint-Jean-Baptiste et à compter de 1854, le thème du destin canadien-français en Amérique commence à être formulé. La Minerve du 28 juin 1854 évoque ce «peuple le mieux conservé dans toute l'Amérique». En 1856, Chauveau fait appel à la «Gesta Dei per Francos», à la destinée de Dieu assurée par les Français, par la France, fille aînée de l'Église (malgré 1789 et 1793). Au moment où le sulpicien français Étienne Faillon travaille à son histoire de Ville-Marie (Montréal), son collègue et concitoyen Hyacinthe Rouxel fait, en 1857, deux conférences publiques au Cabinet de lecture paroissial de Montréal ; l'une sur «Les premiers colons de Montréal», les décrivant comme «une colonie d'apôtres» qui représente «l'idéal le plus pur d'une colonie», l'autre, sur «La vocation de la colonie de Montréal» dans laquelle il déclare que «les sociétés, aussi bien que les individus, ont leur vocation par la Sagesse Divine» et que dès le XVIIe siècle, Ville-Marie constitua «le boulevard et le centre du catholicisme dans le Nouveau-Monde[8]».

Mais ce sont deux autres Français qui redécouvrent le Canada et qui, en 1859, vont proposer aux Canadiens Français, et les en convaincre, cette idée d'un destin spécifique en Amérique. Le premier, Henry-Émile Chevalier, est du nombre de ces républicains qui, comme Eugène Sue ou Alexandre Dumas, ont dû s'exiler à la suite du coup d'État du 2 décembre 1851. Certains, comme Chevalier, se retrouvent dans le milieu du journalisme francophone aux États-Unis, à *L'Abeille* de la Nouvelle-Orléans ou au *Courrier des États-Unis* de New York. Chevalier s'installe ensuite à Montréal, de 1853 à 1859, et gravite autour du *Pays* et de l'Institut canadien, tout en dirigeant *La Ruche littéraire*. Il conçoit une Amérique française qui unirait les Français des États-Unis, les Canadiens français du Québec et les Canadiens français de la Nouvelle-Angleterre ; il entrevoit une presse américaine et une «phalange littéraire franco-américaine» où une littérature nationale canadienne-française se profilerait, nourrie par l'épopée de 1760, par l'exotisme de la nature, des Amérindiens et des pionniers, le tout écrit dans une langue propre au Canada français. Ce n'est toutefois pas cette greffe qui s'effectuera mais plutôt celle d'un de ses concitoyens, Edmé Rameau de Saint-Père, qui entend parler pour la première fois des Canadiens français par des missionnaires oblats, et de surcroît, en Algérie.

Disciple de Le Play, comme le premier consul français à Québec, Charles-Henri-Philippe Gauldrée-Boilleau, qui publiera en 1875 «Le paysan de Saint-Irénée» dans le collectif leplaysien *Ouvriers des deux mondes*, Rameau de Saint-Père trouve au Canada français la confirmation des thèses de son maître sur l'importance sociale des facteurs moraux et religieux tout en fournissant aux milieux conservateurs et au clergé une légitimation idéologique[9]. Curieux de l'évolution coloniale réelle ou possible de la France en Algérie et au Canada, Rameau de Saint-Père publie en 1859, l'année même du centenaire de la conquête du Canada par l'Angleterre, un ouvrage intitulé *La France aux colonies* dont un chapitre, «De l'avenir moral et intellectuel des Canadiens en Amérique», constituera la matrice de ce qu'on appellera par la suite l'idéologie du messianisme, de la vocation de la race française en Amérique.

Rameau de Saint-Père, qui partage la vision d'une Amérique matérialiste de ses compatriotes, propose ainsi que «la répulsion nationale, mieux qu'une barrière des douanes, mette embargo sur tout ce qui sent l'américanisme à la frontière du pays canadien, que chacun se méfie et repousse avec dédain la funeste contagion de cette civilisation malsaine». Cet «américanisme», c'est l'industrie et le commerce, «les calculs de la boutique et les âpres désirs de la cupidité», c'est «le culte de l'argent», le confort et le bien-être matériels. L'avenir du Canada catholique et français se fera autrement: «tandis qu'aux États-Unis les esprits s'absorbent avec une préoccupation épuisante dans le commerce, dans l'industrie, dans l'adoration du veau d'or, il appartient au Canada de s'approprier avec désintéressement et une noble fierté le côté intellectuel, scientifique et artistique du mouvement américain, en s'adonnant avec préférence au culte du sentiment, de la pensée et du beau». Et sur un ton prophétique, Rameau a cette formule promise à une belle fortune: «Il nous semble point être dans la destinée du Canada d'être une nation industrielle ou commerciale[10].»

Sa vision un peu emportée de l'avenir des Canadiens français lui fait même prédire «le recul constant de la population anglo-saxonne devant eux». Il souligne chez ce «peuple choisi» comme le peuple juif «le soutien de la nationalité associé à celui de la religion» et propose une destinée à l'enseigne du «double développement de la simplicité des mœurs et de la culture de l'esprit». Cet avenir aurait la grâce d'un village immobile: «Les campagnes canadiennes ont toute la rusticité de nos paysans, moins la brutalité [du] matérialisme [américain]; la simplicité des existences, la douce fraternité des familles, l'heureuse harmonie qui réunit toute la paroisse sous la direction paternelle et aimée de son curé, y rappellent quelquefois ces rêves de l'âge d'or, qui d'ici ne nous semblent appartenir qu'aux fantaisies de l'imagination.» Cet «âge d'or» a pour d'autres Français des signes d'Ancien Régime; le dominicain Chocarne avoue: «Quelles bonnes gens que ces Canadiens! Bon cœur, simplicité, générosité, aimant la France en dépit de toutes ses trahisons, comme le chien lèche la main qui l'a battu. C'est la France d'il y a deux siècles, avec ses coutumes, ses chants, ses traditions. La conquête, loin de changer le caractère canadien, n'a fait que le fixer davantage dans les sympathies nationales: c'est un pays d'ancien régime sous tous rapports.» Le consul de France au Canada, Albert Lefaivre, présente en 1877 le Canada français comme une «épave de l'ancienne France [qui] existe au-delà de l'Océan Atlantique» et comme une utopie à rebours : « MM. Fourrier, Considérant, Cabet, ne se doutaient guère que l'application pacifique de leurs théories était faite au Canada par des prêtres[11]. »

Comme le laisse soupçonner le titre du livre de Rameau, cette vision d'avenir de l'ex-Nouvelle-France inclut aussi une vision d'avenir de la France coloniale : pour l'auteur, le Canada français sera le « point central d'appui pour la conservation et le juste développement du nom et du génie Français dans l'Amérique du Nord » ; il sera le lieu de dissémination de la civilisation, donc de la grandeur française : « C'est donc à vous, les descendants de la civilisation Catholique, Gréco-Latine et Française, qu'il appartient de doter le génie Américain de cette élévation, de cette ampleur du cœur et de la pensée qui ont fait la gloire et le caractère essentiel de toutes les grandes civilisations qui ont marqué le monde. » Étienne Parent, qui tempérait en 1837 les visions continentales des Patriotes avec l'exemple de la Louisiane, écrit à son correspondant Rameau : « Il y a près de quarante ans que je travaille pour le maintien de notre chère nationalité, pour faire une France américaine, et je ne désespère pas du succès [...]. Je ne crains pas l'anglo-saxonnisme par lui-même ; si nous périssons, ce sera par la politique, c'est-à-dire par nos propres mains. » C'est bien une « France américaine », une reproduction de la France métropolitaine dont rêve encore Parent : « Le Bas-Canada, c'est encore la France, la France en Amérique. Que notre nationalité s'étende et se consolide, c'est pour la France un allié sûr [...]. Oui, aussi bien que moi, vous devez déplorer de voir des milliers de Français aller se noyer au sein de peuples de races étrangères tandis qu'en venant chez nous ils nous aideraient à créer sur les bords du Saint-Laurent une France aussi belle, aussi glorieuse peut-être que l'est celle de la Seine et du Rhône[12]. »

Dès le moment où Rameau voyage au Canada et aux États-Unis à l'été 1860, le propos de la vocation de la race française est repris à Montréal et à Québec à l'occasion du 24 juin. Le sulpicien français Sentenne affirme que tout peuple a une mission à remplir et que celle du Canada français est de propager la religion et la civilisation. L'abbé Hercule Beaudry esquisse le contenu de la « véritable civilisation » : « Descendants de la grande race française, nous sommes héritiers de ses traditions religieuses et du sublime rôle qu'a joué la France dans la sphère supérieure de l'influence européenne. C'est dans l'ordre moral et intellectuel que doit s'exercer cette influence. Qu'importent les progrès matériels de nos voisins, qu'importent les développements étonnants qu'ils ont donné à leurs manufactures, à leur commerce et à leur industrie; ce n'est point là ce qui constitue la véritable civilisation[13]. »

Mais le promoteur par excellence de la vocation providentielle de la race française en Amérique demeure l'abbé Henri-Raymond Casgrain, imprésario en même temps d'une littérature nationale à l'enseigne de cette vocation spirituelle qui finit par être religieuse. Inspiré par Rameau de Saint-Père, l'abbé Casgrain écrit : « Quelle action la Providence nous réserve-t-elle en Amérique? Quel rôle nous appelle-t-elle à y exercer? Représentant de la race latine, en face de l'élément anglo-saxon, dont l'expansion excessive, l'influence anormale doivent être balancées, de même qu'en Europe, pour le progrès de la civilisation, notre mission et celle des sociétés de même origine que nous, éparses sur ce continent, est d'y mettre un contrepoids en réunissant nos forces, d'opposer au positivisme anglo-américain, à ses instincts matérialistes, à son égoïsme grossier, les tendances plus élevées, qui sont l'apanage des races latines, une supériorité incontestée dans l'ordre moral et dans le domaine de la pensée. »

Convaincu de la « supériorité » civilisatrice de la France, répétée par Belvèze, Rameau et d'autres, Casgrain n'hésite pas à prophétiser la « supériorité morale » du Canada français en Amérique : « À moins d'une de ces réactions souveraines, dont on n'aperçoit aucun indice, ce vaste marché d'hommes qui s'appelle le peuple américain, aggloméré sans autres principes de cohésion que les intérêts cupides, s'écrasera sous son propre poids. Qui nous dit qu'alors le seul peuple de l'Amérique du Nord (tout naissant qu'il est aujourd'hui), qui possède la sève qui fait vivre, les principes immuables d'ordre et de moralité, ne s'élèvera pas comme une colonne radieuse au milieu des ruines accumulées autour de lui[14] ? »

Le thème providentiel et messianique traverse l'année 1866, de juin à l'automne. L'oblat Thibault le reprend le 24 juin : « C'est ce petit coin de l'Amérique aussi grand que l'Europe que nous ont légué nos pères et que nous devons considérer comme sacré et inviolable ; c'est ce diplôme national qui nous vient de Dieu et de la France que nous ne devons pas laisser lacérer par nos voisins et qu'il importe bien davantage que nous ne déchirions pas de nos propres mains. » Mgr Laflèche insiste quant à lui sur la mission providentielle : « Puisque nous sommes une nation, nous avons donc une patrie ; cette patrie, c'est la terre que nous ont léguée nos pères, la belle et riche vallée du Saint-Laurent. C'est la Providence elle-même qui l'a donnée à nos pères, en récompense de leur zèle à travailler à la conversion des pauvres infidèles qui en étaient les premiers occupants [...]. »

De Philippe Masson en 1875 — question : « Quel a été le but de la Providence en nous conservant sur ce sol d'Amérique ? », réponse : « La Providence [...] veut que nous donnions en Amérique cet exemple, rare aujourd'hui dans le monde, d'une race, d'une nation sur laquelle le Christ règne socialement » — à Mgr Louis-Adolphe Pâquet en 1902, le thème deviendra le leitmotiv incontournable des discours patriotiques, du clergé en particulier, et de la représentation de la destinée manifeste du Canada français en Amérique[15]. Il sera accompagné d'un mythe d'une population nordique, destinée à occuper le bassin de l'Ottawa et à créer une ceinture par le nord de l'Ontario entre les populations francophones de l'Est et de l'Ouest du Canada. On essaie d'ailleurs en France de donner des moyens à cette politique. Le géographe Onésime Reclus se fait le promoteur de l'immigration vers le Canada ; on fonde à Paris, en 1872, la Compagnie de colonisation franco-canadienne et Hector Bossange, le grand ami parisien des Canadiens français, est nommé agent recruteur d'émigrants tandis qu'Auguste Bodard entreprend une tournée de propagande et que Paul de Cazes tente de recruter des Alsaciens et des Lorrains. Le curé Labelle assurera après 1880 la relève de cette vision et de cette politique[16].

La guerre franco-prussienne de 1870 suscite des réactions diverses au Canada français. Pour *Le Canadien*, malgré les témoignages de sympathie et les collectes faites en faveur de la France éprouvée, il est clair que « nos intérêts politiques et nationaux ne sont plus du ressort de la politique européenne. L'Amérique est à nous. Laissons la vieille Europe se déchirer en lambeaux. » *L'Événement* du 29 juillet 1870 se sent davantage concerné : « Le sang français se remet à couler dans nos veines comme si rien ne l'avait glacé ; et nous acclamons le drapeau de notre ancienne mère-patrie comme s'il n'avait cessé de flotter sur nos têtes. » Pour ce journal de Québec, « La France reste pour nous la France. C'est notre seul amour national, la source même de notre patriotisme. Nous estimons l'Angleterre, nous lui sommes reconnaissants de nous avoir donné le plus précieux des biens, la liberté ; nous admirons les États-Unis, dont la prospérité nous éblouit ; mais nous n'aimons avec passion que la France. »

L'avènement de la IIIe République le 4 septembre 1870 ravive les clivages entre libéraux et conservateurs. L'un de ces derniers, Faucher de Saint-Maurice, recourt même au providentialisme pour expliquer les événements contemporains : « Dieu a parlé à l'empereur Napoléon III et à la France par la bouche des mitrailleuses prusses. » Le poète Octave Crémazie, auteur du poème de 1855 « Le vieux soldat canadien » et en exil obligé en France, tient un journal du siège de Paris en 1870, du « retour des mauvais jours de 1848 ». Témoin d'une France politiquement divisée, Crémazie remarque, en bon connaisseur de la chose : « Le grand malheur de la France, c'est que ses enfants sont plutôt des partisans que des patriotes. » En bon catholique, il déplore la situation en Italie où les libéraux profitent de la chute de Napoléon III pour envahir Rome et contester de façon plus définitive le pouvoir temporel du pape. La Commune de 1871, qui incite Crémazie à se réfugier à Orléans, lui semble le fait de « communeux », d'une « voyoucratie » et de « la sainte canaille de Belleville[17] ».

La lecture que font les libéraux de l'évolution de la France diffère singulièrement. Eux qui ont visité le prince Napoléon de passage à Montréal en 1861 critiquent chez les ultramontains « leur attachement si étrange à la France de Louis XV ». Gonzalve Doutre, qui rappelle l'abandon odieux du Canada par la France, avoue que la France « n'est presque plus rien pour nous » et qu'il conviendrait de « calmer cet enthousiasme légitime, mais souvent déplacé que l'on a pour la France, qui offre aujourd'hui l'exemple d'une nation où la pensée n'est pas libre ».

Les ultramontains ont d'autres raisons au moment de la Commune de décrier la France. Adolphe-Basile Routhier, autre Veuillot canadien, décrète que « Paris est devenue la capitale de Satan en ce monde[18] ». Ce n'est pas non plus la France à laquelle tiennent les Canadiens français selon Laurier dans son discours de 1877.

L'Amérique réelle

Le mythe de la vocation de la race française en Amérique, construit par des Français marqués par le renouveau colonial de la France, se greffe vers 1860 sur l'échec du mouvement annexionniste et propose une alternative. Peu populaire à l'époque, l'idée d'annexion traduisait néanmoins une tentation étatsunienne pour certains Canadiens français, tout comme l'émigration de plus en plus massive de milliers des leurs vers les villes manufacturières de la Nouvelle-Angleterre répondait d'abord à une nécessité économique doublée d'un attrait symbolique. Au moment du discours de Laurier, l'annexion paraît moins fascinante parce qu'elle a pris pour Arthur Buies, par exemple, une autre forme, plus palpable : « L'annexion n'est pas seulement un fait commercial et politique, elle est avant tout un fait géographique et physique. Nous sommes annexés déjà par nos rivières, nos lois et nos chemins de fer [...]. Nous sommes américains déjà par nos mœurs, qu'une démocratie progressive tout en étant rapide a déjà envahis; nous le sommes par nos intérêts nouveaux, par nos aspirations, par les tendances inévitables des sociétés modernes [...]. Il faut que nous soyons avant tout américains si nous voulons vivre sur ce continent, et nous ne serons réellement américains qu'en nous incorporant à la grande république[19]. »

Tout le monde n'est pas d'accord avec Buies quand on constate le clivage politico-religieux dans la perception qu'ont les Canadiens français de la guerre de Sécession qui sévit de 1860 à 1865. Les conservateurs sont favorables aux États du Sud : « Les États du Sud n'ont-ils pas autant de droit à l'autonomie que la Hongrie, la Pologne et l'Italie, dont la cause est en si grande faveur chez nos voisins ? Ce gouvernement modèle qui devait donner des républiques à l'Europe, en est aujourd'hui à suivre les traces des gouvernements les plus oppresseurs de l'Europe. » Rameau de Saint-Père, qui dans une conférence sur la crise américaine, souligne la présence « de sang français » dans le Sud, prétend que l'esclavage ne justifie pas la rupture de l'Union — contrairement à ce que soutiennent les libéraux et Dessaulles dans ses conférences sur la guerre américaine — et considère qu'il s'agit d'abord pour le Nord de sauver ses profits : « il eût été trop étonnant qu'une question Yankee n'eût pas été au fond une question d'épicier ». La presse conservatrice catholique du Québec, qui doit résoudre la contradiction de l'esclavage, se déclare sécessionniste mais anti-esclavagiste.

Les projets de littérature nationale qui se formulent à l'époque constituent aussi un bon révélateur de la vision américaine des Canadiens français. Le feuilleton a alors envahi la presse et le roman exotique est à son apogée en France, avec Gustave Aimard qui publie *Les trappeurs de l'Arkansas* (1858), *L'eau qui court* (1861) et *Les chasseurs d'abeilles* (1863). Le Français Henry-Émile Chevalier avait exploité la même veine, dans la *Ruche littéraire* de Montréal, de 1853 à 1859. En 1866, tout comme l'abbé Casgrain, le libéral modéré Hector Fabre fait une conférence sur le présent et l'avenir de la littérature canadienne et décrit ainsi sa spécificité : « Le rôle de notre littérature, c'est de fixer et de rendre ce que nous avons de particulier, ce qui nous distingue à la fois de la race dont nous sortons et de celle au milieu de laquelle nous vivons, ce qui nous fait ressembler à un vieux peuple exilé dans un pays nouveau et rajeunissant peu à peu. Dans ce vaste tableau de l'Amérique, qui n'est que l'image grossièrement peinte

de l'Europe, nous avons une place à part, tout un coin de l'horizon [...].
Notre société n'est ni française, ni anglaise, ni américaine, elle est canadienne. »

Fabre reprend à son compte le projet de Garneau d'une littérature
misant sur l'exotisme de la nature et du climat et imagine un Fenimore
Cooper « canadien » : « Notre grande et belle nature, dans sa variété infinie
d'aspects, est bien faite aussi pour tenter les brillantes imaginations. C'est
pourtant le sentiment de la nature qui manque le plus à nos écrivains. Il y
a dans *Charles Guérin* quelques larges descriptions, mais la passion qui
s'attache au moindre coin de verdure, où la sent-on ? Nos hivers attendent
encore leur barde. Chantons nos campagnes, nos grands bois, nos chaînes
de montagnes, mais, de grâce, n'y mettons que le moins d'Iroquois possible, ne réveillons pas les Hurons qui dorment. Ces naïfs et fiers héros
étaient fort éloquents de leur temps et en leur idiome, mais viennent-ils à
s'exprimer en langue moderne et à gesticuler en alexandrins, je les goûte
fort médiocrement et ils me gâtent les plus belles choses. »

Fabre se démarque de l'abbé Casgrain en ce que les campagnes, les
bois et les hivers n'ont pas à être catholiques ; il se démarque aussi de
Chevalier, Français immigré, en ce qu'il se refuse à un exotisme, celui du
« bon Sauvage ».

Mais le poète Crémazie ne croit déjà plus, l'année suivante, au projet
d'un « Cooper canadien » : « [...] le Canada aurait pu conquérir sa place au
milieu des littératures du vieux monde, si parmi ses enfants, il s'était
trouvé un écrivain capable d'initier, avant Fenimore Cooper, l'Europe à la
grandiose nature de nos forêts, aux exploits légendaires de nos trappeurs et
de nos voyageurs. Aujourd'hui quand bien même un talent aussi puissant
que celui de l'auteur du *Dernier des Mohicans* se révélerait parmi nous, ses
œuvres ne produiraient aucune sensation en Europe, car il aurait l'irré-
parable tort d'arriver le second, c'est-à-dire trop tard[20]. »

« Ite ad Romam », *allez à Rome*

Rome, qui est aussi un axe d'influence culturelle et politique du Canada
français, prend durant la période une importance nouvelle. Depuis 1848,
Rome et la papauté sont certes une dimension centrale de la question de
l'unité italienne et du contentieux entre l'Église catholique et les libéraux
canadiens-français ; les querelles avec *L'Avenir* et avec Dessaulles à la
direction du *Pays* en témoignent. L'envoi de zouaves canadiens pour

défendre les états pontificaux durant la décennie 1860 indique bien le lien créé par la question italienne entre le Canada français et Rome.

Mais durant la décennie 1850, avec la reconstruction des moyens et des effectifs de l'Église catholique canadienne-française et surtout montréalaise, Rome s'impose de plus en plus comme modèle d'orthodoxie. Mgr Bourget veut faire de Montréal « une petite Rome » et sa cathédrale sera une miniature de Saint-Pierre de Rome. L'évêque impose encore la liturgie et le col romains au moment où s'amorcent les pèlerinages et les séjours d'études du clergé à Rome. C'est aussi durant cette décennie que les évêques du Québec délèguent à Rome des prêtres diplomates comme les abbés Baillargeon et Benjamin Pâquet ; ils y seront les plaideurs de causes nombreuses qui sont portées devant les congrégations romaines. Les allées et venues de Mgr Bourget, de Mgr Laflèche et de Mgr Taschereau entre Rome et le Québec se multiplient pour défendre différents points de vue sur le démembrement de la paroisse Notre-Dame de Montréal, pour répliquer à la supplique de l'Institut canadien de Montréal, pour faire condamner ou défendre le « libéralisme » du clergé diocésain de Québec, pour plaider pour ou contre une autre université catholique à Montréal. Rome est véritablement harcelée par les querelles intestines du clergé québécois. Ce que Dessaulles avait appelé la Grande Guerre ecclésiastique dégénère à un point tel que Rome doit nommer un délégué en 1877, Mgr Conroy, pour éviter que les dissensions ne ruinent la crédibilité de l'Église locale. C'était une première qui allait donner à la Congrégation de la Propagande — et à Laurier — l'idée d'une délégation apostolique susceptible d'arbitrer au Canada les conflits si souvent portés à Rome.

Conclusion

C'est après 1850 que se dessine l'identité riche mais complexe du Canada français, façonnée par ce qu'on pourrait appeler ses quatre métropoles culturelles et politiques : Paris, Londres, Washington et Rome.

Le ressac des insurrections, la nouvelle Constitution de 1840 et l'octroi du gouvernement responsable expliquent pourquoi La Fontaine triomphe de Papineau en 1848 et pourquoi Cartier, appuyé par Londres, met en place le nouveau régime constitutionnel de 1867. À vrai dire, le Canada français retrouve vers 1867 l'admiration qu'il avait pour l'Angleterre avant 1830, remettant ainsi en veilleuse son anticolonialisme. Le réformisme qui domine alors avec La Fontaine, Cartier et Laurier n'est pas sans rappeler celui qui avait présidé à l'attitude des Canadiens français face à 1774 et à 1793.

La redécouverte de la France par le Canada français est porteuse de quelques paradoxes. L'idée de reconquête supposément présente dans le titre de l'ouvrage de Joseph-Guillaume Barthe ne trompe personne : on ne voit pas comment une France qui a abandonné et oublié les Canadiens français depuis un siècle risquerait une guerre civile pour reconquérir le Canada. Surtout que certains, pour des raisons différentes, n'y tiennent pas, soit que l'on craigne le rassemblement des Rouges des deux continents soit qu'on pense en avoir fini avec les situations coloniales quelles qu'elles soient. Surtout que la venue de *La Capricieuse*, événement on ne peut plus symbolique, met les retrouvailles franco-québécoises à l'enseigne de l'Entente cordiale, qu'on se réjouit de l'alliance entre la France et l'Angleterre en prenant bien soin d'inaugurer un monument aux soldats français *et* anglais morts à la bataille de Sainte-Foy. Chauveau, surintendant de l'instruction publique et futur premier ministre, trouve même une certaine gloire à ce que le Canada soit l'ex-colonie et la colonie des deux puissances coloniales de l'heure. Ce qui n'empêche pas de trouver un certain ressentiment dans la presse canadienne-française qui souhaite une participation dynamique du Canada à l'Exposition universelle de Paris en 1855.

La Capricieuse remonte donc le Saint-Laurent avec dans ses cales, dirait-on, un nouveau projet pour son ex-colonie en Amérique. Une pensée coloniale d'un genre particulier, construite sur une représentation matérialiste des États-Unis et une représentation chevaleresque de la France, conçoit pour le Canada français une destinée à l'enseigne de l'esprit et des « éléments supérieurs de la civilisation ». Ce projet se greffe à une mentalité canadienne-française qui adhère au providentialisme depuis le XVIIIᵉ siècle, qui partage une perception assez similaire des États-Unis, qui cherche à gommer toute tentation annexionniste et qui couple cette destinée spirituelle et religieuse à une vision ultramontaine du Canada français, vision promouvant la primauté du ciel sur la terre, et celle de la religion sur les valeurs civiles. Cette nouvelle vocation est la bienvenue et culturellement viable.

Conservateurs et membres du clergé font leur cette idée de destinée spirituelle, qui devient le thème par excellence de leurs discours lors de la fête patronale des Canadiens français, le 24 juin. Ce ne sera pas la vision d'une « Amérique française » d'Henry-Émile Chevalier qui prévaudra mais

plutôt l'idée plus coloniale d'une « France américaine » telle que mention-
née par Parent, formulée par Rameau de Saint-Père et adoptée par l'abbé
Casgrain. Cette France américaine ne sera pas la conjonction de deux idées
républicaines, la française et l'américaine ; au contraire, le jumelage de la
religion et du nationalisme, la primauté accordée aux valeurs rurales et aux
valeurs spirituelles qui les accompagnent, donnent à penser à une
Nouvelle-France d'Ancien Régime dont les dominicains français, qui pensent s'établir au Canada français, constatent les traits. Dans ce contexte, il
est facile de comprendre comment et pourquoi des clercs comme l'abbé
Casgrain et plus tard Mgr Pâquet vont cléricaliser une idée de valeurs de
civilisation et en faire une destinée religieuse, catholique. Surtout que la
IIIe République de 1870 et la Commune de Paris de 1871 ravivent l'image
des deux Frances créée par 1793 et entretenue par 1830 et par 1848.

L'antagonisme idéologique est tel alors au Canada français qu'il
module le regard sur tout y compris sur la guerre de Sécession qui fait rage
aux États-Unis entre 1860 et 1865, y reproduisant un clivage conservateur
pro-Sud et libéral pro-Nord. La « vocation de la race française en
Amérique » n'a pas pour autant éteint toute idée annexionniste. Buies, par
exemple, parle d'une annexion géographique et commerciale du Canada
aux États-Unis avant d'évoquer une annexion politique ; ce faisant, il rend
compte — et pour longtemps — d'une réalité incontournable. Mais la
vision d'une vocation catholique et spirituelle de la race française en
Amérique s'impose en un lieu symbolique décisif : la littérature. L'expression symbolique du Canada français se mettra non pas à l'enseigne d'une
formulation de l'Amérique en français pour la France — on ne vient pas
après Cooper et Gustave Aimard — mais à la remorque d'un « exotisme »
particulier, catholique et rural. Cette idée catholique et française — et
dans cet ordre — s'alimente à l'ultramontanisme qui trouve après 1850 sa
définition première de réalité géographique : on va à Rome, et bientôt
Rome viendra au Canada, dans une délégation apostolique à laquelle on
commence à penser dès 1878. La Rome papale ne se réduit plus à ne pas
être la Rome libérale des révolutionnaires italiens ; elle devient le modèle
de ce que l'on veut faire en miniature à Montréal. Au motto *Ite ad Romam*
que se donnent les milieux ecclésiastiques québécois on doit bientôt
ajouter, à Rome, *Ite ad Quebecum*, car les dissensions internes du clergé
québécois nécessitent l'envoi d'un premier délégué, Mgr Conroy, dont la
présence ne peut que conforter Laurier.

C'est à la croisée de ces « quatre chemins » que se façonne aussi
l'identité du Canada français.

Chapitre XIII

LA DIFFUSION DES IDÉES
ET LE DÉCOLLAGE CULTUREL
(1840-1877)

L ES RELATIONS BILATÉRALES du Bas-Canada avec la France, la
Grande-Bretagne, les États-Unis et Rome s'intensifient sous
l'Union dans une société qui change singulièrement au triple plan
démographique, économique et technologique et qui se donne les moyens
de son développement.

De la crise politique de l'Union au discours modéré et modérateur de
Laurier en 1877, on avait vu les deux principaux courants d'idées se
radicaliser à des moments différents et pour des raisons différentes : après
avoir repoussé le libéralisme de la scène électorale aux salles de l'Institut
canadien de Montréal à partir de 1848, le libéralisme modéré et le conservatisme avaient commencé à s'imposer avant que celui-ci ne connaisse sa
propre forme de radicalisation en 1871 dans le Programme catholique,
sorte d'ultramontanisme outrancier. Cet antagonisme libéral-ultramontain
avait pris forme au moment de la reconstruction religieuse et s'était nourri
de polémiques sur l'éducation, sur la démocratie ou sur la tolérance.

Durant près de quatre décennies, cette effervescence intellectuelle et
idéologique avait bénéficié de moyens et de médias comme la presse ou
l'association, et le débat avait souvent pivoté autour de ces moyens nouveaux : orientation des associations, contenu de leurs bibliothèques ou de
leurs salles de périodiques, le tout rendu public dans des journaux, des
revues, des conférences, des romans. Ces débats d'idées dont on connaît
les auteurs et les destinataires, le contenu et la réception, empruntent après

l'Union des canaux de diffusion nouveaux. Et c'est précisément au moment où le débat politique et le conflit idéologique atteignent leur apogée au tournant de la décennie 1860 que se produit au Bas-Canada un décollage culturel irréversible et que se met en place une sociabilité inédite et aux formes variées.

La circulation des personnes et des biens

La population du Bas-Canada, qui double de 1844 à 1881, demeure majoritairement rurale, avec la culture traditionnelle, orale et matérielle, que ce type d'habitat entraîne. En 1851, un habitant sur six vit en milieu aggloméré comparativement à un sur trois en 1891. Cette urbanisation a un effet évident sur la culture et ses infrastructures, l'école, la presse ou la bibliothèque, par exemple. Montréal, qui a surpassé Québec en population durant la décennie 1830, compte 140 000 habitants en 1881 comparativement à 62 000 à Québec. Durant la période, il n'y a toujours que deux villes de 10 000 habitants et plus : Montréal et Québec. De 1861 à 1881, on passe de trois à cinq villes de 6000 habitants et plus : Trois-Rivières, Lévis, Sherbrooke et Hull. Le nombre de villes de 5000 habitants et plus passe de quatre à neuf.

La croissance démographique s'explique d'abord par l'accroissement naturel de la population mais aussi par l'immigration. De 1839 à 1843, 24 772 immigrants débarquent aux ports de Québec et de Montréal ; de 1844 à 1848, 39 270 ; de 1849 à 1853, 187 737. Cette immigration essentiellement britannique et principalement irlandaise n'empêche toutefois pas que, par un mouvement migratoire francophone de la campagne à la ville, et ce malgré une forte émigration vers les États de la Nouvelle-Angleterre, Montréal redevienne ville majoritairement francophone vers 1865 (tableaux 1, 6, 5, 10, 7-9, 17, 11). Cette immigration britannique permet de consolider les institutions culturelles de la communauté anglophone souvent mises en place avant 1840.

Les mouvements migratoires internationaux et les communications sont facilités par l'application de la vapeur aux moyens de transport. Après 1840, la fréquentation annuelle des bateaux-vapeur océaniques au port de Montréal est de plus de 200 navires, dont ceux de la compagnie Allan, qui assurent la liaison Québec – Liverpool à compter de 1856. Le vapeur océanique à aubes qui met 15 jours à faire la traversée atlantique en 1840 a amélioré sa performance de cinq jours en 1870, grâce à l'hélice. Les «pyroscaphes», comme on les appelle vers 1840, naviguent aussi sur le Saint-Laurent et vers l'intérieur du Canada-Uni et des États-Unis grâce au système de canalisation mis en place vers l'Outaouais et vers les Grands Lacs.

La vapeur alimente aussi les locomotives: trois lignes ferroviaires assurent la circulation des personnes et des biens entre le Bas-Canada et les États-Unis: la ligne La Prairie – Saint-Jean – Rouses Point – New York – Boston à compter de 1851, le «St. Lawrence and Atlantic» qui relie Longueuil et Portland au Maine en 1853 via Saint-Hyacinthe (1845) et Sherbrooke, et la ligne Montréal – Saint-Jean – Vermont en 1864. On retrouve dans les wagons du chemin de fer tout autant des émigrants canadiens-français qui vont à Manchester ou à Lowell que des «touristes» canadiens-français tentés par la Californie comme P. Verchères de Boucherville en 1849, Arthur Buies en 1874 ou Pierre de Sales Laterrière en route pour Boston en 1873. Ces Canadiens français croisent des touristes étatsuniens avec leurs *Strangers' Guides* qui leur fournissent des noms d'hôtels et les horaires de trains; on peut même y croiser un jour Henry David Thoreau lui-même qui fait son «tour» au Bas-Canada en 1850 et qui publiera son *Yankee in Canada* en 1856.

Le «philosophe des bois», qui franchit la «frontière invisible» entre les États-Unis et le Canada, a l'impression de faire un voyage dans le temps tout autant que dans l'espace et affirme que les Canadiens constituent «a rather poor-looking race» avec leurs institutions «rouillées». Le libre penseur et le pacifiste anti-militariste considère les Bas-Canadiens «to be suffering between two fires: the soldiery and the priesthood». Voyant dans les remparts de la ville de Québec un signe récapitulatif de ses impressions, il écrit que ces remparts «do not consist with the development of the intellect» et «rather oppress than liberate the mind[1]».

Le fret ferroviaire permet tout autant d'importer des États-Unis livres, journaux, gravures, lithographies, cartes géographiques ou instruments de musique que d'exporter massivement, après le traité de réciprocité de 1854, des biens aux belligérants impliqués dans la guerre de Sécession (1860-1865). Montréal est enfin relié aux États-Unis grâce au pont Victoria achevé en décembre 1859 et inauguré à l'été 1860. L'événement royal et impérial a du panache: à l'arrivée du prince de Galles à Montréal, sa calèche passe sous six arcs de triomphe pour se rendre à la résidence de l'invité de marque. Le fils de la reine Victoria, dont le nouveau pont tubulaire porte le nom, inaugure le palais de Crystal local, sorte de cathédrale industrielle à l'image de celui de Londres construit pour la première exposition universelle de 1851. Son Altesse rehausse de sa présence l'ouverture de l'Art Association of Montreal, assiste à une partie de crosse, sport local par excellence, fait des excursions ferroviaires et ouvre un grand bal en son honneur. Le chemin de fer est... roi[2].

Les Européens bénéficient aussi de cette accélération et de ce confort nouveau des communications à vapeur. Britanniques, Français, Italiens et autres intensifient leurs rapports avec le Bas-Canada. Charles Dickens, qui voyage au Bas-Canada en 1842, est témoin sur le vapeur qui le ramène de Québec à Montréal de cette arrivée massive d'immigrants irlandais qui déferle alors sur la colonie. Admiratif de Québec, ce « Gibraltar d'Amérique », et de son monument dédié à Wolfe et à Montcalm, « symbole des deux grandes nations », Dickens note en mai la soudaineté du printemps bas-canadien « which is here so rapid, that it is but a day's leap from barren winter, to the blooming youth of summer ».

Après *La Capricieuse* (1855), la France établit un consulat (1858) à Québec puis à Montréal et ses consuls sont actifs dans la vie culturelle de Montréal et de Québec, écrivant dans l'esprit de Le Play sur le paysan de Saint-Irénée (Gauldrée-Boilleau) ou sur la littérature française (Lefaivre). Le philanthrope Alexandre Vattemare, Mgr Forbin-Janson, l'écrivain Joseph Marmier, Ampère, Rameau de Saint-Père, le prince Napoléon se succèdent au Bas-Canada tandis que l'approvisionnement de livres auprès des maisons Bossange ou Gaume met la librairie canadienne aux goûts du jour. Ou alors ce sont des émissaires romains comme Mgr Conroy qui font la traversée atlantique est-ouest.

En sens inverse, le voyage vers Paris et vers la France (Lourdes) attire davantage que le voyage à Rome. Mgr Bourget recrute des communautés religieuses en France en 1841 et en 1846-1847. Joseph-Guillaume Barthe entreprend des démarches en 1855 pour associer l'Institut de France et l'Institut canadien de Montréal avant que le poète Octave Crémazie et le libéral radical Louis-Antoine Dessaulles ne s'installent, en exil, à Paris. Et puis les expositions universelles de Paris de 1855, de 1867 et de 1878 sollicitent chaque fois le Canada et les Bas-Canadiens.

Clercs et laïcs se rendent de plus en plus souvent en Italie et à Rome, en particulier. S'ils visitent d'abord la Rome chrétienne, ils ne négligent pas pour autant la Rome païenne. Ces clercs (les abbés Taschereau, Louis-Honoré et Louis-Adolphe Pâquet, Chandonnet) sont aux études à Rome depuis 1852 ou s'emploient avec les évêques Bourget, Laflèche ou

Taschereau à débattre des affaires ecclésiastiques de l'Église canadienne devant diverses congrégations romaines. Ou alors ce sont des laïcs enrôlés dans les zouaves qui vont défendre le Pape et les états pontificaux contre les « usurpateurs » libéraux italiens qui, depuis 1848, posent la « question romaine ». Quelques zouaves — G. Drolet, L.-E. Moreau, C.-G. Rouleau et F. Lachance — refont même le pèlerinage romain entre 1868 et 1870[3].

La vapeur appliquée au transport maritime et ferroviaire facilite aussi la communication intérieure au Bas-Canada. Le voyage Montréal – Québec n'est plus une longue aventure alors que le voyage vers les centres de villégiature (Cacouna, Murray Bay) est entré dans les mœurs en fin de période, comme en témoignent les *Chroniques* d'un Arthur Buies. Les hôtels qui ont peu à peu remplacé les auberges se sont multipliés près des quais, aux postes de relais de la diligence ou à proximité de ces gares modestes de campagne mais à l'architecture audacieuse dans les villes[4]. C'est que le chemin de fer et les « chars » sont partout au Bas-Canada : sur la ligne Montréal – Lachine (1847), la ligne Montréal – Toronto (1856), Montréal – Rivière-du-Loup (1860), Montréal – Saint-Jérôme, Lévis – Beauce et l'intercolonial Montréal – Halifax (1876), avant qu'Halifax ne soit relié à Vancouver en 1885[5].

La circulation des idées

La période de l'Union, on l'a vu, en est une de reconstruction sur le plan politique et religieux. Confrontés à l'échec des rébellions, les Bas-Canadiens cherchent des moyens de sortir de la léthargie créée par l'échec de l'opposition consensuelle canadienne-française à l'Union. La reconstruction civique en général et la reconstruction politique en particulier, avec les débats et les oppositions qu'elles suscitent, s'accompagnent d'une reconstruction culturelle tout aussi remarquable. Préparé depuis 1815 et la levée du blocus napoléonien, le décollage intellectuel et institutionnel qui avait été interrompu par les rébellions s'impose après l'Union.

Certes, des journalistes comme Étienne Parent et Ludger Duvernay avaient fait du *Canadien* et de *La Minerve* des journaux combatifs et d'une haute tenue éditoriale ; mais avant 1840, la presse francophone se limitait pour l'essentiel à Québec et à Montréal. La vie associative, active chez les anglophones de la colonie qui se donnent la sociabilité de leurs moyens et de leurs modèles métropolitains, se limite avant 1837 chez les francophones à des sociétés patriotiques. La décision du Conseil législatif de ne pas reconduire en 1836 la loi des écoles d'Assemblée de 1829 — loi peu agréable aussi à l'Église catholique — s'ajoute à l'interruption insurrectionnelle pour fragiliser un système d'éducation qui donnait pourtant ses premiers fruits. La bibliothèque est encore, de 1815 à 1840, une réalité anglo-britannique, sauf pour quelques collèges et bourgeois francophones. Édouard-Raymond Fabre, qui demeure un franc-tireur parmi les libraires majoritairement anglophones de Montréal, doit s'associer à l'imprimeur Duvernay pour jouer le rôle d'«éditeur» que requièrent la dynamique scolaire et une vie politique fort active.

« L'union fait la force » : le phénomène associatif

Le déclencheur de ce décollage intellectuel et institutionnel se trouve dans le phénomène associatif, dans cette volonté nouvelle de s'associer, de s'aider mutuellement. « L'union fait la force » est, du point de vue culturel, le mot clé de la décennie 1840. « L'association » regroupe sur une base volontaire des gens partageant un intérêt commun, que ce soit la science, l'histoire, la littérature ou l'art. Les Britanniques de la colonie ont donné, dans les décennies précédentes, le branle à cette initiative associative en fondant la Quebec Historical and Literary Society (1824), la Natural History Society of Montreal (1827), les Mechanics' Institutes de Montréal (1828) et de Québec (1831). Ils s'inspiraient alors d'un mouvement international qui avait pris la forme de la Society for Useful Knowledge ou du Mechanics' Institute en Grande-Bretagne, du Lyceum ou de l'Atheneum aux États-Unis ou du Cercle en France.

De novembre 1840 à mars 1841, un certain Alexandre Vattemare, ventriloque français doublé d'un philanthrope propagandiste des échanges internationaux de livres, se fait l'initiateur d'un projet d'Instituts au Bas-Canada qui, à Québec, regrouperaient la Quebec Literary and Historical Society, le Mechanics' Institute et la Quebec Library, et à Montréal, la Natural History Society, le Mechanics' Institute et la Montreal Library. Le projet achoppe sur l'hésitation des associations concernées, sur l'intensité des luttes politiques et sur le fait que toutes ces associations susceptibles de regroupement sont essentiellement anglophones[6].

L'Union n'est pas qu'un régime politique et constitutionnel ; c'est aussi un régime culturel à l'intérieur duquel se fait très tôt la promotion de l'idée d'association. La jeune génération canadienne-française de 1840 a conscience de trouver chez les anglophones de la colonie une inspiration

culturelle : « Ceux [les Anglais] avec qui nous luttons au contraire s'associent en tout et pour tout. Nés pour la plupart où les institutions politiques et religieuses impriment en quelque sorte l'association à toutes les
idées, ils tendent tous à entrer dans les cadres d'une association pour s'y
développer, y puiser des forces et chercher le but ; si bien qu'aujourd'hui
l'association fait pour ainsi dire partie de leurs mœurs. » Cette génération
s'éveille à la nouvelle concurrence démographique et économique d'une
communauté d'affaires anglophone qui crée des banques, des compagnies
d'assurances, de gaz, de télégraphie et dont le sens de l'entreprise se traduit
en forme de sociabilité, que ce soit celle du Board of Trade ou des
Mechanics' Institutes, signe par excellence des besoins nouveaux de l'industrialisation en termes de main-d'œuvre spécialisée.

Pour les jeunes qui ont vingt ans en 1840, l'ignorance est intenable
devant le développement commercial et industriel. Parent les approuvera,
lui qui, après 1846, fera conférence sur conférence pour promouvoir
l'étude de l'économie politique. Eux qui savent la fin de la « simplicité
antique » et la chute des vieilles institutions font aussi le lien entre le savoir
et l'avoir : « [...] comme l'argent dans le commerce, les connaissances
réunies forment un fonds dont les dividendes rapportent aux actionnaires
des richesses qui ne coûtent presque aucun travail ». Union politique,
union culturelle, union économique : le lexique de l'échange réfère tout
autant aux dividendes, à la richesse qu'au savoir.

C'est de la conscience d'une appartenance générationnelle que partira
le décollage culturel de l'Union : « La génération qui a précédé les fondateurs de l'Institut canadien [1844] dans la jeunesse canadienne n'offre
rien de remarquable qu'un caractère de parfaite uniformité avec toutes les
générations qui l'avait précédée elle-même. Alors comme à présent, sans
doute, elle se composait de jeunes gens diversement doués sous le rapport
intellectuel, mais les uns et les autres se perdaient dans une foule où tout
était incohérent, sans agrégation de parties, sans corps, sans forme, où
chacun sentait son isolement, où le voisin ne connaissait pas son voisin, où
chacun était impuissant pour ses propres intérêts et nuls pour ceux de la
société. » Cette génération montante exprime le besoin d'un « esprit
public », de lieux où parler de « l'affaire commune » ; elle entend opposer à
la concurrence nouvelle une entraide nouvelle, au « découragement
mutuel » d'après 1837-1838, un « encouragement mutuel ». Mais surtout,
elle cherche à tirer les Canadiens français de l'isolement et à leur créer un
« théâtre » de sociabilité : « Chaque maison, chaque famille a ses intimes ;

mais aucune maison, aucune famille ne reçoit chez elle, ne réunit sous son toit assez de monde et surtout ce monde des divers états, des diverses professions voire même des divers rangs qui puissent tous ensemble donner l'expression de notre esprit, de nos mœurs, de nos manières et de nos allures. Dans tous les pays, un étranger qui veut connaître la société peut la rencontrer quelque part ; il la verra dans les théâtres, il la verra dans les concerts, il la verra dans les sociétés savantes, il la verra dans les cercles, dans les réunions, chez les hommes à qui la fortune et leur position permettent de recevoir [...]. Chez nous, il n'y a point de théâtre, il n'y a pas de concerts, il n'y a pas de sociétés savantes, il n'y a pas de cercles. Il ne la verra donc nulle part, si ce n'est à l'église. »

En effet, il n'y a alors ni à Québec ni à Montréal de théâtre francophone permanent, de salle de concert à raison sociale francophone, d'associations francophones pour la science, la littérature, l'histoire ou la peinture. L'espace public est minimal et la sociabilité principalement domestique et familiale[7].

L'essor des associations

Dans la foulée des initiatives anglophones, du projet Vattemare et de l'intérêt nouveau pour les académies de collèges — à Nicolet à compter de 1842 —, on voit se multiplier des associations aux appellations diverses : Institut canadien, Société de discussion, Institut des artisans, Cercle ou Union catholique. Plus de 130 associations culturelles naîtront entre 1840 et 1880, avec un apogée de fondations en 1858 identifiable par les demandes de subventions gouvernementales (tableaux 11, 114). À Québec, à Montréal, à Saint-Hyacinthe, de la Mauricie à Plessisville, de New Carlisle et Baie-Saint-Paul à Aylmer en passant par Matane, Rimouski, L'Islet, Rigaud et Bagotville, des agglomérations plus ou moins importantes se donnent un lieu de rencontre et de discussion de « l'affaire commune ».

Sans être la première « société littéraire », l'Institut canadien de Montréal (17 décembre 1844-) donne le ton et devient la référence obligée. À Québec, qui est encore durant la première décennie de l'Union la métropole culturelle du Bas-Canada, on donne suite au projet Vattemare en 1843 avec la Société des jeunes gens, puis avec la Société canadienne d'études littéraires et scientifiques dont la moitié des jeunes membres fondateurs sont avocats ou notaires et dont la trentaine de membres s'identifient aux réformistes de La Fontaine. La Société de discussion de Saint-Roch (1843-1849, avec une interruption de 1845 à 1847) compte quelque 145 membres dont un cinquième de gens de droit. Les réformistes de La Fontaine, près du *Journal de Québec*, y assurent à l'occasion des adhésions concertées. Fondée en janvier 1844, la Quebec Library Association est majoritairement anglophone, même si elle organise parfois des activités avec et pour des francophones.

L'Institut canadien de Montréal va susciter une kyrielle d'Instituts canadiens à Québec (1848), à Saint-Hyacinthe (1854) et ailleurs en province, Instituts canadiens qui n'auront pas majoritairement toutefois l'orientation idéologique de celui de Montréal ou de Saint-Hyacinthe. En effet, l'Institut canadien de Montréal se radicalise à partir de 1848 parce que les libéraux voient échouer leur stratégie de rappel de l'Union ; cette radicalisation entraîne une polarisation qui, on le sait, mène à une scission (1858) et à une première condamnation épiscopale de l'Institut. Des associations catholiques — Cabinet de lecture paroissial des Sulpiciens (1857-), Union catholique des Jésuites de Montréal (1859-), Cercle catholique (1858-) et Union catholique (1865-) de Saint-Hyacinthe — seront bientôt créées pour contrer l'influence libérale des Instituts canadiens de Montréal et de Saint-Hyacinthe. C'est, rappelons-le, au cœur de l'association et de la presse que se structure et se maintient l'antagonisme libéral-ultramontain entre 1848 et 1870[8].

La composition socio-professionnelle des associations est fonction du lieu ; à Longueuil, alors ville ferroviaire, les membres de l'Institut canadien sont des commerçants et des menuisiers. À Québec, les premières associations sont formées par de jeunes gens de droit, avocats, notaires ou étudiants. À l'Institut canadien de Montréal, 15 % des 926 membres admis entre 1855 et 1880 sont des avocats (130), des étudiants en droit (71) ou des notaires (14). Alors que les commerçants constituent 16 % du membership *et* du leadership de l'Institut, les gens de droit occupent 39 % des postes d'«officiers» alors qu'ils ne forment que 15 % du membership. Cette réalité donne le ton aux activités de ces associations qui façonnent une culture d'avocats, à l'image de la vie politique et parlementaire[9].

Les activités des associations culturelles : une culture de l'éloquence

L'association est, sous l'Union, la matrice du décollage culturel, parce qu'elle rend possible et met à contribution les trois formes par excellence de la culture du XIXe siècle : la presse, la tribune, la bibliothèque. Selon des pondérations variées, l'association offre à ses membres des conférences publiques, des essais — sorte de conférences plus modestes à l'adresse des seuls membres de l'association —, des débats, une bibliothèque et un cabinet de lecture de journaux et, dans le cas de l'Institut canadien de Montréal, un modeste musée. De la sorte, l'association joue son rôle premier : meubler les longues soirées d'hiver par des activités concentrées du mois d'octobre au mois de mai, alors que la vie économique reprend avec le dégel et la descente des glaces et la remontée du fleuve par les voiliers et les vapeurs.

La conférence publique, l'essai et le débat participent d'une culture de l'éloquence qui, dans une société rurale et de tradition orale, domine même les élites formées au discours en classe de Rhétorique et dans les académies de collèges. Cette élite se prépare à monter en chaire, à plaider au prétoire ou à discourir sur les « hustings ». L'un de ces jeunes avoue en 1859 : « Pour nous surtout, qui pour la plupart, nous destinons au Barreau, c'est une espèce de prélude aux luttes que nous aurons à soutenir plus tard, luttes sérieuses, luttes difficiles auxquelles nous ne saurions trop dignement nous préparer. »

Sans compter l'Institut canadien de Québec et l'Union catholique de Montréal, on a dénombré plus de 650 conférences publiques offertes dans 14 associations au Bas-Canada entre 1845 et 1880 : 128 conférences publiques à l'Institut canadien de Montréal de 1845 à 1871, avec un maximum annuel de 13 conférences en 1858 ; 149 au Cabinet de lecture paroissial des sulpiciens de 1857 à 1867 ; 93 à l'Union catholique de Saint-Hyacinthe de 1865 à 1871. Tenu dans des salles conçues à cet effet — le Cabinet de lecture paroissial des sulpiciens, les édifices des Instituts canadiens de Montréal et de Québec —, l'événement a quelque chose de mondain : les femmes y sont admises, sans faire elles-mêmes de conférences, à l'exception de Mme de Montfort, conférencière française invitée à l'Institut canadien de Montréal. Le phénomène de la « lecture publique » — traduction littérale de *public lecture* — permet à quelques grandes figures de s'imposer comme conférenciers dans une activité qui connaît aussi son sommet aux États-Unis : Étienne Parent, Louis-Antoine Dessaulles, Arthur Buies, l'abbé Joseph Raymond, les sulpiciens Antoine Giband et Dominique Granet. C'est à l'occasion de ces conférences que l'on aborde de façon différente sinon opposée les thèmes de la liberté, du progrès, de la tolérance, de la défense de l'Institut canadien de Montréal ou de l'économie politique[10].

L'essai, sorte de présentation aux seuls membres de l'association, est un véritable banc d'essai pour les jeunes qui, comme Antoine Gérin-Lajoie, se demandent : « Et qu'avons-nous qui puisse aider le jeune homme qui se sent quelque talent pour la parole ? Où peut-il recevoir des leçons d'éloquence ? Les théâtres ne peuvent vivre parmi nous ; et où sont nos chaires et nos tribunes publiques ? » Genre d'éloquence typique des commencements d'une certaine sociabilité et d'une certaine expression publique de soi, l'essai a surtout été populaire à la Société des Amis (64 de 1845 à 1847) et à l'Institut canadien de Montréal (68 de 1845 à 1871) (tableau 112). Il est d'ailleurs symptomatique que, dans cette dernière association, l'essai connaisse rapidement son apogée (11 essais en 1847), signe qu'on s'éloigne tôt des formes des commencements. Le fait que 30 des 68 essais présentés à cet Institut l'aient été par des étudiants en droit ou de jeunes avocats confirme encore que cette culture de l'éloquence sied parfaitement aux gens de droit.

Le débat, qui invite les participants à défendre le pour ou le contre d'une question, continue jusqu'à un certain point l'Académie de collège et prépare aux plaidoyers du Palais de Justice, aux discours parlementaires sinon aux sermons en chaire. Moins fréquents que la conférence publique, ils le sont pourtant plus que l'essai (tableau 112). Quatorze associations ont offert à leurs membres environ 575 débats entre 1845 et 1880, dont 240 à l'Institut canadien de Montréal qui, en 1858, en offre 25. Avocats et journalistes sont ceux qui débattent le plus souvent de sujets d'actualité politique canadienne et internationale.

Conférences publiques, essais et débats rappellent manifestement que la bourgeoisie de professions libérales est au cœur de ce décollage culturel sous l'Union. Non seulement les gens de droit trouvent-ils dans l'association un lieu d'exercice de leur leadership, mais ils y animent une culture rhétoricienne qui les prépare à leur vie professionnelle. Parcours obligé, le droit mène à tout y compris la littérature : les écrivains de l'époque sont le plus souvent avocats et leurs envolées oratoires dans les associations portent à l'occasion sur la littérature[11].

Bibliothèques et cabinets de lecture des associations

Au cœur de la culture de l'éloquence, l'association est aussi, grâce à sa bibliothèque de livres et à son cabinet de lecture de journaux, au centre de la lecture. En passant en 1851 une loi pour « pourvoir à l'incorporation et à une meilleure administration des associations de bibliothèques et des instituts des artisans», le gouvernement reconnaît que le mouvement récent d'ouvertures de bibliothèques est lié à l'association. De façon plus globale, la bibliothèque d'association marque une étape décisive dans la longue dynamique qui mène à la bibliothèque «publique». Même si elles en ont la prétention, la Quebec Library (1778-) et la Montreal Library (1796-) sont des bibliothèques de souscription individuelle et non des bibliothèques publiques ouvertes à tout public indifféremment de la langue, de la religion ou de la profession et financées grâce à des fonds publics locaux. Différemment des bibliothèques de «collectivités» spécifiques — de souscripteurs, de professions comme les avocats ou les artisans (Mechanics) ou de collèges —, la bibliothèque d'association s'ouvre à un public plus large que celui d'avocats, de médecins, d'artisans, de commis, d'étudiants en cléricature et de gens incapables économiquement de souscrire à une bibliothèque d'élite. Elle constitue, ce faisant, une étape nouvelle et décisive dans le processus qui rendra la bibliothèque vraiment publique à la fin du XIXᵉ siècle.

Ce sont donc les associations qui donnent le coup d'envoi à ce mouvement de lecture davantage publique. Cent cinq bibliothèques de collectivités sont fondées à Montréal de 1840 à 1880 dont 64 francophones. De ces dernières, 29 — près de la moitié — sont mises sur pied entre 1850 et 1860. Ce sont des bibliothèques d'associations, bien sûr, mais aussi d'avocats, d'artisans, d'écoles, de paroisses, de compagnies (Sun Life, Grand Tronc, Banque de Montréal) ou des bibliothèques quasi publiques, anglophones, telles la Fraser Library (1885-) et la Westmount Public Library (1899-). Autre signe de l'importance de la bibliothèque d'association: c'est elle qui, avant l'ère du catalogue sur fiches, publie le plus de *Catalogues* imprimés, ce qui permet aux membres de diversifier leurs emprunts de livres.

La loi de 1851 met fin à l'habitude des incorporations de bibliothèques par loi privée; elle offre un cadre légal aux bibliothèques d'associations et accorde à ces dernières des subventions limitées jusque-là à quelques institutions. Cinq ans plus tard, à l'initiative du nouveau surintendant de l'instruction publique, Pierre-Joseph-Olivier Chauveau, la loi est étendue aux bibliothèques de paroisses et de townships qui seront administrées par les commissaires d'écoles locaux, et en 1876 la loi inclura les cités, villes et villages. Les résultats ne se font pas attendre: ces bibliothèques, que Chauveau appelle publiques dans ses *Rapports* annuels, connaissent leur apogée en 1863-1864 — elles sont au nombre de 284 pour le Bas-Canada — et leur collection est aussi à un maximum de 196 204 volumes (tableaux 99-102)[12].

En plus d'être l'objet, dans le cas de l'Institut canadien de Montréal, de débats et de censures épiscopales en raison de la présence de livres à l'Index et de journaux protestants, la bibliothèque fait partie de l'activité quotidienne des associations les plus dynamiques. Celles-ci mettent à la disposition des membres ou des abonnés une bibliothèque proprement dite et une salle de périodiques.

La collection de la bibliothèque de l'Institut canadien de Montréal atteint un premier sommet en 1855 avec plus de 4000 volumes, malgré un incendie dévastateur en février 1850. Cette collection comprend 10 657 volumes en 1879 (tableaux 95, 97, 106-108). Grâce aux *Catalogues* imprimés (1852, 1870, 1876), on sait que cette bibliothèque contient 80 % de livres en français et qu'en 1852, par exemple, le tiers de la collection est fait de romans d'Alexandre Dumas père, de Balzac, d'Eugène Sue, d'écrits de Chateaubriand et que le quart est constitué d'ouvrages d'histoire. La collection étatsunienne de la bibliothèque comprend, par exemple, les écrits d'Alexis de Tocqueville tandis que la collection canadienne est riche en documents parlementaires et offre les histoires du Canada de Bibaud, de Garneau et de Christie, les romans de Joseph Doutre et de François-Réal Angers, le recueil de poésie du même Bibaud et le *Répertoire national* de James Huston. En 1870-1876, la littérature (46 %) et l'histoire (21 %) constituent les deux tiers de *l'offre* de livres et cette littérature est celle des feuilletonistes français (Dumas, Sue, Féval, Aimard).

L'offre est une chose, la demande en est une autre. L'une peut être évaluée par le *Catalogue* imprimé de la bibliothèque, l'autre par les registres manuscrits de prêts, lorsque, miraculeusement, ils existent, comme dans le cas de l'Institut canadien de Montréal. De 1845 à 1880, la bibliothèque de cette association prête 78 850 volumes avec un premier sommet de 4175 en 1854. Les registres de prêts font voir un aspect peu connu de la lecture publique : l'écart entre l'offre de la collection et la demande des membres et des abonnés. En effet, alors que la littérature correspond à 33 % de la collection offerte, elle représente 77 % de la circulation, de la demande. Le prêt du roman français passe de 66 % de toute la circulation des volumes en 1865 à 85 % en 1875. Le 13 août 1861, le secrétaire de l'Institut consigne au procès-verbal de la réunion : « La circulation des livres a été considérable, surtout pour la classe de littérature légère ; espérons que les autres classes seront aussi patronnées ; elles le méritent bien davantage. » Un volume emprunté sur cinq est de Dumas père, qui est pourtant à l'Index tout comme Eugène Sue. En 1870, 13 % de la collection de la bibliothèque de l'Institut canadien de Montréal est à l'Index ; en 1868, 50 % des volumes en circulation, essentiellement des romans, sont à l'Index.

On comprend dès lors que la condamnation de l'Institut canadien de Montréal, sous le prétexte de la présence de livres à l'Index dans la bibliothèque, touche moins Voltaire, Volney ou les Encyclopédistes que ces feuilletonistes français dans les œuvres desquels la liberté de lecture se joue autrement.

Si la presse annonce l'association, celle-ci expose la presse dans ses salles de journaux. Lorsque Antoine Gérin-Lajoie déplore que l'Œuvre des bons livres des sulpiciens « n'a pas de chambre de nouvelles attachée à sa bibliothèque » et que c'est pourtant « une chose d'une nécessité absolue pour les hommes d'affaires », il reconnaît trois choses : qu'une bibliothèque ne peut pas en 1847 ne pas avoir de section particulière pour les « gazettes », que le terme « chambre de nouvelles » traduit littéralement, encore une fois, le mot *newsroom* employé par les anglophones de la colonie, et que cette « chambre de nouvelles » intéresse les hommes d'affaires au premier chef. Cette tradition de la *newsroom* à Québec et à Montréal rappelle que ces cabinets de lecture de journaux furent d'abord attenants à des *exchanges*, à des bourses commerciales et qu'ils participent d'une réalité de l'échange caractéristique du libéralisme économique de l'époque, en particulier après l'abolition du protectionnisme britannique en 1846. Dans cette économie de marché en plein essor, la circulation est tout autant celle des produits que de l'information sur les marchés, l'échange tout autant matériel qu'intellectuel, l'avoir tout autant un savoir.

La bibliothèque de l'Institut canadien de Montréal comprend une « salle des nouvelles » très active qui, à l'apogée de son dynamisme en 1857, reçoit 126 titres différents de journaux et de revues (tableau 94) en provenance du Bas-Canada, du Haut-Canada, des « provinces du golfe », des États-Unis (*Le Courrier des États-Unis* de New York, le *North American*), de France (*L'Écho des feuilletons*, *La Semaine de Paris*, *Le National*, *Le Magasin pittoresque*) ou de Grande-Bretagne (*Blackwood's Magazine*, *The Dublin Magazine*, *The Enquirer*).

La bibliothèque « catholique » se donne d'autres objectifs : « La bibliothèque paroissiale est le contre-poison à opposer à ces romans infects qui pullulent dans nos villes, et qui déjà envahissent nos campagnes, pénètrent dans le sanctuaire de la famille et y portent la perversion de l'esprit et la corruption du cœur.» Si l'Œuvre des bons livres (1844-1857) des sulpiciens de Montréal, inspirée de la même œuvre à Bordeaux, en France, dispose d'une collection religieuse «disparate, mièvre», ce n'est plus le cas de leur Cabinet de lecture paroissial (1857-1867) fondé pour contrer «le poison» de l'Institut canadien et qui regroupe 2225 titres en 1862 dont 32 % de religion et 48 % de lettres et de philosophie[13].

La presse et le télégraphe

Si Parent avait pu dire de la presse qu'elle était la bibliothèque du peuple, le surintendant de l'instruction publique estime qu'elle «avait remplacé le forum, la place publique, qui était chez les anciens le seul moyen qu'on eût de parler au peuple». Le surintendant Chauveau, qui ne conçoit pas d'écoles sans bibliothèques publiques et pas de bibliothèques publiques sans cabinet de lecture de journaux, écrit en 1857 : «Le journal, c'est un pas en avant ; c'est plus qu'un livre. Le livre, c'est le docteur grave et discret qui vous attend dans son cabinet. Le journal, c'est le missionnaire ardent, infatigable qui court après vous et ne vous laisse point de repos. Le journal c'est encore [...] le livre qui s'ennuyait sur les rayons de sa bibliothèque, qui a détaché et livré aux quatre vents du ciel toutes ses feuilles. [...] On peut bien ne pas aller trouver le livre ; on ne saurait échapper au journal.»

L'association profite de l'essor de la presse et y contribue : les journaux annoncent les activités des associations, en rendent compte et publient les textes des conférences publiques ou des essais tandis que les salles de nouvelles généralisent l'accès aux journaux. Au Bas-Canada, de 1840 à 1879, 222 nouveaux titres sont lancés dont 127 francophones (57 %) et 90 anglophones (40 %). Le nombre de titres disponibles double de 1840 à 1869, triple de 1840 à 1879, sans compter les journaux qui arrivent des États-Unis (tableau 105). Les régions hors de Montréal et de Québec se dotent enfin d'une presse plus régulière : 45 % des titres y paraissent, 59 % des titres francophones. À Trois-Rivières, on peut lire *Le Journal des Trois-Rivières*, *L'Ère nouvelle*, *Le Constitutionnel* ; les Maskoutains disposent du *Courrier de Saint-Hyacinthe*, du *Journal de Saint-Hyacinthe*, de *L'Union* ; *L'Union des Cantons de l'Est* paraît à Arthabaska, *La Gazette de Sorel* dans ledit lieu, *La Gazette de Joliette* dans la ville qui a aussi son séminaire, *La Gazette des campagnes* à Sainte-Anne-de-la-Pocatière, *La Voix du Golfe* à

Rimouski, *Le Défricheur* à L'Avenir, *Le Canada français* à Saint-Jean-sur-Richelieu. À Montréal, 35 des 68 titres publiés durant la période sont francophones contre 33 sur 54 à Québec.

L'expansion de la presse indique clairement la relation entre le décollage culturel et l'urbanisation ; le seuil démographique qui rend possible un quotidien au Bas-Canada et au Québec est de 42 000 habitants en 1851, de 34 000 habitants en 1871 ; pour les hebdomadaires, le seuil est respectivement de 3000 et de 2000 habitants. Le même exercice pourrait être fait pour les agglomérations avec une école ou une association ou une auberge, exercice qui ferait voir les bassins de population requis pour différents types d'activités et d'institutions culturelles[14].

Si la presse se régionalise, elle se confessionnalise et se spécialise. La hiérarchie catholique, qui n'avait pas cru à la nécessité « d'établir un papier public » avant 1840, lance les *Mélanges religieux* à Montréal dès 1840. Ces journaux religieux ne sont pas nécessairement la voix des évêchés mais la ligne ultramontaine ne se dément pas dans *Le Courrier du Canada* ou *La Vérité* de Tardivel à Québec, dans *Le Journal des Trois-Rivières* ou *Le Nouveau Monde*, *L'Étendard*, *Le Franc-Parleur* à Montréal. C'est dire, du coup, comment la presse est alors une presse d'opinion, d'opinions fortement marquées au coin par les partis ministériels ou d'opposition et par la guerre de mots idéologique qui traverse l'Union et l'après-Confédération. La presse, telle *L'Opinion publique* qui met l'illustration à la mode, se spécialise aussi après 1860, en offrant un moyen de communication tout autant aux médecins, aux gens de droit qu'aux amateurs de science ou de musique[15].

Cet essor de la presse est lié, on le verra, à la croissance de l'alphabétisation, à sa mise en valeur dans les associations et à sa polarisation idéologique. Il s'explique aussi par la prospérité économique, par l'accélération de l'acheminement de l'information et par le développement du système ferroviaire qui allonge l'année économique et commerciale, auparavant limitée en hiver par la navigation. L'activité économique exercée durant toute l'année rend l'information, la publicité et le journal quotidien nécessaires. Si les quotidiens sont majoritairement anglophones jusqu'en 1883, *La Patrie* (1857), *La Presse* (1863-1864) de Médéric Lanctôt, *La Minerve* et *Le Journal de Québec* (1864), *Le Pays* (1868), *L'Ordre* (1870) et *Le Canadien* (1874) sont publiés chaque jour ouvrable. Il n'en demeure pas moins qu'en 1851 comme en 1881, la presse québécoise est majoritairement hebdomadaire.

L'acheminement de l'information s'accélère grâce au système postal, à l'accessibilité plus grande à la presse internationale qui arrive par vapeur atlantique, à l'implantation du télégraphe national et international, à l'installation du câble transatlantique et à l'organisation d'agences de presse.

Les bureaux de poste se multiplient pour traiter un courrier de plus en plus abondant et pour acheminer des journaux de plus en plus nombreux. Le Bas-Canada compte 260 bureaux de poste en 1851, soit 2,9 bureaux pour 10 000 habitants. Le courrier traité passe de neuf millions de lettres en 1871 à onze millions dix ans plus tard. En 1851, 32 % de la population bénéficie d'un service postal six fois la semaine comparativement à 71 % en 1881. Cet accès varie, bien sûr, selon les régions : en 1881, 37 % de la population du Saguenay—Lac-Saint-Jean n'est pas desservie par la poste. Limité en 1851 à 11 %, l'accès à la poste ferroviaire profite à 41 % de la population trois décennies plus tard, en particulier pour les abonnés des journaux acheminés par la poste ferroviaire — 45 % des journaux en 1871, 54 % en 1881.

Par l'échange ou l'abonnement, la presse bas-canadienne s'approvisionne en textes dans la presse étrangère. En 1848, les trois quarts de la nouvelle internationale proviennent d'Europe contre un cinquième de la presse étatsunienne. *La Minerve*, *L'Avenir* et *Le Canadien* reprennent souvent les correspondances françaises publiées dans *Le Courrier des États-Unis* de New York. Momentanément ou pour de plus longues périodes, *Le Journal de Québec*, *Le Canadien* et *Les Mélanges religieux* ont des correspondants en France.

L'implantation du télégraphe à Montréal en mai 1846 explique cette facilité nouvelle d'approvisionnement en information. En août 1847, le télégraphe relie Montréal et Toronto ; en octobre de la même année, Montréal et Québec ; en 1851, Montréal et Halifax, étape cruciale qui permet la transmission même en hiver de la nouvelle atlantique vers l'intérieur du pays, avant que le chemin de fer ne relie Montréal et Halifax en 1876. La nouvelle européenne est diffusée, de 1849 à 1856, par des agences de presse européennes — Wolff en Allemagne, Havas en France, Reuter en Angleterre — et par l'Associated Press de New York à compter de 1856. Même la technologie n'est pas à l'abri de l'antagonisme idéologique de la période. *Le Pays* du 29 septembre 1866 ironise à propos du *Courrier du Canada* qui avait attaqué l'Associated Press : « organisez-vous, formez une société, ayez un agent et vous recevrez des nouvelles apprêtées à votre goût. Qu'une agence religieuse soit la contre-partie de l'agence des libres-penseurs. »

En hiver, la nouvelle arrive par bateau à Halifax qui la relaie par télégraphe vers Boston et New York. En saison de navigation laurentienne, la Montreal Telegraph Company dispose d'une station à Pointe-au-Père et la British North American Company a son transmetteur à Rivière-du-Loup pour y prendre la nouvelle imprimée et la télégraphier vers l'ouest avant même que le navire n'accoste à Québec ou à Montréal. Au moment de l'installation du câble transatlantique en août 1866, la nouvelle européenne va de Londres à New York d'où l'Associated Press la transmet à Montréal via la Montreal Telegraph Company. Le retard sur l'événement est alors de deux jours et le « style télégraphique » s'impose dans la presse à côté de poèmes et de feuilletons d'une littérature « nationale » en voie de constitution[16].

Associations, musées et sociabilité

La promotion de l'idée d'association, au début de l'Union, s'était faite à l'enseigne du besoin d'une vie publique. Les associations littéraires avaient de diverses façons créé une sociabilité de la conférence publique et de la lecture de journaux. La presse répercutait l'événement à la fois culturel et mondain qu'était la conférence publique et en rendait compte en soulignant le caractère urbain de la rencontre.

Le musée se développe après 1840 dans un environnement associatif suscité par l'intérêt pour la science, les arts, les « curiosités », l'agriculture et l'industrie. Cet intérêt pour le musée demeure essentiellement anglophone. Il se greffe principalement au musée de la Natural History Society of Montreal (1827-) et accessoirement à ceux de la nouvelle Geological Society of Canada (1844) ou de la Montreal Society of Artists (1847-1848).

Les francophones prennent en ce domaine quelques initiatives la plupart du temps éphémères. À Québec, le peintre Joseph Légaré, dans la foulée du projet Vattemare d'un grand Institut rassembleur, tente de faire survivre (1833-1853) en « Musée national » une « Galerie de Peinture » créée à partir de sa propre collection de tableaux. À Montréal, le Jardin botanique et zoologique de Guilbault (1852-1869) associe des démonstrations de « curiosités » à une ménagerie, à des concerts, au cirque et à des lancements de montgolfières. C'est encore une fois l'Institut canadien de

Montréal, avec son bassin de notables et de gens de lettres, qui formule en 1854 un projet de Musée qui se mettra en place de 1866 à 1869, à l'occasion de l'inauguration du nouvel édifice de l'Institut et à la suite du voyage de Joseph-Guillaume Barthe en France en 1855. Le musée de l'Institut offre au regard des membres quelques « curiosités » naturelles, des œuvres d'art — estampes, huiles, sculptures —, des souvenirs historiques et des pièces de monnaie, autant d'artefacts qui seront cédés à l'Art Association of Montreal. Fondée en 1860 à l'occasion du passage du prince de Galles venu inaugurer le pont Victoria, du nom de sa mère la reine, et symbole de la vie industrieuse de Montréal, l'Art Association naît sans la présence d'artistes parmi ses membres, dans un milieu anglophone (12 des 205 fondateurs sont francophones) pour un milieu anglophone, comme en témoigne la décision d'en confier la présidence à l'évêque anglican de Montréal. L'AAM se donnera un musée permanent en 1879, meublé d'expositions d'œuvres de collectionneurs et de peintres de la Royal Academy of Canada fondée l'année suivante.

Référant implicitement aux dissensions idéologiques qui saturent alors le milieu francophone de Montréal et reconnaissant à nouveau « l'esprit d'association » des anglophones, le jeune peintre Napoléon Bourassa écrit en 1864 : « L'esprit d'association existe à un haut degré, chez nos compatriotes d'origine anglaise ; c'est une qualité que l'éducation sociale a si bien développée en eux qu'elle fait aujourd'hui partie de leur caractère. Un Anglais l'emporte et la garde avec lui, sur quelque point du globe qu'il aille fixer son existence ; et c'est là sans doute la plus précieuse pièce de son bagage, car cette qualité est pour lui le plus vigoureux élément du succès ; elle lui donne partout la richesse et une supériorité politique incontestable, et cela sans grands efforts, sans guerres intestines. Nous autres Français d'origine, nous disputons longtemps au commencement de toute entreprise, nous disputons encore au milieu, et nous disputons presque toujours à la fin. »

Cette grande bourgeoisie anglophone de commerçants coloniaux, qui se soucie du prestige de sa ville lors du passage d'un représentant de la monarchie métropolitaine et qui tient à « exposer » les signes de son avoir et de son savoir, a déjà l'expérience, par son pouvoir économique, de l'exposition « industrielle ». Dès 1843, le Mechanics' Institute de Montréal prend l'initiative d'organiser une exposition des nouveaux produits industriels fabriqués dans la colonie, de façon à créer de l'émulation par les prix que son Comité décerne. Organisée pour sélectionner les produits qui iront meubler le pavillon canadien de la première exposition universelle tenue à Londres en 1851, la première exposition provinciale de 1850 s'installera bientôt dans les locaux du Crystal Palace de Montréal, inauguré aussi en 1860 par le prince de Galles[17].

Une faible sociabilité théâtrale et musicale

On avait eu raison en faisant la promotion de l'idée d'association de déplorer l'absence d'un « théâtre » où aurait pu se créer et se manifester une sociabilité canadienne-française et montréalaise. Point de théâtre, point de concerts, point de sociétés savantes, point de cercles, disait-on en 1845. Le diagnostic est toujours vrai pour le théâtre et la musique en 1877.

Avant 1880, tout comme pour le musée, la sociabilité du spectacle à Montréal est anglophone et à l'enseigne du Royal Theater ou du Dominion Theater. Certes, des troupes itinérantes, en provenance de Paris via New York ou la Nouvelle-Orléans, présentent des pièces à Montréal entre 1840 et 1880, mais sans que la ville puisse supporter une troupe francophone permanente. Il faut dire que le théâtre n'a pas bonne presse auprès de l'Église catholique. En même temps qu'il commence son offensive contre l'Institut canadien de Montréal, Mgr Bourget entreprend sa condamnation du spectacle et du théâtre, déplorant que « ces étrangers sans aveu qui viennent ainsi nous exposer à mériter le courroux du ciel [...] nous enlèvent des capitaux considérables que nous sacrifions au plaisir, tandis que nous les refusons à la charité ». Les « acteurs étrangers » sont comme une « nouvelle apparition du choléra ou du typhus » ; ils sont « d'une immoralité révoltante », habiles à « opérer sur tous les sens des impressions sensuelles et charnelles » et aux gestes capables d'exciter « les passions les plus honteuses, avec une malice vraiment infernale ». Le théâtre est donc vraiment « étranger » et son danger, tout comme les romans de type feuilleton qu'on emprunte à l'Institut canadien de Montréal, relève davantage de la morale que de l'intellect. L'évêque a compris au tournant de la décennie 1860 que Dumas, Eugène Sue, la gestuelle, le discours et le costume du spectacle sont susceptibles de rejoindre plus de gens que Voltaire et Volney. Si les sulpiciens sont sur ces choses d'une rigueur indéfectible, l'épiscopat canadien-français acquiesce à « d'innocentes récréations », respectueuses de la prudence chrétienne. Favorable au théâtre collégial dont le répertoire est trié sur le volet et où d'inévitables rôles de femmes sont joués par des collégiens travestis, l'Église consent au théâtre amateur présenté pour de «bonnes causes». C'est, faute de pouvoir contrer une activité populaire, consentir à l'adopter tout en cherchant à l'adapter. Le loup était dorénavant dans la bergerie[18].

La salle de concerts est aussi anglophone à Montréal jusque vers 1890. Les raisons sociales l'attestent : Royal Theater (1825-), City Concert Hall (1852-), Mechanics' Hall (1854-), Bonaventure Hall (1857-), St. Patrick Hall (1868-), Nordheimer Hall (1859-) du nom d'une marque de piano, Dominion (1872-), Queen's Theater, Academy of Music (1875-). De 1852 à 1875, les deux tiers des spectacles lyriques offerts à Montréal le sont au Royal. L'Academy of Music prendra la relève. De 1840 à 1912, le répertoire est étatsunien (218 titres sur un total de 560) et français (171 titres). Les grands succès sont *Il Trovatore, The Bohemian Girl, Faust, La mascotte, Carmen, Les cloches de Corneville, Lucia di Lammermoor, La fille du régiment*. Une seule création canadienne-française à l'époque : en 1868, *La conversion d'un pêcheur de la Nouvelle-Écosse* de Jean-Baptiste Labelle avec un livret on ne peut plus politique. Labelle fait partie de ce petit groupe de Canadiens français (avec Edmond Hardy, Charles Lavallée) qui commencent à occuper une place dans la direction de fanfares ou d'orchestres ou dans l'édition musicale (A.-J. Boucher) et auxquels se joindront en 1865 des musiciens belges tels Jules Hone ou Jehin-Prume.

Pas plus que le théâtre, la musique profane et le spectacle lyrique n'ont l'heur de plaire à l'Église. Les musiciens et chanteurs font aussi partie de la «gent nomade», écrivent *Les Mélanges religieux* en 1843, auxquels *La Minerve* réplique : «Les Canadiens ne proscriront pas un genre d'amusement que les gouvernements les plus éclairés de l'Europe subventionnent et que les monarques, les princes et les princesses les plus connus par leurs sentiments religieux, visitent et encouragent aussi bien en France qu'en Russie, en Allemagne qu'en Angleterre.» L'opposition cléricale se maintient et *Le Nouveau Monde* du 28 août 1868, soprano coloratura de l'ultramontanisme, écrit à propos de représentations prévues de *La duchesse de Gérolstein* et de *La belle Hélène* d'Offenbach : «Paris s'est amusé durant six mois à ces représentations ; or, ce Paris qui allait ainsi applaudir les maris honnêtes ridiculisés, les prostituées déifiées, le respect filial idiotisé, n'était pas le Paris des honnêtes gens dans le sens vrai du mot.» La morale était menacée, et d'autant plus que le serpent du mal se présentait à nouveau sous la forme de la séduction[19].

L'instruction publique et l'alphabétisation généralisée

Le système d'éducation publique est à reconstruire après les rébellions, et en particulier après la non-reconduction de la loi des écoles d'Assemblée par le Conseil législatif en 1836. À nouveau, en 1843, la responsabilité en matière scolaire passe à l'Église catholique dont le loyalisme indéfectible s'était manifesté lors des rébellions.

Au début de l'Union, le vieux débat de 1819 a toujours cours : l'enseignement religieux doit-il ou non constituer l'essentiel de l'éducation primaire ? *Les Mélanges religieux*, que Mgr Bourget vient de lancer dans son diocèse, estiment qu'« il y a dans la simple intelligence du petit catéchisme catholique une éducation plus complète et plus profonde qu'on ne le pense généralement ». Pour l'organe de l'évêché, « le moyen d'améliorer le sort du peuple ne consiste pas précisément à l'instruire, mais à rendre ses maîtres compatissants, charitables et humains » et « l'éducation religieuse est la seule qui puisse leur faire supporter avec patience et même avec joie les peines attachées à leurs travaux ». Le danger de l'instruction est de former « des demi-savants, des demi-docteurs qui troublent le repos des familles et qui résistent à l'autorité tant civile qu'ecclésiastique ».

En certains quartiers, on a une autre vision de l'éducation. À l'Institut canadien de Montréal, conférenciers et débatteurs abordent assez souvent la question de « l'instruction populaire ». P.-R. Lafrenaye déclare que « l'éducation nationale n'est que le corollaire de la souveraineté du peuple » et que « le principe électif sans l'enseignement des devoirs de la vie publique et sociale devient une amère dérision ». Le conférencier pousse même son raisonnement plus loin et évalue que par l'instruction « la société s'affranchit des erreurs et des préjugés au moyen desquels on l'a exploitée si longtemps[20] ». Manifestement, on résiste à « l'autorité », manifestement, l'école constitue encore et toujours un enjeu social.

Ce ton, qui allait caractériser le débat public sur l'éducation, de la confessionnalisation du système (1843) à l'établissement (1867) puis à la disparition (1875) d'un ministère de l'Instruction publique, n'empêche toutefois pas un décollage scolaire remarquable, rendu nécessaire par le développement économique et possible par l'action de deux surintendants de l'instruction publique, le Dr Jean-Baptiste Meilleur (1842-1855) et Pierre-Joseph-Olivier Chauveau qui sera aussi ministre (1855-1873) responsable de ce domaine. L'action législative des deux hommes (lois de

1841, 1845, 1846, 1849, 1851, 1856) permet de remettre le système sur pied, mais non sans quelque résistance. La loi scolaire de 1846 est présentée par les grands propriétaires terriens et par les seigneurs comme une machine à taxation à une population paysanne déjà astreinte à des obligations seigneuriales, à la dîme et aux coûts d'un banc à l'église. Cette «guerre des éteignoirs», qui prend la forme du refus d'élire des commissaires scolaires, du retrait d'enfants des écoles, de contestations judiciaires et même de saccages et d'incendies d'écoles, touche une corde sensible d'une paysannerie à famille nombreuse qui a besoin des bras de ses enfants et à laquelle on demande une cotisation mensuelle par enfant, que tous aillent encore ou pas à l'école[21].

L'action législative des surintendants s'accompagne d'investissements financiers du gouvernement dans l'éducation : en dix ans, l'effort public triple, passant de 9764 livres en 1849 à 29 037 en 1859 (tableaux 41 et 42), le dollar ayant cours à partir de 1858. La croissance du nombre des écoles est remarquable : 804 en 1842, 1298 en 1843, 1832 en 1844, 2005 en 1850, 3199 en 1859, 4028 en 1870 (tableau 29). Le corps enseignant se constitue grâce à l'initiative gouvernementale de création d'écoles de formation des maîtres (écoles normales Jacques-Cartier de Montréal et Laval de Québec fondées en 1857) d'où sortiront chaque année, en moyenne, 144 diplômés de 1857 à 1875. La profession d'enseignant du primaire et du secondaire demeure majoritairement laïque mais on assiste après 1877 à une relative cléricalisation des effectifs. La profession se féminise et les enseignantes demeurent très majoritairement laïques (tableaux 43 et 44). La formation des maîtres qui avait soulevé, au début de l'Union, la question du «brevet de capacité» pour les laïcs mais non pas pour les religieux et religieuses, repose le problème avec les nouvelles écoles normales qui vont majoritairement doter le personnel enseignant d'un diplôme professionnel (tableau 45).

Sauf durant les trois ans (1846-1848) de «guerre des éteignoirs», le nombre des écoliers est en hausse constante, passant de 4935 en 1842, à 39 397 en 1843, à 61 031 en 1844, à 74 857 en 1850, à 108 284 en 1853, à 202 648 en 1865 (tableau 29). Le fait qu'entre 1850 et 1855 la croissance de la population scolaire soit plus forte que celle de la population globale fournit un autre indice du décollage culturel en train de s'opérer[22]. En témoignent aussi les taux d'alphabétisation qui, durant les décennies 1830-1850, étaient demeurés dans la fourchette de 20 à 30 %

mais qui grimpent à 41 % entre 1860 et 1869 pour franchir le cap du
50 % entre 1870 et 1879 (52 %), sauf pour les agriculteurs (47,8 %) et les
journaliers (19,6 %) canadiens-français (tableau 46).

C'est là la tendance générale. L'alphabétisation, rappelons-le, s'évalue à
la capacité des époux à signer l'acte de mariage. Sa chronologie varie selon
un certain nombre de facteurs. On est plus alphabétisé si l'on habite la
vallée du Saint-Laurent plutôt qu'un village de colonisation, encore qu'une
région de colonisation puisse être plus ancienne qu'une autre, comme c'est
le cas de la Mauricie par rapport au Saguenay—Lac-Saint-Jean. On est
aussi plus alphabétisé en milieu urbain qu'en milieu rural, encore que la
population de Trois-Rivières soit majoritairement alphabétisée une décennie plus tard que l'ensemble du Bas-Canada (tableaux 47-51). Cet écart
s'explique par le rythme du développement économique mauricien où le
secteur du bois de construction prend son essor après 1850 et ceux de la
pulpe et du papier après 1875. Il peut arriver aussi qu'un milieu urbain
traîne un faible taux d'alphabétisation en raison de la présence d'une
main-d'œuvre non spécialisée ou à demi spécialisée. Les épouses signent
plus souvent que les époux au Bas-Canada à partir de 1850 et à Trois-
Rivières à compter de 1830. Chose certaine, l'école alphabétise une
population qui a de plus en plus besoin de savoir lire en milieu urbain,
commercial et industriel et dont la capacité de lire a des incidences sur la
pratique du vote, de la lecture de journaux ou de romans et sur les
attitudes face à la religion[23]. Si la cause instrumentale de l'alphabétisation
demeure l'école, il faut bien souligner l'interaction des incitatifs
économiques et culturels et l'importance des moyens mis en œuvre pour
nourrir et maintenir cette capacité et ce plaisir de lire, que ce soit le
journal, la bibliothèque ou la librairie.

Les collèges, les universités et les professions libérales

Cet effort scolaire est tout autant le projet des professions libérales qui
constituent l'essentiel de la députation francophone que celui du clergé
catholique qui refait ses effectifs par le recrutement de congrégations religieuses surtout françaises et la fondation de dix nouveaux séminaires-
collèges où se donne l'éducation secondaire classique, soit celle des humanités gréco-latines. Ce sont les prêtres et les avocats, notaires, médecins qui
sortent de ces séminaires-collèges qui débattent ensuite dans les associa-

tions et la presse de la valeur de l'éducation classique donnée par le clergé, quand ce n'est pas le clergé lui-même qui révèle sa division à propos des auteurs païens et non chrétiens étudiés dans les classes d'humanité.

Dix nouveaux collèges s'ajoutent aux huit qui existent déjà. Ces institutions nouvelles sont l'initiative de communautés religieuses récemment arrivées : les clercs de Saint-Viateur qui ouvrent un collège à Joliette (1846) et à Rigaud (1850), les Pères de Sainte-Croix qui fondent le collège de Saint-Laurent (1847), les jésuites de retour au pays enseignent au collège Sainte-Marie (1848) ; ou alors, ces collèges sont fondés par le clergé séculier de diocèses récemment érigés : à Lévis (1853), à Trois-Rivières (1860), à Rimouski (1870), à Chicoutimi (1873) ou à Sherbrooke (1875). Responsable de ces collèges, le clergé se soucie de l'uniformité de cet enseignement en créant d'abord en 1854 un baccalauréat et en suscitant en 1865 leur affiliation à la Faculté des arts de l'Université Laval. Par l'uniformité des manuels — ce qu'il n'acceptait pas pour le primaire lorsque la chose était proposée par l'État — et celle de l'examen du baccalauréat, le clergé forme une jeunesse qui passe systématiquement par l'étude de la versification, de la rhétorique, de la philosophie scolastique et bientôt thomiste. Le séminaire-collège prépare simultanément le personnel du clergé et des professions libérales, sorte d'ultramontanisme *de facto*, d'alliance du religieux et du civil qui ne cessera qu'en 1937, alors que, pour la première fois, les finissants qui « iront dans le monde » seront plus nombreux que ceux qui « iront dans les ordres ». Les quelque 2500 à 3000 élèves qui fréquentent chaque année ces 18 collèges reproduisent le schéma des rapports sociaux au XIXe siècle : ce sont les fils de parents de toutes conditions sociales, dont un petit nombre appartient à des professions libérales au début de l'Union, jusqu'à ce que celles-ci se consolident et qu'elles soient sur-représentées dans l'institution collégiale[24].

Ces professions libérales, alimentées par les collèges-séminaires, s'organisent d'abord en dehors de l'Université, que ce soit l'École de Médecine et de Chirurgie de Montréal (1843), la Chambre des Notaires (1847) ou le Barreau du Bas-Canada (1849). Si le milieu anglophone du Bas-Canada s'était doté du McGill College dès 1821, ce n'est qu'en 1852 que la communauté canadienne-française crée l'Université Laval à Québec et qu'en 1876, après moult projets et querelles intestines, que l'Église catholique s'entend, sous la pression de Rome, pour ouvrir une succursale de l'Université Laval à Montréal. Les Facultés universitaires offrent la théologie, le droit, la médecine et, périphériquement, les arts. En droit, la concurrence est forte pour l'Université Laval de Québec : non seulement des étudiants francophones fréquentent-ils McGill (les Doutre, Dorion, Laurier) mais d'autres s'inscrivent à l'École de Droit (1851-1867) de Maximilien Bibaud ouverte au collège Sainte-Marie des jésuites ou à celle créée par l'Institut canadien de Montréal en association avec le Collège de Cobourg en Ontario (1866-1871). C'est cette concurrence qui peuple les associations culturelles d'étudiants en droit et qui façonne une culture d'avocats. Quant à l'enseignement des sciences, il se développe surtout à l'Université Laval de Québec — le darwinisme et l'évolutionnisme y susci-tent peu de débats — avant que l'École polytechnique de Montréal n'ouvre ses portes en 1874[25].

La librairie et l'édition « canadiennes »

Si le décollage culturel du Québec francophone connaît des ratés dans les institutions et la sociabilité muséales, théâtrales et musicales, il est évident dans la percée associative ou dans les taux d'alphabétisation, à titre d'exemples, et se consolide dans les domaines de la librairie et de l'édition.

Le libraire francophone Édouard-Raymond Fabre n'est plus seul à Montréal. Beauchemin et Rolland ouvrent chacun une librairie en 1842, suivis dans leur initiative par Chapeleau en 1849 et par Cadieux et Derome en 1878. Autre signe d'activité de ce secteur culturel : le nombre de *Catalogues* publiés par les libraires pour faciliter à leurs clients individuels et institutionnels le choix de titres. Douze de ces *Catalogues* paraissent entre 1840 et 1880 dont huit de 1870 à 1880 (tableau 88). La librairie québécoise continue de s'approvisionner en France, concurrencée en cela par le clergé et les institutions religieuses qui importent directe-ment des librairies catholiques comme Mame de Tours ou Poussielgue et Jouby de Paris. On peut croire que l'importation de livres à hauteur de six millions de dollars entre 1850 et 1867 alimente principalement la librairie anglophone du Bas-Canada (tableaux 95 et 96). En effet, cette impor-tation culturelle provient à 45 % de la Grande-Bretagne et à 49 % des États-Unis, et cette réalité incite les autorités coloniales à mettre sur pied en 1843 un Comité chargé d'évaluer l'ampleur de l'importation de livres en provenance des États-Unis. On légiférera en 1850 pour protéger les auteurs britanniques contre les réimpressions beaucoup moins coûteuses qui arrivent des États-Unis par le Richelieu et par Saint-Jean. Une nouvelle loi de 1841 sur la propriété littéraire dans la colonie incite les auteurs locaux à réclamer leurs droits. De 1842 à 1858, les demandes de droits d'auteurs proviennent surtout du Bas-Canada et de Montréal. Indice du statut de l'édition de l'époque, les détenteurs de droits sont davantage des imprimeurs-«éditeurs» qui publient des ouvrages scolaires que des auteurs de fiction (tableau 93). Et si 1067 œuvres littéraires sont «enregistrées» à Ottawa entre 1842 et 1867, le véritable décollage de l'auteur se fait après 1880[26].

La situation de l'édition s'améliore. Certes, des auteurs publient encore des romans ou d'autres ouvrages par souscription : c'est le cas de Joseph Doutre (*Les fiancés de 1812*, 1844), de James Huston (*Répertoire national*, 1848) ou de Mgr Laflèche (*Quelques considérations...*, 1866). Encore en 1873, Arthur Buies peut écrire avec l'ironie qu'on lui connaît : «Aujourd'hui, je suis relativement riche, la souscription est un admirable levier quand on sait le manier avec art ; pour moi Dieu m'est témoin, je lui ai fait soulever des trésors.»

Mais on voit aussi un imprimeur comme Ludger Duvernay s'associer au libraire Fabre pour publier des manuels scolaires, des livres de prières ou des brochures politiques «imprimés» chez le premier et «disponibles à la librairie» du second. Les tentatives «d'édition», de prise en charge de la totalité du processus de publication, se multiplient : Cherrier qui, en 1853, se présente comme «éditeur», écrit en préface au *Charles Guérin* de P.-J.-O. Chauveau : «nous croyons donc avoir fait acte de courage et de bon exemple, en achetant les premiers une œuvre littéraire, en offrant à un de nos écrivains une rémunération assurée [...], en lui épargnant les risques et les ennuis de la publication». Le procès des imprimeurs Brousseau contre les rédacteurs des *Soirées canadiennes* (1860-1865) révèle la fragilité du discours et de la réalité de l'imprimeur-éditeur. Dans un premier temps, les frères Brousseau avouent tenir «aux *Soirées canadiennes* un peu pour les profits et beaucoup pour l'honneur de la maison» ; mais l'affaire judiciaire fait répliquer à l'un des rédacteurs : «Les écrits de M. Lajoie amusent et intéressent probablement nos ouvriers ; mais M. Lajoie aurait tort de croire que c'est uniquement de cela qu'ils vivent. Nous ne pouvons pas, à cause de cela même, imprimer par pur patriotisme.» L'édition musicale contribue aussi à ce décollage éditorial. Après 1850, grâce en particulier à Adélard-Joseph Boucher, marchand de musique, compositeur, «éditeur» de périodiques musicaux, de musique en feuille et de recueils, l'édition d'œuvres de compositeurs bas-canadiens devient possible. On publie la « marche » de l'Union, de la Confédération ou de la Saint-Jean-Baptiste, le « galop » du Télégraphe, la valse « Souvenirs de Cacouna » ou la « St. Lawrence Tubular Brigde Mazurka » pour célébrer l'inauguration du pont Victoria. Si la production éditoriale du libraire Beauchemin prend tout son essor après 1880, la maison publie une cinquantaine de titres entre 1870 et 1879 dont la moitié sont des manuels scolaires et des ouvrages pratiques comme l'almanach[27].

L'indicateur le plus révélateur de ce décollage culturel dans le secteur de l'édition demeure le passage de la publication du roman sous forme de feuilleton au roman sous forme de volume. De 1840 à 1850, quatre romans sont publiés sous forme de feuilleton, en rez-de-chaussée de la première page de journaux, contre un seul qui paraît en volume, *Les fiancés de 1812* de Joseph Doutre publié en 1844. Le roman est non seulement mal vu par l'Église catholique mais aussi par une certaine bourgeoisie de professions libérales polarisée par le politique et la reconstruction économique du début de l'Union. Étienne Parent, par exemple, évalue en 1846 qu'« une population comme la nôtre » a « des forêts à défricher, des champs à améliorer, des fabriques de toutes sortes à établir » et que « le temps de la littérature légère n'est pas encore arrivé et n'arrivera de sitôt pour le Canada ». James Huston tente de corriger l'éphémérité de la création littéraire et intellectuelle coloniale en publiant, à partir de 1848, son *Répertoire national* où il avoue en préface : « Car nous le tenons pour certain, ce qui jette le dégoût dans l'âme des écrivains canadiens, c'est de voir le fruit de leurs études et de leurs travaux passer avec les journaux périodiques dans un oubli éternel. »

Quatre romans paraissent sous forme de volumes entre 1850 et 1860, dont trois d'Henry-Émile Chevalier et le *Charles Guérin* de Chauveau publié par Cherrier. Simultanément à la parution des *Soirées canadiennes* (1860-1865), du *Foyer canadien* (1863-1866), de *La Revue canadienne* (1864-) et d'une « suite » au *Répertoire national* de Huston, *La littérature canadienne de 1850 à 1860*, six romans paraissent sous deux couvertures entre 1860 et 1870, 15 de 1870 à 1880 dont 13 à Montréal publiés par des « imprimeurs-éditeurs » ou par des « libraires-éditeurs ». Signe des temps, la littérature « canadienne » apparaît dans les Catalogues de la librairie québécoise : quelques pages du *Catalogue* de la librairie Rolland de 1873 consacrées « aux publications canadiennes » décrivent quelque 116 titres canadiens dont une vingtaine de romans. En 1877, la même maison publie un *Catalogue d'ouvrages canadiens* riche d'une soixantaine de titres. Beauchemin inclut dans son *Catalogue* de 1879 six pages de « publications canadiennes ou d'ouvrages sur le Canada ». La librairie bénéficie à compter de 1857 d'achats de livres pour être offerts en prix scolaires, signe que l'école a bien pris son essor. Plus de 200 000 volumes sont ainsi donnés en récompense entre 1857 et 1880, dont un quart d'auteurs canadiens (tableau 103). L'abbé Henri-Raymond Casgrain contribuera après 1876 à donner une place de plus en plus importante aux auteurs canadiens-français parmi ces auteurs dont les ouvrages sont offerts aux élèves les plus méritants[28].

L'autonomisation de ces auteurs et écrivants est toute relative ; ils ont quasi tous une première profession qui assure le *primum vivere* : de 1840 à 1900 ces écrivains sont d'abord des journalistes, puis des fonctionnaires, et des avocats. Si l'écrivain canadien-français est devenu visible dans ses textes et dans certaines institutions connexes à la création, son statut reste précaire et infléchi par l'opium de la politique partisane que Buies identifie dès 1877 : « Nous avons dans notre pays tant de sujets d'être vite dégoûtés des muses, de renoncer à toute culture intellectuelle, et la politique est un éteignoir si puissant, que je me demande comment on peut en faire pendant trente années et se rappeler encore après cela qu'il y a des livres et des gens qui les écrivent ! » On en a fait effectivement depuis plus de trente ans et c'est ce que consigne Edmond Lareau dans la première *Histoire de la littérature canadienne* qui paraît en 1874, après les bilans intellectuels et des défenses et illustrations d'une « littérature nationale » que font paraître Barthe en 1855, Bibaud en 1858, David en 1861, Fabre et Casgrain en 1866, Saint-Aubin en 1871 et Darveau en 1873[29].

Conclusion

La mise en place du phénomène associatif et la législation scolaire durant la première décennie de l'Union rendent possible le décollage culturel de la fin de la décennie 1850 et du tournant de la décennie 1860. Les associations, qui constituent la matrice de développement des bibliothèques et un centre de rayonnement de la presse, sont elles-mêmes à leur apogée à la fin des années 1850 comme en témoignent les demandes de subventions gouvernementales et la première condamnation de l'Institut canadien de Montréal par Mgr Bourget. La première loi de 1851 sur les bibliothèques tout comme le nombre record de fondations de bibliothèques de collectivités à Montréal entre 1850 et 1860 attestent du dynamisme du phénomène associatif. C'est aussi à la fin de la décennie 1850 que la conférence publique et le débat atteignent un sommet et que la culture rhétoricienne des gens de toge s'impose. Fait à noter : c'est au moment (1857) où la salle des périodiques de l'Institut canadien de Montréal reçoit le plus grand nombre de titres que la presse québécoise se régionalise et que paraît à Montréal le premier quotidien francophone, *La Patrie*, la bien nommée.

Les effets des lois scolaires de la décennie 1840 sont déjà perceptibles dans la décennie suivante. Les investissements financiers du gouvernement dans l'éducation se poursuivent, les effectifs étudiants doublent de 1844 à 1854, de 1850 à 1858, et au moment où, durant la décennie 1850, la croissance de la population scolaire est plus forte que celle de la population totale, le livre offert en prix scolaire aide à la consolidation de la librairie. La fondation de l'Université Laval en 1852 et celle des écoles normales en 1857 rappellent que l'éducation a atteint de nouveaux paliers, des niveaux supérieurs. Mais ce ne sera que dans la décennie 1870 que les lois scolaires des décennies de 1840 et de 1850 et la multiplication des écoles et des enseignants brevetés permettront une croissance des taux d'alphabétisation haussés à 41 % entre 1860 et 1870 et à 52 % entre 1870 et 1880.

Un contemporain comme Maximilien Bibaud, qui publie en 1858 son *Tableau historique des progrès matériels et intellectuels du Canada*, a pris note de ce décollage culturel et littéraire qui voit proliférer les revues de littérature nationale et paraître les bilans de Fabre, Casgrain et David entre 1860 et 1870 et qui se consigne en quelque sorte dans *L'Histoire de la littérature canadienne* de Lareau en 1874. Mais pourquoi ce décollage culturel sous l'Union ?

Un décollage culturel eût été possible après la levée du blocus économique en 1815 si les acquis avaient pu être cumulatifs. Ils ne l'ont pas été pour trois raisons : les rébellions qui ont marqué un temps d'arrêt, les conflits entre la Chambre d'assemblée et le Conseil législatif — on pense à la non-reconduction de la loi des écoles d'Assemblée en 1836 — et les positions de l'Église à l'égard de l'école, de la bibliothèque, du théâtre et des idées nouvelles en général.

Après 1837 et 1838, la reconstruction politique, culturelle et religieuse se fait à l'enseigne de la reconstruction économique qui rend possibles les institutions et les symboles mêmes. La reprise économique est stimulée par la fin du protectionnisme britannique et l'ouverture au libre-échange, notamment avec les États-Unis avec lesquels les rapports commerciaux réciproques se multiplient. La reconstruction économique est facilitée par les capitaux britanniques investis dans la création de réseaux de canaux et de chemin de fer et par la disponibilité de technologies nouvelles comme la vapeur et la télégraphie. L'inauguration du nouveau pont Victoria en 1859 symbolise on ne peut mieux l'alliance de la métropole impériale et de la bourgeoisie anglophone coloniale : la Reine donne son nom à un pont ferroviaire inauguré par son fils le prince de Galles, qui préside aussi à l'ouverture du Crystal Palace — imitation de celui de Londres — et au vernissage, dirait-on, de l'Art Association of Montreal.

La grande bourgeoisie anglophone de Montréal a les moyens de sa sociabilité et de ses institutions et la population anglophone du Bas-Canada en général, qui habite les villes, a des taux de fréquentation scolaire, d'alphabétisation et de propriété de journaux supérieurs à celui de son poids dans la population totale. C'est cette bourgeoisie de Montréal et de Québec qui se dote d'associations, de bibliothèques, de librairies ; c'est elle qui crée des musées, des théâtres, des salles de concerts sans équivalents, entre 1840 et 1877, dans la communauté canadienne-française ; c'est toujours elle qui « expose » tout autant ses produits industriels que ses tableaux de maîtres, grands ou petits.

Cette réalité coloniale pèse de tout son poids sur la culture canadienne-française de l'époque. Les Canadiens français, qui sont les premiers à l'époque à reconnaître le mimétisme de certaines de leurs institutions sur celles des anglophones, adoptent les formes culturelles de la communauté anglophone et les adaptent à leurs besoins et à leurs façons de faire. Le lexique culturel — la lecture publique, la salle de nouvelles — ne confirme-t-il pas qu'on emprunte à la *public lecture* et à la *newsroom* ? Les Canadiens français adaptent ces formes culturelles à leurs aspirations. Ils mettent en place une nouvelle sociabilité, dont ils reconnaissent le manque et le besoin au début de l'Union, et leurs institutions culturelles bénéficient du fait qu'ils sont de plus en plus nombreux à vivre dans des agglomérations, en milieu urbain ou citadin. L'adaptation signifie aussi que la culture que se donnent les Canadiens français est à l'image de la structure sociale : cette culture en est une de gens de professions libérales et en particulier de gens de toge. Les étudiants en droit et les jeunes avocats sont dans leur élément en faisant une conférence, en présentant un essai ou en débattant dans une association. S'ils y occupent une place non proportionnelle à leur nombre, c'est que le membership est surtout composé de ces «gens du comptoir» — marchands et commis — et de ces artisans qui rappellent la dominante économique de cette reconstruction générale qui suit l'Union. Étienne Parent ne le répète-t-il pas, lui qui, politiquement démoralisé au temps des rébellions et de l'Union, présente bientôt l'industrie et l'économie politique comme des planches de salut pour la nationalité éprouvée des Canadiens français ?

Le décollage culturel au tournant de 1860 s'explique et se résume par deux mots : union et échange. L'Union du Haut et du Bas-Canada est un régime constitutionnel ; l'union est aussi économique, celle du Board of Trade ; elle sera bientôt ouvrière ; elle est aussi culturelle, c'est l'union des Canadiens français qui fait la force. Cette mentalité d'union sous un régime politique qui la consacre connaît une espèce d'apothéose dans l'union commerciale, celle de l'échange, dans une économie de marché, qui est à la fois un marché et une circulation de biens, d'informations et d'idées.

Quatrième partie

1877-1896

Chapitre XIV

BAROUDS D'HONNEUR FIN DE SIÈCLE
(1877-1896)

L'ANTAGONISME LIBÉRAL-ULTRAMONTAIN prend l'allure, en cette fin du XIXᵉ siècle, d'un baroud d'honneur, d'un combat soutenu seulement pour l'honneur. Après une neutralisation des extrêmes, on assiste à leur ultime incandescence, comme si le dernier grand frottement de ces visions de société les rendait une dernière fois lumineux.

Ultramontains vs libéraux, ultramontains vs ultramontains

La vieille bagarre que les libéraux et Laurier avaient menée contre l'influence indue donne encore des signes de vitalité. Les évêques publient une nouvelle lettre pastorale sur la liberté du ministère pastoral et le respect du confessionnal, soutenant toujours que les curés ne pouvaient être cités devant les tribunaux civils où il leur faudrait révéler les raisons du refus de l'absolution. Le cardinal Simeoni, préfet de la Sacrée Congrégation de la Propagande, qui invite les curés à ne mentionner en chaire aucun nom au risque de procès civils, écrit à Mᵍʳ Taschereau : « Votre Seigneurie devra notifier chacun des suffragants, de la part de Sa Sainteté, que chacun des prélats, individuellement, ait à s'abstenir d'agiter ou de faire agiter soit dans le parlement, soit dans la presse, la question de la modification de la loi concernant la dite influence indue. »

L'élection du comté de Berthier-en-Haut de 1878 continue de nourrir le débat. Le disciple de Mᵍʳ Bourget, qui mourra en 1885, Mᵍʳ Laflèche de Trois-Rivières, publie en 1881 un volume sur *L'influence spirituelle indue devant la liberté religieuse et civile,* dans lequel il considère la loi sur la défense d'ingérence électorale du clergé comme une atteinte à la liberté de celui-ci. Il base son argumentation en faveur du droit à l'immunité ecclésiastique sur les autres immunités, parlementaire, sénatoriale, judiciaire et militaire.

En cette période d'urbanisation plus forte et de mise en valeur du foncier, le débat autour de l'immunité ecclésiastique prend la forme de l'exemption d'imposition foncière des propriétés des Fabriques, des institutions d'éducation et de charité, et des communautés religieuses. Pour l'épiscopat, cette situation ne doit pas changer, «ne fût-ce que par reconnaissance», car «c'est un point acquis dans notre histoire que c'est l'Église qui a formé notre pays» et que sans l'Église, l'État et les municipalités «seraient tenus de pourvoir à toutes les nécessités». C'est d'ailleurs ce qui se passera en 1884 et 1885 dans le cas des asiles d'aliénés à propos desquels l'État résistera au slogan ultramontain «l'État hors des asiles», mais finira par continuer, pour des raisons d'économie, à faire appel aux communautés religieuses[1].

Une circulaire épiscopale de 1885 sur la défense faite au clergé de se mêler de politique et de ne pas utiliser la chaire comme tribune politique de peur de donner un «spectacle de désunion» corrobore l'observation du cardinal Simeoni à propos de cette «funeste division qui nous ruine[2]». Car division il y a, entre libéraux et ultramontains, entre libéraux, entre ultramontains. Brochures, volumes, séries d'articles de journaux nourrissent un feu d'artifices intellectuel et idéologique dont les allures de bilans indiquent bien qu'il s'agit aussi d'un baroud d'honneur.

Fin 1881, un volume de l'infatigable abbé Alexis Pelletier sur *La source du mal de l'époque* décrit d'entrée de jeu l'habitus contemporain de s'en remettre à Rome : «De là, il est arrivé que les congrégations romaines, auxquelles plusieurs de nos affaires les plus importantes ont été soumises, se sont constamment trouvées comme enveloppées dans un tel réseau d'intrigues et de ruses combinées [...].» Le polémiste entend donc éclairer les congrégations romaines et leur expliquer la source du mal libéral.

La même année, un protégé de Mgr Bourget, l'abbé Alphonse Villeneuve, y va d'un ouvrage publié à Paris intitulé *Étude sur le mal révolutionnaire en Canada* dans lequel il prend le contrepied de Mgr Conroy qui avait affirmé en 1877 que «les principes pervers qui troublent l'Europe n'ont pas encore traversé l'Océan». Pour l'abbé Villeneuve, le mal révolutionnaire, cet «empoisonnement social qui circule dans les veines de la vieille Europe » et qui est la « négation des droits de Dieu et de son Église sur les sociétés civiles », existe bien au Canada. En 333 pages, il propose une bonne revue des symptômes libéraux de ce mal et des luttes intestines du clergé, de l'affaire de l'influence indue à la question universitaire.

À son tour, Mgr Laflèche va frapper à la porte des congrégations romaines pour y déposer un *Mémoire [...] sur les difficultés religieuses en Canada* auquel il joint un *Appendice*. En plus de 200 pages, il donne sa version des difficultés religieuses à propos des questions politique et universitaire et de l'influence indue. Il revient à la charge avec une *Lettre à son Éminence le Cardinal NN établissant la nécessité d'une enquête sur les affaires religieuses du Canada,* bel exemple et attestation, si nécessaire, de la guerre intestine que se livre le clergé. Mgr Laflèche se plaint de ce que son *Mémoire* a été transmis à ses adversaires avant d'avoir été étudié par Rome et il se demande si c'est « là la justice du Saint-Siège ». Pour lui, l'abbé Benjamin Pâquet et Mgr Zitelli sont les causes de l'intrigue, eux qui gouvernent l'Église de la province de Québec. L'évêque éprouve pour lui-même ce que les libéraux ont vécu : « À Rome, il est encore plus difficile qu'au pays de se faire entendre. » Sans doute parce qu'on y est nombreux à plaider une cause. C'est le cas de Mgr Taschereau qui fait 103 *Remarques sur le mémoire de l'Évêque de Trois-Rivières sur les difficultés religieuses en Canada,* passant à sa façon en revue le libéralisme, le programme catholique, l'influence indue, la question universitaire et le nouveau Code civil.

Dans *Le libéralisme dans la province de Québec*, un petit ouvrage de 95 pages publié en 1897, un auteur anonyme fait un survol du libéralisme canadien-français depuis l'affaire Guibord jusqu'à Laurier, sorte de réplique à la brochure de Laurent-Olivier David, *Le clergé canadien, sa mission et son œuvre*, parue l'année précédente. On ignore si ce bilan très critique du libéralisme s'est rendu à Rome, où Mgr Laflèche essuie une autre défaite à propos de la division de son diocèse et de la création d'un nouveau diocèse à Nicolet[3].

Libéraux vs libéraux

En 1877, Laurier avait espéré et cru que son discours allait apaiser les conflits et créer un centre électoralement rentable et politiquement gouvernable. Pour l'essentiel, le présent immédiat lui avait donné raison et l'on continue, chez un libéral comme Edmond Lareau, par exemple, à faire la distinction entre conservatisme et libéralisme, entre libéralisme politique et libéralisme catholique. Si l'esprit de Laurier perdure et domine, il ne s'impose pas pour autant à tous. En même temps que de grandes figures de proue du libéralisme radical disparaissent (Dessaulles, Laflamme, Joseph et Gonzalve Doutre) et au moment où la bibliothèque et les archives de l'Institut canadien de Montréal passent au « protestant » et anglophone Fraser Institute, l'une des premières bibliothèques « publiques » de Montréal et du Québec, de nouvelles figures libérales se présentent ou s'imposent, notamment Arthur Buies, Louis Fréchette, Honoré Beaugrand, Aristide Filiatreault, Marc Sauvalle, Godfroy Langlois. Beaugrand, captif de son image de franc-maçon, ne masque pas son libéralisme anticlérical : « Notre cause ne vaudrait pas nos efforts pour la faire triompher, si le meilleur moyen de la faire triompher était d'en cacher la nature. Le parti libéral a été 25 ans dans l'opposition, qu'il y soit encore 25 ans, si le peuple n'est pas encore arrivé à accepter ses idées ; mais qu'il marche le front haut, bannières déployées, à la face du pays. » Beaugrand donne aussi à penser que son libéralisme vient de France et non d'Angleterre ; il écrit à Laurier en 1895 : « Vous répudiez la Révolution française et je l'admire ; pas dans ses excès ni dans ses exagérations, mais dans ses effets, dans sa législation et ses traditions. Je préfère Thiers, Henri Martin et Michelet à l'anglais Macaulay ou bien à Hume. Je préfère la République française d'aujourd'hui à la forme aristocratique et notoirement anti-démocratique du gouvernement anglais[4]. »

Si *La Patrie* de Beaugrand, fondée en 1879, connaît une durabilité certaine, c'est vers 1890 que *L'Avenir* et *Le Pays* trouvent une certaine descendance intellectuelle et idéologique. Aristide Filiatreault publie *Le Canada artistique* (janvier 1890-janvier 1891) qui devient *Canada-Revue* (janvier 1891-août 1894) puis *Le Réveil* (septembre 1894-novembre 1901). Godfroy Langlois, qui commence sa carrière journalistique au *Clairon* de Montréal en décembre 1889, reprend le combat de *L'Avenir* à propos des dîmes en l'adaptant à la question de l'immunité fiscale : « Notre clergé a toujours été roi sur nos rivages et il n'aime pas plus aujourd'hui que jadis à voir des fidèles se soustraire à sa contrainte [...] ; il a façonné le peuple de manière à le rendre bonasse et soumis et le prêtre canadien-français n'a jamais été habitué à des coups d'audace ou à des mouvements qui n'originaient pas de son influence. En outre, il a accoutumé les habitants de cette province à considérer tous ses intérêts matériels comme des immunités et lorsque nous demandons aux corporations religieuses de nous aider dans le paiement des taxes, certains dévôts, rongeurs de balustres modèles, voilent impieusement leur figure scandalisée et crient même à l'impiété[5].» Passé à *L'Écho des Deux-Montagnes* (1890-1891) de Sainte-Scholastique, relayé par *La Liberté* (1891-1895), Langlois y poursuit sa dénonciation de l'ingérence politique du clergé et de l'enseignement donné dans les collèges classiques. La pression idéologique du libéralisme est aussi maintenue par *L'Union* (1873-1911) de Saint-Hyacinthe, *Le Progrès de Valleyfield* (1878-), *L'Électeur* (1880-1896) de Québec puis *La Paix* (1884-1887) et *Le Clairon* (1884) à Trois-Rivières.

Cette presse est le lieu de dénonciations de scandales causés par des membres du clergé, Dessaulles n'ayant que menacé le clergé de le faire vingt ans plutôt. À l'été 1892, une vingtaine d'affaires de mœurs impliquant des religieux défraient la chronique dans *Canada-Revue*, dans *La Patrie* et dans *L'Écho des Deux-Montagnes* et le poète libéral Louis Fréchette intervient, en particulier, dans l'affaire du sulpicien Guihot, accusé d'avoir adressé des écrits licencieux à l'épouse d'un grand avocat de Montréal. Un mandement collectif des évêques contre ces accusations ne met pourtant pas un terme aux initiatives libérales. En 1894, Fréchette récidive en dénonçant un curé français du nom de Bruneau, assassin d'un autre prêtre et d'une fleuriste. Fréchette utilise l'affaire Bruneau pour faire valoir l'imputabilité du clergé devant les tribunaux civils et mettre en cause l'immunité ecclésiastique[6].

La rivalité entre cette presse libérale et les journaux ultramontains comme *La Vérité* (1881-1923) de Tardivel ou *La Croix* (1893-1895) de Montréal donne lieu à des procès tels ceux de Marc Sauvalle contre Tardivel, qui avait accusé le premier d'être « méthodiste », ou d'Aristide Filiatreault contre l'abbé David Gosselin de *La Semaine religieuse de Québec*, organe officiel de l'archevêché. Mais la censure la plus retentissante est celle de *Canada-Revue* par Mgr Fabre, qui ne prise pas la publication en feuilleton des *Trois mousquetaires*, ouvrage à l'Index. Le 11 novembre 1892, l'évêque condamne *Canada-Revue* « pour protéger le troupeau » et prescrit un refus des sacrements pour ceux qui impriment, vendent et lisent le journal. Le 12 mai 1893, les rédacteurs de *Canada-Revue* intentent un procès civil contre Mgr Fabre, désirant savoir si le droit canonique permet de nuire aux intérêts matériels d'un auteur, d'un propriétaire de journal ou d'un imprimeur. Duroc, alias Marc Sauvalle, écrit le 25 avril : « tout ce que nous voulons établir, c'est que le clergé s'est toujours mis du côté de l'oppresseur, et, a, de tout temps, travaillé à assurer sa propre domination en nous assujettissant au joug d'un conquérant puissant. L'histoire du clergé depuis la conquête est celle de l'égoïsme triomphant. »

Les avocats de *Canada-Revue* sont conscients de reprendre le combat de l'Institut canadien de Montréal et, dans le cas de Rodolphe Laflamme, celui de l'affaire Guibord, et la publication des pièces du procès sous le titre *La Grande Cause ecclésiastique* est un clin d'œil à *La Grande Guerre ecclésiastique* de Dessaulles. Mais rien n'y fait, les juges donnent raison à Mgr Fabre en première instance et en appel. Le rédacteur de *Canada-Revue*, A. Filiatreault, publie alors un ouvrage incandescent, *Ruines cléricales*, dans la tradition du Dessaulles le plus radical. Le ton ne trompe pas : c'est un baroud d'honneur, sans trop de retenue, tout comme trois brochures anonymes sur le cléricalisme qui paraissent en 1896[7].

Pour un feu d'artifice du genre de *Canada-Revue*, on connaît d'autres flambées de censure moins spectaculaires : Mgr Laflèche interdit *La Sentinelle* en 1886, Mgr Fabre condamne *L'Écho des Deux-Montagnes* en même temps que *Canada-Revue*, Mgr Bégin et Mgr Fabre condamnent *L'Électeur* de Québec qui avait publié l'ouvrage de L.-O. David sur *Le clergé canadien, sa mission et son œuvre*. Condamné le 27 décembre 1896, *L'Électeur* paraît le lendemain sous le titre *Le Soleil*[8] !

L'État dans ou hors de l'école ?

Le discours de Laurier de 1877 n'empêche pas qu'à nouveau la question de l'école devienne un brandon de discorde idéologique et politique entre les libéraux et les conservateurs et ultramontains. Le débat et les stratégies se jouent sur de multiples fronts. Déjà en 1879, la loi de 1875 abolissant le ministère de l'Instruction publique et faisant des évêques des membres *ex officio* du Comité catholique est remise en question. Un éducateur chevronné, Urgel-Eugène Archambault, déclare : « Cette loi […] a pu être une habile opération politique, mais je ne crains pas de le dire, je suis de ceux qui doutent de l'efficacité de cette mesure au point de vue pédagogique. »

Archambault, surintendant de la Commission des écoles catholiques de Montréal (CECM) et qui vient de fonder l'École polytechnique, porte l'opposition au niveau montréalais et propose l'uniformité des programmes scolaires à la CECM, tout en assurant aux Frères des écoles chrétiennes le droit d'utiliser leur méthode et leurs manuels d'enseignement. Archambault est appuyé par son collègue Jean-Baptiste Cloutier, futur directeur de *L'Enseignement primaire*, qui fait, en septembre 1880, une conférence sur l'uniformité de l'enseignement. Mais une commission royale d'enquête, en 1882-1883, sur l'administration de la CECM et sur la question de l'enseignement religieux, ne donne aucun résultat concret[9].

Le débat qui alimente l'opposition concerne le projet de loi du 24 juillet 1880 sur la création d'un «dépôt de livres», sorte de sélection de manuel unique par matière d'enseignement qui serait revue aux quatre ans. Depuis 1855, au moins, on avait identifié cet obstacle de la très grande diversité des ouvrages scolaires; le surintendant de l'instruction publique, P.-J.-O. Chauveau, écrivait dans son *Rapport* de 1855: «Les inspecteurs, dans leurs rapports, ne cessent de se plaindre de la très grande variété de ceux qui sont en usage. Le choix des livres, dans la pratique, est laissé aux instituteurs; et, comme chacun a ses habitudes et ses prédilections particulières, il s'ensuit qu'un changement de livres a généralement lieu avec chaque changement d'instituteur, lesquels arrivent trop fréquemment, comme on le sait. Rien n'est plus propre à retarder les progrès des enfans et à rebuter les parens par les dépenses inutiles qui leur sont ainsi imposées.» Le projet de loi de 1880 stipule que les écoles qui ne respecteraient pas cette loi en septembre 1882 perdraient leur subvention. Cette mesure qui met en cause le quasi-monopole des communautés religieuses sur l'édition scolaire et tente de soulager les familles contraintes d'année en année, ou d'école en école, de multiplier les achats d'ouvrages scolaires pour leurs enfants, suscite une levée de boucliers. Le curé Rousselot, de la paroisse Notre-Dame de Montréal — celui de l'affaire Guibord —, y voit une tactique pour enlever aux Frères des écoles chrétiennes leur méthode et leurs manuels, ce que le républicain et anticlérical Jules Ferry n'a pas fait en France, précise-t-il. Le nouveau supérieur canadien des Frères des écoles chrétiennes, le frère Réticius, qui arrive tout juste de la France de la IIIe République et de Jules Ferry, polémique d'abord avec son confrère l'abbé Verreau, directeur de l'école normale Jacques-Cartier, à propos du danger de l'uniformité dans l'enseignement et de la valeur respective de l'enseignement religieux et de l'enseignement laïque. Il débat ensuite avec U.-E. Archambault, qui vient de rendre public un *Mémoire* sur la question, et le supérieur Réticius lance la formule «l'État hors de l'école». En 1881-1882, les «petits bills à la Ferry» du premier ministre Chapleau relatifs au dépôt de livres et à l'organisation d'un inspectorat sont bloqués[10].

En 1881, Honoré Mercier, député de Saint-Hyacinthe et bientôt chef des libéraux provinciaux, ouvre le front de l'école obligatoire avec l'argument que l'ignorance et l'analphabétisme frappent « d'incapacité politique les jeunes gens » qui arrivent à la majorité sans savoir lire et écrire. Il aura, au cours de la période, l'appui des syndicats naissants, les Chevaliers du Travail et le Congrès des métiers et du travail du Canada, ainsi que celui de la presse libérale radicale et de la presse libérale modérée. *Le Moniteur du commerce* de Montréal écrit le 19 août 1892 :

> En fait d'enseignement, jusqu'il y a vingt ans, le clergé a fait ses preuves, c'est vrai ; mais depuis vingt ans ou à peu près, tout le temps qu'il n'a pas consacré à ses devoirs d'État, il l'a employé tantôt à activer des chamailleries intestines et à affaiblir la discipline si nécessaire à l'apostolat, tantôt à exciter des luttes entre diverses communautés régulières pour maintenir ou augmenter, à celle-ci ou à celle-là selon le vent sympathique du moment, sa somme d'influence ou de richesse. Depuis vingt ans, le clergé n'a rien fait pour généraliser et augmenter sensiblement l'instruction parmi le peuple.

Et le milieu du capital et celui du travail constatent la nécessité impérative de l'instruction publique dans un contexte d'industrialisation de plus en plus exigeant en matière de connaissances. Il n'est donc pas étonnant que, faute de vouloir ou de pouvoir faire passer une loi d'instruction obligatoire, l'on se replie sur des écoles du soir gratuites, mises en place de 1889 à 1892, dénoncées par les ultramontains mais à l'égard desquelles le cardinal Taschereau se montre plus favorable en raison de la moralisation sociale qu'elles peuvent inculquer[11].

La question centrale demeure celle de « l'État hors de l'école ». Si l'archevêque de Québec se montre plus favorable aux instituteurs laïques, son collègue de Trois-Rivières, Mgr Laflèche, publie un mandement contre l'État éducateur, appuyé par l'infatigable Mgr Pinsoneault et par l'abbé L.-P. Paquin qui fait des conférences au Cercle catholique de Québec contre l'instruction obligatoire. Ce baroud d'honneur scolaire connaît un point tournant en 1886 lorsque le cardinal Taschereau, écrivant au premier ministre Ross, reconnaît que l'État a sa place dans l'école, marginalisant ainsi les ultras de « l'État hors de l'école[12] ».

S'il se desserre un peu, le contrôle clérical sur l'éducation se maintient comme en témoigne la tentative politique, avortée, d'exiger des clercs un « brevet de capacité » équivalant à celui des laïcs. De 1892 à 1895, les efforts pour mettre sur un pied d'égalité instituteurs religieux et instituteurs laïques en regard des diplômes exigés sont contrés par le Comité catholique de l'instruction publique et par le Conseil législatif où un Thomas Chapais s'emploie à rappeler les nuages républicains à la Ferry qui planeraient sur l'éducation québécoise :

> Les congrégations enseignantes s'opposent à cette mesure de défiance parce qu'elle est le premier pas dans une voie qui conduit naturellement à l'ingérence de l'État, à la tyrannie de l'État, à l'empiètement de l'État sur leurs droits, à la compression par l'État de leur mission et de leur action éducatrice, à la violation par l'État de leur liberté et de leur autonomie[13].

Le constat d'industrialisation qui avait incité Mercier, les milieux d'affaires et les syndicats à promouvoir l'école obligatoire, l'uniformité des manuels et l'enseignement technique est le même qui justifie les libéraux modérés et radicaux de mettre en question la valeur de la formation donnée par les clercs dans les collèges classiques. Laurier écrit au premier ministre de l'Ontario, Edward Blake : « Quand les étudiants sortent des collèges classiques, ce sont des ignorants en même temps que des conservateurs fanatiques. » *Le Moniteur du commerce*, voix des milieux d'affaires montréalais, considère comme un capital « sans valeur sur le marché » l'enseignement des collèges classiques. Quant au poète libéral radical Louis Fréchette, polémiquant avec l'abbé Baillargé, il affirme : « car si le présent système se prolonge, nos collèges ne seront bientôt plus que des fabriques de déclassés trop instruits pour labourer, et trop ignorants pour tenir un comptoir ou manier une plume ». Faisant écho à la formule de Dessaulles, selon laquelle avec la mentalité régnante « on fait des moines, jamais des hommes. On organise un couvent, jamais une nation », Fréchette écrit : « Ce n'est pas le clergé qui est fait pour le pays, c'est le pays qui est fait pour le clergé. » En témoigne, particulièrement, l'enseignement de la philosophie qui s'est mis à l'enseigne du thomisme depuis l'encyclique *Æterni Patris* de 1879[14].

Après l'école primaire et le collège classique, l'école normale est le dernier lieu du baroud d'honneur scolaire et des polémiques intra-ecclésiastiques. En 1881, l'abbé Verreau, directeur de l'école normale Jacques-Cartier et opposant aux initiatives du frère Réticius, ferraille aussi avec Mgr Laflèche à propos du financement des écoles normales et de la valeur respective de l'enseignement des religieux et des laïcs dans ces écoles. Verreau argue de la supériorité des laïcs qui doivent, eux, obtenir le « brevet de capacité[15] ».

Un baroudeur tenace : Jules-Paul Tardivel

Tardivel constitue une figure exemplaire de ce chant du cygne de l'ultramontanisme fin de siècle, qui établit une équation entre école gratuite, obligatoire, neutre et étatique et qui voit dans Mercier l'homme « qui emboîte le pas, lui aussi, derrière les Jules Ferry ». Élevé à l'ombre du presbytère et de Louis Veuillot, Tardivel commence sa vie publique au *Canadien* en 1873, dans la lancée du Programme catholique de 1871. Il fonde en 1881 un hebdomadaire au titre révélateur, *La Vérité*, journal catholique d'abord et avant tout, non partisan et dédié à la cause agricole et à la colonisation. Ennemi déclaré de la France républicaine, Tardivel et *La Vérité* dénoncent le libéralisme, synonyme de « la suppression des droits de Dieu dans l'ordre civil et politique » et de la « sécularisation de la politique, sa laïcisation, pour employer un terme nouveau ». Les distinctions de Laurier n'impressionnent pas Tardivel, qui écrit qu'il « n'y a pas deux libéralismes, l'un anglais, l'autre français, l'un religieux, l'autre politique. Il n'y a que des nuances diverses de la même erreur politico-religieuse ». Dès 1882, il récuse la démocratie et, fidèle au manuel de philosophie qu'il a utilisé, il affirme que le pouvoir politique vient de Dieu et que la souveraineté populaire est cette fausse doctrine selon laquelle la majorité crée le droit[16].

Tardivel est le premier Canadien français à trouver dans la franc-maçonnerie un bouc émissaire aux « péchés » de la Révolution, de la République et du libéralisme. Empruntant à la presse française, à *La Croix* de Paris, à la Ligue antimaçonnique des jésuites français et à l'ouvrage de Claudio Jannet sur *Les sociétés secrètes et la société ou la philosophie de l'histoire contemporaine* dont *La Vérité* reproduit de longs extraits en 1883-1884, Tardivel défie l'archevêque de Québec sur cette question au moment où, en 1884, le jésuite Édouard Hamon, alias Jean d'Erbrée, publie un ouvrage sur *La franc-maçonnerie dans la province de Québec* et où Léon XIII promulgue une encyclique, *Humanum genus*, sur la question maçonnique.

L'épiscopat — de Mgr Taschereau à Mgr Laflèche — ne met guère de temps à se dissocier des excès de langage de Tardivel ou de certaines de ses prises de position, si bien que dès 1885, Tardivel est isolé par la hiérarchie catholique[17].

Malgré cet isolement, ce catholique intransigeant va concevoir un nationalisme tout à fait original, annonciateur et à la mesure de son intransigeance. Un nationalisme différent du nationalisme de Parent, de La Fontaine et de Cartier limité à l'affirmation des caractéristiques des Canadiens français (catholicisme, langue française, ruralité, droit civil) et du nationalisme des libéraux radicaux placé à l'enseigne du libéralisme et occasionnellement à celle du principe des nationalités. Le nationalisme de Tardivel est déclenché par une suite d'événements qui le font déchanter de la Confédération de 1867. À la suite de la pendaison de Riel en 1885, il écrit dans *La Vérité* du 21 novembre : « Le gouvernement canadien a donc répandu le sang d'un fou pour étancher l'ignoble soif des Orangistes. Quelle tristesse ! Quelle honte pour notre pays. Cette tache infâme ne s'effacera jamais. [...] L'échafaud de Regina grandira, grandira toujours ; son ombre sinistre se projettera de plus en plus menaçante sur le pays ; [...]. Toujours l'image de ce cadavre de Louis Riel sera là, se balançant entre ciel et terre, devant les yeux de notre population. » Déjà attentif au fait que, quatre ans après la Confédération, les catholiques francophones du Nouveau-Brunswick ont perdu leur droit à l'école catholique, Tardivel affirme dans son journal, le 2 novembre 1889 :

> La confédération ne protégeant pas les droits des minorités, du moment que ces minorités sont françaises et catholiques, où est donc sa raison d'être, au point de vue de nos intérêts, à nous, Canadiens français et catholiques ? Elle peut faire l'affaire des sectaires qui veulent l'anglicisation, l'apostasie religieuse et nationale des Canadiens français ; mais elle ne saurait faire la nôtre... Nos ennemis ne s'arrêteront que lorsqu'ils auront foulé aux pieds le dernier droit de la race française en Amérique... Déjà on parle d'abolir la langue française comme langue officielle à Ottawa et même à Québec [...]. Que n'osera-t-on entreprendre lorsque nous ne serons plus qu'un cinquième ou un sixième [de la population] ?

Après avoir connu la perte des droits scolaires des Franco-Manitobains en 1890, il est devenu clair pour Tardivel « qu'il faut faire de deux choses l'une : exiger le respect de nos droits dans la confédération ou sortir de la confédération ».

Ce nationalisme fondé sur la désillusion quant au respect de la religion catholique et de la langue française s'alimente aussi au providentialisme, à l'idée d'une Providence interventionniste et agissante. Tardivel écrit dans *La Vérité* du 18 mars 1893 :

> Quand et comment le peuple canadien-français prendra-t-il le rang qui lui est ardemment destiné parmi les nations autonomes de la terre ? C'est le secret de Dieu. Mais cette heure sonnera sûrement, tôt ou tard, si nous

restons fidèles à la mission providentielle qui nous a été confiée [...]. Cette heure providentielle sonnera, soyez-en assurés ; car il est impossible que Dieu n'ait pas voulu faire une véritable nation de ce peuple canadien-français dont il a si visiblement protégé la naissance et la jeunesse [...]. Laissons faire les événements. La dissolution [...] du lien interprovincial viendra à l'heure et de la manière marquées par la divine Providence.

Tardivel reprend certes l'idée d'une nationalité identifiable à sa religion d'abord puis à sa langue, liant d'ailleurs ces deux traits distinctifs : « pour nos nationaux, la langue est intimement liée à la foi. En perdant celle-là, ils risquent de perdre celle-ci. » Déjà, il dénonce l'absence du français dans les ministères fédéraux et dans les compagnies de chemin de fer et de télégraphe. Mais l'originalité de sa vision de la nationalité réside dans le choix d'une séparation du Québec du Canada, et ce sans faire appel au principe libéral des nationalités. En ce sens, il est le premier à conjuguer explicitement ce que nous appelons nationalisme culturel et nationalisme politique, à utiliser les caractères distinctifs d'un peuple pour proposer de doter celui-ci d'un État.

De 1885 à 1895, Tardivel formule et précise la nature de cet État ultramontain, catholique et canadien-français, de cette nation « jouissant des bienfaits de l'unité religieuse ». Cet État aurait comme territoire un espace comprenant le nord-est du continent américain ; il garantirait leurs droits aux protestants jusqu'à la disparition de ceux-ci et il s'opposerait à l'émigration des Canadiens français vers l'Ouest et à l'immigration en direction de son territoire. Cet État serait, paradoxalement, une république catholique, république signifiant ici le rejet de la monarchie et la place faite à un président, comme dans l'Équateur de Garcia Moreno. Le régime constitutionnel de cet État catholique exclurait la responsabilité ministérielle tout en s'appuyant sur deux Chambres, l'une élue, l'autre composée des « Grands corps de la nation ». Le suffrage serait celui des familles, l'union de l'Église et de l'État serait scellée et celui-ci serait consacré au Sacré-Cœur.

Tardivel consigne cette vision de la nationalité canadienne-française dans un roman singulier, *Pour la patrie*, publié en 1895. Ce roman d'anti-cipation — l'action se déroule en 1945 —, d'amour dépassé par le senti-ment national et de suspense — le vol d'archives des francs-maçons — est construit sur trois trames : l'opposition à la France républicaine au profit de l'adhésion à la « vieille France », la dénonciation de la franc-maçonnerie et le parti pris de la séparation des provinces plutôt que celui du statu quo ou de l'union législative. Le roman, qui se nourrit de l'œuvre journalistique, utilise la franc-maçonnerie comme intrigue dramatique, mettant en scène une Ligue du Progrès, un premier ministre fédéral franc-maçon qui présente une « loi organique » favorable à une seule nationalité canadienne ou une secte dont les archives obtenues par des « nationaux » constituent « une preuve irréfutable que cette constitution [du pays] est l'œuvre directe des loges ; que nous sommes en face d'une conspiration vraiment infernale pour empêcher la Nouvelle France, fille aînée de l'Église en Amérique, de prendre son rang parmi les nations de la terre ». Roman acceptable où les personnages prient, pratiquent, sont témoins de miracles et de la résurrection d'une protagoniste, *Pour la patrie* met déjà en scène un univers de ligues, de revues (*La Nouvelle-France, La Libre pensée*) et de manifestes typique du tournant du siècle.

Roman singulier d'une vision inédite de la nationalité, *Pour la patrie* est aussi l'œuvre d'un catholique radical qui transforme son radicalisme religieux en radicalisme politique, qui devient indépendantiste par désillusion et par volonté de protéger la religion puis la langue. Cette œuvre marginale est à l'image de son auteur, baroudeur tenace, isolé dans son ultramontanisme « ultramonté » — le qualificatif est de lui — et dont le journal n'aura été finalement ni celui des élites ni celui des milieux populaires, ruraux ou urbains[18].

Une autre vision « d'indépendance » :
l'avenir du Canada selon Mercier (1893)

Délogé du pouvoir, Honoré Mercier fait en 1893, au parc Sohmer, un retentissant discours sur l'avenir du Canada. Réclamée au moment où, en 1897, on s'apprête à célébrer les 50 ans de règne de la reine Victoria, la place du Canada « sous le soleil des nations » constitue l'un des premiers signes d'un anti-impérialisme canadien-français promis à un bel avenir au tournant du siècle.

Se percevant comme francophone non anglophobe tout en avouant que « l'Angleterre [le] laisse assez indifférent, presque froid », Mercier estime que l'Angleterre a fait plus de mal que de bien aux Canadiens français, que nous ne lui « devons rien » et que « nous pourrons, au besoin, nous séparer d'elle ». Les Canadiens doivent leur « loyauté au Canada d'abord et non à des pays étrangers » et ce n'est pas déloyauté, pour Mercier, que de parler de briser le lien colonial.

L'ancien premier ministre du Québec examine trois solutions possibles : le statu quo, l'union politique avec les États-Unis et l'indépendance du Canada. Le statu quo est inacceptable : l'état colonial est un état transitoire et des raisons d'ordre moral (le divorce voté par le fédéral) et religieux (perte des droits scolaires au Nouveau-Brunswick et au Manitoba) justifient un changement d'allégeance.

L'union politique du Canada avec les États-Unis apparaît tentante pour Mercier : déjà leurs capitaux permettent l'exploitation de mines au Québec et ils aideraient à celle des forêts. Une telle union rendrait l'émigration inutile, le travail serait mieux rétribué, les Canadiens français se verraient épargnés des préjugés de race et de religion absents aux États-Unis. Dans une telle union, chaque province serait, tel un État, « virtuellement indépendante », et différemment des Louisianais, les Canadiens français fixeraient leurs conditions et imposeraient le français dans toutes leurs instutions, sauf au Congrès des représentants.

Mais Mercier préfère l'indépendance du Canada et « l'idée de l'indépendance semble avoir pris des racines profondes dans le Jeune Canada ». Se servant de la doctrine Monroe, il déclare que l'Amérique appartient à tous les Américains et que le Canada doit se rendre libre « de toute attache » pour créer une « République canadienne[19] ».

Un point tournant : la question des écoles du Manitoba (1890-1896)

Le débat politique et culturel soulevé par la question des écoles du Manitoba marque la fin de quelque chose et le début d'une trajectoire intellectuelle et politique qui courra durant le vingtième siècle. En amont, la crise de 1896 remet en cause la Confédération elle-même et remet sur la sellette le problème de l'intervention politique et électorale du clergé que le discours de Laurier de 1877 devait avoir réglé, et ce au moment où Laurier, premier chef canadien-français du Parti libéral du Canada, s'apprête à devenir le premier premier ministre canadien-français du Canada ; en aval, cette crise révèle des désillusions à propos de la Confédération, une attitude politique inédite, « l'esprit de parti », qui sera à l'origine d'un renouveau nationaliste, et une nouvelle scission dans la hiérarchie catholique canadienne-française et irlandaise.

Les tensions de 1896 remontent à l'été 1888 lorsque la presse anglo-protestante des Cantons de l'Est dénonce le règlement de la question des biens des jésuites par Honoré Mercier. Le mouvement d'opposition se transporte à Montréal à l'automne 1889 avant de prendre la forme d'une opposition aux Communes, qui refusent de voter une motion de non-reconnaissance de la loi de juillet 1888 réglant la question du partage des biens des jésuites. La fondation en Ontario de l'Equal Rights Association et son militantisme conduisent en 1890 à l'abolition du français comme langue parlementaire au Manitoba et à l'abolition des écoles dissidentes ou catholiques. Cette crise scolaire n'était pourtant pas la première. Quatre ans après la Confédération, qui reconnaissait les écoles confessionnelles là où elles existaient légalement avant 1867 et qui donnait au gouvernement fédéral le pouvoir de désavouer et de réparer toute atteinte à ce droit de la part d'une province, le Nouveau-Brunswick avait remis en cause en 1871 le droit des Acadiens à des écoles dissidentes pour la minorité catholique.

En créant un système scolaire confessionnel plutôt que linguistique, la Constitution de 1867 avait confié au clergé des différentes confessions la défense de la langue et de la culture qui leur sont propres. La lettre pastorale de mars 1891 des évêques catholiques sur la question des écoles du Manitoba ne surprend donc pas. Les évêques s'étonnent de ce que « nos institutions sociales et politiques nous garantissaient la protection de tous les droits et voilà que ces mêmes droits sont violés par ceux qui devaient les sauvegarder ». Il s'agit pour la hiérarchie catholique d'une « persécution astucieuse » mais en même temps flagrante : « [...] c'est que la législature tout en abolissant les Écoles Catholiques, a passé des lois qui non seulement maintiennent les Écoles Protestantes dans toute leur intégrité, mais même leur assurent, quoique sectaires, toute la part d'argent public à laquelle les catholiques auraient droit ». Il est clair pour les évêques « que l'idée protestante domine toute cette législature ».

La hiérarchie catholique saisit aussi l'occasion d'un jugement du Conseil privé de Londres du 29 janvier 1895, selon lequel la loi manitobaine de 1890 porte atteinte aux droits de la minorité catholique, pour publier deux nouvelles lettres pastorales, la première qui en appelle au respect des droits dans la foulée du jugement du Conseil privé, la seconde qui invite la presse et le clergé catholiques à laisser aux seuls évêques la tâche de mener le combat[20].

En pleine campagne électorale de 1896, un cardinal, sept archevêques et vingt évêques sont confrontés au Parti conservateur au pouvoir, qui promet une loi remédiatrice, et au Parti libéral de Laurier qui s'engage vaguement à redresser les droits des catholiques à la satisfaction et de la majorité protestante et de la minorité catholique.

Dans sa première intervention publique comme voix de l'épiscopat, le jeune théologien Louis-Adolphe Pâquet énonce les principes directeurs de la position de l'autorité catholique : « il ne s'agit pas pour nous d'un intérêt de parti, mais d'une question de doctrine et de droit public ecclésiastique de la plus haute portée religieuse et nationale ». Rappelant le principe ultramontain fondamental selon lequel « l'Église étant, à cause de sa fin, une société essentiellement supérieure à l'État » et s'appuyant à nouveau sur le jugement du Conseil privé, l'abbé Pâquet en appelle à une prise de position claire de la part des partis politiques : « Ne vaut-il pas infiniment mieux que le pouvoir central, puisqu'il en a le droit et l'occasion, élève maintenant contre tous les persécuteurs présents et futurs un rempart de justice et de protection religieuse ? [...] »

À quelques semaines des élections, les évêques reviennent à la charge pour rappeler que le plus haut tribunal de l'Empire a reconnu « le bien fondé des réclamations des catholiques, la légitimité de leurs griefs et le droit d'intervention des autorités fédérales pour que justice soit rendue aux opprimés ». Leur lettre pastorale du 6 mai 1896 affirme que la dernière session « nous a trompés dans nos espérances » et prescrit que « tous les catholiques ne devront accorder leur suffrage qu'aux candidats qui s'engageront formellement et solennellement à voter, au Parlement, en faveur d'une législation rendant à la minorité catholique du Manitoba les droits scolaires qui lui ont été reconnus par l'Honorable Conseil Privé d'Angleterre ».

Malgré l'avertissement de la lettre pastorale selon lequel c'est aux évêques « à désigner ou à approuver les moyens convenables pour arriver à la fin spirituelle qu'ils se proposent d'atteindre », l'irréductible Mgr Laflèche fait un sermon interprétant le message épiscopal comme une condamnation de Laurier et du Parti libéral. Les évêques ne le désavouent pas et certains vont jusqu'à suggérer de voter pour les conservateurs. Dans une circulaire, l'autorité épiscopale rappelle que les prêtres « seront les premiers à donner l'exemple de la prudence et de la soumission dans une circonstance aussi solennelle[21] ».

Le 23 juin 1896, sur les 65 députés du Québec à la Chambre des communes, Laurier fait élire 49 de ses candidats contre 16 conservateurs. L'électorat a suivi Laurier plutôt que l'épiscopat, ne pouvant pas réélire les conservateurs qui n'avaient rien fait de 1890 à 1896 à propos des droits des catholiques au Manitoba. Louis Fréchette, le poète libéral radical, écrit avec une évidente satisfaction : « La voilà donc cette puissance du clergé que l'on avait tant vantée, qui faisait et défaisait ministères et ministres ; qui imposait aux faibles sa puissance et aux forts sa crainte ; la voilà étendue de son long à nos pieds, et nous pouvons la mesurer tout à notre aise. Approchez-en, bonnes gens, n'en ayez plus peur[22] ! »

Baroud d'honneur éditorial :
la mise à l'Index du Clergé canadien, sa mission et son œuvre

En juillet 1896, Laurent-Olivier David publie un ouvrage intitulé *Le clergé canadien, sa mission et son œuvre*, sorte d'historique tempéré de l'intervention cléricale en politique depuis les troubles de 1837 jusqu'à l'affaire des écoles du Manitoba. Pour respectueuse qu'elle soit, la conclusion demeure ferme : les ministres de la religion y sont considérés comme des « hommes sujets aux passions et aux erreurs humaines » ; il ne faut donc pas « confondre le prêtre et la religion ». Quant aux chefs de l'Église, David estime que « la vérité leur arrive péniblement à travers les fumées de l'encens qui les enveloppe ». Le message est clair : « Mais ce qu'on refuse au clergé, c'est le droit de chasser de l'Église des hommes qui veulent exercer librement leurs droits de citoyens […] suivant leur jugement et conscience » et ce que l'on souhaite, c'est que lorsque les évêques interviendront « l'enseignement soit le même partout ». L'ouvrage sert de factum à l'ancien zouave Gustave Drolet, envoyé comme émissaire à Rome par Laurier pour protester contre l'ingérence du clergé dans l'élection de 1896. Le premier ministre ne veut pas perdre les effets de son discours de 1877[23].

L'ouvrage de David est mis à l'Index le 18 décembre 1896 et subit au pays les foudres du dominicain Dominique-Ceslas Gonthier, alias Pierre Bernard, auteur de *Un manifeste libéral. M. L.-O. David et le clergé canadien*, qui soupçonne que les pages de David ont été « écrites sous l'inspiration du chef libéral ». La saga vaticane se poursuit : après l'ex-zouave Drolet, c'est au tour de l'abbé Jean-Baptiste Proulx de prendre le chemin de Rome à la demande de Laurier. Le factum de son plaidoyer imprimé à Rome, *Documents pour servir à l'intelligence de la question des écoles du Manitoba*, comprend le discours de Laurier de 1877, ses discours sur l'affaire des biens des jésuites et sur le règlement Greenway intervenu au Manitoba, la lettre pastorale des évêques du 6 mai 1896 ainsi que le sermon de Mgr Laflèche. L'abbé Proulx rendra même publiques ses démarches romaines en publiant en 1897 *Dans la Ville éternelle : journal de voyage*[24].

Le résultat tangible de ces démarches libérales auprès du Vatican est l'envoi par Rome d'un délégué, Mgr Merry del Val, qui séjourne au Canada de mars à mai 1897, tout juste après la condamnation par les évêques de Québec et de Montréal de *L'Électeur* de Québec, qui avait publié *in extenso* l'ouvrage de David. Le délégué romain réussit à imposer un certain silence aux évêques et aux catholiques du Canada et, malgré l'envoi à Rome du père Gonthier pour faire échec aux vues de Mgr Merry del Val, Léon XIII publie le 8 décembre 1897 l'encyclique *Affari vos*, qui reconnaît que la loi manitobaine de 1890 est une «loi nuisible», que la loi réparatrice est «défectueuse, imparfaite, insuffisante» et qu'il était du devoir des évêques de «protester ouvertement contre l'injustice». Mais le document constate aussi la division engendrée par cette campagne électorale et trouve «déplorable» que «les catholiques canadiens eux-mêmes n'aient pu se concerter pour défendre des intérêts qui importent à si haut point au bien commun». La circulaire qui accompagne la promulgation de l'encyclique rappelle le «pacte solennel que l'honneur et la justice défendaient de briser et dans lequel [les catholiques] mettaient leur absolue confiance» alors qu'au Québec, les droits des protestants, puissants économiquement, sont intégralement respectés[25].

Au moment où le libéral Félix-Gabriel Marchand est élu premier ministre du Québec en 1897, après une traversée de désert électoral de trente ans pour les libéraux, Laurier continue ses représentations auprès de Rome en vue d'obtenir de la diplomatie vaticane une délégation apostolique, qui s'installera à Ottawa en 1899. Il s'agissait pour Laurier de nommer un observateur de l'épiscopat catholique canadien. L'affaire des écoles du Manitoba ne venait-elle pas de révéler une nouvelle brèche dans l'unanimité habituelle de l'épiscopat en ce qui concerne l'éducation confessionnelle, celui-ci étant dorénavant partagé entre évêques francophones et évêques anglophones irlandais qui voyaient de façon différente la protection réciproque de la religion catholique et de la langue française?

« *L'esprit de parti* »

La question des écoles du Manitoba ne sème pas la division que parmi les catholiques et le clergé catholique. Très tôt, on s'interroge sur l'attitude de Laurier qui endosse le règlement Greenway et sur ce qui paraît comme une promesse électorale vague et non respectée parce que le nouveau premier ministre avait placé les intérêts du Parti libéral au-dessus de ceux du pays ou de ses compatriotes canadiens-français et catholiques, qui lui avaient pourtant fait confiance malgré les mises en garde des évêques catholiques. Comment pouvait-il, en effet, promettre autant, c'est-à-dire satisfaire la majorité anglo-protestante et la minorité franco-catholique du Manitoba et du pays en général?

Cette idée de «l'esprit de parti» ne date pas pour autant de 1896; elle remonte à la fondation du Parti national en 1879 et à la volonté de pondérer le libéralisme radical en plaçant «l'intérêt national au-dessus de celui du parti». *La Concorde* de Trois-Rivières n'avait-elle pas comme devise, la même année: «Les intérêts du pays avant ceux des partis»? Au moment de l'affaire Riel en 1885, F.-X.-A. Trudel avait accusé le premier ministre Chapleau dans *L'Étendard* de faire passer les intérêts de son parti avant ceux du pays. En 1886, le curé Labelle écrit à Rameau de Saint-Père: «Pour moi, les grands ennemis à craindre, ce ne sont pas les Anglais, mais les Canadiens français [...]. Vous ne sauriez croire comme la politique gâte notre population et l'accoutume à ne rien respecter quand il s'agit de questions politiques. On ment à cœur joie pourvu que le parti en profite.»

Tardivel oppose «l'esprit catholique» à l'esprit de parti et confie à son rédacteur Amédée Denault combien le pays a besoin de polémistes catholiques indépendants des partis politiques. Le clergé détecte rapidement ce que Mercier appellera en 1889 les «luttes fratricides». Dans son intervention publique de février 1896, le théologien L.-A. Pâquet confie: «J'ajouterai qu'étant donné l'esprit de parti qui divise si profondément nos hommes publics, ce n'est pas d'un groupe politique particulier qu'il faut attendre la force d'union nécessaire pour rallier dans une même pensée et sous un même drapeau tous les catholiques.» La lettre même des évêques sur la question manitobaine avait identifié «cet esprit de parti qui fausse les jugements et produit dans l'intelligence une sorte d'aveuglement volontaire et obstiné». En 1898, l'évêque de Québec, Mgr Bégin, confiera à son collègue Langevin, de Saint-Boniface, que les politiciens sont «des marionnettes [...] capables de trahir les causes les plus saintes pour se maintenir au pouvoir[26]».

Le Québec et ses «métropoles»: Washington et Londres

Le discours de «la vocation de la race française en Amérique» se perpétue grâce à des conservateurs et à des ultramontains comme Adolphe-Basile Routhier, J.-P. Tardivel ou à des prêtres comme l'abbé Henri-Raymond

Casgrain. Mais il faut bien reconnaître que ce discours des élites est contredit par la réalité : 120 000 Canadiens français émigrent aux États-Unis entre 1870 et 1880, 150 000 entre 1880 et 1890, 140 000 entre 1890 et 1900, poussés par des motifs économiques d'abord mais aussi par l'attrait de la réussite. Si, comme le disait Mercier en 1893, le capital étatsunien est déjà à l'œuvre au Québec, le monde du travail commence aussi à être organisé par les « unions internationales », par le syndicalisme étatsunien des Chevaliers du travail (les *Knights of Labor*) qui s'établissent au Québec vers 1880 et qui font plier Mgr Taschereau sous la pression des évêques américains. Sans parler d'une culture du loisir qui trouve autant dans le théâtre lyrique que dans un parc d'attractions comme le parc Sohmer (1889-1919) les signes d'une influence étatsunienne. C'est à ce parc, ouvert le dimanche (on y vend même de la bière le « jour du Seigneur »), et à cette *Main*, la rue Saint-Laurent, que se perçoivent les premiers signes d'un *holy day* en voie de se transformer en *holiday*[27].

Les deux décennies de 1877 à 1897 voient une évolution importante des relations du Canada français à la Grande-Bretagne. Amorcée par le fameux discours de Laurier et l'idée d'un libéralisme canadien à l'anglaise plutôt qu'à la française et témoin de recours (après l'affaire Guibord, celle des écoles du Manitoba) au Conseil privé comme dernière instance judiciaire, la période se termine sur une apothéose hypothéquée : le Jubilé de diamant de la reine Victoria en 1897. L'événement, qui marque l'apogée de l'Empire, voit une certaine unanimité entamée par le discours de Mercier de 1893 sur l'avenir d'un Canada indépendant, propos que le jeune Henri Bourassa reprendra en 1899 au moment de la guerre du Transvaal en Afrique du Sud.

Une Rome victorienne

En 1890, l'ultramontanisme canadien-français a plus de 50 ans et connaît un baroud d'honneur, contesté qu'il est après le Programme catholique de 1871 et à travers une figure marginale comme celle de Tardivel. Certes, la papauté demeure centrale dans le catholicisme québécois. Les encycliques (*Æterni patris* sur la philosophie thomiste, *Rerum novarum* sur la question ouvrière, *Affari vos* sur la question des écoles du Manitoba), à l'exception peut-être d'*Inter sollicitudines* sur le ralliement des catholiques de France à la République, y sont reçues comme paroles de vérité et principes d'action. Certes, l'on continue à se tourner vers Rome, notamment pour y chercher un arbitrage à des querelles locales interminables (Mgr Laflèche contre Mgr Taschereau, l'infatigable abbé Alexis Pelletier, le zouave G. Drolet, l'abbé J.-B. Proulx). Certes, en éducation et dans d'autres questions «mixtes», l'on continue à affirmer le principe ultramontain de la suprématie du ciel sur la terre, de la religion sur la politique, de l'Église sur l'État. On voyage toujours à Rome, dans cette Italie qui vient enfin de faire son unité et à propos de laquelle l'abbé Léon Provancher écrit en 1881 : «Nous passons ensuite sur la place du Quirinal, où réside [...] l'usurpateur Humbert. Les armes papales, en relief sur le marbre au-dessus de l'entrée principale, sont encore là pour attester à tous les yeux l'usurpation sacrilège du roi impie.» Encore en 1882, le passage au Québec du général français de Charette ravive la ferveur des zouaves canadiens qu'il avait commandés en Italie en 1869-1870.

La transformation la plus décisive dans les relations entre Rome et le Canada français s'opère dans le contexte de l'émergence de la puissance démographique et économique des États-Unis et de l'évolution du Canada de langue anglaise. Cette conjoncture nord-américaine va transformer la vision qu'ont les Canadiens français de Rome et de la diplomatie vaticane et les rapports intra-ecclésiaux du catholicisme canadien. Cette réorientation de la politique vaticane s'amorce en 1888 lorsque Léon XIII recommande aux évêques irlandais des États-Unis d'assurer aux immigrants italiens des prêtres de leur langue. Dans l'Amérique de l'immigration intensive, la sensibilité vaticane aux langues et aux cultures des clergés «nationaux» paraît inévitable. Le chef libéral F.-G. Marchand est attentif à la chose face à l'éventualité de subdivisions de diocèses dans la vallée de l'Outaouais et du Nord-Ouest; il s'en ouvre à Rameau de Saint-Père : «Le seul danger qui nous menace [...] c'est par Rome qu'il nous arrivera, si les renseignements y font défaut.» À nouveau, les chemins mènent à Rome.

En 1891, la crise devient manifeste : à Ogdensburgh, dans cette Nouvelle-Angleterre aux multiples paroisses catholiques peuplées de Canadiens français, des Franco-Américains réclament un évêque coadjuteur de langue française. À Rome, c'est une fin de non-recevoir; le cardinal Mazella écrit : «La langue anglaise doit finir par être la seule langue dans l'Amérique du Nord.» Inquiet, Mgr Bégin, alors évêque de Chicoutimi, espère que, dans cette affaire et dans celle de subdivisions possibles de diocèses canadiens, Rome ne sacrifiera pas les Canadiens français du Québec et des États-Unis aux Irlandais et aux partisans de «l'américanisation». L'évolution de la situation devient à ce point préoccupante en 1892 que Mgr Racine, évêque de Sherbrooke, porte à Rome un Mémoire de l'épiscopat québécois sur l'attitude des prêtres irlandais à l'égard des Franco-Américains.

Vue de Rome, la situation québécoise et canadienne-française se présente plus que jamais comme celle d'une minorité. L'association foi et langue ne s'impose pas pour les congrégations romaines qui comptent les catholiques en *Amérique du Nord* et qui les voient en majorité anglophones. Mgr Satolli confie à son collègue Mgr Rampolla : « Il est ridicule [...] d'affirmer que, s'ils ne conservent pas exclusivement leur langue maternelle à la maison et à l'église, ils risquent de perdre leur foi, comme si cette dernière était liée de quelque façon à une langue ou à une autre pour chaque nation. En fait, le cours inéluctable des choses pour une nationalité immigrante prouve que le changement et l'uniformisation de la langue et des coutumes [surviennent] à l'intérieur d'une génération au plus tard. » Ce qui était « inéluctable » pour les catholiques franco-américains l'était-il aussi à moyen terme pour les catholiques francophones du Québec et du Canada ? Dans cette visée de conversion de l'Amérique anglosaxonne au catholicisme, la responsabilité et l'initiative devaient-elles être celles des évêques et du clergé anglo-irlandais, même si les catholiques canadiens étaient constitués, en 1890, à 70 % de catholiques francophones ? Le Vatican allait-il se ranger du côté des plus nombreux, avec la majorité nord-américaine contre la *majorité catholique* du Canada qui est en même temps une *minorité francophone* au Canada et de surcroît en Amérique du Nord ? Mgr Lynch, évêque catholique du diocèse de Toronto, le pensait, le souhaitait, lui qui voyait même dans l'exemple de l'Irlande un providentialisme linguistique et religieux : « L'Irlande fut soumise [...] afin d'incorporer plus efficacement ses habitants à la nation anglaise [...]. Ceux-ci résistèrent, mais on les contraignit par la force à apprendre l'anglais. Ce sont là les desseins de Dieu. Fouettés à l'école par ce qu'ils ne savaient pas leur leçon d'anglais, les enfants irlandais ne soupçonnaient pas que Dieu destinait la langue anglaise à répandre par leur bouche la parole de son divin Fils dans le vaste monde[28]. »

La France de la IIIe République

On assiste dans le dernier quart du XIXe siècle à une institutionnalisation des relations entre le Québec et la France. *La Capricieuse* avait permis le rétablissement de relations officielles en 1855 et conduit à l'établissement d'un consulat français au Canada en 1858. Cette redécouverte du Canada français par la France, dans un contexte de reformulation de sa politique coloniale, avait pris la forme de l'énonciation par Rameau de Saint-Père d'une vocation de la race française en Amérique.

Le Canada participe à l'Exposition universelle de Paris en 1878 ; les provinces, dont le Québec, sont particulièrement présentes à l'exposition scolaire internationale. Des échanges économiques entre le Québec et la France se formalisent avec la fondation en 1880 du Crédit foncier franco-canadien dont le succès sera plutôt limité malgré l'ouverture, en 1886, d'une Chambre de commerce française à Montréal. À part les deux emprunts du Québec en France en 1890 et en 1893, les relations économiques demeurent en deçà des attentes[29].

Les relations diplomatiques entre le Canada et la France prennent un nouveau tournant en 1882 avec la nomination d'Hector Fabre comme représentant de la province de Québec et comme commissaire et agent commercial du Canada en France. Le Commissariat se donne un journal bimensuel, *Paris-Canada*, qui paraît de 1884 à 1914. Parallèlement au Commissariat se crée le groupe de « la Boucane », lieu de rendez-vous des résidents canadiens à Paris. Le prix de l'Académie française au poète Louis Fréchette en 1881 est certes la reconnaissance individuelle d'une œuvre littéraire mais la création, quatre ans plus tard, d'un groupe français cette fois, Les Amis du Canada, qui inclut Rameau de Saint-Père et le géographe Onésime Reclus, constitue la suite véritable d'une pensée désireuse d'asseoir la vocation de la race française en Amérique. Pour ce faire, Les Amis du Canada, en relation suivie avec le curé Labelle, « l'apôtre de la colonisation » du Nord, entendent lier le Québec au Manitoba par le nord de l'Ontario et mettent sur pied la Société de colonisation du Témiscamingue. À l'été 1888, Rameau de Saint-Père visite le Canada et parcourt le Nord avec le sous-ministre de la colonisation, le curé Labelle, qui séjourne en France et en Belgique durant huit mois en 1890 pour susciter une émigration et recruter des colons. Mais la mort prématurée du curé Labelle porte un coup fatal à ce réseau d'hommes qui, au dire de Reclus, aiment le Canada « et qui le prouvent par des faits, non par des mots, des phrases, des invocations à Cartier, à Champlain, des apostrophes à Montcalm et des célébrations de la Saint-Jean-Baptiste[30] ».

Rameau de Saint-Père, membre de l'École de Le Play depuis 1853, est la cheville ouvrière d'un intérêt nouveau chez des Canadiens français pour cette méthode à la fois empirique et catholique d'étude de la société.

Rameau fait une conférence sur le Canada français à la Société d'économie sociale en 1873, deux ans avant que celle-ci ne publie les résultats de l'enquête du premier consul français au Canada, le comte Gauldrée-Boileau, sur les habitants de Saint-Irénée dans Charlevoix. Le commissaire canadien en France, Hector Fabre, publiera dans *La Réforme sociale*, revue de l'école leplaysienne, tout comme le premier ministre Honoré Mercier sera conférencier à la Société d'économie sociale en 1891.

On crée au Québec en 1888 une antenne de l'école leplaysienne, la Société d'économie sociale de Montréal, qui vivra jusqu'en 1911, recrutant une quinzaine de membres et organisant quelque 70 réunions sur une période de vingt ans. Léon Gérin, qui s'intéresse à Le Play et à son disciple Demolins depuis 1888, se joint à la Société à compter de 1892. Mais pour un membre qui deviendra le premier sociologue québécois, les autres, sauf peut-être l'abbé Stanislas-Alfred Lortie qui publie en 1905 son *Compositeur typographe*, s'intéressent davantage à la doctrine sociale formulée dans *Rerum novarum* en 1891 qu'à de véritables enquêtes menées selon la méthode leplaysienne[31].

Ces échanges s'effectuent dans le contexte de la IIIᵉ République contre laquelle conservateurs et ultramontains sont prévenus, comme le rappellent les débats sur l'État dans ou hors de l'école. Jules Ferry est probablement, après Louis Veuillot, le Français le plus cité en ces années de « Voilà l'ennemi ! ». Les ultras tirent à feu continu sur la République. Dans *Le Canadien* du 14 janvier 1879, Tardivel déclare : « Nous aimons la France d'autrefois, la France puissante, grande et glorieuse, la France fille aînée de l'Église ; nous aimons aussi la France catholique de nos jours. Mais la France moderne, telle que la Révolution l'a faite, la France déchue de son antique splendeur, la France impie, la France républicaine, en un mot, ne nous inspire qu'un sentiment qui est un mélange d'horreur et de pitié. » Son compatriote, A.-B. Routhier, qui se présente comme « un Vendéen d'Amérique » à La-Roche-sur-Yon, et qui affirme que « nous sommes restés Français parce que nous sommes restés catholiques », tente de concilier ses deux mères patries en répudiant la France de 1789 : « Par suite de circonstances que nous pouvons bien appeler providentielles, l'Angleterre allait nous sauver de la France, pendant que notre amour pour la France nous sauvait de l'Angleterre. »

Avec le sens de la formule qu'ont les radicaux de toute allégeance, Tardivel résume les deux Frances des Canadiens français conservateurs et ultras en opposant le Sacré-Cœur de Montmartre et la tour métallique conçue par Gustave Eiffel à l'occasion de l'Exposition universelle de Paris de 1889 : « Deux monuments dominent Paris [...] ; tous deux sont modernes, tous deux représentent une *idée,* un *principe* » : la basilique de Montmartre symbolise l'expiation et « le juste châtiment » suite à la Commune de 1870-1871 ; la tour Eiffel, qui rappelle la tour de Babel, « pose pour la grandeur » mais « n'atteint que le grotesque ». Tardivel portait à son paroxysme un débat qui s'était tenu pendant six mois, à compter de janvier 1888, dans *La Patrie* de Beaugrand, d'une part, et dans sa *Vérité* et dans *L'Étendard* de l'ultramontain F.-X.-A. Trudel, d'autre part, à propos de la participation du Canada à l'Exposition de 1889 qui célébrait le centenaire de 1789. Absent, le gouvernement du Canada avait voulu à tout prix éviter le piège d'une présence à un événement international identifié à la IIIᵉ République, à 1789 et à 1793[32].

La hiérarchie et la presse catholiques canadiennes-françaises ne semblent pas avoir fait grand cas du toast d'Alger à l'occasion duquel, après les élections de 1889 en France, le cardinal Lavigerie avait proposé l'adhésion des catholiques à la République. Pas plus d'ailleurs qu'elles ne font écho à l'encyclique *Inter sollicitudines* (16 février 1892) de Léon XIII sur la question. La chose étonne moins lorsque l'on sait que même l'Alliance française est suspecte de franc-maçonnerie y compris son antenne montréalaise. Fréchette, qui vient de dénoncer le scandale du curé Guihot et de polémiquer avec l'abbé Baillargé à propos des collèges classiques, explique ainsi cette suspicion : « Tout le secret de l'affaire repose en ceci : il est à Montréal des membres de l'Alliance française qui ne veulent point s'incliner dévotement devant le baillargisme breveté et le guihotisme privilégié ; il faut les écraser à tout prix. Or comme on n'a que la calomnie à mettre en usage contre ces citoyens sans reproches, il faut bien employer la calomnie. » Il n'est donc pas étonnant qu'un certain milieu anticlérical en France en vienne à s'expliquer les réserves de Canadiens français à propos de leur pays : « Ses habitants ne sont pas du tout Français, au contraire, ils sont Canadiens et pas autre chose. Comment aimeraient-ils une France qui a fait taire les exigences du clergé, alors qu'eux-mêmes s'aplatissent de plus en plus devant lui ? Comment estimeraient-ils un pays qui, à les croire, a corrompu tout l'univers[33] ? »

Les tensions qui traversent la France ont des échos au Québec. Avant que l'action du général Boulanger ne donne le boulangisme (1887), véritable « syndicat des mécontents », le militaire, symbole de la politique de revanche de la France sur l'Allemagne, visite le Québec en 1881 où il est bien reçu au-delà des clivages politiques. Devenu ministre de la Guerre en juillet 1886, il plaît aux Canadiens français après avoir maintenu le nom de la caserne du Faubourg Poissonnière, Caserne de la Nouvelle-France. Si, à Paris, le journal *Paris-Canada* du Commisariat canadien est rédigé par des boulangistes, membres de la Ligue des Patriotes de Déroulède, à Québec, Tardivel considère Boulanger comme un «vulgaire aventurier» en 1889, au moment où celui-ci a dû s'enfuir à Bruxelles où il se suicide[34].

Le passage du général marquis de Charette à Québec et à Montréal en juin et juillet 1882 est une autre occasion de réanimer les divisions entre Canadiens français à propos de leur héritage français. Parent du comte de Chambord, héritier des Bourbons, de Charette est un légitimiste qui avait commandé les zouaves canadiens-français à Rome en 1869-1870. Invité par l'Union Allet des zouaves, de Charette devient un «étendard de la contre-révolution» pour l'ultramontain *Courrier du Canada* du 3 juillet 1882, qui prend prétexte de son passage pour dénoncer la IIIe République et la république en général. Fréchette, vigile libéral de ces années, entreprend dans *La Patrie* de Beaugrand une longue série d'articles intitulée «Petite histoire des rois de France», qui énumère les injustices et les excès de la monarchie française[35].

En octobre 1890, le comte de Paris passe par Montréal. Invité au collège des jésuites, il y est présenté par le père Drummond comme «l'illustre descendant des Rois» et le symbole d'une société stable. À la Société des antiquaires, on l'accueille comme «la glorieuse personnification de cet esprit chrétien et chevaleresque». Son périple l'amène chez les évêques et les Ursulines de Trois-Rivières et de Québec. À Québec, on montre au comte le vieux drapeau de Carillon. Mais ce périple monarchique en terre canadienne et aussi libérale n'est pas sans susciter des manifestations. Le jeune Raoul Dandurand considère «inadmissible qu'un Canadien d'origine française pût être partisan d'un héritier de Louis XV, qui nous avait odieusement abandonnés[36]».

La publication de *La Croix* (1893-1895) de Montréal, à l'image de *La Croix* de Paris publiée dans quelques villes de France et de Belgique, est un bon exemple d'un certain mimétisme culturel qui va jusqu'à importer des débats qui ont peu à voir avec la situation locale. Dirigée par A. Denault, qui vient de *La Vérité* de Tardivel, *La Croix* mène une croisade de jeunes en faveur de la foi en milieu de travail à la lumière de l'encyclique *Rerum novarum* de 1891. Le journal affirme le lien entre Dieu et la patrie, entre catholicisme et nationalité, entre foi et langue. Virulent contre la franc-maçonnerie, le bihebdomadaire importe l'antisémitisme dans une société où la communauté juive est encore loin de compter numériquement. À compter de novembre 1894, *La Croix* publie des extraits de *La Libre parole*, journal de l'antisémite Drumont, et des articles de la même veine par un certain Raoul Renault de Québec[37].

Enfin, le discours officiel, celui du commissaire Fabre, des premiers ministres Mercier et Laurier, étonne par la représentation canadienne de la France qu'il communique aux Français. Devant la Société des études maritimes et coloniales, Hector Fabre se fait lyrique : « Les pays qui ont aimé la France à certaines heures, lorsqu'ils en avaient besoin, lorsqu'ils avaient besoin de son sang et de son or, ne sont pas rares dans le monde ; mais des pays qui l'ont aimée toujours comme le mien, en connaissez-vous beaucoup ? Qui l'ont aimée pour en avoir reçu le bienfait de l'existence, qui l'ont aimée après les déchirements de la séparation, à travers les ombres de l'oubli, qui l'ont aimée pour elle-même, sans en attendre rien, sans la juger, sans la critiquer, en l'aimant tout simplement, en connaissez-vous beaucoup ? » Cette loyauté chaleureuse et indéfectible ne fait pas oublier, chez cet ami de Laurier, l'autre loyauté : « Si nous vous devons le premier des biens, l'existence, c'est à l'Angleterre que nous devons le second, la liberté. » Écrivant dans *La Réforme sociale* de Le Play à propos de « La société française au Canada », Fabre présente le Canada français comme « un petit peuple resté français et devenu libre », qui a su « se renouveler sans secousse » en « gardant jusqu'à sa physionomie d'ancien régime ». Le commissaire insiste sur l'entente cordiale qui règne au Canada où les deux influences française et anglaise « s'équilibrent ». Pour l'homme qui, depuis 1858, a tracé la voie au libéralisme modéré, 1867 a fait du Québec « une sorte d'État français ». Quant à l'indépendance du Canada « vis-à-vis de l'Angleterre, [elle] peut se définir en quelques mots : c'est l'indépendance sans le nom ; la chose sans l'étiquette ».

Mercier se fait aussi la voix d'un Canada où règne l'entente cordiale ethnique et religieuse : « au Canada, nous vivons en paix avec toutes les nationalités ; l'Anglais, l'Écossais et l'Irlandais donnent avec plaisir la main au Français ». Et alors qu'en France, affirme-t-il lors d'un passage chez des frères maristes, on dépossède les jésuites de leurs biens, au Canada on les leur restitue. Un mois plus tôt, devant l'Alliance française à Paris, il avait réitéré l'idée de la survivance canadienne-française grâce au clergé catholique.

En 1897, Laurier reprend les idées mêmes de son ami Fabre. Devant la Chambre de commerce britannique de Paris, il déclare : « Cette double fidélité à des idées, à des aspirations distinctes, nous nous en faisons gloire au Canada. Nous sommes fidèles à la grande nation qui nous a donné la vie, nous sommes fidèles à la grande nation qui nous a donné la liberté. » En bon libéral qui clame depuis 1877 l'héritage britannique plus que français du libéralisme canadien, Laurier a cette formule : « Liberté, Égalité, Fraternité. Eh bien, tout ce qu'il y a dans cette devise de vaillance, de grandeur et de générosité, nous l'avons aujourd'hui au Canada. » Le premier ministre du Canada, qui participe alors aux fêtes impériales du Jubilé à Londres, précise au banquet des Amis du Canada à Paris : « Aujourd'hui le Canada est une nation. Oui, je le répète avec orgueil, le Canada est une nation, bien qu'il ne soit encore qu'une colonie. » Même paradoxe que chez Fabre et chez Routhier : une nation qui a des allures d'État mais qui est encore une colonie[38].

Conclusion

La période 1867-1877 avait été l'apogée de tous les « francs-parleurs » à l'époque de l'affaire Guibord et du Programme catholique. Intransigeant à sa manière, Louis-Antoine Dessaulles avait soulevé la question de la tolérance, tout intolérable qu'elle fût en certains quartiers. Dans son fameux discours de 1877, Laurier avait contribué à décanter le libéralisme de 1837 et de 1848 et, grâce à l'intervention du délégué romain, Mgr Conroy, l'influence indue d'un certain clergé avait été infléchie.

Les deux décennies (1877-1896) qui vont du discours de Laurier à son élection comme premier ministre du Canada marquent la fin d'une certaine incandescence idéologique. Le décès même de la trinité épiscopale que constituent Mgr Bourget, mort en 1885, le cardinal Taschereau et Mgr Laflèche, décédés en 1898, est déjà un premier signe de la fin d'un certain style de présence politique des évêques. Puis on voit les ultras de toute allégeance s'estomper : Tardivel est rapidement isolé dans sa *Vérité*, un radical libéral comme Aristide Filiatreault, l'auteur de *Ruines cléricales*, ne traduit pas le style du libéralisme radical qui survit au discours de Laurier de 1877, et un certain type de censure cléricale s'atténue après la condamnation de l'ouvrage de L.-O. David.

Le style même du libéralisme radical évolue : certes, on voit encore des procès autour de revues ou de journaux, des dénonciations de comportements de membres du clergé, des articles non plus sur la dîme mais sur l'immunité fiscale foncière du clergé, signe parmi d'autres que l'urbanisation rejoint les débats idéologiques. Mais le combat libéral se centre sur la question scolaire et, plus particulièrement à Montréal, sur la CECM, son administration, l'uniformité de son enseignement et des manuels utilisés. L'enjeu scolaire est manifestement porté par l'urbanisation et par l'industrialisation : la question de l'école obligatoire, celle des écoles du soir tout comme l'intervention des syndicats dans le débat en témoignent ; l'éducation ne suffit plus, l'instruction s'impose. L'antagonisme présent dans la question de l'État dans ou hors de l'école est distendu en 1886 par le cardinal Taschereau qui commence à faire des distinctions, tout comme son confrère l'abbé Verreau, directeur de l'école normale Jacques-Cartier qui, à la différence de Mgr Laflèche, reconnaît la valeur de l'enseignement des laïcs, détenteurs obligés, eux, du brevet de capacité.

À cette impression de dénouement de vieux antagonismes correspond la formation de nouveaux nœuds, ceux précisément que le xxe siècle aura à dénouer. Si les fils de ces nœuds commencent à se tisser avec la perte des droits scolaires des Acadiens catholiques du Nouveau-Brunswick en 1871 et avec la pendaison de Louis Riel en 1885, c'est la question des écoles du Manitoba qui lie ces fils pour en faire un nœud qui ira s'arrondissant durant le premier quart du xxe siècle. Certes, Laurier est élu et avec lui le Parti libéral, qui sort d'un long purgatoire. Laurier récolte les fruits de son discours de 1877 et consolide celui-ci en ajoutant aux mots des moyens nouveaux : la venue d'un délégué romain, Mgr Merry del Val, et surtout l'établissement d'une délégation apostolique, à proximité du Parlement canadien. Mais cette victoire a un goût doublement amer : l'abolition du français au parlement manitobain et la perte des droits scolaires des catholiques francophones de cette province ouvrent les yeux des Canadiens français sur le sens à donner à la Confédération de 1867, qui suscite une certaine désillusion. En même temps émerge cette idée que Laurier, qui avait trop promis, avait fini par placer les intérêts du Parti libéral au-dessus de ceux de ses compatriotes canadiens-français en ne tenant pas parole sur la question scolaire du Manitoba. Laurier était dorénavant identifié à «l'esprit de parti». Quant à l'Angleterre qui élève Laurier à la dignité de «Sir», elle voit alors son soleil impérial s'ombrager de petits projets d'indépendance du Canada formulés par Honoré Mercier et bientôt repris par le jeune Henri Bourassa, et de cette vague idée d'une «patrie» canadienne-française de Tardivel, idée qui, elle aussi, entrera dans le xxe siècle.

La question des écoles du Manitoba contribue à tisser un autre nœud, religieux celui-là. Les évêques et le clergé canadiens-français, habitués à concevoir Rome comme le tribunal de règlement de ses nombreux litiges internes, commencent à s'interroger sur la diplomatie vaticane, qui donne à penser que les catholiques francophones seraient minoritaires au Canada et que l'équation foi-langue pourrait ne relever d'aucune nécessité sinon d'aucune utilité.

Quant au nouveau nœud qui prend forme dans les relations franco-canadiennes et franco-québécoises, il est constitué du fil solide de représentations officielles nouvelles et de fils variés faits des messages envoyés aux Français par les Canadiens français. Comment, en effet, les Français pourraient-ils ne pas être perplexes devant les dénonciations de la IIIᵉ République, face à la réception du comte de Paris, du général de Charette, du général Boulanger au Québec et face au refus de participation canadienne à l'Exposition de 1889 ? Que comprennent-ils du message de Fabre, de Laurier et de Mercier qui insistent sur la double loyauté des Canadiens français, qui laissent entendre que ce petit peuple d'Ancien Régime est libre, que la Confédération de 1867 a créé une « sorte d'État français » et qu'il ne manque que le mot au Canada pour pouvoir se dire indépendant de l'Angleterre ?

Chapitre XV

FIN DE SIÈCLE CULTURELLE
(1877-1896)

Le déclin du phénomène associatif: causes et signification

Le phénomène de l'association culturelle trouve son apogée à Montréal et dans l'ensemble du Bas-Canada à la fin de la décennie 1850 alors qu'il amorce son déclin dans la ville de Québec au milieu de la décennie. La petite polémique de 1853 entre *Le Journal de Québec* et *Le Pays* est symptomatique des causes générales du déclin des associations. Dans *Le Journal de Québec* du 14 mai 1853, un correspondant, qui se cache sous le pseudonyme de «Un Canadien», s'interroge sur le destin différent des Instituts canadiens de Montréal et de Québec en regard des débats qui s'y tiennent. La réponse du *Pays* est un peu provocante: «c'est que, depuis deux ans, l'Institut canadien de Québec a toujours été conduit par des hommes qui ne désirent nullement l'avancement de la jeunesse». Vieil ennemi, *Le Journal de Québec* réplique le 28 mai en faisant allusion aux divisions politiques de 1848: «Mais est venue la grande division du parti libéral [...]. [Les] haines contractées dans les luttes politiques ne cessèrent pas même dans l'asyle des lettres et le combat quoique changé de terrain était encore assez animé pour faire craindre la ruine de l'Institut»; alors, explique *Le Journal*, «les discussions [furent] ajournées en attendant des temps meilleurs». *Le Pays* conclut: «la direction de l'Institut [de Québec] n'a voulu laisser avancer la jeunesse que bridée et enveloppée de langes[1]». Dès le milieu de la décennie, l'Institut canadien de Québec privilégie sa fonction de bibliothèque jusqu'à ce qu'elle devienne bibliothèque municipale de Québec. Elle était en cela exemplaire d'une tendance formalisée dans la loi de 1890 — qui refondait celles de 1851 et de 1856 — conférant aux cités, villes et villages une aide pour le maintien de bibliothèques publiques gratuites. Créée entre autres raisons pour favoriser en milieu francophone la fondation de bibliothèques, l'association voyait l'un de ses objectifs initiaux réalisé par l'État et les villes. Autonomisée, légalisée, financée, la bibliothèque n'a plus besoin de l'association. Et c'est dans ce contexte que la bibliothèque publique apparaît, d'abord en milieu anglophone avec le Fraser Institue en 1885, et la Westmount Public Library en 1899[2].

De même la salle des périodiques des associations n'a plus véritablement sa raison d'être. La presse s'est consolidée dans sa périodicité et dans sa géographie : hebdomadaires, trihebdomadaires, quotidiens plus ou moins éphémères sont publiés à Montréal et à Québec et, nouveauté, en région.

La pratique de la conférence publique cesse à l'Institut canadien de Montréal en 1871 ; Arthur Buies, qui prononce la dernière en avril, décrira en 1885, dans *Une évocation*, comment l'Institut avait commencé à être déserté. Le chemin de fer a mis un terme à ce genre de sociabilité urbaine mise en place pour « occuper les longues soirées d'hiver » : dorénavant l'activité économique est étalée sur toute l'année et l'activité commerciale va même, bientôt, envahir le domaine de la culture et du loisir, de jour et en soirée. La conférence publique survivra dans l'Union catholique ou au Cercle Ville-Marie de Montréal, par exemple, mais elle n'aura plus la signification qui fut la sienne sous l'Union.

Non seulement les anciens objectifs de l'association sont-ils atteints par l'autonomisation culturelle de la bibliothèque et de la presse, par le déclin de la conférence publique et par la concurrence de formes nouvelles d'emploi du temps, mais la petite polémique de 1853 est la preuve en action du mal qui rongeait le phénomène associatif : la contamination idéologique et politique de l'institution même et de ses activités. La radicalisation de l'Institut canadien de Montréal en 1848, sa condamnation par Mgr Bourget en 1858 et par Rome en 1869, la scission de 1858 qui donne naissance à l'Institut canadien-français, l'échec même d'un projet de fusion des associations catholiques de Montréal en 1869 suffisent à montrer comment le phénomène associatif était, en milieu culturel, traversé par les débats, les polémiques et les excommunications, officielles ou pas. La fondation même de nombreux « clubs » politiques — Club Canadien, Club Saint-Denis, Club Cartier fondé par les amis de Chapleau en

1874, Club National (1875) animé par M. Laframboise, E. Lareau, R. Préfontaine, Club conservateur de Montréal (1889), Club Letellier (1890) — indique que la partisanerie politique fleurit après la Confédération de 1867 et que «l'esprit de parti» s'installe. À l'association sur base idéologique succède le club politique partisan. Il n'est d'ailleurs pas exclu que cette politisation ait mis un terme aux subventions gouvernementales des associations vers 1865 et que la crise économique de 1875 ait ainsi davantage fragilisé les associations les plus actives[3].

Il est une autre raison qui explique, avant 1877, le déclin du phénomène associatif et sur laquelle Gonzalve Doutre de l'Institut canadien de Montréal met le doigt en 1870: «Les autres institutions rivales n'ont pas d'autre mode d'instruction que le billard, convaincues qu'elles sont de ne jamais être accusées d'avoir des doctrines pernicieuses en empochant des billes ou en multipliant les carambolages.» Manifestement, on emploie son temps autrement à l'intérieur même des associations en ces temps où les formes culturelles concurrentielles se multiplient. Le billard est l'une de ces activités nouvelles. Les Canadiens français y font bonne figure, comme ces frères Dion qui organisent des tournois de billard et gagnent championnat sur championnat en Amérique du Nord. Les salles se transforment en palais de billard le temps d'un tournoi ou pour de bon: c'est le cas du St. Lawrence Hall, du Nordheimer Hall, du Mechanics' Hall. On joue au billard dans les tavernes et dans les auberges, on empoche les billes au Club Saint-Denis ou au Club Canadien tout en fumant un cigare. Si bien que Montréal compte une cinquantaine de salles de billard en 1888.

Le billard est peut-être le sport intérieur qui se développe le plus vers 1870. S'il se greffe si facilement sur l'association, c'est que le sport organisé et professionnel qui se met en place prend aussi appui sur l'association. L'association volontaire se déplace du besoin de regroupement autour de conférences, de discussions, de débats, de bibliothèques vers des regroupements sur la base du plaisir commun à pratiquer une activité physique, sportive, récréative[4].

Ce sont les anglophones de la colonie — bourgeois et militaires — qui ont façonné une tradition sportive au Bas-Canada. Misant sur le climat colonial, sur les activités traditionnelles des Amérindiens ou important carrément des sports métropolitains, les anglophones s'adonnent au curling (1807-) et multiplient leurs activités sportives au début de l'Union: courses de chevaux, raquette à neige et crosse empruntées aux Amérindiens, cricket, autant d'activités qu'ils pratiquent comme forme de sociabilité dans des «clubs» plutôt fermés. L'approche change vers 1850 alors que la compétition entre les clubs s'organise, et en particulier au cricket. Cette compétition est possible parce que se fondent des associations nationales — de crosse (1860-), de football (1868-), de baseball (1870-), de natation (1876-) — capables de réglementer le jeu et d'organiser les rencontres. Le changement n'est pas qu'organisationnel. Il est d'abord social : prenant le relais de la bourgeoisie et des militaires, la classe moyenne, celle des marchands et des commis, qui est familière de l'organisation et des affaires, occupe l'espace du sport. Ce sont précisément ces groupes sociaux qui ont traditionnellement constitué l'essentiel du membership de l'Institut canadien de Montréal.

Tout comme les associations culturelles, les associations sportives s'incorporent. On a dénombré 651 incorporations de clubs sportifs au Québec de 1867 à 1900 ; 78 % des clubs sont anglophones, 68 % ont leur siège social à Montréal et à Québec, 32 % sont incorporés par des marchands, des commis, des manufacturiers et des avocats. Les francophones adhèrent au mouvement après 1870 et s'adonnent surtout au baseball avant 1877, dans les 14 équipes qu'ils ont organisées à Montréal[5].

Si le billard concurrence l'association culturelle de l'intérieur et si les sports offrent une alternative de délassement et de camaraderie, les lieux de sociabilité dont on déplorait l'absence vers 1840, en promouvant les associations, sont dorénavant disponibles. On peut «se retrouver» au théâtre, au concert, dans des sociétés savantes ou au parc. Au tournant de la décennie 1880, le théâtre francophone est enfin permanent au moment où la «divine» Sarah Bernhardt fait sa première visite à Montréal. Dorénavant, la scène l'emporte sur la tribune. On peut aussi «se voir» au concert alors qu'à compter de 1875 l'Academy of Music de Montréal offre le répertoire de l'époque. Si un «Quartier latin» s'est construit à Québec autour de l'Université Laval depuis 1852, un milieu estudiantin et savant devient possible à Montréal avec l'ouverture à Montréal en 1876 de l'Université Laval à Montréal. Le monde «savant» justifie que l'on fonde en 1882 la Société royale du Canada, avec section de langue française. Et puis l'habitude se prend d'aller au parc : à celui de l'île Sainte-Hélène ouvert en 1874, où un traversier mène gratuitement les flâneurs du dimanche ; à celui du mont Royal, conçu par le déjà célèbre Frederick Law Olmstead, ouvert en 1876 et fréquenté au début par la bourgeoisie anglophone[6].

Le changement culturel après 1877 : la presse à un sou

La presse à grand tirage est le révélateur le plus riche des composantes du changement culturel au tournant de la décennie 1880. L'éditorial du premier numéro du quotidien *La Presse* du 17 novembre 1884 reprend certes l'idée du journal populaire — « Les riches, les classes aisées ont à leur service des livres, des revues, des journaux spéciaux. L'ouvrier, l'artisan, le peuple en un mot ne possède rien de tout cela ; les loisirs et les moyens lui manquent pour lire des ouvrages ; ce qu'il lui faut, c'est une bibliothèque à lui, bibliothèque de poche qu'il peut transporter partout, à l'atelier, aux champs ou au foyer ; c'est le journal à un sou ! » — mais il insiste surtout pour marquer une rupture : « Nos journaux ne sont plus des traités abstraits comme autrefois ; ce n'est plus que par la force de la tradition qu'on y trouve les vestiges des anciennes polémiques interminables qui faisaient la gloire et la fortune de nos prédécesseurs il y a vingt-cinq ans. Le public aujourd'hui veut des renseignements, des informations, des nouvelles. Il saura bien lui-même faire ses appréciations, trouver ses conclusions, tirer les conséquences. » Ce que cet éditorial ne dit pas, c'est le mode de production nouveau du journal lui-même : comment et pourquoi parvient-il à être « un journal à un sou » ? Trois facteurs rendent ce quotidien à un sou possible : l'urbanisation, la technologie et la publicité. Montréal, avec ses quelque 217 000 habitants en 1891, fournit à la presse un bassin de lecteurs alphabétisés ; la technologie nouvelle de composition, d'impression et de pliage permet d'imprimer et de reproduire rapidement le journal en des milliers d'exemplaires ; la publicité vendue dans le journal en fonction du tirage a justifié de baisser à « un sou » le prix de vente de façon justement à hausser le tirage et à chercher plutôt le profit dans la publicité vendue. La linotype, qui fait le travail de trois typographes, permet de passer de la composition à la main du journal à la composition mécanique. Installée au *New York Tribune* en 1886, la linotype est adoptée par le *Montreal Witness* en 1892, par le *Montreal Herald* en 1893 et par *La Presse* en 1894. Les grands magasins et la popularité de la vente des médicaments par correspondance apportent aux quotidiens une publicité intéressante et constante — la publicité occupe 50 % du contenu de *La Presse* en 1884, 70 % en 1914 — et certaines agences comme McKim (1889-) se chargent de contrôler le tirage des journaux qui est dorénavant le nerf de la guerre pour la presse auprès de ses acheteurs d'espace publicitaire. C'est dans ce contexte que paraît en 1896 le premier ouvrage canadien-français spécialisé en publicité, *La science de la réclame*, de W.A. Grenier[7].

Le Québec voit alors les quotidiens se multiplier : à Lévis en 1879, à Hull en 1884, à Saint-Jérôme en 1885, à Sorel en 1887, à Saint-Hyacinthe en 1888. La presse continue de se spécialiser et, pour la première fois, donne voix aux femmes dans *Le Coin du feu* (1893-), lancé et rédigé par Joséphine Marchand-Dandurand.

Le théâtre et le spectacle

La sociabilité urbaine est telle après 1880 à Montréal que l'on peut se retrouver au théâtre, dans des salles de plus en plus nombreuses, qui sont d'ailleurs l'objet de publicité dans la presse. Alors qu'au moment du premier triomphe de Sarah Bernhardt en 1880 la métropole dispose de trois salles de théâtre, le théâtre professionnel peut compter sur dix salles permanentes entre 1890 et 1899. « L'Empire » — raison sociale d'époque — abrite la première troupe permanente francophone en 1893 avant que celle-ci ne déménage au Théâtre de l'Opéra français en 1898.

Durant la dernière décennie du siècle, huit troupes permanentes, dont cinq francophones, interprètent plus de 1800 pièces. Les dramaturges français les plus joués sont Alexandre Dumas, père et fils, et Victorin Sardou tandis que 17 dramaturges nationaux voient leurs textes mis en scène. La chose est nouvelle : alors que 32 pièces de théâtre avaient été écrites par des Canadiens français entre 1800 et 1880, 21 le sont entre 1880 et 1890. La nouveauté du phénomène théâtral est la même dans les collèges : alors que moins de 100 représentations y avaient été données de 1800 à 1890, plus de 160 y sont offertes durant la décennie 1890. L'Église tolère tout en étant vigilante. Mais l'irréductible Tardivel ne prise guère le phénomène ; il décrète dans *Le Canadien* du 27 décembre 1880 : « Les acteurs et les actrices ne sont que des amuseurs publics. Dans la vie sociale, ils occupent la même position que le montreur d'ours, le bouffon, l'écuyer de cirque, l'organisateur de ménagerie, le joueur de marionnettes... »

La construction du Monument national, vaisseau-amiral de la sociabilité canadienne-française à Montréal comme l'est le Her Majesty's pour les anglophones, est révélatrice de l'époque. Alors qu'à l'initiative de l'Association Saint-Jean-Baptiste la première pierre du « temple, de l'arsenal, du sanctuaire » de la patrie est posée en 1884, l'édifice est inauguré neuf ans plus tard, le 25 juin 1893, après une dure traversée du dernier de cycle de la crise économique. Construit rue Saint-Laurent, sur «la Main», au cœur du nouveau cosmopolitisme montréalais, le Monument national, «le boulevard inexpugnable de notre langue, de nos institutions, de nos lois et, dans une certaine mesure, de notre religion elle-même» (dixit l'abbé Lévesque), tient le fort contre le vaudeville américain qui fait connaître sa fameuse «chorus line» à compter de 1880 et contre tous ces «Museums» qui offrent des «variétés» aux amateurs et que dénoncent les évêques Fabre de Montréal et Taschereau de Québec. L'appellation même du «Dime» Museum est indicatrice d'une culture commerciale qui s'installe. Presse à «un sou», «nickelodeon», «Dime» Museum, on entre dans l'ère du 5/10/15 sous[8].

Les Canadiens français se retrouvent aussi au concert. Ils entendent pour la première fois, le 24 juin 1880, le «Ô Canada» de Calixa Lavallée, sur des paroles de l'ultramontain Adolphe-Basile Routhier. Certains des leurs dirigent des orchestres ou des corps de musique: Guillaume Couture au Montreal Symphony Orchestra né de l'Orchestre symphonique du parc Sohmer (1890), Edmond Hardy à la tête de quelques fanfares et de l'Association des corps de musique (1887). La presse musicale occupe le créneau le plus actif de la presse spécialisée. *L'Album musical* (1882-1884), *L'Écho musical* (1888), *Le Canada artistique* (1890-), *L'Orchestre* (1893-1894), *Piano-Canada* (1893-1895), *Le Passe-temps* (1895-1949), *L'Art musical* (1896-1899) annoncent les concerts, publient des partitions de musique que l'on peut aussi trouver au magasin de musique d'Edmond Archambault qui ouvre ses portes en 1896[9].

« Emparons-nous du sport »

Signe de l'axe économique et culturel nord-sud, le baseball connaît à compter de 1876 une popularité remarquable comme en témoignent les articles sur le sujet dans la presse. La fondation de l'anglophone Montreal Bicycle Club en 1878 annonce la consolidation d'une activité estivale dominicale à laquelle participent aussi les Canadiens français.

Mais c'est le hockey qui, prenant appui sur l'existence de patinoires couvertes comme le Victoria Skating Rink (1862), occupe le devant de la scène après la première partie qui se joue sur cette patinoire le 3 mars 1875. La première équipe formée d'étudiants de McGill University, qui établissent la réglementation du jeu, indique que ce nouveau sport est l'affaire de l'élite anglophone jusqu'en 1890 alors que la présence de la classe ouvrière anglophone et de l'ensemble des francophones coïncide avec l'affirmation du sport de masse et organisé. Le hockey s'affirme dans les nouvelles chroniques sportives de la presse dont celle de la *Montreal Gazette — Sports and Pastimes —* à compter de 1884, dans la formation de ligues et d'associations en 1886, dans la création en 1893 d'un trophée emblématique, la coupe Stanley, du nom du gouverneur général du Canada de l'époque.

Les collèges sont parfois la porte d'entrée des Canadiens français dans un sport ; c'est le cas pour le hockey pratiqué au collège Sainte-Marie de Montréal dès 1886 et qui donne lieu à une rencontre avec le Mont-Saint-Louis en 1893. Mais c'est à partir de 1895 que les francophones s'adonnent au hockey. Ils sont alors quelque 35 joueurs au patronyme français et la première équipe canadienne-française, Le National (1895), organisée par le club de raquettes du même nom, aligne 10 joueurs francophones et 15 anglophones. Les joueurs canadiens-français seront 123 en 1900, 256 en 1905, 314 en 1910 ; le nombre d'équipes canadiennes-françaises passe de 4 en 1900 à 8 en 1905, à 21 en 1910, l'année suivant la création du club Canadien (1909). L'appellation a du succès depuis le lancement du journal *Le Canadien* en 1806. Le premier club de raquetteurs canadien-français (1878) s'appellera Le Canadien et la variante Le National servira à qualifier une équipe de crosse (1894), de baseball (1895) et une association sportive, l'Association athlétique d'amateurs Le National, qui entend faire contrepoids à la Montreal Amateur Athletic Association (MAAA, 1881) et qui deviendra la Palestre nationale[10].

La municipalisation de la culture et du loisir

Si l'entrée du capital dans la culture et le loisir avait permis l'essor du théâtre, de la musique et du sport et s'était substituée pour l'essentiel à l'association volontaire et au mécénat bourgeois, un nouvel acteur s'impose dans le domaine culturel en cette fin de siècle : la ville, la municipalité. Dès 1875, la Ville de Montréal prend note du changement culturel qui s'opère en faveur de la commercialisation du loisir et décide de taxer l'amusement, que ce soit le théâtre, le concert, le spectacle, le cirque ou le sport. Ces revenus tirés du secteur tertiaire culturel l'amènent, entre autres initiatives, à ouvrir les parcs publics de l'île Sainte-Hélène, du mont Royal et La Fontaine (1875), à lancer une politique de bains publics — Wellington en 1883, l'île Sainte-Hélène en 1884, Hochelaga en 1890 — et à faire face à partir de 1895 à un sérieux débat autour de la création d'une bibliothèque publique. Le changement culturel est tel que la notion de «services publics» appliquée jusqu'alors à la canalisation de l'eau, au drainage des égouts et aux transports s'étend au loisir pour inclure le parc, le bain et bientôt la bibliothèque. Cette municipalisation de la culture ne nivelle pas pour autant les formes traditionnelles de culture et de comportement, en particulier dans la structure paroissiale qui éclate en partie sous la pression de l'organisation urbaine mais qui, tout en adoptant les nouvelles formes de loisirs et d'attractions, les adapte et les façonne[11].

Tous les acteurs sociaux et économiques — municipalité, milieux d'affaires, compagnies de chemins de fer et clubs sportifs — s'unissent en 1883 pour organiser à Montréal un carnaval d'hiver et tirer un profit réel et symbolique de l'hiver, de la neige et de la glace. Les francophones s'y impliquent en 1885 et participent aux promenades en traîneaux, aux courses de raquettes, aux mascarades sur glace, aux glissades, aux parties de curling ou aux attaques simulées du palais de glace. Ce sont moins les mandements et lettres circulaires de Mgr Fabre pestant contre les patinoires et glissoires, ces «endroits d'immoralité pour les jeunes filles», que les difficultés financières qui mettent un terme à cette entreprise festive en 1889[12].

Les «nouveautés» de l'amusement, des grands magasins et de la technologie

Le capital allait, seul, réussir en 1889, et de façon durable, à organiser l'amusement estival. Lorsqu'Ernest Lavigne, ancien cornettiste des zouaves pontificaux, et Louis-Joseph Lajoie, comptable, ouvrent le parc Sohmer le 1er juin 1889, ils conjuguent le café-concert peint par Renoir, le Prater viennois popularisé par Strauss et Coney Island inaugurée à New York la même année. Les deux associés ont aussi compris que si le parc public de l'île Sainte-Hélène connaît une telle popularité depuis 1874, un parc privé de délassement et d'attractions a toutes les chances de réussir. Ils misent aussi sur le bassin démographique montréalais pour attirer semaines et dimanches les familles aux spectacles de musique et de «variétés». Le Sohmer — du nom d'une marque de piano vendue par Lavigne à son magasin de musique — veille à sa réputation de respectabilité. Le lieu devient le rendez-vous des fêtes de travailleurs: plâtriers, typographes, conducteurs de «chars» s'y rassemblent une fois l'an. Honoré Mercier, qui a compris la dynamique nouvelle de la presse et du spectacle, y prononce un retentissant discours. Mais surtout, on va au Sohmer par grappes de Montréalais accrochés aux tramways pour entendre l'orchestre du Sohmer jouer Meyerbeer et Strauss et voir les nouveautés des «variétés» que Lavigne déniche à New York via les nouvelles grandes agences de mise en tournée[13].

Cette sensibilité aux nouveautés, déjà construite sur la tradition des expositions industrielles et agricoles depuis le début des années 1850, s'alimente aux habitudes récentes de consommation dans les grands magasins et à l'attrait pour les technologies qui modifient la vie quotidienne et les habitudes de loisir. Ceux et celles que les nouveautés du spectacle attirent au Sohmer sont souvent les mêmes qui fréquentent les grands magasins à rayons de Montréal : Morgan, qui a ouvert en 1854 et qui, dès 1872, met des articles en vitrine, transforme son magasin en rayons ou «départements» en 1874 et s'installe rue Sainte-Catherine en 1891 ; Dupuis qui ouvre ses portes en 1868, sans compter le service de vente par correspondance qu'Eaton inaugure à Toronto en 1888, imitant en cela Montgomery Ward (1872) aux États-Unis et adoptant bientôt le système du catalogue des nouveautés mis à la mode par Sears and Roebuck en 1887[14].

Lorsqu'en 1889 le Sohmer accueille ses visiteurs le soir sous l'éclairage électrique, l'électricité a déjà une courte histoire. Après une première démonstration publique de la lampe à arc le 16 mai 1879 et l'utilisation de l'éclairage électrique pour une partie de crosse et pour le travail nocturne des débardeurs du port de Montréal en 1880, c'est l'inauguration de l'éclairage électrique des rues à Montréal le 17 juillet 1886 qui constitue la percée irréversible de la technologie nouvelle. La «Fée électrique» a alors fait l'objet d'une grande exposition à Paris en 1881, à laquelle l'inventeur canadien-français Charles Dion et l'exilé libéral Louis-Antoine Dessaulles participent. Des compagnies productrices d'électricité comme la Royal Electric Company existent depuis 1884 et celle-ci fournit à ses clients près de 25 000 lampes à incandescence en 1892, 39 000 en 1893, 79 000 en 1899.

À la nouveauté des théâtres, des parcs, des Dime Museums, des grands magasins s'ajoute celle des technologies récentes. Au même moment, Charles Edison obtient un brevet canadien (1878) pour son phonographe, Emile Berliner lance son gramophone (1877) et Alexander Graham Bell implante le téléphone à Montréal (1877). Les abonnés sont essentiellement des gens d'affaires et des commerçants et, en 1882, 18 % des abonnés sont francophones. De 1880 à 1896, 20 % des lignes téléphoniques au Canada sont situées à Montréal tandis que d'autres rejoignent Granby (1880), Sorel (1881), Lévis (1882), Stanstead, Saint-Jérôme, Buckingham (1891) et Terrebonne (1893).

Et c'est grâce à la « Fée électrique » que les représentants de la Cinématographie Lumière de Lyon donnent la première représentation cinématographique canadienne au Palace Theater le 27 juin 1896[15].

La désacralisation du temps : la question du dimanche

Le rapport au temps et au calendrier de vie hebdomadaire constitue aussi une nouveauté. Et ce sera le parc Sohmer qui de 1891 à 1893 mènera le combat décisif à propos de la question du dimanche, même si celle-ci se pose déjà de façon soutenue depuis un quart de siècle. D'abord parce que les milieux ouvriers et syndicaux n'ont pas réussi à conserver les gains relatifs à l'obtention du « demi-samedi » de congé. Le dimanche demeure donc pour la majorité laborieuse de la population le seul jour de repos de la semaine. Et puis les formes nouvelles de culture et de loisir pratiquées en journée libre ont entamé le dimanche : randonnées ou courses de bicyclettes depuis 1869, délassement dominical au parc de l'île Sainte-Hélène à compter de 1874, courses de chevaux le dimanche à Côte-Saint-Paul ou ailleurs en 1880. Les villes et municipalités ont aussi pris des initiatives pour faire face au changement. Outremont et Westmount poussent plus loin que Saint-Henri et Maisonneuve le souci du respect du dimanche : on y interdit la vente dominicale de crème glacée, de confiseries et de boissons rafraîchissantes dans la rue ou sur la place publique. Montréal vote le 19 septembre 1876 le règlement 103 interdisant le dimanche « tout théâtre, cirque, ménagerie ou place d'amusement où l'on donne des représentations athlétiques, gymnastiques, de ménétriers, vélocipèdes ou autres jeux bruyants de ce genre ».

L'autorité ecclésiastique, directement concernée par le respect de « la journée du Seigneur », réagit rapidement et ses interdictions demeurent un bon indice du degré d'évolution d'un phénomène social. Dès 1871, Mgr Laflèche de Trois-Rivières s'insurge contre la violation du dimanche par les transports publics. En 1881, son collègue de Montréal voit d'un fort mauvais œil les pique-niques et les excursions de plaisirs le dimanche, en train ou en vapeur, qui seraient autant d'occasions prochaines de péché. Dans sa *Vérité*, Tardivel, qui verra paraître *Le Journal du dimanche*

(1883-1885) et *Le Nouveau Samedi* (1889-), s'en prend au travail le dimanche, cause première de la non-observance du «jour du Seigneur». Mgr Fabre met ses ouailles en garde contre les assemblées politiques le dimanche, de «nature à distraire» de l'esprit religieux du jour; le 20 mai 1890, il dénonce «la tendance malheureuse qui se manifeste parmi nous de transformer le dimanche et les jours de fête, en des jours de divertissements, et en des jours de désordres», rappelant que «jusqu'à ces dernières années, l'observation régulière du jour du Seigneur était un trait distinctif de notre pays». Dans une autre lettre circulaire, il observe les effets de ces changements dans les mœurs: «ces pique-niques, ces excursions de plaisirs qui, outre qu'ils sont en eux-mêmes une source de libertinage, d'intempérance, vont porter le scandale au sein de nos campagnes si bonnes et si religieuses[16]».

Le 20 avril 1891, une lettre pastorale de l'évêque de Montréal vise le parc Sohmer: «Nous déplorons particulièrement ce genre d'amusements, introduits récemment en cette ville, et dans lequel, par l'annonce de concerts inoffensifs et de promenades, on invite à grands frais la foule à se presser dans un lieu public pour y être témoin de danses, d'exploits périlleux et de jeux contraires à la morale, en un mot de ce qui se voit dans les cirques les moins honnêtes; et ces spectacles non seulement on les a donnés sans aucun scrupule les dimanches et les jours de fêtes, mais encore aux heures des offices, de manière à détourner le peuple des églises […].»

C'est le début d'une charge contre le parc Sohmer, relayée par l'Association des ministres protestants de Montréal qui transmet aux autorités municipales son opposition aux spectacles le dimanche. La résistance vient de l'échevin libéral Raymond Préfontaine qui présente au Conseil de la Ville une requête des magistrats de police et une pétition de 2000 signatures en faveur de l'ouverture du parc Sohmer le dimanche. La saga se continue à propos de la vente de bière dans le parc. Même si la charte de Montréal a été amendée en 1889 par la législature de Québec pour permettre la vente de friandises, de fruits et de rafraîchissements le dimanche à Montréal et à l'île Sainte-Hélène et même si la loi provinciale permet à partir de février 1892 de vendre ce même jour de la bière contenant moins de 4% d'alcool, le parc Sohmer est poursuivi en Cour du Recorder en juin 1892 pour vente d'alcool le dimanche et condamné à une amende de 100$ le 2 octobre, trois semaines avant que le Conseil de Ville ne permette la vente de la «lager» le dimanche. *La Presse* du 1er avril 1893 trouve excessif le lobby du front commun des ministres et curés anglophones contre l'ouverture du parc Sohmer le dimanche et la vente de bière sur les lieux : « nos mœurs sont françaises et nous n'avons pas sur cette question la même manière de voir que nos citoyens de race anglo-saxonne. Nous vivons dans un pays anglais, à l'ombre des lois et du drapeau anglais, et nous demandons à ce qu'on ne veuille pas faire de nous des Anglais plus anglais que les Anglais eux-mêmes », qui boivent de la lager le dimanche en Angleterre. Moment historique : le 2 juin 1893, par 17 voix contre 16, dans un clivage ethnique francophone-anglophone quasi absolu, les échevins votent en faveur de l'ouverture du parc Sohmer le dimanche et de son droit de vendre de la bière contenant moins de 4 % d'alcool[17].

Lager, curling, baseball, hockey, football,
« Main », department store, museum, « chars »...

Les nouveautés et le changement culturel n'affectent pas que les mœurs ou les formes d'emploi du temps ; ils rejoignent « nos institutions, notre langue », selon la devise du *Canadien* de 1831. On voit se multiplier après 1880 les appels à la vigilance linguistique. Le mot d'ordre est lancé par Tardivel qui, empruntant au républicain français Gambetta son « Le cléricalisme, voilà l'ennemi », avertit : « L'anglicisme, voilà l'ennemi » ! La presse de l'époque et les nombreuses brochures dénonçant les anglicismes regorgent d'exemples de contamination de la langue française par le lexique anglais des affaires, de la technologie et des outils, des métiers, du sport ou des nouveaux produits de consommation. Les *Fautes à corriger, Une chaque jour, Corrigeons-nous* et *Dictionnaire de nos fautes contre la langue française* se succèdent pour identifier les anglicismes venus massivement avec le changement dans le système de production, de distribution et de consommation. Mais Tardivel, Buies et compères s'attardent aussi à dénoncer la contamination syntaxique du français parlé ou écrit des politiciens, des avocats et journalistes. L'anglicisme est l'ennemi mais, nouveauté, le canadianisme est évoqué, justifié et présenté par Napoléon Legendre comme « notre droit de contribuer à enrichir la langue française ». L'attitude est nouvelle en ce sens que, pour la première fois, une culture différenciée de la France est pensée et présentée positivement. C'est là l'origine des débats sur la spécificité du parler français au Canada et, en partie, sur la pertinence de plaider en faveur d'une littérature canadienne de langue française différente de la littérature française de France[18].

Expliquer le changement culturel

Comment passe-t-on ainsi de l'association volontaire à la diversité des formes de culture et de loisirs qui s'imposent au tournant de la décennie 1880 ? Comment la culture traditionnelle se transforme-t-elle en loisir en se commercialisant ? L'explication vient de la transformation du système économique en général et des système de production, de diffusion et de consommation en particulier. Les conditions de production (urbanisation, industrialisation, technologie), de diffusion (organisation, commercialisation, tertiarisation) et de consommation de biens s'appliquent dorénavant au monde de la culture et des formes d'emploi du temps non laborieux. Ces causes de changement jouent évidemment simultanément et de les voir à l'action à Montréal n'implique pas qu'elles touchent l'ensemble du Québec au même moment et au même rythme.

Dans un Québec encore majoritairement rural, l'urbanisation est limitée. C'est pourtant elle qui favorise les densités démographiques susceptibles d'élargir un marché de consommateurs de biens manufacturés, de créer un bassin de lecteurs de quotidiens, de spectateurs de théâtre, de visiteurs dans les parcs d'attractions et qui permet de constituer des groupes sociaux comme la classe moyenne où se recrutent les nouveaux adeptes du sport. Dans le changement culturel, l'espace même se modifie non seulement sous l'influence de la spéculation foncière mais aussi en réponse à un besoin de délimitation et de réglementation de l'espace pour la crosse, le baseball, le football, le hockey ou les parcs d'attractions.

Ce bassin de consommateurs urbains ne peut être satisfait que par une industrialisation appuyée sur la technologie. Les usines de production de matériel roulant offrent à la culture et au loisir des locomotives, des wagons de chemin de fer, des tramways qui permettent la création de ligues intra et interurbaines de crosse ou de hockey, l'approvisionnement des grands magasins, la dissémination de catalogues et de biens vendus par correspondance, la venue des Montréalais au Sohmer. Comment le hockey, les concerts de piano ou les fanfares auraient-ils été rendus possibles sans la capacité industrielle de produire et de reproduire en série des patins, des pianos, des cornets ? Sans le télégraphe, la transformation de la presse d'opinion en presse d'information eût été quasi impossible. Non seulement le télégraphe permet-il la diffusion des résultats sportifs, par exemple, mais il crée aussi un style, le style télégraphique. La linotype produite industriellement complète la chaîne d'innovations technologiques qui rend possible la presse à grand tirage. L'électricité qui remplace l'hydraulique dans les manufactures met du diurne dans le nocturne au port de Montréal, dans les rues de la ville, au parc Sohmer, à l'Opéra français. L'esprit de compétition qui nourrit le capitalisme et le libéralisme économique se transpose dans le sport qui, de forme de sociabilité qu'il était, devient champ de compétition amateur et professionnelle. C'est enfin cette même industrialisation qui rend nécessaire la capacité de lire sinon d'écrire, qui stimule l'alphabétisation de la population québécoise dont le taux d'alphabétisation passe de 62 % de 1880-1889 à 74 % en 1890-1899 (tableau 46).

Ces nouvelles conditions de production imposent un nouveau mode de diffusion : il faut écouler cette production de biens en série, ces chaussures achevées sur la même chaîne de production et non plus façonnées à la pièce dans la boutique du cordonnier artisan. Le tertiaire, le secteur des services, doit suivre le dévelopement du secondaire, secteur de la production. Le commerce de détail et quelques grands magasins vont servir d'intermédiaires entre la production et ce qui devient la consommation. Morgan et Dupuis deviennent la vitrine des marchandises nouvelles publicisées dans l'espace même de la vitrine urbaine et annoncées à grand renfort de publicité dans la presse. Il faut faire connaître la marchandise, la rendre attrayante, la publiciser dans la rue, sur les murs des édifices, dans la presse, dans les catalogues, qui seront souvent le seul imprimé avec le livre de messe ou de prières dans certaines maisons. Ceux qui organisent et gèrent la diffusion des biens et des services appliquent leur savoir-faire à la culture et au loisir. Le cornettiste et marchand de musique Ernest Lavigne ouvre le parc Sohmer. Les marchands et commis organisent des clubs sportifs, des ligues de crosse, des associations professionnelles et amateurs de hockey ; les employés du secteur des assurances ont même leur propre ligue de hockey à Montréal. C'est l'ère de l'organisation des loisirs, y compris les carnavals d'hiver.

L'organisation de la culture et du loisir n'est plus seulement volontaire et bénévole. Si l'on confie à certaines personnes et à certaines entreprises commerciales l'organisation du théâtre, de la musique ou du sport, les ex-membres des associations volontaires se transforment progressivement en bénéficiaires et consommateurs de ces loisirs organisés par le capital. Le citoyen de la ville, qui vend sa force de travail contre un salaire, dispose de celui-ci non seulement pour acheter les biens essentiels qu'il ne produit pas lui-même mais aussi pour se payer un peu de bon temps et de délassement, un loisir qu'il ne produit plus lui-même. La culture et le loisir commercialisés transforment donc l'ancien producteur de sa propre culture en consommateur d'une culture produite en dehors de lui. En un sens, de même que le travailleur industriel perd ses moyens de production au profit du capital, le citoyen délègue au capital ou à la ville la responsabilité de lui fournir des services culturels. Ainsi naît le consommateur culturel, le lecteur de quotidiens, le spectateur de théâtre, de vaudeville, de hockey ou de «vues animées», l'auditeur de la musique de Strauss ou de Berlioz. L'évêque de Montréal, Mgr Fabre, voit bien comment la ville s'exporte aussi à la campagne, comment le chemin de fer achemine la revue, le journal, le catalogue, les biens de ce catalogue commandés par correspondance et que l'on va de plus en plus souvent chercher à cette petite gare villageoise couleur sang-de-bœuf qui parsème le territoire[19].

Cette culture matérielle — matérialiste pour certains — vient souvent des États-Unis, que ce soit les modèles de vente par catalogue, le baseball, le vaudeville, le burlesque, les variétés du parc Sohmer et même l'opérette et l'opéra. La nouvelle culture urbaine remet en cause «la vocation spirituelle, religieuse, catholique de la race française en Amérique» construite depuis la décennie 1850 sur le rejet du matérialisme et du mercantilisme étatsuniens. Malgré ce discours des élites, les Canadiens français émigrent par milliers dans les États de la Nouvelle-Angleterre; le capital vient de plus en plus des États-Unis de même que les «unions» dites «internationales»; et c'est de New York qu'on importe les spectacles de «la Main» et du parc Sohmer. Mais le grand promoteur depuis 1866 de cette idée de vocation spirituelle et catholique de la race française en Amérique, l'abbé H.-R. Casgrain, écrit encore de Floride en 1882, où il séjourne pour des raisons de santé: «Quelle foule vulgaire que ce peuple américain! Vous figurez-vous un poète habillé en Yankee? Et les créations de leur mercantilisme, leurs villes alignées au cordeau, leurs blocs de maisons avec cette architecture grotesque, prétentieuse, qu'ils ont créée à leur image, et les gouaches étalées partout sur cette terre classique du badigeon et du clinquant; concevez-vous rien de plus prosaïque, de plus béotien, de plus opposé à l'art et à la poésie[20]?»

Conclusion

Le déclin et le remplacement du phénomène associatif indiquent bien son importance, en amont comme en aval, comme forme culturelle depuis l'Union. Minée par la politisation jusqu'à la formation de clubs politiques partisans, reconnue pour avoir contribué à l'essor des bibliothèques et de la presse qui s'autonomisent au tournant de 1880, témoin de la mise en place de formes de sociabilité — le théâtre, le concert — dont elle avait déploré l'absence chez les Canadiens français vers 1840 et soumise à la concurrence du sport naissant, l'association aura aussi été le creuset du sentiment national malgré de durables antagonismes. Sinon, comment expliquer le sens du « National » qui s'exprime tout autant dans un club de crosse ou de baseball, dans une association d'amateurs que dans un Monument ou une Palestre? Au tournant de la décennie 1880, la vie culturelle connaît au Canada français un second décollage après celui du tournant de la décennie 1860 ; les Canadiens français se dotent de *La Presse*, d'un théâtre professionnel et permanent, d'un Monument national, d'institutions musicales ; ils adhèrent aux sports non sans s'inspirer à nouveau des initiatives des Anglo-Montréalais.

C'est une culture transformée en loisirs qui se substitue progressivement à l'association volontaire. Cette transformation s'explique par la mise en place d'un système de production, de diffusion et de consommation de masse qui valorise le secteur tertiaire. Dorénavant, les activités d'emploi du temps non laborieux comptent au nombre des services offerts contre paiement par l'entreprise capitaliste ou offerts par la ville gratuitement ou en retour de la taxation. Du coup, les acteurs culturels ont changé : alors que la culture associative avait été celle des gens de toge (avocats, notaires, juges, étudiants en droit), la culture commercialisée est celle des gens d'entreprise et de comptoir. Les destinataires des activités culturelles changent aussi : le membre volontaire d'une association ou d'un club sportif devient le public, le client du capital investi dans le culturel et le loisir et le citoyen d'une ville qui donne un sens nouveau au public, au civique dans des parcs, des bains ou des bibliothèques.

On voit se développer entre 1877 et 1896 un sens des « nouveautés », celles des spectacles du parc Sohmer, des biens de consommation dans les magasins à rayons ou dans les catalogues de vente par correspondance, des « vues animées », toutes choses nouvelles mises en évidence, d'une façon ou d'une autre, par l'électricité et dont le pape Léon XIII prendra note, sur un autre registre, en intitulant *Rerum novarum*, «À propos des choses nouvelles», son encyclique sur la question sociale.

Le changement culturel rejoint les mœurs, l'espace, le temps, la religion, la langue. Un rapport nouveau à l'espace urbain et industriel entraîne un rapport nouveau au temps : les activités traditionnelles du jour du Seigneur sont perturbées par le travail effectué ce jour même dans les manufactures à production mécanisée et continue, par l'impératif des services publics (gaz, électricité, transport) et par la culture publique des parcs et privée du loisir commercial. L'Église catholique, qui doit jeter du lest, feint de ne pas le faire mais adopte et adapte ces choses nouvelles : les excursions en vapeur peuvent mener à des lieux de pèlerinage, le théâtre peut être édifiant sinon moralement acceptable dans les collèges ou dans des troupes. Et puis, que faire des mots anglais qui viennent avec le sport, les catalogues, les métiers industriels dans une économie nord-américaine et contrôlée au Québec par les anglophones? L'anglicisme, voilà l'ennemi! Le matérialisme, voilà un autre ennemi, un nouveau cheval de Troie qui vient des États-Unis et qui entre dans la ville!

CONCLUSION

COMMENT LES CLAIRIÈRES ouvertes ou découvertes dans cette exploration des idées permettent-elles de voir clair dans les grandes trames chronologiques et thématiques du Québec des XVIIIᵉ et XIXᵉ siècles ?

Les moments-clés sont les premiers indicateurs de situations et de développements qui jalonnent une histoire séculaire. Sur ce plan, il paraît clair qu'on ne peut parler de Conquête du Canada par l'Angleterre sans parler du même souffle de Cession de la colonie par la France. Cette vision oblige non seulement à tenir compte des deux « empires » qui ont colonisé le Canada et le Québec mais aussi à considérer les manières dont les Québécois façonneront leur identité à partir de ces deux « mères patries ».

Mais en 1774, une autre composante de l'identité politique et intellectuelle du Québec s'impose lorsque les Américains sollicitent l'appui des « Canadiens » à la cause de leur indépendance et envahissent la colonie britannique. En une quinzaine d'années, les Canadiens avaient ainsi été exposés aux trois formes principales de gouvernement de l'époque : la monarchie de droit divin française, la monarchie constitutionnelle de la Grande-Bretagne qui accorde le régime représentatif en 1791, et les aspirations républicaines des colonies britanniques au Sud.

Filtrées par la Grande-Bretagne et le pouvoir colonial britannique, la réalité et la perception de la Révolution française allaient trouver un accomplissement dans la Terreur de 1793. Dès lors, pour l'autorité métropolitaine et coloniale à laquelle l'Église catholique romaine allait ajouter sa loyale autorité, la France devenait régicide et « impie », et pour longtemps. De là partent la trajectoire conservatrice et réformiste dominante du Québec et l'antagonisme libéral-ultramontain ultérieur qui y cherchera sa place et sa voie.

La fin des guerres napoléoniennes et le traité de Vienne de 1815 signifient à la fois la levée du blocus économique, une certaine reprise de la circulation des personnes, des biens et des idées avec la France et la montée de puissance de la Grande-Bretagne parallèlement aux empires de la Sainte-Alliance. La colonie bas-canadienne se développait à l'ombre de cette puissance en ascension qui avait mis un terme aux ambitions de Napoléon et de la France qui, elle, cherchait toujours sa voie politique et constitutionnelle.

Au Bas-Canada, l'évidence s'impose au Parti canadien, qui devient le Parti patriote en 1826, que les réformes revendiquées depuis 1815 tardent à venir de Londres, comme en témoignent le peu de suites données au *Rapport* du Comité des Communes britanniques sur les affaires du Canada en 1828. Après 1830, Papineau et les libéraux trouvent dans la grande république voisine une inspiration et des modèles auxquels comparer sinon confronter les institutions britanniques.

L'escalade des événements et des revendications (émeute de 1832, 92 Résolutions de 1834, assemblées populaires) mène aux Dix Résolutions Russell, à la fin des espoirs qu'on avait placés dans la métropole faute d'avoir pu les placer dans l'administration coloniale, et aux rébellions et à leur échec. Puis, en dix ans, on allait passer d'une opposition quasi totale des Canadiens français à l'Union de 1840 à son acceptation majoritaire en 1848-1849. Après le premier grand souffle libéral de 1815 à 1837, un second souffle s'épuisait en 1849 avec le triple échec des rébellions, de la résistance à l'Union, de la courte évocation de l'alternative annexionniste et avec le début de marginalisation de Papineau. Le réformisme politique, le libéralisme modéré, l'alliance des pouvoirs politique et religieux et le nationalisme conservateur, principalement culturel, avaient la voie libre.

La supériorité démographique nouvelle du Haut-Canada à partir de 1851 ajoute aux crises politiques récurrentes celle, décisive, du retour à la représentation parlementaire proportionnelle et non plus égale. Les circonstances modifiaient ainsi en profondeur les principes démocratiques du Canada anglophone et allaient mener à la Confédération, saluée par l'Église catholique mais décriée, vainement, par les libéraux.

Dix ans après la Confédération et au moment du déclin relatif du libéralisme radical, Wilfrid Laurier fait son discours décisif sur le libéralisme politique, donnant sa double marque de modération et d'inspiration britannique au libéralisme qui s'impose alors. Les vieux antagonismes sont à peu près neutralisés au moment où se mettent en place des formes culturelles qui se substituent à celles qu'on avait façonnées sous l'Union.

Si on fait un survol de cent cinquante ans d'histoire (1760-1896), l'identité québécoise apparaît singulièrement polyvalente, marquée par des mères patries successives, la France et la Grande-Bretagne, sollicitée fortement par son puissant voisin continental et influencée par Rome d'où viennent des directives politico-spirituelles. On n'y échappe pas : les Canadiens français des xviiiᵉ et xixᵉ siècles sont culturellement et politiquement des Franco-Britanniques catholiques vivant en Amérique.

Il faut aussi baliser les tendances fortes de cette histoire intellectuelle. Cet exercice invite à scruter la polyvalence identitaire des Québécois, à nuancer leur adhésion à l'idée de monarchie ou de république, à mesurer l'influence de l'Église catholique, à suivre la trame démocratique des francophones et des anglophones de la colonie et à préciser le type de libéralisme qui s'y exprime et s'y pratique. Il convient encore d'identifier le coefficient de revendication coloniale qui fut celui du Bas-Canada et du Québec, de comprendre le type de nationalité qui finit par s'imposer et de prendre la mesure du développement culturel et intellectuel sur 150 ans.

Qu'en est-il de cette polyvalence identitaire des Québécois ? Si la France est perçue à travers la bruine d'une certaine nostalgie, d'un certain sentiment d'abandon et d'une évidente fidélité, elle est surtout regardée à travers le prisme de la nouvelle situation coloniale britannique. Les Canadiens d'origine française puis les Canadiens français avaient de multiples raisons de prendre distance de la France : oubli du Canada par la France, terreur révolutionnaire, instabilité politique chronique, anticléricalisme militant. Ils avaient autant de raisons de se rapprocher progressivement de l'Angleterre : octroi un peu obligé du parlementarisme mais octroi néanmoins, établissement de la presse et de l'imprimerie, stabilité politique d'un système impérial qui paraissait capable de réformes, parfois très lentes. Certes, après les 92 Résolutions, l'Angleterre, en qui le Parti patriote avait mis tous ses espoirs, déçoit amèrement au moment des Résolutions Russell ; on ne trouvait plus à Londres en 1837 l'écoute qui avait nourri des espoirs dans la colonie depuis 1815. Puis, avec l'imposition peu démocratique de l'Union du Bas et du Haut-Canada, avec une représentation égale et non proportionnelle, l'Angleterre en pleine effervescence impériale accorde un gouvernement responsable à sa colonie et endosse sa politique d'indemnités aux Patriotes. Si bien que lorsque se font en 1855 les grandes retrouvailles avec la France et sa *Capricieuse*, celles-ci se célèbrent à l'enseigne de l'Entente cordiale entre la France et l'Angleterre. Et c'est cette approche qui, jusqu'à la fin du XIXᵉ siècle, se perpétuera dans le discours du commissaire canadien à Paris, Hector Fabre, et dans celui de Laurier : la France a donné aux Canadiens français le premier des biens, l'existence ; l'Angleterre leur a donné le second, la liberté. Et pour que Laurier fasse en 1877 un discours qui identifiait le libéralisme canadien au libéralisme réformiste de l'Angleterre et non pas au libéralisme révolutionnaire de la France, il fallait bien que ce discours puisse être reçu, voire bien reçu. Au-delà des succès électoraux (tant espérés par les libéraux) qu'il a pu apporter, il fallait que son contenu réfère à l'expérience politique vécue par les Canadiens français. Il y référait : de Bédard à Laurier en passant par Papineau père et fils, par Parent, par La Fontaine et par Cartier tout autant que par l'Église catholique romaine, l'histoire politique et intellectuelle du Québec est traversée d'une admiration, parfois plus mitigée, mais constante aux XVIIIᵉ et XIXᵉ siècles, pour la Constitution anglaise.

Si les « Canadiens » ont finalement dit majoritairement « non » aux colonies américaines de 1774 et aux « Yankees » de 1812, ils se sont fait servir en 1837 la médecine qu'ils avaient servie aux Américains en 1774 : à « neutralité bienveillante », « neutralité bienveillante » ! L'admiration d'un Papineau, après 1830, pour la Grande République est minée par l'argument louisianais d'un Parent, argument qui vaut tout autant pour quelque projet de rapprochement ou d'annexion : quel avenir auraient dans l'Union américaine la langue française, la religion catholique et le droit civil français ? Que restait-il alors comme destin du Canada français en Amérique ? Une vocation spirituelle, devenue religieuse puis catholique.

Dans l'identité québécoise et sa dimension religieuse, Rome a été le phare de l'orthodoxie, le référent ultramontain, l'arbitre des conflits entre ultramontains d'ici dont certains se voulaient aussi sinon plus catholiques que le pape. Entraîné dans les conflits politico-religieux du Canada français et du Canada (écoles du Manitoba), le Vatican s'est éveillé aux risques de voir associer foi et langue et il lui est apparu que, tout compte fait, l'Amérique catholique, canadienne et étatsunienne, était anglophone. La vocation d'une catholicité francophone en Amérique perdait de son intérêt stratégique dans une telle conjoncture.

Dans un Canada qui est toujours une monarchie constitutionnelle, le Québec des XVIIIᵉ et XIXᵉ siècles a majoritairement préféré la monarchie à la république. La colonie française, qui avait vécu sous la monarchie absolue jusqu'en 1763, découvre la monarchie constitutionnelle sous le régime anglais et encore durant la décennie 1830, alors qu'en Europe les trônes et les empires restaurés sont secoués par un mouvement d'émancipation nationalitaire, les journaux bas-canadiens privilégient en général la monarchie constitutionnelle comme forme souhaitable de gouvernement pour les pays qui font leur indépendance. Au moment des débats sur la Confédération, Cartier verra dans le système proposé la meilleure façon d'assurer la pérennité de la monarchie britannique contre la république américaine. Cette tendance monarchique majoritaire n'exclut pas l'existence d'un courant républicain amorcé en 1774 et consolidé vers 1830 alors que le Parti patriote dénonce toute tentative métropolitaine de créer quelque aristocratie que ce soit dans les forêts américaines et trouve dans le Sénat étatsunien élu le modèle concret de sa revendication d'un Conseil législatif électif. Il s'est sans doute trouvé en 1830 et en 1848 des républicains canadiens-français à la française mais en général, après 1840 et surtout après 1867, les réformistes, les conservateurs et les ultra-montains observent de façon critique la IIIᵉ République française au point où le Canada choisit de ne pas participer, en 1889, aux célébrations entourant le centenaire de 1789. Quant à la République conçue par Tardivel dans son roman *Pour la Patrie* en 1895, elle n'a de républicain que son président, comme dans le cas de l'Équateur de Garcia Moreno.

Ce choix monarchique est tout britannique d'inspiration mais il est aussi clérical et permet de mesurer l'influence de l'Église catholique. Dans l'enseignement de la philosophie, dans les collèges où passent des généra-tions de futurs prêtres et de futurs citoyens, les clercs n'ont de cesse de présenter la monarchie de droit divin comme la meilleure forme de gouvernement en principe, en tolérant la réalité de la monarchie constitu-tionnelle sous laquelle vit le Bas-Canada. Chose certaine, l'Église voit d'un mauvais œil la souveraineté populaire et la démocratie : *omnis potestas a Deo*. Cette adhésion à la monarchie s'inspire de sa philosophie politique et de la vision de ses intérêts, elle qui a perdu son statut légal en 1791. Ces deux aspects expliquent son loyalisme à l'égard du pouvoir britannique métropolitain et colonial et fondent son ultramontanisme, favorable non seulement à l'alliance du Trône et de l'Autel mais à la prétention d'une primauté de l'Église sur l'État dans les questions dites « mixtes » comme l'instruction ou le bien-être social.

Les déclarations de loyalisme de l'Église ne manquent pas en 1775, en 1793, en 1812, en 1837, en 1838, en 1867 : la souveraineté politique n'est pas dans le peuple et il est défendu de renverser l'autorité légitime. L'Église catholique québécoise s'est singulièrement mêlée des affaires temporelles. Non seulement avait-elle construit une théologie et une philosophie politiques sur la hiérarchie des fins et la supériorité de sa mission pour justifier son intrusion dans le temporel (toute question politique est morale donc religieuse), mais elle a investi ce temporel profondément. Elle s'est « emparée » de l'école, du collège, de l'université, de l'asile, de l'hôpital. En dénonçant les Patriotes, les libéraux, le rappel de l'Union, l'annexion, elle appuyait le pouvoir britannique local qui lui rendait sa reconnaissance légale en 1839 et elle pavait la voie à La Fontaine et aux réformistes qui ont accepté la confessionnalisation du système scolaire en 1845. L'affrontement des libéraux et de l'Église en 1848 autour de l'unité italienne, de la question romaine et du pouvoir temporel du pape est en quelque sorte le versant clérical de la marginalisation politique que connaît Louis-Joseph Papineau en Chambre et dans l'électorat. C'est en ce sens que 1848 est une année chargée, y compris pour la définition d'une nationalité culturelle et apolitique, sans revendication du principe des nationalités. L'Église a cherché un pouvoir social, politique, temporel ; elle l'a obtenu et il a bien fallu que la politique conservatrice et réformiste le lui laisse. L'alliance implique deux parties.

La marque de l'Église catholique est encore perceptible dans la culture même. Sa conception toute réductrice de l'instruction primaire doublée de sa volonté de contrôle du système scolaire, ses réserves et ses préventions contre les associations toujours soupçonnées d'être des « sociétés secrètes », sa prétention à contrôler les lectures des membres de l'Institut canadien de Montréal et à se donner un droit de regard religieux sur une association civile, ses condamnations du théâtre, du spectacle et du sport, la censure exercée sur les livres, les romans, les journaux et les spectacles, l'usage du confessionnal et de la chaire pour dissuader les paroissiens de certaines idées politiques des confessants ou des paroissiens, toutes ces positions ont retardé et infléchi le développement culturel et intellectuel du Québec.

On a écrit dans les années 1950 que, historiquement, les Canadiens français n'ont pas voulu la démocratie pour eux-mêmes et que les anglophones n'ont rien fait pour leur en donner le goût. Qu'en est-il de la trame démocratique de l'histoire du Québec aux XVIIIe et XIXe siècles ? Grâce aux travaux de Pierre Tousignant, qui a rétabli les documents officiels, on sait dorénavant que les Canadiens ont dès 1784 participé à la revendication d'une Chambre d'assemblée. Ils l'ont voulue et l'ont défendue par la suite, conscients qu'ils étaient que la majorité de la représentation était leur planche de salut et de développement. Avec Neilson, avec Tracey, avec O'Callaghan et avec une bonne dizaine de députés anglophones, la majorité canadienne du Parti canadien et du Parti patriote a défendu la démocratie en contestant la liste civile et en exigeant le contrôle de la Chambre sur les revenus et dépenses publics ; en se battant pour la séparation des pouvoirs politique et judiciaire ; en promouvant, dans le contexte des conflits du moment, l'idée de la préséance de la Chambre d'assemblée sur le Conseil législatif ; en proposant au nom de la souveraineté populaire l'électivité du Conseil législatif et celle des responsables des Fabriques ; en soulignant que les revendications semblables qui venaient du Haut-Canada les exonéraient de toute accusation de « préjugés nationaux » dans leur combat.

Qu'ont fait les Britanniques métropolitains, d'autre part, pour mettre en valeur une démocratie qu'ils se faisaient fort d'avoir instaurée en 1688, bien avant 1776 et 1789 ? Après la conquête, certains ont conçu une Chambre d'assemblée où seuls les protestants voteraient ; d'autres se sont montrés favorables à la présence de juges dans la Chambre d'assemblée ; ils ont minimisé dans la colonie le principe « no taxation without representation » en accordant au gouverneur et au pouvoir exécutif une liste civile qui les mettait à l'abri du pouvoir populaire ; ils ont recherché et accepté presque tous les postes au Conseil législatif, conscients que leur geste bloquait la vie politique de la colonie et faisait d'eux les acteurs du principe métropolitain et machiavélique « diviser pour régner ». Ils ont constitué une Cour martiale plutôt que civile pour juger les Patriotes arrêtés et accusés de « trahison » ; ils leur ont refusé des avocats canadiens-français sous le prétexte que des rebelles ne pouvaient défendre des rebelles. Et au moment de l'Union, ils ont décrété un partage inégal et désavantageux au Bas-Canada de la nouvelle dette commune ; ils ont aboli en Chambre la langue de ceux avec lesquels ils s'unissaient. Ils ont créé « la petite loterie » pour acheter des appuis ; ils ont imposé sans l'accord de la colonie un régime de représentation égale et non proportionnelle à la population, foulant aux pieds le *Rep by Pop*. Puis avec l'accroissement de leur poids démographique, après 1850, ils ont changé de principe, revenant au *Rep by Pop* refusé aux Bas-Canadiens lorsque ceux-ci formaient la majorité de la population. Démocratie à deux vitesses qui a l'argument d'être celle du plus fort, du colonisateur.

« Les libertés anglaises » ont été conquises en 1688 et appliquées en Angleterre et en Grande-Bretagne puis dans les colonies, avec les ajustements et les limites qui s'imposaient. La tradition libérale québécoise est née à l'enseigne de ces « libertés anglaises » qu'on finit par vouloir tout aussi complètes pour la colonie que dans la métropole ; tel est le destin des colonies. Le libéralisme dont on a balisé la tradition naissait dans des langes anglais mais avec, penché sur le berceau, le visage d'un libéralisme républicain des voisins du Sud. Le libéralisme québécois est anglais d'inspiration jusqu'en 1830 ; Laurier le saura et en tiendra compte.

Ce libéralisme qui se radicalise après 1830 connaît ensuite échec sur échec : échec des rébellions de 1837 et de 1838, échec de l'opposition à l'Union et de son rappel, au moment où, perdant la majorité parlementaire, le libéralisme nationalitaire eût pu continuer son combat sans grande probabilité de succès, échec de la stratégie d'annexion du Canada aux États-Unis, échec de l'opposition au projet de la Confédération.

L'échec le plus manifeste du libéralisme radical sous l'Union tient à la réaffirmation du libéralisme modéré, celui de La Fontaine et de Cartier, celui aussi d'Hector Fabre qui, tout autant que Mgr Bourget et l'Église catholique ou qu'Étienne Parent, mine le libéralisme radical et prépare le terrain à Laurier. La stratégie de celui-ci consistera en 1877 à vider le libéralisme de son anticléricalisme radical en identifiant clairement la tradition du libéralisme canadien à celle du libéralisme anglais réformiste et non à celle du libéralisme français révolutionnaire. Le discours de Laurier doit être compris non pas seulement comme la réplique électoraliste de libéraux modérés aux « dissertations philosophiques » des radicaux mais plus fondamentalement comme l'aboutissement d'une tradition politique et intellectuelle qui remonte au XVIIIe siècle québécois. On comprend ainsi que le libéralisme du dernier quart du XIXe siècle québécois soit dominé non par les feux de Bengale de l'affaire Guibord ou du Programme catholique, ou encore par le baroud d'honneur d'un Tardivel, mais par ce qu'on cherche à identifier de part et d'autre comme de la tolérance, de la modération ou le sens du compromis.

La prépondérance, finalement, de ce libéralisme modéré témoigne jusqu'à un certain point du caractère modéré de la revendication coloniale au Bas-Canada avant et au moment de l'Union. Un premier temps de cette revendication coloniale va de 1791 à 1828, au moment des recommandations purement administratives et de bon vouloir du Comité des Communes britanniques sur les affaires du Canada. Les tergiversations de Londres deviennent alors plus flagrantes et la décision de la Chambre d'assemblée du Bas-Canada de passer outre à l'approbation du Conseil législatif en 1831 pour nommer un agent à Londres est indicative du besoin et de l'urgence d'un lobby capable de faire entendre la voix des coloniaux et non plus seulement celle de «l'oligarchie locale». De même, la référence de plus en plus fréquente à l'expérience républicaine états-unienne traduit-elle une vision nouvelle de la possible destinée de la colonie. Un nouveau plateau d'impatience était atteint avec les 92 Résolutions de février 1834, véritable cahier de doléances du Parti patriote électoralement appuyé par les trois quarts de la population. L'insatisfaction franchit une nouvelle étape lorsque, malgré une interdiction formelle, la majorité parlementaire tient des assemblées extraparlementaires et populaires au printemps et à l'été 1837. Puis ce seront les Résolutions Russell qui feront déborder la coupe. Si, en 1837 et surtout en 1838, quelques radicaux visent l'indépendance, Papineau la voit certes comme naturelle et nécessaire dans les Amériques, mais éventuelle. Le principe le plus avancé d'un projet d'émancipation nationalitaire au Bas-Canada en 1837 est celui qui constitue en même temps la formulation la plus «constitutionnaliste» de ce qui deviendra un droit, le principe des nationalités : «Nulle nation ne veut obéir à une autre par la raison simple que nulle nation ne sait en commander une autre.» Mais Étienne Parent, qui traite de nationalité au *Canadien* depuis 1831, s'en tient à l'idée de «conservation» et non de «révolution» de la nationalité canadienne-française. Sur ce plan, Papineau et Parent représentent l'endroit et l'envers de l'histoire intellectuelle et politique du Bas-Canada et du Québec et personnifient les types de nationalités promues au XIXe siècle.

Parent finira par consentir à l'Union en échange du gouvernement responsable qu'il revendique depuis un bon moment et La Fontaine, pour d'autres raisons aussi, appliquera la vision nationalitaire de Parent. C'est cette version conservatrice de la nationalité qui prévaudra après 1848 pour trois raisons : le principe des nationalités avancé par les libéraux «rouges» sera identifié à celui revendiqué par les libéraux italiens contre le pape, les États pontificaux et le pouvoir temporel de Rome. Il sera dénoncé tout autant par l'Église que par les réformistes de La Fontaine; après l'Union, les libéraux radicaux ne sont plus et ne peuvent plus être en nombre suffisant pour défendre ce principe dans une Assemblée législative du Canada-Uni où la représentation est égale et non proportionnelle à la population; enfin, la nationalité recevable et promue est culturelle — «conserver» les caractéristiques nationales telles que la langue, la religion, le droit français — et non politique, sans volonté d'une autodétermination.

Le destin du Canada français sera donc de conserver sa culture et bientôt de vouloir en faire la composante essentielle de sa vocation en Amérique.

Londres n'a pas à imposer la fédération de 1867 comme ce fut le cas pour l'Union de 1840 ; le Canada français y trouve sa place, du moins une place, avec l'assurance d'une majorité dans le gouvernement de la province de Québec. Et lorsque Laurier fait son discours sur le libéralisme anglais et français en 1877, l'anticolonialisme canadien-français est mis sous le boisseau. Tardivel l'en fera sortir à nouveau, mais c'est surtout Honoré Mercier qui indiquera une nouvelle voie d'autonomie « canadienne », suivie et élargie par Henri Bourassa au xxᵉ siècle.

Tout autant que la politique, le développement intellectuel du Québec permet d'observer le transfert, voire le mimétisme, dans les colonies des formes culturelles de la métropole et de restituer au Québec des xviiiᵉ et xixᵉ siècles son incontournable dimension coloniale. Ce premier constat se double de la reconnaissance du fait que, dans la colonie, les Canadiens français eux-mêmes adoptent et adaptent les institutions culturelles des anglophones, que ce soit la presse, l'association, la bibliothèque, le cabinet de lecture, le musée ou les sports. C'est cette même trame coloniale qui explique la politisation de la culture : l'imprimé, la presse, l'association, le système scolaire sont marqués par la politique, forme obligée et première de combat, de survie, de développement. Si les formes et les contenus culturels sont à ce point traversés d'idéologie, c'est qu'ils sont promus par une bourgeoisie de professions libérales qui non seulement leur donne une teneur civique et politique mais les marque aussi de la culture propre aux gens de droit qui dominent ces professions libérales : culture de l'imprimé, de l'éloquence, de l'argumentation.

Stimulés par l'établissement de l'imprimerie, de la presse et du parlementarisme, les débats d'idées sont rythmés par la dynamique culturelle, celle des médias, des échanges, des institutions. Cette dynamique des institutions culturelles a son rythme propre : elle se met en place au tournant du xixᵉ siècle, amorce un essor avec la levée du blocus économique en 1815 et connaît un décollage raté à la fin des années 1830. La reconstruction économique et politique sous l'Union se double d'une reconstruction culturelle qui permet un décollage culturel irréversible au tournant de la décennie 1860. Les formes culturelles qui caractériseront ce décollage — la presse, l'association — seront précisément celles sur lesquelles s'opéreront des changements culturels significatifs à la fin du siècle.

Le Québec intellectuel entre dans le XXᵉ siècle avec la récurrente question de son destin fragile, confronté à l'Empire britannique, à l'expansionnisme étatsunien, aux crises scolaires, à «l'esprit de parti» et à l'urbanisation. Son défi sera de formuler une «doctrine» capable de fonder une «action».

NOTES

Chapitre I: *Français, Anglais, Américains ou Canadiens? (1760-1815)*

1. Cité dans Gaston DESCHÊNES, *L'année des Anglais. La Côte-du-Sud à l'heure de la conquête*, Québec, Septentrion, 1988, *passim*; citation de Wolfe, p. 58.

2. «Mandement pour des prières publiques. Dispersion des Acadiens», 15 février 1756, *Mandements des Évêques de Québec* [*MEQ*], II, p. 106-107; lettre circulaire, hiver 1761, *ibidem*, p. 150.

3. Mandements des 1er et 4 février 1762, *MEQ*, II, p. 157 et 160.

4. Mgr Briand à M. Perrault, 22 février 1762, *Rapport* de l'archiviste de la Province de Québec [*RAPQ*] (1929-1930), p. 51; même à M. Montgolfier, [1762], *RAPQ* (1929-1930), p. 50; même à James Abercrombie, [1762], *RAPQ* (1929-1930), p. 50.

5. Mandement du 4 juin 1763, *MEQ*, II, p. 169-170.

6. Père Théodore, récollet, à Mgr Briand, cité dans Michel BRUNET, *La présence anglaise et les Canadiens. Études sur l'histoire et la pensée des deux Canadas*, Montréal, Beauchemin, 1964, p. 46.

7. Cardinal Castelli, Rome, à l'abbé de l'Isle-Dieu, 17 décembre 1766, cité dans Gustave LANCTÔT, *Le Canada et la Révolution américaine (1774-1783)*, Montréal, Beauchemin, 1965, p. 17.

8. «Adresse des principaux habitants de Québec», 7 juin 1762, cité dans M. BRUNET, *Les Canadiens après la Conquête (1759-1775): de la révolution canadienne à la révolution américaine*, Montréal, Fides, 1969, p. 41.

9. «Adresse des bourgeois de Québec à l'occasion du traité de paix», 4 juin 1763, cité dans M. BRUNET, *La présence anglaise, op. cit.*, p. 46-47; voir aussi la pétition des citoyens de Montréal, 12 février 1763, *ibidem*, p. 42.

10. Cité dans Claude Galarneau, *La France devant l'opinion canadienne (1760-1815)*, Québec-Paris, PUL-Armand Colin, 1970, p. 89.

11. *Ibidem*.

12. Mère d'Youville à M. Villars, 5 août 1763, cité dans M. BRUNET, *La présence anglaise, op. cit.*, p. 78-79; la même à l'abbé La Rue, 18 septembre 1765, cité dans C. Galarneau, *La France devant l'opinion canadienne, op. cit*, p. 92; sur la perception de la

France et des Français, Guy Frégault, *La guerre de la Conquête*, Montréal, Fides, 1955, p. 317-324, 359-363, 368-370.

13. Adam SHORTT et Arthur G. DOUGHTY, *Documents concernant l'histoire constitutionnelle du Canada, I: 1759-1791* [dorénavant *DC*], Ottawa, l'imprimeur du Roi, 1911, p. 58-59, 95-99, 99-101, 109-125.

14. Guy Carleton au comte de Shelburne, 20 janvier 1768, *DC*, I, p. 181; Pierre TOUSIGNANT, « L'incorporation de la province de Québec dans l'Empire britannique, 1763-1791 », *Dictionnaire biographique du Canada [DBC]*, Québec, Presses de l'Université Laval, 1980, vol. IV, p. XXXIV-LIII.

15. Comité à F. Masères, 8 novembre 1773, *DC*, I, p. 324.

16. H. T. Cramahé à Lord Dartmouth, 13 décembre 1773, *DC*, I, p. 325.

17. « Pétition au Roi », 31 décembre 1773, *DC*, I, p. 327-330; « Mémoire adressé de Québec à Lord Dartmouth », 31 décembre 1773, *DC*, I, p. 331-332; « Mémoire adressé de Montréal à Lord Dartmouth », 15 janvier 1774, *DC*, I, p. 332-333.

18. F. Masères à Lord Dartmouth, 4 janvier 1774, *DC*, I, p. 321.

19. Lord Dartmouth à H.T. Cramahé, 4 mai 1774, *DC*, I, p. 333.

20. R. Cole HARRIS, *Atlas historique du Canada. I: Des origines à 1800*, Montréal, Presses de l'Université de Montréal, 1987, planche 51.

21. Acte de Québec, *DC*, I, p. 379-383 ou dans G. LANCTÔT, *Le Canada et la Révolution américaine*, *op. cit.*, p. 263-271.

22. Philip LAWSON, *The Imperial Challenge. Quebec and Britain in the Age of American Revolution*, Montreal, McGill-Queen's University Press, 1990, p. 142.

23. Philip LAWSON, « "Sapped by Corruption" : British Governance of Quebec and the Breakdown of Anglo-American Relations on the Eve of Revolution », *Canadian Review of American Studies*, 22, 3 (hiver 1991) : 302-324.

24. *To the people of Great-Britain...*, 21 octobre 1774, dans G. LANCTÔT, *Le Canada et la Révolution américaine*, *op. cit.*, p. 278.

25. *Aux Habitants de la Province de Québec*, 26 octobre 1774, dans *ibidem*, p. 281-291 ou Institut canadien de microreproductions historiques [ICMH], n° 36657.

26. *Ibid.*, p. 40, 43, 44, 46, 51, 114.

27. « Mandement au sujet de l'invasion américaine », 22 mai 1775, *MEQ*, II, p. 264-265; plans de sermons de M. Montgolfier, dans G. LANCTÔT, *Le Canada et la Révolution américaine*, *op. cit.*, p. 65.

28. « Circulaire au sujet du rétablissement des milices », 13 juin 1775, *MEQ*, II, p. 265-266.

29. *Aux habitants de la Province du Canada*, 24 janvier 1776, dans Richard OUELLET et Jean-Pierre THERRIEN, *L'invasion du Canada par les Bastonnois. Journal de M. Sanguinet*, Québec, Éditeur officiel du Québec, 1975, p. 82-83, ICMH n° 51826; G. LANCTÔT, *Le Canada et la Révolution américaine*, *op. cit.*, chapitres 6 à 10; Marcel TRUDEL, *La Révolution américaine (1775-1783)*, Sillery, Les Éditions du Boréal Express, 1976, chap. II.

30. M. Montgolfier à Mgr Briand, 9 octobre 1775, cité dans G. LANCTÔT, *Le Canada et la Révolution américaine*, *op. cit.*, p. 101.

31. *MEQ*, II : 266.

32. Mgr Briand au curé Maisonbasse, 25 octobre 1775, cité dans John HARE, « Le comportement de la paysannerie rurale et urbaine dans la région de Québec pendant

l'occupation américaine, 1775-1776», *Revue de l'Université d'Ottawa*, 47, 1-2 (janvier et avril 1977): 146.

33. Mgr Plessis au Grand-Vicaire Bourret, à Londres, 15 mai 1807, Archives de l'archevêché de Québec [AAQ], Registre des lettres, VI: 20-37.

34. G. Lanctôt, *Le Canada et la Révolution américaine, op. cit.*, p. 136-138; *Journal de MM. Baby, Taschereau et Williams* (1776), publié par Aegidius Fauteux, Québec, [s. éditeur], 1929, p. 40.

35. R. Ouellet et J.-P. Therrien, *L'invasion du Canada par les Bastonnois, op. cit.* p. 71-72, ICMH, n° 6266.

36. Carleton au général Bourgoyne, 29 mai 1777, *DC*, I: 440, n. 2.

37. «Mémoire de l'évêque de Québec à Lord Dorchester», 20 mai 1790, dans Narcisse-Eutrope Dionne, *Les ecclésiastiques et les royalistes français réfugiés au Canada à l'époque de la Révolution (1791-1802)*, Québec, Laflamme, 1905, p. 326-331.

38. «Pétition pour obtenir l'abrogation de l'Acte de Québec», 12 novembre 1774, *DC*, I: 392-397; «Pétition des marchands pour obtenir l'abrogation de l'Acte de Québec», 2 avril 1778, *DC*, I: 452-454.

39. Haldimand à Germain, 25 octobre 1780, *DC*, I: 462-470; Haldimand à North, 24 octobre 1783, *DC*, I: 477-478; même au même, 6 novembre 1783, *DC*, I: 479.

40. Texte de 1784, cité dans Pierre Tousignant, *La genèse et l'avènement de la Constitution de 1791*, Ph.D. (histoire), Université de Montréal, 1971, p. 315.

41. «Pétition demandant une Chambre d'Assemblée», 24 novembre 1784, *DC*, I: 482-490; sur toute cette question et sur la correction des *DC* de Shortt et Doughty qui avaient omis les 1436 signatures des Canadiens, P. Tousignant, *La genèse... op. cit.*, Appendice A, p. 447-459; la pétition parut aussi à Londres en 1791, *Petitions from the Old and New Subjects, Inhabitants of the Province de Québec*, ICMH, n°s 49532, 49664 et *Le Canadien* du 9 août 1809 republiera la liste des signataires; les comités favorables à une Chambre d'Assemblée résumèrent leurs propos dans une brochure, *Aux Citoyens et Habitants des Villes et Campagnes de la Province de Québec*, Québec, Brown, février 1785, repris dans la Série Fac-Similé (n° 1, de la Société bibliographique du Canada en 1951) et à l'ICMH, n° 20675; P. Tousignant, «Problématique pour une nouvelle approche de la Constitution de 1791», *Revue d'histoire de l'Amérique française [RHAF]*, 27, 2 (septembre 1973): 181-234; *idem*, «Les Canadiens et la réforme constitutionnelle, 1785-1791», communication à la Société historique du Canada, 1972, 13 f.; *idem*, «Les aspirations libérales des réformistes canadiens-français et la séduction du modèle constitutionnel britannique», dans S. Simard (dir.), *La Révolution française au Canada français*, Ottawa, Les Presses de l'Université d'Ottawa, 1991, p. 229-238.

42. «Objections à la pétition de novembre 1784», 30 novembre 1784, *DC*, I: 491-494.

43. «La très humble addresse des citoyens et habitans catholiques romains [...]», [novembre 1784], *DC*, I: 494-495.

44. P. Tousignant et Madeleine Dionne-Tousignant, «Pierre du Calvet», *DBC*, IV: 246-251; P. Tousignant, «Appel à la justice de l'État», dans M. Lemire (dir.), *Dictionnaire des œuvres littéraires du Québec*, Montréal, Fides, 1978, I: 35-37, ICMH, n° 3462; Jean Delisle à J.-B. Adhémar, 15 janvier 1785, ANC, fonds Verreau, G.5, 7: 49; «Lettre de marchands de Montréal», 2 novembre 1784, *DC*, I: 520-521; «Lettre des marchands de Québec», 9 novembre 1784, *DC*, I: 522-523; sur la position de *La Gazette*

de Montréal [*GM*], Jean-Paul de LAGRAVE, *Fleury Mesplet (1734-1794)*, Montréal, Patenaude éditeur, 1985, p. 257-290.

45. H. Finlay à Sir Evan Nepean, 9 février 1789, *DC*, I : 627-629.

46. Lettre personnelle et secrète de William Grenville à Lord Dorchester, 20 octobre 1789, *DC*, I : 633-634.

47. Dépêche de W. Grenville à Lord Dorchester, 20 octobre 1789, *DC*, I : 634-637.

48. Dès 1772, Wedderburn l'avait bien vu : « To exclude the Canadian subject would be impossible, for an Assembly chosen only by the British Inhabitants could no more be called a representative body of that colony », cité dans P. TOUSIGNANT, « Problématique pour une nouvelle approche... », *loc. cit.* : 186.

49. *GM*, 16 avril et 11 juin 1789, cité dans Lionel GUIMOND, *La Gazette de Montréal de 1785 à 1790*, M.A. (Histoire), Université de Montréal, 1958, p. 14-19 ; *Gazette de Québec* [*GQ*], 6 août 1789, Claude GALARNEAU, *La France devant l'opinion canadienne (1760-1815)*, *op.cit.*, p. 105-139.

50. *GM*, 8 octobre 1789, 21 octobre 1790, 20 janvier 1791 ; L'homme libre, « À l'imprimeur », *GM*, 27 novembre 1790 ; voir aussi le 19 août, 2 septembre, 9 décembre 1790, 24 février 1791, 9 février 1792.

51. Pierre TOUSIGNANT, *La Gazette de Montréal de 1791 à 1796*, M.A. (Histoire), Université de Montréal, 1960, p. 221 ; Un Canadien du manoir de Berthier, « Aux Canadiens », *GM*, 4 mars 1790 cité dans L. GUIMOND, *La Gazette de Montréal, op. cit.*, p. 255, 265-268 ; J.-P. de Lagrave, *Fleury Mesplet, op. cit.*, p. 371-386.

52. Brassier à Mgr Hubert, novembre 1789, AAQ, cartable des grands-vicaires 12.

53. J.-O. Duchêne à Mgr Briand, 1er janvier 1792, cité dans C. GALARNEAU, *La France..., op. cit.*, p. 80 ; voir aussi p. 76.

54. *GQ*, 6 décembre 1792, cité dans C. Galarneau, *ibidem*, p. 128.

55. Texte de la loi dans *DC*, I : 665-678 ; la version anglaise paraît dans la *GM* les 26 et 27 mai 1791, la version française les 2 et 9 juin et la version officielle les 8, 15, 22, 29 décembre 1791.

56. L'abbé Gravé à l'abbé Hody, Paris, 25 octobre 1791, cité dans C. GALARNEAU, *La France..., op. cit.*, p. 133.

57. John HARE, *Aux origines du parlementarisme québécois (1791-1793)*, Québec, Septentrion, 1993, p. 38, 44 et textes, p. 131-148 ; P. TOUSIGNANT, « La première campagne électorale des Canadiens en 1792 », *Histoire sociale / Social History*, 15 (mai 1975) : 128.

58. *DC*, I : 669-670, articles XVIII-XXIV ; John GARNER, *The Franchise and Politics in British North America (1775-1867)*, Toronto, University of Toronto Press, 1969, p. 73-82.

59. Textes des brochures dans J. HARE, *Aux origines..., op. cit.*, p. 150-191 ou à ICMH, dans l'ordre n°s 57292, 55039, 47236, 52824, 52827, 55152, 57291 ; Milada VLACH et Yolande BUONO, *Catalogue collectif des impressions québécoises (1764-1820)*, Montréal, Bibliothèque nationale du Québec, 1984, p. 160 des index.

60. Fernand OUELLET, *Le Bas-Canada (1791-1840). Changements structuraux et crise*, Ottawa, Éditions de l'Université d'Ottawa, 1976, p. 44.

61. J. HARE, *Aux origines..., op. cit.*, p. 207-221, 228.

62. *Ibidem*, p. 93-94, 230-292 ; au sujet du texte de la loi, p. 239, 102-103.

63. C. GALARNEAU, *La France..., op. cit.*, p. 227-228.

64. *Ibidem*, p. 291-298, 308.

65. Document publié par Michel BRUNET dans «La Révolution française sur les rives du Saint-Laurent», *RHAF*, XI, 2 (septembre 1957): 158-162; «Un Mémoire de Henry Mézière», *Bulletin des recherches historiques [BRH]*, XXXVII, 4 (avril 1931): 193-201; C. GALARNEAU, *La France...*, *op. cit.*, p. 233-234; F. Murray GREENWOOD, *Legacies of Fear. Law and Politics in Quebec in the Era of the French Revolution*, Toronto, The Osgoode Society/University of Toronto Press, 1993, p. 76-79; J.-P. de Lagrave, *Fleury Mesplet*, *op. cit.*, p. 406-418.

66. C. GALARNEAU, *La France...*, *op. cit.*, p. 231.

67. *Ibidem*, p. 230, 244-250; F. M. GREENWOOD, *Legacies of Fear*, *op. cit.* p. 99-101.

68. Sur les menées «séditieuses»: C. GALARNEAU, *La France...*, *op. cit.*, p. 234-242, citation, p. 238; F.M. GREENWOOD, *Legacies of Fear*, *op. cit.*, p. 80-82, 87-91, 96-99, 101-103; Léon ROBICHAUD, «Les paysans et les premiers députés du Bas-Canada: les réactions à la loi "des chemins et des ponts"», communication, Société historique du Canada, 1991, 19 f.; Louis L. KNAFLA, «The Influence of the French Revolution on Legal Attitudes and Ideology in Lower Canada, 1789-1798» et Mario LALANCETTE, «La Malbaie et la Révolution française», dans Pierre H. BOULLE et Richard A. LEBRUN, *Le Canada et la Révolution française*, Montréal, Centre interuniversitaire d'études européennes, 1989, p. 83-102, 45-67; sur McLane: C. GALARNEAU, *La France...*, *op. cit.*, p. 252-259; F. M. GREENWOOD, *Legacies of Fear*, *op. cit.*, p. 139-170; les transcriptions des témoignages du procès ont été publiées dans les *Soirées canadiennes*, II (1862): 353-400, ICMH, n° 36952.

69. *Lettre de Mgr de Léon aux ecclésiastiques français réfugiés en Angleterre*, Québec, John NEILSON, 1793, 18 p.; publié dans les *Écrits du Canada français*, 30 (1970): 207-222.

70. «Circulaire aux curés», 9 novembre 1793, *MEQ*, II: 471-473; Mgr Hubert à l'abbé Jones, 29 mars 1794, *RAPQ* (1930-1931): 298-299; voir aussi «Circulaire recommandant la fidélité au gouvernement», 5 novembre 1796, *MEQ*, II: 501-502.

71. Mgr DENAUT, «Mandement prescrivant des actions de grâces après la victoire de l'amiral Nelson», 22 décembre 1798, *MEQ*, II: 515-517; Mgr Plessis, *Discours à l'occasion de la victoire remportée par les forces navales de Sa Majesté britannique...*, 10 janvier 1799, reproduit dans ICMH, n° 20857 et dans *Écrits du Canada français*, 30 (1970): 191-254, citations, p. 239 et 251; Joseph-Edmond ROY, «Napoléon au Canada», *Mémoires* de la Société royale du Canada, 3e série (1911): 69-117; voir aussi F.M. GREENWOOD, *Legacies of Fear*, *op. cit.*, p. 193-202.

72. Poèmes publiés dans la *GQ* et cités dans C. Galarneau, *La France...*, *op. cit.*, p. 266 et Jeanne d'Arc LORTIE, *La poésie nationaliste au Canada français (1606-1867)*, Québec, PUL, 1975, p. 120-122, 129.

73. *Quebec Mercury*, 27 octobre 1806; toujours à propos de la stratégie d'assimilation, le même journal, 6 avril 1805, octobre-décembre 1806, 26 janvier, 9 et 16 mars 1807, 31 octobre et 7 novembre 1808, 3 avril 1809, 15 janvier et 16 avril 1810, selon John HARE et Jean-Pierre WALLOT, *Les imprimés dans le Bas-Canada (1801-1810)*, Montréal, PUM, 1967, p. 309.

74. Lawrence A.H. SMITH, «*Le Canadien* and the British Constitution (1806-1810)», *Canadian Historical Review*, XXXVIII, 2 (juin 1957): 97-100.

75. *Le Canadien*, 31 janvier 1807, 25 juin, 2, 9 16, 23 juillet 1808, 25 mars, 3, 24 juin, 1er, 29 juillet, 23 septembre 1809.

76. Craig à Castelreagh, 5 août 1808, cité dans L. Sмiтн, « *Le Canadien...* », *loc. cit.* : 104-105.

77. *Le Canadien*, 31 janvier 1807, cité dans J. HARE et J.-P. WALLOT, *Les imprimés...*, *op. cit.*, p. 324-325 ; voir ausi le 24 janvier 1807, 24 avril, 27 mai et 9 décembre 1809.

78. [Denis-Benjamin Viger], *Considérations sur les effets qu'ont produit en Canada, la conservation des établissemens du pays, les mœurs, l'éducation, etc de ses habitans, et les conséquences qu'entraineroient leur décadence par rapport aux intérêts de la Grande-Bretagne*, Québec, James Brown, 1809, p. 7, 21-22, 38-40, 43-44, 15, 30, 32-33 ; ICMH, n° 20923 ; *Le Canadien*, 29 novembre 1806, 17 et 31 octobre, 5 et 26 décembre 1807, 23 septembre et 11 novembre 1809.

79. Pierre-René de Saint-Ours à Herman Witsius Ryland, 20 juin 1808, cité dans Jean-Pierre WALLOT, *Un Québec qui bougeait, trame socio-politique au tournant du xixe siècle*, Montréal, Éditions du Boréal Express, 1973, p. 291-292 ; Mgr Plessis à M. Roux, 4 décembre 1809, *RAPQ* (1927-1928) : 270 ; *Le Vrai-Canadien*, 4 avril 1810.

80. « Chanson du Canadien patriote », *GQ*, 1er août 1807 ; *Courier de Québec*, 28 janvier 1807 ; Craig à Lord Castelreagh, 13 mai, 15 juillet, 4 août 1808, cité dans J.-E. Roy, « Napoléon au Canada », *loc. cit.* : 107-108 ; Craig à Liverpool, 5 mars 1810 et Craig à H.W. Ryland, 10 juin 1810, cité dans J.-P. WALLOT, *Un Québec qui bougeait, op. cit.*, p. 290-292.

81. Thomas CHAPAIS, *Cours d'histoire du Canada*, Québec, Librairie Garneau, 1933, III, p. 190 ; sur le rejet de lois par le Conseil législatif, *Journal* de la Chambre d'Assemblée du Bas-Canada [*JCABC*], 1804, p. 226-229, 288-289, 308-313, 328-333, 374-381, 392-399.

82. J. HARE et J.-P. WALLOT, *Les imprimés...*, *op. cit.*, p. 229-231 ; *DC*, II, p. 371-372.

83. Proclamation de Craig, 21 mars 1810, *MEQ*, III : 45-50.

84. Circulaire accompagnant la proclamation, 21 mars 1810, *MEQ*, III : 43-45 ; sur la loyauté du clergé, 22 mars 1810, *ibidem* : 50-51 ; Mgr Plessis à M. Roux, à M. Noiseux et à M. Conefroy, 22 mars 1810, AAQ, RL 7, p. 81, 131-133 ; Mgr Plessis au coadjuteur et à l'évêque de Saldes, 23 mars 1810, *ibidem*, p. 136-137 et *RAPQ* (1928-1929) ; 273 ; sermon de l'abbé Jean Raimbault sur la « fidélité au Prince », 1810, archives du Séminaire de Nicolet [ASN], Polygraphie IV, n° 9.

85. Craig à Liverpool, 24 mars 1810, cité dans J.-P. WALLOT, *Un Québec qui bougeait*, *op. cit.*, p. 291.

86. Dissolution de l'Assemblée, *DC*, II : 376-377 ; *Sermon prêché par l'Évêque catholique de Québec dans sa cathédrale le IVe dimanche du Carême, 1er avril 1810, À la suite de la Proclamation de Son Excellence le Gouverneur en Chef, du 21e mars même année*, Québec, imprimé à la Nouvelle-Imprimerie, MDCCCX, p. 7-9 ; ICMH, n° 53687 ; abbé de Calonne, [c. 15 avril 1810], cité dans *Histoire du monastère des Ursulines des Trois-Rivières*, Trois-Rivières, P.-V. Ayotte, 1892, tome II, p. 100-101.

87. Craig à Liverpool, 1er mai 1810, *DC*, II : 392-405 ; Liverpool à Craig, 12 septembre 1810, *ibidem* : 413 ; Craig à Ryland, 9 novembre 1810, *ibid.* : 416-418.

88. T. CHAPAIS, *Cours, op. cit*, II, p. 206-216, 405-410 ; Jonathan SEWELL, *A Plan for the Federal Union of the British Provinces in North America*, 1814 ; ICMH, n° 21154 ; sur Sewell, *DBC*, VII : 847-858.

89. John HENRY, *An Enquiry into the Evils of General Suffrage and Frequent Elections in Lower Canada*, 1810, ICMH, n° 57284 ; voir aussi, dans le même esprit, Ross CUTHBERT,

An Apology for Great Britain, 1809, ICMH, n° 20924, Hugh Gray, *Letters from Canada*, 1809, ICMH, n° 35926, John Fleming, *Some Considerations on this Question; wether the British Government Acted Wisely in Granting to Canada her Present Constitution*, 1810, ICMH, n° 29286, et John Lambert, *Travels Through Lower Canada...*, ICMH, n° 36170; J. Hare et J.-P. Wallot, *Les imprimés dans le Bas-Canada, op. cit.*, n°ˢ 194, 201E, 243, 248, 250E.

90. Mᵍʳ Plessis à M. Burke à Halifax, 16 août 1810, AAQ, RL 7, p. 190-191; le même à M. de Bouveres à Londres, 21 novembre 1810, *ibidem*, 224-225; sur les conversations de novembre 1811 entre Plessis et Craig, *MEQ*, III : 59-82; mémoire de Plessis au nouveau gouverneur Prevost sur l'avenir de l'épiscopat catholique, 15 mai 1812, *ibidem*: 79-82.

91. Mᵍʳ Plessis à l'abbé Jean Raimbault, 18 septembre 1806, ASN, E, p. 3-4.

92. Tous les tableaux auxquels on fera dorénavant référence dans le corps du texte se trouvent dans Yvan Lamonde et Claude Beauchamp, *Données statistiques sur l'histoire culturelle du Québec (1760-1900)*, Chicoutimi, Institut interuniversitaire de recherches sur les populations (IREP), 1996, 146 p.

93. Mᵍʳ Plessis à l'abbé Bourret, agent ecclésiastique à Londres, 10 mai 1807, AAQ, RL, 6:20-37; Mᵍʳ Plessis au grand-vicaire Roux, 3 juin 1805, AAQ, cartable des évêques, III : 139-141; voir aussi abbé Boucher à Mᵍʳ Plessis, 28 mars 1810, AAQ, RL, 6: 52.

94. F. Ouellet, *Le Bas-Canada, op. cit.*, p. 145-172.

95. Circulaire de Mᵍʳ Plessis sur la guerre, 29 juin 1812, *MEQ*, III : 86-88; François Beaudin, «Sermon de M. Lartigue», 5 juillet 1812, *RHAF*, XXII, 2 (septembre 1968): 303-305; J.-P. Wallot, «Une émeute à Lachine contre la conscription, 1812» [1964-1965], *Un Québec qui bougeait, op. cit.*, p. 107-141; voir aussi *MEQ*, III : 88-91, 95, 108. Mᵍʳ Plessis recevra une pension annuelle de 1000 $ à compter de 1813 et sera nommé au Conseil Exécutif en 1818.

96. Michelle Guitard, *The Militia of the Battle of the Châteauguay. A Social History*, Ottawa, Parks Canada, 1983, 147 p.

97. Ce *Mémoire* est publié dans Robert Christie, *A History of the Late Province of Quebec*, Montreal, Richard Worthington, 1866, VI, p. 313-323; Bédard à Neilson, 15 janvier 1815, ANC, papiers Neilson, II : 438; sur Bédard, Fernand Ouellet, «Bédard», *DBC*: VI: 45-53; John R. Finlay, «The State of a Reputation: Bédard as Constitutionalist», *Journal of Canadian Studies / Revue d'études canadiennes*, 20, 4 (hiver 1985-1986): 60-76; Janet Ajzenstat, «Canada's First Constitution: Pierre Bédard on Tolerance and Dissent», *Canadian Journal of Political Science / Revue canadienne de Science politique*, XXIII, 1 (mars 1990): 40-57; sur la question des juges, *DC*, II: 448-470.

98. Abbé Denis Chaumont à l'abbé Robert, 19 mai 1814, Archives du Séminaire de Québec [ASQ], Lettres T: 84.

99. *Le Canadien*. Sur l'Espagne: 8 et 15 octobre, 12 décembre 1808; 29 juillet, 22 décembre 1809; 3 et 10 février 1810. Sur le Portugal: 22 octobre, 12 et 19 novembre 1808; 7 janvier, 22 avril, 25 novembre 1809. Sur l'Amérique latine: 2 et 16 février 1809. Sur les rapports colonies-empires: 30 décembre 1809, 6 et 20 janvier 1810.

Chapitre II: L'émergence d'une opinion publique dans la colonie (1760-1815)

1. Sur l'Académie de Montréal, J.-P. de LAGRAVE, *Fleury Mesplet, op. cit.*, p. 127-160; sur la Société des Patriotes: *ibidem*, p. 399-402; C. GALARNEAU, *La France..., op. cit.*, p. 130-131; M. GREENWOOD, *Legacies of Fear, op. cit.*, p. 59-60; sur la Société littéraire de Québec et la *Séance de la Société...*, J. HARE et J.-P. WALLOT, *Les imprimés dans le Bas-Canada, op. cit.*, p. 197-200; sur la Montreal Society United for Free Debate, Pierre TOUSIGNANT, *La Gazette de Montréal de 1791 à 1796, op. cit.*, p. 210-220; à propos de quelques conférences publiques faites en anglais en 1795-1796, *ibidem*, p. 201-204; sur les loges maçonniques, Roger LE MOINE, «Francs-maçons francophones du temps de la "Province of Quebec" (1763-1791)», *Cahiers des Dix [CD]*, 48 (1993): 93-115.

2. Cette notion de «public» est récurrente dans les prospectus des journaux; à titre d'exemples, *GQ*, 21 janvier 1764 et 9 juillet 1795, *GM*, 28 août 1785 et 23 février 1786, *Courier de Québec*, 29 octobre 1806.

3. Sur les ordonnances, Gilles GALLICHAN, *Livre et politique au Bas-Canada (1791-1849)*, Québec, Sillery, Septentrion, 1992, p. 106-107; sur la lecture à haute voix des journaux à l'adresse des analphabètes, *GQ*, 16 mai 1793; Montgolfier à Mgr Briand, 2 et 6 janvier 1779, Haldimand à Montgolfier, 15 février 1779, cité dans Yolande BUONO, *Imprimerie et diffusion de l'imprimé à Montréal (1776-1820)*, M.A. (Bibliothéconomie), Université de Montréal 1980, p. 24-27.

4. Mesplet au gouverneur Carleton, mai 1778, cité dans Y. BUONO, *Ibidem*, p. 24; *GM*, 21 octobre 1778, 28 avril et 2 juin 1779, et J.-P. de LAGRAVE, *Fleury Mesplet, op. cit.*, p. 161-197.

5. D.P., «Idées sur la Liberté de la Presse et sur les avantages qu'on en peut espérer», *Le Canadien*, 25 juillet 1807; voir aussi les extraits de Delolme sur la liberté de la presse que *Le Canadien* publie les 2, 9, 16, 23 juillet, 5 septembre et en décembre 1808.

6. Serge GOUDREAU, «Mail Conveyance between Montreal and Quebec City (1995) at the Beginning of the 19th Century», *The Postal History Society of Canada Journal*, 28: 15-30; Ian R. LEE, *The Canadian Postal System: Origins, Growth and Decay of the State Postal Function (1765-1981)*, Ph. D. (Political Science), Carleton University, 1989, p. 93, 106-107.

7. Milada VLACH et Yolande BUONO, *Catalogue collectif des impressions québécoises (1764-1820), op. cit., passim.*

8. *GM*, 3 juin, 4 novembre 1778, 13 janvier, 17 et 24 février 1779, cité dans J.-P. de LAGRAVE, *Fleury Mesplet, op. cit.*, p. 98, 116, 131.

9. Haldimand au général Budé, 1er mars 1779, cité dans Mason WADE, *Les Canadiens français*, Montréal, Cercle du livre de France, 1963, tome I, p. 96-97.

10. M. Montgolfier à Mgr Briand, 1779, cité dans Antonio DROLET, *Les bibliothèques canadiennes (1604-1960)*, Montréal, Cercle du livre de France, 1965, p. 91; voir aussi Mgr Hubert au préfet de la Sacrée Congrégation de la Propagande, 26 octobre 1792, cité dans C. GALARNEAU, *La France..., op. cit.*, p. 133; Mgr Hubert, «Mémoire sur l'état du diocèse de Québec en 1794», *MEQ*, II: 487; mandement de Mgr Plessis, 22 août 1814, *MEQ*, II: 121.

11. Gilles GALLICHAN, *Bibliothèques et culture au Canada après la Conquête (1760-1800)*, M.A. (Histoire), Université Laval, 1975, chapitre III, et Yolande BUONO, *Imprimerie et diffusion..., op. cit.*, p. 130.

12. *Catalogue of English and French Books in the Quebec Library*, Quebec, printed by Samuel Neilson, [1792], VIII-28 p.; *Catalogue of English and French Books in the Montreal Library /Catalogue des livres françois et anglais dans la Bibliothèque de Montréal*, Montreal, chez E. Edwards, [1797], 37 p.; *Catalogue of English and French Books in the Quebec Library [...]*, Quebec, Printing at the New Printing Office, 1801, 32 p.; *Catalogue of the English and French Books in the Quebec Library [...]*, Quebec, Printing at the New Printing Office, 1808 [avec ajouts jusqu'en 1813], 50 p. On n'a pas retracé les catalogues de la Bibliothèque de Québec publiés en 1780, 1781, 1783, 1784, 1787, 1789, 1796, 1798, 1799 et 1800.

13. Monique LAURENT, *Le catalogue de la bibliothèque du Séminaire de Québec [1782]*, D.E.S., Université Laval, 1973, p. 13.

14. G. GALLICHAN, *Bibliothèques et culture...*, *op. cit.*, p. 50-57, 63-69.

15. Y. BUONO, *Imprimerie et diffusion de l'imprimé...*, *op. cit.*, p. 127-129, 202-216.

16. Y. LAMONDE, *La librairie et l'édition à Montréal (1776-1920)*, Montréal, Bibliothèque nationale du Québec, 1991, p. 26.

17. *Le Canadien*, 20 janvier 1810, cité dans Marc LEBEL, «François-Xavier Garneau et le caractère national des Canadiens français», dans Gilles GALLICHAN, Kenneth LANDRY et Denis SAINT-JACQUES (dir.), *François-Xavier Garneau, figure nationale*, Québec, Éditions Nota Bene, 1998, p. 223-241; Louis-Philippe AUDET et A. GAUTHIER, *Le système scolaire du Québec*, Montréal, Beauchemin, 1969, p. 8.

18. R. Cole HARRIS (dir.), *Atlas historique du Canada*, *op. cit.*, tome II, planche 51.

19. «Rapport du Comité du Conseil relatif au commerce et à la police», 5 janvier 1786, *DC*, I: 593; mémoire et correspondance de Mgr Hubert et mémoire de Mgr Bailly de Messein, *MEQ*, II: 415-421, 385-409, 421-423; C. GALARNEAU, *La France...*, *op. cit.*, p. 46-49, 134-135; J.-P. DE LAGRAVE, *Fleury Mesplet*, *op. cit.*, p. 327-334.

20. Jacob Mountain à Robert Shore Milnes, 19 octobre 1799, cité dans Louis-Philippe AUDET, *Le système scolaire de la Province de Québec*, Québec, Les Presses universitaires Laval, 1952, tome III, p. 11-14.

21. H.W. RYLAND, «Observations concernant la situation politique du Bas-Canada», mai 1808, *DC*, II: 352-354.

22. L.-P. AUDET, *Le système scolaire...*, *op. cit*, III: 68-90, 112, 140-142; Réal G. BOULIANNE, «The French Canadians and the Schools of the Royal Institution for the Advancement of Learning (1820-1829)», *Histoire sociale / Social History*, V, 10 (1972): 144-163.

23. Yvan LAMONDE, *La philosophie et son enseignement au Québec (1665-1920)*, Montréal, Hurtubise HMH, 1980, p. 80, 87-95.

Chapitre III: Enjeux démocratiques et prise de conscience coloniale (1815-1834)

1. F. OUELLET, *Le Bas-Canada, op. cit.*, p. 270, 225, 280, 298, 331; Paul BOURASSA, «Regards sur la ressemblance: le portrait au Bas-Canada», dans Mario BÉLAND (dir.), *La peinture au Québec (1820-1850)*, Québec, Musée du Québec / Les Publications du Québec, 1991, p. 36-49, *passim*; Rosalyn M. ROSENFELD, *Miniatures and Silhouettes in Montreal (1760-1860)*, M.A. (Art History), Concordia University, 1981, 161 p.; Baudoin BURGER, *L'activité théâtrale au Québec (1765-1825)*, Montréal, Parti pris, 1974, p. 356-364.

2. [Début des années 1820], cité dans Serge GAGNON et Louise LEBEL-GAGNON, « Le milieu d'origine du clergé québécois (1774-1840) : mythes et réalités », *RHAF*, 37, 3 (décembre 1983) : 393 ; voir aussi Mgr Lartigue à Mgr Plessis, 6 octobre 1824, AAQ, DM, II : 113.

3. Louis ROUSSEAU, *La prédication à Montréal de 1800 à 1830. Approche religiologique*, Montréal, Fides, 1976, p. 99 ; Lucien LEMIEUX, *Histoire du catholicisme québécois. Les XVIIIe et XIXe siècles. Tome 1 : 1760-1839*, Montréal, Boréal, 1989, p. 103-104 ; Joseph LENOIR, « Montréal et ses principaux monuments (1860) », dans Joseph LENOIR, *Œuvres*, édition critique par John HARE, Montréal, PUM, 1988, p. 295 ; Louis ROUSSEAU, « À propos du "réveil religieux" dans le Québec du XIXe siècle : où se loge le vrai débat ? », *RHAF*, 49, 2 (automne 1995) : 239, et « La conduite pascale dans la région de Montréal, 1831-1865 : un indice des mouvements de la ferveur religieuse », *L'Église de Montréal, aperçus d'hier et d'aujourd'hui (1836-1986)*, Montréal, Fides, 1986, p. 270-284.

4. F. OUELLET, *Le Bas-Canada, op. cit.*, p. 218.

5. Thomas CHAPAIS, *Cours..., op. cit.*, III, p. 17-40 ; de Papineau [LJP] : « Parlement provincial du Bas-Canada [PPBC]. Continuation des débats sur le message de Son Altesse Royale [...] concernant les accusations contre l'Honorable juge Foucher, [c. 7 mars] », *L'Aurore*, 20 mars 1819 ; sur le leadership incertain du Parti canadien après 1810, F. OUELLET, *Le Bas-Canada..., op. cit.*, p. 300-306.

6. *DC*, I, p. 373-374, 489-491 ; II (1818-1829), p. 98-99, 227, 330-332, 496.

7. T. CHAPAIS, *Cours...*, III, *op. cit.*, p. 81-100 ; *DC*, II, p. 57, 72, 90, 216, 225, 271, 310 ; *JCABC*, 1822, appendice K.

8. LJP, « PPBC. [Liste civile] », 19 mars 1818, *L'Aurore*, 18 avril 1818.

9. T. CHAPAIS, *Cours...*, III, *op. cit.*, p. 101-107, 114-144 ; « Bill pour unir les législatures du Bas et du Haut-Canada... », *DC*, II, p. 124-132.

10. James STUART, *Observations on the Proposed Union of the Provinces of Upper and Lower Canada [...]*, [6 juin 1823], London, printed by William Clowes, 1824, p. 11-12, 14, 31, 37-38 ; citations, p. 26 et 94 ; pétitions en faveur de l'Union, *DC*, II, p. 132-140 ; sur J. STUART, *DBC*, VIII, p. 937-938.

11. Pétitions contre l'Union, *DC*, II, p. 140-141 ; LJP : « Discours prononcé par l'Hon. L.J. Papineau [...] au dîner patriotique du mois d'octobre », [7 octobre 1822], *Le Spectateur canadien*, 19 et 26 octobre 1822, texte dans Y. LAMONDE et Claude LARIN, *Louis-Joseph Papineau. Un demi-siècle de combats. Interventions publiques*, Montréal, Fides, 1998, p. 46-53 ; *At a Meeting of the General Committee Appointed for the District of Montreal, for the Purpose of Preparing Petitions [...]*, [s. l., s. éd., 18 novembre 1822, 2 p.], ICMH, n° 41323 ; Papineau à Wilmot, 16 décembre 1822, *DC*, II, p. 146-148 ; « Observations de MM. L.-J. Papineau et John Neilson sur le projet de réunir les législatures du Haut et du Bas-Canada », dans T. CHAPAIS, *Cours..., op. cit.*, III, p. 263-282, tiré du *JCABC*, 1825, Appendice « K » et, daté du 10 mai 1823, publié en anglais à Londres en 1824, texte dans Y. LAMONDE et C. LARIN, Louis-Joseph PAPINEAU, *Un demi-siècle de combats, op. cit.*, p. 54-71, ICMH, n° 38546 ; Y. LAMONDE , « Conscience coloniale et conscience internationale dans les écrits publics de Louis-Joseph Papineau (1815-1839) », *RHAF*, 51, 1 (été 1997) : 3-37.

12. *GQ*, 13 juin et 12 décembre 1822, à titre d'exemples ; correspondance Neilson-Papineau, juin-décembre 1822, ANC, MG24, Papiers Neilson.

13. Les textes de Parent dans *Le Canadien* ne sont pas signés; les citations sont tirées des articles suivants: [Éditorial], 30 octobre 1822; «Le lecteur...», 4 décembre 1822; «Nous avons déjà dit...», 22 octobre 1823; «Nous publions dans un extraordinaire...», 1er janvier 1823, repris dans Jean-Charles FALARDEAU, *Étienne Parent (1802-1874)*, Montréal, Éditions La Presse, 1975, p. 48; Étienne PARENT, *Discours*, édition critique par Claude COUTURE et Yvan LAMONDE, Montréal, PUM, 2000.

14. *DC*, II, p. 148.

15. *Ibidem*, p. 242-245; J. Stuart ne partage pas les vues de Sewell et de Robinson; il tient à une union du Haut et du Bas-Canada d'abord, comme prélude à une union plus large éventuellement, *ibid.*, p. 245-252.

16. Mgr Plessis à Mgr Lartigue, 25 novembre 1822, AAQ, Registre des lettres, XI: 67; Mgr Lartigue à Mgr Panet, 1er décembre 1827, cité dans L. LEMIEUX, *Histoire du catholicisme québécois, op. cit.*, p. 376.

17. Bathurst à Sherbrooke, juillet 1816, cité dans *DBC*, VI: 656.

18. Bathurst à Mgr Plessis, 5 juin 1817, cité dans L. LEMIEUX, *Histoire du catholicisme québécois, op. cit.*, p. 48-49; Bathurst à Sherbrooke, 6 juillet 1817, *DC*, II, p. 560; Mgr Plessis à Bathurst, 16 septembre 1819, AAQ, évêques de Québec, 3, 163; «Sermon prêché à la cathédrale de Québec par Mgr Plessis», 6 avril 1815, *BRH*, XXXV (1929): 161-169.

19. LeSaulnier à Garnier, 22 septembre 1829, cité dans L. ROUSSEAU, *La prédication..., op. cit.*, p. 86, n. 50; Gilles CHAUSSÉ, *Jean-Jacques Lartigue, premier évêque de Montréal*, Montréal, Fides, 1980, p. 187.

20. Mgr Plessis à M. Jacques Panet, curé de L'Islet, 30 décembre 1815, *RAPQ* (1927-1928): 313; «Sermon prêché...», 6 avril 1815, *loc. cit.*: 165; Mgr Plessis à l'abbé Louis Lamothe, 6 novembre 1823, AAQ, Registre des lettres, XI: 346.

21. Abbé U.C. Fournier à madame de Loynes de Morett, 20 juillet 1817, *Bulletin des recherches historiques [BRH]* (1911): 5-6, 14.

22. Mgr Plessis à l'abbé Roby, 28 janvier 1811, AAQ, Registre des lettres, VII: 251; M. Bernier, Paris, à M. Robert, 28 mars 1803, ASQ, Lettres, T: 72; l'abbé Jean Raimbault à Mgr Plessis, 17 décembre 1820, ASN, fonds Raimbault, correspondance.

23. Y. LAMONDE, «Classes sociales, classes scolaires: une polémique sur l'éducation en 1819», *Rapport* de la Société canadienne d'histoire de l'Église catholique [RSCHEC] (1974): 43-47.

24. [François Blanchet], *Appel au Parlement impérial et aux habitans des colonies angloises dans l'Amérique du Nord sur les prétentions exorbitantes du Gouvernement Exécutif et du Conseil législatif de la Province du Bas-Canada*, Québec, imprimé par Flavien Vallerand, 1824, p. 37, 11-12, 16, 35; sur Blanchet, *DBC*, VI: 74-76.

25. Discours de prorogation du gouverneur, 7 mars 1827, dans *Speech of Louis J. Papineau on the Hustings, at the Opening of the Election for the West Ward of the City of Montreal...*, Montreal, printed by Ludger Duvernay, 1827, p. 41-43, (ICMH, no 39126); Papineau et autres signataires, «À nos constituans», 2 avril 1827, *DC*, II, p. 413-417.

26. «Discours prononcé par Louis-Joseph Papineau, Écuier, Avocat, à l'ouverture de l'élection pour le Quartier Ouest de la Ville de Montréal», 11 août 1827, *La Minerve*, 13, 17, 20, 24, 27 septembre, 1er octobre 1827, texte dans Y. LAMONDE et C. LARIN, *Louis-Joseph Papineau. Un demi-siècle de combats, op. cit.*, p. 86-125; LJP, «Aux Électeurs du

Quartier Ouest de Montréal », 20 août 1827, *La Minerve*, 23 août 1827, texte dans Y. Lamonde et C. Larin, *Louis-Joseph Papineau. Un demi-siècle de combats, op. cit.*, p. 126-130.

27. À propos du refus de l'Orateur, *DC*, II, p. 417-420.

28. Pétitions des citoyens de Québec et de Montréal dans *Rapport du Comité Choisi pour s'enquérir sur le gouvernement civil du Canada*, Québec, réimprimé par ordre de la Chambre d'Assemblée, Neilson et Cowan, 1828, appendice; texte original en anglais reproduit dans *Irish University Press British Parliamentary Papers*: Colonies, Canada 1, Sessions 1828-1837, Shannon, 1966, 359 p.; T. Chapais, *Cours..., op. cit.*, III, p. 188-204.

29. « Précis du Discours prononcé par le Docteur Labrie [...] », 26-27 décembre 1827, *La Minerve*, 7 janvier 1828; sur J. Labrie, *DBC*, VI: 419-420.

30. Jean-Marie Mondelet à D.-B. Viger, 23 avril 1828, cité dans F. Ouellet, *Le Bas-Canada..., op. cit.*, p. 327.

31. Peter Burroughs, *The Canadian Crisis and British Colonial Policy (1828-1841)*, Toronto, Macmillan, 1972, p. 28-42; à propos des interventions au Parlement de Londres: *Hansard*, New Series, XIX, 2 May 1828, p. 300-340, extraits dans P. Burroughs, *British Attitudes towards Canada (1822-1849)*, Scarborough, Prentice-Hall, 1971, p. 42-48.

32. Témoignages devant le Comité dans *Rapport du Comité Choisi..., op. cit.*, p. 11-337 et index des témoins, p. 1-10.

33. Recommandations dans le *Rapport du Comité Choisi..., op. cit.*, dans T. Chapais, *Cours..., op. cit.*, III, p. 283-301, dans *DC*, II, p. 463-474 ou dans *JCABC*, 1828-1829, 38, appendice HH.

34. *DC*, II, p. 498-500; voir les instructions du secrétaire d'État aux colonies, Murray, au gouverneur Kempt et la réponse de celui-ci, 29 septembre et 22 novembre 1828, *DC*, II, p. 483-493.

35. F. Ouellet, *Le Bas-Canada..., op. cit.*, p. 329-330.

36. LJP, « Sur les diverses références relatives à la composition du Conseil législatif », 10 janvier 1833, *Le Canadien*, 16, 18 et 23 janvier 1833; LJP, « Que Dominique Mondelet... », 24 novembre 1832, *La Minerve*, 3 décembre 1832.

37. LJP, « État du pays », 11 mars 1831, *La Minerve*, 21, 24 et 28 mars 1831, texte dans Y. Lamonde et C. Larin, *Louis-Joseph Papineau, Un demi-siècle de combats, op. cit.*, p. 152-173; aussi sur la perspective historique: LJP, « Sur les diverses références... », 10 janvier 1833, *Le Canadien*, 16, 18 et 23 janvier 1833.

38. LJP, « Indépendance des juges », 11 janvier 1832, *Le Canadien*, 28 janvier et 1er février 1832.

39. LJP, « État du pays », 11 mars 1831, *La Minerve*, 21, 24 et 28 mars 1833, texte dans Y. Lamonde et C. Larin, *Louis-Joseph Papineau. Un demi-siècle de combats, op. cit.*, p. 152-173; LJP, « Composition du Conseil », 16 janvier 1832, *La Minerve*, 2, 9 et 13 janvier 1832, texte dans Y. Lamonde et C. Larin, *Louis-Joseph Papineau. Un demi-siècle de combats, op. cit.*, p. 199-210.

40. LJP, « Douzième résolution », 9 mars 1831, *La Minerve*, 17 mars 1831; LJP, « État du pays », 11 mars 1831, *La Minerve*, 21, 24 et 28 mars 1833, texte dans Y. Lamonde et C. Larin, *Louis-Joseph Papineau. Un demi-siècle de combats, op. cit.*, p. 152-173.

41. LJP, « État du pays, douzième résolution », 10 mars 1831, *La Minerve*, 21 mars 1831, texte dans Y. Lamonde et C. Larin, *Louis-Joseph Papineau. Un demi-siècle de combats, op. cit.*, p. 149-153; LJP, « État du pays », 11 mars 1831, *La Minerve*, 21, 24 et

28 mars 1831, texte dans Y. LAMONDE et C. LARIN, *Louis-Joseph Papineau. Un demi-siècle de combats, op. cit.*, p. 152-173; LJP, «Conseil législatif, 16 mars 1833, *Le Canadien*, 12 avril 1833; abbé Jacques Paquin à Mgr Lartigue, 31 janvier 1832, cité dans Richard CHABOT, *Le curé de campagne et la contestation locale au Québec de 1791 aux troubles de 1837-1838*, Montréal, Hurtubise HMH, 1975, p. 97.

42. LJP, «Composition du Conseil», 16 janvier 1832, *La Minerve*, 2, 9 et 13 janvier 1832, texte dans Y. LAMONDE et C. LARIN, *Louis-Joseph Papineau. Un demi-siècle de combats, op. cit.*, p. 199-210; LJP, «Sur les diverses références relatives à la composition du Conseil législatif», 10 janvier 1833, *Le Canadien*, 16, 18 et 23 janvier 1833, texte dans Y. LAMONDE et C. LARIN, *Louis-Joseph Papineau. Un demi-siècle de combats, op. cit.*, p. 211-238; LJP, «Constitution du Conseil législatif», 10 janvier 1833, *Le Canadien*, 28 et 30 janvier 1833; LJP, «État du pays», 11 mars 1831, *La Minerve*, 21, 24 et 28 mars 1831, texte dans Y. LAMONDE et C. LARIN, *Louis-Joseph Papineau. Un demi-siècle de combats, op. cit.*, p. 152-173.

43. [É. Parent], *Le Canadien*, 15 août et 7 novembre 1832, 29 avril et 19 juin 1833.

44. T. CHAPAIS, *Cours..., op. cit.*, III, p. 237-244; à propos d'un désaccord précédent entre Neilson et Papineau sur la question des subsides, *JCABC*, 1824, p. 316-317 et *GQ*, 26 février 1824.

45. À propos des pétitions, du questionnaire expédié par la Chambre et du vote: *JCABC* (1831), vol. 40, p. 30-31, 74, 90, 138, 202; vol. 41, p. 203 et appendice QQ; L. LEMIEUX, *Histoire du catholicisme québécois, op. cit.*, p. 155-158, et G. CHAUSSÉ, *Jean-Jacques Lartigue..., op. cit.*, p. 179-184, réfèrent aux écrits de l'évêque et la citation est tirée de *La Minerve* du 31 mars 1831; le texte du projet de loi et le *Mémoire* du clergé contre le bill des notables se trouvent dans *La Minerve* du 11 avril 1831 et des 15 et 19 décembre 1831; LJP, «Notables, [26 mars]», *La Minerve*, 11 et 14 avril 1831; LJP, «Les Fabriques», *La Minerve*, 2 décembre 1831; LJP, «Bill des Fabriques», *La Minerve*, 5 et 9 janvier 1832, textes dans Y. LAMONDE et C. LARIN, *Louis-Joseph Papineau. Un demi-siècle de combats, op. cit.*, p. 178-187 et 195-198.

46. T. CHAPAIS, *Cours..., op. cit.*, III, p. 237-244; LJP, «Subsides», 19 mars 1831, *La Minerve*, 24 mars 1831, texte dans Y. LAMONDE et C. LARIN, *Louis-Joseph Papineau. Un demi-siècle de combats, op. cit.*, p. 174-177; LJP, «Subsides», 21 mars 1831, *La Minerve*, 28 mars; LJP, «Liste civile», 21 janvier 1832, *Le Canadien*, 22 février 1832; LJP, «Bill des subsides et la liste civile», [16 mars], *Le Canadien*, 8 avril 1833.

47. France GALARNEAU, *L'élection dans le quartier-ouest de Montréal en 1832 : analyse politico-sociale*, M.A. (Histoire), Université de Montréal, 1978, 188 p.; les programmes des candidats, *La Minerve*, 23 avril 1832; sur le vote, F. GALARNEAU, «L'élection partielle du quartier-ouest de Montréal en 1832: analyse politico-sociale», *RHAF*, 32, 4 (mars 1979): 565-584; les enquêtes judiciaire et parlementaire, *JCABC*, 42 (1832-1833), appendice M et app. non numéroté; 43 (1834), app. non numéroté, après Nn; verdict du 1er septembre 1832, *La Minerve*, 7 janvier 1833; LJP, Lettre au gouverneur, 22 mai 1832, *La Minerve*, 11 mars 1833; LJP, «Affaire du 21 mai», 11 décembre 1832, *La Minerve*, 11 mars 1833; LJP, «Lieutenant colonel Eden», 28 février 1833, *La Minerve*, 13 mars 1833; LJP, [«Message du gouverneur relatif à la composition du Grand Jury»], 6 mars 1833, *La Minerve*, le 28 mars 1833, texte dans Y. LAMONDE et C. LARIN, *Louis-Joseph Papineau. Un demi-siècle de combats, op. cit.*, p. 248-250; «La Marseillaise canadienne» [1832], reproduite dans Maurice CARRIER et Monique VACHON, *Chansons politiques du Québec*, Montréal, Leméac, 1977, t. I (1765-1833), p. 30-32.

48. [Parent], «Les écrivains...», *Le Canadien*, 20 décembre 1833 ; voir aussi Pierre de Sales Laterrière, «Correspondances», *Le Canadien*, 5 octobre 1831 ; le *Quebec Mercury* du 18 août 1806 avait déjà évoqué cet exemple possible de la Louisiane.

49. [Parent], «Adresse au public canadien», *Le Canadien*, 7 mai 1831, reproduit dans J.-C. Falardeau (dir.), *Étienne Parent (1802-1874)*, *op. cit.*, p. 69-73 ; *La Minerve*, 26 avril 1827, cité dans Marc LEBEL, «François-Xavier Garneau et le caractère national des Canadiens», dans G. GALLICHAN, K. LANDRY et D. SAINT-JACQUES (dir.*)*, *François-Xavier Garneau, figure nationale*, *op. cit.*, p. 233.

50. *Ibidem.*

51. Nicolas ROUSSELLIER, *L'Europe des libéraux*, Paris, Éditions Complexe, 1991, p. 19, 27, 39, 47, 53, 56, 64.

Chapitre IV : Tensions dans la colonie (1834-1837)

1. *La Minerve* des 15 et 22 février 1834 et *Le Canadien* du 17 publient le texte des 92 Résolutions ; *Les Quatre-Vingt-Douze Résolutions*, Québec, Neilson, 1834, 24 p. ; repris dans Narcisse-Eutrope Dionne, *Les trois comédies du «Statu Quo» 1834*, Québec, Typ. Laflamme et Proulx, 1909, p. 127-235. Sur les débats et documents contemporains entourant les 92 Résolutions, *Affaires du pays depuis 1828*, Québec, [extrait de *La Gazette de Québec*], 1834, 79 p., ICMH, n° 50640 et *Précis des débats de la Chambre d'Assemblée, état de la Province*, Québec, [extrait de *La Minerve* ?], 1834, [s.p.], ICMH, n° 46690. Sur les projets de lois refusés par le Conseil législatif, An Old Countryman [Edmund O'Callaghan], *The Late Session of the Provincial Parliament of Lower Canada*, Montreal, [from *The Vindicator*], April 1836, [31 p.], ICMH, n° 49085.

2. Louis-Joseph PAPINEAU [LJP], «État de la Province, 1re Résolution, [18 février]», *La Minerve*, 27 février et 3 mars 1834, texte dans Y. LAMONDE et C. LARIN, *Louis-Joseph Papineau. Un demi-siècle de combats*, *op. cit.*, p. 251-274.

3. Jacques Paquin à Mgr Lartigue, 31 janvier 1832 ; Jean-Baptiste Saint-Germain à Mgr Lartigue, 22 avril et 11 novembre 1834, cité dans Richard CHABOT, *Le curé de campagne et la contestation locale au Québec de 1791 aux troubles de 1837-1838*, *op. cit.*, p. 97, 99, 189-191.

4. LJP, «Aux Honorables Chevaliers, Citoyens et Bourgeois, les Communes du Royaume-Uni de la Grande-Bretagne et d'Irlande, assemblées en Parlement», 1er mars 1834, *La Minerve*, 24 mars 1834, ICMH, n° 49037 en français ou n° 62050 en anglais, texte dans Y. LAMONDE et C. LARIN, *Louis-Joseph Papineau. Un demi-siècle de combats*, *op. cit.*, p. 291-324.

5. *Hansard*, Third Series, t. 22, 14 avril 1834, p. 767-817, citations, p. 767, 775, 781, 784, 790, 811.

6. LJP, *Observations sur la réponse de Mathew Lord Aylmer à la députation du Tattersall et sur le discours du Très Honorable E.G. Stanley [...] sur les affaires du Canada le 15 avril 1834*, Montréal, [s.éd.], juillet 1834, p. 12, 16, 20, 39. Avec Jean-Paul Bernard, j'attribue ce texte à Papineau. ICMH, n° 39135.

7. LJP, «Aux Libres et Indépendants Électeurs du Quartier Ouest de Montréal», 3 décembre 1834, *La Minerve*, 4 et 8 décembre 1834, ICMH, n° 21431 en anglais, texte

dans Y. LAMONDE et C. LARIN, *Louis-Joseph Papineau. Un demi-siècle de combats, op. cit.*, p. 325-326.

8. Henry S. CHAPMAN, *What is the Result of the Canadian Election? Fully Answered*, Montreal, [from *The Daily Advertiser*], December 1834, 18 p., ICMH, n° 21427 et n° 43720 ; *Canada*, [s. l., s. éd.], September 1835, 8 p., tiré du *Monthly Repository* (septembre 1835), ICMH, #37322 ; Gilles LAPORTE, *Le radical britannique Chapman et le Bas-Canada (1832-1839)*, M.A. (Histoire), Université du Québec à Montréal, 1988, VII-207 p.

9. Jacqueline CHARPENTIER-DUFOUR, *La question des agents du Bas-Canada en Grande-Bretagne et l'appui d'éléments britanniques au Parti canadien et patriote (1791-1838)*, M.A. (Histoire), Université d'Ottawa, 1983, xv-207 p. ; sur Roebuck, *DBC*, X : 684-685 ; *Hansard*, Third Series, t. 26, 9 mars 1835, p. 660-715 ; ROEBUCK, *The Canadas and their Grievances*, [s. l., s. éd.], 1835, 32 p., repris de la *London Review* (juillet 1835) : 444-476, ICMH, n° 21566 ; correspondance Papineau-Roebuck, ANC, FM24, A19 ; Joseph HAMBURGER, *Intellectuals in Politics. John Stuart Mill and the Philosophic Radicals*, New Haven, Yale University Press, 1965, VIII-308 p.

10. « Continuation des débats du 22 février. État de la province et subsides », *Le Canadien*, 9, 11, 14, 16 mars 1836, texte dans Y. LAMONDE et C. LARIN, *Louis-Joseph Papineau. Un demi-siècle de combats, op. cit.*, p. 382-416. ; citation de La Fontaine, T. CHAPAIS, *Cours...., op. cit.*, IV, p. 81.

11. LJP à Roebuck, 13 mars 1836, ANC, FM24, A19, I, 5, p. 82.

12. LJP, « Continuation des débats... », *loc. cit.*, citation, *Le Canadien*, 14 mars 1836, texte dans Y. LAMONDE et C. LARIN, *Louis-Joseph Papineau. Un demi-siècle de combats, op. cit.*, p. 382-416 ; H.S. CHAPMAN, *Recent Occurences*, [London, T.C. Hansard], 1836, 16 p., repris du *Monthly Repository* (février 1836) ; intervention de Roebuck, *Hansard*, Third Series, t. 35, 16 mai 1836, p. 925-953, citations, p. 926, 927, 941.

13. *Fourth Report of The Standing Committee of Grievances made to the Assembly of Lower Canada Respecting the Conduct of Lord Aylmer, British Parliamentary Papers*, Shannon, Irish University Press, 1969, Colonies, Canada 7, Sessions 1833-1836, p. 419-429.

14. Arthur S. ROEBUCK, *Existing Difficulties in the Government of the Canadas*, London, printed by C. and W. Reynell, 1836, 68 p., ICMH, n° 21521 ; Henry S. CHAPMAN, *Progress of Events in Canada*, [s.l., s. éd.], janvier 1837, 15 p., repris de la *London and Westminster Review* (janvier 1837), ICMH, n° 28197.

15. Rapport Gosford, 15 novembre 1836 : *The Reports of the Royal Commissioners Appointed to Enquire into the State of Canada*, Quebec, Thomas Cary, 1837, 87 p., ICMH, n° 61771 ; *British Parliamentary Papers*, Shannon, Irish University Press, 1968, Colonies, Canada 4, Session 1837, p. 1-173, citations, p. 5, 6, 7, 9.

16. Les 14 députés anglophones qui votent en faveur des 92 Résolutions sont les suivants : James Leslie (Montréal-Est), Ed. Toomey (Drummond), Robert Nelson (Montréal-Ouest), John Pickel (William-Henry), Edmund B. O'Callaghan (Yamaska), Meritt Hotchkiss (L'Acadie), Jacob de Witt et James Perrigo (Beauharnois), W. Henry Scott (Deux-Montagnes), James Blackburn (Outaouais), C.W. Tolford (Sherbrooke), Robert Layfield (Mégantic) et Marcus Child et John Grannis (Stanstead) d'après Marc BOLDUC, *Les élections générales de 1834 (Bas-Canada) et les élections générales de 1841 (ancien Bas-Canada) : continuités et ruptures*, M.A. (Histoire), UQAM, 1997, p. 80, note 37.

Chapitre V: Une culture politisée, libérale
et marquée par les anglophones (1815-1840)

1. F. OUELLET, *Le Bas-Canada...*, *op. cit.*, p. 218.

2. S. GOUDREAU, « Mail Conveyance... », *loc. cit.* : 20-23 ; Ian R. LEE, *The Canadian Postal System...*, *op. cit.*, p. 93.

3. France GAGNON, « L'infrastructure touristique appréhendée à travers les guides touristiques et les annuaires : rapport de recherche », dans Serge COURVILLE, Jean-Claude ROBERT et Normand SÉGUIN (dir.), *Le pays laurentien au xixe siècle*, Québec, Université Laval, 1992, p. 153-181.

4. C. GALARNEAU, « Les Français au Canada (1815-1860) », *Études canadiennes/ Canadian Studies*, 17 (décembre 1984) : 215-220 ; sur Leblanc de Marconnay et Alfred-Xavier Rambau, *DBC*, IX : 505 et VIII : 815-817 ; Armand YON, *Le Canada français vu de France (1830-1914)*, Québec, PUL, 1975, p. 11-13.

5. T. PAVIE, *Souvenirs atlantiques. Voyage aux États-Unis et au Canada*, Paris, Bossange, 1832, I, p. 183 ; Jacques VALLÉE, *Tocqueville au Bas-Canada*, Montréal, Éditions du Jour, 1973, p. 84-106 ; citations, p. 91 et 101, 90, 100, 101.

6. C. GALARNEAU, « Les Canadiens en France (1815-1855) », *CD*, 44 (1989) : 135-181 ; Mgr PLESSIS, *Journal d'un voyage en Europe*, édité par Mgr Henri Têtu, Québec, Pineau et Kérouac, libraires-éditeurs, 1903, p. 88, 395, 410-411, 357-358, 409, 416 ; Mgr LARTIGUE, « Journal de voyage... », manuscrit, cité dans C. GALARNEAU, *ibidem* : 160-161.

7. Jean-Louis ROY, *Édouard-Raymond Fabre, libraire et patriote canadien (1799-1854) : contre l'isolement et la sujétion*, Montréal, Hurtubise HMH, 1974, 220 p. ; sur les libraires Reiffenstein et Augustin Germain, *DBC*, VII : 804-805, et VIII : 541-542.

8. F.-X. GARNEAU, *Voyage en Angleterre et en France dans les années 1831, 1832 et 1833*, édité par Paul WYCZYNSKI, Ottawa, Éditions de l'Université d'Ottawa, 1968, p. 123 et 191 ; sur J. Holmes et A. Berthelot, *DBC*, VIII : 450-454 et VII : 78-79.

9. H. LA FONTAINE, « Journal de voyage... », manuscrit, cité dans C. GALARNEAU, *ibid.*, p. 169-171 ; Ruth L. WHITE, *Louis-Joseph Papineau et Lamennais. Le chef des Patriotes canadiens à Paris (1839-1845)*, Montréal, Hurtubise HMH, 1983, 643 p.

10. Y. LAMONDE, « La librairie Bossange de Montréal (1816-1819) et le commerce international du livre », dans Y. LAMONDE, *Territoires de la culture québécoise*, Québec, PUL, 1991, p. 181-218.

11. BARKER, « Essai historique et politique sur le Canada », *Revue des Deux-Mondes* (1831) : 376-412, citations, p. 384 et 386 ; Isidore LEBRUN, *Tableau statistique et politique des deux Canadas*, Paris, Treuttel et Würtz, 1833, 538 p. ; VINDEX [Thomas Maguire], *Le clergé canadien vengé par ses ennemis...*, Québec, Neilson et Cowan, 1833, 19 p.

12. Alfred DE VIGNY, « Les Français du Canada », dans Jean MÉNARD, *Xavier Marmier et le Canada*, Québec, PUL, 1967, p. 179-188.

13. Françoise GRANGER-REMINGTON, *Étude du journal politique et littéraire « Le Courrier des États-Unis » de 1828 à 1870*, Doctorat de 3e cycle, Paris-Sorbonne, 1980, 386 p. ; Jacques MASSON-JUNEAU, « *Le Courrier des États-Unis* » *(1828, 1869, 1898)*, M.A. (Études françaises), Université de Montréal, 1975, IV-192 p. On reproduit des textes du *Courrier des États-Unis* ou on débat avec lui ; à titre d'exemples : *L'Ami du peuple, de l'ordre et des lois*, 25 juillet 1832, *L'Écho du pays*, 3 juillet 1834, *Le Canadien*, 21 octobre 1836.

14. P. Bédard à J. Neilson, 18 février 1815, cité dans F. Ouellet, *Le Bas-Canada...*, *op. cit.*, p. 305 ; J. Neilson à LJP, 12 novembre 1822, ANC, fonds Neilson, MG24 B1, XV : 25 ; *Le Canadien*, 22 janvier 1823 ; P. Bédard à J. Neilson, 26 mars 1824, cité dans F. Ouellet, *ibidem*, p. 323 ; *Le Canadien*, 19 janvier 1825.

15. Micheline Cambron, « Pauvreté et utopie : l'accommodement poétique selon le petit gazetier du journal *Le Canadien* », dans Michel Biron et Pierre Popovic (dir.), *Écrire la pauvreté*, Toronto, Éditions du Gref, 1996, p. 301-317 ; M. Bibaud, « Mes pensées », *Bibliothèque canadienne*, novembre 1828 ; Y. Lamonde, « Les revues dans la trajectoire intellectuelle du Québec », *Écrits du Canada français*, 67 (1989) : 25-38 ; É. Parent, « Adresse au Public canadien », *Le Canadien*, 7 mai 1831, dans J.-C. Falardeau, *Étienne Parent*, *op. cit.*, p. 69-73 ; « Au Public », *Courrier du Bas-Canada*, 9 octobre 1819 ; « Prospectus », *L'Écho du pays*, 1ᵉʳ janvier 1833.

16. Grégoire Teyssier, *La distribution postale de la presse périodique québécoise (1851-1911)*, M.A. (Information et communication), Université Laval, 1996, p. 45 ; J.-P. Boucher-Belleville, *Journal d'un Patriote (1837-1838)*, Montréal, Guérin, 1992, p. 22 ; déposition de J. Normandin, cité dans F. Ouellet, « Les insurrections de 1837-1838 : un phénomène social », *Éléments d'histoire sociale du Bas-Canada*, Montréal, Hurtubise HMH, 1972, p. 364, n. 32 ; déposition de Paul Martin, cité dans F. Ouellet, *Le Bas-Canada...*, *op. cit.*, p. 444 ; déposition de Paul Brazeau, 8 janvier 1838, « Documents relatifs à 1837-1838 », *RAPQ* (1925-1926) : nᵒ 805 ; au sujet de la lecture à haute voix, voir aussi 12, 13, 19, 356.

17. É. Parent, « *Prodesse civibus* », *Le Canadien*, 18 février 1824 ; autres prises de position de Parent dans *Le Canadien*, 25 décembre 1822, 22 janvier et 19 février 1823, 22 février 1832, 23 août 1833, 26 décembre 1834, 16 juin 1837 ; *Mémoires relatifs à l'emprisonnement de l'honorable D.-B. Viger*, Montréal, F. Cinq-Mars, 1840, p. 8-9, 26-34 ; liste des Patriotes dans J.-P. Bernard, *Les rébellions de 1837-1838*, Montréal, Boréal Express, 1983, p. 290-315, et André Beaulieu et Jean Hamelin, *La presse québécoise des origines à nos jours*, Québec, PUL, 1973, t. I (1764-1959), XI-268 p.

18. Mᵍʳ Plessis à Mᵍʳ Lartigue, 5 janvier 1824, AAQ, registre des lettres, XI : 406 ; curé Brassard à L. Duvernay, 21 août 1832, cité dans F. Ouellet, *Le Bas-Canada...*, *op. cit.*, p. 353 ; grand-vicaire Viau à L. Duvernay, août 1832, *RAPQ* (1926-1927) : 160 ; Mᵍʳ Lartigue à Mᵍʳ Panet, 11 septembre 1830, ACAM, RLL, 5 : 305-306 ; curés Paquin et Lefebvre à Mᵍʳ Lartigue, 3 octobre 1831, ACAM 901.021,931-9 ; Mᵍʳ Lartigue à Mᵍʳ Panet, 16 décembre 1831, ACAM, RLL, 6 : 174, 190, 194, 204, 209, 218 ; même au même, 18 février 1832, *ibidem* : 228 ; même au même, 20 février 1832, *ibid.* : 232 ; même au même, 20 mars 1832, *ibid.* : 257 ; « Sicotte », *DBC*, IX : 910. Des prêtres s'assemblent même au presbytère de Sainte-Geneviève pour lancer un journal, 29 décembre 1831 et 3 janvier 1832, ASQ, Polygraphie 8, numéros 44 et 45. Un projet de journal, *L'Ecclé-siastique*, avait été formulé de 1823 à 1826, *RAPQ* (1933-1932) : 273, 295 ; (1941-1942) : 430, 436-437, 452, 475, 481, 490 ; Mᵍʳ Lartigue à Mᵍʳ Plessis, 23 octobre 1824, ACAM, RLL, 3 : 118 ; prospectus dans *La Bibliothèque canadienne* (décembre 1826). Voir Thomas-Marie Charland, « Un projet de journal ecclésiastique », *RSCHEC* (1956-1957) : 39-54.

19. *DBC*, VIII : 816.

20. Alan Metcalfe, « Le sport au Canada français au xixᵉ siècle : le cas de Montréal (1880-1914) », *Loisirs et société / Society and Leisure*, VI, 1 (printemps 1983) : 105-119 ; *Canada Learns to Play : The Emergence of Organized Sport (1807-1914)*, Toronto, McLelland and Stewart, 1987, *passim*.

21. Ginette BERNATCHEZ, « La Société littéraire et historique de Québec (The Quebec Literary and Historical Society), 1824-1900 », *RHAF*, 35, 2 (septembre 1981) : 179-192 ; Y. LAMONDE, *Les bibliothèques de collectivités à Montréal (17ᵉ-19ᵉ siècle)*, Montréal, BNQ, 1979, p. 41-43 ; Luc CHARTRAND, Raymond DUCHESNE et Yves GINGRAS, *Histoire des sciences au Québec*, Montréal, Boréal, 1987, p. 87-92 ; Hervé GAGNON, « Le projet avorté de musée d'histoire naturelle de la Montreal Library (1822-1827). Notes de recherche sur l'histoire des premiers musées au Québec », *Cahiers d'histoire*, 12, 2 (été 1992) : 75-88.

22. Y. LAMONDE, *Les bibliothèques de collectivités...*, *op. cit.*, p. 43-45 ; Nora ROBINS, « 1828-1870 : the Montreal Mechanics' Institute », *Canadian Library Journal*, 38 (décembre 1981) : 373-379.

23. « Société littéraire de Montréal », *L'Aurore*, 11 août 1817 ; Campagnard, *L'Aurore*, 18 août 1817 ; *La Bibliothèque canadienne*, juin et octobre 1827, mars 1828.

24. F.-X. GARNEAU, *Voyage...*, *op. cit.*, p. 155-156, 295, 212, 256 ; P. de Sales Laterrière à D.-B. Viger, 1833, cité dans Manon BRUNET, *Documents pour une histoire de l'édition au Québec avant 1900*, M.A. (Études françaises), Université de Montréal, 1979, II, p. 347 ; Papineau fréquente la Chambre de nouvelles d'Albany en novembre 1838, *Julie Papineau. Une femme patriote. Correspondance (1823-1862)*, éditée par Renée BLANCHET, Québec, Septentrion, 1997, p. 156 ; voir aussi *La Minerve*, 18 juillet 1831, 11 décembre 1834 et *Le Populaire*, 30 août 1837.

25. Johanne MUZZO, *Les mouvements réformistes et constitutionnels à Montréal (1832-1837)*, M.A. (histoire), UQAM, 1990, p. 72-76, 30-34, 47-50, 77-78, 82-84, 79-82.

26. Montarville Boucher DE LA BRUÈRE, « La Société Aide-toi et le ciel t'aidera », *BRH*, XXXIV, 2 (février 1928) : 107-111 ; voir aussi LE FRANC-PARLEUR, « Des associations et des banques », *La Minerve*, 11 décembre 1834 ; J. MUZZO, *Les mouvements...*, *op. cit.*, p. 29.

27. Curé Mignault, Chambly, à Mᵍʳ Lartigue, 12 février 1834, Archives du diocèse de Saint-Jean, Québec [ADSJQ], 1A/109 ; Dr C.-H.-O. Côté à ses constituants, 4 septembre 1835, *ibidem*, 16A/58.

28. ANONYME, « Article [sur l'éducation] lu devant la société Aide-toi et le ciel t'aidera », *La Minerve*, 20 mars 1837 ; Un Trifluvien, *L'Ami du peuple...*, 27 mars 1837 ; Un jeune Canadien, « Observations sur un article lu à la société Aide-toi et le ciel t'aidera... », *La Minerve*, 10 et 24 avril, 15 mai 1837 ; manuscrit, 31 mars 1837, Archives du Séminaire de Saint-Hyacinthe [ASSH], correspondance Raymond, chemise 43 ; *Le Fantasque*, 5 novembre 1838 ; Amédée Papineau « Littérature canadienne », essai lu devant la Société littéraire nº 1, *Le Glaneur* (juillet 1837) : 119-121.

29. Louis-Philippe Audet, *Histoire de l'enseignement au Québec*, Montréal, Holt, Rinehart et Winston, 1971, I, p. 344 ; *idem, Le système scolaire de la province de Québec, op. cit.*, III, p. 137, 140-142, 159 ; V, *passim*.

30. M. Fournier à madame Loynes de Morett, 20 juillet 1817, *BRH*, XVII (1911) : 7-15.

31. Y. LAMONDE, « Classes sociales, classes scolaires : une polémique sur l'éducation en 1819-1820 », *loc. cit.* : 49, 50, 53, 55 ; voir aussi « Un autre ami de l'éducation », *Le Canadien*, 5 novembre 1823.

32. LE FRANC-PARLEUR, *Le Canadien*, 26 janvier 1825 ; Mᵍʳ Lartigue à Mᵍʳ Plessis, 27 janvier 1825, ACAM, RLL, 3 : 159 ; *JCABC*, 1825, t. 34, p. 17 et 32 ; Mᵍʳ Plessis à Mᵍʳ Lartigue, 2 février 1825, AAQ, RL, 12 : 179-180 ; Borgia, auquel il est fait allusion, est député.

33. Andrée Dufour, « Diversité institutionnelle et fréquentation scolaire dans l'île de Montréal en 1825 et en 1835 », *RHAF*, 41, 4 (printemps 1988) : 507-535.

34. Abbé Painchaud à Mgr Signay, 2 février 1829, cité dans Narcisse-Eutrope Dionne, *Vie de C.-F. Painchaud...*, Québec, Brousseau, 1894, p. 157-158.

35. A. Dufour, *Tous à l'école. État, communautés rurales et scolarisation au Québec de 1826 à 1859*, Montréal, Hurtubise HMH, 1996, p. 44-52 ; L.-P. Audet, *Histoire de l'enseignement...*, op. cit., I, p. 381-387.

36. Michel Verrette, *L'alphabétisation au Québec (1600-1900)*, Ph.D. (histoire), Université Laval, 1989, p. 148, 202, 250, 263 ; « L'alphabétisation de la ville de Québec... », *loc. cit.* : 51-76.

37. Mgr Lartigue à l'abbé Turgeon, 28 mars 1836, ACAM, RLL, 8 : 147 ; Mgr Lartigue à Mgr Signay, 1er mai 1836, ACAM, RLL, 8 : 183 ; voir aussi *MEQ*, III : 341-342.

38. L.-P. Audet, *Le système scolaire...*, op. cit., VI : 75-179 ; *JCABC*, 1836, appendice Oo ; Mgr Lartigue à Mgr Signay, 1836, cité dans F. Ouellet, *Le Bas-Canada...*, op. cit., p. 267.

39. *Le Canadien*, 29 janvier 1823 ; voir aussi Victor, « De l'éducation », *L'Écho du pays*, 13 août 1834.

40. Olivier Maurault et Antonio Dansereau, *Le Collège de Montréal (1767-1967)*, Montréal, [s.é.], 1967, p. 235, 500, 122-125 ; O. Maurault, « Une révolution collégiale à Montréal il y a cent ans », *CD* (1937) : 35-44 ; Mgr Lartigue aux abbés Viau et Maguire, 12 novembre 1830, cité dans Olivier Maurault, « Une révolution au Collège de Montréal il y a cent ans », *CD*, II (1937) : 40 ; *Montreal Gazette*, 11 novembre 1830.

41. *Journal d'un voyage en Europe par Mgr J.-O. Plessis (1819-1820)*, op. cit., p. 357-358, 409-411, 416 ; J.-J. Lartigue, « Journal d'un voyage en Europe », 11 septembre 1819, ACAM, RCD 134:24 ; Lartigue à Thavenet, 8 mars 1821, ACAM, RLL I : 33 ; Lartigue sur Lamennais : « Journal d'un voyage... », op. cit., 18 janvier 1820, ACAM, RCD 134 : 77. Mgr Lartigue sera abonné au *Mémorial catholique* de 1825 à 1830, au moment où paraîtra *L'Avenir* de Lamennais ; Lartigue à Thavenet, 25 janvier 1825, ACAM, RLL, 3 : 156.

42. L'abbé Viau à Mgr Lartigue, 19 octobre 1829, ACAM 295.101, 829-47 ; Mgr Lartigue à l'abbé Viau, 27 octobre 1829, ACAM 901.013, 829-1.

43. M. Garnier à M. Roque, 15 juillet 1829, Archives Saint-Sulpice de Montréal [ASSM], correspondance Garnier.

44. Maurice Lemire (dir.), *La vie littéraire au Québec*, Sainte-Foy, PUL, 1992, t. II (1806-1839), p. 440-452 ; abbé Painchaud à Chateaubriand, 19 janvier 1826, et Chateaubriand à l'abbé Painchaud, 29 avril 1827, dans Wilfrid Lebon, *Histoire du Collège de Sainte-Anne-de-la-Pocatière*, Québec, Charrier et Dugal, 1948, t. I, p. 359-362 ; Claude Galarneau, « L'abbé Joseph-Sabin Raymond et les grands romantiques français (1834-1857) », *Rapport* de la Société historique du Canada (1963) : 85.

45. Mgr Lartigue au grand-vicaire Pierre Viau, 9 octobre 1830, ACAM 901.013, 830-2 ; l'abbé Larocque à l'abbé J.-S. Raymond, 16 novembre 1830, ASSH, A,G11 ; « Des doctrines du *Mémorial* dans leurs rapports avec les circonstances actuelles », *La Minerve*, 21 octobre 1830.

46. Mgr Lartigue to the Rev. Dr Wiseman, President of the English College at Rome, 20 janvier 1832, ACAM, RLL, 6 : 208 ; abbé Prince à Mgr Lartigue, cité dans C.-P. Choquette, *Histoire du Séminaire de Saint-Hyacinthe...*, op. cit., I, p. 135-136 ; voir aussi

«Procès de M. l'abbé de La Mennais, rédacteur du journal *L'Avenir*», *La Minerve*, 14 avril 1831; abbé Viau à l'abbé Ignace Bourget, 3 septembre 1831, ACAM, 295.101, 831-37; Mgr Lartigue à l'abbé Viau, 9 février 1832, ACAM, 901.013, 832-2; même au même, 12 mai 1832, ACAM, 901.013, 832-4.

47. «Examen critique des ouvrages de M. de La Mennais par G. Rozaven», *Le Canadien*, 16 mai 1832; Mgr Lartigue à l'abbé Prince, 4 juin 1832, ACAM, RLL, 6: 330.

48. Mgr Lartigue à l'abbé Viau, 17 novembre 1832, ACAM, RLL, 6: 492-493; Mgr Signay à Mgr Provancher, 11 avril 1832, AAQ, RL, 15: 367; voir aussi Mgr Lartigue à l'abbé Viau, 27 février 1833, ACAM, 901.013, 833-2; Mgr Signay à Mgr Lartigue, 1833, *RAPQ* (1936-1937): 216; Mgr Signay à Mgr Lartigue, 11 octobre 1834, AAQ, RL, 16: 326 et 341; texte français de *Mirari vos* dans Louis LE GUILLOU, *La condamnation de Lamennais*, Paris, Beauchesne, 1982, p. 645-664.

49. [Abbé Prince], «Doctrine», *L'Écho du pays*, 13 mars et 8 mai 1834; Y. LAMONDE, *La philosophie...*, *op. cit.*, p. 96-109.

50. Abbé J.-S. Raymond à Félicité de Lamennais, [fin 1833-début 1834], cité dans J. Antonin PLOURDE, *Dominicains au Canada*, Montréal, Éditions du Lévrier, 1973, I, p. 16-19; F. DE LAMENNAIS, *Paroles d'un croyant*, Paris, Eugène Renduel, 1834, neuvième édition, p. 161, 4-5, 15, 84. 102-103, 121, 166.

51. Extraits des *Paroles d'un croyant*: *L'Écho du Pays*, juillet 1834, *Le Canadien*, 16 juillet 1834; à propos de l'ouvrage: *La Minerve*, 21 août 1834, *Le Canadien*, 29 août et 26 décembre 1834; texte français de *Singulari nos,* L. LE GUILLOU, *La condamnation...*, *op. cit.*, p. 729-736.

52. Mgr Lartigue à l'abbé Prince, 30 août 1834, ACAM, RLL, 7: 525-526, voir aussi Mgr Lartigue à l'abbé Viau, 8 février 1835, *ibidem*, p. 669-670; soumission de l'abbé Prince, *La Minerve*, 11 septembre 1834, ou *Le Canadien*, 15 septembre 1834; Un Croyant catholique [J.-S. Raymond], «Mr de la Mennais», 24 novembre 1834, ASSH, correspondance Raymond, chemise 42, p. 78-105, copie de l'original; Mgr Lartigue à l'abbé Prince, 8 novembre 1834, ACAM, RLL, 7: 593; même au même, 29 novembre 1834, *ibid.*,: 613 et 772; Mgr Lartigue à l'abbé Raymond, 29 novembre 1834, *ibid.*,: 613-614; Mgr Lartigue à l'abbé Prince, 1834, cité dans C.-P. CHOQUETTE, *Histoire du Séminaire de Saint-Hyacinthe...*, *op. cit.*, I, p. 169.

53. Abbé Jean Holmes à l'abbé Prince, 24 novembre 1834, ASSH, boîte 43, n° 2: 25; Y. LAMONDE, *La philosophie...*, *op. cit.*, p. 109-114.

54. Mgr Signay à Mgr Lartigue, 28 février 1838, AAQ, RL, 18: 236; «Mémoire pour justifier l'enseignement et la conduite des Prêtres du Collège de St-Hyacinthe lors de l'insurrection de 1837», février 1838, ASSH, Registre des lettres d'affaires, p. 123-136; Mgr Lartigue à Mgr Signay, 5 mars 1838, ACAM, RLL, 9: 26.

55. Y. LAMONDE, *Les bibliothèques de collectivités...*, *op. cit.*, p. 37-39 pour les catalogues imprimés de la Montreal Public Library de 1824, 1833 et 1842; la Quebec Public Library publie des catalogues de sa collection en 1821, 1832, 1834 et 1844; *L'Écho du pays*, 22 mai 1836.

56. G. GALLICHAN, *Livre et politique...*, *op. cit.*, *passim* ; pour l'étude de la bibliothèque de la Chambre d'Assemblée, on dispose de catalogues en 1818, 1825, 1831 et 1832; pour celle du Conseil législatif, catalogues imprimés en 1822, 1830, 1831, 1832; sur Faribault, *DBC*, IX: 274-276.

57. Y. LAMONDE, *Les bibliothèques de collectivités...*, *op. cit.*, p. 39-41, 47.

58. *Ibidem*, p. 39, 47; Yolande BUONO, *Imprimerie et diffusion de l'imprimé à Montréal (1776-1820)*, *op. cit.*, p.130-131; *Catalogue of Cary's Circulating Library, Quebec. Additions will be constantly made*, Quebec, printed by T. Cary & Co., 1830, 69 p.

59. Y. LAMONDE, *Les bibliothèques...*, *op. cit.*, p. 40 et 48; Y. BUONO, *Imprimerie et diffusion...*, *op. cit.*; E.D., «Le 4 juillet, le Canada et les États-Unis», *L'Écho du pays*, 13 août 1835; Amédée PAPINEAU, *Journal d'un Fils de la Liberté...*, Montréal, Réédition-Québec, 1972, p. 87, entrée du 2 mars 1838.

60. Gilles LABONTÉ, *Les bibliothèques privées à Québec (1820-1829)*, M.A. (Histoire), Université Laval, 1986, *passim*.

61. Y. BUONO, *Imprimerie et diffusion...*, *op. cit.*, p. 202-216; Y. LAMONDE et Daniel OLIVIER, *Les bibliothèques personnelles au Québec*, Montréal, BNQ, 1983, p. 37, 75-76, 83-84, 91-92.

62. Y. LAMONDE, «La librairie Hector Bossange...», *loc. cit.*: 66-67; *Catalogue général de la librairie canadienne d'Édouard R. Fabre*, Montréal, [s.é.], juin 1837, p. 120.

63. Y. LAMONDE, *La librairie et l'édition à Montréal (1776-1920)*, *op. cit.*, p. 171-187.

64. Y. LAMONDE, «La librairie Hector Bossange...», *loc. cit.*: 66.

65. Y. LAMONDE, *La librairie et l'édition...*, *op. cit.*, p. 146-148 pour les catalogues de librairies publiés entre 1815 et 1840.

66. *Catalogue général de la librairie canadienne...*, *op. cit.*; pour l'inventaire de la librairie Hector Bossange en 1816 et en 1819, Y. LAMONDE, «La librairie Hector Bossange...», *loc. cit.*: 66-79.

67. Françoise PARENT, «Les envois de livres de Paris au Bas-Canada de 1824 à 1827», dans C. GALARNEAU et M. LEMIRE, *Livre et lecture au Québec...*, *op. cit.*, p. 29-42; correspondance Quiblier-Carrière, Archives Saint-Sulpice de Paris, dossier 99 et Marcel LAJEUNESSE, «Le livre dans les échanges sulpiciens Paris-Montréal au cours de la première moitié du XIXᵉ siècle», *ibidem*, p. 93-112; ASQ, Polygraphie 44 et Séminaire 75, nᵒ 85; archives du Collège de Sainte-Anne-de-la-Pocatière, Painchaud 5, XLIII.

68. Jean-Marie LEBEL, *Ludger Duvernay et «La Minerve»: étude d'une entreprise de presse montréalaise de la première moitié du XIXᵉ siècle*, M.A. (Histoire), Université Laval, 1983, 222 p.

69. Mᵍʳ Lartigue à Mᵍʳ Signay, 26 janvier 1836, ACAM, RLL, 8: 107; même au même, 10 mars 1836, *ibidem*: 144; G. GALLICHAN, *Livre et politique...*, *op. cit.*, p. 88-91; Joseph Lettoré à L. Duvernay, 6 septembre 1838, *RAPQ* (1926-1927): 195; voir aussi sur cette affaire des *Paroles d'un croyant*: C.-O. Perreault à E.-R. Fabre, 22 février 1836, ANQQ, papiers Fabre; Mᵍʳ Lartigue à Mᵍʳ Signay, 1ᵉʳ mai 1836, ACAM, RLL, 8: 185; même au même, 11 mai 1836, *ibid.*: 191-192; «Circulaire aux curés», 10 août 1837, *MEM*, I: 13-14; [abbé Thomas Maguire], *Doctrine de l'Église d'Irlande et de celle du Canada sur la révolte*, Québec, W. Neilson, 1838, p. 121, ICMH, nᵒ 38864; Thomas MATHESON, *Un pamphlet politique au Bas-Canada. Les «Paroles d'un croyant» de Lamennais*, licence (Histoire), Université Laval, 1958, XVIII-92 p.

70. Karl DEUTSCH, *Nationalism and Social Communication. An Inquiry into the Foundation of Nationality*, Cambridge, MIT Press, 1969, XII-345 p.; Ernest GELLNER, *Nations and Nationalism*, Ithaca, Cornell University Press, 1987, 203 p.

71. Voir la contribution de David HAYNE à *Questions d'histoire littéraire: mélanges offerts à Maurice Lemire*, Québec, Nuit blanche éditeur, 1996, p. 41-56; M. LEMIRE, *La vie*

littéraire..., *op. cit.*, II, 337-349, 363-382, 440-452 ; John HARE, *Contes et nouvelles du Canada français. I : 1778-1859*, Ottawa, Éditions de l'Université d'Ottawa, 1971, p. 49-66, 102-126 ; *Magasin du Bas-Canada*, 1ᵉʳ janvier 1832 ; « Littérature américaine », *La Minerve*, 20 août 1832 ; P. CHASLES, « De la littérature dans l'Amérique du Nord », *Le Glaneur*, février 1837.

72. Prospectus du *Glaneur* dans *L'Ami du peuple*, 14 septembre 1836 ; sur Angers et de Gaspé rapporteurs des débats parlementaires : *La Gazette de Québec*, 4 février 1834, *Le Canadien*, 5 février 1834, *La Minerve*, 10 février 1834 et J. Hare, *Contes...*, *op. cit.*, p. 69 ; sur les mœurs du roman de Gaspé, *Le Populaire*, 11 octobre, 15 et 17 novembre 1837.

73. Yves DOSTALER, *Les infortunes du roman dans le Québec du XIXᵉ siècle*, Montréal, Hurtubise HMH, 1977, p. 46 ; LUC LACOURCIÈRE, « Aubert de Gaspé fils (1814-1841) », *CD*, 40 (1975) : 275-302 ; Louis Plamondon, en 1825, ne peut réunir assez de souscriptions pour un projet d'ouvrages sur le droit civil canadien en cinq volumes ; l'abbé Holmes fait signer « des blancs » de souscription pour le manuel de philosophie de l'abbé Demers, Holmes à l'abbé J.-C. Prince, 24 novembre 1834, ASSH, boîte 43, n° 2 : 25.

74. *Statuts provinciaux du Bas-Canada* (1831-1834), Guill. IV, 52-53, 25 février 1832.

75. *Bibliothèque canadienne*, 1825-1830 ; sur J. LABRIE : *DBC*, VI : 420 ; « Monsieur l'éditeur », *Le Canadien*, 13 juillet 1831 ; *Abrégé* de Perrault (ICMH, n°ˢ 39948-39953) ; « Histoire du Canada », *L'Écho du pays*, 14 mars 1833 au 16 janvier 1834.

76. Yolande GRISÉ et Jeanne d'Arc LORTIE, *Textes poétiques du Canada français (1606-1867)*, Montréal, Fides, 1990, III, n°ˢ 205, 146, 220, 230, 15, 143, 224, 101, 16 ; N. AUBIN, « L'amour de la patrie », *Le Populaire*, 26 avril 1837 ; M. BIBAUD, sous le pseudonyme de « Z » dans *La Minerve*, 29 décembre 1831.

77. « Airs nationaux de différens pays », *La Minerve*, 3 avril 1834 ; « Chant patriotique », *L'Ami du peuple*, 12 avril 1834 ; « Hymne de Riego », *Le Populaire*, 12 avril 1837 ; « Navarin. Chant national », *Le Populaire*, 8 mai 1837 ; « Chant patriotique du Canada », *le Libéral*, 17 juin 1837.

78. « Détails sur l'assemblée anti-coercitive des Comtés de l'Islet et de Bellechasse », *Le Libéral*, 1ᵉʳ juillet 1837 ; « Assemblée de Sainte-Scholastique... », *La Minerve*, 12 juin 1837 ; « L'agitation », *La Gazette de Québec*, 8 juin 1837 ; Georges Aubin, « Chronique des patriotes de 1837-1838 », *Bulletin d'histoire politique*, 5, 3 (été 1997) : 109-113.

Chapitre VI : Le Bas-Canada et les mouvements d'émancipation coloniale et nationalitaire en Europe et dans les Amériques (1815-1837)

1. *L'Ami du peuple, de l'ordre et des lois* : 21 juillet 1832 à juillet 1840 ; *L'Aurore* : 10 mars 1817 à septembre 1819 ; *La Bibliothèque canadienne* : juin 1825 à juin 1830 ; *Le Canadien* : 22 novembre 1806 au 17 mars 1810 ; 14 juin 1817 au 12 mars 1825 ; 7 mai 1831 au 1ᵉʳ janvier 1839 ; *L'Écho du pays* : 28 février 1833 à juillet 1836 ; *Le Fantasque* : 1ᵉʳ août 1838 au 31 décembre 1840 ; *La Gazette de Québec/ The Quebec Gazette* : 1ᵉʳ janvier 1808 au 31 décembre 1838 ; *Le Magasin du Bas-Canada* : janvier à décembre 1832 ; *La Minerve* : 9 novembre 1826 au 20 novembre 1837 ; *L'Observateur* : 10 juillet 1830 au 2 juillet 1831 ; *Le Populaire* : 10 avril 1837 au 3 novembre 1838 ; *Le Libéral* : 17 juin au

20 novembre 1837 ; *La Quotidienne* : 30 novembre 1837 au 3 novembre 1838 ; *Le Spectateur canadien* : 1ᵉʳ janvier 1813 au 1ᵉʳ octobre 1822 ; *Le Télégraphe* : 22 mars au 3 juin 1837 ; *The Vindicator :* 12 décembre 1828 à octobre 1837. Le dépouillement de ces journaux a été fait dans le cadre du volet culturel de l'Institut interuniversitaire de recherches sur les populations (IREP) alors dirigé par Gérard Bouchard.

2. « Statistiques des États d'Europe », *La Minerve*, 18 août 1828 ; « Statistique de la Turquie », *La Minerve*, 10 juillet et 4 août 1828 ; « Statistique de l'Irlande », *La Minerve*, 10 avril 1828 ; « Chronology », *The Vindicator*, 19 janvier 1829.

3. « Les nouvelles d'Europe », *Le Spectateur canadien*, 3 novembre 1821 ; « Du *Journal des Débats* », *La Minerve*, 10 septembre 1829 ; « Politique étrangère », *La Minerve*, 28 septembre 1829 ; D. de Saint-Quentin à l'abbé de Calonne, 18 mars 1816, ACSAP, Calonne 36, XXVII ; « Entre les dates… », *Le Spectateur canadien*, 19 mai 1821.

4. Mᵍʳ Plessis à M. Roux, 15 mai 1815, AAQ, RL 8 : 339 ; *Fortunes et infortunes d'un dandy canadien. Pierre-Jean de Sales Laterrière. Journal de voyage (1815)*, édité par Bernard Andrès et Pierre Lespérance, Montréal, UQAM, Cahiers de l'ALAQ, n° 3, 1994, p. 39 ; abbé Raimbault à Mᵍʳ Plessis, 23 mai 1815, Archives de l'évêché de Nicolet, feuillet 22 ; Mᵍʳ Plessis à l'abbé Raimbault, 23 mai 1815, ASN, lettres de Plessis à Raimbault, II (1815-1825), p. 232-233 ; « Nous sommes encore sans nouvelles… », *Le Spectateur canadien*, 7 août 1815 ; J.C. de Saint-Morys à l'abbé de Calonne, [après mars 1815], archives des Ursulines de Trois-Rivières, Lettres, Registre, p. 71-72 ; M. Duvier à l'abbé Raimbault, 11 mai 1818, ASN, Séminaire III, 57 ; « Les dernières nouvelles de France… », *Le Canadien*, 20 mars 1822.

5. « Révolution de Naples », *Le Spectateur canadien*, 9 et 16 septembre 1820 ; *La Gazette de Québec*, 11 septembre 1820 ; *Le Canadien*, 13 septembre 1820 ; « Extrait d'une lettre datée… », *Le Spectateur canadien*, 21 octobre 1820 ; « Dernières nouvelles d'Europe », *Le Spectateur canadien*, 12 mai 1821.

6. « S'il faut en croire… », *Le Spectateur canadien*, 27 mai 1820 ; « La Révolution… », *Le Spectateur canadien*, 16 septembre 1820 ; « Les derniers journaux… », *Le Spectateur canadien*, 28 avril 1821 ; « Les nouvelles d'Europe », *Le Spectateur canadien*, 11 août 1821 ; « Révolution à Naples », *Le Canadien*, 20 septembre 1820.

7. « Les derniers journaux… », *Le Spectateur canadien*, 23 juin 1821 ; « De la Révolution Piémontaise », *Le Spectateur canadien*, 16 mars 1822 ; « Quelques politiques… », *Le Spectateur canadien*, 11 mai 1822 ; « S'il faut en croire… », *Le Spectateur canadien*, 28 octobre 1820 ; « L'Europe », *Le Spectateur canadien*, 27 janvier 1821.

8. « Vienne, le 30 mars… », *La Gazette de Québec*, 13 juin 1816 ; « Insurrection des Grecs », *Le Spectateur canadien*, 2 juin 1821 ; « Voici le serment… », *Le Spectateur canadien*, 21 juillet 1821 ; « Dernières nouvelles d'Europe », *Le Spectateur canadien*, 6 juillet 1822 ; « Les différents… », *Le Spectateur canadien*, 20 juillet 1822 ; « Les nouvelles du théâtre… », *Le Canadien*, 5 janvier 1825 ; « Ibrahim Pacha… », *La Gazette de Québec*, 22 mai 1826 ; « Journaux de France », *La Gazette de Québec*, 26 juillet 1827 ; « *L'Observateur de Trieste*… », *La Gazette de Québec*, 30 août 1827 ; « Nouvelles étrangères », *La Gazette de Québec*, 24 décembre 1827 ; « By the Packet-Ship », *The Irish Vindicator*, 20 février 1829 ; « Les conditions de paix… », *La Gazette de Québec*, 5 novembre 1829.

9. « Les dernières nouvelles », *Le Spectateur canadien*, 4 août 1821 ; « Les nouvelles d'Orient… », *Le Canadien*, 27 mars 1822 ; « Les Thermopyles ont été de nouveau… », *La Gazette de Québec*, 14 octobre 1822 ; « Québec lundi… », *Gazette de Québec*, 23 juillet 1821 ; « Nous avons rempli… », *Le Canadien*, 11 juin 1823.

10. « Les dernières nouvelles », *Le Spectateur canadien*, 4 août 1821 ; « La question… », *Le Spectateur canadien*, 24 août 1822 ; « Nous avons informé nos lecteurs… », *La Gazette de Québec*, 22 juillet 1824 ; « Gazette de Québec… », *La Gazette de Québec*, 8 novembre 1827.

11. « Extraordinaire. Révolution en France », *La Minerve*, 8 septembre 1830 ; « France », *The Irish Vindicator*, 4 juin 1830 ; « Dissolution officielle », *La Minerve*, 21 juin 1830 ; « France… », *The Irish Vindicator*, 9 juillet 1830 ; « France », *La Gazette de Québec*, 12 juillet 1830 ; « The *Paris Moniteur*… », *La Gazette de Québec*, 9 août 1830 ; « Révolution en France », *La Gazette de Québec*, 9 septembre 1830 ; « Discours… », *La Minerve*, 20 septembre 1830 ; « Chambre des Députés », *La Minerve*, 28 octobre 1830 et numéros jusqu'au 17 février 1831.

12. Amédée PAPINEAU, *Souvenirs de jeunesse (1827-1837)*, texte établi avec introduction et notes par Georges Aubin, Québec, Septentrion, 1998, p. 83 et 87.

13. « If we are… », *The Irish Vindicator*, 15 janvier 1830 ; « Politique européenne », *La Minerve*, 24 juin 1830 ; « Lorsque nous faisions part… », *La Minerve*, 9 septembre 1830 ; « La voie de Québec… », *La Minerve*, 23 septembre 1830.

14. « Les partis », *L'Observateur*, 7 août 1830 ; « The French Revolution », *The Irish Vindicator*, 10 septembre 1830 ; « Nous avons reçu nos papiers… », *La Gazette de Québec*, 30 septembre 1830 ; « L'extrait suivant… », *La Gazette de Québec*, 23 septembre 1830 ; « Les événements se succèdent en Europe… », *La Minerve*, 18 novembre 1830.

15. « The Struggle Prevailing… », *The Irish Vindicator*, 6 août 1830 ; « Les nouvelles de France », *La Gazette de Québec*, 7 octobre 1830.

16. « Aux dernières nouvelles », *L'Observateur*, 30 octobre 1830 ; « L'éditeur de… », *La Minerve*, 4 novembre 1830 ; Un Québécois, « Correspondance », *La Minerve*, 15 novembre 1830.

17. « Ambition démocratique », *L'Ami du peuple*, 18 août 1832 ; « Les dernières nouvelles », *L'Ami du peuple*, 15 février 1834 ; « De la position des agitateurs », *Le Populaire*, 14 juin 1837.

18. « Mouvements révolutionnaires dans les Pays-Bas », *La Gazette de Québec*, 14 octobre 1830 ; « Latest News », *The Irish Vindicator*, 22 octobre 1830 ; « We have on our Columns… », *The Irish Vindicator*, 9 novembre 1830 ; « Pays-Bas », *La Gazette de Québec*, 15 novembre 1830 ; « Nouvelles récentes d'Europe », *La Gazette de Québec*, 2 décembre 1830 ; « Pays-Bas », *La Minerve*, 30 décembre 1830 ; « Belgique. Ouverture du Congrès national », *La Minerve*, 10 janvier 1831 ; « Québec. Jeudi… », *La Gazette de Québec*, 17 février 1831 ; « Québec. Lundi… », *La Gazette de Québec*, 28 février 1831 ; « France », *L'Observateur*, 5 mars 1831 ; « La France et la Belgique », *L'Observateur*, 19 mars 1831 ; « Belgique », *La Minerve*, 18 avril 1831.

19. « Les événements… », *La Minerve*, 18 novembre 1830 ; « Québec. Jeudi… », *La Gazette de Québec*, 11 novembre 1830 ; D.-B. VIGER, « Réflexions sur la Belgique », *La Minerve*, 12, 16, 19, 23, 26 mai 1831, aussi publié en brochure sous le titre *Considérations relatives à la dernière révolution de la Belgique*, Montréal, imprimé par F. Cinq-Mars, 1831, 67 p. (ICMH, n° 32389) ; la brochure sera republiée en 1842 pour servir à l'opposition à l'Union de 1840.

20. « Manifesto of the Nation », *The Irish Vindicator*, 11 mars 1831 ; « Address to the People of Poland », *The Irish Vindicator*, 26 avril 1831 ; « Adresse du gouvernement polonais aux habitans de la Lithuanie », *Le Canadien*, 6 août 1831 ; « Extraits des journaux… », *La Gazette de Québec*, 4 novembre 1831 ; le texte de la capitulation de

Varsovie est repris dans *Le Canadien* du 5 novembre 1831 et dans *La Minerve* du 10 ; « Détails sur la prise de Varsovie », *La Minerve*, 2 janvier 1832.

21. « Révolution en Pologne », *La Minerve*, 14 février 1831 ; « Russia and Poland », *The Irish Vindicator*, 22 mars 1831 ; « Manifeste », *La Minerve*, 30 mai 1831 ; « Pologne », *L'Observateur*, 26 mars 1831.

22. « Nouvelles étrangères. Pologne », *La Minerve*, 15 février 1831 ; « Québec. Lundi… », *La Gazette de Québec*, 26 septembre 1831 ; « De la nationalité politique », *La Minerve*, 12 mars 1832 ; « Le *Times* du 8… », *Le Canadien*, 4 janvier 1832.

23. « Le reste de l'Europe », *L'Ami du peuple*, 31 décembre 1833 ; « Dîner public au Dr Nelson », *Le Populaire*, 22 juin 1838 ; *MEM*, I : 14-21.

24. « Détails sur les causes… », *Le Canadien*, 14 janvier 1832 ; « De la nationalité politique », *La Minerve*, 12 mars 1832 ; « De la manière dont se forment… », *La Minerve*, 11 septembre 1834.

25. « Irlande. Motion de M. Hume », *Le Canadien*, 14, 21, 28 juillet et 4 août 1824 ; la question du rappel de l'Union attire l'attention de l'*Irish Vindicator* à compter de septembre 1830 et son évocation est fréquente jusqu'en 1834 ; « Extraits de quelques-uns… », *La Gazette de Québec*, 8, 17, 18, 19, 24 août 1822 ; « Irlande », *La Gazette de Québec*, 21 février 1825 ; « Dublin… », *La Gazette de Québec*, 21 août 1828 ; « The Following is a Sketch… », *The Irish Vindicator*, 30 juin 1829 ; « Correspondance », *La Gazette de Québec*, 9 février 1815 ; « Votre écrit… », *Le Canadien*, 30 mai 1831 ; « Insurrections et outrages en Irlande », *Le Spectateur canadien*, 26 janvier 1822 ; « L'Irlande paraît… », *Le Spectateur canadien*, 13 avril 1822 ; « Nous voyons… », *Le Canadien*, 18 décembre 1822.

26. « [Ireland] », *The Canadian Spectator*, 25 juin 1834 ; Un Canadien [D.-B. Viger], « Analyse d'un entretien… », texte remanié d'une brochure de 1809, republié en brochure en 1826 et reproduit dans les *Écrits du Canada français*, 40 (1976) : 215-234 ; citation, p. 230 ; « Dialogue entre deux amis… », *La Minerve*, 4 juin 1827 ; « Irlande », *La Minerve*, 6 mars 1828.

27. « Société des amis de l'Irlande en Canada », *La Minerve*, 2 octobre 1828 ; voir aussi *The Irish Vindicator*, 20 novembre, 16, 23, 26, 30 décembre 1828, 23 janvier, 13 et 27 février 1829 et *La Gazette de Québec* du 29 janvier 1829 ; « Assemblée générale… », *The Irish Vindicator*, 3 et 20 mars 1829 ; « Adresse aux habitants des provinces britanniques de l'Amérique du Nord », *La Minerve*, 7 et 14 avril 1831 ; V. P. [Vallières de Saint-Réal], « Si l'honnête homme… », *La Gazette de Québec*, 27 octobre 1828 ; « J'ai fait savoir… », *La Gazette de Québec*, 3 novembre 1828, texte repris dans *The Irish Vindicator* du 19 décembre 1828.

28. Sur les débats à la Chambre des communes et à la Chambre des Pairs à propos de l'émancipation catholique en Irlande, *La Minerve*, *La Gazette de Québec* et *The Irish Vindicator* entre le 23 avril et le 28 mai 1829 ; sur le premier discours d'O'Connell en Chambre, « The Following… », *The Irish Vindicator*, 30 juin 1829 ; sur le rappel de l'Union : « Dernières nouvelles d'Europe », *La Gazette de Québec*, 29 novembre 1830 ; « Extrait d'une lettre de M. O'Connell », *La Gazette de Québec*, 25 octobre 1832 et *Le Canadien*, 13 février 1833 ; *The Irish Vindicator*, 7 et 11 janvier, 27 mai, 26 juin 1832, 25 janvier, 5 et 8 février, 27 mars et 8 octobre 1833.

29. La question des élections de 1832 a été abordée au chapitre trois.

30. « Irish Vindicator », *The Irish Vindicator*, 10 mars, 21 et 24 avril 1829 ; « Ireland », *The Irish Vindicator*, 8 septembre 1829 ; André Lacroix à L. Duvernay, 6 septembre 1833, cité dans F. OUELLET, *Le Bas-Canada…*, *op. cit.*, p. 335 ; O'Callaghan dans *The Vindicator* du 24 mai 1835, cité dans Mary FINNEGAN, « Irish-French Relations in Lower Canada », Canadian Catholic Historical Association, *Study Sessions* (1985) : 45 ; A. ROEBUCK, juillet 1835, dans *The Canadas…*, *op. cit.*, p. 7.

31. « Fête de St. Patrice », *La Minerve*, 20 mars 1834 ; « Banquet de St. Jean-Baptiste », *La Minerve*, 26 juin 1834, 29 juin 1835, 30 juin 1836 ; « La saint Jean-Baptiste », *La Minerve*, 27 juin 1836, 29 juin 1837 ; voir aussi *The Vindicator*, 29 juin 1835.

32. « Nous avons par les derniers arrivages… », *L'Ami du peuple*, 27 mars 1833 ; « Discours de Sa Majesté », *L'Ami du peuple*, 22 mars 1834 ; « Irlande », *La Gazette de Québec*, 29 mars 1834 ; « Coercition Bill for Canada », *The Vindicator*, 11 avril 1837 ; « Hurrah for Agitation », *The Vindicator*, 21 avril 1837 ; « Le sort du Canada… », *Le Populaire*, 12 avril 1837 ; « On lit dans *La Minerve*… », *L'Ami du peuple*, 17 juin 1837.

33. « L'Irlande dément… », *Le Populaire*, 21 juin 1837 ; « Loyauté des Irlandais », *L'Ami du peuple*, 14 août 1837 ; « Nos amis irlandais… », *L'Ami du peuple*, 21 octobre 1837 ; « O'Connell et Papineau », *Le Populaire*, 4 septembre 1837 ; « Correspondance. Conversation… », *Le Populaire*, 27 octobre 1837.

34. Cité dans M. FINNEGAN, *loc. cit.* : 45 ; Robert DALEY, *Edmund Bailey O'Callaghan : Irish Patriot*, Ph. D. (History), Concordia University, 1986, p. 247 ; abbé Thomas MAGUIRE, « Doctrine de l'Église d'Irlande et de celle du Canada sur la révolte », *La Gazette de Québec*, 1er février au 3 mars 1838 et publié en brochure sous le même titre, *op. cit.*

35. Voir *La Minerve*, 29 mars 1830, 12 et 16 décembre 1833, 1er mai 1834 ; *Le Canadien*, 24 et 27 août 1831, 14, 17, 20, 24 décembre 1832, 18 mars 1833, 24 juillet et 15 décembre 1835, 16, 19, 21, 22 décembre 1836, 31 janvier 1837 ; *The Vindicator*, 12 mars et 13 décembre 1833, 12, 16, 19 décembre 1834, 11, 17, 21 mars, 15 et 19 septembre 1837.

36. Voir *La Minerve*, 10 juillet 1834 ; *The Vindicator*, 4 juillet 1837 ; extraits sur l'histoire de la révolution américaine : *The Vindicator*, 18, 21, 28 juillet 1837, 10, 13, 17, 20, 24, 27 octobre 1837.

37. « De l'abolition de l'esclavage dans les colonies britanniques », *Le Canadien*, 11 octobre 1833 ; « Abolition de l'esclavage », *Le Canadien*, 29 avril 1836 ; « Correspondance. Conversation… », *Le Populaire*, 27 octobre 1837 ; voir aussi *The Vindicator*, 18 juillet 1834.

38. « De la démocratie en Amérique », *Le Canadien*, 18 et 30 septembre, 2, 5, 7, 16 octobre 1835, 20 mai et 4 juillet 1836 ; « Lettres sur l'Amérique », *La Minerve*, 15, 26, 29 décembre 1836 et 23 février 1837.

39. « Depuis longtemps… », *L'Ami du peuple*, 4 février 1837 ; « *La Minerve* commence… », *L'Ami du peuple*, 19 avril 1837 ; « De la position des agitateurs », *Le Populaire*, 14 juin 1837 ; « De l'espoir d'une coopération… », *Le Populaire*, 4 octobre 1837.

40. « Il y a environ… », *Le Spectateur canadien*, 6 juillet 1822 ; « Le Général San Martin… », *Le Canadien*, 22 août 1818, repris de *La Gazette de Québec* du 20 ; « L'histoire de la révolution… », *Le Spectateur canadien*, 5 janvier 1822 ; « Bolivar », *Le Canadien*, 5 mai 1824 ; « Extraits de la nouvelle Constitution… », *La Minerve*, 8 juillet 1830 ; « Baltimore, le… », *La Gazette de Québec*, 24 octobre 1816.

41. «Québec, jeudi…», *La Gazette de Québec*, 7 décembre 1815; «Ce qui précède…», *Le Canadien*, 9 avril 1823; «Ce qui suit…», *Le Canadien*, 23 avril 1823; échanges entre Parent et «l'homme des bois» au sujet de l'intervention de la France en Espagne, *Le Canadien*, 17 septembre au 10 décembre 1823.

42. «L'Espagne enfin…», *Le Spectateur canadien*, 15 mai 1819; «Amérique méridionale», *La Gazette de Québec*, 29 avril 1819; «Si les dernières nouvelles…», *L'Aurore*, 19 mai 1817; «Proclamation du Général Mina», *L'Aurore*, 4 août 1817 et *La Gazette de Québec*, 7 août 1817; «Des six numéros…», *Le Spectateur canadien*, 16 juin 1821.

43. «Le lecteur doit avoir lu…», *Le Canadien*, 7 mai 1823; «Desseins de la Russie», *L'Aurore*, 15 et 22 novembre 1817; «La décision du Congrès d'Aix-la-Chapelle…», *L'Aurore*, 19 décembre 1818; «Si l'écrit publié…», *Le Spectateur canadien*, 17 mars 1821.

44. «Nouvelles étrangères», *Le Spectateur canadien*, 11 décembre 1819; «Du *National*…», *La Gazette de Québec*, 25 mars 1822; «Le message…», *Le Spectateur canadien*, 30 mars 1822; «La nouvelle…», *Le Canadien*, 22 mai 1822; «Le *Courrier*…», *Le Spectateur canadien*, 1er juin 1822; «Coup d'œil…», *La Gazette de Québec*, 3 février 1823; «Indépendance de l'Amérique Espagnole…», *La Gazette de Québec*, 21 février 1825; «Le gouvernement français…», *La Minerve*, 28 juin 1827.

45. «Québec, jeudi…», *La Gazette de Québec*, 29 octobre 1818; «Extrait d'une lettre…», *Le Canadien*, 18 juillet 1821.

46. «Nos derniers journaux…», *Le Spectateur canadien*, 3 février 1821; «Selon les derniers avis du Paraguay…», *L'Aurore*, 23 juin 1817; «Mexique», *Le Spectateur canadien*, 14 septembre 1822; «Quoique devienne…», *Le Spectateur canadien*, 24 novembre 1821; «Ce qu'on dit…», *Le Spectateur canadien*, 9 mars 1822; «Il paraît…», *Le Spectateur canadien*, 17 août 1822; «L'Espagne enfin…», *Le Spectateur canadien*, 15 mai 1819.

47. M. Langlade, Bordeaux, à L. Duvernay, 10 février 1836, Papiers Duvernay, *RAPQ* (1926-1927): 173; Résolutions de l'assemblée de Sainte-Scholastique, dans Jean-Paul BERNARD, *Assemblées publiques, résolutions et déclarations de 1837-1838*, Montréal, vlb éditeur, 1988, p. 47-56; «Adresse des Fils de la Liberté», 4 octobre 1837, *ibidem*, p. 214-222; «Adresse de la Confédération des Six comtés», 24 octobre 1837, *ibid.*, p. 277-285.

48. É. Parent, «Le mouvement politique…», *Le Canadien*, 28 mai 1834; l'analyse globale des positions de Papineau, de Parent et de Garneau a été résumée et publiée dans Y. LAMONDE, «Papineau, Parent, Garneau et l'émancipation nationalitaire (1815-1852)», *Bulletin d'histoire politique*, 7, 1 (automne 1998): 41-49, à laquelle j'emprunte ici certaines parties en les développant; pour une analyse plus approfondie: «Conscience coloniale et conscience internationale dans les écrits publics de Louis-Joseph Papineau (1815-1839)», *loc. cit.*: 3-37; «"L'ombre du passé": François-Xavier Garneau et l'éveil des nationalités», dans Gilles GALLICHAN, Kenneth LANDRY et Denis SAINT-JACQUES (dir.), *François-Xavier Garneau, une figure nationale*, Québec, Éditions Nota Bene, 1998, p. 51-83; Étienne PARENT, *Discours*, édition critique par Claude COUTURE et Yvan LAMONDE, Introduction, Montréal, PUM, 2000.

49. F.-X. GARNEAU, «À Lord Durham», 8 janvier 1838, dans Y. GRISÉ et J. d'Arc LORTIE, *Les textes poétiques…*, *op. cit.*, IV, p. 80-83; É. Parent, «Ainsi M. Howe…», *Le Canadien*, 8 janvier 1838.

50. É. PARENT, «Le *Vindicator* revient…», *Le Canadien*, 7 avril 1837 et «Il y a quelque temps…», *Le Canadien*, 13 septembre 1837.

51. L.-J. Papineau, « Élection du Quartier Ouest », *Le Canadien*, 19 juillet 1820 ; É. Parent, « Nous publions… », *Le Canadien*, 1er janvier 1823 ; L.-J. Papineau à Wilmot, 16 décembre 1822, *DC* (1819-1828), p. 146-148 ; idem, « [Nomination d'un agent par résolution] », *La Minerve*, 23 novembre 1835.

52. F.-X. Garneau, *Voyage…, op. cit.*, p. 123, 191-193 ; É. Parent, « Nous sommes en possession… », *Le Canadien*, 15 mai 1837.

53. L.-J. Papineau, « Composition des Conseils », *La Minerve*, 2, 9, 13 février 1832 ; *idem*, « État de la province. 1ère résolution », *La Minerve*, 27 février et 3 mars 1834.

54. É. Parent, « Grand doit être l'embarras… », *Le Canadien*, 18 septembre 1835 ; *idem*, « Les écrivains… », *Le Canadien*, 20 décembre 1833 ; *idem*, « Si nous avions… », *Le Canadien*, 26 décembre 1836 ; *idem*, « Nous sommes en possession… », *Le Canadien*, 15 mai 1837 ; *idem*, « La sympathie de nos voisins… », *Le Canadien*, 17 juillet 1837 ; *idem*, « La Louisiane et le Bas-Canada », *Le Canadien*, 24 octobre 1838 ; L.-J. Papineau, « Discours de l'honorable…. à l'assemblée du comté de Montréal tenue à St. Laurent… », 15 mai 1837, *in* Y. Lamonde et C. Larin, *Un demi-siècle de combats, op. cit.*, p. 417-449.

55. É. Parent, « 50. Résolu… », *Le Canadien*, 26 février 1834 ; L.-J. Papineau, « Rapport du comité sur les contingents », *La Minerve*, 6 et 10 février 1834 ; *idem*, « État de la province. 1ère résolution », *La Minerve*, 24 février 1834 ; *idem*, « À Messieurs les Électeurs du Quartier Ouest de Montréal », *La Minerve*, 20 et 30 octobre 1834 ; *idem*, « Discours de l'honorable…. à l'assemblée du comté de Montréal tenue à St.Laurent… », 15 mai 1837, *in* Y. Lamonde et C. Larin, *Un demi-siècle de combats, op. cit.*, p. 417-449.

56. F.-X. Garneau, *Voyage…, op. cit.*, p. 261 ; É. Parent, « Le *Mercury*… », *Le Canadien*, 21 mars 1834 ; *idem*, « Nous sommes en possession … », *Le Canadien*, 15 mai 1837 ; on trouve très peu de références à l'Amérique du Sud chez Papineau, sinon pour affirmer que l'Angleterre a mieux préparé les États-Unis à l'indépendance que ne l'ont fait l'Espagne et le Portugal.

57. F.-X. Garneau, *Voyage…, op. cit.*, p. 59 ; É. Parent, « Qu'allons-nous faire ? », *Le Canadien*, 19 avril 1837 ; *idem*, « La sympathie de nos voisins… », *Le Canadien*, 17 juillet 1837.

58. « De l'Amérique du Sud », *Le Canadien*, 19 septembre 1818 ; « Extrait d'une lettre…. », *L'Aurore*, 24 juillet 1819 ; « Pérou », *La Gazette de Québec*, 2 décembre 1824 ; « Amérique du Sud », *Le Spectateur canadien*, 17 novembre 1821 ; « Pensées sur l'État social », *Le Spectateur canadien*, 29 janvier et 2 février 1816 ; « L'idée d'un patriote », *L'Ami du peuple*, 8 août 1832.

59. Georges Weill, *L'éveil des nationalités et le mouvement libéral (1815-1848)*, Paris, Alcan, 1930, p. 5 ; « De la manière dont se forment… », *La Minerve*, 8, 11, 13, 18 septembre 1834.

60. De Papineau : « À nos constituans », *La Minerve*, 26 mars 1827 ; « Discours prononcé… », *La Minerve*, 1er octobre 1827 ; « État de la province. 1ère résolution », *La Minerve*, 27 février et 3 mars 1834 ; « Aux libres et indépendants Électeurs… », *La Minerve,* 8 décembre 1834 ; « Bill des subsides et liste civile », *Le Canadien*, 8 avril 1833 ; « Continuation des débats… », *Le Canadien*, 16 mars 1836 ; sur les distinctions nationales : « Finances », *La Minerve*, 18 mars 1830 ; « Réélection des employés… », *La Minerve*, 14 février 1831 ; « Nomination d'un agent », *La Minerve*, 14 mars 1831 ; « Discours prononcé… », *La Minerve*, 30 octobre 1834 ; « Musée Chasseur », *La Gazette de Québec*, 12 mars 1836 ; « Continuation des débats… », *Le Canadien*, 16 mars 1836 ;

«Adresse aux Honorables Chevaliers...», *La Minerve,* 24 mars 1834; «État de la province», *La Minerve,* 11 septembre 1837.

Chapitre VII : 1837

1. *Hansard,* 3rd Series, XXXVI, 6 mars 1837: 1287-1306; Leader: 1306, 1308, 1310; Roebuck:1336; O'CONNELL: 1324-1327; texte français des Résolutions Russell dans Gérard FILTEAU, *Histoire des Patriotes,* Montréal, L'Aurore, 1975, p. 186-188; voir aussi *Hansard,* 3rd Series, XXXVII, 14 avril 1837: 1209-1293.

2. Alexis de Tocqueville à Henry Reeve, clerc au Conseil privé, 3 janvier 1838, archives de l'Université de Toronto; reproduite dans la *Canadian Historical Review,* XIX (1938): 394-397.

3. Allan Greer et Léon Robichaud notent que les pétitions à la Chambre d'Assemblée pour du secours contre la famine de 1831 à 1836 proviennent de districts autres que celui de Montréal, «La rébellion de 1837-1838 au Bas-Canada: une approche géographique», *Cahiers de géographie du Québec,* 33, 90 (décembre 1989): 366.

4. F. OUELLET, *Le Bas-Canada, op. cit.,* p. 175-196, 213-246, 247-260, 277-290.

5. Johanne MUZZO, *Les mouvements réformistes et constitutionnels à Montréal, op. cit.,* p. 30-34, 40-53, 72-76; l'idée des Comités de correspondance se trouve dans les 92 Résolutions, résolutions 89 et 91.

6. *Ibidem,* p. 95-106; Jean-Paul BERNARD, *Les rébellions de 1837 et de 1838 dans le Bas-Canada,* Ottawa, Société historique du Canada, 1996, p. 25-26.

7. Cartes de la distribution géographique des assemblées dans J.-P. BERNARD, *Assemblées publiques, résolutions et déclarations de 1837-1838, op. cit.,* p. 21, et A. GREER et L. ROBICHAUD, «La rébellion...», *loc. cit.*: 349; proclamation de Gosford contre les assemblées populaires, *Rapport des archives publiques pour l'année 1923,* Ottawa, Imprimeur du Roi, 1926, p. 305-306.

8. J.-P. BERNARD, *Assemblées..., op. cit.,* p. 23, 25, 48; voir aussi p. 69, 101-102, 113, 138, 144.

9. *Ibidem,* p. 97, 108, 176; voir aussi p. 50, 52, 117-118.

10. *Ibid.,* p. 31-32, 39, 118; voir aussi p. 50, 60.

11. *Ibid.,* p. 49, 52, 68, 79, 87, 138, 165, 183, 228.

12. *Ibid.,* p. 40, 52-53; voir aussi p. 58.

13. A. GREER, *The Patriots and the People. The Rebellion of 1837 in Rural Lower Canada,* Toronto, University of Toronto Press, 1993, p. 183.

14. J.-P. BERNARD, *Assemblées..., op. cit.,* p. 187; voir aussi p. 201; propos de Mgr Lartigue rapportés dans *L'Ami du peuple* du 26 juillet 1837 ou dans *Le Canadien* du 28; voir de plus la circulaire demandant un *Te Deum* pour l'accession au trône de la reine Victoria, *MEM,* I: 13-14.

15. «Mardi dernier...», *La Minerve,* 27 juillet 1837; *Le Libéral* de juillet 1837, cité dans F. OUELLET, *Le Bas-Canada..., op. cit.,* p. 452; «Nous avons exprimé...», *La Minerve,* 7 août 1837; sur la position du Comité central et permanent de Montréal, J. MUZZO, *Les mouvements..., op. cit.,* p. 137.

16. A. GREER, *The Patriots..., op. cit.,* p. 277-281; Mario Gendron, *Tenure seigneuriale et mouvement patriote. Le cas du comté de l'Acadie,* M.A. (Histoire), UQAM, 1986, VIII-198 p.

17. J.-P. Bernard, *Assemblées...*, *op. cit.*, p. 81, 141, 180-182, 186, 197-198 ; sur les circonstances de l'assemblée de Saint-François-du-Lac, A. Greer, *The Patriots...*, *op. cit.*, p. 285.

18. A. Greer, *The Patriots...*, *op. cit.*, p. 287.

19. Louis-Joseph Papineau, *Procédés de l'assemblée des Électeurs du Comté de Montréal, tenue à Saint-Laurent*, 15 mai, ICMH, n° 21619, p. 5, 6, 10, 12-14, texte dans Y. Lamonde et C. Larin, *Louis-Joseph Papineau. Un demi-siècle de combats, op. cit.*, p. 417-449 ; «[Assemblée de Sainte-Scholastique, Comté des Deux-Montagnes]», 1er juin 1837, *La Minerve*, 12 juin 1837, texte dans Y. Lamonde et C. Larin, *Louis-Joseph Papineau. Un demi-siècle de combats, op. cit.*, p. 450-455 ; Y. Lamonde, «Conscience coloniale et conscience internationale dans les écrits publics de Louis-Joseph Papineau (1815-1839)», *loc. cit. passim.*

20. L.-J. Papineau, *Procédés, op. cit.*, p. 12, texte dans Y. Lamonde et C. Larin, *Louis-Joseph Papineau. Un demi-siècle de combats, op. cit.*, p. 417-449 ; «[Assemblée de Sainte-Scholastique...]», *ibidem*, p. 450-455 ; «La voix du Peuple [Assemblée de Berthier]», 18 juin 1837, *La Minerve*, 22 juin 1837.

21. Étienne Parent, «Le *Vindicator* revient...», *Le Canadien*, 7 avril 1837 ; «Nous étions tellement engagés...», *Le Canadien*, 17 avril 1837 ; «Qu'allons-nous faire?», *Le Canadien*, 19 avril 1837 ; Étienne Parent, *Conférences publiques, op. cit.*

22. É. Parent, «Nous sommes en possession...», *Le Canadien*, 15 mai 1837 ; «Nous publions...», *Le Canadien*, 22 mai 1837 ; «La sympathie de nos voisins...», *Le Canadien*, 17 juillet 1837 ; «Santés», *Le Canadien*, 3 juillet 1837.

23. É. Parent, «La presse accueille...», *Le Canadien*, 16 juin 1837 ; «Les brouillons...», *Le Canadien*, 26 juin 1837.

24. É. Parent, «Nous n'aimons...», *Le Canadien*, 19 juin 1837 ; «Nous publions...», *Le Canadien*, 22 mai 1837 ; «Clôture de l'élection», *Le Canadien*, 7 juillet 1837 ; «Convocation de la législature», *Le Canadien*, 10 juillet 1837 ; «Le bateau à vapeur...», *Le Canadien*, 19 juillet 1837 ; «Le clergé et le parti révolutionnaire», *Le Canadien*, 6 octobre 1837 ; «Nous reproduisons...», *Le Canadien*, 31 juillet 1837.

25. Gilles Gallichan, «La session de 1837», *Cahiers des Dix*, 50 (1995) ; Papineau : 151, 159-160, 154 ; Taschereau et opposants : 181-185, 186, 202.

26. É. Parent, «Nous terminons aujourd'hui...», *Le Canadien*, 30 août 1837 ; «Nos affaires politiques...», *Le Canadien*, 1er septembre 1837.

27. L'Adresse des Fils de la liberté dans J.-P. Bernard, *Assemblées..., op. cit.*, p. 215-221 ; É. Parent, «Il y a quelque temps...», *Le Canadien*, 13 septembre 1837 ; «[Réponse du Comité central et permanent du comté de Montréal à l'Adresse de la London Working-men's Association]», *La Minerve*, 7 septembre 1837, reproduit dans Chevalier de Lorimier, *Lettres d'un Patriote condamné à mort*, préface de Pierre Falardeau, Montréal, Comeau et Nadeau, 1996, p. 30-39.

28. J.-P. Bernard, *Assemblées..., op. cit.*, p. 259-260, 266, 273, 277, 285.

29. É. Parent, «Nous publions...», *Le Canadien*, 13 novembre 1837, reproduit dans *Étienne Parent..., op. cit.*, p. 82, 84-85.

30. J.-P. Bernard, *Assemblées..., op. cit.*, p. 231-251.

31. *MEM*, I : 14-21 ; attribution du texte *Défense du mandement de Mgr Lartigue* à Mgr Lartigue, G. Chaussé, *Jean-Jacques Lartigue, premier évêque de Montréal, op. cit.*, p. 169, note 13 ; *Défense du mandement de Mgr Lartigue* [ICMH, n° 39816].

32. Résolutions dans *La Minerve*, 30 octobre 1837; curé Amiot à Mgr Lartigue, 7 novembre 1837, cité dans Richard CHABOT, *Le curé de campagne...*, *op. cit.*, p. 213-214; A. GREER, *The Patriots...*, *op. cit.*, p. 235-236; évêque de Québec à M. Mailloux, 15 novembre 1837, archives du Collège de Sainte-Anne-de-La Pocatière [ACSAP], 100.2, p. 228-229.

33. Elinor Kyte SENIOR, *Redcoats and Patriots. The Rebellions in Lower Canada (1837-1838)*, Ottawa, Canada's Wings and Canadian War Museum, 1985, p. 43-50; Amédée PAPINEAU, *Journal d'un Fils de la Liberté*, *op. cit.*, p. 57-67; Martin LANTHIER, *La violence selon la presse patriote et loyale, à la veille de la rébellion de 1837*, M.A. (Histoire), UQAM, 1997, p. 85-89, 100-103.

34. A. GREER, *The Patriots...*, *op. cit.*, p. 151 et chapitre 8.

35. Sur les opérations militaires, E. K. SENIOR, *Redcoats...*, *op. cit.*, chapitres 5-7; François BERNIER, *Étude analytique et critique de la controverse sur la question de la «fuite» de Papineau de Saint-Denis le 23 novembre 1837*, M.A. (Histoire), Université de Montréal, 1986, ii-159 p.; J.-P. BERNARD, *Les rébellions...*, *op. cit.*, p. 7-14; A. GREER, *The Patriots...*, *op. cit.*, chapitre 10; proclamation par le gouverneur du Vermont dans Robert CHRISTIE, *A History of the Late Province of Lower Canada*, *op. cit*, vol. V, p. 16-19.

36. «Circulaire», 4 décembre 1837 et «Mandement», 11 décembre 1837, *MEQ*, III: 369-373; Mgr Lartigue à M. Marcoux, curé de Saint-Barthélémy, 7 décembre 1837, ACSAP, Painchaud 4, L; «Requête du clergé catholique du diocèse de Montréal à la Reine», 26 décembre 1837, *MEM*, I: 23-24.

37. *Hansard*, 3rd Series, XXXIX, 22 décembre 1837: 1428-1507; citations: 1429, 1433,1444, 1467.

38. Roebuck à Melbourne, 29 décembre 1837, cité dans J. DUFOUR-CHARPENTIER, *La question des agents...*, *op. cit.*, p. 193; cette suggestion de Roebuck sera transmise à Lord Durham sur le point d'être nommé gouverneur du Bas-Canada.

Chapitre VIII: 1838

1. R. Nelson à J.-B. Ryan, 25 février 1838, cité dans F. OUELLET, *Le Bas-Canada...*, *op. cit.*, p. 470; sur la scission avec Papineau: divers correspondants de Duvernay aussi en exil, *RAPQ* (1926-1927), 186, 190, 193-194, 199-203, 210, 214, 216 et des articles vraisemblablement du docteur Côté dans le *North American* de Swanton (Vermont, du 11 septembre, du 16 octobre 1839, du 25 mars 1840 et du 31 mars 1841, cités dans Stephen KENNY, «Strangers' Sojourn: Canadian Journalists in exile (1831-1841)», *American Review of Canadian Studies*, XVII, 2 (1987): 195; l'abbé Étienne Chartier va même rejoindre Papineau à Paris pour lui faire part des «mécontentements» des Patriotes et lui proposer de «laver sa réputation» auprès d'eux, Montarville Boucher DE LA BRUÈRE, «Louis-Joseph Papineau, de Saint-Denis à Paris», *CD*, 5 (1940): 79-106.

2. Déclaration du président Van Buren, 5 janvier 1838, texte dans Alfred COREY, *The Crisis of 1830-1842 in Canadian-American Relations*, New York, Russell and Russell, 1941, p. 44-57.

3. «Déclaration d'Indépendance» et «Proclamation» de Robert Nelson du 28 février 1838 dans J.-P. BERNARD, *Assemblées...*, *op. cit.*, p. 301-304 et du même, *Les rébellions de 1837-1838*, *op. cit*, p. 118-119.

4. «Second mandement à l'occasion des troubles de 1837», *MEM*, I: 24-29; voir de Mgr Lartigue, «Des doctrines du philosophisme moderne sur les gouvernements», [1838],

ACAM, 901.037, 838-2 et les commentaires du prêtre-patriote Étienne Chartier qui, de Philadelphie, écrit à l'évêque, le 21 juillet 1838, texte dans R. CHABOT, *Le curé de campagne...*, *op. cit.*, p. 311-314.

5. Mgr Turgeon à Mgr Bourget, 22 août 1838, cité dans L. LEMIEUX, *Histoire du catholicisme...*, *op. cit.*, p. 391; [abbé Thomas Maguire], *Doctrine de l'Église d'Irlande et de celle du Canada sur la révolte*, *op. cit.*

6. «Circulaire», 7 février 1838, *MEQ*, III: 377-378; Vincent Quiblier à la Propagande, septembre 1838, cité dans L. LEMIEUX, *Histoire du catholicisme...*, *op. cit.*, p. 390.

7. Prisonniers politiques à Mgr Lartigue, 6 juin 1838, ACAM, 901.106, 838-4; l'auteur de la lettre est Jean-Philippe Boucher-Belleville, voir son *Journal d'un Patriote (1837-1838)*, *op. cit.*, p. 158. D'autres réactions anticléricales: curés Perrault et Amiot à Mgr Lartigue, 7 et 26 septembre 1838, Archives du diocèse de Saint-Jérôme, 16A/59 et 13A/99.

8. J.-P. BERNARD, «Vermonters and the Lower Canadian Rebellions of 1837-1838», *Vermont History*, 58, 4 (Fall 1990): 250-263; Ivanhoé CARON, «Une société secrète dans le Bas-Canada: l'Association des Frères-Chasseurs», *Mémoires* de la Société royale du Canada, XX, 3e série (1926): 17-34; Stephen KENNY, «The Canadian Rebellions and the Limits of Historical Perspective», *Vermont History*, 58, 3 (Summer 1990): 179-198; Arthur L. JOHNSON, «The New York State Press and the Canadian Rebellions (1837-1838)», *American Review of Canadian Studies*, XIV, 3 (1984): 279-290.

9. J.-P. BERNARD, *Les rébellions de 1837-1838*, *op. cit.*, p. 126-130; A. GREER, *The Patriots...*, *op. cit.*, p. 345; Chevalier DE LORIMIER, *Lettres d'un Patriote condamné à mort*, préface de Pierre FALARDEAU, Montréal, Comeau et Nadeau, 1996, p. 63, référera aussi à ce drapeau à deux étoiles; *The Diary of Jane Ellice*, edited by Patricia Godsell, [sans lieu], Oberon Press, 1975, p. 128-152, citations, p. 133 et 137.

10. Circulaire du 19 novembre 1838, *MEQ*, III: 392-393.

11. Amury GIROD, «Journal tenu par feu Amury Girod...», *Rapport des Archives publiques pour 1923*, p. 408-419; J.-P. BOUCHER-BELLEVILLE, *Journal...*, *op. cit.*, p. 61 et 50; curé Jacques PAQUIN, *Journal historique des événemens arrivés à Saint-Eustache pendant la rébellion du comté du Lac des Deux-Montagnes*, reproduit dans Maximilien GLOBENSKY, *La rébellion de 1837 à Saint-Eustache*, présenté par Hubert Aquin, Montréal, Éditions du Jour, 1974, p. 59; François-Xavier PRIEUR, *Notes d'un condamné politique de 1838*, repris avec le *Journal d'un exilé politique aux terres australes* de Léandre Ducharme, Montréal, Éditions du Jour, 1974, p. 105; A. GREER, *The Patriots...*, *op. cit.*, p. 351.

12. Jean-Marie FECTEAU, «Mesures d'exception et règle de droit: les conditions d'application de la loi martiale au Québec lors des rébellions de 1837-1838», *McGill Law Journal / Revue de droit de McGill*, 32, 3 (juillet 1987): 465-495 et F. Murray GREENWOOD, «The Chartrand Murder Trial: Rebellion and Repression in Lower Canada, 1837-1839», *Criminal Justice History*, 5 (1984): 129-159 et «The General Court Martial of 1838-1839 in Lower Canada: an Abuse of Justice», dans Wesley PUE and Barry WRIGHT (dir.), *Canadian Perspectives on Law and Society. Issues in Legal History*, Ottawa, Carleton University Press, 1988, p. 249-290; J.-P. BERNARD, *Les rébellions de 1837-1838...*, *op. cit.*, p. 131-134; A. GREER, *The Patriots...*, *op. cit.*, p. 352-353; E. SENIOR, *Redcoats...*, *op. cit.*, p. 200-202; *Report of the State Trials*, Montreal, Armour and Ramsay, 1839, 2 vol.; [André-Romuald Cherrier], *Procès de Joseph N. Cardinal*, par un étudiant en droit, Montréal, J. Lovell, 1839, 144 p.; *Procès politique: la reine vs Jalbert*, Montréal, F. Cinq-

Mars, 1839, 87 p., ICMH, n° 12810 ; sur « le Proscrit / Le Canadien errant » d'Antoine GÉRIN-LAJOIE composé en 1842, *DOLQ*, I : 714-716 et texte dans Yolande GRISÉ et Jeanne d'Arc LORTIE, *Les textes poétiques du Canada français (1606-1867)*, *op. cit.*, vol. IV, p. 504-506.

13. Sur le *Herald* et la presse anglophone, les riches citations faites dans André LEFEBVRE, *La « Montreal Gazette » et le nationalisme canadien (1835-1842)*, Montréal, 1970, XII-207 p. ; sur les déportés en Australie, les mémoires de Ducharme, Lepailleur et Prieur déjà cités ; C. de Lorimier, *Lettres...*, *op. cit.*, p. 67 et 72.

14. *Hansard*, 3ʳᵈ Series, XL, 19 janvier 1838 : 263-310 ; 5 février 1838 : 735 et 770.

15. *Ibidem*, 16 et 17 janvier 1838 : 5-95 et 96-162 ; 25 janvier 1838 : 430 et 470 ; J. S. MILL, « Radical Party and Canada : Lord Durham and the Canadians », janvier 1838, dans *Collected Works of John Stuart Mill*, John ROBSON (dir.), Toronto-London, University Press of Toronto-Routlegde and Kegan Paul, 1982, t. VI, p. 406-435 ; [Henry S. CHAPMAN], *An Impartial and Authentic Account of the Civil War in the Canadas*, Londres, [sans éditeur], 1838, 2 vol., ICMH, n°ˢ 8240-8241.

16. J.-P. BERNARD, *Les rébellions de 1837-1838*, *op. cit.*, p. 119-122 ; J. S. MILL, « Lord Durham and his Assailants », août 1838 et « Lord Durham's Return », décembre 1838, *Collected Works...*, *op. cit.*, VI, p. 438-443, 446-464.

17. L.-J. PAPINEAU, Albany, à George Bancroft, 18 décembre 1837, reproduit dans Ronald F. HOWELL, « The Political Testament of Papineau in Exile, 1837 », *Canadian Historical Review*, 38, 4 (1957) : 295-299.

18. Ruth L. WHITE, *Louis-Joseph Papineau et Lamennais. Le chef des Patriotes canadiens à Paris (1839-1845)*, *op. cit.*, p. 17-30.

19. E.N. Duchesnois à L. Duvernay, 9 juillet 1839, cité dans *RAPQ* (1926-1927) : 208-209 ; C. Drolet à L. Duvernay, 8 novembre 1839, *ibidem* : 215-216.

20. Correspondance de M. de Pontois au comte Molé : 9 août, 23 juillet, 29 septembre 1837, 13 janvier et 30 novembre 1838, dans Robert DE ROQUEBRUNE, « M. de Pontois et la rébellion des Canadiens français en 1837-1838 », *Nova Francia*, III, 4 (1927-1928) : 246, 245, 248 ; 5 : 278 ; IV, 1 (1929) : 7 ; 2 : 90.

21. Dʳ Gauvin, Paris, à L. Duvernay, 27 novembre 1839, *RAPQ* (1926-1927) : 217.

22. Sur ELLICE, THOM et SEWELL, *DBC*, IX : 257-263, XI : 968-971, VII : 847-858 ; Phillip BUCKNER, *The Transition to Responsible Government. British Policy in British North America (1815-1850)*, Westport, 1985, p. 252-253 ; sur les projets de subdiviser le Bas-Canada de Gosford à Ellice en passant par Stephen et Charles Grey et de régner selon le « principle of divide and impera », *ibidem*, p. 208, 211, 218, 219, 253.

23. *Rapport Durham*, présenté, traduit et annoté par Marcel-Pierre HAMEL, [sans lieu], Aux Éditions du Québec, 1948, p. 78, 81-82, 97, 308, 324 ; seule la référence aux pages de cet ouvrage sera donnée ci-après.

24. Tiré de la dépêche de Durham au Colonial Office du 9 août 1838, dépêche où, selon Durham, « on trouve le menu détail de [ses] impressions sur le Bas-Canada », *ibidem*, p. 344.

25. Louis-Joseph PAPINEAU, *Histoire de l'insurrection du Canada en réfutation du rapport de Lord Durham*, Montréal, Réédition-Québec, 1968, p. 5, 10, 8, 13, 20, 25-28, 34-35, texte dans Y. LAMONDE et C. LARIN, Louis-Joseph PAPINEAU, *Un demi-siècle de combats*, *op. cit.*, p. 506-527. Papineau répétera n'avoir fait que de « l'opposition constitutionnelle », voir, par exemple, sa lettre au Dʳ Nancrède du 14 mai 1838, cité dans

F. OUELLET, « Papineau dans l'insurrection de 1837-1838 », *Canadian Historical Association Report* (1958) : 26.

26. Charles-Clément Sabrevois DE BLEURY, *Réfutation de l'écrit de Louis[-]Joseph Papineau [...] intitulé Histoire de l'insurrection du Canada [...]*, Montréal, imprimerie de John Lovell, octobre 1839, 136 p. ; ICMH, n° 21719 ; *DBC*, IX : 768-770.

27. É. PARENT, « Nouveaux développements », *Le Canadien*, 15 décembre 1837 ; « La *Gazette de Québec* de samedi... », *Le Canadien*, 12 février 1838 ; « Proclamation de Lord Durham », *Le Canadien*, 15 octobre 1838 ; voir aussi « Le *Courrier de Montréal*... », *Le Canadien*, 7 octobre 1839.

28. É. PARENT, « Puisque La *Gazette de Québec*... », *Le Canadien*, 21 février 1838 ; « Ainsi M. Howe... », *Le Canadien*, 8 janvier 1838 ; « Nouveaux développements », *Le Canadien*, 15 décembre 1837.

29. É. PARENT, « Les préparatifs de guerre... », *Le Canadien*, 14 février 1838 ; « La Louisiane et le Bas-Canada », *Le Canadien*, 24 octobre 1838 ; « La *Gazette de Québec*... », *Le Canadien*, 23 février 1838.

30. É. PARENT, « La *Gazette de Québec* interprète... », *Le Canadien*, 13 mai 1839.

31. É. PARENT, « Le *Canadian Colonist*... », *Le Canadien*, 23 octobre 1839.

32. É. PARENT, « Nos affaires politiques... », *Le Canadien*, 1er septembre 1837 ; « Le *Canadian Colonist*... », *Le Canadien*, 23 octobre 1839.

33. É. PARENT, *Le Canadien*, 15 août 1832, cité dans Paul-Eugène GOSSELIN, *Étienne Parent*, Montréal, Fides, 1964, p. 25-26 ; *Le Canadien*, 7 novembre 1832, *ibidem*, p. 30-31 ; « Remarques... », *Le Canadien*, 8 octobre 1831 ; « Nous publions l'extrait... », *Le Canadien*, 25 avril 1834 ; citation : « Dans la dernière partie... », *Le Canadien*, 19 juin 1833, reproduit dans J.-C. FALARDEAU, *Étienne Parent, op. cit.*, p. 75-79 ; voir aussi « Il est dans notre histoire... », *Le Canadien*, 23 novembre 1834.

34. É. PARENT, « La malle d'hier », *Le Canadien*, 19 juin 1835 ; « Nous publions en détail... », *Le Canadien*, 29 juillet 1835 ; « Nous revenons... », *Le Canadien*, 11 septembre 1835 ; au Haut-Canada, la demande la plus explicite du gouvernement responsable de la part de Robert Baldwin se trouve dans la lettre de ce dernier au secrétaire d'État aux colonies Glenelg, le 13 juillet 1836 ; document dans W.P.M. KENNEDY, *Statutes, Treatises and Documents of the Canadian Constitution (1713-1929)*, Toronto, Oxford University Press, 1930, 2nd édition, p. 335-342.

35. É. PARENT, « Puisque La *Gazette de Québec*... », *Le Canadien*, 21 février 1838 ; « Proclamation de Lord Durham », *Le Canadien*, 15 octobre 1838 ; « Les préparatifs de guerre... », *Le Canadien*, 14 février 1838.

36. LJP, « PPBC : Sur les diverses références relatives à la composition du Conseil législatif », 10 janvier 1833, *Le Canadien*, 16, 18, 23 janvier 1833 ; LJP à A. Roebuck, 16 janvier 1835, ANC, MG24, A19, I-5, p. 12 ; « Adresse aux Honorables Chevaliers... », 1er mars 1834, ICMH, n° 49037, p. 3 et 13, texte dans Y. LAMONDE et C. LARIN, *Louis-Joseph Papineau. Un demi-siècle de combats, op. cit.*, p. 291-324 ; M. GREENWOOD, « Les Patriotes et le gouvernement responsable dans les années 1837-1838 », *RHAF*, 33, 1 (juin 1979) : 25-37.

37. LJP, « Constitution du Conseil législatif », 10 janvier 1833, dans Y. LAMONDE et C. LARIN, *Louis-Joseph Papineau. Un demi-siècle de combats, op. cit.*, p. 211-238 ; « Aux Libres et Indépendants Électeurs du Quartier Ouest de Montréal », 3 décembre 1834, *ibidem*, p. 325-326.

38. LJP, «[Assemblée de Sainte-Scholastique...]», 1ᵉʳ juin 1837, *ibid.*, p. 450-455; «PPBC: État de la province», 19 août 1837, *ibid.*, p. 456-470; «Adresse de la Confédération des Six Comtés», 23-24 octobre 1837, *ibid.*, p. 495-505.

39. LJP, «PPBC: Composition des Conseils», 16 janvier 1832, *ibid.*, p. 199-210; «PPBC: Lieutenant colonel Eden», 28 février 1833, *ibid.*, p. 239-247.

40. P. BUCKNER, *The Transition..., op. cit.*, p. 235 et 357.

41. Fernand DUMONT, *Genèse de la société québécoise*, Montréal, Boréal, 1993, p. 145-148.

42. A. GREER et L. ROBICHAUD, «La rébellion de 1837-1838 au Bas-Canada...», *loc. cit.*: 356-357; Lucie BLANCHETTE-LESSARD et Nicole DAIGNEAULT-SAINT-DENIS, «La participation des groupes sociaux aux rébellions dans les comtés de Laprairie et de Deux-Montagnes», dans J.-P. BERNARD, *Les rébellions de 1837-1838, op. cit.*, p. 320-325. Le taux de participation est calculé sur une liste de 2083 Patriotes pour lesquels nous disposons de la mention de 1812 lieux de résidence.

43. F. OUELLET, «Les insurrections de 1837-38: un phénomène social» (1968), dans *Éléments d'histoire sociale..., op. cit.*, p. 351-379.

44. A. GREER, *The Patriots..., op. cit.*, p. 170, 154, 150, 241-242, 230-233, 243 et suivantes; René HARDY, «Le charivari: divulguer et sanctionner la vie privée?», dans Manon BRUNET et Serge GAGNON (dir.), *Discours et pratiques de l'intime*, Québec, IQRC, 1993, p. 47-69.

45. F. OUELLET, «Papineau et la rivalité Québec Montréal (1820-1840)», *RHAF*, XIII, 3 (décembre 1959): 311-327.

46. J.-P. BOUCHER-BELLEVILLE, *Journal..., op. cit.*, p. 41-42, 48-49, 54-55, 57; Wolfred NELSON, *Écrits d'un Patriote*, édition préparée par Georges AUBIN, Montréal, Comeau et Nadeau, 1998, p. 66, 78, 81-82.

47. M. Boucher DE LA BRUÈRE, «Louis-Joseph Papineau...», *De Saint-Denis à Paris, CD*, V (1940): 98-105.

48. Y. GRISÉ et J. d'ARC LORTIE, *Les textes poétiques..., op. cit.*, IV, p. 3-5, 66, 50-51, 103-105, 109-110, 136-137, 22, 57; Maurice CARRIER et Monique VACHON, «De "C'est la faute à Papineau" aux Quatre-vingt-douze Résolutions avec Jacques Viger», *Revue d'ethnologie du Québec*, 5 (1977): 108-112.

Chapitre IX: L'Union, le nationalisme conservateur et un nouvel échec libéral (1840-1852)

1. Texte de la loi d'Union dans *Le Canadien* du 2 août 1839 et dans T. CHAPAIS, *Cours..., op. cit.*, V, p. 231-261; O'Connell cité dans CHAPAIS, IV, p. 301-302; *BPD*, 3ʳᵈ Series, 55, 23 mars 1840: 246-258 et F.-X. GARNEAU, «Une conclusion d'histoire», *Revue canadienne* (1864): 422-424; P.-J.-O. CHAUVEAU, «L'Union des Canadas ou la fête des banquiers», 5 avril 1841, dans J. LORTIE et Y. GRISÉ, *Textes poétiques du Canada français..., op. cit.*, IV, p. 375-375; J.-P. BERNARD, dans Gilles GOUGEON, *Histoire du nationalisme québécois*, Montréal, vlb éditeur, 1993, p. 42-43.

2. É. PARENT, «Procédés contre l'Union», *Le Canadien*, 27 janvier 1840; «Il faut que le *Herald*...», *Le Canadien*, 3 février 1840; «Indemnités», *Le Canadien*, 31 août 1840; «Nous sommes donc maintenant...», *Le Canadien*, 22 mars 1841.

3. Mgr Lartigue à Mgr Griffiths, vicaire apostolique de Londres, 17 juin 1839, cité dans Léon POULIOT, «Les évêques du Bas-Canada et le projet d'Union (1840)», *RHAF*, VIII, 2 (septembre 1954): 162 et 169; abbé Jean Raimbault à l'évêque de Québec, 11 mai 1840, AAQ, SN, a-107; E.-L. Pacaud à L. Duvernay, 11 février 1840, cité dans *RAPQ* (1926-1927): 223-224.

4. *Les Mélanges religieux*, 26 novembre 1842; *ibidem*, 1843, cité dans F. DUMONT, *Genèse de la société québécoise, op. cit.*, p. 227.

5. *DBC*, IX: 486-497, citation p. 487; «Adresse aux Électeurs de Terrebonne», 25 août 1840, *L'Aurore des Canadas* ou *Le Canadien*, 31 août 1840, texte reproduit en partie dans M. BRUNET *et al.*, *Histoire du Canada par les textes, op. cit.*, p. 167-169.

6. «Lettre des électeurs de Québec...», *La Gazette de Québec* et *The Quebec Gazette*, 23 décembre 1840; les journaux anti-unionnaires du Bas-Canada (*Le Canadien*, *The Canadian Colonist*, *L'Aurore des Canadas*, *The Times and Commercial Messenger*, *The Sherbrooke Gazette*) et du Haut-Canada à Toronto, Brockville, Bytown, St. Catharines, London, Kingston reproduisirent l'adresse en français ou en anglais; Marc BOLDUC, *Les élections générales de 1834 (Bas-Canada) et les élections générales de 1841 (ancien Bas-Canada): continuités et ruptures*, M.A. (Histoire), UQAM, 1997, p. 50-55, 109.

7. *Grand Séminaire de Montréal. Album du centenaire*, [Montréal, Association des Anciens, 1940], 168 p.; Louis ROUSSEAU et Pierre FEUVRIER, «Morphologie des carrières pastorales dans le sud-ouest québécois», dans L. ROUSSEAU (dir.), *Le bas clergé catholique au dix-neuvième siècle*, Québec, Université Laval, Groupe de recherche en sciences de la religion, Cahiers de recherche, vol. 12, 1995, p. 195-196; «Les rapports entre le "réveil" et la réorganisation ecclésiale dans le Québec du 19e siècle», dans Pierre GUILLAUME (dir.), *Le diocèse au Québec et en France aux XIXe et XXe siècles*, Bordeaux, Maison des sciences de l'homme de l'Aquitaine, 1990, p. 126-139

8. Marcel LAJEUNESSE, *Les Sulpiciens et la vie culturelle à Montréal au XIXe siècle*, Montréal, Fides, 1982, p. 19-55, citation, p. 35.

9. Sur Mgr de Forbin-Janson: *DBC*, VII: 329-332; C. GALARNEAU, «Mgr de Forbin-Janson au Québec en 1840-1841», dans N. VOISINE et Jean HAMELIN (dir.), *Les ultramontains canadiens-français. Études d'histoire religieuse présentées en hommage au professeur Philippe Sylvain*, Montréal, Boréal Express, 1985, p. 121-142; L. Perrault à L. Duvernay, 4 février 1842, cité dans *RAPQ* (1926-1927): 247 ; L. ROUSSEAU, «Boire ou ne pas boire, se sauver ou se perdre ensemble. Le mouvement de tempérance dans le Québec du XIXe siècle», *Études canadiennes / Canadian Studies*, 35 (1993): 107-122.

10. Religieuse de l'hôpital général de Québec à une religieuse de France, 1842, cité dans René HARDY, «L'activité sociale du curé de Notre-Dame de Québec: aperçu de l'influence du clergé au milieu du XIXe siècle», *Histoire sociale / Social History*, III, 6 (novembre 1970): 6; L. ROUSSEAU, «La conduite pascale dans la région montréalaise, 1831-1865: un indice des mouvements de la ferveur religieuse», dans *L'Église de Montréal (1836-1986): aperçus d'hier et d'aujourd'hui*, Montréal, Fides, 1986, p. 270-284; R. HARDY, «À propos du réveil religieux dans le Québec du XIXe siècle: le recours aux tribunaux dans les rapports entre le clergé et les fidèles (district de Trois-Rivières)», *RHAF*, 48, 2 (automne 1994): 187-212; L. ROUSSEAU, «À propos du "réveil religieux" dans le Québec du XIXe siècle: où se loge le vrai débat?», *RHAF*, 49,2 (automne 1995): 223-245.

11. Louis-Philippe SAINT-MARTIN, «*L'Histoire du Canada* de F.-X. Garneau et la critique», *RHAF*, 8, 1 (1954): 380-394; abbé Jean-Baptiste Pelletier, Sainte-Anne-de-la-Pocatière, à l'abbé Désaulniers, Nicolet, 1er décembre 1845, ASN, Séminaire 5, n° 15.

12. L.-P. AUDET, *Histoire de l'enseignement...*, *op. cit.*, II, p. 30-66 ; Ruby HEAP, « Les relations Église-État dans le domaine de l'enseignement primaire public au Québec (1867-1899) », *Sessions d'études*, Société canadienne d'histoire de l'Église catholique, 50 (1983) : 183-200 ; Pierre CARIGNAN, « La place faite à la religion dans les écoles publiques par la loi scolaire de 1841 », *Revue juridique Thémis*, 17 (1982-1983) : 9-78.

13. Étienne PARENT, *Conférences publiques*, édition critique établie par C. COUTURE avec la collaboration d'Y. LAMONDE, *op. cit.*, Introduction.

14. Y. LAMONDE, *Les bibliothèques de collectivités à Montréal (19ᵉ-20ᵉ siècle)*, *op. cit.*, p. 53-54 ; Y. LAMONDE, *Gens de parole. Conférences publiques, essais et débats à l'Institut canadien de Montréal (1845-1871)*, Montréal, Boréal, 1990, p. 17-24 ; « Les principes de *L'Avenir* », *Les Mélanges religieux*, 27 mars 1849 ; *L'Avenir*, 9 août 1850.

15. R. WHITE, *Louis-Joseph Papineau et Lamennais*, *op. cit.*, *passim* ; Y. LAMONDE, *Louis-Antoine Dessaulles. Un seigneur libéral et anticlérical*, Montréal, Fides, 1994, p. 36-38 ; L.-A. Dessaulles, *Écrits*, édités par Y. LAMONDE, Montréal, PUM, 1994, p. 67-77 ; *L'Aurore des Canadas*, 18, 25 janvier, 1ᵉʳ et 8 février 1842, *Les Mélanges religieux*, janvier et février 1842, citation, janvier 1842 :43 ; F. OUELLET, « Le mandement de Mᵍʳ Lartigue de 1837 et la réaction libérale », *BRH*, 58, 2 (avril-juin 1952) : 101-103.

16. « Mʳ de Lamennais », *Les Mélanges religieux*, 12 février 1841 : 46-49 ; l'abbé B., « Biographie. L'abbé Lacordaire », *ibidem* (6 septembre 1842) : 315-320 ; « Bibliographie », *ibid.* (4 juin 1841) : 330.

17. Abbé Raymond au comte de Montalembert, 16 juillet 1839, ASSH, correspondance Raymond, chemise 187 (copie) ; Montalembert à Raymond, 17 juin 1841, *ibidem* ; Raymond, correspondance de voyage en Europe, 1842-1843, *ibid.*, boîte 35 bis, 21 ou chemise 190 ; Raymond à Montalembert, [1844], *ibid.* (copie) ; même au même, 29 mai 1844, reproduite dans P. SYLVAIN, « Le premier disciple canadien de Montalembert : l'abbé Joseph-Sabin Raymond », *RHAF*, XVII, 1 (juin 1963) : 99-103 ; abbé Pierre Bouchy à l'abbé de la Treiche, 30 octobre 1843 et 12 octobre 1844, ACSAP, Collège 51, LXIII et LXIV. Sur Louis Veuillot : P. SYLVAIN, « Quelques aspects de l'antagonisme libéral-ultramontain au Canada français » (1967), dans Jean-Paul BERNARD (dir.), *Les idéologies québécoises au 19ᵉ siècle*, Montréal, Boréal Express, 1973, p. 130 ; *idem*, « Libéralisme et ultramontanisme au Canada français : affrontement doctrinal et idéologique (1840-1865) », dans W.L. MORTON, *The Shield of Achilles / Le bouclier d'Achille*, Toronto, McLelland and Stewart, 1968, p. 113, 123 133-134 ; *idem*, « Lamartine et les catholiques de France et du Canada », *RHAF*, IV, 4 (décembre 1950) : 387.

18. G. FILTEAU, *Les Patriotes...*, *op. cit.*, p. 475-476 ; L.-J. PAPINEAU, « Discours parlementaire » [c. 16 mars 1848], *L'Avenir*, 24 mars 1848 ; « [Indemnités à la suite des rébellions] », 19 février 1849, *L'Avenir*, 28 février, 3 et 10 mars 1849 ; voir aussi « Débats sur les documents de 1837 et 38 », 28 février 1849, *L'Avenir*, 17 mars 1849 ; sur les bandes de Loyaux que craint la femme de Papineau, *Julie Papineau. Une femme patriote*, *op. cit.*, p. 101. 107-112, 120-121.

19. L.-J. PAPINEAU, « [Extraits du manifeste aux électeurs des comtés de Huntingdon et de Saint-Maurice] », 24 décembre 1847, *L'Avenir*, 22 janvier 1848 ou ICMH, nᵒ 62928 ; « Rien ne serait plus compromettant... », 15 mai 1848, *L'Avenir*, 18 mai 1849 ou ICMH, nᵒ 59475.

20. L.-J. PAPINEAU, « Discours parlementaire » [c. 16 mars 1848], *loc. cit.* ; « Correspondances. Le docteur Wolfred Nelson », 31 mai 1848, *L'Avenir*, 3 juin 1848 ; « Assemblée d'Yamachiche », 6 juin 1848, *L'Avenir*, 14, 17, 21, 28 juin 1848.

21. L.-J. PAPINEAU, «[Extraits du manifeste...»], 24 décembre 1847, *loc. cit.*; «Assemblée d'Yamachiche», 6 juin 1848, *loc. cit.*; «Discours parlementaire», [c. 16 mars 1848], *loc. cit.*; «[Indemnités à la suite des rébellions]», 19 février 1849, *loc. cit.*

22. L.-J. PAPINEAU, «[Extraits du manifeste...]», 24 décembre 1847, *loc. cit.*; «Correspondances. Je ne vois qu'aujourd'hui...», 19 mai 1848, *L'Avenir*, 24 mai 1848; «Assemblée d'Yamachiche», 6 juin 1848, *loc. cit.*

23. L.-J. PAPINEAU, «[Extraits du manifeste...]», 24 décembre 1847, *loc. cit.*; «Rien ne serait plus compromettant...», 15 mai 1848, *loc. cit.*; «Assemblée d'Yamachiche», 6 juin 1848, *loc. cit.*

24. ANTI-UNION [Louis-Antoine Dessaulles], «M. le Directeur...», *L'Avenir*, 31 décembre 1847; «L'Union», *L'Avenir*, 5 février 1848; textes reproduits dans L.-A. DESSAULLES, *Écrits, op. cit*, p. 82-87, 88-94.

25. Le texte de l'adresse est aussi reproduit dans *Le Canadien* du 8 mai 1848; sur la réceptivité de *L'Avenir* à 1848, voir, à titre d'exemple, les éditions du 24 avril, des 4 et 22 novembre 1848; voir aussi Rodrigue SAMUEL, *L'image de la révolution française de 1848 dans la presse du Canada français*, M.A. (Histoire), Université Laval, 1978, XXI-159 p.

26. L.-J. PAPINEAU, «Assemblée du Marché Bonsecours», [c. 14 avril], *L'Avenir*, 15 et 19 avril 1848; «Correspondances. Je ne vois qu'aujourd'hui...», 19 mai 1848, *loc. cit.*; «Assemblée d'Yamachiche», 6 juin 1848, *loc. cit.*, texte dans Y. LAMONDE et C. LARIN, Louis-Joseph PAPINEAU, *Un demi-siècle de combats, op. cit.*, p. 528-562.

27. Jacques MONET, *La première révolution tranquille. Le nationalisme canadien-français (1837-1850)*, traduction de Richard BASTIEN, Montréal, Fides, 1981, p. 339-340.

28. Texte dans L.-A. DESSAULLES, *Écrits, op. cit.*, p. 63-64.

29. Interventions de Papineau et de La Fontaine dans T. CHAPAIS, *Cours..., op. cit.*, VI, p. 248-286, 286-307; citations, p. 254, 283, 303, 307, 294.

30. P. SYLVAIN, «Libéralisme et ultramontanisme...», *loc. cit.*: 111-122; Nadia F. EID, «*Les Mélanges religieux* et la révolution romaine de 1848», *Recherches sociographiques*, X, 2-3 (1969): 237-260; Denis BRUNN, *Les Canadiens français et les nouvelles de l'Europe: le cas des révolutions de 1848-1849*, Doctorat, Université de Paris I, 1978, p. 469-480, 515-534, 590-612 (copie BNQ); abbé André Pelletier, Paris, à l'abbé Henri Dionne, 10 mai 1858, ACSAP, Pelletier, 57, 1; voir Pierre SAVARD, «L'Italie dans la culture canadienne-française au XIXe siècle, dans Nive VOISINE et Jean HAMELIN (dir.), *Les ultramontains canadiens-français, op. cit.*, p. 255-266; *idem*, «La Rome de Pie IX vue par un prêtre québécois (1850-1851)», *Annali academici canadesi*, I (1990): 5-3; *MEM*, II: 20 et 31.

31. Texte dans L.-A. DESSAULLES, *Écrits, op. cit.*, p. 94-102.

32. La rédaction, «Pouvoir temporel du Pape», *Les Mélanges religieux*, 20 et 23 mars 1849; «Les principes de *L'Avenir*», *ibidem*, 23 mars et 10 avril 1849; Adolphe Pinsoneault, «Nouvelles gentillesses de *L'Avenir*», *ibid.*, 9, 19, 23 avril 1849 ou *La Minerve*, 9, 19, 20 avril 1849; abbé Charles Chiniquy, «M. le Directeur», *L'Avenir*, 18 avril 1849 et «Lettre de M. Chiniquy», *Les Mélanges religieux*, 20 avril, 18, 28 mai et 19 juin 1849; CAMPAGNARD, «Tribune du peuple», *L'Avenir*, 23 juin 1849, reproduit dans L.-A. DESSAULLES, *Écrits, op. cit.*, p. 103-114.

33. Jean-Paul BERNARD, *Les Rouges. Libéralisme, nationalisme et anticléricalisme au milieu du XIXe siècle*, Montréal, Presses de l'Université du Québec, 1971, p. 61-73, citation, p. 61; J. MONET, *La première révolution tranquille..., op. cit.*, p. 403-404, 415-426.

34. Bas-Canada, «La nationalité», *L'Avenir*, 24 février 1849; «Les États-Unis», *ibidem*, 28 juillet 1849; Un Québecquois, «L'annexion», *ibid.*, 4 septembre 1849; voir aussi *L'Avenir*, 20 mai 1848 et 29 février 1849.

35. *Le Moniteur canadien*, 30 octobre 1849; F. OUELLET, «Denis-Benjamin Viger et le problème de l'annexion», *BRH*, 57, 4 (octobre-décembre 1951): 195-205.

36. Manifeste dans *La Minerve*, 11 et 15 octobre 1849 et dans *L'Avenir* du 13 octobre 1849; le deuxième manifeste annexionniste est reproduit dans T. CHAPAIS, *Cours..., op. cit.*, VI, p. 307-345; 176 des 1016 signataires (17%) portent un patronyme français; L.-J. PAPINEAU, «À Messieurs les membres du comité annexionniste», 25 octobre 1849, *L'Avenir*, 3 novembre 1849, texte dans Y. LAMONDE et C. LARIN, Louis-Joseph PAPINEAU, *Un demi-siècle de combats, op. cit.*, p. 563-568.

37. L.-A. DESSAULLES, *Six lectures sur l'annexion du Canada aux États-Unis*, Montréal, Pierre Gendron, 1851, p. 85-86, 100, 174-175, ICMH, n° 35066.

38. Y. LAMONDE, *Les bibliothèques de collectivités..., op. cit.*, p. 53-54; *L'Avenir*, 6 novembre 1847, 4 mars et 24 mai 1848; J.-L. LAFONTAINE (dir.), *L'Institut canadien en 1855*, Montréal, Senécal et Daniel, 1855, 225 p., ICMH, n° 45468; J.-B.-E. DORION, *L'Institut canadien en 1852*, Montréal, Rowen, 1852, 237 p., ICMH, n° 37510; J.-P. BERNARD, *Les Rouges..., op. cit.*, p. 60.

39. Sur les dîmes, J.-P. BERNARD, *Les Rouges, op. cit.*, p. 77-84; Clément DUMESNIL, *De l'abolition des droits féodaux au Canada*, Montréal, Starke, 1849, 52 p., ICMH, n° 34625; sur Papineau et la tenure seigneuriale, «Assemblée législative du Canada-Uni: Tenure seigneuriale [14 juin 1850]», *L'Avenir*, 28 juin 1859, texte dans Y. LAMONDE et C. LARIN, *Louis-Joseph Papineau. Un demi-siècle de combats, op. cit.*, p. 569-573; CAMPAGNARD [L.-A. Dessaulles], «Tribune du peuple», *L'Avenir*, 13, 20, 27 avril 1850 et Y. LAMONDE, *Louis-Antoine Dessaulles..., op. cit.*, p. 90-93; sur le désaccord de Joseph Doutre et de Pierre Blanchet, *L'Avenir*, 4 mai 1850, et sur le déaccord au journal lui-même, *L'Avenir*, 27 et 29 octobre et 22 novembre 1849; sur la convention antiseigneuriale, *L'Avenir*, 11 et 25 octobre, 32 et 22 novembre 1849.

40. *MEM*, «Circulaire au clergé» et «Lettre pastorale», 18 janvier 1849, II, p. 20-31; Mgr Bourget à l'abbé L.-A. Maréchal, vicaire à Saint-Jacques-de-l'Achigan, 2 octobre 1849, ACAM, RLB, V: 306-308; Mgr Bourget à l'abbé J. Marcoux, missionnaire au Sault Saint-Louis, 18 novembre 1850, ACAM, RLB, VI: 226-227

41. *Manifeste du Club national démocratique*, Montréal, des presses de L'Avenir, 1849, 36 p., ICMH, n° 22164; XXX, «Démocratie et socialisme», *L'Ami de la Religion et de la Patrie*, 11 avril 1849; «Le socialisme» et «Le communisme», *Les Mélanges religieux*, 3 et 8 août 1849; [abbé François Pilote], «Socialisme en Canada», [après 1849], ACSAP, Pilote 14, XCII; [Louis Proulx], *Défense de la Religion et du Sacerdoce, ou Réponse à la Presse Socialiste*, Québec, [s. é.], 1850, 32 p., ICMH, n° 37809; identification de Proulx, Wilfrid LEBON, *Histoire du Collège de Sainte-Anne-de-La Pocatière*, Québec, Charrier et Dugal, 1948, I, p. 431-434; Mgr Bourget à Mgr Turgeon, 9 avril 1850, ACAM, RLB, VI: 51-52; «Le socialisme devant le bon sens populaire», *Les Mélanges religieux*, 13 avril 1852; Le villageois du comté de D., «Le libéralisme et *L'Avenir*», *L'Ordre social*, 13 avril 1850.

42. J.-P. BERNARD, *Les Rouges..., op. cit.*, p. 59-60.

43. Programme de J.-B.-E. Dorion du 27 novembre 1851 dans *ibidem*, p. 341-374; résultats électoraux, *ibid.*, p. 97-99; abbé C.-J. Cazeau à l'abbé Bégin, 2 février 1851,

ACSAP, Gauvreau 10, LIX; sur le libéralisme dans Kamouraska, voir ce fonds, Gauvreau, 10, LXXII, LXXVII, LXXIX, LXXXIV-LXXXIX.

Chapitre X: Des brèches dans le libéralisme radical (1852-1867)

1. Julie Papineau, *Une femme patriote...*, *op. cit.*, p. 426 et 432, à propos de l'attrait de Papineau pour Montebello; J.-P. BERNARD, *Les Rouges...*, *op. cit.*, p. 114-120, 150.

2. Prospectus du *Pays* reproduit dans L.-A. DESSAULLES, *Écrits*, *op. cit.*, p. 128-133; Dessaulles, «Galilée, ses travaux scientifiques et sa condamnation», conférence publique à l'Institut canadien de Montréal le 11 mars 1856, *ibidem*, p. 134-184; Y. LAMONDE, *Gens de parole...*, *op. cit.*, *passim* et *Les bibliothèques de collectivités...*, *op. cit.*, *passim*.

3. *MEM*, juin 1854, II: 466.

4. *Le Pays*, 27 février, 6, 20, 24 mars et 10 avril 1855; les procès-verbaux [PV] de l'Institut canadien de Montréal sont conservés à partir de 1855 aux ANQM.

5. Alfred Rambaud dans *La Patrie* du 10 juillet 1855, cité dans P. SYLVAIN, «Libéralisme et ultramontanisme au Canada français...», dans W. L. MORTON (dir.), *The Shield of Achilles / Le bouclier d'Achille*, *op. cit.*, p. 131.

6. *L'Avenir*, 22 décembre 1857, cité dans J.-P. BERNARD, *Les Rouges...*, *op. cit.*, p. 144-145.

7. Lettres de Mgr Bourget: 10 mars 1858, *MEM*, III: 367-371; 30 avril: *MEM*, VI: 24-38; 31 mai, *MEM*, III: 380-411; démissions de l'Institut canadien, PV de l'Institut canadien de Montréal, II, 25 mars, 12 et 22 avril 1858 ou *Le Pays*, 22 avril 1858; Mgr BOURGET, «Lettre pastorale [...] contre les erreurs du temps [...]», *MEM*, III: 356-376; sur H. Fabre: *DBC*, XII: 354-358.

8. Discours du sulpicien Lenoir, *Le Pays*, 25 juin 1857; voir aussi le 9 juillet pour le début d'une polémique qui se poursuit jusqu'en août; C. BOUCHER, «De la démocratie», *Courrier du Canada*, 4, 7, 9, 11 septembre 1857 et «Où allons-nous?», *Courrier du Canada*, 6-16 août 1858; voir aussi sur la démocratie, *Le Courrier de Saint-Hyacinthe*, octobre 1857 et *La Minerve*, 18 janvier 1858; E. DE BELLEFEUILLE, «Essai sur le rougisme», *L'Ordre*, 13-27 mai 1859.

9. Michèle GUAY, *La fête de la Saint-Jean-Baptiste à Montréal (1834-1909)*, M.A. (Histoire), Université d'Ottawa, 1973, 319 p.; *La Minerve*, 23 juin 1858; *Le Pays*, 24 juin 1857; *La Minerve*, 27 juin 1857; voir aussi Achille BELLE, «La nationalité canadienne-française», *Écho du cabinet de lecture paroissial*, 3 août 1861: 243-245.

10. «Lettre pastorale [...] sur l'inviolabilité du pouvoir temporel du St. Siège», *MEM*, IV: 24-42; «Instructions pastorales de Mgr l'Évêque de Montréal sur l'indépendance et l'inviolabilité des États Pontificaux», 31 mai 1860, *ibidem*: 42-152; «Premier supplément au mandement du 31 mai 1860 [...]», [s.d.], *ibid.*, VIII: 208-214; entre 1860 et 1870, les évêques de Québec et de Montréal publient 40 documents sur la seule question romaine.

11. L.-A. DESSAULLES, «La France, Rome et l'Italie», *Le Pays*, 16 et 21 mars 1861; «Encore les marchands de religion», *Le Pays*, 12 novembre 1861; «De l'administration des états romains», *Le Pays*, 14 novembre 1861; «Un nouveau libelle», *Le Pays*, 16 novembre 1861; «De l'administration des états romains. Justice et tribunaux», *Le Pays*, 19 novembre 1861; «Nos adversaires sur la question du pouvoir temporel», *Le Pays*, 26 novembre, 3, 7, 10, 14 décembre 1861; la Rédaction, «*Le Pays* nous accuse [...]», *La Minerve*,

14 novembre 1861; voir aussi la polémique de Dessaulles avec Maximilien Bibaud : « M. Bibaud et le droit romain », *Le Pays*, 23 novembre 1861 ; « Le bataillon sacré », *Le Pays*, 5 décembre 1861 ; « Une séance à l'école de droit du Professeur Bibaud » et « M. Bibaud », *Le Pays*, 17 décembre 1861 ; Maximilien BIBAUD, *L'Honorable L.A. Dessaulles et le système judiciaire des États-Pontificaux*, Montréal, Pierre Cérat, 1862, 78p. ; L.-A. DESSAULLES, « M. Bibaud », *Le Pays*, 8 février 1862.

12. *Le Pays*, 14 septembre 1861 ; Philippe SYLVAIN, « La visite du prince Napoléon au Canada (1861) », *Mémoires* de la Société royale du Canada, 4e série, t. II, section I (1964) : 105-126.

13. L.-A. Dessaulles, « *L'Ordre* », *Le Pays*, 18 et 25 janvier 1862 ; « L'Institut-Canadien », *Le Pays*, 28 janvier 1862 ; « Une dernière croisade », *Le Pays*, 6 février 1862 ; « Plus sensible pour lui-même que pour autrui », *Le Pays*, 8 février 1862 ; Un ami du *Pays*, « L'Institut-Canadien. Les détracteurs », *Le Pays*, 15 février 1861 ; H. Fabre, « Institut-Canadien », *Le Pays*, 20 février 1862 ; L.-A. Dessaulles, « Un mot à certains calomniateurs », *Le Pays*, 1er mars 1862 ; la Rédaction, « Lettre de Montalembert », *L'Ordre*, 7 et 15 janvier 1862 ; la Rédaction, « Nous répondrons [...] », *L'Ordre*, 20 janvier 1862 ; voir aussi *L'Ordre*, 22 et 24 janvier 1862.

14. Y. LAMONDE et Pierre NOLIN, « Des documents cruciaux du débat libéral-ultramontain : les lettres (1862) de Mgr Bourget au journal *Le Pays* », *Littératures*, 3 (1989) : 115-204.

15. Texte de l'annonce de Mgr Bourget du 18 janvier 1863, dans L.-A. DESSAULLES, « L'Index », *Annuaire de l'Institut-Canadien pour 1869*, Montréal, Perreault, 1869, p. 55 ; L.-A. DESSAULLES, *Discours sur l'Institut-Canadien*, Montréal, Le Pays, 1863, texte reproduit dans L.-A. DESSAULLES, *Écrits, op. cit.*, p. 218.

16. [Louis-Herménégilde Huot], *Le Rougisme en Canada* (1864), texte repris dans les *Écrits du Canada français*, 34 (1972) : 219 ; ICMH, n° 39131.

17. L.-A. DESSAULLES, *Écrits, op. cit.*, p. 145-152.

18. L.-A. DESSAULLES, « Un dernier mot », *Le Pays*, 28 novembre 1863 ; la Rédaction, « Dans son article de samedi... », *L'Ordre*, 30 novembre 1863 ; L.-A. DESSAULLES, « Nos articles n'ont-ils aucune actualité ? », *Le Pays*, 1er décembre 1863, texte reproduit dans L.-A. DESSAULLES, *Écrits, op. cit.*, p. 236-242.

19. L.-A. DESSAULLES, « Encore une croisade », *Le Pays*, 21 novembre 1863 ; « Une dernière croisade », *Le Pays*, 24 novembre 1863 ; « L'Institut-Canadien-français et les mauvaises tendances du siècle », *Le Pays*, 26 novembre 1863 ; « Encore une croisade », *Le Pays*, 28 novembre 1863 ; voir la lettre de Dessaulles à Mgr Bourget du 16 novembre 1864 qui consomme leur rupture, dans L.-A. DESSAULLES, *Écrits, op. cit.*, p. 251-263.

20. Supplique à Pie IX, 16 octobre 1865, Bibliothèque de la Ville de Montréal [QMBM], fonds de l'Institut canadien de Montréal, document n° 1 ; Mémoire de L.-A. Dessaulles au cardinal Barnabo, *ibidem*, n° 2 et reproduit dans Léon POULIOT, *Mgr Bourget et son temps*, Montréal, Éditions Bellarmin, 1975, IV, p. 116-139 ; L.-A. Dessaulles au cardinal Barnabo, 30 octobre 1865, QMBM, fonds de l'Institut canadien, document non numéroté, p. 96-116 et n° 24 ; LAD, *Dernière correspondance entre S.E. le Cardinal Barnabo et l'Hon. M. Dessaulles*, Montréal, imprimerie d'Alphonse Doutre, 1871, p. 7-8 ; Mémoire de Mgr Bourget sur l'Institut canadien, 21 septembre 1866, ACAM, RLB, 16 : 39-54.

21. Laurent-Olivier David, dans *La Minerve*, cité dans J.-P. BERNARD, *Les Rouges, op. cit.*, p. 241-242 ; Mgr Larocque à L.-A. Dessaulles, 28 décembre 1863, ACAM, 901.135, 863-4 ; [L.-H. Huot], *Le Rougisme en Canada, op. cit.*, p. 32.

22. Thomas CHARLAND, « Un gaumiste canadien : l'abbé Alexis Pelletier », *RHAF*, 1 (1947) : 195-236 et 463-468 ; sur Pelletier, *DBC*, XIII : 896-898 ; sur Chandonnet, *DBC*, XI : 192.

23. Y. LAMONDE, *La philosophie et son enseignement...*, *op. cit.*, p. 130-135, 157-175, citations, p. 158 et 163 ; sur l'encyclique *Quanta cura* et le *Syllabus* et le mandement de Mgr Bourget du 1er janvier 1865 introduisant leur publication, *MEM*, V : 42-77 ; à l'époque, les journaux catholiques reproduisent les encycliques papales.

24. Joseph-Charles TACHÉ, *Des provinces de l'Amérique du nord et d'une union fédérale*, Québec, des presses à vapeur de J.-T. Brousseau, 1858, p. 73-75, ICMH, n° 22742.

25. Sur le Rapport de cette convention, *Le Pays*, 29 octobre 1859 ; *Le Pays*, 6 octobre 1860 ; J.-P. BERNARD, *Les Rouges*, *op. cit.*, p. 165-185.

26. *Ibidem*, p. 188-191.

27. Publié dans *Le Pays* et *L'Ordre*, le manifeste d'A.-A. Dorion est reproduit dans T. CHAPAIS, *Cours...*, *op. cit.*, VIII, p. 224-236 et dans Jean-Charles BONENFANT, *La naissance de la Confédération*, Montréal, les Éditions Leméac, 1969, p. 82-90.

28. G. DOUTRE, « Le principe des nationalités », *Le Pays*, 15, 17, 20 décembre 1864, repris en brochure, Montréal, Le Pays, 1864, citations p. 60, 51-52, 45, 62-63, 50, 57, 73, ICMH, n° 34769 ; G. DOUTRE, « Le Rationalisme et la Confédération », *Le Pays*, 17 décembre 1864 ; Y. LAMONDE, *Gens de parole*, *op. cit.*, p. 59-66 ; sur G. Doutre, *DBC*, X : 271-276 ; A. BUIES, « L'avenir de la race française en Canada », *Le Pays*, 27, 29, 31 janvier 1863.

29. *Débats parlementaires sur la question de la Confédération des provinces de l'Amérique britannique du nord*, Québec, Hunter, Rose et Lemieux, 1865 ; Cartier : p. 53-61, citation p. 55 ; A.-A. Dorion : 248-278 ; M. Laframboise : 843-858, citation p. 856 ; J.-B.-E. Dorion : 858-873, citation p. 872 ; *In memoriam. Sir A.A. Dorion. Hommage du journal La Patrie*, Montréal, La Patrie, 1891, 95 p. (ICMH, n° 4480). Sur le monarchisme de Cartier, J.-C. BONENFANT, « Les idées politiques de George-Étienne Cartier », dans Marcel HAMELIN (dir.), *Les idées politiques des premiers ministres du Canada / The Political Ideas of the Prime Ministers of Canada*, Ottawa, Éditions de l'Université d'Ottawa, 1969, p. 31-50. D'autres projets de fédération avaient déjà été formulés : Joseph-Charles TACHÉ avait publié dans *Le Courrier du Canada*, du 7 juillet au 23 octobre 1857, 33 articles repris en brochure, *Des provinces de l'Amérique du Nord et d'une union fédérale*, *op. cit.* ; Joseph CAUCHON avait publié en 1858 une *Étude sur l'union projetée des provinces britanniques de l'Amérique du Nord*, Québec, A. Côté, 1858, 182 p., ICMH, n° 22672 et soutenait le contraire en 1865 dans *L'union des provinces de l'Amérique britannique du Nord* qu'il publie dans *Le Journal de Québec* à compter du 30 janvier 1865, texte qui sera repris en brochure, ICMH, n° 32355.

30. J.-P. BERNARD, *Les Rouges*, *op. cit.*, p. 265.

31. L.-P. AUDET, *Histoire de l'enseignement...*, *op. cit.*, II, p. 69-80, 81-98 ; Pierre CARIGNAN, « La raison d'être de l'article 93 de la loi constitutionnelle de 1867 à la lumière de la législation préexistante en matière d'éducation », *Revue juridique Thémis*, 20, 3 (1986) : 375-455 ; *idem*, « L'incubation de la crise politique soulevée en août 1866 par la question de l'éducation : I : Les remous au Bas-Canada », *ibidem*, 30, 3 (1996) : 323-446.

32. *MEM*, 5 mai 1867, V : 212-214 ; *Mandements des évêques de Trois-Rivières*, 8 juin 1867 ou *La Minerve*, 12 juin 1867 ; *MEQ*, 12 juin 1867, IV : 579-582 ; *Mandements des évêques de Rimouski*, 13 juin 1867, p. 137-141 ou *Le Courrier du Canada*, 26 juin 1867 ;

Mandements des évêques de Saint-Hyacinthe, 18 juin 1867, II : 421-437. Le 29 juillet 1867, Mgr Bourget publie un mandement, cette fois, pour contrer les libéraux qui soulignent la division de l'épiscopat : *MEM*, V, : 236-244. Les lettres et mandements des évêques sont reproduits avec le texte de la Constitution dans *Nouvelle Constitution du Canada*, Ottawa, Le Canada, 1867, 82 p., ICMH, n° 23496 ; Marcel BELLAVANCE, *Le Québec et la Confédération : un choix libre ?*, Sillery, Éditions du Septentrion, 1992, p. 72-75.

33. Réal BÉLANGER, *Wilfrid Laurier. Quand la politique devient passion*, Montréal / Québec, PUL / Entreprises Radio-Canada, 1986, p. 43-65, citations p. 44, 56, 57-58 ; ANQM, PV, Institut canadien de Montréal, II : 331.

34. [A. Lusignan], *La Confédération, couronnement de dix années de mauvaise administration*, reproduit dans *Écrits du Canada français*, 31 : 173-247 et ICMH, n° 23425 ; [Joseph-Alfred Mousseau], *Contre-poison. La Confédération c'est le salut du Bas-Canada*, dans *Écrits du Canada français*, 32 : 171-253 et ICMH, n° 23423 ; voir aussi : [Boucher de la Bruère], *Réponses aux censeurs de la Confédération*, Saint-Hyacinthe, imprimerie du Courrier de Saint-Hyacinthe, 1867, 100 p., ICMH, n° 23412 et *DBC*, XIV : 118.

35. J.-P. BERNARD, *Les Rouges, op. cit.*, p. 298-310, 324 ; sur Kamouraska, Robert RUMILLY, *Histoire de la province de Québec*, Montréal, Valiquette, 1948, II, p. 105-110 et ACSAP, fonds Gauvreau ; sur L'Avenir, archives de l'évêché de Nicolet, paroisse Saint-Pierre de Durham ; Gilles DE L'ISLE, *Arthabaska et son élite*, M.A. (Histoire), Université Laval, 1991, VI-155 p. ; René VERRETTE, « Le libéralisme en région : le cas de Trois-Rivières (1850-1929) », dans Y. LAMONDE (dir.), *Combats libéraux au tournant du siècle*, Montréal, Fides, 1995, p. 185-212.

36. Sur la polémique Dessaulles-Raymond et l'enquête post-électorale, Y. LAMONDE, *Louis-Antoine Dessaulles, un seigneur libéral et anticlérical, op. cit.*, p. 182-190 et 191-194 ; M. BELLAVANCE, *Le Québec et la Confédération, op. cit.*, p. 89-90, 123, 127, 129-132 ; Louis-Edmond et Colette HAMELIN, « Évolution numérique séculaire du clergé catholique dans le Québec », *Recherches sociographiques*, II, 2 (1961) : 189-241 ; L.-J. PAPINEAU, *Un demi-siècle de combats, op. cit.*, p. 603-606 ; « Discours de M. Étienne Parent », *La Voix du golfe*, 14 juillet 1868, dans Étienne PARENT, *Conférences publiques, op. cit.*

Chapitre XI : La tolérance : un enjeu pour les libéraux et les ultramontains (1867-1877)

1. L.-A. DESSAULLES, [« Sur la tolérance »], *Annuaire de l'Institut-Canadien pour 1868*, Montréal, Le Pays, 1868, p. 4, 5, 12, 18 ; ICMH, n° 404 ; Y. LAMONDE, *Louis-Antoine Dessaulles..., op. cit.*, p. 201 ; J.-S. RAYMOND, *Discours sur la tolérance*, Montréal, typographie Le Nouveau Monde, 1869, p. 3-4, 6, 17, 23 ; la conférence de l'abbé Raymond est inspirée de celle que le sulpicien Antoine Giband avait fait au Cabinet de lecture paroissial le 18 mars 1858 : « Essai sur la tolérance », *Écho du cabinet de lecture paroissial*, 15 février 1859, p. 56-62.

2. Mémoire de Mgr Bourget sur l'Institut-Canadien, 27 avril 1869, ACAM, 901.135, 869-4 ; *MEM*, VI : 46-47, 38-45, 46-49.

3. ANQM, fonds de l'Institut canadien de Montréal, Procès-verbaux, septembre et octobre 1869 ; correspondance Dessaulles-Truteau, septembre 1869, ACAM, 901.135, 869-9, 869-11, 869-12, 869-13 et RLB, 19 : 349 ; ; la Rédaction, « C'est ce soir... »,

Le Nouveau Monde, 9 septembre 1869; la Rédaction, «Bulletin du jour», *Le Nouveau Monde*, 10 septembre 1869; la Rédaction, «Nous recevons de l'hon. M. Dessaulles», *Le Nouveau Monde*, 14 septembre 1869; la Rédaction, «La séance que va tenir...», *Le Nouveau Monde*, 23 septembre 1869; la Rédaction, «Nos lecteurs...», *Le Nouveau Monde*, 24 septembre 1869; L.-A. Dessaulles au chanoine G. Lamarche, septembre-octobre 1869, ANQQ, fonds Dessaulles, Penn Letter Book, p. 44-45, 47-52, 52-55, 62-72, 129-129A; L.-A. DESSAULLES, «Nous avons reçu de M. Dessaulles», *L'Ordre*, 16 septembre 1869; *idem*, «Depuis que l'Institut s'est réuni...», *Le Pays*, 18 septembre 1869; L.-A. DESSAULLES, «M. Dessaulles nous fait parvenir...», *Le Courrier de Saint-Hyacinthe*, 28 septembre 1869; la Rédaction, «À la demande de M. Dessaulles...», *Le Courrier de Saint-Hyacinthe*, 2 octobre 1869. L.-A. Dessaulles et autres à Son Éminence le cardinal Barnabo, 12 octobre 1869, ACAM, 901.135, 869-15.

4. L.-A. DESSAULLES, «Affaire Guibord», *Annuaire de l'Institut-Canadien pour 1869*, Montréal, Perreault, 1869, p. 8, 12, 16-21, 31, 34-35, 39, 32, 36-37 et citation p. 50; ICMH, n° 404; Mgr Bourget à l'abbé Truteau, 8 janvier 1870, ACAM, 901.060, 870-2.

5. Plaidoirie de Joseph Doutre dans Robert HÉBERT, *Le procès Guibord ou l'interprétation des restes*, Montréal, Triptyque, 1992, p. 41, 73, 29, 36, 49, 52, 59; L.-A. DESSAULLES, «Affaire Guibord. Témoignage de L.-A. Dessaulles», *Le Pays*, 26, 29, 31 janvier, 1er, 2, 3 février 1870; jugement: Cour Supérieure. Montréal. *Plaidoirie des avocats in RE Henriette Brown vs la Fabrique de Montréal*, Montréal, Typographie de Louis Perrault, 1870, p. 17; ICMH, n° 10538; jugement de la Cour de révision dans *Le Nouveau Monde*, 8 septembre 1871; jugement du Comité judiciaire du Conseil privé dans John DOUGALL, *History of the Guibord Case: Ultramontanism versus Law and Human Rights*, Montreal, Witness Printing House, 1875, p. 29-55, 56-61 [ICMH, n° 5643]; extraits dans Lovell C. CLARK, *The Guibord Affair*, Toronto-Montreal, Holt, Rinehart and Winston, 1971, p. 56-68; jugement aussi dans *Le Bien public*, 22 novembre 1874 ou *La Minerve*, 23 novembre 1874.

6. *MEM*, VII: 196-200, 234-247, 267-274.

7. Réponse de l'évêque de Montréal au Recours de quatre membres de l'Institut canadien, 27 mai 1870, ACAM, 901.135, 870-4; Opinion de l'évêque de Trois-Rivières sur l'Institut canadien de Montréal, 16 juin 1870, *ibidem*, 870-6; Décision de Rome: cardinal Barnabo à Mgr Baillargeon, 13 août 1870, publiée dans *Dernière correspondance entre S.E. le Cardinal Barnabo et l'Hon. M. Dessaulles*, Montréal, imprimerie d'Alphonse Doutre et Cie, 1871, p. 14, copie ACAM, 901.135, 870-4 et ICMH, n° 2972; Y. LAMONDE, «Histoire et inventaire des archives de l'Institut canadien de Montréal (1855-1900)», *RHAF*, 28, 1 (juin 1974) 77-93.

8. Y. LAMONDE, *Louis-Antoine Dessaulles...*, *op. cit.*, p. 219-220.

9. Abbé Joseph-Sabin Raymond au supérieur du Séminaire de Québec, 7 février 1870, ASQ, Université 108 n° 13.

10. *Mandements des évêques de Trois-Rivières*, Mgr Laflèche, I: 219-228, citation, p. 226; Nive VOISINE, *Louis-François Laflèche, deuxième évêque de Trois-Rivières*, Saint-Hyacinthe, Edisem, 1980, I, p. 152-177, 197-198; Nadia EID, «Les ultramontains et le Programme catholique» dans N. VOISINE et J. HAMELIN, *Les ultramontains canadiens-français, op. cit.*, p. 161-181.

11. Mgr TASCHEREAU, «Circulaire au clergé», 24 avril 1871, *MEQ*, cardinal Taschereau, I, p. 37; sur Taschereau, *DBC*, XII: 1106-1115; Mgr Bourget, «Circulaire au clergé

concernant les élections», 6 mai 1871, *MEM*, VI, p. 170-177; Mgr Laflèche, «Circulaire au clergé», 15 mai 1871, *METR*, Laflèche, I, p. 259-268; L.-A. Dessaulles au cardinal Barnabo, 3 juin 1871, ANQQ, fonds Dessaulles, «Penn Letter Book», p. 199-202; *Noces d'or de Mgr l'évêque de Montréal. Compte rendu des fêtes du 29 octobre [...]*, Montréal, Le Nouveau Monde, 1872, p. 4-11; ICMH, n° 23799.

12. Benjamin PÂQUET, *Le libéralisme*, Québec, de l'imprimerie du Canadien, 1872, p. 24-26, 61; ICMH, n° 64193; *DBC*, XII: 893-896; à propos de l'approbation par la *Civiltà cattolica, Annuaire* de l'Université Laval (1873-1874), p. 56; A. de F. [abbé Alexis Pelletier], *Le libéralisme ou quelques observations critiques sur l'opuscule de l'abbé Benjamin Pâquet intitulée «Le libéralisme»*, Montréal, les presses du Nouveau Monde, 1872, p. 12-14; ICMH, n° 11481.

13. Abbé J.-S. Raymond à l'abbé B. Pâquet, 2 mai 1872, ASQ, Université 107 n° 6; J.-S. RAYMOND, *Discours sur l'action de Marie dans la société*, prononcé à l'Union catholique de Saint-Hyacinthe, 8 décembre 1872, Québec, Ovide Fréchette, 1873, p. 140-143, ICMH, n° 9982; BINAN [Mgr Pierre-Adolphe Pinsoneault], *Le Grand-Vicaire Raymond et le libéralisme catholique*, Montréal, le Franc-Parleur, 1873, p. 1-7, 7-13, 2, ICMH, n° 25374; sur Mgr Pinsoneault, *DBC*, XI: 767-770; LUIGI [abbé Alexis Pelletier], *Il y a du libéralisme et du gallicanisme en Canada*, Montréal, le Franc-Parleur, 1873, p. 3, 36, 30-31, ICMH, n° 23875; idem, *Du modérantisme ou de la fausse modération*, Montréal, le Franc-Parleur, 1873, 82 p., ICMH, n° 23882; L.-A. DESSAULLES, *La grande guerre ecclésiastique. La Comédie infernale et les Noces d'or. La suprématie ecclésiastique sur l'ordre temporel*, Montréal, Alphonse Doutre, 1873, 130 p., ICMH, n° 23883, et la réplique de LUIGI [abbé A. Pelletier], *Le Don Quichotte montréalais sur sa rossinante ou M. Dessaulles et La grande guerre ecclésiastique*, Montréal, publié par la Société des écrivains catholiques, 1873, 101 p., ICMH, n° 23881; sur Pelletier, *DBC*, XIII: 896-898.

14. Mgr Pinsoneault, *Lettres à un député*, Montréal, le Franc-Parleur, 1874, 75 p., ICMH, n° 23978; LUIGI [abbé A. Pelletier], *Coup d'œil sur le libéralisme européen et sur le libéralisme canadien. Démonstration de leur parfaite identité*, Montréal, le Franc-Parleur, 1876, p. 11-12, 34-39, ICMH, n° 4851.

15. J.-Antonin PLOURDE, *Dominicains au Canada, op. cit.*, I. p. 179, 245-246, 251-252, 269, 511.

16. L.-P. AUDET, *Histoire de l'enseignement..., op. cit.*, II, p. 115-122; idem, *Histoire du Conseil de l'instruction publique de la province de Québec (1856-1964)*, Montréal, Leméac, 1964, XIX-346 p.

17. A. BUIES, *La Lanterne*, 1er septembre 1868 et *Le Réveil*, 7 octobre 1876.

18. Cité dans R. BÉLANGER, *Wilfrid Laurier..., op. cit.*, p. 82-83.

19. Oscar DUNN cité dans J.-P. BERNARD, *Les Rouges, op. cit.*, p. 319; Laurier cité dans R. BÉLANGER, *Wilfrid Laurier..., op. cit.*, p. 94.

20. Extraits du texte de la loi dans Philippe SYLVAIN et Nive VOISINE, *Histoire du catholicisme québécois*, Montréal, Boréal, 1991, tome 2 (1840-1898), p. 375; *Mandements des évêques de Rimouski*, Mgr Langevin, p. 216; sur Mgr Langevin, *DBC*, XII: 564-568.

21. Cité dans Marcel HAMELIN, *Les premières années du parlementarisme québécois (1867-1878)*, Québec, PUL, 1974, p. 215.

22. «Lettre pastorale et circulaire au clergé des évêques de la province ecclésiastique de Québec», 22 septembre 1875, *MEM*, VII, p. 203-224, citations p, 207, 209, 211, 218; sur la réaction des milieux protestants, Alexander Tilloch GALT, *Civil Liberty in Lower*

Canada, Montreal, Bentley, 1876, 16 p., ICMH, n° 24095 ; sur Galt, *DBC*, XII : 378-387 ; Mgr Bourget, « Lettre pastorale sur le libéralisme catholique », 1er janvier 1876, *MEM*, VII, p. 299-310, citations p. 299 et 301. Mgr Bourget démissionnera en juillet 1876.

23. Mgr TASCHEREAU, « Mandement sur les devoirs des électeurs pendant les élections », 25 mai 1876, *MEQ*, V, p. 403-409 ; sur Charlevoix et Bonaventure, N. VOISINE, *Louis-François Laflèche, op. cit.*, I, p. 210-225, 251-260 ; *Reports of the Supreme Court of Canada*, I (1877) : 145-234 ; *Rapports judiciaires de Québec*, III (1877) : 75-92 ; Noël Bélanger, *Une introduction au problème de l'influence indue, illustrée par la contestation de l'élection de 1876 dans le comté de Charlevoix*, M.A. (Histoire), Université Laval, 1960, 155 p. ; Béatrice CHASSÉ, *L'Affaire Casault-Langevin*, M.A. (Histoire), Université Laval, 1965, 184 p. ; « Mandement [...] portant condamnation de certaines propositions contraires aux droits de l'Église », 15 janvier 1877, *MER*, Mgr Langevin, p. 455-464.

24. Mgr Moreau, cité dans N. VOISINE, *Louis-François Laflèche, op. cit.*, I, p. 258 ; « Déclaration des évêques au sujet de la loi électorale », 26 mars 1877, *MEQ*, VI, p. 10-13 ; sur Mgr Conroy, N. VOISINE, *Louis-François Laflèche, op. cit.*, I, p. 260-272 et *DBC*, X : 211-212.

25. W. LAURIER, *Le libéralisme politique* [1877], Montréal, Beauchemin, 1941, p. 8, 10-11, 23, 25, 14, 16, 18, 12-13, 18-19, 22, 26 ; repris aussi dans Alfred DECELLES, *Sir Wilfrid Laurier, Discours à l'étranger et au Canada*, Montréal, Beauchemin, 1909, p. 77-108, ICMH, n° 24193 ; Louis-Georges DESJARDINS, *M. Laurier devant l'histoire. Les erreurs de son discours et les véritables principes du Parti conservateur*, Québec, imprimerie du Canadien, 1877, 25 p., ICMH, n° 24213.

26. H. Fabre, cité dans R. BÉLANGER, *Wilfrid Laurier, op. cit.*, p. 109 ; instructions à Mgr Conroy, P. SYLVAIN et N. VOISINE, *Histoire du catholicisme québécois, op. cit.*, p. 469, note 25 ; « Lettre pastorale des évêques sur les élections » et « Lettre circulaire au clergé », 11 octobre 1877, *MEM*, IX, p. 132-134, 126-131 ; Roberto PERIN, « Troppo Ardenti Sacerdoti : The Conroy Mission Revisited », *Canadian Historical Review*, LXI (septembre 1980) : 283-304.

Chapitre XII : Une destinée manifeste du Canada français en Amérique (1854-1877)

1. Y. LAMONDE, « Le lion, le coq et la fleur de lys... », dans Y. LAMONDE et G. BOUCHARD (dir.), *La nation dans tous ses États, op. cit.*, p. 168-173.

2. Joseph-Guillaume BARTHE, *Le Canada reconquis par la France*, Paris, Ledoyen, 1855, XXXVI-416 p. ; article signé « Michel », *La Minerve*, 3 mai 1855 ; « Le Canada vengé des platitudes d'un fanfaron ou M. Barthe et son livre », *La Patrie*, juillet-octobre 1855, citations 13 et 20 juillet 1855 ; sur Rambaud, *DBC*, VIII : 816 ; *Le Journal de Québec*, 18 août 1855 ; *Le Pays*, 5 juillet 1855, articles cités dans Françoise VAUCAMPS, *La France dans la presse canadienne-française de 1855 à 1880*, Ph. D. (histoire), Université Laval, 1978, p. 105-108 ; Jean-Jacques AMPÈRE, *Promenade en Amérique : États-Unis, Cuba, Mexique*, Paris, Michel Lévy frères, 1855, I, p. 109 ; sur la perception du Canada par les Français, Sylvain SIMARD, *Mythe et reflet de la France. L'image du Canada en France (1850-1914)*, Ottawa, les Presses de l'Université d'Ottawa, 1987, 440 p.

3. Ronald Desmond Kinsman, *The Visit to Canada of « La Capricieuse » and M. le Commandant de Belvèze in the Summer of 1855 as seen throught the French-Language Press of Lower Canada*, M.A. (History), McGill University, 1959, 176 p.; Jacques Portes, « La reprise des relations entre la France et le Canada après 1850 », *Revue française d'histoire d'outre-mer*, 228 (1975) : 447-461 ; Eveline Bossé, « *La Capricieuse* » à *Québec en 1855*, Montréal, La Presse, 1984, 172 p.; propos du président Robillard, *La Minerve*, 18 août 1855 ; O. Crémazie, « Le vieux soldat canadien », 18 août 1855, dans Y. Grisé et J.-D. Lortie, *Textes poétiques du Canada français*, *op. cit.*, V, p. 634-639 ; pour les huit chansons composés par A. Marsais, Kinsman, *op. cit.*, p. A60-A75.

4. « Discours de M. Chauveau », *La Minerve*, 24 juillet 1855.

5. *Le Moniteur*, 23 août 1855 et *La Patrie*, 28 août 1855 ; au sujet de la polémique, R. D. Kinsman, *The Visit to Canada...*, *op. cit.*, p. A2-A29 ; sur les objectifs de la mission Belvèze, J. Portes, « *La Capricieuse* au Canada », *RHAF*, 31, 3 (décembre 1977) : 351-370.

6. *Journal de Québec*, 24 mars 1855, cité *in* F. Vaucamps, *La France dans la presse...*, *op. cit.*, p. 89-90 ; Joseph-Charles Taché, *Esquisse sur le Canada considéré sous le point de vue économiste*, Paris, Hector Bossange, 1855, 180 p.; Pierre Savard, *Le consulat général de France à Québec et à Montréal de 1859 à 1914*, Québec, PUL, 1970, 132 p.; Benjamin Sulte a constitué un sottisier des perceptions curieuses du Canada, *Le Canada en Europe*, Montréal, Senécal, 1873, 45 p., ICMH, n° 23868.

7. Xavier Marmier, *Lettres sur l'Amérique*, Paris, A. Bertrand, 1851, I, p. 270 ; propos de Belvèze rapportés dans *Le Journal de Québec*, 31 juillet 1855 et *Rapport* de mission du 1er novembre 1885, cité dans J. Portes, « *La Capricieuse* au Canada », *loc. cit.* : 362 ; Manoël de Grandfort, *L'Autre Monde*, Paris, la Librairie nouvelle, 1855, p. 249, 253, 272 et Y. Lamonde, *Gens de parole*, *op. cit.*, p. 152 ; Claudio Jannet, *Les États-Unis contemporains* (1876), cité dans Réjean Beaudoin, *Naissance d'une littérature. Essai sur le messianisme et les débuts de la littérature canadienne-française (1850-1890)*, Montréal, Boréal, 1989, p. 32 ; P. Savard, « Du Lac Saint-Jean au Texas. Claudio Jannet à la recherche de l'Amérique idéale », *Revue française d'histoire d'outre-mer*, 288 (1990) : 1-16.

8. *Étienne Parent*, textes choisis et présentés par Jean-Charles Falardeau, *op. cit*, p. 168, 133 ; « Discours de M. É. Parent », *La Voix du golfe*, 14 juillet 1868 ; Michèle Guay, *La fête de la Saint-Jean-Baptiste à Montréal (1834-1909)*, *op. cit.*, *passim*, à laquelle j'emprunte le choix de textes de discours prononcés à l'occasion du 24 juin ; P.-J.-O. Chauveau, *La Minerve*, 27 juin 1856 ; Hyacinthe Rouxel, *Annales du cabinet de lecture paroissial*, 1 (1857), 8 p. et 2 (1857), 16 p.

9. Henry-Émile Chevalier, « La langue française et la nationalité canadienne », *La Ruche littéraire* (mars 1859) : 2-10 et « La presse franco-américaine », *ibidem* : 41-48 ; Claude Beauchamp, *Henry-Émile Chevalier et le feuilleton canadien-français (1853-1860)*, M.A. (Langue et littérature françaises), Université McGill, 1992, 137 p.; Charles-Henri-Philippe Gauldrée-Boilleau, « Le paysan de Saint-Irénée », dans *Paysans et ouvriers québécois d'autrefois*, publié par P. Savard, Québec, PUL, 1968, p. 19-76 ; Gabriel Dussault, « Un réseau utopique franco-québécois et son projet de reconquête du Canada (1860-1891) », *Cahiers du Centre culturel canadien* (Paris), 3 (1974) : 59-68.

10. François-Edmé Rameau de Saint-Père, *La France aux colonies*, Paris, Jouby, p. 250-269 et *Les Français en Amérique. Acadiens et Canadiens*, Paris, Jouby, 1859, p. 262-269 ; voir aussi « La race française en Amérique », conférence du 23 octobre 1860, *Écho du cabinet de lecture paroissial*, 1er et 15 novembre 1860 : 325-330, 339-346 et « La race

française au Canada», devant la Société d'économie sociale de Paris le 26 janvier 1873, dans B. SULTE, *Le Canada en Europe, op. cit.*, p. 46-62; sur la comparaison entre la colonisation du Canada et celle de l'Algérie, voir le texte de la conférence de Rameau de Saint-Père dans *Le Courrier de Saint-Hyacinthe* du 4 au 18 juin 1861.

11. RAMEAU DE SAINT-PÈRE, *La France aux colonies, op. cit.*, p. 12, 14; père Bernard Chocarne à son frère, 4 août 1868, cité dans Antonin PLOURDE, *Les Dominicains au Canada, op. cit*, I, p. 47-48; A. GUÉNARD [Albert Lefaivre], *La France canadienne. La question religieuse, les races française et anglo-saxonne*, Paris, Douniol, 1877, p. 6, ICMH, n° 8665; et du même, *Conférence sur la littérature canadienne*, Versailles, Bernard, 1877, p. 48 ou Saint-Jacques, Éditions du pot de fer, 1992, ICMH, n° 24209.

12. RAMEAU DE SAINT-PÈRE, *La France aux colonies, op. cit.*, p. 346; É. Parent à Rameau, 9 août et 25 octobre 1861, cités dans Jean BRUCHÉSI, «Les correspondants canadiens de Rameau de Saint-Père», *CD*, 14 (1949): 108, 105-106.

13. Léon-Alfred SENTENNE, *La Minerve*, 19 juin 1860; abbé Hercule BEAUDRY, *La Minerve*, 25 juin 1862; F.-X.-A. TRUDEL, «Les destinées du peuple canadien», *Écho du cabinet de lecture paroissial* (1861): 141-144, 148-149, 155-160.

14. Henri-Raymond CASGRAIN, «Le mouvement littéraire au Canada» (1866), *Œuvres complètes*, Montréal, Beauchemin, 1896, I, p. 370 et 373; Réjean BEAUDOIN, *Naissance d'une littérature, op. cit., passim.*

15. Discours du père THIBAULT, *La Minerve*, 26 juin 1866; L.-F. LAFLÈCHE, *Quelques considérations sur les rapports de la société civile avec la religion et la famille*, Montréal, Eusèbe Senécal, 1866, p. 60; Philippe MASSON, *Le Canada français et la Providence*, Québec, Léger Brousseau, 1875, p. 6 et 49, ICMH, n° 24053; aussi: Charles THIBAULT, «Mission providentielle des Canadiens», *Écho du cabinet de lecture paroissial* (1867): 949-958.

16. RAMEAU DE SAINT-PÈRE, «La race française en Amérique», *Écho du cabinet de lecture paroissial*, 1er novembre 1860: 325-330; 15 novembre 1860: 339-346; «Lecture de M. Rameau sur le patriotisme», *Écho du cabinet de lecture paroissial* (1860): 372-377; (1861): 4-5, 12-15, 28-30, 37-39; «La race française au Canada», conférence à la Société d'économie sociale de Paris, 26 janvier 1873, dans B. SULTE, *Le Canada en Europe, op. cit.*, p. 46-62.

17. *Le Canadien*, cité dans Alfred RAMBAUD, «Québec et la guerre franco-allemande de 1870», *RHAF*, VI, 3 (décembre 1952): 315; F. VAUCAMPS, *La France dans la presse..., op. cit.*, p. 259-272; FAUCHER DE SAINT-MAURICE, *Le Courrier du Canada*, 7 septembre 1870; O. CRÉMAZIE, «Journal du siège de Paris», *Œuvres. II Prose*, texte établi par Odette CONDEMINE, Montréal, Editions du fleuve, 1989, p. 119-269, citations, p. 138, 151, 146, 255, 252, 248; voir aussi abbé J.-S. RAYMOND, «Les enseignements des événements contemporains», conférence du 8 décembre 1870, *Revue canadienne* (juin 1871): 27-56.

18. Sur le prince Napoléon, Y. LAMONDE, *Louis-Antoine Dessaulles..., op. cit*, p. 121-123; G. DOUTRE, *Le principe des nationalités, op. cit.*, p. 39-40, 28, 56; A.-B. ROUTHIER, *Le Courrier du Canada*, 23 et 30 septembre, 10 octobre, 2 et 9 novembre 1871, citation, 9 novembre 1871.

19. A. BUIES, «De la réciprocité avec les États-Unis» (1874), *Chroniques II*, édition établie par Francis Parmentier, Montréal, PUM, 1993, p. 89-95.

20. Cité dans P. SAVARD, «1861. La presse québécoise et la guerre de Sécession», *Mosaïque québécoise. Cahiers d'histoire de la Société historique de Québec*, 13 (1961): 113; RAMEAU DE SAINT-PÈRE, «Conférence sur la crise américaine», *Le Courrier du Canada*, 10,

13, 15, 17 mai 1861; L.-A. DESSAULLES, *La guerre américaine, ses origines et ses causes*, Montréal, Le Pays, 1865, 538 p., ICMH, n° 34768; H. FABRE «[La littérature canadienne]», *Transactions* of the Quebec Literary and Historical Society (1866): 90, 93; O. Crémazie à l'abbé H.-R. Casgrain, 29 novembre 1867, dans *Œuvres complètes*, Montréal, Beauchemin et Valois, 1882, p. 40-41.

Chapitre XIII: La diffusion des idées et le décollage culturel (1840-1877)

1. J. HARE, *Les Canadiens français aux quatre coins du monde*, *op. cit.*, p. 90-137; Pierre RAJOTTE avec la collaboration d'Anne-Marie CARLE et de François COUTURE, *Le récit de voyage. Aux frontières du littéraire*, Montréal, Triptyque, 1997, p. 248-264; Henry David THOREAU, *A Yankee in Canada* [1866], Montreal, Harvest House, 1961, p. 19, 21, 103, 107, 99; traduction par Adrien THÉRIO, *Un Yankee au Canada*, Montréal, Éditions de l'Homme, 1962.

2. *Journal de l'Assemblée législative du Canada-Uni*, «General Statements of Exports», 1850-; sur le chemin de fer et le pont Victoria: *Montreal in 1856, a Sketch for the Celebration of the Opening of the Grand Trunk Railway of Canada...*, Montreal, Lovell, 1856, 51 p.; Stanley TRIGGS, Brian YOUNG, Conrad GRAHAM et Gilles LAUZON, *Le pont Victoria. Un lien vital / Victoria Bridge. The Vital Link*, Montréal, Musée McCord, 1992, en particulier p. 74-95; *Relation du voyage de son Altesse royale le Prince de Galles en Amérique...*, traduite par Joseph Lenoir, Montréal, Eusèbe Senécal, 1860, XXX-148 p.; [Joseph Lenoir], *Montréal et ses monuments* (1860), dans Joseph LENOIR, *Œuvres*, édition critique par John HARE et Jeanne d'Arc LORTIE, Montréal, PUM, 1988, p. 287-311, sans toutefois les illustrations de l'édition originale.

3. Charles DICKENS, *American Notes for General Circulation*, edited and with introduction by John S. Whitley and Arnold Goldman, London, Penguin Books, 1972, p. 249-254; J. HARE, *Les Canadiens français...*, *op. cit.* et P. RAJOTTE, *Le récit de voyage*, *op. cit.*; Serge JAUMAIN, «Paris devant l'opinion canadienne-française: les récits de voyage entre 1820 et 1914», *RHAF*, 38, 4 (printemps 1985): 549-568; Octave CRÉMAZIE, «Journal du siège de Paris..., août 1870-mai 1871», *Œuvres II*, édition par Odette CONDEMINE, Montréal, Éditions du fleuve, 1985, p. 119-269; Y. LAMONDE, *Louis-Antoine Dessaulles...*, *op. cit.*, chap. XVI-XVII; L.-A. DESSAULLES, *Écrits*, *op. cit.*, p. 274-309; Eva-Marie KROËLLER, *Canadians Travellers in Europe*, Vancouver, UBC Press, 1987, 302 p.

4. Serge COURVILLE, Jean-Claude ROBERT et Normand SÉGUIN, *Atlas historique du Québec. Le paysage laurentien au XIXᵉ siècle*, Sainte-Foy, PUL, 1995, p. 103-104, 107, 115.

5. Gerald TULCHINSKY, *The River Barons*, *op. cit.*, p. 69-70, 106.

6. Mise au point bibliographique sur le phénomène associatif au plan international dans Y. LAMONDE, *Gens de parole*, *op. cit.*, p. 124, 136; sur Vattemare: C. GALARNEAU, «Le philanthrope Vattemare, le rapprochement des "races" et des classes au Canada (1840-1855)», dans W. L. MORTON, *The Shield of Achilles / Le bouclier d'Achille*, *op. cit.*, p. 94-110; Elisabeth REVAI, *Alexandre Vattemare. Trait d'union entre deux mondes*, Montréal, Bellarmin, 1975, 221 p.

7. G. TULCHINSKY, *The River Barons*, *op. cit.*, p. 24-25; source des citations: Y. LAMONDE, «Les associations au Bas-Canada: de nouveaux marchés aux idées (1840-1867)», dans *Territoires de la culture québécoise*, *op. cit.*, p. 105-116; sur le besoin d'un

espace public: *Le Fantasque*, 28 septembre 1840; Charles Mondelet, «Les jeunes gens du Canada», conférence à l'Institut canadien de Montréal, 3 février 1848, *L'Avenir*, 12 février 1848; Joseph Doutre, «Sixième anniversaire de la fondation de l'Institut canadien», conférence du 17 décembre 1850, *L'Avenir*, 29 janvier 1851; Y. Lamonde, «La sociabilité et l'histoire socio-culturelle: le cas de Montréal (1760-1880)», dans *Territoires de la culture québécoise, op. cit.*, p. 71-104.

8. Sur le phénomène associatif au Québec: Y. Lamonde, «Liste alphabétique de noms de lieux où existèrent des associations littéraires au Québec (1840-1900)», *Recherches sociographiques*, XVI, 2 (mai-août 1975): 277-280 et *Territoires de la culture québécoise, op. cit.*, p. 177, note 7; Marc Lebel, «François-Xavier Garneau et la Société de discussion de Québec», dans G. Gallichan, K. Landry et D. Saint-Jacques (dir.), *François-Xavier Garneau, figure nationale, op. cit.*, p. 85-166.

9. Sur le membership de l'Institut canadien de Montréal, Y. Lamonde, *Gens de parole, op. cit.*, p. 134.

10. À propos de la conférence publique, Y. Lamonde, *Territoires de la culture québécoise, op. cit.*, p. 152-154 et *Gens de parole, op. cit.*, p. 37-81; M. Lajeunesse, *Les Sulpiciens..., op. cit.*, p. 89-121; Pierre Rajotte, *Pratique de la conférence publique à Montréal (1840-1870)*, Ph. D. (Lettres), Université Laval, 1991, XXIII-367 p. et *Les mots du pouvoir et le pouvoir des mots: essai d'analyse des pratiques discursives ultramontaines au XIXe siècle*, Montréal, L'Hexagone, 1991, 211 p.; citation: Denis Sénécal, «Discours de clôture...», *Cercle littéraire*, 1er mai 1859, cité dans M. Lajeunesse, *Les Sulpiciens..., op. cit.*, p. 126. Concernant la conférence publique d'Herman Melville à Montréal le 11 décembre 1857, F.J. Kennedy, «Herman Melville's Lecture in Montreal», *The New England Quarterly*, L, 1 (mars 1977): 125-137; et celle d'Orestes Brownson le 4 avril 1850, P. Sylvain et N. Voisine, *Histoire du catholicisme québécois, op. cit.*, p. 78-79.

11. Sur l'essai et le débat, Y. Lamonde, *Territoires de la culture québécoise, op. cit.*, p. 175 et *Gens de parole, op. cit.*, p. 83-109, 137, 163-169; citation: A. Gérin-Lajoie, «Éloge de l'Honorable Rémi Vallières de Saint-Réal», 25 février 1847, dans René Dionne, *Antoine Gérin-Lajoie, homme de lettres*, Sherbrooke, Naaman, 1978, p. 360; sur la littérature, Y. Lamonde, *Territoires..., op. cit.*, p. 152-154, 174; sur le droit et la littérature: M. Lemire (dir.), *La vie littéraire au Québec, op. cit.*, III, p. 105.

12. Y. Lamonde, *Les bibliothèques de collectivités à Montréal (17e-19e siècle), op. cit.*, p. 21, 115-129 et «Une contribution à l'histoire de la bibliothèque publique au XIXe siècle», dans Gilles Gallichan (dir.), *Les bibliothèques québécoises d'hier à aujourd'hui*, Montréal, Éditions ASTED, 1998, p. 21-26.

13. Y. Lamonde, *Territoires de la culture québécoise, op. cit.*, p. 117-147, 86-87 et les études de Mark V. Olsen et Louis-Georges Harvey citées p. 146, n. 2; Institut canadien de Montréal, procès-verbaux, 13 août 1861, ANQM; Marc Angenot, «Le roman français dans la bibliothèque de l'Institut canadien de Montréal (1845-1876)», *Littératures*, 1 (1988): 77-90; A. Gérin-Lajoie, «Bibliothèques publiques. Leur importance», essai à l'Institut canadien de Montréal, *La Minerve*, 14 mai 1847, reproduit dans R. Dionne, *Antoine Gérin-Lajoie..., op. cit.*, p. 367-377; Micheline Cambron, «Les bibliothèques d'Antoine Gérin-Lajoie», *Études françaises*, 28, 4 (1993): 135-150; M. Lajeunesse, *Les Sulpiciens..., op. cit*, p. 19-55, 165-176, 197; citation: *L'Écho du Cabinet de lecture paroissial* (1868): 624; le développement des bibliothèques *privées* s'ajoute à celui des

bibliothèques de collectivités, voir Y. LAMONDE et Daniel OLIVIER, *Les bibliothèques personnelles au Québec, op. cit.*, 131 p.

14. É. PARENT, « La presse », conférence de 1844, dans Étienne Parent, *Conférences publiques, op. cit.*; P.-J.-O. CHAUVEAU, « Inauguration de la salle de lecture », *La Minerve*, 25 février 1857; A. BEAULIEU et J. HAMELIN, *La presse québécoise...*, *op. cit.*, tomes I et II et « Aperçu sur le journalisme québécois d'expression française », *Recherches sociographiques*, VII, 3 (1966): 305-348; C. GALARNEAU, « La presse périodique au Québec de 1764 à 1859 », *Mémoires* de la Société royale du Canada, 4e série, t. XXII (1984): 147; Jean DE BONVILLE, *La presse québécoise de 1884 à 1914. Genèse d'un média de masse*, Québec, PUL, 1988, p. 78; sur la question du seuil culturel: J.-P. BERNARD, « La fonction intellectuelle de Saint-Hyacinthe à la veille de la Confédération », *Sessions d'études*. Société canadienne d'histoire de l'Église catholique, 47 (1980): 5-17.

15. Sur la presse religieuse: Mgr Bourget à Mgr Signay, 31 août 1840, ACAM, corr. Bourget, II: 204; l'abbé Prince à anonyme, 5 novembre 1840, dans C. CHOQUETTE, *Histoire du Séminaire de Saint-Hyacinthe, op. cit.*, p. 235; Circulaire relative à la fondation d'un journal ecclésiastique, 14 avril 1842, ACSAP, Pilote 14, LXXXV; M. Hudon à l'abbé Pilote, 4 juillet 1842, *ibidem*, XC; correspondance relative à la fondation du *Courrier du Canada*, 20 novembre 1856-20 janvier 1857, *ibidem*, Gauvreau 11, LXIX-LXXIII.

16. J. DE BONVILLE, *La presse..., op. cit.*, p. 359, 366, 371; Grégoire TEYSSIER, *La distribution postale de la presse périodique québécoise (1851-1911)*, M.A. (Information et communications), Université Laval, 1996, annexe H, p. 50, 93, 99, 102, 91, 117; Pierre-Louis LAPOINTE, « La nouvelle européenne et la presse québécoise d'expression française », *RHAF*, 28, 4 (1975): 517-537; Denis BRUNN, *Les Canadiens français et les nouvelles de l'Europe. Le cas des révolutions de 1848-1849, op. cit.*; à propos du télégraphe: les *Directories* de McKay et Lovell; John MURRAY, *A Story of the Telegraph*, Montreal, Lovell, 1905, 269 p.; sur son inauguration, *La Minerve*, 22 mai 1846; sur le câble transatlantique, *Le Courrier du Canada*, 31 juillet 1866; *Le Pays*, 31 juillet, 16 août et 1er septembre 1866; *L'Ordre*, 1er août et 3 septembre 1866; *Le Canadien*, 22 août 1866; les écrivains et la presse, M. LEMIRE (dir.), *La vie littéraire au Québec, op. cit.*, III, p. 112-117; citation: *Le Pays*, 29 septembre 1866.

17. John R. PORTER, « Un projet de musée national à Québec à l'époque du peintre Joseph Légaré (1833-1853) », *RHAF*, 31, 1 (1977); 75-82; Hervé GAGNON, « Les musées accessibles au public à Montréal au xixe siècle. Capitalisme culturel et idéal national », *Historical Reflections / Réflexions historiques*, 22, 2 (1996): 351-387; Jean TRUDEL, « The Montreal Society of Artists. Une galerie d'art contemporain à Montréal en 1847 », *Journal of Canadian Art History/Annales d'histoire de l'art canadien*, 13, 1 (1990): 61-87 et « Aux origines du Musée des Beaux-Arts de Montréal. La fondation de l'Art Association of Montreal en 1860 », *Journal of Canadian Art History / Annales d'histoire de l'art canadien*, 15, 1 (1992): 31-60, citation, p. 54-55; sur les expositions industrielles: Charles Dewey DRAY, *Address Delivered at the Provincial Industrial Exhibition...*, Montreal, Rollo Campbell, 1850, 25 p.; Sylvie DUFRESNE, « Attractions, curiosités, carnaval d'hiver, expositions agricoles et industrielles: le loisir public à Montréal au xixe siècle », dans Raymond MONTPETIT (dir.), *Rapport du Groupe de recherche en art populaire: travaux et conférences 1975-1979*, Montréal, UQAM, Département d'histoire de l'art, 1979, p. 233-257 et Raymond MONTPETIT, « Fêtes et société au Québec: la visite du prince de Galles et la construction du Crystal Palace en 1860 », *ibidem*, p. 258-285; Daniel DROUIN,

Les meubliers du Québec aux expositions provinciales, internationales et universelles (1850-1900), M.A. (Histoire de l'art), Université Laval, 1993, 155 p.; E.-M. KRÖLLER, «Canadians at World Exhibitions», *Canadian Travellers...*, *op. cit.*, p. 149-166; sur la sociabilité greffée aux marchés publics: Jocelyne MURRAY, *Les marchés de Trois-Rivières: étude de sociabilité urbaine (1850-1900)*, M.A. (Études québécoises), UQTR, 1987, 154 p.

18. Voir les travaux de Raymond Montpetit et Sylvie Dufresne dans R. MONTPETIT (dir.), *Rapport du Groupe de recherche en art populaire*, *op. cit.*, p. 48-128, 187-257; Jean LAFLAMME et Rémi TOURANGEAU, *L'Église et le théâtre au Québec*, Montréal, Fides, 1979, p. 130, 149, 139-143; Jean-Marc LARRUE, *Le théâtre à Montréal à la fin du XIXe siècle*, Montréal, Fides, 1981, p. 20-21; Lorraine CAMERLAIN, *Trois interventions du clergé dans l'histoire du théâtre à Montréal (1789-1790, 1859, 1872-1874)*, M.A. (Lettres), Université de Montréal, 1979, 186 p.; articles qui reprennent le propos épiscopal dans *L'Écho du Cabinet de lecture paroissial*, 21 juin 1860 au 28 juin 1861.

19. Mireille BARRIÈRE, *La société canadienne-française et le théâtre lyrique à Montréal entre 1840 et 1913*, Ph. D. (Histoire), Université Laval, 1990, p. 51-61, 79-117, 311, 314, 317, 456, 345-353, citation de *La Minerve*, p. 347; Helmutt KALLMAN, Gilles POTVIN et Kenneth WINTERS (dir.), *Encyclopédie de la musique au Canada*, Montréal, Fides, 1983, p. 633, 765, 72-73.

20. *Mélanges religieux*, 20 août 1841, 19 janvier 1844, 14 mai 1847; Pierre-Richard LAFRENAYE, conférence à l'Institut canadien de Montréal, 17 décembre 1854, *Le Pays*, 28 décembre 1854; Y. Lamonde, *Gens de parole*, *op. cit.*, p. 54.

21. L.-P. AUDET, *Histoire de l'enseignement*, *op. cit.*, II, p. 56-62, 69-72; Andrée DUFOUR, *Tous à l'école. État, communautés rurales et scolarisation au Québec de 1826 à 1859*, Montréal, HMH, 1996, p. 110-120; Wendie NELSON, *The «Guerre des Éteignoirs»: School Reform and Popular Resistance in Lower Canada (1841-1850)*, M.A. (History), Simon Fraser University, 1989, 194 p.; É. PARENT, «Considérations sur notre système d'éducation...», conférence à l'Institut canadien de Montréal, 19 février 1848, dans É. PARENT, *Conférences publiques*, *op. cit.*

22. A. DUFOUR, *Tous à l'école...*, *op. cit.*, p. 48; la croissance du nombre des écoles et des écoliers est à peu près partout la même avec çà et là une chronologie variable: P. HAMELIN, *L'alphabétisation de la Côte du Sud*, M.A. (Histoire), Université Laval, 1982, *passim* (tableau 114) et Jacques OUELLET, «Le développement du système scolaire au Saguenay–Lac-Saint-Jean depuis 150 ans», *Saguenayensia*, 30, 1 (janvier-mars 1988): 14, 18-19.

23. Michel VERRETTE, *L'alphabétisation au Québec (1600-1900)*, *op. cit.*, p. 202, 212, 201; «L'alphabétisation de la population de la ville de Québec de 1750 à 1839», *loc. cit.*: 51-76; Claude LESSARD, «L'alphabétisation à Trois-Rivières de 1634 à 1939», *Cahiers nicolétains*, XIII, 3 (septembre 1990): 83-117; P. HAMELIN, *L'alphabétisation de la Côte du Sud*, *op. cit.*; Gérard BOUCHARD, «Nouvelle mesure de l'alphabétisation à l'aide de la reconstitution automatique des familles», *Histoire sociale / Social History*, XXII, 43 (mai 1989): 91-119; *idem*, «Évolution de l'alphabétisation au Saguenay: les variables géographiques (1842-1971)», *Historical Papers / Communications historiques*, (1989): 13-35; Marc SAINT-HILAIRE, «Mobilité et alphabétisation au Saguenay (1840-1940)», dans Serge COURVILLE et Normand SÉGUIN (dir.), *Espace et culture / Space and Culture*, Sainte-Foy, PUL, 1995, p. 227-236.

24. Y. LAMONDE, *La philosophie et son enseignement...*, *op. cit.*, p. 252-253; le Collège de Monnoir fondé en 1853 disparaît après quelques annéees d'existence.

25. Jean HAMELIN, *Histoire de l'Université Laval: les péripéties d'une idée*, Sainte-Foy, PUL, 1995, XIII-341 p.; A. LAVALLÉE, *Québec contre Montréal*, *op. cit.*; Léon POULIOT, *Mgr Bourget et son temps*, Montréal, Bellarmin, 1976, V, p. 178-190; L. CHARTRAND, R. DUCHESNE et Y. GINGRAS, *Histoire des sciences au Québec*, *op. cit.*, p. 216-220, 167-182, 227-233; Robert GAGNON, *Histoire de l'École polytechnique (1873-1990)*, Montréal, Boréal, 1991, 526 p.

26. Y. LAMONDE, *La librairie et l'édition à Montréal (1776-1920)*, *op. cit.*, p. 57-62; Daniel MATIVAT, *Le métier d'écrivain au Québec (1840-1900)*, Montréal, Triptyque, 1996, p. 65.

27. Y. LAMONDE, *La librairie...*, *op. cit.*, p. 62-71, citations: p. 64 et 61; D. MATIVAT, *Le métier...*, *op. cit.*, p. 258-261; François LANDRY, *Beauchemin et l'édition au Québec. Une culture modèle (1840-1940)*, Montréal, Fides, 1997, p. 218-226.

28. Citation: D. MATIVAT, *Le métier...*, *op. cit.*, p. 257; É. PARENT, «Importance de l'étude de l'économie politique», conférence publique à l'Institut canadien de Montréal, 19 novembre 1846, dans Étienne PARENT, *Discours*, *op. cit.*; Y. LAMONDE, *La librairie...*, *op. cit.*, p. 63-77; F. LANDRY, *Beauchemin...*, *op. cit.*, p. 324-325, 226-233.

29. D. MATIVAT, *Le métier...*, *op. cit.*, p. 57; A. BUIES, *Chroniques II*, *op. cit.*, p. 331-332; J.-G. BARTHE, *Le Canada reconquis par la France*, *op. cit.*, p. 261-276; M. BIBAUD, *Tableau historique des progrès matériels et spirituels du Canada*, Montréal, Cérat et Bourguignon, 1858, 50 p.; Laurent-Olivier DAVID, «Essai sur la littérature nationale», *Écho du Cabinet de lecture paroissial* (12 octobre 1861): 315-318; Hector FABRE, «On Canadian Literature», *Transactions* of the Quebec Literary and Historical Society (1865-1866): 85-102; H.-R. CASGRAIN, «Le mouvement littéraire au Canada» (1866), dans *Œuvres complètes*, Montréal, C.-O. Beauchemin et fils, 1896, I, p. 353-375; Emmanuel Blain DE SAINT-AUBIN, *Quelques notes sur la littérature canadienne-française*, Montréal, E. SENÉCAL, 1871, 28 p.; Louis-Michel DARVEAU, *Nos hommes de lettres*, Montréal, A.A. Stevenson, 1873, 276 p.

Chapitre XIV: *Barouds d'honneur fin de siècle (1877-1896)*

1. «Lettre pastorale des évêques sur la liberté du ministère paroissial», 1er janvier 1880, *MEM*, IX: 298-303; cardinal Simeoni à Mgr Taschereau, 13 septembre 1881, cité dans N. VOISINE et P. SYLVAIN, *Histoire du catholicisme québécois*, *op. cit.*, II, p. 390; Mgr LAFLÈCHE, *L'influence spirituelle indue devant la liberté religieuse et civile*, Trois-Rivières, Typographie du Journal des Trois-Rivières, 1881, p. 12-32 (ICMH, n° 8579); «Lettre pastorale. Taxes sur les biens ecclésiastiques», 8 décembre 1887, *MEM*, IX: 360; Mgr LAFLÈCHE, *Des biens temporels de l'Église et de l'immunité de ces biens devant les pouvoirs civils*, Trois-Rivières, [s.é.], 1889, 66 p. (ICMH, n° 8283); voir aussi Mgr LAFLÈCHE, *Lettre pastorale de [...] concernant les dangers auxquels la foi des catholiques est exposée en ce pays*, 25 février 1895, Tois-Rivières, P.V. Ayotte, 124 p. (ICMH, n° 54694); sur l'élection de Berthier, Joseph-Israël TARTE, *Le clergé, ses droits, nos devoirs*, Québec, de l'imprimerie de L.J. Demers, 1880, 101 p. (ICMH, n° 24642); sur la question des asiles d'aliénés, Guy LAPERRIÈRE, *Les congrégations religieuses. De la France au Québec (1880-1914)*, Sainte-Foy,

PUL, 1996, I, p. 183-185 ; Lise RODRIGUE, « L'exemption fiscale des communautés religieuses », *Cahiers de droit*, 37, 4 (décembre 1996) : 1109-1140.

2. Mgr FABRE, « Circulaire. Défense au clergé de se mêler de politique », 17 décembre 1885, *MEM*, XI : 346-360 ; lettre du cardinal Simeoni sur l'influence indue, 31 décembre 1881, *MEM*, IX : 397-401.

3. Un catholique [abbé Alexis Pelletier], *La source du mal de l'époque au Canada*, [s.l., fin 1881, s.é.], IV-116 p. (ICMH, n° 9832) ; A. VILLENEUVE, *Étude sur le mal révolutionnaire en Canada. Humble recours au Saint-Siège*, Paris, Plon, 333 p. (ICMH, n° 2078) ; *Mémoire de l'évêque des Trois-Rivières sur les difficultés religieuses en Canada*, Trois-Rivières, G. Désilets, 1882, 211 p. (ICMH, n° 11617) ; *Appendice au Mémoire de l'évêque des Trois-Rivières sur les difficultés religieuses en Canada*, Rome, imprimerie Éditrice, 1er mars 1882, 28 p. (ICMH, n° 11782) ; Mgr Taschereau, *Remarques sur le mémoire de l'évêque de Trois-Rivières sur les difficultés religieuses en Canada*, Québec, [s. é], 4 septembre 1882, 88 p. (ICMH, n° 24469) ; *Lettre de Mgr Laflèche à son Éminence le cardinal NN établissant la nécessité d'une enquête sur les difficultés religieuses en Canada*, [Trois-Rivières, s. é.], 8 septembre 1882, 38 p. (ICMH, n° 4525) ; [anonyme], *Le libéralisme dans la province de Québec*, [s. l., s. é., 1897], 95 p. (ICMH, n° 11819).

4. Honoré BEAUGRAND, *La Patrie*, 4 février 1890, cité dans Luc LAURIN, *Le nationalisme et le rationalisme du journal « La Patrie » (1879-1897)*, M.A. (Histoire), McGill, 1973, p. 210 ; sur Beaugrand, *DBC*, XIII : 56-58.

5. G. LANGLOIS, *Le Clairon*, 8 février 1890, cité dans Patrice DUTIL, « The Politics of Muzzling "Lucifer's Representative" : Godfroy Langlois's Test of Wilfrid Laurier's Liberalism (1892-1910) », *JCS/REC*, 28 2 (été 1993) : 114 ; idem, *L'avocat du diable. Godfroy Langlois et la politique du libéralisme progressiste à l'époque de Laurier*, Montréal, Robert Davies, 1995, 286 p.

6. Louis FRÉCHETTE, *Satires et polémiques*, édition critique par Jacques BLAIS, Guy CHAMPAGNE et Luc BOUVIER, Montréal, PUM, 1993, I, p. 563-575, II, p. 733-737 ; circulaire à propos des accusations faites contre le clergé, 29 septembre 1892, *MEM*, XI : 89-106.

7. Procès Sauvalle-Tardivel, *Canada-Revue*, août 1894 : 292-293 ; « Circulaire de Mgr Fabre à propos de *Canada-Revue* et de *L'Écho des Deux-Montagnes* », 11 novembre 1892, *MEM*, XI : 107-108 ; [J.-N. Marcil], *La Grande cause ecclésiastique. Le Canada-Revue vs Mgr E.-C. Fabre. Procédure, pièces du dossier, plaidoyers des avocats*, Montréal, John Lovell, 1894, p. 186-187 ; circulaire de Mgr Fabre sur les mauvais journaux, 28 février 1895, *MEM*, XI : 45-46 et « Lettre pastorale des Pères du Premier Concile provincial sur la presse, 9 octobre 1895, ibidem, XII : 1-36 ; A. FILIATREAULT, *Ruines cléricales*. Préface de Joseph Doutre, Montréal, A. FILIATREAULT, 1893, 182 p. ; réédition Montréal, Leméac, 1978 et ICMH, n° 12782 ; sur Filiatreault, *DBC*, XIV : 384-387 ; Jean DE BONVILLE, « La liberté de presse à la fin du XIXe siècle : le cas de *Canada-Revue* », *RHAF*, 31, 4 (mars 1978) : 501-523 ; [Anonyme], *Le cléricalisme au Canada. Curés et bedeaux*, Montréal, [s. é.], 1896, VII-87 p. ; idem, *Le cléricalisme au Canada. II : Saintes comédies*, Montréal, [s. é.], 1896, 79 p. ; idem, *Propagande anti-cléricale. Première série. Les hommes noirs*, Montréal, [s. é.], 1896, 87 p., titres communiqués par Pierre Hébert.

8. Condamnation de *L'Électeur* par les évêques de Montréal et de Québec, 22 et 27 décembre 1896, *MEQ*, IV : 335-348.

9. Ruby HEAP, *L'Église, l'État et l'éducation au Québec (1875-1898)*, M.A. (Histoire), Université McGill, 1978, p. 156, 174 ; Jean-Baptiste CLOUTIER, *Pédagogie : conférence sur l'uniformité de l'enseignement*, 9 octobre 1880, Québec, [s. éd.], 1880, 8 p. (ICMH, n° 4145) ; le *Rapport* de la Commission sur l'administration de la CECM du 30 juin 1883 n'a pas été rendu public à l'époque mais il se trouve dans Arthur SAVAÈTE, *Voix canadiennes : vers l'abîme*, Paris, [s. éd.], 1913, vol. VIII, p. 148-165.

10. *Rapport* du Surintendant de l'instruction publique (1855) : 16 ; sur la polémique Verreau-Réticius : André LABARRÈRE-PAULÉ, *Les instituteurs laïques au Canada français (1836-1900)*, Québec, PUL, 1965, *op. cit.*, p. 335-353, R. HEAP, *L'Église, l'État et l'enseignement public catholique au Québec (1897-1920)*, Ph. D. (Histoire), Université de Montréal, 1987, p. 111-285 et Nive VOISINE, *Les Frères des Écoles chrétiennes au Canada*, Québec, Anne Sigier, 1987, t. 2, p. 63-116 ; cinq lettres de l'abbé Verreau paraissent d'abord dans *Le Courrier de Montréal* entre le 29 novembre et le 6 décembre 1880 ; le frère Réticius réplique dans sa *Réponse aux cinq lettres du R.M. Verreau*, Montréal, [s. éd.], 1881, 64 p. (ICMH, n° 12425) ; Nive VOISINE, « Réticius, frère », *DBC*, XIV : 451-453. Sur la polémique Archambault-Réticius : L.-P. AUDET, « Épisode scolaire de la lutte ultramontaine à Montréal », *CD*, 39 (1974) : 9-43, qui reproduit le Mémoire d'Archambault et la réponse de Mᵍʳ Taschereau.

11. J.-O. PELLAND, *Biographie, discours, conférences de Mercier*, Montréal, [s.éd.], 1890, p. 603-604, 210 ; R. HEAP, « Un chapitre dans l'histoire de l'éducation des adultes au Québec : les écoles du soir (1889-1892) », *RHAF*, 34, 4 (mars 1981) ; 597-625 ; Robert GAGNON, « Les discours sur l'enseignement pratique au Canada français (1850-1900) », dans Marcel FOURNIER, Yves GINGRAS et Othmar KEEL, *Sciences et médecine au Québec*, Québec, IQRC, 1997, p. 19-36 ; Thérèse HAMEL, « L'obligation scolaire au Québec : enjeu pour le mouvement syndical et agricole », *Labour / Le Travail*, 17 (printemps 1986) : 83-102 ; lettre du cardinal Taschereau au premier ministre Ross, 14 septembre 1886, dans R. HEAP, *L'Église, l'État et l'éducation...*, *op. cit.*, p. 252-253 ; *La Liberté*, 9 et 23 mars 1893, 31 janvier et 27 septembre 1895.

12. R. HEAP, *L'Église, l'État et l'éducation...*, *op. cit.*, p. 169 ; L.-P. PAQUIN, *Conférences sur l'instruction obligatoire faites au Cercle catholique de Québec*, Québec, imprimerie du Canadien, 1881, 81 p. (ICMH, n° 11625) ; P.-A. PINSONEAULT, *Observations sur le Mémoire des instituteurs laïques de la Province de Québec*, [s.d.], ACAM : 871-000 ; lettre pastorale des évêques de la province ecclésiastique de Québec sur l'éducation, 19 mars 1894, *MEM*, XI : 646-693, reproduite en brochure, *Lettre pastorale*, Québec, 1894, 56 p.

13. Sur la proposition Masson au sujet du « brevet de capacité » : Louis FRÉCHETTE, *Satires et polémiques*, *op. cit.*, I, p. 344, n. 20 ; T. CHAPAIS, *Les congrégations enseignantes et le brevet de capacité*, Québec, Léger Brousseau, 1893, p. 25.

14. W. Laurier à Edward Blake, 10 juillet 1882, cité dans L. FRÉCHETTE, *Satires et polémiques*, *op. cit.*, I, p. 30-31 ; R. HEAP, *L'Église, l'État et l'éducation...*, *op. cit.*, p. 142-145, 381 ; polémique Fréchette-Baillargé, L. FRÉCHETTE, *Satires et polémiques*, *op. cit.*, I, p. 426 et 472 ; Louis-Antoine DESSAULLES, *La grande guerre ecclésiastique*, Montréal, Alphonse Doutre, 1873, p. 54 (ICMH, n° 23883) ; Y. LAMONDE, *La philosophie et son enseignement*, *op. cit.*, chapitres III et IV.

15. Sur la polémique Verreau-Fréchette : A. LABARRÈRE-PAULÉ, *Les instituteurs laïques...*, *op. cit.*, p. 341-348 ; Thérèse HAMEL, « Verreau, Hospice », *DBC*, XIII : 1143 pour les textes publiés de la polémique.

16. Pierre Savard, *Jules-Paul Tardivel, la France et les États-Unis (1851-1905)*, Québec, PUL, 1967, p. 7, 14, 177-186, 82-100, citation, p. 184; «Programme de *La Vérité*», *La Vérité*, 14 juillet 1881; opposition au libéralisme: «Les partis politiques. Qu'est-ce qu'un libéral?», *La Vérité*, 22 avril 1882, repris dans J.-P. Tardivel, *Mélanges*, Québec, imprimerie de *La Vérité*, 1887, I, p. 310-312; *La Vérité*, 6 octobre 1889; P. Savard, *op. cit.*, p. 74-76; «L'avenir», *La Vérité*, 27 mai 1882; sur L. Veuillot: P. Savard, «Jules-Paul Tardivel et Louis Veuillot», *L'enseignement secondaire*, 45, 2 (mars-avril 1966): 85-99 et P. Savard, *op. cit.*, p. 82-97.

17. Sur la franc-maçonnerie, P. Savard, *Jules-Paul Tardivel, la France...*, *op. cit.*, p. 170-176; isolement de Tardivel, *ibidem*, p. 137, 139, 154 et Tardivel, *Mélanges*, Québec, imprimerie de la Vérité, 1903, III, p. XXXV-XXXVIII.

18. Réal Bélanger, «Le nationalisme ultramontain: le cas de Jules-Paul Tardivel», dans N. Voisine et J. Hamelin (dir.), *Les ultramontains...*, *op. cit.*, p. 267-303, citations p. 285-286, 291, 276, 287; J.-P. Tardivel, *Pour la patrie*, présentation par John Hare, Montréal, Hurtubise HMH, 1975, p. 50-51, 58, 60, 85-86, 104, citation p. 176.

19. Honoré Mercier, *L'avenir du Canada*, Montréal, imprimerie Gebhardt-Berthiaume, 1893, p. 4-5, 8-9, 14, 26, 28-30, 33-38, 41, 47-48, 50, 57, 59, 65, 86 (ICMH, n° 9875); Joseph Royal abordera le même sujet l'année suivante: *La crise actuelle. Le Canada république ou colonie*, Montréal, Senécal, 1894, 105 p. (ICMH, n° 12732).

20. J.R. Miller, *Equal Rights. The Jesuits' Estates Act Controversy*, Montreal, McGill-Queen's University Press, 1979, XI-223 p.; Lionel Groulx, *L'enseignement français au Canada. II: Les écoles du Manitoba*, Montréal, Granger, 1933, 271 p.; lettre pastorale des évêques sur la question des écoles du Manitoba, mars 1891, *MEM*, XI: 482-490; cardinal Ledochowski, Secrétaire de la Propagande, au cardinal Taschereau, 14 mars 1895, dans *MEM*, XII: 94-97 ou P. Bernard [dominicain D.-C. Gonthier], *Un manifeste libéral. M. L.-O. David et le clergé canadien*, Québec, L. Brousseau, 1896, II, p. 1-4; lettre pastorale des évêques sur les écoles du Manitoba, 25 mars 1895, *MEM*, XII: 53-54, 58; Paul Crunican, *Priests and Politicians: Manitoba Schools and the Election of 1896*, Toronto, UTP, 1974, 369 p.; Michèle Brassard et Jean Hamelin, «Gonthier, D.-C.», *DBC*, XIV: 453-456.

21. L.-A. Pâquet, *L'électeur*, 18 février 1896, repris dans Y. Lamonde, *Louis-Adolphe Pâquet*, Montréal, Fides, 1972, p. 49-52; lettre pastorale des évêques sur la question des écoles du Manitoba, 6 mai 1896, dans P. Bernard, *Un manifeste libéral*, *op. cit.*, p. 33-43 et la circulaire, p. 45-48; sermon de Mgr Laflèche, dans J.-B. Proulx, *Documents pour servir à l'intelligence de la question des écoles du Manitoba*, Rome, imprimerie Befani, 1896 (ICMH, n° 30463), p. 44-55.

22. Louis Fréchette, 4 juillet 1896, *Satires et polémiques*, *op. cit.*, p. 114-115.

23. Laurent-Olivier David, *Le clergé canadien, sa mission et son œuvre*, Montréal, [s. é.], 1896, 123 p. (ICMH, n° 2510); Pierre Hébert, «Laurent-Olivier David: le libéral malgré lui ou Réflexions sur l'année 1896», dans Y. Lamonde (dir.), *Combats libéraux au tournant du siècle*, *op. cit.*, p. 145-158.

24. P. Bernard, *Un manifeste libéral*, *passim*; J.-B. Proulx, *Documents pour servir...*, *op. cit.*; *idem*, *Dans la ville éternelle....: journal de voyage*, Montréal, Granger Frères, 1897, XV-287 p. (ICMH, n° 12238).

25. Condamnation de L.-O. David, *MEM*, XII, feuillet; Thomas Charland, *Le Père Gonthier et les écoles du Manitoba, Sa mission secrète en 1897-1898*, Montréal, Fides, 1979,

131 p. ; texte de l'encyclique *Affari vos*, 8 décembre 1897 et circulaire de la même date, *MEQ*, IX : 17-24, 5-16.

26. Accusation de Trudel contre Chapleau, Pierre DUFOUR et J. HAMELIN, « Mercier, Honoré », *DBC*, XII : 783-793 ; curé Labelle à Rameau de Saint-Père, 28 octobre 1886, cité dans J. BRUCHÉSI, « Les correspondants... », *loc. cit.* : 109 ; J.-P. TARDIVEL, *La Vérité*, 20 février 1886, repris dans P. SAVARD, *Jules-Paul Tardivel*, Montréal, Fides, 1969, p. 28-32 ; Tardivel à A. Denault, 31 mars 1891, cité dans Phyllis SENESE, « *La Croix* de Montréal (1893-1895) : a Link to the French Radical Right », Canadian Catholic Historical Association. *Study Sessions*, 53 (1986) : 85 ; L.-A. PÂQUET, *L'électeur*, 18 février 1896, cité dans Y. LAMONDE, *Louis-Adolphe Pâquet, op. cit.*, p. 53 ; Mgr Bégin à Mgr Langevin, 4 décembre 1897, cité dans Jean HAMELIN et Nicole GAGNON, *Histoire du catholicisme québécois. Le XXe siècle*, Montréal, Boréal Express, 1984, I, p. 91.

27. Y. LAMONDE, *Ni avec eux ni sans eux. Le Québec et les États-Unis*, Québec, Nuit blanche éditeur, 1996, p. 43-47 ; Mireille BARRIÈRE, « Montréal, microcosme du théâtre lyrique nord-américain (1893-1913) », dans Gérard BOUCHARD et Y. LAMONDE (dir.), *Québécois et Américains*, Montréal, Fides, 1995, p. 369-385.

28. Abbé Léon PROVANCHER, *De Québec à Jérusalem*, cité dans P. SAVARD, « L'Italie dans la culture... », dans *Les ultramontains canadiens-français, op. cit.*, p. 263 ; J. BRUCHÉSI, « Les correspondants... », *loc. cit :* 97-99 ; citations de Mgr Satolli et de Mgr Lynch dans Robert PERIN, *Rome et le Canada. La bureaucratie vaticane et la question nationale (1870-1903)*, traduction de Christiane Teasdale, Montréal, Boréal, 1993, p. 280, 286.

29. L.-P. AUDET, « Le Québec à l'Exposition internationale de Paris en 1878 », *CD*, 32 (1967) : 125-155 ; Magella QUINN, « Les capitaux français et le Québec (1855-1900) », *RHAF*, 24, 4 (mars 1971) : 527-566.

30. Bernard PÉNISSON, « Le Commissariat canadien à Paris (1882-1928) », *RHAF*, 34, 3 (décembre 1988) : 357-376 ; *idem*, « Les commissaires du Canada en France (1882-1928) », *Études canadiennes / Canadian Studies*, 9 (1980) : 3-22 ; Daniel CHARTIER, « Hector Fabre et le *Paris-Canada* au cœur de la rencontre culturelle France-Québec de la fin du XIXe siècle », *Études françaises*, 32, 3 (1996) : 51-60 ; Gabriel DUSSAULT, « Un réseau utopique franco-québécois et son projet de reconquête du Canada (1860-1891) », *Relations France-Canada au XIXe siècle, op. cit.*, p. 59-69 ; G. DUSSAULT, « Labelle, Antoine », *DBC*, XII : 545-548 ; S. CLAPIN, *La France transatlantique. Le Canada*, Paris, Plon, 1885, p. 231, 235 (ICMH, n° 655).

31. Pierre TRÉPANIER, « Les influences leplaysiennes au Canada français, 1855-1888 », *JCS/REC*, 22, 1 (printemps 1987) : 66-83 ; « La Société canadienne d'économie sociale de Montréal, 1888-1911 : sa fondation, ses buts et ses activités », *Canadian Historical Review*, LXVII, 3 (September 1986) : 343-362 ; « La Société canadienne d'économie sociale de Montréal (1888-1911) : ses membres, ses critiques et sa survie », *Histoire sociale / Social History*, XIX, 38 (novembre 1986) : 299-322.

32. Tardivel cité dans Pierre SAVARD, *Jules-Paul Tardivel, la France..., op. cit.*, p. 27 ; TARDIVEL, *Notes de voyages*, Montréal, Senécal et fils, 1890, p. 437-440 ; A.-B. ROUTHIER, dans Georges BELLERIVE, *Conférences et discours de nos hommes politiques à l'étranger*, Québec, Léger Brousseau, 1902, p. 173-191 ; sur l'Exposition de 1889 : P. SAVARD, « Autour d'un centenaire qui n'eut pas lieu », dans Michel GRENON (dir.), *L'image de la Révolution française au Québec (1789-1989)*, Montréal, Hurtubise HMH, 1989, p. 105-121 ; Y. LAMONDE, *Louis-Antoine Dessaulles..., op. cit.*, p. 278-279 ; L. FRÉCHETTE, *Satires et polémiques, op. cit.*, p. 1065.

33. L. Fréchette, *Satires et polémiques, op. cit.*, p. 1035; sur l'Alliance française, *ibidem*, p. 577-600 et *Alliance française [...]. Délégation de Montréal*, Montréal, La Patrie, [s. d.], 5 p. (ICMH, n° 17949); Stéphane Jousselin, *Yankees fin de siècle*, Paris, J. Ollendorf, 1892, p. 222.

34. Stewart Doty, « The Appeal of Boulanger and Boulangism to North Americans (1881-1889) », *Quebec Studies*, 3 (1985): 113-125.

35. L. Fréchette, *Satires et polémiques, op. cit.*, p. 20-31, 1035-1050.

36. *Voyage de Mgr le Comte de Paris et de Mgr le Duc d'Orléans aux États-Unis et au Canada*, Paris, Librairie nationale, 1891, p. 25, 28, 41-42 (ICMH, n° 33485); Ernest Gagnon, *Le Comte de Paris à Québec*, Québec, C. Darveau, 1891, 190 p. (ICMH, n° 3277); Raoul Dandurand, *Les mémoires du sénateur... (1861-1942)*, Québec, PUL, 1967, p. 27-28.

37. Phyllis M. Senese, « *La Croix* de Montréal », *loc. cit.*: 81-95.

38. H. Fabre, discours dans G. Bellerive, *Conférences..., op. cit.*, p. 135-163 et « La société française au Canada », *La Réforme sociale*, 15 août 1886: 183-196; discours de Mercier dans G. Bellerive, cité plus haut, p. 33-51; discours de Laurier, dans G. Bellerive, p. 5-1, 14, 24; Philippe Prévost, *Les relations franco-canadiennes de 1896 à 1911*, M.A., Paris IV, 1984, 201 p. (copie à l'Université de Montréal).

Chapitre XV: Fin de siècle culturelle (1877-1896)

1. Marc Lebel, « Francois-Xavier Garneau... », dans G. Gallichan, K. Landry et D. Saint-Jacques (dir.), *François-Xavier Garneau..., op. cit.*, p. 118-119.

2. Y. Lamonde, *Les bibliothèques de collectivités..., op. cit.*, p. 25.

3. F.-X.-A. Trudel, *Mémoire sur la question de la fusion des sociétés littéraires et scientifiques de Montréal*, Montréal, E. Senécal, 1869, 32 p. (ICMH, n° 14789); *Constitution du Club Jacques-Cartier de Montréal*, Montréal, Perrault, 1864, 21 p.; Alfred-Duclos Decelles, *Constitution et règlements du Club Cartier*, Montréal, [s. éd.], 1874, 32 p. (ICMH, n° 23970); Georges A. Dumont, *Constitution du Club Letellier adoptée le 15 janvier 1890*, Montréal, G.A. et W. Dumont, 1890, 23 p. (ICMH, n° 688).

4. G. Doutre, « Sur les affaires de l'Institut canadien à Rome », conférence à l'Institut canadien de Montréal, 14 avril 1870, *Le Pays*, 14, 15, 17, 18 juin 1870; Donald Guay, *Introduction à l'histoire des sports au Québec*, Montréal, vlb éditeur, 1987, p. 39-58.

5. Alan Metcalfe, *Canada Learns to Play. The Emergence of Organized Sport (1807-1914), op. cit.*, 243 p.; *idem*, « Le sport au Canada français au 19e siècle: le cas de Montréal (1880-1914) », *loc. cit.*: 105-120; D. Guay, *Introduction..., op. cit.*, p. 17-38; D. Guay et Ginette Couture, *Inventaire des incorporations des clubs sportifs et récréatifs publiées dans la « Gazette officielle du Québec » (1867-1900)*, pro manuscripto, 1973, 116 feuilles.

6. Ramon Hathorn, *Lady of the Snows: Sarah Bernhardt in Canada*, New York, Peter Lang, 1996, p. 54; Carl Berger, *Honour and Search for Influence: A History of the Royal Society of Canada*, Toronto, UTP, 1996, 167 p.; Sarah Schmidt, *Domesticating Parks and Mastering Playgrounds: Sexuality, Power and Place in Montreal (1870-1930)*, M.A. (History), McGill University, 1986, 204 p.

7. J. de Bonville, *La presse québécoise..., op. cit.*, p. 231; Bernard Dansereau, *L'avènement de la linotype: le cas de Montréal à la fin du XIXe siècle*, Montréal, vlb éditeur,

1992, p. 20, 86, 95; Marc OUELLET, *La clé du succès: le discours publicitaire au Québec du tournant du siècle à la Crise*, M.A. (Histoire), Université Laval, 1993, p. 135.

8. J.-M. LARRUE, *Le théâtre à Montréal...*, *op. cit.*, p. 12-13, 21, 25, 46-47, 91, 118; *idem*, *Le monument inattendu. Le Monument national (1893-1993)*, Montréal, Hurtubise HMH, 1993, p. 39; Chantal HÉBERT, *Le burlesque au Québec. Un divertissement populaire*, Montréal, Hurtubise HMH, 1981, 302 p.; R. HATHORN, *Lady of the Snows*, *op. cit.*, p. 263, *MEM*, X: 131-133, 376-377.

9. H. KALLMAN, G. POTVIN et K. WINTERS, *Encyclopédie de la musique au Canada*, *op. cit.*, p. 31, 583, 662-663, 753, 765, 855, 912, 1083.

10. Michel VIGNEAULT, *The Cultural Diffusion of Hockey in Montreal (1890-1910)*, M.A. (Human Kinetics), University of Windsor, 1985, p. 1-2, 12, 18-26, 30, 85, 100 et Appendice A; D. GUAY, *Introduction...*, *op. cit.*, p. 15-35, 101-115; Gilles JANSON, *Emparons-nous du sport. Les Canadiens français et le sport au XIXe siècle*, Montréal, Guérin, 1995, p. 128.

11. Jean-Pierre COLLIN, « La Cité sur mesure: spécialisation sociale de l'espace et autonomie municipale dans la banlieue montréalaise (1875-1920)», *Urban History Review / Revue d'histoire urbaine*, XIII, 1 (juin 1984): 28; A. METCALFE, «The Evolution of Organized Physical Recreation in Montreal (1840-1895)», *HS/SH*, 11, 21 (mai 1978): 156; Lucia FERRETTI, *Entre voisins. La société paroissiale en milieu urbain, Saint-Pierre-Apôtre de Montréal (1848-1930)*, Montréal, Boréal, 1992, p. 139-166.

12. Sylvie DUFRESNE, «Le carnaval d'hiver à Montréal (1883-1889)», *Urban History Review / Revue d'histoire urbaine*, XI, 3 (1983): 25-45; *idem*, «Fête et société: le carnaval d'hiver à Montréal (1883-1889)», dans *Montréal: activités, habitants, quartiers*, Montréal, Fides / Société historique de Montréal, 1984, p. 173; *MEM*, 26 décembre 1885, X: 226; *La Patrie*, 28 janvier 1889.

13. Y. LAMONDE et Raymond MONTPETIT, *Le parc Sohmer de Montréal (1889-1919). Un lieu populaire de culture urbaine*, Montréal, Québec, IQRC, 1986, 223 p.

14. Michelle COMEAU, «Les grands magasins de la rue Sainte-Catherine à Montréal: des lieux de modernisation, d'homogénéisation et de différenciation des modes de consommation», *Material History Review / Revue d'histoire de la culture matérielle*, 41 (printemps 1995): 58-68; Michel LESSARD, «De l'utilité des catalogues commerciaux en ethnohistoire du Québec», *CD*, 49 (1994): 213-246; Guildo ROUSSEAU, «La santé par correspondance: un mode de mise en marché des médicaments brevetés au début du siècle», *HS/SH*, 28, 55 (mai 1995): 1-25; sur Dupuis: *DBC*, XII: 828-829.

15. Clarence HOGUE, André BOLDUC et Daniel LAROUCHE, *Québec, un siècle d'électricité*, Montréal, Libre Expression, 1979, p. 11, 22, 24, 42; *La Minerve*, 17 mai 1879; Edward B. MOOGK, *En remontant les années. L'histoire et l'héritage de l'enregistrement sonore au Canada*, Ottawa, Bibliothèque nationale du Canada, 1975, p. 4-5, 11-12, 14-15; *DBC*, XIV: 1016-1019; archives de Bell Canada, *Annuaires* téléphoniques de Montréal et de Québec, 1880-; «The World and Bell Exchange», Catalogue 24085; voir aussi Catalogues 18908, 18912.

16. A. METCALFE, «The Evolution...», *loc. cit.*: 148, 163-164; J. DE BONVILLE, *La presse québécoise...*, *op. cit.*, p. 50; *La Presse*, 27 juin, 1er et 22 août 1885, 4 juin 1887; *The Montreal Star*, 15 août 1869, 25 mai et 15 octobre 1870; J.-P. COLLIN, «La Cité sur mesure...», *loc. cit.*: 26-28; *METR*, 8 mai 1871, I: 255; *MEM*, 29 mai 1881, IX: 376-378, voir aussi 26 octobre 1882 et 13 décembre 1883, IX: 468 et 527; J.-P. TARDIVEL,

« Le travail du dimanche », *Mélanges*, Québec, imprimerie de La Vérité. 1887, I, p. 95-108 ; *MEM*, 18 août 1886, X : 301 et 1ᵉʳ février 1887, X : 314-315 ; *MEM*, 20 mai 1890, X : 697-698 et 24 juin 1892, XI : 46.

17. *MEM*, 20 avril 1891, X : 742 ; Y. LAMONDE et R. MONTPETIT, *Le parc Sohmer...*, *op. cit.*, p. 197-202 ; *Statuts du Québec*, 52 Victoria chap. 9, 8-11 (1892).

18. Gaston DULONG, *Bibliographie linguistique du Canada français*, Québec / Paris, PUL / Klinksieck, 1966, p. 23-48 ; J.-P. TARDIVEL, *L'anglicisme, voilà l'ennemi !*, Québec, Le Canadien, 1880, 28 p. (ICMH, n° 24458) ; Alphonse LUSIGNAN, *Fautes à corriger. Une chaque jour*, Québec, Darveau, 1890, 179 p (ICMH, n° 7727) ; « Corrigeons-nous », articles de Louis FRÉCHETTE dans *La Patrie* du 18 juillet 1893 au 6 juillet 1895 ; Raoul RINFRET, *Dictionnaire de nos fautes contre la langue française*, Montréal, Cadieux et Derome, 1896, VI-384 p. (ICMH, n° 12486) ; A. BUIES, *Anglicismes et canadianismes*, Québec, Darveau, 1888, 106 p. (ICMH, n° 336) ; N. LEGENDRE, *La langue française au Canada*, Québec, Darveau, 1890, 177 p. (ICMH, n° 4769).

19. Y. LAMONDE, Lucia FERRETTI et Daniel LEBLANC, *La culture ouvrière à Montréal (1880-1920) : bilan historiographique*, Québec, IQRC, 1982, p. 149-152 ; Y. LAMONDE, « Pour une histoire de la culture de masse et des médias », *Cultures* (UNESCO), VIII (1981) : 9-17.

20. Y. LAMONDE, *Ni avec eux ni sans eux, op. cit.*, p. 45.

INDEX ONOMASTIQUE

TABLE DES MATIÈRES

DU MÊME AUTEUR

Historiographie de la philosophie au Québec (1853-1971), Montréal, HMH, 1972, 241 p.

Louis-Adolphe Pâquet (1859-1942), Montréal, Fides, coll. «Classiques canadiens», 1972, 86 p.

Guide d'histoire du Québec, Québec, Éditions du Boréal Express, 1976, 94 p.

Les bibliothèques de collectivités à Montréal (17ᵉ-19ᵉ siècles), Montréal, Bibliothèque nationale du Québec, 1979, 139 p.

La philosophie et son enseignement au Québec (1665-1920), Montréal, Hurtubise-HMH, 1980, 312 p.

Le cinéma au Québec. Essai de statistique historique (1896-1976), Québec, Institut québécois de recherche sur la culture, 1981, 478 p. (Avec Pierre-François Hébert)

La culture ouvrière à Montréal (1880-1920), Québec, Institut québécois de recherche sur la culture, 1982, 179 p. (Avec Lucia Ferretti et Daniel LeBlanc)

Je me souviens. La littérature personnelle au Québec (1860-1980), Québec, Institut québécois de recherche sur la culture, 1983, 275 p.

Les bibliothèques personnelles au Québec, Montréal, Bibliothèque nationale du Québec, 1983, 132 p. (Avec Daniel Olivier)

L'imprimé au Québec. Aspects historiques (18ᵉ-20ᵉ siècles), Québec, Institut québécois de recherche sur la culture, 1983, 368 p. (Sous la direction de Yvan Lamonde)

L'avènement de la modernité culturelle au Québec, Québec, Institut québécois de recherche sur la culture, 1986, 319 p. (Sous la direction de Yvan Lamonde et Esther Trépanier)

Le parc Sohmer de Montréal (1889-1919). Un lieu populaire de culture urbaine, Québec, Institut québécois de recherche sur la culture, 1986, 231 p. (Avec Raymond Montpetit)

Guide de la littérature québécoise, Montréal, Boréal, 1988, 156 p. (Avec Marcel Fortin et François Ricard)

L'histoire des idées au Québec (1760-1960). Bibliographie des études, Montréal, Bibliothèque nationale du Québec, 1989, 167 p.

La librairie et l'édition à Montréal (1776-1920), Montréal, Bibliothèque nationale du Québec, 1991, 198 p.

Gens de parole. Conférences publiques, essais et débats à l'Institut canadien de Montréal (1845-1871), Montréal, Boréal, 1991, 176 p.

Territoires de la culture québécoise, Québec, Presses de l'Université Laval, 1991, 293 p.

Un Canadien français en Belgique au XIXᵉ siècle. La correspondance d'exil de Louis-Antoine Dessaulles (1875-1878), Bruxelles, Académie royale de Belgique, 1991, LII-190 p. (Avec Éliane Gubin)

«Cité libre»: une anthologie, Montréal, Stanké, 1991, 413 p. (En collaboration avec Gérard Pelletier)

Louis-Antoine Dessaulles. Un seigneur libéral et anticlérical, Montréal, Fides, 1994, 369 p. (Prix du Gouverneur général, Prix Maxime-Raymond)

Louis-Antoine Dessaulles, *Écrits*, édition critique, Montréal, Presses de l'Université de Montréal, 1994, 382 p.

Québécois et américains. La culture québécoise aux 19ᵉ et 20ᵉ siècles, Montréal, Fides, 1995, 418 p. (Sous la direction de Gérard Bouchard et de Yvan Lamonde)

Combats libéraux au tournant du xxᵉ siècle, Montréal, Fides, 1995. (Sous la direction de Yvan Lamonde)

Données statistiques sur la culture au Québec (1760-1900), Chicoutimi, Institut interuniversitaire de recherches sur les populations, 1996, 146 p. (Avec Claude Beauchamp)

Ni avec eux ni sans eux. Le Québec et les États-Unis, Québec, Nuit blanche éditeur, 1996, 120 p.

L'histoire de la culture et de l'imprimé. Hommages à Claude Galarneau, Sainte-Foy, Presses de l'Université Laval, 1996, 239 p. (Sous la direction de Yvan Lamonde et Gilles Gallichan)

La nation dans tous ses États. Le Québec en comparaison, Montréal/Paris, L'Harmattan, 1997, 350 p. (Sous la direction de Yvan Lamonde et Gérard Bouchard)

Louis-Joseph Papineau, *Un demi-siècle de combats. Interventions publiques*, choix de textes et présentation, Montréal, Fides, 1998, 666 p. (Avec Claude Larin)

Le rouge et le bleu. Une anthologie de la pensée politique au Québec de la Conquête à la Révolution tranquille, Montréal, Presses de l'Université de Montréal, 1999, 576 p. (Avec Claude Corbo)

Étienne Parent, *Discours*, édition critique par Claude Couture en collaboration avec Yvan Lamonde, Montréal, Presses de l'Université de Montréal (« Bibliothèque du Nouveau Monde »), 2000.

 **AGMV** Marquis

MEMBRE DU GROUPE SCABRINI

Québec, Canada
2000